Lineare Algebra und analytische Geometrie

Christian Bär

Lineare Algebra und analytische Geometrie

2. Auflage

 Springer Spektrum

Christian Bär ⓘ
Institut für Mathematik
Universität Potsdam
Potsdam, Deutschland

ISBN 978-3-658-51054-1   ISBN 978-3-658-51055-8 (eBook)
https://doi.org/10.1007/978-3-658-51055-8

Die Deutsche Nationalbibliothek verzeichnet diese Publikation in der Deutschen Nationalbibliografie; detaillierte bibliografische Daten sind im Internet über https://portal.dnb.de abrufbar.

Planung/Lektorat: Veronika Erdmann
Springer Spektrum ist ein Imprint der eingetragenen Gesellschaft Springer Fachmedien Wiesbaden GmbH und ist ein Teil von Springer Nature.
Die Anschrift der Gesellschaft ist: Abraham-Lincoln-Str. 46, 65189 Wiesbaden, Germany

Wenn Sie dieses Produkt entsorgen, geben Sie das Papier bitte zum Recycling.

Vorwort

Die lineare Algebra gehört, neben der Analysis, seit vielen Jahrzehnten zum Standardstoff des ersten Studienjahrs im Mathematikstudium. Das liegt einfach daran, dass die meisten Teilgebiete der Mathematik und damit fast alle weiterführenden Vorlesungen auf ihr aufbauen. Dementsprechend gibt es bereits zahlreiche Lehrbücher zur Thematik; eine kleine Auswahl ohne jeden Anspruch auf Vollständigkeit findet sich im Literaturverzeichnis. Es stellt sich die Frage, warum ein weiteres?

Ich habe die zweisemestrige Vorlesung zur linearen Algebra und analytischen Geometrie häufiger an der Universität Potsdam gehalten und dabei beobachten können, wie sich die Herausforderungen, mit denen die Studienanfängerinnen und -anfänger zu kämpfen haben, im Laufe der Jahre verändert haben. Der Einstieg in das Mathematikstudium war immer schon schwierig; er ist für die Studierenden aber nicht einfacher geworden, da aus dem Mathematikunterricht der Schule das intellektuelle Durchdringen des Stoffs, etwa in Form von Beweisen, immer mehr zu verschwinden scheint. Verschärft wird das Problem dadurch, dass man an der Schule meint, auf eine systematische mengentheoretische Notation verzichten zu können, so dass mathematische Sachverhalte oft nicht mal mehr präzise formuliert werden (können).

Das alles gilt es zu bedenken, wenn man die Studierenden in eine wissenschaftliche Behandlung der Mathematik einführt. Im Laufe der Jahre hat sich so ein Vorlesungsskript entwickelt, aus dem schließlich dieses Buch hervorgegangen ist. Ich habe dabei versucht, zunächst in einem Grundlagenkapitel das Basishandswerkszeug für jedwede ernsthafte Beschäftigung mit Mathematik zu vermitteln: präzises Formulieren, mengentheoretische Notation und mathematische Beweise. Dieser Abschnitt soll in keiner Weise einer Vorlesung über Mengenlehre oder mathematische Logik Konkurrenz machen, sondern lediglich das erforderliche mathematische Grundhandwerkszeug bereitstellen.

Wirklich los geht es dann im zweiten Kapitel mit der Untersuchung linearer Gleichungssysteme. Diese und der Gauß-Algorithmus zu ihrer Lösung treten in so vielen Anwendungen der Mathematik auf wie wenige andere Konzepte der Mathematik. Während das zweite Kapitel noch sehr konkret ist, wird es im dritten abstrakter, wenn z.B. allgemeine Körper und Vektorräume eingeführt werden. Mathematiknovizen haben oft zunächst Schwierigkeiten im Umgang mit abstrakten Konzepten. Lässt man sich aber darauf ein, stellt man rasch fest, dass Abstraktion die Dinge auf das Wesentliche reduziert und dadurch übersichtlicher macht. Außerdem verringert sie erheblich die mathematische Arbeit, weil man viele Untersuchungen einmal im allgemeinen abstrakten Fall machen kann und sie dann nicht mehr in jedem Beispiel aufs Neue vornehmen muss. Wenn das kein Argument ist!

Im ganzen Text habe ich mich um eine enge Verzahnung von Algebra und Geometrie bemüht. Zum einen können algebraische Methoden sehr einfache Beweise für geometrische Sätze liefern, die bei einer rein geometrischen Betrachtung sehr viel mühsamer zu erhalten wären. Zum anderen liefert die Geometrie wichtige Anschauung für algebraische Konzepte.

Ferner habe ich versucht, die Wichtigkeit der linearen Algebra durch einige ausgewählte Anwendungsbeispiele zu verdeutlichen, und zwar Anwendungen innerhalb der Mathematik (z.B. Volumenberechnungen und Differentialgleichungssysteme) als auch außerhalb (Codierungstheorie, Ranking von Webseiten und Quantencomputing). Diese Anwendungen finden sich in Anhang A. Außerdem finden sich viele Beispiele im Text und in den Aufgaben.

Im Stoffaufbau habe ich mich ganz bewusst für eine gewisse Redundanz entschieden. So kommen z.B. im zweiten Kapitel bereits Untervektorräume von $\mathbb{R}^n$ vor, während allgemeine (Unter-) Vektorräume erst im dritten Kapitel eingeführt werden. Das hat den Vorteil, dass in einem einfachen Spezialfall die Anschauung bereits geschult wurde, bevor man sich mit dem allgemeinen, abstrakten Konzept auseinandersetzen muss. Gerade am Anfang des Mathematikstudiums, wenn die Studierenden noch keine Erfahrung mit einer abstrakten Herangehensweise haben, hat sich das sehr bewährt. Der Nachteil ist natürlich, dass es Zeit kostet, nicht den „effizientesten" Weg zu gehen, indem man die abstrakten Betrachtungen ganz an den Anfang stellt, und dadurch die Menge des behandelten Stoffs nicht maximiert wird. Dennoch ist die bessere Zugänglichkeit diesen Preis wert.

Ohnehin muss eine Stoffauswahl getroffen werden. Der Text ist vom Umfang her auf eine zweisemestrige vierstündige Vorlesung ausgelegt und erhebt keinerlei Anspruch auf enzyklopädische Vollständigkeit. Steht weniger Zeit zur Verfügung, so muss der Stoff weiter reduziert werden. Dabei kann folgendes Diagramm helfen, das die logische Abhängigkeit der verschiedenen Kapitel illustriert:

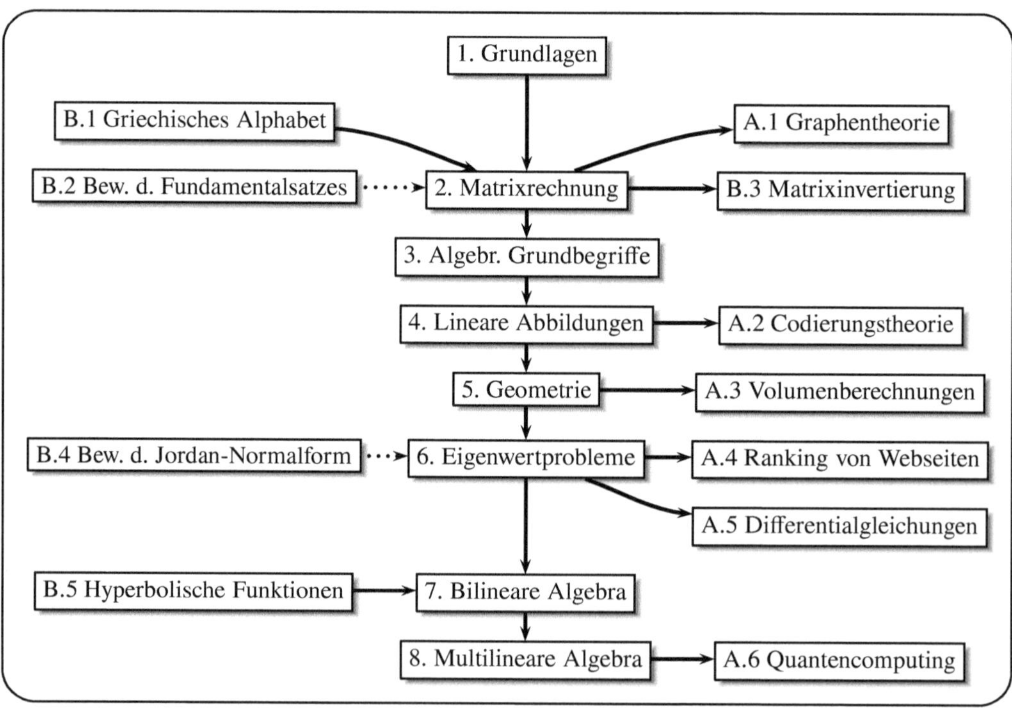

Abb. 1 *Logische Abhängigkeiten im Textaufbau*

Die beiden gepunkteten Pfeile deuten an, dass die Beweise des Fundamentalsatzes der Algebra und des Satzes von der Jordan'schen Normalform in die beiden Anhänge B.2 bzw. B.4 ausgelagert wurden, dass man aber den Haupttext auch lesen kann, ohne diese beiden Beweise zu studieren, indem man die beiden Sätze einfach akzeptiert.

Die Aufgaben am Ende jedes Kapitels sind integraler Bestandteil des Textes. Möchte man ein guter Fußballspieler werden, so reicht es nicht, regelmäßig die Sportschau zu schauen, sondern man muss schon selbst auf den Trainingsplatz gehen und üben, auch wenn oder gerade weil das die Sache anstrengend macht. Genauso ist es mit der Mathematik; es reicht nicht, die Dinge nur nachzuvollziehen. Man muss selbst aktiv werden, selbst Mathematik betreiben. Dafür sind die Aufgaben da. Außerdem liefern einige von ihnen Beispiele für Anwendungen des Stoffs des entsprechenden Kapitels.

Um eher „handwerkliche" Fähigkeiten zu üben, gibt es interaktive Online-Übungen, die mit dem nebenstehenden Symbol gekennzeichnet sind. Sie können auf internetfähigen Computern oder Mobilgeräten mittels der angegebenen URL oder des QR-Codes aufgerufen werden. JavaScript muss im Browser aktiviert

Abb. 2 *Üben*[1]

sein, was meistens die Voreinstellung ist. Es wird dann eine Zufallsaufgabe zum betreffenden Thema erzeugt, die die Leserin oder der Leser selbst lösen sollte. Anschließend kann man sich das Ergebnis zur Kontrolle anzeigen lassen. Die ganze Sammlung der Online-Übungen findet sich auf `https://www.cbaer.eu` im Pull-Down-Menü „Mathematik". Dieses handwerkliche Können wird oft nicht ausreichend gewürdigt. Es ist zwar richtig, dass die meisten Berechnungen, sagen wir die einer Determinante, von einem Computer schneller und zuverlässiger durchgeführt werden können als von einem Menschen, aber wer sich bei solchen Rechnungen selbst unsicher fühlt, wird nicht in der Lage sein, das Ergebnis einer Computerberechnung kritisch zu bewerten. Außerdem sind diese Rechenaufgaben eine gute Kontrolle, ob man die betreffenden mathematischen Konzepte richtig verstanden hat. Also üben!

An einigen Stellen gibt es auch interaktive Illustrationen, die den behandelten Stoff erhellen sollen. Sie sind mit diesem Symbol gekennzeichnet. Ich hoffe, mit dem vorliegenden Buch eine zeitgemäße Einführung in die lineare Algebra und analytische Geometrie beigesteuert zu haben, die die typischen Anfangsschwie-

Abb. 3 *Illustrationen*[2]

rigkeiten berücksichtigt, die die mathematischen Konzepte unter anderem durch Anwendungen motiviert und es dabei nicht an mathematischer Strenge und Klarheit fehlen lässt. So viel zur Frage vom Anfang dieses Vorworts.

Das Manuskript zu diesem Buch ist über viele Jahre entstanden. Dabei haben zahlreiche Menschen mitgewirkt und wertvolle Verbesserungshinweise gegeben, nicht zuletzt die Studierenden der Vorlesung. Besonders seien hier Christian Becker, Sven Bünte, Mara Dittrich, Elio Gerber, Carl Gustav Göhler, Florian Hanisch, Martin Naumann, Max Lewandowski, Paul Wenzlaff und Ramona Ziese genannt. Ich bin ihnen allen zu großem Dank verpflichtet. Alle verbleibenden Fehler hat natürlich allein der Autor zu verantworten. Für entsprechende Hinweise an `linalgbuch@cbaer.eu` wäre ich dankbar.

Sehr angenehm und freundschaftlich war immer auch die Zusammenarbeit mit dem Verlag, insbesondere mit Frau Schmickler-Hirzebruch für die erste Auflage und Frau Veronika Erdmann

---

[1] Künstler: Gerald_G, Quelle: `https://openclipart.org/detail/50431`
[2] Künstler: GDJ, Quelle: `https://openclipart.org/detail/269989`

für die zweite. Auch ihnen an dieser Stelle ein großes Danke!

Potsdam, im Oktober 2025 _Christian Bär_

Interessenkonflikt Der Autor hat keine relevanten Interessenskonflikte im Zusammenhang mit dieser Publikation.

Für Gabriele

Inhaltsverzeichnis

1. Grundlagen

> Was sich überhaupt sagen lässt,
> lässt sich klar sagen; und wovon
> man nicht reden kann, darüber
> muss man schweigen.
>
> *(Ludwig Wittgenstein*
> Tractatus logico-philosophicus)

Bevor wir uns mit linearer Algebra oder analytischer Geometrie befassen, behandeln wir zunächst einige grundsätzliche Fragen, die korrektes Formulieren und Argumentieren in der Mathematik und darüber hinaus betreffen.

1.1. Präzision ist gefragt: mathematisches Formulieren

In der Mathematik befassen wir uns nur mit Aussagen, die objektiv entweder wahr oder falsch sind, unabhängig von der Person, die die Aussage macht, oder deren Vorlieben. So sind z.B. die Aussagen *„8 ist eine gerade Zahl"* und *„Jede Quadratzahl ist gerade"* beides mathematische Aussagen. Die erste ist wahr, die zweite hingegen falsch, da wir ja z.B. mit 9 flugs eine ungerade Quadratzahl gefunden haben, also ein Gegenbeispiel zur zweiten Aussage. Auch *„Hertha BSC war seit dem Zweiten Weltkrieg schon mal deutscher Fußball-Meister"* könnte man als eine mathematische Aussage betrachten, und zwar als eine falsche, da die letzte deutsche Meisterschaft der Hertha in das Jahr 1931 zurückreicht.

Hingegen sind *„Du hast die schönsten Augen auf dieser Welt"* oder *„Leistung muss sich wieder lohnen!"* keine mathematischen Aussagen. Der Wahrheitsgehalt dieser Aussagen wäre sicherlich umstritten und nicht objektiv feststellbar. So etwas überlassen wir den Romantikern und den Politikern.

Zwei Aussagen A und B nennen wir **äquivalent**, wenn entweder A und B beide wahr oder beide falsch sind. In Symbolen schreiben wir dann $A \Leftrightarrow B$. Ein Beispiel für äquivalente Aussagen sind *„Die ganze Zahl n ist gerade"* $\Leftrightarrow$ *„Die ganze Zahl n ist durch 2 teilbar"*.

Ein Doppelpunkt vor oder hinter dem Äquivalenzpfeil drückt aus, dass die Aussage auf der Seite mit dem Doppelpunkt durch die andere definiert wird. So bedeutet z.B. $A :\Leftrightarrow$ *„8 ist eine gerade Zahl"*, dass A abkürzend für die Aussage *„8 ist eine gerade Zahl"* steht. In diesem Beispiel ist die Aussage A wahr.

Aussagen können verneint werden. Die Verneinung einer Aussage A ist wahr, wenn A selbst falsch ist, und umgekehrt. In Symbolen schreibt man $\neg A$ für die Verneinung der Aussage A.

C. Bär, *Lineare Algebra und analytische Geometrie*,
https://doi.org/10.1007/978-3-658-51055-8_1

Ist z.B. $A :\Leftrightarrow$ *„8 ist eine gerade Zahl"*, so ist ihre Verneinung $\neg A \Leftrightarrow$ *„8 ist keine gerade Zahl"*. Für die Aussage $B :\Leftrightarrow$ *„Jede Quadratzahl ist gerade"* haben wir $\neg B \Leftrightarrow$ *„Nicht jede Quadratzahl ist gerade"*. Für letzteres könnten wir auch $\neg B \Leftrightarrow$ *„Es gibt wenigstens eine ungerade Quadratzahl"* schreiben. Für $C :\Leftrightarrow$ *„Hertha BSC war seit dem Zweiten Weltkrieg schon mal deutscher Fußball-Meister"* ist $\neg C \Leftrightarrow$ *„Hertha BSC war seit dem Zweiten Weltkrieg noch nie deutscher Fußball-Meister"*. Die Aussage $\neg C$ ist wahr.

Wir können den Effekt der **Negation** (Verneinung) einer Aussage in folgender Wertetafel zusammenfassen:

Negation (*nicht*)	
A	$\neg A$
falsch	wahr
wahr	falsch

Tab. 1 *Wahrheitstabelle Negation*

Offensichtlich ist die Verneinung der Verneinung einer mathematischen Aussage A wieder äquivalent zur ursprünglichen Aussage: $\neg(\neg A) \Leftrightarrow A$.

Aus zwei Aussagen A und B können neue Aussagen gebildet werden: die Aussage „A und B", in Symbolen $A \wedge B$, sowie die Aussage „A oder B", in Symbolen $A \vee B$. Die Aussage $A \wedge B$ ist wahr, wenn sowohl A als auch B wahr sind; ansonsten ist sie falsch. Man spricht dann auch von der **Konjunktion** der Aussagen A und B.

Die Aussage $A \vee B$ ist wahr, wenn A oder B oder beide wahr sind. Nur wenn A und B beide falsch sind, ist auch $A \vee B$ falsch. Man spricht hier von der **Disjunktion** der Aussagen A und B.

Die Aussagen $A \wedge B$ und $A \vee B$ besitzen also folgende Wertetafeln:

Konjunktion (*und*)		
A	B	$A \wedge B$
falsch	falsch	falsch
falsch	wahr	falsch
wahr	falsch	falsch
wahr	wahr	wahr

Tab. 2 *Wahrheitstabelle Konjunktion*

Disjunktion (*oder*)		
A	B	$A \vee B$
falsch	falsch	falsch
falsch	wahr	wahr
wahr	falsch	wahr
wahr	wahr	wahr

Tab. 3 *Wahrheitstabelle Disjunktion*

Für die Aussagen $A :\Leftrightarrow$ *„8 ist gerade"* (wahr) und $B :\Leftrightarrow$ *„3 ist gerade"* (falsch) ergibt sich zum Beispiel $A \wedge B \Leftrightarrow$ *„8 und 3 sind gerade"*, d.h. eine falsche Aussage. Andererseits ist $A \vee B \Leftrightarrow$ *„8 oder 3 ist gerade"* eine wahre Aussage.

Auch die Aussage *„2 oder 4 ist gerade"* ist wahr. Dieses Beispiel verdeutlicht noch einmal, dass das mathematische *oder* nicht im Sinne von *entweder oder* zu verstehen ist (ein sogenanntes *exklusives oder*). Auch wenn sowohl A als auch B wahr sind, ist $A \vee B$ wahr.

Die Verneinung von $A \wedge B$ ist äquivalent zu $\neg A \vee \neg B$, da es für die Aussage $\neg(A \wedge B)$

bereits genügt, dass nur eine der Teilaussagen nicht gilt. Umgekehrt ist $\neg(A \vee B)$ äquivalent zu $\neg A \wedge \neg B$. Beim Verneinen vertauschen sich also *und* und *oder*. Das wird von Anfängern oft übersehen. Seien z.B. n und m ganze Zahlen. Was ist die Verneinung der Aussage $A \Leftrightarrow$„*n und m sind gerade*“? Der mathematisch Ungeübte ist versucht zu sagen $B \Leftrightarrow$„*n und m sind ungerade*“. Das ist aber nicht richtig, denn wenn beispielsweise $n = 2$ und $m = 3$ ist, dann sind beide Aussagen A und B falsch. Daher kann B nicht äquivalent zur Verneinung von A sein. Die korrekte Verneinung wäre $\neg A \Leftrightarrow$„*n **oder** m ist ungerade*“.

Konjunktion und Disjunktion kann man auch für mehr als zwei Aussagen bilden, sogar für unendlich viele Aussagen. Die Konjunktion einer Serie von Aussagen ist wahr, falls alle Einzelaussagen wahr sind, und falsch andernfalls. Entsprechend ist die Disjunktion einer Serie von Aussagen wahr, wenn wenigstens eine der Einzelaussagen wahr ist. Falsch ist die Disjunktion nur, wenn alle Einzelaussagen falsch sind. Betrachten wir z.B. die Aussagen

$$A(n) :\Leftrightarrow \text{„\textit{n ist eine gerade Zahl}“,}$$

wobei n irgendeine positive ganze Zahl sein darf. Offensichtlich ist dann $A(1)$ falsch, $A(2)$ wahr, $A(3)$ falsch usw. Dann ist die Konjunktion $A(1) \wedge A(2) \wedge A(3) \wedge \cdots$ falsch, da ja z.B. $A(1)$ falsch ist. In der Tat besagt diese Konjunktion „*alle positiven ganzen Zahlen sind gerade*“, was falsch ist. Die Disjunktion $A(1) \vee A(2) \vee A(3) \vee \cdots$ besagt, dass wenigstens eine positive ganze Zahl gerade ist, was wahr ist.

Für Konjunktion und Disjunktion mehrerer Aussagen verwendet man oft eine andere Notation, die sogenannten Quantoren: den **All-Quantor** $\forall$ und den **Existenz-Quantor** $\exists$. Statt $A(1) \wedge A(2) \wedge A(3) \wedge \cdots$ schreibt man dann

$$\forall n : A(n),$$

gesprochen: „*für alle n gilt A(n)*“ oder „*für jedes n gilt A(n)*“. Statt $A(1) \vee A(2) \vee A(3) \vee \cdots$ schreibt man

$$\exists n : A(n),$$

gesprochen: „*für ein n gilt A(n)*“ oder „*für wenigstens ein n gilt A(n)*“ oder „*es gibt ein n, so dass A(n) gilt*“ oder auch „*für manches n gilt A(n)*“.

Bemerkung 1.1. Anders als im umgangssprachlichen Gebrauch üblich, bedeutet in der Mathematik „*es gibt ein…*“ (was durch den Quantor $\exists$ zum Ausdruck gebracht wird) stets „*es gibt **mindestens** ein…*“. Möchte man dagegen ausdrücken, dass es ein und nur ein n gibt, für das $A(n)$ wahr ist, so notiert man $\exists! n : A(n)$, gesprochen: „ *es gibt genau ein n, für das A(n) gilt*“ oder „ *es gibt ein eindeutiges n, so dass A(n) wahr ist*“.

Beispiel 1.2. Wir verdeutlichen den Einsatz von $\exists$ und $\exists!$ an unterschiedlichen Quantifizierungen der Aussageform $n^2 = 25$:

$$\exists! \text{ positive und ganze Zahl } n: n^2 = 25 \quad \text{(wahr)}$$
$$\exists \text{ positive und ganze Zahl } n: n^2 = 25 \quad \text{(wahr)}$$
$$\exists! \text{ ganze Zahl } n: n^2 = 25 \quad \text{(falsch)}$$
$$\exists \text{ ganze Zahl } n: n^2 = 25 \quad \text{(wahr)}$$

Wie negiert man quantorenbehaftete Aussagen?

Das wissen wir schon, denn Quantoren drücken ja nur Konjunktion und Disjunktion aus. Konjunktion und Disjunktion werden beim Verneinen ausgetauscht. In Formeln heißt das:

$$\neg(\forall n : A(n)) \Leftrightarrow \exists n : \neg A(n) \quad \text{sowie} \quad \neg(\exists n : A(n)) \Leftrightarrow \forall n : \neg A(n).$$

Beispiel 1.3. Ist die Aussage *„Alle runden Dreiecke sind blau"* wahr oder falsch? Die spontane Reaktion der allermeisten Menschen[1] lautet: falsch, denn es gibt ja überhaupt keine runden Dreiecke. Doch seien wir vorsichtig und formalisieren wir die Aussage zunächst:

$$\forall \text{ runde Dreiecke } K : K \text{ ist blau.} \tag{1.1}$$

Wir verneinen die Aussage und erhalten

$$\exists \text{ rundes Dreieck } K : \neg(K \text{ ist blau).} \tag{1.2}$$

Aussage (1.2) besagt, dass es wenigstens ein rundes Dreieck gibt, das nicht blau ist. Da es aber überhaupt keine runden Dreiecke gibt, muss Aussage (1.2) falsch sein. Da (1.2) die Verneinung von (1.1) ist, ist Aussage (1.1) wahr!

Abb. 4 *Runde Dreiecke*

Oft treten Quantifizierungen geschachtelt auf. Betrachten wir für $n > m$ einmal alle Möglichkeiten der Quantifizierung, also eine Verschachtelung mit zwei Quantoren:

$$\forall \text{ ganze Zahl } n: \forall \text{ ganze Zahl } m: n > m \quad \text{(falsch)}$$
$$\exists \text{ ganze Zahl } n: \forall \text{ ganze Zahl } m: n > m \quad \text{(falsch)}$$
$$\forall \text{ ganze Zahl } n: \exists \text{ ganze Zahl } m: n > m \quad \text{(wahr)}$$
$$\exists \text{ ganze Zahl } n: \exists \text{ ganze Zahl } m: n > m \quad \text{(wahr)}$$

Die Reihenfolge der Quantoren ist wichtig! Vertauschen wir etwa in der zweiten dieser vier Aussagen die Reihenfolge der Quantoren, so erhalten wir

---

[1] Testen Sie doch mal Ihren Lieblingsmathematiklehrer mit dieser Frage.

$$\forall \text{ ganze Zahl } m: \exists \text{ ganze Zahl } n: n > m$$

und diese Aussage ist wahr.

Gerade beim Verneinen komplizierter Aussagen, kann es sehr hilfreich sein, die Aussage mittels Quantoren zu formalisieren. So gilt ja z.B.

$$\neg(\forall n : \forall m : A(n,m)) \quad \Leftrightarrow \quad \exists n : \neg(\forall m : A(n,m))$$
$$\Leftrightarrow \quad \exists n : \exists m : \neg A(n,m).$$

Generell erfolgt die Verneinung verschachtelter Quantifikationen durch das Vertauschen aller auftretenden Quantoren und die Verneinung der Aussageform.

Beispiel 1.4. Wir wollen die Aussage *„In so manchem Land haben alle Städte weniger als 1 Million Einwohner"* verneinen. Dazu schreiben wir die Aussage mit Quantoren hin:

$$\exists \text{ Land } L : \forall \text{ Stadt } S \text{ in } L : \text{ Anzahl der Einwohner in } S < 10^6.$$

Wir vertauschen die Quantoren und verneinen die Aussageform:

$$\forall \text{ Land } L : \exists \text{ Stadt } S \text{ in } L : \text{ Anzahl der Einwohner in } S \geq 10^6.$$

Dies bedeutet aber wiederum umgangssprachlich: *„In jedem Land gibt es (mindestens) eine Stadt mit mindestens 1 Million Einwohnern"*.

1.2. Beweise

Nun, da wir wissen, wie wir mathematische Sachverhalte formulieren, wollen wir auch ihren Wahrheitsgehalt sicherstellen können. Dazu müssen wir schlussfolgern können. Wir sagen, die Aussage A **impliziert** die Aussage B oder *aus A folgt B*, in Symbolen $A \Rightarrow B$, wenn im Fall, dass A wahr ist, auch B wahr ist.

Wenn A die Aussage B impliziert und A falsch ist, dann wissen wir nichts über B; B kann dann wahr oder falsch sein. In anderen Worten, falsche Aussagen können auch wahre implizieren.

Beispiel 1.5. Seien n und m ganze Zahlen. Aus $n = m$ folgt sicherlich stets $n^2 = m^2$. Für $n = 1$ und $m = -1$ ist die erste Aussage falsch, die zweite ist dann aber trotzdem wahr.

Dass zwei Aussagen äquivalent sind, heißt nichts anderes, als dass sie auseinander folgen. In anderen Worten, $A \Leftrightarrow B$ bedeutet $A \Rightarrow B$ und $B \Rightarrow A$.

Genau genommen, sind zu zwei Aussagen A und B auch $A \Leftrightarrow B$ und $A \Rightarrow B$ wieder Aussagen, ähnlich wie das bei Konjunktion und Disjunktion war, und zwar mit folgenden Wertetabellen:

<table>
<tr><td colspan="3" align="center">Implikation (impliziert)</td></tr>
<tr><td align="center">A</td><td align="center">B</td><td align="center">$A \Rightarrow B$</td></tr>
<tr><td>falsch</td><td>falsch</td><td>wahr</td></tr>
<tr><td>falsch</td><td>wahr</td><td>wahr</td></tr>
<tr><td>wahr</td><td>falsch</td><td>falsch</td></tr>
<tr><td>wahr</td><td>wahr</td><td>wahr</td></tr>
</table>

Tab. 4 *Wahrheitstabelle Implikation*

<table>
<tr><td colspan="3" align="center">Äquivalenz (äquivalent)</td></tr>
<tr><td align="center">A</td><td align="center">B</td><td align="center">$A \Leftrightarrow B$</td></tr>
<tr><td>falsch</td><td>falsch</td><td>wahr</td></tr>
<tr><td>falsch</td><td>wahr</td><td>falsch</td></tr>
<tr><td>wahr</td><td>falsch</td><td>falsch</td></tr>
<tr><td>wahr</td><td>wahr</td><td>wahr</td></tr>
</table>

Tab. 5 *Wahrheitstabelle Äquivalenz*

Mathematische Beweise sind dazu da, sicherzustellen, dass eine mathematische Aussage wahr ist. Im einfachsten Fall hat ein mathematischer Beweis folgende Struktur: Wir wollen sicher feststellen, dass die Aussage A wahr ist; d.h. wir wollen die Aussage A beweisen. Wir finden eine Aussage $A(1)$, von der wir wissen, dass sie wahr ist, und eine endliche Kette von Implikationen, in der die letzte auftretende Aussage gerade die zu beweisende Aussage A ist,

$$A(1) \Rightarrow A(2) \Rightarrow A(3) \Rightarrow \cdots \Rightarrow A(N) \Rightarrow A.$$

Da die erste Aussage $A(1)$ wahr ist, ist auch $A(2)$ wahr. Daher ist auch $A(3)$ wahr usw. Schließlich muss auch die letzte Aussage, d.h. A, wahr sein.

Beispiel 1.6 (Lösen quadratischer Gleichungen). Seien b und c reelle Zahlen, so dass $b^2 \geq 4c$. Wir wollen beweisen, dass

$$x = -\frac{b}{2} + \sqrt{\frac{b^2}{4} - c}$$

die Gleichung

$$x^2 + bx + c = 0$$

erfüllt.

Bevor wir mit dem eigentlichen Beweis beginnen, stellen wir fest, dass wegen der Voraussetzung $b^2 \geq 4c$ der Term unter der Wurzel positiv oder 0 ist, so dass wir die Wurzel auch ziehen können. Nun führen wir den Beweis ganz pingelig durch:

$$x = -\frac{b}{2} + \sqrt{\frac{b^2}{4} - c} \tag{1.3}$$

$$\Rightarrow \quad x^2 = \left(-\frac{b}{2} + \sqrt{\frac{b^2}{4} - c}\right)^2 \quad \wedge \quad x = -\frac{b}{2} + \sqrt{\frac{b^2}{4} - c} \tag{1.4}$$

$$\Rightarrow \quad x^2 = \frac{b^2}{4} - b\sqrt{\frac{b^2}{4} - c} + \frac{b^2}{4} - c \quad \wedge \quad x = -\frac{b}{2} + \sqrt{\frac{b^2}{4} - c} \tag{1.5}$$

$$\Rightarrow \quad x^2 = \frac{b^2}{4} - b\sqrt{\frac{b^2}{4} - c} + \frac{b^2}{4} - c \quad \wedge \quad bx = -\frac{b^2}{2} + b\sqrt{\frac{b^2}{4} - c} \tag{1.6}$$

$$\Rightarrow \quad x^2 + bx = \frac{b^2}{4} - b\sqrt{\frac{b^2}{4} - c} + \frac{b^2}{4} - c - \frac{b^2}{2} + b\sqrt{\frac{b^2}{4} - c} \tag{1.7}$$

$$\Rightarrow \quad x^2 + bx = -c \tag{1.8}$$

$$\Rightarrow \quad x^2 + bx + c = 0 \tag{1.9}$$

Zur Erläuterung: Wir beginnen mit Aussage (1.3), die nach Voraussetzung wahr ist. Aussage (1.4) ist eine Konjunktion zweier Teilaussagen. Damit diese wahr ist, müssen beide Teilaussagen wahr sein. Tatsächlich folgen beide Teilaussagen von (1.4) aus (1.3), denn die zweite Teilaussage von (1.4) ist nichts anderes als die Aussage (1.3); die erste Teilaussage von (1.4) folgt aus (1.3) durch Quadrieren beider Seiten. Aussage (1.5) folgt aus (1.4), denn in der ersten Teilaussage wird lediglich die rechte Seite ausmultipliziert während die zweite Teilaussage unverändert bleibt. Aussage (1.6) folgt aus (1.5), denn die erste Teilaussage bleibt unverändert während in der zweiten Teilaussage beide Seiten mit b multipliziert werden. Aussage (1.7) folgt aus (1.6), denn die beiden Gleichungen aus (1.6) werden addiert. Nun haben wir nur noch eine Teilaussage. Aussage (1.8) folgt aus (1.7), da sich die beiden Wurzelterme und die b^2-Terme auf der rechten Seite wegheben. Aussage (1.9) folgt aus (1.8) durch Addition beider Seiten mit c. Damit ist der Beweis beendet.

Bemerkung 1.7. Auf ähnliche Weise kann man beweisen, dass unter denselben Voraussetzungen auch

$$x = -\frac{b}{2} - \sqrt{\frac{b^2}{4} - c}$$

die Gleichung

$$x^2 + bx + c = 0$$

erfüllt. Dies überlassen wir als kleine Übung. Sobald wir das bewiesen haben, wissen wir also, dass sowohl

$$x = -\frac{b}{2} + \sqrt{\frac{b^2}{4} - c} \quad \text{als auch} \quad x = -\frac{b}{2} - \sqrt{\frac{b^2}{4} - c}$$

die Gleichung

$$x^2 + bx + c = 0$$

erfüllen. Dies ist dann wieder eine Konjunktion zweier Einzelaussagen.

Bemerkung 1.8. Seien wieder b und c reelle Zahlen, so dass $b^2 \geq 4c$. Tatsächlich sind

$$x = -\frac{b}{2} + \sqrt{\frac{b^2}{4} - c} \quad \text{und} \quad x = -\frac{b}{2} - \sqrt{\frac{b^2}{4} - c}$$

die einzigen Lösungen der Gleichung

$$x^2 + bx + c = 0.$$

Warum? Dazu definieren[2] wir $x_1 := -\frac{b}{2} + \sqrt{\frac{b^2}{4} - c}$ und $x_2 := -\frac{b}{2} - \sqrt{\frac{b^2}{4} - c}$. Durch Ausmultiplizieren sieht man dann leicht, dass die Aussage

$$\forall \text{ reelle Zahlen } x : (x - x_1)(x - x_2) = x^2 + bx + c$$

wahr ist. Sei nun x eine Lösung von $x^2 + bx + c = 0$. Wir schlussfolgern:

$$x^2 + bx + c = 0 \tag{1.10}$$
$$\Rightarrow \quad (x - x_1)(x - x_2) = 0 \tag{1.11}$$
$$\Rightarrow \quad x - x_1 = 0 \quad \vee \quad x - x_2 = 0 \tag{1.12}$$
$$\Rightarrow \quad x = x_1 \quad \vee \quad x = x_2 \tag{1.13}$$

Also muss x eine der beiden Lösungen x_1 oder x_2 sein. Weitere Lösungen gibt es nicht. Aussage (1.12) folgt aus (1.11), weil ein Produkt reeller Zahlen nur dann 0 ist, wenn wenigstens einer der beiden Faktoren 0 ist.

Bemerkung 1.9. Fassen wir die Diskussion über die Lösungen quadratischer Gleichungen kurz zusammen. Seien b und c reelle Zahlen, so dass $b^2 \geq 4c$. Dann besitzt die Gleichung

$$x^2 + bx + c = 0$$

die beiden Lösungen

$$x = -\frac{b}{2} + \sqrt{\frac{b^2}{4} - c} \quad \text{und} \quad x = -\frac{b}{2} - \sqrt{\frac{b^2}{4} - c}.$$

Weitere Lösungen gibt es nicht. Sobald wir die komplexen Zahlen kennen gelernt haben, werden wir auf die Voraussetzung $b^2 \geq 4c$ auch noch verzichten können.

Warnung. Wir haben jetzt den direkten Beweis kennen gelernt. Leider wird dieser, gerade an Schulen, oft falsch eingesetzt. Anstatt die zu beweisende Aussage A aus einer wahren Aussage herzuleiten, wird eine Kette von Implikationen von Aussagen angegeben, die mit A beginnt (statt mit A zu enden, wie es richtig wäre),

$$A \Rightarrow A(2) \Rightarrow A(3) \Rightarrow \cdots \Rightarrow A(N).$$

Dann wird gesagt, wenn die letzte Aussage $A(N)$ in der Kette wahr ist, ist A bewiesen. Das ist aber kein gültiger Beweis, da auch falsche Aussagen wahre Aussagen implizieren können, wie wir schon gesehen haben.

Beispiel 1.10. Seien x und y positive reelle Zahlen. Wir „beweisen" die Aussage

$$x + y = \sqrt{x^2 + 2xy + y^2} \tag{1.14}$$

---

[2]Ähnlich wie bei der Äquivalenz von Aussagen wird für mathematische Größen durch das Symbol $:=$ die linke Seite durch die rechte *definiert*.

wie folgt:

$$x + y = \sqrt{x^2 + 2xy + y^2}$$
$$\Rightarrow \quad (x + y)^2 = x^2 + 2xy + y^2$$
$$\Rightarrow \quad x^2 + 2xy + y^2 = x^2 + 2xy + y^2.$$

Dass die erste Implikation gilt, sieht man durch Quadrieren beider Seiten, bei der zweiten durch Ausmultiplizieren der linken Seite. Die letzte Aussage ist wahr. Daher meinen nicht wenige, die Aussage (1.14) sei hierdurch bewiesen.

Wäre das ein gültiger Beweis, dann könnten wir auch folgende falsche Aussage beweisen:

$$1 = -1.$$

„Beweis".

$$1 = -1 \qquad (1.15)$$
$$\Rightarrow \quad 1^2 = (-1)^2 \qquad (1.16)$$
$$\Rightarrow \quad 1 = 1. \qquad (1.17)$$

Da die letzte Aussage wahr ist, müsste auch $1 = -1$ wahr sein. $\qquad\square$

Daher hat eine solche Argumentation auch bei wahren Aussagen keine Beweiskraft. Dieser Unfug ist nicht zu verwechseln mit einer anderen, korrekten und sehr wichtigen Beweismethode, dem *indirekten Beweis*.
Der indirekte Beweis beruht auf folgender Beobachtung: Nehmen wir an, wir haben zwei Aussagen A und B. Wenn A die Aussage B impliziert, dann impliziert auch $\neg B$ die Aussage $\neg A$. Denn, nehmen wir an B ist falsch und A ist wahr, dann ist wegen $A \Rightarrow B$ auch B wahr, was wir gerade ausgeschlossen hatten. Man kann sich das auch anhand der Wertetabellen überlegen:

$A \Rightarrow B$	A	B	$\neg B$	$\neg A$	$\neg B \Rightarrow \neg A$
wahr	falsch	falsch	wahr	wahr	wahr
wahr	falsch	wahr	falsch	wahr	wahr
falsch	wahr	falsch	wahr	falsch	falsch
wahr	wahr	wahr	falsch	falsch	wahr

Tab. 6 *Wahrheitstabelle für Widerspruchsbeweis*

Die Implikation $A \Rightarrow B$ ist logisch äquivalent zur Implikation $\neg B \Rightarrow \neg A$. Der indirekte Beweis oder *Widerspruchsbeweis* funktioniert nun so: Wir wollen die Aussage A beweisen.

Finde dazu eine endliche Kette von Implikationen von Aussagen, die mit $\neg A$ beginnt und mit einer Aussage endet, von der wir wissen, dass sie falsch ist,

$$\neg A \Rightarrow A(2) \Rightarrow A(3) \Rightarrow \cdots \Rightarrow A(N).$$

Wie wir uns gerade überlegt haben, ist diese Kette von Implikationen gleichbedeutend mit

$$\neg A(N) \Rightarrow \neg A(N-1) \Rightarrow \cdots \Rightarrow \neg A(3) \Rightarrow \neg A(2) \Rightarrow \neg(\neg A).$$

Da $A(N)$ falsch ist, ist $\neg A(N)$ wahr. Wegen der Implikationskette ist auch $\neg(\neg A)$ wahr, somit ist A wahr, was wir beweisen wollten.

Einen solchen Widerspruchsbeweis formuliert man in der Regel so: Wir wollen A beweisen. Angenommen, A wäre falsch. Dann würde $A(2)$ folgen. Daraus würde $A(3)$ folgen usw. bis schließlich $A(N)$ folgt. Nun ist aber $A(N)$ falsch, also haben wir einen Widerspruch hergeleitet. Daher kann A nicht falsch sein, sondern muss wahr sein. Das Erreichen des Widerspruchs, d.h. der falschen Aussage $A(N)$, kennzeichnet man häufig mit einem Blitz $\frac{\ }{\ }$.

Wir führen beispielhaft einen Widerspruchsbeweis, um zu zeigen, dass es unendlich viele Primzahlen gibt. Zunächst die Definition von Primzahlen:

> **Definition 1.11.** Eine ganze Zahl heißt **Primzahl**, falls sie größer als 1 und nur durch sich selbst und 1 teilbar ist.

Beispiele für Primzahlen sind $2, 3, 5, 7$, etc. Dagegen ist 6 keine Primzahl, da $6 = 2 \cdot 3$.
Zur Vorbereitung des eigentlichen Satzes über unendlich viele Primzahlen beweisen wir zunächst

> **Proposition 1.12.** *Jede ganze Zahl $n \geq 2$ kann als Produkt von Primzahlen geschrieben werden.*

Zum Beispiel stellt $6 = 2 \cdot 3$ die Zahl 6 als Produkt von Primzahlen dar. Auch $3935743 = 7 \cdot 71 \cdot 7919$ ist eine Darstellung als Produkt von Primzahlen.

Beweis von Proposition 1.12. Ist n selbst eine Primzahl, so ist $n = n$ selbst die Primzahlproduktdarstellung von n (mit nur einem Faktor). Andernfalls können wir n durch eine ganze Zahl m_1 teilen, die zwischen 1 und n liegt. In anderen Worten, wir können $n = m_1 \cdot m_2$ schreiben, wobei m_1 und m_2 ganze Zahlen zwischen 1 und n sind. Nun wiederholen wir dieses Vorgehen mit m_1 und m_2 statt n und fahren solange mit den neu auftretenden Faktoren fort, bis alle Faktoren Primzahlen sind. Das muss nach endlich vielen Schritten der Fall sein, da die Faktoren bei jeder Zerlegung kleiner werden, aber stets größer als 1 bleiben müssen. $\square$

Das Schöne an diesem Beweis ist, dass er nicht nur sicherstellt, dass Proposition 1.12 richtig ist, sondern uns auch ein Verfahren liefert, wie wir konkret eine Zahl in Primfaktoren zerlegen können. Führen wir dies am Beispiel der Zahl $n = 37700$ durch. Im ersten Schritt zerlegen wir $n = 377 \cdot 100$. Im zweiten Schritt zerlegen wir $377 = 13 \cdot 29$ und $100 = 10 \cdot 10$. Damit haben wir $n = 13 \cdot 29 \cdot 10 \cdot 10$. Nun sind 13 und 29 bereits Primzahlen. Aber wir können 10 im dritten Schritt weiter zerlegen, $10 = 2 \cdot 5$. Dies liefert $n = 13 \cdot 29 \cdot 2 \cdot 5 \cdot 2 \cdot 5$. Nun sind alle Faktoren Primzahlen und die Zerlegung ist abgeschlossen.

Wir werden diesen Beweis später nochmal mittels vollständiger Induktion etwas strenger formulieren, siehe Beispiel 1.72. Jetzt aber zum eigentlichen Satz über Primzahlen.

> **Satz 1.13.** *Es gibt unendlich viele verschiedene Primzahlen.*

Beweis. Wir gehen von der Widerspruchsannahme aus, dass es nur endlich viele Primzahlen gäbe. Sei dann N die Anzahl der Primzahlen und seien

$$p_1 = 2, \; p_2 = 3, \; p_3 = 5, \; \ldots, \; p_N$$

die Primzahlen. Nun setzen wir

$$k := p_1 \cdot p_2 \cdot \ldots \cdot p_N + 1.$$

Bei Division der Zahl k durch irgendeine der Primzahlen bleibt stets der Rest 1. Daher ist die positive ganze Zahl k durch keine Primzahl teilbar.

Das muss aber falsch sein, denn k kann gemäß Proposition 1.12 als Produkt von Primzahlen geschrieben werden und muss daher durch die Primzahlen teilbar sein, die in diesem Produkt auftreten. Wir haben also einen Widerspruch hergeleitet. Somit ist die Annahme nur endlich vieler Primzahlen falsch. $\qquad\square$

Dieser Widerspruchsbeweis wird Euklid zugeschrieben und ist somit über 2000 Jahre alt. Euklid lebte ca. von 365 bis 300 v. Chr. und war einer der bedeutendsten Mathematiker der Antike. Sein berühmtestes Werk, die vielbändigen *Elemente*, fasst den damaligen Kenntnisstand in Geometrie und Arithmetik zusammen. Wir zitieren die Wikipedia: *Über Euklid erzählt man sich viele Anekdoten: Ein Schüler fragte, als er den ersten Satz gelernt hatte: „Was kann ich verdienen, wenn ich diese Dinge lerne?" Da rief Euklid seinen Sklaven und sagte: „Gib ihm drei Obolen, denn der arme Mann muss Geld verdienen mit dem, was er lernt."*

Abb. 5 *Euklid* [3]

Es gibt eine weitere wichtige Beweismethode, die der vollständigen Induktion, auf die wir später noch zurückkommen werden.

---

[3]Fotograf: Mark A. Wilson, Quelle: `https://de.wikipedia.org/wiki/Euklid`

1.3. Mengen

Mathematische Aussagen werden heutzutage in der Regel in der Sprache der Mengenlehre formuliert. Die Mengenlehre wurde vom deutschen Mathematiker Georg Cantor Ende des 19. Jahrhunderts begründet. Er gab 1895 folgende Definition einer Menge:

Unter einer „Menge" verstehen wir jede Zusammenfassung M von bestimmten wohlunterschiedenen Objekten m unserer Anschauung oder unseres Denkens (welche die „Elemente" von M genannt werden) zu einem Ganzen.

Abb. 6 *Georg Cantor (1845–1918)* [4]

Dies ist keine strenge mathematische Definition, da sie andere Begriffe verwendet, wie „Zusammenfassung", die selbst wieder einer Definition bedürften. Wir wollen uns hier aber nicht mit der logischen Begründung der Mengenlehre aufhalten, sondern werden diese intuitive Definition akzeptieren. Wir betrachten die Mengennotation hauptsächlich als Hilfsmittel, mathematische Aussagen prägnant zu formulieren.

Mengen können auf unterschiedliche Weise angegeben werden. Hat die Menge nur endlich viele Elemente, können wir sie aufzählen.

Beispiele 1.14. 1. Die Menge $M := \{1, 2, 3, 4, 5\}$ hat also genau die Zahlen 1, 2, 3, 4 und 5 als Elemente.

2. Die einfachste Menge ist die *leere Menge* $\{\}$. Sie wird auch mit dem Symbol $\emptyset = \{\}$ geschrieben. Sie hat überhaupt keine Elemente.

Die Elemente einer Menge haben keine ausgezeichnete Reihenfolge. Es gilt also z.B.:

$$\{1, 2, 3, 4, 5\} = \{5, 4, 3, 2, 1\} = \{2, 3, 4, 5, 1\}.$$

Das Wort „wohlunterschieden" in Cantors Definition deutet darauf hin, dass jedes Element nur einmal in einer Menge vorkommen kann. Wir dürfen zwar bei der Angabe einer Menge dasselbe Element mehrfach auflisten, es gilt aber immer nur als ein Element. Wir haben somit z.B.:

$$\{1, 2, 3, 4, 5\} = \{1, 1, 1, 2, 3, 3, 4, 5\}$$

Die Elemente einer Menge können selbst Mengen sein. So hat z.B. die Menge $\{1, \emptyset, \{1\}\}$ drei Elemente, nämlich 1, $\emptyset$ und $\{1\}$. Man beachte, dass 1 nicht dasselbe ist wie $\{1\}$. Daher sind dies zwei verschiedene Elemente dieser Menge.

Beispiel 1.15. Die Menge $\{\emptyset\}$ ist nicht die leere Menge, denn sie hat ein Element, nämlich die leere Menge!

---

[4]Quelle: `https://www.math.uni-hamburg.de/home/grothkopf/fotos/math-ges/`, aus einem Fotoalbum der Mathematischen Gesellschaft Hamburg, Fotograf unbekannt

Mitunter kann man auch Mengen mit unendlich vielen Elementen durch Aufzählung angeben.

Beispiele 1.16. 1. Die Menge $\mathbb{N} = \{1, 2, 3, \ldots\}$ der natürlichen Zahlen,

2. die Menge $\mathbb{N}_0 = \{0, 1, 2, 3, \ldots\}$ der natürlichen Zahlen inklusive der Null,

3. die Menge $\mathbb{Z} = \{\ldots, -3, -2, -1, 0, 1, 2, 3, \ldots\}$ der ganzen Zahlen.

Um auszudrücken, dass ein Objekt m Element einer Menge M ist, schreibt man

$$m \in M.$$

Falls m nicht Element von M ist, schreibt man

$$m \notin M.$$

Wir haben z.B. $0 \notin \emptyset$ und $0 \notin \mathbb{N}$, aber $0 \in \mathbb{N}_0$ und $0 \in \mathbb{Z}$.

Für die Anzahl der Elemente einer Menge M schreibt man $\#M$.

Beispiele 1.17. 1. $\#\emptyset = 0$.

2. $\#\{\emptyset\} = 1$.

3. $\#\{\emptyset, \{\}, \{\emptyset\}\} = 2$, denn $\emptyset = \{\}$.

4. $\#\mathbb{N} = \#\mathbb{N}_0 = \#\mathbb{Z} = \infty$.

Definition 1.18. Seien M und N Mengen. Dann heißt M **Teilmenge** von N, falls jedes Element von M auch Element von N ist. Wir schreiben dafür:

$$M \subset N :\Leftrightarrow \forall m \in M : m \in N.$$

Ist M Teilmenge von N, so heißt N **Obermenge** von M, symbolisch

$$N \supset M :\Leftrightarrow M \subset N.$$

Beispiele 1.19. 1. Die leere Menge ist Teilmenge einer jeden beliebigen Menge M,

$$\emptyset \subset M.$$

2. Offensichtlich gilt

$$\mathbb{N} \subset \mathbb{N}_0 \subset \mathbb{Z}.$$

3. Für $M = \{\diamond, \heartsuit, \spadesuit, \clubsuit\}$ ist $\diamond \in M$ und damit $\{\diamond\} \subset M$. Ebenso kann für $\heartsuit, \clubsuit \in M$ auch $\{\heartsuit, \clubsuit\} \subset M$ geschrieben werden.

Bemerkung 1.20. Zwei Mengen M und N sind genau dann gleich, wenn jedes Element von M auch Element von N ist und umgekehrt, d.h.:

$$M = N \Leftrightarrow M \subset N \wedge N \subset M$$

Bemerkung 1.21. Ist $M \subset N$, so gilt $\#M \leq \#N$.

Um eine Teilmenge T einer Menge M anzugeben, schreibt man oft

$$T = \{m \in M \mid \text{Eigenschaft, die die Zugehörigkeit von } m \text{ zu } T \text{ charakterisiert}\}.$$

Beispiele 1.22. 1. Die Menge M der geraden Zahlen ist gegeben durch

$$M = \{m \in \mathbb{Z} \mid m \text{ ist durch 2 teilbar}\}$$

oder auch

$$M = \{m \in \mathbb{Z} \mid \exists n \in \mathbb{Z} : m = 2 \cdot n\}.$$

2. Satz 1.13 besagt

$$\#\{m \in \mathbb{N} \mid m \text{ ist Primzahl}\} = \infty.$$

3. Sei $\mathbb{R}$ die Menge aller reellen Zahlen. Eine reelle Zahl heißt *rational*, wenn sie sich als Bruch zweier ganzer Zahlen schreiben lässt. Die Menge der rationalen Zahlen ist somit gegeben durch

$$\mathbb{Q} := \{x \in \mathbb{R} \mid \exists n, m \in \mathbb{Z} : m \neq 0 \wedge x = n/m\}.$$

An dieser Stelle kann man sich fragen, ob womöglich alle reellen Zahlen rational sind. Gibt es überhaupt irrationale Zahlen? Ja, die gibt es:

Satz 1.23. *Die Wurzel aus 2 ist irrational, d.h.*

$$\sqrt{2} \notin \mathbb{Q}.$$

Bevor wir den Satz beweisen, leiten wir folgende Hilfsaussage her:

Lemma 1.24. *Sei $n \in \mathbb{Z}$. Dann gilt:*

$$n \text{ ist gerade} \Leftrightarrow n^2 \text{ ist gerade} .$$

Beweis von Lemma 1.24. Es ist die Äquivalenz zweier Aussagen zu beweisen. Dies bedeutet, dass zwei Implikationen zu beweisen sind, nämlich

$$n \text{ ist gerade} \Rightarrow n^2 \text{ ist gerade} \qquad \text{und} \qquad n^2 \text{ ist gerade} \Rightarrow n \text{ ist gerade.}$$

a) Wir beweisen zunächst

$$n \text{ ist gerade} \Rightarrow n^2 \text{ ist gerade.}$$

Sei also n gerade. Dann ist n von der Form $n = 2 \cdot m$ für eine ganze Zahl m. Also ist $n^2 = 4 \cdot m^2 = 2 \cdot (2m^2)$ ebenfalls gerade.

b) Nun beweisen wir

$$n^2 \text{ ist gerade} \Rightarrow n \text{ ist gerade.}$$

Dies ist aber äquivalent zu

$$n \text{ ist ungerade} \Rightarrow n^2 \text{ ist ungerade.}$$

Dies gilt, da das Produkt ungerader Zahlen stets wieder ungerade ist.[5] □

Nun aber zum Beweis von Satz 1.23, was eine schöne Gelegenheit darstellt, Widerspruchsbeweise zu üben.

Beweis von Satz 1.23. Nehmen wir an, $\sqrt{2}$ wäre rational. Dann gäbe es $m, n \in \mathbb{Z}$ mit $m \neq 0$ und

$$\sqrt{2} = \frac{n}{m}. \tag{1.18}$$

Da $\sqrt{2}$ positiv ist, müssen m und n entweder beide positiv oder beide negativ sein. Im letzteren Fall können wir m und n durch $-m$ bzw. $-n$ ersetzen. Also können m und n auf jeden Fall positiv gewählt werden, was wir von jetzt an auch annehmen.

Sind n und m beide gerade, so kürzen wir den Faktor 2 im Bruch solange bis n oder m ungerade geworden ist. Wir können also in (1.18) n und m aus $\mathbb{N}$ wählen und zwar so, dass sie nicht beide gerade sind.

Nachdem wir n und m so gewählt haben, quadrieren wir beide Seiten in (1.18) und erhalten

$$2 = \frac{n^2}{m^2} \tag{1.19}$$

und daher

$$2m^2 = n^2. \tag{1.20}$$

Daraus folgt, dass n^2 gerade ist. Gemäß Lemma 1.24 ist dann auch n gerade. Es gibt also ein $k \in \mathbb{Z}$, so dass $n = 2k$. Wir setzen dies in (1.20) ein und erhalten

$$2m^2 = (2k)^2 = 4k^2$$

und daher

$$m^2 = 2k^2.$$

---

[5]Warum eigentlich?

Daher ist m^2 gerade. Gemäß Lemma 1.24 ist dann auch m gerade. Wir haben hergeleitet, dass n und m gerade sind, was aber falsch ist, da wir n und m so gewählt hatten, dass genau das nicht der Fall ist. Wir haben somit einen Widerspruch hergeleitet zu der Annahme, dass sich $\sqrt{2}$ wie in (1.18) schreiben lässt. Daher kann $\sqrt{2}$ nicht rational sein. $\qquad\square$

Auch dieser Widerspruchsbeweis findet sich bereits in Euklids „Elemente" und ist daher bereits über 2000 Jahre alt. Er stellte die antike griechische Mathematik allerdings vor ein großes Problem. Die Griechen kannten nämlich noch keine reellen Zahlen, sondern nur rationale. Insofern besagte Satz 1.23 für die Griechen, dass es $\sqrt{2}$ nicht gibt.

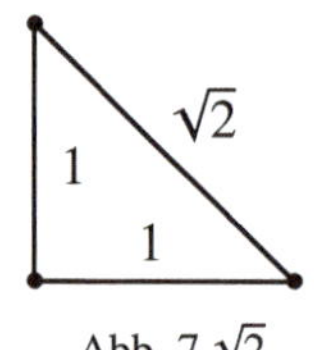

Abb. 7 $\sqrt{2}$

Andererseits kannte man bereits den Satz von Pythagoras, der im Fall eines rechtwinkligen Dreiecks mit Kathetenlängen 1 besagt, dass die Hypotenuse die Länge $\sqrt{2}$ haben muss. Hier hatte man ein Dreieck, dessen Hypotenusenlänge es nicht zu geben schien. Da waren die Griechen schon verblüfft, zumindest die, die die Mathematik ihrer Zeit kannten.

Doch nun weiter mit der Mengenlehre. Aus zwei Mengen M und N können wir uns auf drei Weisen eine neue Menge verschaffen:

Vereinigung $M \cup N = \{x \mid x \in M \ \vee \ x \in N\}$

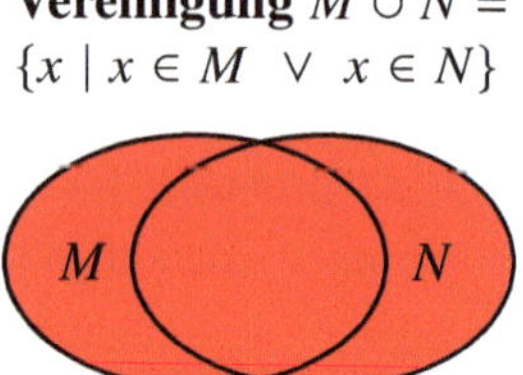

Schnittmenge $M \cap N = \{x \mid x \in M \ \wedge \ x \in N\}$

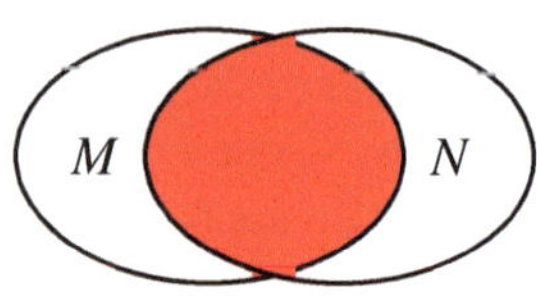

Mengendifferenz $M \setminus N = \{x \mid x \in M \ \wedge \ x \notin N\}$

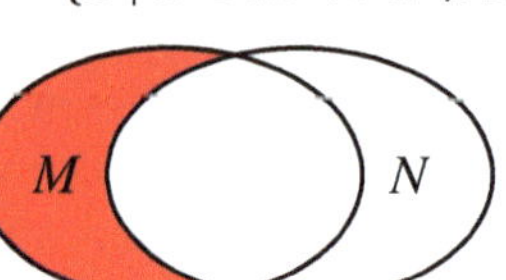

Abb. 8 *Mengenoperationen*

Für diese Mengenoperationen gelten folgende Regeln:

Satz 1.25 (de Morgan'sche Gesetze). *Seien M, N_1 und N_2 Mengen. Dann gilt:*

(i) $M \cap (N_1 \cup N_2) = (M \cap N_1) \cup (M \cap N_2)$.

(ii) $M \cup (N_1 \cap N_2) = (M \cup N_1) \cap (M \cup N_2)$.

(iii) $M \setminus (N_1 \cup N_2) = (M \setminus N_1) \cap (M \setminus N_2)$.

(iv) $M \setminus (N_1 \cap N_2) = (M \setminus N_1) \cup (M \setminus N_2)$.

Beweis. Wir beweisen hier nur das erste Gesetz. Die Beweise der anderen sind ganz ähnlich und werden der Übung überlassen. Aussage (i) besagt eine Gleichheit von zwei Mengen. Um diese zu beweisen, zeigen wir, dass die Menge auf der linken Seite in der Menge auf der rechten Seite enthalten ist, und umgekehrt.

a) Wir beweisen $M \cap (N_1 \cup N_2) \subset (M \cap N_1) \cup (M \cap N_2)$.

Dazu müssen wir zeigen, dass jedes Element von $M \cap (N_1 \cup N_2)$ auch Element von $(M \cap N_1) \cup (M \cap N_2)$ ist. Sei also $x \in M \cap (N_1 \cup N_2)$. Dann ist $x \in M$ und $x \in N_1 \cup N_2$. Die zweite Bedingung sagt, dass $x \in N_1$ oder $x \in N_2$.

1. Fall: $x \in N_1$.

Dann ist $x \in M \cap N_1$. Wegen $M \cap N_1 \subset (M \cap N_1) \cup (M \cap N_2)$ ist dann auch $x \in (M \cap N_1) \cup (M \cap N_2)$.

2. Fall: $x \in N_2$.

Dann ist $x \in M \cap N_2$. Wegen $M \cap N_2 \subset (M \cap N_1) \cup (M \cap N_2)$ gilt auch dann $x \in (M \cap N_1) \cup (M \cap N_2)$.

In beiden Fällen ist $x \in (M \cap N_1) \cup (M \cap N_2)$, was zu zeigen war.

b) Nun beweisen wir $M \cap (N_1 \cup N_2) \supset (M \cap N_1) \cup (M \cap N_2)$.

Sei also $x \in (M \cap N_1) \cup (M \cap N_2)$. Dann ist $x \in M \cap N_1$ oder $x \in M \cap N_2$.

1. Fall: $x \in M \cap N_1$.

Dann ist $x \in M$ und $x \in N_1$. Wegen $N_1 \subset N_1 \cup N_2$ ist dann auch $x \in N_1 \cup N_2$ und daher $x \in M \cap (N_1 \cup N_2)$.

2. Fall: $x \in M \cap N_2$.

Dann ist $x \in M$ und $x \in N_2$. Wegen $N_2 \subset N_1 \cup N_2$ ist dann auch $x \in N_1 \cup N_2$ und daher wiederum $x \in M \cap (N_1 \cup N_2)$.

In beiden Fällen ist $x \in M \cap (N_1 \cup N_2)$, was zu zeigen war. $\qquad\square$

 Die Bildung von Vereinigungsmenge, Schnittmenge und Mengendifferenz  kann hier geübt werden. Das sollten Sie tun bis Sie sicher sind, alles richtig verstanden zu haben. `https://ueben.cbaer.eu/10.html`

Definition 1.26. Zwei Mengen M und N heißen **disjunkt**, falls $M \cap N = \emptyset$, d.h. falls sie keine gemeinsamen Elemente haben.

Beispiel 1.27. Die Mengen $\{1, 2\}$ und $\{3\}$ sind disjunkt, die Mengen $\{1, 2\}$ und $\{2, 3\}$ dagegen nicht, da $\{1, 2\} \cap \{2, 3\} = \{2\}$.

Zu einer gegebenen Menge kann man alle möglichen Teilmengen betrachten und diese dann als Elemente einer neuen Menge betrachten.

Definition 1.28. Sei M eine Menge. Dann ist die **Potenzmenge** $\mathcal{P}(M)$ die Menge aller Teilmengen von M, d.h.

$$\mathcal{P}(M) := \{T \mid T \subset M\}.$$

Die Potenzmenge einer Menge M kann niemals leer sein, denn es ist stets $\emptyset \subset M$ und daher $\emptyset \in \mathcal{P}(M)$.

Beispiele 1.29. 1. Die leere Menge $\emptyset$ hat genau eine Teilmenge, nämlich die leere Menge selbst. Die Potenzmenge der leeren Menge hat daher genau ein Element, nämlich die leere Menge. Somit ist $\mathcal{P}(\emptyset) = \{\emptyset\}$.

2. Nehmen wir einmal $M = \{\heartsuit, \spadesuit, \clubsuit\}$ her. Dann ist

$$\mathcal{P}(M) = \{\emptyset, \{\heartsuit\}, \{\spadesuit\}, \{\clubsuit\}, \{\spadesuit, \clubsuit\}, \{\heartsuit, \clubsuit\}, \{\heartsuit, \spadesuit\}, M\}.$$

Die Bildung von Potenzmengen kann jetzt hier geübt werden. Also los: `https://ueben.cbaer.eu/11.html`

Definition 1.30. Seien $M_1, \ldots, M_n$ Mengen. Sind $x_1 \in M_1, \ldots, x_n \in M_n$ Elemente dieser Mengen, so bezeichnet man den Ausdruck $(x_1, \ldots, x_n)$ als ein **geordnetes n-Tupel**.

Man beachte, dass die Reihenfolge der Elemente wichtig ist. Ist z.B. $n = 2$ und $M_1 = M_2 = \mathbb{Z}$, so sind $(1, 2)$ und $(2, 1)$ zwei verschiedene geordnete 2-Tupel (oder geordnete Paare, wie man im Fall $n = 2$ auch sagt).

Definition 1.31. Seien $M_1, \ldots, M_n$ Mengen. Dann ist das **kartesische Produkt** $M_1 \times \ldots \times M_n$ die Menge aller geordneten n-Tupel mit Elementen aus M_1 bis M_n. In Formeln:

$$M_1 \times \ldots \times M_n := \{(x_1, \ldots, x_n) \mid x_1 \in M_1 \wedge \ldots \wedge x_n \in M_n\}.$$

Am besten kann man sich das kartesische Produkt vorstellen, wenn $n = 2$ ist und die beiden Mengen M_1 und M_2 endlich sind. Dann entsprechen die Elemente von $M_1 \times M_2$ den Kästchen einer Tabelle, in der die Elemente von M_1 horizontal und die von M_2 vertikal aufgelistet sind.

Beispiel 1.32. Ist $M_1 = \{\diamondsuit, \heartsuit, \spadesuit, \clubsuit\}$ und $M_2 = \{7, 8, 9, 10, B, D, K, A\}$, dann tritt jedes Element von $M_1 \times M_2$ an genau einer Stelle folgender Tabelle auf:

	$\diamond$	$\heartsuit$	$\spadesuit$	$\clubsuit$
7	$(\diamond, 7)$	$(\heartsuit, 7)$	$(\spadesuit, 7)$	$(\clubsuit, 7)$
8	$(\diamond, 8)$	$(\heartsuit, 8)$	$(\spadesuit, 8)$	$(\clubsuit, 8)$
9	$(\diamond, 9)$	$(\heartsuit, 9)$	$(\spadesuit, 9)$	$(\clubsuit, 9)$
10	$(\diamond, 10)$	$(\heartsuit, 10)$	$(\spadesuit, 10)$	$(\clubsuit, 10)$
B	$(\diamond, B)$	$(\heartsuit, B)$	$(\spadesuit, B)$	$(\clubsuit, B)$
D	$(\diamond, D)$	$(\heartsuit, D)$	$(\spadesuit, D)$	$(\clubsuit, D)$
K	$(\diamond, K)$	$(\heartsuit, K)$	$(\spadesuit, K)$	$(\clubsuit, K)$
A	$(\diamond, A)$	$(\heartsuit, A)$	$(\spadesuit, A)$	$(\clubsuit, A)$

Tab. 7 *Elemente von $M_1 \times M_2$*

Abb. 9 *Spielkarten*

In diesem Beispiel entspricht jedes Element von $M_1 \times M_2$ einer Spielkarte im Skat.

Bemerkung 1.33. Man schreibt das n-fache kartesische Produkt einer Menge M mit sich selbst auch als M^n, d.h.:

$$M \times \ldots \times M \Leftrightarrow: M^n$$

Häufig schreibt man n-Tupel auch als Spalten statt als Zeilen, d.h.:

$$M^n = \left\{ \left. \begin{pmatrix} x_1 \\ \vdots \\ x_n \end{pmatrix} \right| \forall i \in \{1, \ldots, n\} : x_i \in M \right\} .$$

1.4. Abbildungen

Mengen werden durch Abbildungen zueinander in Bezug gesetzt.

> **Definition 1.34.** Seien M und N Mengen. Eine **Abbildung** $f : M \to N$ ist eine Vorschrift, die jedem Element $x \in M$ genau ein Element $f(x) \in N$ zuordnet. Hierbei heißt dann M **Definitionsbereich** und N **Wertebereich** von f.

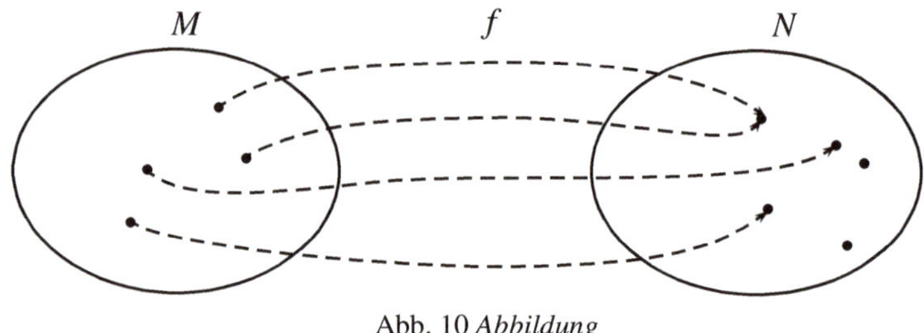

Abb. 10 *Abbildung*

Abbildungen können alles Mögliche beschreiben. Zum Beispiel könnte in einem physikalischen Experiment der Definitionsbereich die Menge aller Einstellungen des Experiments sein, der Wertebereich $\mathbb{R}$ und die Abbildung liefert den Messwert des Experiments, den man bei jeder Einstellung erhält.

Oder der Definitionsbereich könnte die Menge aller Produkte eines Supermarkts sein, der Wertebereich $\mathbb{Q}$ und die Abbildung liefert den Preis eines jeden Produkts in Euro.

Nehmen wir die Menge $M := M_1 \times M_2$ aus Beispiel 1.32, deren Elemente den Spielkarten im Skat entsprechen, als Definitionsbereich und $\mathbb{N}_0$ als Wertebereich, so könnten wir jedem Element von M den Punktewert der entsprechenden Karte im Skat zuordnet, also z.B. $f(\diamond, 9) = 0$ und $f(\spadesuit, K) = 4$.

Um die Funktionsvorschrift einer Abbildung $f \colon M \to N$ anzugeben, schreibt man häufig

$$x \mapsto f(x).$$

Beispiele 1.35. 1. $f \colon \mathbb{Z} \to \mathbb{N}_0, \quad x \mapsto x^2$.

2. $f \colon \mathbb{R} \times \mathbb{R} \to \mathbb{R}, \quad (x, y) \mapsto x + y$.

3. $f \colon \mathbb{R} \to \mathbb{N}, \quad x \mapsto \begin{cases} 1 & \text{falls } x \in \mathbb{Q} \\ 0 & \text{falls } x \notin \mathbb{Q} \end{cases}$

4. $f = \mathrm{id}_M \colon M \to M, \quad x \mapsto x$. Diese Abbildung heißt **identische Abbildung von** M oder **Identität von** M.

Definition 1.36. Sei $f \colon M \to N$ eine Abbildung und $M' \subset M$ eine Teilmenge. Dann heißt

$$f(M') := \{ f(x') \mid x' \in M' \} \subset N$$

das **Bild** von M' unter f.

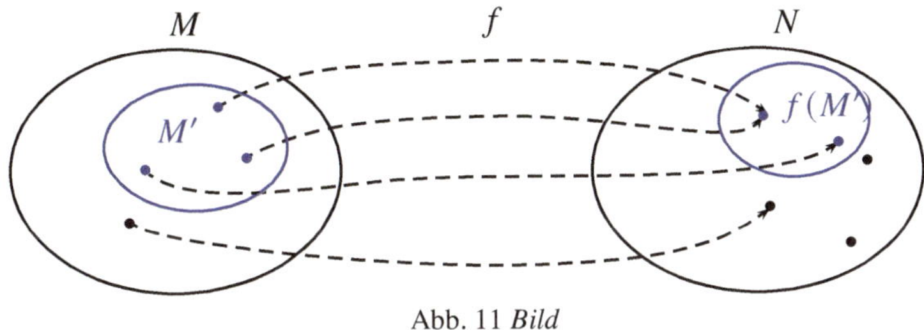

Abb. 11 *Bild*

Bemerkung 1.37. Im Fall $M' = M$, also wenn M' der gesamte Definitionsbereich ist, nennt man $f(M)$ auch einfach das Bild von f. Dafür verwendet man auch die Notation $\operatorname{im}(f) := f(M)$, wobei „im" für das englische Wort „image" für Bild steht.

> **Definition 1.38.** Sei $f\colon M \to N$ eine Abbildung und $N' \subset N$ eine Teilmenge. Dann heißt
>
> $$f^{-1}(N') := \{x \in M \mid f(x) \in N'\} \subset M$$
>
> das **Urbild** von N' unter f.

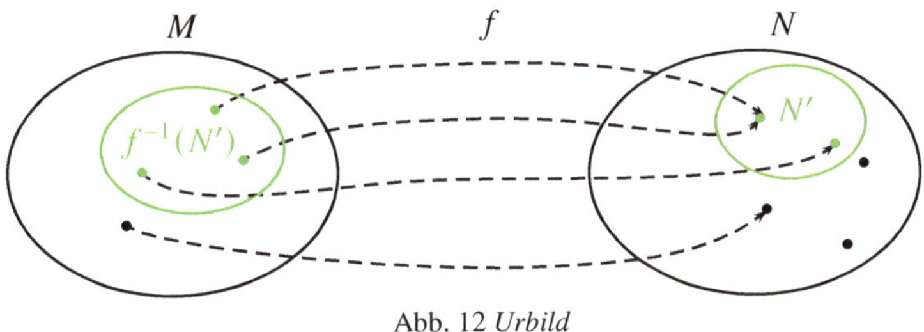

Abb. 12 *Urbild*

Beispiel 1.39. Wir nehmen $M := \mathbb{R} \times \mathbb{R}$ und $N := \mathbb{R}$ und die Abbildung $f\colon \mathbb{R} \times \mathbb{R} \to \mathbb{R}$ mit $f(x, y) = x + y$.
Sei $M' := \{(0, y) \in \mathbb{R} \times \mathbb{R} \mid y \in \mathbb{R}\}$. Dann ist das Bild von M' unter f gegeben durch

$$f(M') = \{f(0, y) \mid y \in \mathbb{R}\} = \{0 + y \mid y \in \mathbb{R}\} = \mathbb{R}.$$

Sei nun $N' = \{0\}$. Wir bestimmen das Urbild:

$$
\begin{aligned}
f^{-1}(N') &= \{(x, y) \in \mathbb{R} \times \mathbb{R} \mid f(x, y) \in N'\} \\
&= \{(x, y) \in \mathbb{R} \times \mathbb{R} \mid x + y \in \{0\}\} \\
&= \{(x, y) \in \mathbb{R} \times \mathbb{R} \mid x + y = 0\} \\
&= \{(x, y) \in \mathbb{R} \times \mathbb{R} \mid y = -x\} \\
&= \{(x, -x) \mid x \in \mathbb{R}\}.
\end{aligned}
$$

In diesem Beispiel hatte die Menge N' nur ein Element. Dennoch hat das Urbild $f^{-1}(N')$ unendlich viele Elemente.

Bemerkung 1.40. Ist $f: M \to N$ eine Abbildung und möchte man das Urbild einer Teilmenge $N' \subset N$ betrachten, das genau ein Element hat, d.h. $N' = \{y\}$ für ein $y \in N$, dann schreibt man statt $f^{-1}(\{y\})$ auch einfacher $f^{-1}(y)$. Das Urbild der Menge $\{y\}$ und das Urbild des Elements y sind also per Konvention dasselbe.

Beispiel 1.41. Nehmen wir $M = M_1 \times M_2$ aus Beispiel 1.32, also die Menge der Skatkarten, und $f: M \to \mathbb{N}_0$ die Abbildung, die jeder Karte ihren Punktwert zuordnet. Dann ist das Bild von f die Menge der möglichen Punktwerte, also

$$f(M) = \{0, 2, 3, 4, 10, 11\}.$$

Das Urbild von $\{0\}$ ist gegeben durch

$$f^{-1}(0) = \{(\diamond, 7), (\heartsuit, 7), (\spadesuit, 7), (\clubsuit, 7), (\diamond, 8), (\heartsuit, 8), (\spadesuit, 8), (\clubsuit, 8), (\diamond, 9), (\heartsuit, 9), (\spadesuit, 9), (\clubsuit, 9)\}.$$

Ein Skatspieler würde $f^{-1}(0)$ als die Menge der Luschen bezeichnen.

Beispiel 1.42. Schachstellungen können wir wie folgt durch Abbildungen beschreiben: Zunächst setzen wir

$$\text{Schachbrett} := \{a, b, c, d, e, f, g, h\} \times \{1, 2, 3, 4, 5, 6, 7, 8\}.$$

Die Elemente der Menge Schachbrett entsprechen den Feldern des Schachbretts, $(a, 1)$ z.B. dem Feld ganz links unten. Nun betrachten wir die Menge der möglichen Spielfiguren im Schach,

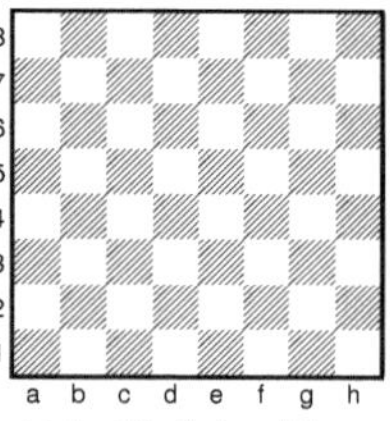
Abb. 13 *Schachbrett*

$$\text{Figuren} := \left\{ \text{♔}, \text{♕}, \text{♖}, \text{♗}, \text{♘}, \text{♙}, \text{♚}, \text{♛}, \text{♜}, \text{♝}, \text{♞}, \text{♟} \right\}.$$

Die erste Idee ist nun, eine Schachstellung durch eine Abbildung zu beschreiben, die jeder Figur das Feld zuordnet, auf dem sie steht. Das wäre eine Abbildung

$$\text{Schachstellung}: \text{Figuren} \to \text{Schachbrett}.$$

Dabei haben wir aber das Problem, dass Figuren mehrfach vorkommen können und dass manche Figuren möglicherweise auch überhaupt nicht vorkommen, weil sie im Laufe der

Schachpartie bereits geschlagen wurden. Richtig ist es daher, jeder Figur die Menge der Felder zuzuordnen, auf denen sie vorkommt. Diese Menge kann auch leer sein. Wir bekommen daher eine Abbildung, deren Wertebereich nicht Schachbrett ist, sondern die Potenzmenge von Schachbrett,

$$\text{Schachstellung: Figuren} \to \mathcal{P}(\text{Schachbrett}).$$

So würde die Abbildung Schachstellung zur folgenden Position aus der Partie Fischer-Tal (Mar del Plata 1959)[6] erfüllen

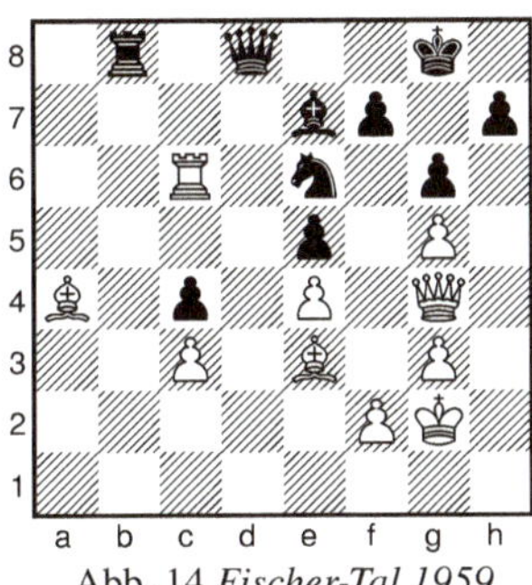
Abb. 14 *Fischer-Tal 1959*

$$\text{Schachstellung}(\text{♔}) = \{(g,2)\},$$
$$\text{Schachstellung}(\text{♕}) = \{(g,4)\},$$
$$\text{Schachstellung}(\text{♖}) = \{(c,6)\},$$
$$\text{Schachstellung}(\text{♗}) = \{(a,4),(e,3)\},$$
$$\text{Schachstellung}(\text{♘}) = \emptyset,$$
$$\text{Schachstellung}(\text{♙}) = \{(c,3),(e,4),(f,2),(g,3),(g,5)\}$$

usw.

Wenn wir zwei Abbildungen haben, für die der Wertebereich der einen mit dem Definitionsbereich der anderen übereinstimmt, dann können wir diese beiden Abbildungen zu einer neuen zusammensetzen.

> **Definition 1.43.** Seien $g\colon X \to Y$ und $f\colon Y \to Z$ zwei Abbildungen. Dann heißt
>
> $$f \circ g\colon X \to Z \qquad \text{mit} \qquad (f \circ g)(x) = f(g(x))$$
>
> für alle $x \in X$ die **Komposition** oder die **Verkettung** von f mit g.

Etwa ist für $f\colon \mathbb{R} \to \mathbb{R}$, $y \mapsto y^2$, und $g\colon \mathbb{R} \to \mathbb{R}$, $x \mapsto x^3$, die Verkettung von f mit g gegeben durch

$$(f \circ g)(x) = f(g(x)) = f(x^3) = (x^3)^2 = x^6.$$

Bemerkung 1.44. In diesem Beispiel gilt $f \circ g = g \circ f$. Das ist allerdings Zufall. Ist $X \neq Z$, so ist $g \circ f$ überhaupt nicht definiert. Aber selbst wenn $X = Z$ ist, gilt in den allermeisten Fällen $f \circ g \neq g \circ f$.

---

[6]Weiß am Zug gewinnt. Wie?

Beispiel 1.45. Für $f\colon \mathbb{R} \to \mathbb{R}$, $x \mapsto x + 1$, und $g\colon \mathbb{R} \to \mathbb{R}$, $x \mapsto x^2$, ist

$$(f \circ g)(x) = f(g(x)) = f(x^2) = x^2 + 1$$

während

$$(g \circ f)(x) = g(f(x)) = g(x + 1) = (x + 1)^2 = x^2 + 2x + 1$$

ist. Für alle $x \neq 0$ ist somit $(f \circ g)(x) \neq (g \circ f)(x)$, also ist $f \circ g \neq g \circ f$.

Bemerkung 1.46. Liegen drei Abbildungen $h\colon A \to B$, $g\colon B \to C$ und $f\colon C \to D$ vor, so können wir zunächst $g \circ h$ bilden und schließlich f dahinterschalten. Dabei kommt dann $f \circ (g \circ h)$ heraus. Andererseits können wir auch erst $(f \circ g)$ bilden und schließlich h von rechts „herankringeln". Dies liefert $(f \circ g) \circ h$. Diese Unterscheidung macht uns glücklicherweise keine Sorgen, denn in der Tat gilt stets:

$$(f \circ g) \circ h = f \circ (g \circ h).$$

Warum? Durch viermaliges Anwenden der Definition der Verkettung finden wir für alle $a \in A$:

$$((f \circ g) \circ h)(a) = (f \circ g)(h(a)) = f(g(h(a))) = f((g \circ h)(a)) = (f \circ (g \circ h))(a).$$

Wir brauchen uns bei der Verkettung von Abbildungen keine Gedanken um die Klammerung zu machen. Daher können wir einfach

$$f \circ g \circ h := (f \circ g) \circ h = f \circ (g \circ h)$$

schreiben.

Als Nächstes besprechen wir drei der wichtigsten Eigenschaften, die Abbildungen haben können.

Definition 1.47. Eine Abbildung $f\colon M \to N$ heißt **surjektiv** $:\Leftrightarrow$

$$\forall y \in N \, \exists x \in M : f(x) = y.$$

In anderen Worten, das Bild von f stimmt mit dem Wertebereich überein, $f(M) = N$.

Jedes Element des Wertebereichs N wird also bei einer surjektiven Abbildung von mindestens einem Element des Definitionsbereichs getroffen.

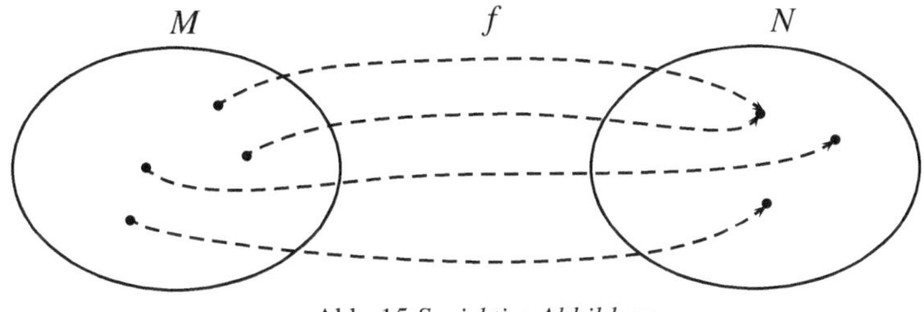

Abb. 15 *Surjektive Abbildung*

Beispiele 1.48. 1. Die Abbildung $f\colon \mathbb{Z} \to \mathbb{N}_0$, $n \mapsto |n|$, ist surjektiv, da jedes $y \in \mathbb{N}_0$ im Bild von f liegt. Setze für gegebenes $y \in \mathbb{N}_0$ z.B. $x := y$ und bemerke, dass $f(x) = f(y) = |y| = y$. Man könnte auch $x := -y$ setzen.

2. Die Abbildung $f\colon \mathbb{Z} \to \mathbb{Z}$, $n \mapsto |n|$, ist nicht surjektiv, da die negativen Zahlen nicht im Bild von f liegen.

3. Sei $\mathbb{Q}_+$ die Menge der positiven rationalen Zahlen, $\mathbb{Q}_+ := \{x \in \mathbb{Q} \mid x > 0\}$. Dann ist die Abbildung $f\colon \mathbb{N} \times \mathbb{N} \to \mathbb{Q}_+$, $(n, m) \mapsto \frac{m}{n}$, surjektiv, da jede positive rationale Zahl als Quotient natürlicher Zahlen geschrieben werden kann.

Beispiel 1.49. Sei P die Menge der ungeraden Primzahlen, $P = \{p \in \mathbb{N} \mid p \text{ ist Primzahl} \wedge p \geq 3\}$. Da die Summe zweier ungerader Zahlen stets gerade ist, erhalten wir eine Abbildung

$$G\colon P \times P \to \{n \in \mathbb{N} \mid n \text{ ist gerade } \wedge n \geq 6\}, \quad (p, q) \mapsto p + q.$$

Ist diese Abbildung surjektiv? Mit anderen Worten, lässt sich jede gerade Zahl n mit $n \geq 6$ als Summe zweier Primzahlen schreiben? Testen wir dies an kleinen Zahlen n, so scheint es zu stimmen: $6 = 3 + 3$, $8 = 3 + 5$, $10 = 5 + 5$, $12 = 5 + 7$, $14 = 7 + 7$, $16 = 5 + 11$, $18 = 7 + 11 = 5 + 13$ usw. Ob es allgemein stimmt, d.h. ob die Abbildung G surjektiv ist, weiß man nicht. Es wird vermutet, dass dem so ist, da man es mit Computern für sehr viele und hohe Zahlen n überprüft hat. Ein allgemeiner Beweis ist das natürlich nicht. Die Frage geht auf den deutschen Gelehrten Christian Goldbach (1690–1749) zurück und ist daher als *Goldbach'sche Vermutung* bekannt. Viele Mathematiker und Laien haben sich daran versucht, konnten bis heute aber keinen Beweis finden. Zwei

Abb. 16 *Brief von Goldbach an Euler* [7]

Verlage lobten im Jahr 2001 sogar ein Preisgeld von einer Million Dollar für den Beweis der Surjektivität von G aus. Inzwischen wurde das Preisgeld wieder zurückgezogen. Die Vermutung ist nach über 250 Jahren noch immer offen.

---

[7] Quelle: `https://de.wikipedia.org/wiki/Christian_Goldbach`

Definition 1.50. Eine Abbildung $f : M \to N$ heißt **injektiv** $:\Leftrightarrow$

$$\forall x_1, x_2 \in M : f(x_1) = f(x_2) \Rightarrow x_1 = x_2.$$

Wie wir natürlich sofort erkennen, ist $\forall x_1, x_2 \in M : x_1 \neq x_2 \Rightarrow f(x_1) \neq f(x_2)$ dazu äquivalent.

Bei einer injektiven Abbildung werden verschiedene Elemente von M stets auf verschiedene Elemente von N abgebildet. In anderen Worten, auf jedes Element von N wird höchstens einmal abgebildet.

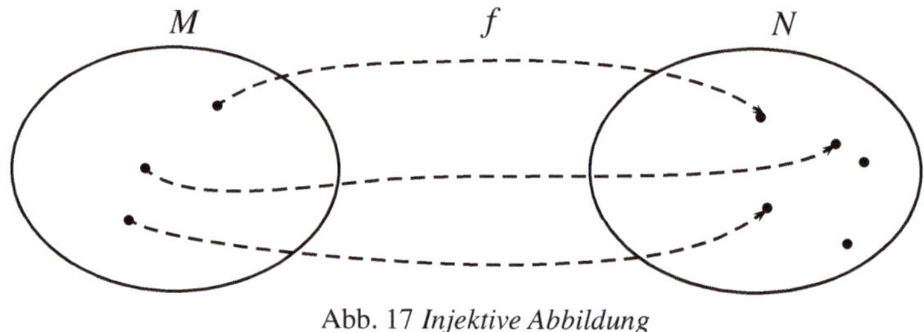

Abb. 17 *Injektive Abbildung*

Beispiele 1.51. 1. Die Abbildung $f : \mathbb{N} \to \mathbb{N}, x \mapsto x^2$, ist injektiv, da es zu jedem $y \in \mathbb{N}$ höchstens eine *positive* ganze Quadratwurzel gibt.

2. Die Abbildung $f : \mathbb{Z} \to \mathbb{Z}, x \mapsto x^2$, ist nicht injektiv, da z.B. $f(1) = f(-1)$.

Definition 1.52. Eine Abbildung $f : M \to N$ heißt **bijektiv** $:\Leftrightarrow$ f ist injektiv und surjektiv. In anderen Worten: $\forall y \in N \; \exists! x \in M : f(x) = y$.

Bei einer bijektiven Abbildung wird auf jedes Element in N genau einmal abgebildet.

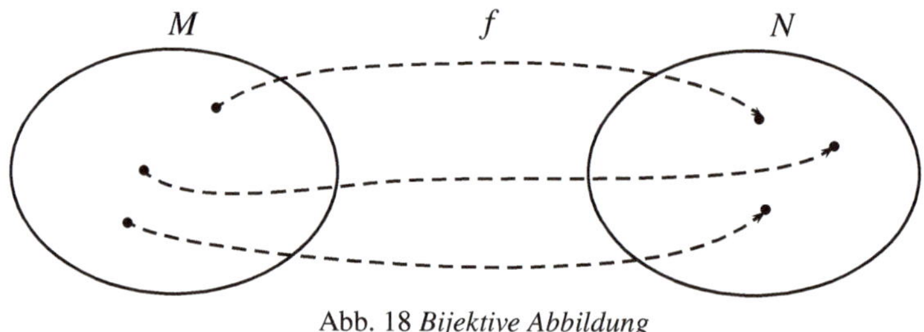

Abb. 18 *Bijektive Abbildung*

Beispiele 1.53. 1. Sei M eine beliebige Menge. Dann ist die Abbildung $\mathrm{id}_M : M \to M$ bijektiv.

2. Die Abbildung $f : \mathbb{R} \to \mathbb{R}$, $x \mapsto x^3$, ist bijektiv.

3. Die Abbildung $f : \mathbb{Z} \to \mathbb{Z}$, $x \mapsto x^3$, ist zwar injektiv, nicht aber surjektiv, also auch nicht bijektiv. Die dritte Wurzel aus einer ganzen Zahl ist im Allgemeinen nicht ganz.

 Hier können Sie anhand von Beispielen testen, ob Sie die Konzepte „injektiv", „surjektiv" und „bijektiv" richtig verstanden haben. `https://ueben.`  `cbaer.eu/13.html`

Notation 1.54. Sind M und N zwei Mengen, so schreiben wir für die Menge aller Abbildungen von M nach N künftig $\mathrm{Abb}(M, N)$.

Satz 1.55. *Seien M und N nicht leere Mengen. Sei $f \in \mathrm{Abb}(M, N)$. Dann gilt:*

(i) f ist surjektiv $\quad\Leftrightarrow\quad \exists g \in \mathrm{Abb}(N, M) : f \circ g = \mathrm{id}_N.$

(ii) f ist injektiv $\quad\Leftrightarrow\quad \exists g \in \mathrm{Abb}(N, M) : g \circ f = \mathrm{id}_M.$

(iii) f ist bijektiv $\quad\Leftrightarrow\quad \exists g \in \mathrm{Abb}(N, M) : f \circ g = \mathrm{id}_N \,\wedge\, g \circ f = \mathrm{id}_M.$

Definition 1.56. Im ersten Fall nennt man g eine **rechtsinverse Abbildung** von f, im zweiten Fall eine **linksinverse Abbildung** und im dritten Fall einfach **inverse Abbildung** oder auch **Umkehrabbildung** von f.

Beweis von Satz 1.55. Zu (i):
Für eine Äquivalenz müssen wir die beiden Beweisrichtungen „$\Leftarrow$" und „$\Rightarrow$" überprüfen.
Zu „$\Leftarrow$":
Sei $g \in \mathrm{Abb}(N, M)$, so dass $f \circ g = \mathrm{id}_N$ gilt. Wir zeigen, dass f dann surjektiv ist. Es muss also zu jedem $y \in N$ ein Urbild unter f geben. Sei also $y \in N$ beliebig. Wir setzen $x := g(y) \in M$. Wir wenden auf dieses Element die Abbildung f an und nutzen schließlich die Voraussetzung $f \circ g = \mathrm{id}_N$. Es gilt:

$$f(x) = f(g(y)) = (f \circ g)(y) = \mathrm{id}_N(y) = y.$$

Zu „$\Rightarrow$":
Sei nun f als surjektiv vorausgesetzt. Für beliebiges $y \in N$ konstruieren wir g wie folgt: Da f surjektiv ist, existiert mindestens ein (von y abhängiges) Element $x_y \in M$ mit $f(x_y) = y$. Dann

setzen wir einfach $g(y) := x_y$, d.h. die Abbildung wählt zu jedem vorgegebenen y ein Urbild x_y aus.

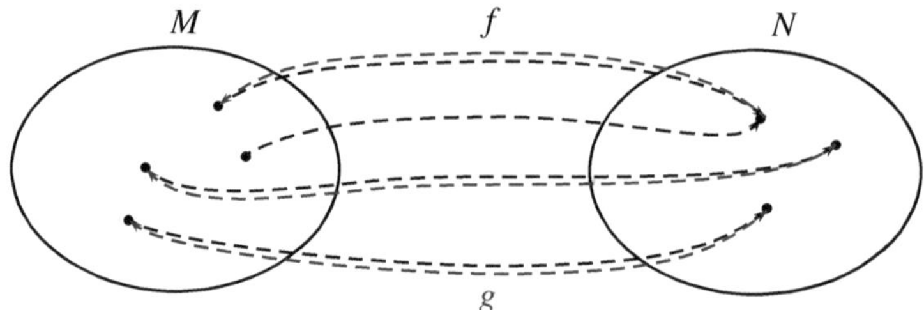

Abb. 19 *Rechtsinverse einer surjektiven Abbildung*

Dann gilt für alle $y \in N$:

$$(f \circ g)(y) = f(g(y)) = f(x_y) = y = \mathrm{id}_N(y),$$

also

$$f \circ g = \mathrm{id}_N.$$

Zu (ii):

Zu „$\Leftarrow$":

Sei $g \in \mathrm{Abb}(N, M)$, so dass $g \circ f = \mathrm{id}_M$ gilt. Wir zeigen, dass f dann injektiv ist. Seien dazu $x_1, x_2 \in M$ mit $f(x_1) = f(x_2)$. Wir müssen zeigen, dass $x_1 = x_2$ ist. Wir wenden die Abbildung g auf das Element $f(x_1) = f(x_2)$ an und erhalten

$$g(f(x_1)) = g(f(x_2))$$
$$\Rightarrow \quad (g \circ f)(x_1) = (g \circ f)(x_2)$$
$$\Rightarrow \quad \mathrm{id}_M(x_1) = \mathrm{id}_M(x_2)$$
$$\Rightarrow \quad x_1 = x_2.$$

Zu „$\Rightarrow$":

Sei nun f als injektiv vorausgesetzt. An dieser Stelle geht ein, dass M nicht leer ist. Demnach existiert wenigstens ein Element in M. Wir wählen eines aus und nennen es $x_0 \in M$. Wir definieren $g\colon N \to M$ wie folgt:

$$g(y) := \begin{cases} \text{eindeutiges } x \in M \text{ mit } f(x) = y & \text{, falls } y \in f(M), \\ x_0 & \text{, sonst.} \end{cases}$$

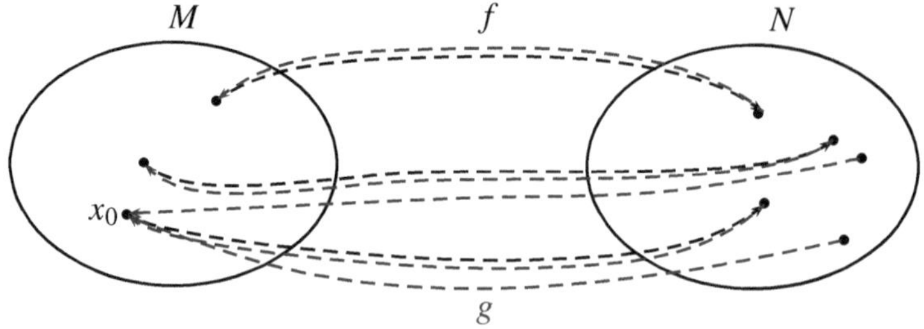

Abb. 20 *Linksinverse einer injektiven Abbildung*

Dann gilt für alle $x \in M$:

$$(g \circ f)(x) = g(f(x)) = x = \mathrm{id}_M(x).$$

Zu (iii):

Zu „$\Leftarrow$":

Sei $g \in \mathrm{Abb}(N, M)$ so, dass $f \circ g = \mathrm{id}_N$ und $g \circ f = \mathrm{id}_M$ gilt. Dann folgt aus (i), dass f surjektiv ist und aus (ii), dass f injektiv ist. Also ist f bijektiv.

Zu „$\Rightarrow$":

Sei f nun bijektiv, also surjektiv und injektiv. Wegen (i) folgt die Existenz einer Abbildung $g_1 \in \mathrm{Abb}(N, M)$ mit $f \circ g_1 = \mathrm{id}_N$ und wegen (ii) die einer Abbildung $g_2 \in \mathrm{Abb}(N, M)$ mit $g_2 \circ f = \mathrm{id}_M$.

A priori ist nicht klar, dass $g_1 = g_2$ gilt. Dies sehen wir aber wie folgt ein:

$$g_1 = \mathrm{id}_M \circ g_1 = (g_2 \circ f) \circ g_1 = g_2 \circ f \circ g_1 = g_2 \circ (f \circ g_1) = g_2 \circ \mathrm{id}_N = g_2.$$

Somit hat $g := g_1 = g_2$ die verlangten Eigenschaften. $\qquad\qquad\square$

Bemerkung 1.57. Der Schluss des Beweises des Satzes zeigt auch, dass die Umkehrabbildung einer bijektiven Abbildung eindeutig ist. Wir schreiben sie üblicherweise als f^{-1}. Rechts- und Linksinverse sind im Allgemeinen aber nicht eindeutig.

Korollar 1.58. *Seien M und N Mengen. Dann gibt es ein injektive Abbildung $f : M \to N$ genau dann, wenn es eine surjektive Abbildung $g : N \to M$ gibt.*

Beweis. Gibt es eine injektive Abbildung $f : M \to N$, dann hat diese nach Satz 1.55 eine linksinverse Abbildung $g : N \to M$. Nun ist f eine rechtsinverse Abbildung von g, also ist g surjektiv, wiederum wegen Satz 1.55.

Die umgekehrte Richtung sieht man analog. $\qquad\qquad\square$

Zwei endliche Mengen M und N haben genau dann gleich viele Elemente, wenn es eine bijektive Abbildung $f : M \to N$ zwischen ihnen gibt. Jedes Element von M entspricht genau einem Element von N unter der bijektiven Abbildung f. Allgemein machen wir folgende auch für unendliche Mengen gültige Definition:

Definition 1.59. Zwei Mengen M und N heißen **gleichmächtig**, wenn es eine bijektive Abbildung $f : M \to N$ gibt.

Beispiel 1.60. Die Abbildung $f : \mathbb{N}_0 \to \mathbb{N}$, $n \mapsto n + 1$, ist bijektiv. Also sind $\mathbb{N}_0$ und $\mathbb{N}$ gleichmächtig. Das ist bemerkenswert; obwohl $\mathbb{N}$ eine echte Teilmenge von $\mathbb{N}_0$ ist, hat $\mathbb{N}$ nicht weniger Elemente als $\mathbb{N}_0$! Dass so etwas passieren kann, unterscheidet gerade die unendlichen Mengen von den endlichen.

Beispiel 1.61. Auch $\mathbb{N}_0$ und $\mathbb{Z}$ sind gleichmächtig, da folgende Abbildung $f : \mathbb{N}_0 \to \mathbb{Z}$ bijektiv ist:

x	0	1	2	3	4	5	6	7	8	$\ldots$
$f(x)$	0	-1	1	-2	2	-3	3	-4	4	$\ldots$

Tab. 8 *Bijektive Abbildung $f : \mathbb{N}_0 \to \mathbb{Z}$*

Es gibt also nicht mehr ganze Zahlen als natürliche Zahlen!

Ein komplexeres Beispiel, welches „verschiedenene Typen" der Unendlichkeit illustriert, ist bekannt unter dem Namen **Hilberts Hotel**.[8]

Abb. 21 *Hilberts Hotel*

In einem Hotel mit endlich vielen Zimmern können bekanntlich keine Gäste mehr aufgenommen werden, sobald alle Zimmer belegt sind. Stellen wir uns nun ein Hotel mit unendlich vielen Zimmern vor, durchnummeriert, beginnend bei 1 und mit nur einem möglichen Gast pro Zimmer. Man könnte annehmen, dass dasselbe Problem auch hier auftritt. Die naive Vermutung hierzu wäre: Wenn unendlich viele Gäste im Hotel sind, kann kein weiterer Gast aufgenommen werden. Sehen wir uns einmal an, welche Erlebnisse eine Arbeitswoche in Hilberts Hotel bereithält:

Montag: Alle Zimmer sind belegt und ein neuer Gast reist an.
Der Hoteldirektor bittet den Gast im Zimmer 1 nach Zimmer 2 umzuziehen, den Gast im Zimmer 2 nach Zimmer 3 umzuziehen, usw. Auf diese Weise ziehen alle „alten" Gäste in das Zimmer mit der nächsthöheren Zimmernummer um. Dadurch wird Zimmer 1 frei und der neue Gast kann einziehen. Mathematisch steckt folgende injektive und nicht surjektive „Umzieh-Abbildung" hinter diesem Prinzip:

$$f : \mathbb{N} \to \mathbb{N}, \; n \mapsto n + 1.$$

Die Injektivität stellt dabei sicher, dass niemals zwei Gäste in einem Zimmer einquartiert werden. Andererseits ist f nicht surjektiv, denn offenbar wird $1 \in \mathbb{N}$ nicht als Bild von f angenommen, d.h. es gilt

$$f(\mathbb{N}) = \{f(n) \mid n \in \mathbb{N}\} = \mathbb{N} \setminus \{1\} = \{2, 3, 4, \ldots\},$$

also $1 \notin f(\mathbb{N})$. Das heißt gerade, dass Zimmer 1 für den neuen Gast frei geworden ist.

---

[8]benannt nach dem deutschen Mathematiker David Hilbert (1862–1943), siehe `https://de.wikipedia.org/wiki/David_Hilbert`

Dienstag: Alle Zimmer sind belegt und ein Bus mit k neuen Gästen trifft ein ($k \in \mathbb{N}$).
Wieder hat der clevere Hoteldirektor eine Lösung parat: Jeder „alte" Gast zieht in das Zimmer,
dessen Nummer um k größer ist als das bisherige. Dadurch werden die Zimmer $1, \ldots, k$ frei.
Diesmal liegt die injektive aber nicht surjektive Abbildung

$$f: \mathbb{N} \to \mathbb{N}, \ n \mapsto n + k,$$

zu Grunde, für die

$$f(\mathbb{N}) = \mathbb{N} \setminus \{1, \ldots, k\} = \{k + 1, k + 2, \ldots\}$$

gilt. Daher ist $\{1, \ldots, k\} \cap f(\mathbb{N}) = \emptyset$, die ersten k Zimmer sind für die neuen Gäste frei
geworden.

*Mittwoch: Alle Zimmer sind belegt und ein Bus mit ∞ vielen Gästen trifft ein, deren Sitzplätze
mit $1, 2, 3, \ldots$ durchnummeriert sind.*
Selbst hier weiß sich der Hoteldirektor zu helfen: Die „alten" Gäste ziehen in das Zimmer mit der
doppelten Zimmernummer und die neuen Gäste belegen dann die frei gewordenen ungeraden
Zimmernummern. Hier ist unsere injektive und nicht surjektive „Umzieh-Abbildung" durch

$$f: \mathbb{N} \to \mathbb{N}, \ n \mapsto 2n,$$

gegeben. Das Bild der Abbildung lautet

$$f(\mathbb{N}) = \{2n \mid n \in \mathbb{N}\} \, .$$

Für die neu eingetroffenen Gäste nehmen wir die „Neubelegungs-Abbildung":

$$g: \mathbb{N} \to \mathbb{N}, \ n \mapsto 2n - 1.$$

Hierbei ist g injektiv und es gilt

$$g(\mathbb{N}) = \{2n - 1 \mid n \in \mathbb{N}\}$$

und damit $f(\mathbb{N}) \cap g(\mathbb{N}) = \emptyset$. Die „neuen" und die „alten" Gäste kommen sich also nicht in die
Quere.

*Donnerstag: Alle Zimmer sind belegt und ∞ viele Busse mit jeweils ∞ vielen Gästen treffen
ein, wobei Busse und Sitzplätze jeweils mit $1, 2, 3, \ldots$ durchnummeriert sind.*
Donnerstag ist ein sehr stressiger Tag in Hilberts Hotel. Die „alten" Gäste müssen zunächst
wie am Mittwoch in die Zimmer mit den doppelten Zimmernummern umziehen. Natürlich
sind diese Zimmernummern dann gerade. Die „neuen" Gäste quartieren wir wieder in den
Zimmern mit ungeraden Nummern ein. Sein Faible für Euklid bringt den Hoteldirektor auf
folgende Idee: Er ordnet als erstes jedem Bus eine ungerade Primzahl zu, d.h.

$$p_1 = 3, \ p_2 = 5, \ p_3 = 7, \ p_4 = 11, \ \ldots$$

Als mathematisch gebildeter Mensch weiß der Hoteldirektor, dass es unendlich viele Primzahlen gibt, von denen nur eine gerade ist. Daher kann der Hoteldirektor jeden Bus mit je einer

eigenen ungeraden Primzahl versorgen. Die Fahrgäste aus Bus 1 belegen nun nach und nach die Zimmer 3^1, 3^2, 3^3, ... Die Fahrgäste aus Bus 2 belegen dann sukzessive die Zimmer 5^1, 5^2, 5^3, ..., die aus Bus 3 belegen $7^1, 7^2, 7^3, \dots$ usw. Damit hat es der Direktor mal wieder geschafft!

Nun legen wir uns diese Angelegenheit noch einmal mathematisch zurecht, behalten dazu unsere „Mittwochs-Umzieh-Abbildung" $f : \mathbb{N} \to \mathbb{N}$ mit $f(n) = 2n$ bei und definieren schließlich die „Neubelegungs-Abbildung"

$$g : \mathbb{N} \times \mathbb{N} \to \mathbb{N}, \ (m,n) \mapsto p_m^n.$$

Dabei beschreibt m die Busnummer und n die Sitzplatznummer. Überlegen wir also, dass g injektiv ist: Für alle (m,n) und (m',n') folgt aus $g(m,n) = g(m',n')$, dass $p_m^n = p_{m'}^{n'}$, also $p_m = p_{m'} \ \wedge \ n = n'$, d.h. $m = m' \ \wedge \ n = n'$. Nun ist

$$f(\mathbb{N}) \cap g(\mathbb{N} \times \mathbb{N}) \subset \{n \in \mathbb{N} \mid n \text{ gerade}\} \cap \{n \in \mathbb{N} \mid n \text{ ungerade}\} = \emptyset$$

und daher $f(\mathbb{N}) \cap g(\mathbb{N} \times \mathbb{N}) = \emptyset$.

Freitag: Alle Zimmer sind frei und ein neuer Bus mit ∞ vielen Gästen trifft ein, wobei die Sitzplätze mit den reellen Zahlen des Intervalls $(0,1)$ durchnummeriert sind, also unter anderem auch mit $\frac{1}{5}$, $\frac{\sqrt{2}}{2}$ oder etwa $\frac{\pi}{10}$.

Heute muss der Hoteldirektor allerdings passen und kann zu seinem Bedauern nicht allen angereisten Gästen ein Zimmer anbieten. Wie man nun richtig vermutet, unterscheidet sich die Anzahl ∞ der Sitzplätze im Bus zur Anzahl ∞ der Hotelzimmer. Exakt begründen wir diesen Sachverhalt mit

---

Satz 1.62. *Es gibt keine injektive Abbildung $g : (0,1) \to \mathbb{N}$.*

Beweis. Wir machen die Widerspruchsannahme, dass es doch eine injektive Abbildung $g : (0,1) \to \mathbb{N}$ gibt. Dann gibt es nach Korollar 1.58 eine surjektive Abbildung $f : \mathbb{N} \to (0,1)$. Also ist

$$(0,1) = \{f(1), f(2), f(3), \dots\}. \tag{1.21}$$

In dieser Auflistung von $(0,1)$ könnten Elemente aus $(0,1)$ durchaus mehrfach vorkommen, da die Abbildung f nicht injektiv zu sein braucht, aber das macht nichts.

Wir nutzen jetzt das sogenannte *Cantor'sche Diagonalverfahren*, um einen Widerspruch herzuleiten. Wir schreiben die Elemente $f(i) \in (0,1)$ in Dezimalbruchentwicklung hin:

$$f(1) = 0, a_{11} a_{12} a_{13} \dots$$
$$f(2) = 0, a_{21} a_{22} a_{23} \dots$$
$$f(3) = 0, a_{31} a_{32} a_{33} \dots$$
$$\vdots$$

Dabei ist $a_{ij} \in \{0, \ldots, 9\}$ die j-te Ziffer in der Dezimalentwicklung der i-ten Zahl $f(i)$. Wir definieren nun eine neue reelle Zahl durch die Dezimalbruchentwicklung $y := 0, b_1 b_2 b_3 \ldots$ mit $b_j \in \{0, \ldots, 9\}$, wobei

$$b_j := \begin{cases} 3, & \text{falls } a_{jj} \neq 3 \\ 4, & \text{falls } a_{jj} = 3. \end{cases}$$

Dann erhalten wir in der Tat eine reelle Zahl $y \in (0, 1)$. Wegen $b_j \neq a_{jj}$ unterscheidet sie sich in der j-ten Nachkommaziffer von $f(j)$. Es ist also $y \neq f(j)$ für alle j. Also ist $y \in (0, 1)$ eine neue reelle Zahl, die noch nicht in unserer Liste auftaucht. Dies aber widerspricht (1.21). $\square$

Wir haben zwei unendliche Mengen gefunden, die nicht gleichmächtig sind, nämlich $\mathbb{N}$ und $(0, 1)$. Tatsächlich hat $(0, 1)$ mehr Elemente als $\mathbb{N}$. Es gibt also verschiedene „Unendlichs".

Satz 1.63. *Die Mengen $\mathbb{N}$ und $\mathbb{Q}_+$ sind gleichmächtig.*

Beweis. Um eine bijektive Abbildung $f : \mathbb{N} \to \mathbb{Q}_+$ zu konstruieren, schreiben wir die Elemente von $\mathbb{Q}_+$ in folgender unendlicher Tabelle auf; horizontal tragen wir den Zähler auf, vertikal den Nenner:

	1	2	3	4	$\cdots$
1	$1/1$	$2/1$	$3/1$	$4/1$	$\cdots$
2	$1/2$	$2/2$	$3/2$	$4/2$	$\cdots$
3	$1/3$	$2/3$	$3/3$	$4/3$	$\cdots$
4	$1/4$	$2/4$	$3/4$	$4/4$	$\cdots$
$\vdots$	$\vdots$	$\vdots$	$\vdots$	$\vdots$	$\ddots$

Tab. 9 *Positive rationale Zahlen*

Da jede positive rationale Zahl sich als Quotient zweier natürlicher Zahlen schreiben lässt, kommt jedes $x \in \mathbb{Q}_+$ in der Tabelle vor. Allerdings kommt es mehrfach vor, da z.B. $1/1 = 2/2 = 3/3 = \cdots$. Um nun f anzugeben, klappern wir die Elemente in der Tabelle „diagonalweise" ab, wobei wir jede Zahl, die schon mal erreicht wurde, auslassen.

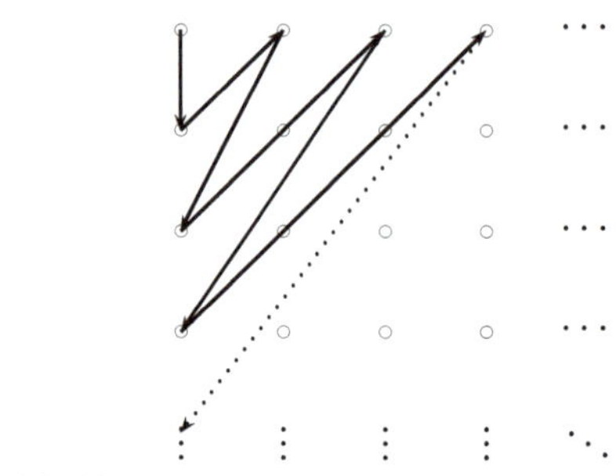

Abb. 22 *Auflistung der Tabelleneinträge*

Es ist also $f(1) = {}^1/_1 = 1$, $f(2) = {}^1/_2$, $f(3) = {}^2/_1 = 2$, $f(4) = {}^1/_3$, $f(5) = {}^3/_1 = 3$ (und nicht $f(5) = {}^2/_2$, denn ${}^2/_2 = {}^1/_1 = f(1)$ hatten wir schon), $f(6) = {}^1/_4$, usw. Die so konstruierte Abbildung ist surjektiv, da jede rationale Zahl irgendwann erreicht wird und daher im Bild von f liegt. Wegen des Überspringens bereits erreichter Zahlen, ist f auch injektiv. $\qquad\square$

Korollar 1.64. *Die Mengen $\mathbb{Z}$ und $\mathbb{Q}$ sind gleichmächtig.*

Beweis. Sei $f\colon \mathbb{N} \to \mathbb{Q}_+$ die bijektive Abbildung aus obigem Beweis. Wir erhalten eine bijektive Abbildung $F\colon \mathbb{Z} \to \mathbb{Q}$ durch

$$
n \mapsto \begin{cases} f(n), & \text{falls } n > 0, \\ 0, & \text{falls } n = 0, \\ -f(-n), & \text{falls } n < 0. \end{cases}
$$

$\qquad\square$

Da $\mathbb{N}$ und $\mathbb{Z}$ ebenfalls gleichmächtig sind, erhalten wir auch

Korollar 1.65. *Die Mengen $\mathbb{N}$ und $\mathbb{Q}$ sind gleichmächtig.* $\qquad\square$

Definition 1.66. Eine Menge M heißt **abzählbar unendlich**, falls M und $\mathbb{N}$ gleichmächtig sind. Ist M unendlich, aber nicht zu $\mathbb{N}$ gleichmächtig, dann heißt M **überabzählbar**.

Diese Sprechweise rührt daher, dass man falls M abzählbar unendlich ist, eine bijektive Abbildung $f\colon \mathbb{N} \to M$ finden kann und daher die Menge M schreiben kann als

$$
M = \{f(1), f(2), f(3), \ldots\}.
$$

Man kann die Elemente einer abzählbar unendlichen Menge M auflisten. Für überabzählbare Mengen ist dies nicht möglich.

Beispiel 1.67. Wir haben gesehen, dass die Mengen $\mathbb{N}$, $\mathbb{N}_0$, $\mathbb{Z}$, $\mathbb{Q}_+$ und $\mathbb{Q}$ abzählbar unendlich sind. Hingegen ist das reelle Intervall $(0, 1)$ überabzählbar.

Definition 1.68. Seien M und N Mengen und $M' \subset M$ eine Teilmenge. Sei $f \in \mathrm{Abb}(M, N)$ eine Abbildung. Die **Einschränkung** von f auf M' ist die Abbildung $f|_{M'} \in \mathrm{Abb}(M', N)$, die durch

$$\forall x' \in M' : \quad f|_{M'}(x') := f(x')$$

gegeben ist.

Beispiel 1.69. Wir überlegen uns, dass $\mathbb{R}$ überabzählbar sein muss. Wäre nämlich $\mathbb{R}$ abzählbar unendlich, so gäbe es eine bijektive Abbildung $f \colon \mathbb{R} \to \mathbb{N}$. Die Einschränkung einer injektiven Abbildung ist stets wieder injektiv. Also wäre die Einschränkung von f auf das Intervall $(0, 1)$ wiederum eine injektive Abbildung $f|_{(0,1)} \colon (0, 1) \to \mathbb{N}$. Dies widerspricht aber Satz 1.62.

1.5. Vollständige Induktion

Als letzten Abschnitt im Kapitel über Grundlagen besprechen wir noch ein wichtiges Beweisprinzip, das wir in Abschnitt 1.2 zunächst noch zurückgestellt hatten, die *vollständige Induktion*. Sie kommt häufig zum Einsatz, wenn eine ganze Serie von Aussagen $A(1), A(2), A(3), \ldots$ zu beweisen ist. Zum Beispiel könnten wir beweisen wollen, dass

$$1 + 2 + \cdots + n = \frac{n(n + 1)}{2}.$$

für alle $n \in \mathbb{N}$ gilt.

Das Prinzip der vollständigen Induktion besagt, dass es reicht, statt $A(1), A(2), A(3), \ldots$ die Aussagen $B(1), B(2), B(3), \ldots$ zu beweisen, wobei

$$B(1) \quad :\Leftrightarrow \quad A(1)$$

und für $n \geq 2$

$$B(n) \quad :\Leftrightarrow \quad (A(1) \wedge A(2) \wedge \cdots \wedge A(n - 1) \Rightarrow A(n))$$

ist. Zunächst mal fragen wir uns, warum das eine Erleichterung darstellt. Für den Beweis der ersten Aussage $A(1)$ ändert sich nichts; die müssen wir beweisen. Für $n \geq 2$ ist $B(n)$, d.h. die Folgerung $A(1) \wedge A(2) \wedge \cdots \wedge A(n - 1) \Rightarrow A(n)$ aber oft leichter zu zeigen, als direkt $A(n)$, weil wir die Gültigkeit von $A(n)$ nur unter Annahme der Gültigkeit von $A(1), \ldots, A(n - 1)$ zu zeigen haben. Mit anderen Worten, $B(n)$ zu zeigen, bedeutet $A(n)$ zu zeigen, aber wir dürfen bei der Herleitung die vorangegangen Aussagen $A(1), \ldots, A(n - 1)$ benutzen!

Warum ist das Prinzip der vollständigen Induktion zulässig? Nehmen wir an, wir haben $B(1), B(2), B(3), \ldots$ gezeigt. Dann gilt $A(1)$, da es ja äquivalent zu $B(1)$ ist. Wegen $B(2)$ folgt nun $A(2)$ aus $A(1)$ und ist daher auch gültig. Wegen $B(3)$ folgt nun $A(3)$ aus $A(1)$ und $A(2)$ und ist daher ebenfalls gültig, usw.

Den Nachweis von $B(1)$, d.h. von $A(1)$ nennt man den *Induktionsanfang*. Den Nachweis von $B(2) \wedge B(3) \wedge \cdots$ nennt man den *Induktionsschritt*. Beim Nachweis von $A(n)$ in der Implikation $B(n)$ nennt man $A(1) \wedge \cdots \wedge A(n-1)$ die *Induktionsvoraussetzung*. Es ist ein häufig auftretender Spezialfall, dass man von der Induktionsvoraussetzung nur die direkt vorangehende Aussage $A(n-1)$ benutzt.

Beispiel 1.70. Genug der Vorrede. Zeigen wir, dass

$$1 + 2 + \cdots + n = \frac{n(n+1)}{2}. \tag{1.22}$$

für alle $n \in \mathbb{N}$ gilt.

Induktionsanfang: Dazu ist die Aussage für $n = 1$ zu beweisen. In der Tat ist

$$1 = \frac{1(1+1)}{2}$$

offensichtlich wahr und der Induktionsanfang ist abgeschlossen.

Induktionsschritt: Sei dazu $n \geq 2$. Wir zeigen die Aussage (1.22) für dieses n und dürfen dabei die Aussage für $1, \ldots, n-1$ verwenden. In diesem Beispiel reicht es aus, die Induktionsvoraussetzung mit $n-1$ zu benutzen. Nach Induktionsannahme gilt also

$$1 + 2 + \cdots + (n-1) = \frac{(n-1)((n-1)+1)}{2}.$$

Wir addieren auf beiden Seiten n und berechnen

$$1 + 2 + \cdots + (n-1) + n = \frac{(n-1)((n-1)+1)}{2} + n = \frac{n(n+1)}{2}.$$

Damit ist der Beweis abgeschlossen.

Zu dieser Formel gibt es eine nette Anekdote. Im Alter von sieben Jahren kam Carl Friedrich Gauß (1777–1855), der später einer der bedeutendsten Mathematiker aller Zeiten werden sollte, in die Volksschule. Dort stellte der Lehrer den Schülern die Aufgabe, die Zahlen von 1 bis 100 zu addieren, um sie eine Weile zu beschäftigen. Anstatt stumpfsinnig loszurechnen, überlegte sich Gauß die Formel (1.22) und hatte das Ergebnis in kürzester Zeit gefunden,

$$1 + 2 + \cdots + 100 = \frac{100 \cdot 101}{2} = 5050.$$

Der Lehrer dürfte einigermaßen verblüfft gewesen sein.

Abb. 23 *Carl Friedrich Gauß (1777–1855)*[9]

---

[9]Künstler: Gottlieb Biermann, Fotograf: A. Wittmann, Quelle: Sternwarte der Universität Göttingen, `https://de.wikipedia.org/wiki/Carl_Friedrich_Gau%C3%9F#/media/File:Carl_Friedrich_Gauss.jpg`

Beispiel 1.71. Wir zeigen mittels vollständiger Induktion: Für jede endliche Menge M gilt

$$\#\mathcal{P}(M) = 2^{\#M}. \tag{1.23}$$

Zunächst müssen wir überlegen, wie die Aussagen $A(n)$ hier überhaupt lauten sollen. Es bietet sich an, hier folgende Aussagen zu zeigen:

$$A(n) :\Leftrightarrow \text{Hat } M \text{ genau } n \text{ Elemente, dann hat } \mathcal{P}(M) \text{ genau } 2^n \text{ Elemente.}$$

Der Kenner würde sagen, wir machen vollständige Induktion *über die Zahl der Elemente von M*.
Induktionsanfang: $n = 1$. Es ist also zu zeigen:

$$\text{Hat } M \text{ genau ein Element, dann hat } \mathcal{P}(M) \text{ genau zwei Elemente.}$$

Dies ist wahr, denn falls M genau ein Element hat, dann ist $\mathcal{P}(M) = \{\emptyset, M\}$. Da $M \neq \emptyset$, hat $\mathcal{P}(M)$ genau zwei Elemente. Der Induktionsanfang ist abgeschlossen.
Induktionsschritt: Sei $n \geq 2$. Wir zeigen $A(n)$, wobei wir $A(1), \ldots, A(n-1)$ benutzen dürfen. Auch in diesem Beispiel benötigen wir nur $A(n-1)$. Schreiben wir M erst mal hin:

$$M = \{x_1, x_2, \ldots, x_n\}.$$

Dabei sind die x_i die paarweise verschiedenen Elemente von M. Wir setzen

$$M' := \{x_1, \ldots, x_{n-1}\}.$$

Wir haben also ein Element weggelassen. Die Menge M' hat genau $n - 1$ Elemente. Daher gilt nach $A(n-1)$ (der Induktionsvoraussetzung), dass

$$\#\mathcal{P}(M') = 2^{n-1}. \tag{1.24}$$

Nun teilen wir $\mathcal{P}(M)$ in zwei disjunkte Teilmengen auf:

$$X := \{T \in \mathcal{P}(M) \mid x_n \in T\},$$
$$Y := \{T \in \mathcal{P}(M) \mid x_n \notin T\}.$$

Wegen $\mathcal{P}(M) = X \cup Y$ und $X \cap Y = \emptyset$ ist

$$\#\mathcal{P}(M) = \#X + \#Y. \tag{1.25}$$

Die Teilmengen von M, die x_n nicht enthalten, sind genau die Teilmengen von M', also $Y = \mathcal{P}(M')$ und wegen (1.24) somit

$$\#Y = 2^{n-1}. \tag{1.26}$$

Fügen wir zu den Teilmengen von M' das Element x_n hinzu, so erhalten wir gerade die Teilmengen von M, die x_n enthalten. In anderen Worten, die Abbildung

$$\text{Hinzufügen: } \mathcal{P}(M') \to X, \quad T \mapsto T \cup \{x_n\},$$

ist bijektiv. Daher haben X und $\mathcal{P}(M')$ gleich viele Elemente. Wiederum wegen (1.24) ist

$$\#X = \#\mathcal{P}(M') = 2^{n-1}. \tag{1.27}$$

Wir setzen (1.26) und (1.27) in (1.25) ein und erhalten

$$\#\mathcal{P}(M) = 2^{n-1} + 2^{n-1} = 2 \cdot 2^{n-1} = 2^n,$$

was zu beweisen war.

Damit ist die vollständige Induktion abgeschlossen. Wir haben gezeigt, für jede Menge mit genau n Elementen, wobei $n \in \mathbb{N}$, hat die Potenzmenge genau 2^n Elemente. Dabei haben wir einen Fall übersehen, die leere Menge. Sie hat 0 Elemente, die Potenzmenge genau eines, nämlich die leere Menge. Also ist die Behauptung auch in diesem Fall wahr, es gilt ja $2^0 = 1$. Tatsächlich wäre es geschickter gewesen, den Induktionsanfang mit der leeren Menge zu beginnen. Dazu hätten wir die Aussagen $A(n)$ wie folgt wählen können:

$$A(n) :\Leftrightarrow \text{Hat } M \text{ genau } n - 1 \text{ Elemente, dann hat } \mathcal{P}(M) \text{ genau } 2^{n-1} \text{ Elemente.}$$

Alternativ kann man die Aussagen auch lassen, wie sie waren und dafür auch die Aussage $A(0)$ mit berücksichtigen. Dann ist der Beweis von $A(0)$ der Induktionsanfang und der Induktionsschritt zeigt dann für $n \geq 1$, dass aus $A(0), \ldots, A(n-1)$ die Aussage $A(n)$ folgt.

Von jetzt an werden wir auch die Schreibweise mit dem Summenzeichen $\sum$ und dem Produktzeichen $\prod$ verwenden. Wir schreiben also statt $x_1 + \ldots + x_{10}$ auch $\sum_{j=1}^{10} x_j$. Der Summationsindex j kann natürlich auch anders genannt werden. Analog ist $x_1 \cdots x_{10} = \prod_{k=1}^{10} x_k$.

Beispiel 1.72. Wir beweisen Proposition 1.12 nochmals, diesmal mittels vollständiger Induktion. Wir erinnern uns an die Aussage: Für alle $n \in \mathbb{N}$, $n \geq 2$, gilt

$$n \text{ lässt sich als Produkt von Primzahlen schreiben.}$$

Dieses Mal ist der *Induktionsanfang* bei $n = 2$ durchzuführen. In der Tat ist 2 selbst eine Primzahl, so dass die Gleichung

$$2 = 2$$

die gewünschte Primzahlzerlegung darstellt (ein Produkt mit nur einem Faktor). Der Induktionsanfang ist abgeschlossen.

Induktionsschritt: Sei $n \geq 3$. Ist n selbst eine Primzahl, so ist wiederum $n = n$ die gewünschte Primzahlzerlegung und wir sind fertig. Falls nicht, so können wir $n = m_1 \cdot m_2$ schreiben, wobei $m_1, m_2 \in \{2, \ldots, n-1\}$. Nach Induktionsvoraussetzung besitzen m_1 und m_2 Primzahlzerlegungen,

$$m_1 = \prod_{i=1}^{k} p_i \quad \text{und} \quad m_2 = \prod_{j=1}^{\ell} q_j,$$

wobei die p_i und die q_j Primzahlen sind. Dann ist

$$n = \prod_{i=1}^{k} p_i \cdot \prod_{j=1}^{\ell} q_j$$

eine Primzahlzerlegung von n und der Induktionsschritt ist abgeschlossen.

Schließlich wollen wir vollständige Induktion noch verwenden, um folgende sehr nützliche Aussage zu zeigen.

Lemma 1.73 (Hotelzimmerlemma). *Seien X und Y endliche Mengen mit gleich vielen Elementen. Sei $f: X \to Y$ eine Abbildung. Dann sind äquivalent:*

(1) f ist injektiv.

(2) f ist surjektiv.

(3) f ist bijektiv.

Dieses Lemma ist sehr plausibel, denn stellen wir uns vor, X ist eine Menge von Hotelgästen und Y eine Menge von Hotelzimmern. Wir haben vorausgesetzt, dass es gleich viele Hotelgäste wie Hotelzimmer gibt. Die Abbildung f ordnet nun jedem Hotelgast ein Hotelzimmer zu. Nun bedeutet z.B. dass f injektiv ist, dass jeder Hotelgast sein eigenes Hotelzimmer bekommt, das er mit niemandem teilen muss. Da wir gleich viele Hotelzimmer wie Hotelgäste haben, sind dann alle Zimmer belegt, d.h. f ist auch surjektiv und damit bijektiv. Setzen wir umgekehrt voraus, dass f surjektiv ist, so sind alle Zimmer belegt. Da wir gleich viele Gäste wie Zimmer haben, kann kein Zimmer mehrfach belegt sein, also muss f auch injektiv sein.
Wenn X und Y verschieden viele Elemente haben oder wenn X und Y unendlich viele Elemente haben dürfen, dann gilt das Lemma nicht mehr, wie die Diskussion um Hilberts Hotel gezeigt hat.

Beweis von Lemma 1.73. Wir beweisen die Aussage mittels vollständiger Induktion über die Anzahl n der Elemente von X und Y.
Induktionsanfang: $n = 0$. Hier gilt $X = Y = \emptyset$ und die einzige Abbildung $f: \emptyset \to \emptyset$ ist die leere Abbildung, die überhaupt nichts abbildet. Diese Abbildung ist injektiv und surjektiv, also bijektiv. Aussagen (1)–(3) sind daher im Fall $n = 0$ stets wahr und damit äquivalent.
Induktionsschritt: Sei $n \geq 1$. Wir müssen zeigen, dass aus der Injektivität von f die Surjektivität folgt und umgekehrt.
Sei f zunächst als injektiv vorausgesetzt. Wir wählen ein Element $x_0 \in X$ und setzen $y_0 := f(x_0) \in Y$. Dann haben $X' := X \setminus \{x_0\}$ und $Y' := Y \setminus \{y_0\}$ jeweils $n - 1$ viele Elemente. Da f injektiv ist, wird kein Element aus X' auf y_0 abgebildet. Also können wir f zu einer Abbildung $f_{X'}: X' \to Y'$ einschränken. Da die Einschränkung einer injektiven Abbildung stets wieder

injektiv ist, ist $f_{X'}\colon X' \to Y'$ eine injektive Abbildung zwischen zwei Mengen mit je $n-1$ Elementen. Nach Induktionsannahme ist $f_{X'}\colon X' \to Y'$ dann auch surjektiv. Somit liegt jedes Element von Y' im Bild von f. Für y_0 gilt dies sowieso. Also liegt jedes Element von Y im Bild von f, d.h. f ist surjektiv.

Sei nun umgekehrt f als surjektiv vorausgesetzt. Angenommen, f wäre nicht injektiv. Dann gäbe es $x_1, x_2 \in X$ mit $x_1 \neq x_2$, so dass $f(x_1) = f(x_2)$. Wir setzen $X' := X \setminus \{x_1\}$. Dann wäre $f_{X'}\colon X' \to Y$ immer noch surjektiv. Nun aber hätte X' nur $n-1$ Elemente, daher kann auch das Bild $f(X')$ höchstens $n-1$ Elemente haben. Da Y aber n Elemente hat, kann $f_{X'}\colon X' \to Y$ nicht surjektiv sein, Widerspruch. $\qquad\square$

1.6. Aufgaben

1.1. Begründen Sie, warum die Regel *„Keine Regel ohne Ausnahmen"* in sich widersprüchlich ist.

1.2. In einem Dorf rasiert ein Barbier genau diejenigen Männer, die sich nicht selbst rasieren. Rasiert der Barbier sich selbst?
Sie werden bei dieser Frage auf ein Problem stoßen. Erläutern Sie, wodurch dieses Problem entsteht.

1.3. a) Ein Rätsel von Lewis Carroll, dem Autor von „Alice im Wunderland". Wir wissen Folgendes:

(1) Die einzigen Tiere in diesem Haus sind Katzen.

(2) Jedes Tier, das gerne in den Mond starrt, ist als Schoßtier geeignet.

(3) Wenn ich ein Tier verabscheue, gehe ich ihm aus dem Weg.

(4) Es gibt keine fleischfressenden Tiere außer denen, die bei Nacht jagen.

(5) Es gibt keine Katze, die nicht Mäuse tötet.

(6) Kein Tier mag mich, außer denen im Haus.

(7) Kängurus sind nicht als Schoßtiere geeignet.

(8) Nur fleischfressende Tiere töten Mäuse.

(9) Ich verabscheue Tiere, die mich nicht mögen.

(10) Tiere, die bei Nacht jagen, starren gerne in den Mond.

Nun die Frage: Mag ich Kängurus?

Zur Beantwortung dieser Frage formalisieren Sie die Aussagen und verwenden Sie Aussagenlogik.

b) Ein weiteres Rätsel. Wir wissen Folgendes:

(1) Jeder unverheiratete Nichtraucher ist Briefmarkensammler.

(2) Jeder Briefmarkensammler aus Löbau ist ein Raucher, oder es gibt unter den briefmarkensammelnden Nichtrauchern keinen, der nicht in Löbau wohnt.

(3) Seitdem er sich auf Drängen seiner Frau das Rauchen abgewöhnt hat, ist das Briefmarkensammeln die größte Leidenschaft des Leipzigers Peter Schulze.

Frage: Ist jeder Löbauer Junggeselle Raucher?

1.4. Vervollständigen Sie den Beweis der Morgan'schen Gesetze, d.h. zeigen Sie für alle Mengen M, N_1, N_2:

a) $M \cup (N_1 \cap N_2) = (M \cup N_1) \cap (M \cup N_2)$;

b) $M \setminus (N_1 \cup N_2) = (M \setminus N_1) \cap (M \setminus N_2)$;

c) $M \setminus (N_1 \cap N_2) = (M \setminus N_1) \cup (M \setminus N_2)$.

1.5. Sei $f \colon X \to Y$ eine Abbildung und seien $A \subset X, B \subset Y$ Teilmengen. Zeigen Sie:

a) Es gilt stets $f^{-1}(f(A)) \supset A$;

b) f ist injektiv $\Leftrightarrow \forall A \subset X : f^{-1}(f(A)) = A$;

c) Es gilt stets $f(f^{-1}(B)) \subset B$;

d) f ist surjektiv $\Leftrightarrow \forall B \subset Y : f(f^{-1}(B)) = B$.

1.6. Seien X und Y zwei Mengen. Finden Sie heraus, wie viele Abbildungen von X nach Y es gibt, wie viele davon injektiv, surjektiv bzw. bijektiv sind, und zwar falls

a) $\#X = 2$ und $\#Y = 3$;

b) $\#X = 3$ und $\#Y = 2$;

c) $\#X = \#Y = 3$.

1.7. Seien M, N und P Mengen. Beweisen Sie folgende Aussagen zur Mächtigkeit:

a) Jede Menge M ist gleichmächtig zu sich selbst.

b) Ist M zu N gleichmächtig, so ist auch N zu M gleichmächtig.

c) Ist sowohl M zu N gleichmächtig als auch N zu P gleichmächtig, so ist auch M zu P gleichmächtig.

d) Die Mengen $\mathbb{Z}$ und $\mathbb{R}$ sind nicht gleichmächtig.

Eine nachträgliche Bemerkung: Die Punkte (a) bis (c) besagen, dass die Eigenschaft, gleichmächtig zu sein, eine sogenannte **Äquivalenzrelation** definiert. Eigenschaft (a) wird dabei auch als **Reflexivität**, (b) als **Symmetrie** und (c) als **Transitivität** bezeichnet.

1.8. Zeigen Sie:

a) Die Menge aller *endlichen* Teilmengen von $\mathbb{N}$ ist abzählbar;

b) Die Menge $\mathcal{P}(\mathbb{N})$ aller Teilmengen von $\mathbb{N}$ ist nicht abzählbar.

1.9. Zeigen Sie mittels vollständiger Induktion: Für alle $n \in \mathbb{N}$ ist $3^{n+1} - 9$ durch 18 teilbar.

1.10. Beweisen Sie mittels vollständiger Induktion: Für alle $n \in \mathbb{N}$ mit $n \geq 2$ ist $2^n > n + 1$.

1.11. Die berühmten Fibonacci-Zahlen f_n sind folgendermaßen definiert: Es gilt $f_1 = f_2 = 1$ und für jedes $n \geq 3$ ist f_n die Summe der beiden vorangehenden Fibonacci-Zahlen, $f_n = f_{n-1} + f_{n-2}$. Es gilt also $f_3 = f_2 + f_1 = 1 + 1 = 2$, $f_4 = f_3 + f_2 = 2 + 1 = 3$, $f_5 = f_4 + f_3 = 3 + 2 = 5$ usw.
Beweisen Sie mittels vollständiger Induktion, dass für alle $n \in \mathbb{N}$ gilt:

$$f_1^2 + f_2^2 + \ldots + f_n^2 = f_n \cdot f_{n+1}.$$

1.12. Sei $n \in \mathbb{N}_0$ und $m \in \mathbb{N}$. Zeigen Sie mittels vollständiger Induktion nach n, dass gilt:

$$\sum_{k=0}^{n} \frac{(k + m - 1)!}{k!(m - 1)!} = \frac{(n + m)!}{n!m!}.$$

1.13. Im Land Methylien sind die Bewohner dem Trauben- und Gerstensaft nicht abgeneigt und das hat natürlich Konsequenzen für die Verkehrssicherheit. Um den armen Meythylianern das Leben zu erleichtern, beschließt die Regierung, alle Städte direkt mit Straßen untereinander zu verbinden, so dass es also stets eine direkte Verbindung von Stadt A nach Stadt B gibt. Diese Straßen kreuzen sich nicht, sondern werden mit Brücken und Tunneln aneinander vorbeigeführt. Leider liefert das immer noch keine befriedigende Lösung des Verkehrsproblems, denn der lästige Gegenverkehr bereitet den angeheiterten Meythylianern Probleme. Deshalb ergreift die Regierung eine drastische Maßnahme und erklärt alle Straßen des Landes zu Einbahnstraßen. Wie nicht anders zu erwarten, sind aber auch die Arbeiter, die die entsprechende Beschilderung vornehmen, während ihrer Tätigkeit nicht ganz nüchtern, so dass die erlaubten Fahrtrichtungen völlig willkürlich festgelegt werden. Nachdem das Kind nun in den Brunnen gefallen ist, stellt sich der Regierung die Frage, ob sie überhaupt noch alle Städte von einer Hauptstadt aus erreichen kann.
Beruhigen Sie die Regierung von Methylien indem Sie durch vollständige Induktion (nach der Anzahl der Städte) zeigen:
Es gibt eine Stadt in Methylien, die sich als Hauptstadt eignet, weil sich von ihr aus alle anderen Städte so durch korrektes Befahren von Einbahnstraßen erreichen lassen, dass man einen Umweg über höchstens eine andere Stadt fahren muss.
Hinweis: Für den Induktionsschritt ist es hilfreich, eine kleine Karte mit den Städten und Einbahnstraßen von Methylien zu zeichnen und sich zu überlegen, welche verschiedenen Fälle bei Hinzunahme einer weiteren Stadt eigentlich auftreten können.

1.14. Wir „beweisen" jetzt, dass alle Musiker dasselbe Instrument spielen. Dazu zeigen wir mittels vollständiger Induktion für alle $n \in \mathbb{N}$ die Aussage

> $A(n)$: In jeder Menge bestehend aus genau n Musikern spielen alle Musiker dasselbe Instrument.

Induktionsanfang: Die Aussage $A(1)$ ist wahr, denn in jeder Menge bestehend aus genau einem Musiker spielen alle Musiker (ist ja nur einer) dasselbe Instrument.

Induktionsschritt: Sei $n \geq 2$. Wir zeigen $A(n)$. Sei dazu M eine n-elementige Menge von Musikern. Wir entfernen einen Musiker $a \in M$ und erhalten eine $(n-1)$-elementige Menge $M_1 := M \setminus \{a\}$ von Musikern. Nach Induktionsannahme ist $A(n-1)$ wahr und somit spielen alle Musiker in M_1 dasselbe Instrument. Da $n \geq 2$ ist können wir auch einen anderen Musiker $b \in M$, $b \neq a$, entfernen und erhalten eine weitere Menge $M_2 := M \setminus \{b\}$ von Musikern. Nach Induktionsannahme spielen auch alle Musiker in M_2 dasselbe Instrument. Da $a \in M_2$ ist, spielt a ebenfalls dasselbe Instrument wie alle anderen Musiker in M. Also spielen alle Musiker in M dasselbe Instrument.

Wo ist der Fehler in diesem „Beweis"?

2. Matrixrechnung

Wake up, Neo. The Matrix has
you. Follow the white rabbit.

(Lana und Lilly Wachowski
The Matrix)

Matrizen erlauben eine übersichtliche Schreibweise für lineare Gleichungssysteme. Man kann mit Matrizen in vielerlei Hinsicht ähnlich rechnen wie mit Zahlen. Sie dienen auch der Beschreibung linearer Abbildungen, z.B. in geometrischen Anwendungen.

2.1. Lineare Gleichungssysteme

Lineare Gleichungssysteme (LGS) treten in unzähligen Anwendungsproblemen auf. Beginnen wir mit einigen Beispielen.

Beispiel 2.1. Wir wollen das Gewicht zweier Obstsorten, Apfelsinen und Bananen, durch zwei Wägungen mit einem 2kg-Gewicht bestimmen.

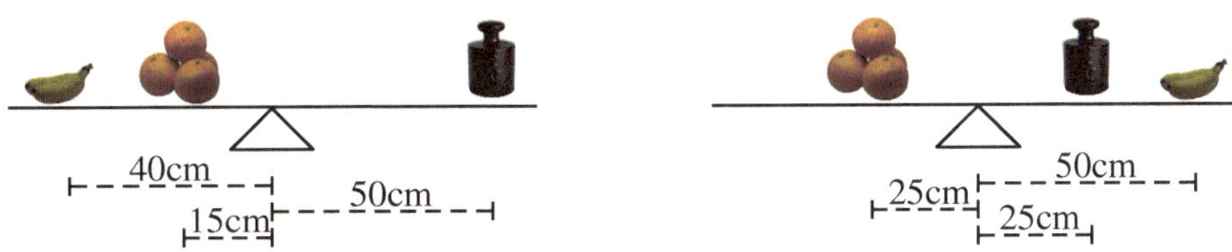

Abb. 24 *Obstwägung*

In den beiden bildlich dargestellten Konfigurationen sei die Waage im Gleichgewicht. Daraus wollen wir das Gewicht A der Apfelsinen (in kg) und das der Bananen B (ebenfalls in kg) bestimmen. Wir erhalten

$$A \cdot 15 + B \cdot 40 = 2 \cdot 50,$$
$$A \cdot 25 = 2 \cdot 25 + B \cdot 50. \tag{2.1}$$

Wir bringen die Terme mit den Unbekannten A und B auf die linke Seite und kürzen die Vorfaktoren soweit möglich:

© Der/die Autor(en), exklusiv lizenziert an
Springer Fachmedien Wiesbaden GmbH, ein Teil von Springer Nature 2026
C. Bär, *Lineare Algebra und analytische Geometrie*,
https://doi.org/10.1007/978-3-658-51055-8_2

$$3 \cdot A + 8 \cdot B = 20,$$
$$A - 2B = 2.$$

Ziehen wir von der ersten Zeile das 3-fache der zweiten Zeile ab, so erhalten wir

$$14 \cdot B = 14 \quad \Rightarrow \quad B = 1.$$

Setzen wir dies in die zweite Gleichung ein, so ergibt sich

$$A = 2 + 2B = 4.$$

Bisher ist damit gezeigt: Wenn das LGS (2.1) eine Lösung (A, B) besitzt, so muss $A = 4$ und $B = 1$ gelten. Durch Einsetzen sieht man auch umgekehrt, dass $A = 4$ und $B = 1$ die Gleichungen (2.1) tatsächlich löst.

Insgesamt ist dann (2.1) erfüllt $\Leftrightarrow A = 4 \ \wedge \ B = 1$. Wir drücken das auch so aus, dass die Lösungsmenge die Menge

$$\{(4, 1)\}$$

ist. Die beiden Wägungen haben das Gewicht der beiden Obstsorten also eindeutig bestimmt, das Gewicht der Apfelsinen beträgt 4 kg, das der Bananen 1 kg.

Beispiel 2.2. Nun zu einem explosiven Beispiel aus der Chemie.[1] Betrachtet werden die Substanzen **Toluol** C_7H_8, **Salpetersäure** HNO_3, **Wasser** H_2O sowie **Trinitrotoluol** $C_7H_5O_6N_3$, besser bekannt unter der Abkürzung TNT. Die zugehörige Reaktionsgleichung lautet:

$$x \cdot C_7H_8 + y \cdot HNO_3 \rightarrow z \cdot C_7H_5O_6N_3 + w \cdot H_2O \tag{2.2}$$

Wir benötigen zur Herstellung von TNT somit Toluol und Salpetersäure und erhalten als Nebenprodukt Wasser. Wie viel mol[2] Toluol und Salpetersäure benötigen wir nun zur Herstellung von z mol TNT und wie viel Wasser wird dabei erzeugt?

Bekanntlich bleiben chemische Elemente bei (chemischen) Reaktion erhalten. Aus (2.2) erhalten wir dann folgendes LGS mit vier Gleichungen in vier Unbekannten für:

$$
\begin{aligned}
\text{Kohlenstoff} \quad C : \quad & 7 \cdot x + 0 \cdot y = 7 \cdot z + 0 \cdot w, \\
\text{Wasserstoff} \quad H : \quad & 8 \cdot x + 1 \cdot y = 5 \cdot z + 2 \cdot w, \\
\text{Stickstoff} \quad N : \quad & 0 \cdot x + 1 \cdot y = 3 \cdot z + 0 \cdot w, \\
\text{Sauerstoff} \quad O : \quad & 0 \cdot x + 3 \cdot y = 6 \cdot z + 1 \cdot w.
\end{aligned}
$$

---

[1]Dieses Beispiel dient der Illustration linearer Gleichungssysteme. Von einer tatsächlichen Durchführung des Experiments wird aus medizinischen und juristischen Gründen dringend abgeraten.

[2]Ein Mol ist eine Einheit für die Stoffmenge bei chemischen Reaktionen. Ein Mol enthält ungefähr $6 \cdot 10^{23}$ Teilchen.

Dieses LGS ist äquivalent zu

$$x = z,$$
$$8x + y = 5z + 2w,$$
$$y = 3z,$$
$$3y = 6z + w.$$

Die zweite Gleichung folgt aus der ersten, dritten und vierten. Wir erhalten sie, indem wir von achtmal der ersten fünfmal die dritte abziehen und zweimal die vierte hinzuzählen. Daher können wir die zweite Gleichung weglassen. Das System ist äquivalent zu

$$x = z,$$
$$y = 3z,$$
$$w = 3z.$$

Die Lösungsmenge ist also

$$\{(z, 3z, z, 3z) \mid z \in \mathbb{R}\} \subset \mathbb{R}^4.$$

Im Gegensatz zum vorangegangen Beispiel erhalten wir eine unendliche Lösungsmenge, denn jedes $z \in \mathbb{R}$ liefert eine andere Lösung. Dies war aus der Aufgabenstellung heraus zu erwarten, denn wir haben die Menge z von TNT, die wir herstellen wollten, ja nicht festgelegt. Wir haben herausgefunden, dass wir zur Herstellung von z mol TNT, z mol Toluol und $3z$ mol Salpetersäure benötigen. Dabei erhalten wir $3z$ mol Wasser als Nebenprodukt.

Beispiel 2.3. In einem Land, in dem der Jahreshaushalt aufzustellen ist, gibt es drei Ministerien: das Ministerium für Bildung und Soziales, dasjenige für Protz und Prunk sowie das für Angriff und Verteidigung. Der Angriffsminister verlangt für sein Ministerium so viel Geld wie die beiden anderen Ministerien zusammen haben. Der Protzminister wiederum beharrt darauf, dass er ein Drittel des Budgets des Angriffsministers bekommt, abzüglich des Budgets des Bildungsministers. Wie muss das Gesamtbudget auf die Ministerien aufgeteilt werden?
Nennen wir das Budget des Ministeriums für Bildung und Soziales x, das des Protzministers y und das des Angriffsministers z, jeweils in Prozent des Gesamtbudgets. Dann muss natürlich

$$x + y + z = 100$$

gelten. Die Forderung des Angriffsministers lautet

$$z = x + y$$

und die des Protzministers

$$y = \frac{1}{3}z - x.$$

Zusammengefasst ergibt sich das Gleichungssystem

$$x + y + z = 100,$$
$$x + y - z = 0,$$
$$x + y - \frac{1}{3}z = 0.$$

Ziehen wir die zweite Gleichung von der ersten ab, so sehen wir $2z = 100$, also $z = 50$. Wegen der zweiten Gleichung gilt auch $x + y = 50$. Setzen wir diese Werte in die dritte Gleichung ein, so erhalten $50 - \frac{1}{3} \cdot 50 = 0$, was nicht stimmt.

Die Lösungsmenge des LGS ist in diesem Fall leer, die Forderungen der Minister sind nicht erfüllbar.

Problematisierung. Die Beispiele zeigen, dass es keine, genau eine und unendlich viele Lösungen geben kann.

Aber sind dies bereits alle Möglichkeiten? Oder gibt es vielleicht auch LGS mit genau zwei Lösungen? Führen mehr als eine Lösung stets zur Existenz unendlich vieler Lösungen? Und unter welchen Bedingungen entstehen welche qualitativen Typen von Lösungsmengen?

Um Antworten auf diese Fragen zu erhalten, studieren wir lineare Gleichungssysteme nun systematisch und beginnen mit der folgenden formalen Definition:

Definition 2.4. Ein **lineares Gleichungssystem** (LGS) ist ein Gleichungssystem der Form

$$A_{11} \cdot x_1 + A_{12} \cdot x_2 + \ldots + A_{1n} \cdot x_n = b_1,$$
$$\vdots$$
$$A_{m1} \cdot x_1 + A_{m2} \cdot x_2 + \ldots + A_{mn} \cdot x_n = b_m.$$

Hierbei ist n die Anzahl der Unbekannten und m die Anzahl der Gleichungen. Man beachte, dass m und n im Allgemeinen nicht übereinzustimmen brauchen.

Die **Koeffizienten** A_{ij} sowie die $b_i \in \mathbb{R}$ sind vorgegeben. Die *Unbekannten* $x_1, \ldots, x_n$ dagegen sind gesucht.

Gilt $b_1 = \ldots = b_m = 0$, so heißt das LGS **homogen** und ansonsten **inhomogen**.

So lagen etwa dem Obstkorb-Beispiel ebenso wie Beispiel 2.3 inhomogene LGS zu Grunde. Das LGS im Falle des Sprengstoff-Beispiels war homogen.

Bemerkung 2.5. Im Falle eines homogenen LGS kann die Lösungsmenge niemals leer sein, da dann $x_1 = \cdots = x_n = 0$ stets eine Lösung ist.

Um lineare Gleichungssysteme übersichtlich aufzuschreiben, führen wir die Matrix-Schreibweise ein:

Definition 2.6. Eine $m \times n$**-Matrix** reeller Zahlen ist ein rechteckiges Schema der Form

$$\begin{pmatrix} A_{11} & \cdots & A_{1n} \\ \vdots & \ddots & \vdots \\ A_{m1} & \cdots & A_{mn} \end{pmatrix},$$

wobei $A_{ij} \in \mathbb{R}$ für alle $i \in \{1, \ldots, m\}$ und $j \in \{1, \ldots, n\}$ ist.

So ist zum Beispiel $(0\ 0)$ eine 1×2-Matrix, $\begin{pmatrix} 1 & 4 \\ 2 & 5 \\ 3 & 6 \end{pmatrix}$ eine 3×2-Matrix und $\begin{pmatrix} 1 \\ 2 \\ 3 \end{pmatrix}$ eine 3×1-Matrix.

Wir werden nachfolgend die Menge aller reellen $m \times n$-Matrizen mit $\mathrm{Mat}(m \times n, \mathbb{R})$ bezeichnen.

Für uns ist dann also zum Beispiel $\begin{pmatrix} 1 & 4 \\ 2 & 5 \\ 3 & 6 \end{pmatrix} \in \mathrm{Mat}(3 \times 2, \mathbb{R})$.

Definition 2.7. Eine $1 \times n$-Matrix nennen wir **Zeilenvektor** und eine $m \times 1$-Matrix **Spaltenvektor**.

Definition 2.8. Ist

$$A = \begin{pmatrix} A_{11} & \cdots & A_{1n} \\ \vdots & \ddots & \vdots \\ A_{m1} & \cdots & A_{mn} \end{pmatrix}$$

eine $m \times n$-Matrix, so heißt die $n \times m$-Matrix

$$A^{\mathsf{T}} = \begin{pmatrix} A_{11} & \cdots & A_{m1} \\ \vdots & \ddots & \vdots \\ A_{1n} & \cdots & A_{mn} \end{pmatrix}$$

die zu A **transponierte Matrix**.

Beispiele 2.9. 1. Für die oben angeführte 3×2-Matrix ergibt sich

$$\begin{pmatrix} 1 & 4 \\ 2 & 5 \\ 3 & 6 \end{pmatrix}^{\mathsf{T}} = \begin{pmatrix} 1 & 2 & 3 \\ 4 & 5 & 6 \end{pmatrix}.$$

2. Die Transponierte eines Zeilenvektors ist ein Spaltenvektor und umgekehrt.

3. Transponiert man zweimal, so ergibt sich wieder die ursprüngliche Matrix, d.h. für alle Matrizen A gilt

$$(A^\top)^\top = A.$$

Nachfolgend werden wir die Konvention verwenden, dass die Elemente aus $\mathbb{R}^n$ stets Spaltenvektoren, d.h. $n \times 1$-Matrizen sind. Folglich gilt:

$$\mathbb{R}^n = \mathrm{Mat}(n \times 1, \mathbb{R}) = \left\{ \begin{pmatrix} x_1 \\ \vdots \\ x_n \end{pmatrix} \middle| \, x_1, \ldots, x_n \in \mathbb{R} \right\} = \{(x_1, \ldots, x_n)^\top \mid x_1, \ldots, x_n \in \mathbb{R}\}.$$

Bemerkung 2.10. Als Konvention für die Einträge von Matrizen A bzw. B aus $\mathrm{Mat}(m \times n, \mathbb{R})$ nutzen wir der Definition entsprechend A_{ij} bzw. B_{ij} also

$$A = \begin{pmatrix} A_{11} & \cdots & A_{1n} \\ \vdots & \ddots & \vdots \\ A_{m1} & \cdots & A_{mn} \end{pmatrix} \quad \text{bzw.} \quad B = \begin{pmatrix} B_{11} & \cdots & B_{1n} \\ \vdots & \ddots & \vdots \\ B_{m1} & \cdots & B_{mn} \end{pmatrix}.$$

Der erste Index i ist der Zeilenindex, der zweite Index j der Spaltenindex.

Sehen wir uns einmal an, welche Rechenoperationen mit Matrizen möglich sind.

Addition von Matrizen. Seien $A, B \in \mathrm{Mat}(m \times n, \mathbb{R})$ mit der Darstellung wie oben. Die Matrizen stimmen also in Höhe und Breite überein. Dann können die beiden Matrizen addiert werden. Dabei hat $A + B$ definitionsgemäß die Einträge

$$(A + B)_{ij} = A_{ij} + B_{ij}.$$

Man spricht auch davon, dass die Addition komponentenweise erklärt ist, etwa im Fall

$$\begin{pmatrix} 1 & 4 \\ 2 & 5 \\ 3 & 6 \end{pmatrix} + \begin{pmatrix} 7 & 10 \\ 8 & 11 \\ 9 & 12 \end{pmatrix} = \begin{pmatrix} 1+7 & 4+10 \\ 2+8 & 5+11 \\ 3+9 & 6+12 \end{pmatrix} = \begin{pmatrix} 8 & 14 \\ 10 & 16 \\ 12 & 18 \end{pmatrix}$$

oder im Spezialfall der Vektoraddition

$$\begin{pmatrix} 1 \\ 0 \\ -1 \end{pmatrix} + \begin{pmatrix} -2 \\ 1 \\ 3 \end{pmatrix} = \begin{pmatrix} 1-2 \\ 0+1 \\ -1+3 \end{pmatrix} = \begin{pmatrix} -1 \\ 1 \\ 2 \end{pmatrix}.$$

Für die prägnante Unterscheidung zwischen Matrizen reeller Zahlen und reellen Zahlen selbst bezeichnet man letztere auch häufig als **Skalare**.

Multiplikation von Matrizen mit Skalaren.   Sei $A \in \mathrm{Mat}(m \times n, \mathbb{R})$ mit Einträgen wie oben und $\lambda \in \mathbb{R}$. Dann hat $\lambda \cdot A \in \mathrm{Mat}(m \times n, \mathbb{R})$ die Einträge

$$(\lambda \cdot A)_{ij} = \lambda \cdot A_{ij},$$

z.B.

$$2 \cdot \begin{pmatrix} 1 & 4 \\ 2 & 5 \\ 3 & 6 \end{pmatrix} = \begin{pmatrix} 2 \cdot 1 & 2 \cdot 4 \\ 2 \cdot 2 & 2 \cdot 5 \\ 2 \cdot 3 & 2 \cdot 6 \end{pmatrix} = \begin{pmatrix} 2 & 8 \\ 4 & 10 \\ 6 & 12 \end{pmatrix}$$

oder

$$2 \cdot \begin{pmatrix} 1 \\ 0 \\ -1 \end{pmatrix} = \begin{pmatrix} 2 \cdot 1 \\ 2 \cdot 0 \\ 2 \cdot (-1) \end{pmatrix} = \begin{pmatrix} 2 \\ 0 \\ -2 \end{pmatrix}.$$

Naiv könnte man nun auf die Idee kommen, auch die Multiplikation zweier Matrizen komponentenweise zu definieren. Wie sich herausstellen wird, ist dies wenig sinnvoll, wohl aber die folgende Definition der

Multiplikation zweier Matrizen.   Sei $A \in \mathrm{Mat}(m \times n, \mathbb{R})$ und $B \in \mathrm{Mat}(n \times k, \mathbb{R})$. Die Breite der ersten Matrix muss also mit der Höhe der zweiten Matrix übereinstimmen. Das Resultat der Matrix-Multiplikation von A mit B wird eine $m \times k$-Matrix sein, $A \cdot B \in \mathrm{Mat}(m \times k, \mathbb{R})$. Die Formel für die Matrix-Multiplikation kann man sich mit Hilfe des sogenannten Falk-Schemas merken. Kürzen wir dazu das Produkt als C ab, d.h. $C := A \cdot B$, dann sieht das Falk-Schema folgendermaßen aus:

$$
\begin{array}{c|c}
 & B \\
\hline
A & C
\end{array}
\qquad \text{bzw.} \qquad
\begin{array}{c|c}
 & \begin{pmatrix} B_{11} & B_{12} & B_{13} \\ B_{21} & B_{22} & B_{23} \\ B_{31} & B_{32} & B_{33} \end{pmatrix} \\
\hline
\begin{pmatrix} A_{11} & A_{12} & A_{13} \\ A_{21} & A_{22} & A_{23} \\ A_{31} & A_{32} & A_{33} \end{pmatrix} & \begin{pmatrix} C_{11} & C_{12} & C_{13} \\ C_{21} & C_{22} & C_{23} \\ C_{31} & C_{32} & C_{33} \end{pmatrix}
\end{array}
$$

Tab. 10 Falk-Schema

Zur Berechnung, etwa von C_{23}, geht man nun simultan die 2. Zeile von A und die 3. Spalte von B durch, multipliziert in jedem Schritt die entsprechenden Einträge und addiert schließlich die Produkte auf:

$$(A \cdot B)_{23} = C_{23} = A_{21} \cdot B_{13} + A_{22} \cdot B_{23} + A_{23} \cdot B_{33}.$$

Ganz allgemein ist der Eintrag der i-ten Zeile und der j-ten Spalte des Produkts gegeben durch:

$$(A \cdot B)_{ij} := A_{i1} \cdot B_{1j} + A_{i2} \cdot B_{2j} + \ldots + A_{in} \cdot B_{nj} = \sum_{l=1}^{n} A_{il} \cdot B_{lj}. \tag{2.3}$$

Zum Beispiel gilt:

$$
\begin{pmatrix} 1 & 5 \\ 2 & 6 \\ 3 & 7 \\ 4 & 8 \end{pmatrix} \cdot \begin{pmatrix} 1 & 1 & 2 \\ 0 & 1 & 3 \end{pmatrix} = \begin{pmatrix} 1\cdot1+5\cdot0 & 1\cdot1+5\cdot1 & 1\cdot2+5\cdot3 \\ 2\cdot1+6\cdot0 & 2\cdot1+6\cdot1 & 2\cdot2+6\cdot3 \\ 3\cdot1+7\cdot0 & 3\cdot1+7\cdot1 & 3\cdot2+7\cdot3 \\ 4\cdot1+8\cdot0 & 4\cdot1+8\cdot1 & 4\cdot2+8\cdot3 \end{pmatrix} = \begin{pmatrix} 1 & 6 & 17 \\ 2 & 8 & 22 \\ 3 & 10 & 27 \\ 4 & 12 & 32 \end{pmatrix}.
$$

 Das Multiplizieren von Matrizen muss man beherrschen ohne groß darüber 
nachzudenken. Es wird empfohlen, es hier zu üben bis es sitzt:
`https://ueben.cbaer.eu/08.html`

Bemerkung 2.11. Fassen wir die drei Rechenoperationen noch einmal in Gestalt von Abbildungen zusammen und halten fest, auf welchen Mengen diese arbeiten:

$$
\begin{aligned}
(A, B) &\mapsto A + B &&\text{auf}&& \mathrm{Mat}(m \times n, \mathbb{R}) \times \mathrm{Mat}(m \times n, \mathbb{R}) \to \mathrm{Mat}(m \times n, \mathbb{R}), \\
(\lambda, A) &\mapsto \lambda \cdot A &&\text{auf}&& \mathbb{R} \times \mathrm{Mat}(m \times n, \mathbb{R}) \to \mathrm{Mat}(m \times n, \mathbb{R}), \\
(A, B) &\mapsto A \cdot B &&\text{auf}&& \mathrm{Mat}(m \times n, \mathbb{R}) \times \mathrm{Mat}(n \times k, \mathbb{R}) \to \mathrm{Mat}(m \times k, \mathbb{R}).
\end{aligned}
$$

Welche Rechenregeln gelten nun für Matrizen?

Satz 2.12. *Reelle Matrizen genügen den folgenden Rechenregeln:*

(i) Für alle $A, B \in \mathrm{Mat}(m \times n, \mathbb{R})$ gilt:

$$A + B = B + A.$$

(ii) Für alle $A, B, C \in \mathrm{Mat}(m \times n, \mathbb{R})$ gilt:

$$(A + B) + C = A + (B + C).$$

(iii) Für alle $\lambda \in \mathbb{R}$ und für alle $A, B \in \mathrm{Mat}(m \times n, \mathbb{R})$ gilt:

$$\lambda \cdot (A + B) = \lambda \cdot A + \lambda \cdot B.$$

(iv) Für alle $\lambda, \mu \in \mathbb{R}$ und für alle $A \in \mathrm{Mat}(m \times n, \mathbb{R})$ gilt:

$$(\lambda + \mu) \cdot A = \lambda \cdot A + \mu \cdot A.$$

(v) Für alle $\lambda, \mu \in \mathbb{R}$, für alle $A \in \mathrm{Mat}(m \times n, \mathbb{R})$ und für alle $B \in \mathrm{Mat}(n \times k, \mathbb{R})$ gilt:

$$(\lambda \cdot \mu) \cdot (A \cdot B) = (\lambda \cdot A) \cdot (\mu \cdot B).$$

> **(vi)** *Für alle $A \in \mathrm{Mat}(m \times n, \mathbb{R})$, für alle $B \in \mathrm{Mat}(n \times k, \mathbb{R})$ und für alle $C \in \mathrm{Mat}(k \times l, \mathbb{R})$ gilt:*
>
> $$(A \cdot B) \cdot C = A \cdot (B \cdot C).$$
>
> **(vii)** *Für alle $A, B \in \mathrm{Mat}(m \times n, \mathbb{R})$ und für alle $C \in \mathrm{Mat}(n \times k, \mathbb{R})$ gilt:*
>
> $$(A + B) \cdot C = A \cdot C + B \cdot C.$$
>
> **(viii)** *Für alle $A \in \mathrm{Mat}(m \times n, \mathbb{R})$ und für alle $B, C \in \mathrm{Mat}(n \times k, \mathbb{R})$ gilt:*
>
> $$A \cdot (B + C) = A \cdot B + A \cdot C.$$

Hier wurde die übliche Konvention „Punkt vor Strich" verwendet, d.h. $A \cdot C + B \cdot C$ ist als $(A \cdot C) + (B \cdot C)$ zu verstehen.

Beweis. Wir zeigen alle Teile außer den Aussagen (iv), (v) und (viii). Diese verbleiben als Übungsaufgabe 2.2.

Zu (i):
Seien $A, B \in \mathrm{Mat}(m \times n, \mathbb{R})$. Dann gilt für alle $i \in \{1, \ldots, m\}$ und $j \in \{1, \ldots, n\}$:

$$(A + B)_{ij} = A_{ij} + B_{ij} = B_{ij} + A_{ij} = (B + A)_{ij}.$$

Also gilt $A + B = B + A$.

Zu (ii):
Seien $A, B, C \in \mathrm{Mat}(m \times n, \mathbb{R})$. Dann gilt für jedes $i \in \{1, \ldots, m\}$ und jedes $j \in \{1, \ldots, n\}$:

$$\begin{aligned}
((A + B) + C)_{ij} &= (A + B)_{ij} + C_{ij} \\
&= (A_{ij} + B_{ij}) + C_{ij} \\
&= A_{ij} + (B_{ij} + C_{ij}) \\
&= A_{ij} + (B + C)_{ij} \\
&= (A + (B + C))_{ij}
\end{aligned}$$

Aus der Gleichheit aller Komponenten folgt $(A + B) + C = A + (B + C)$.

Zu (iii):
Seien $\lambda \in \mathbb{R}$ und $A, B \in \mathrm{Mat}(m \times n, \mathbb{R})$. Dann gilt für jedes $i \in \{1, \ldots, m\}$ und jedes $j \in \{1, \ldots, n\}$:

$$\begin{aligned}
(\lambda \cdot (A + B))_{ij} &= \lambda \cdot (A + B)_{ij} \\
&= \lambda \cdot (A_{ij} + B_{ij}) \\
&= \lambda \cdot A_{ij} + \lambda \cdot B_{ij}
\end{aligned}$$

$$= (\lambda \cdot A)_{ij} + (\lambda \cdot B)_{ij}$$
$$= (\lambda \cdot A + \lambda \cdot B)_{ij} \,.$$

Es folgt $\lambda \cdot (A + B) = \lambda \cdot A + \lambda \cdot B$.

Zu (vi):

Sei $A \in \mathrm{Mat}(m \times n, \mathbb{R})$, sei $B \in \mathrm{Mat}(n \times k, \mathbb{R})$ und sei $C \in \mathrm{Mat}(k \times l, \mathbb{R})$. Dann gilt für alle $i \in \{1, \ldots, m\}$ und $j \in \{1, \ldots, l\}$:

$$
\begin{aligned}
((A \cdot B) \cdot C)_{ij} &= \sum_{s=1}^{k} (A \cdot B)_{is} \cdot C_{sj} \\
&= \sum_{s=1}^{k} \left(\sum_{r=1}^{n} A_{ir} \cdot B_{rs} \right) \cdot C_{sj} \\
&= \sum_{s=1}^{k} \sum_{r=1}^{n} \left(A_{ir} \cdot B_{rs} \cdot C_{sj} \right) \\
&= \sum_{r=1}^{n} \sum_{s=1}^{k} \left(A_{ir} \cdot B_{rs} \cdot C_{sj} \right) \\
&= \sum_{r=1}^{n} A_{ir} \cdot \sum_{s=1}^{k} \left(B_{rs} \cdot C_{sj} \right) \\
&= \sum_{r=1}^{n} A_{ir} \cdot (B \cdot C)_{rj} \\
&= (A \cdot (B \cdot C))_{ij} \,.
\end{aligned}
$$

Es folgt $(A \cdot B) \cdot C = A \cdot (B \cdot C)$.

Zu (vii):

Seien $A, B \in \mathrm{Mat}(m \times n, \mathbb{R})$ und sei $C \in \mathrm{Mat}(n \times k, \mathbb{R})$. Dann gilt für alle $i \in \{1, \ldots, m\}$ und jedes $j \in \{1, \ldots, k\}$:

$$
\begin{aligned}
((A + B) \cdot C)_{ij} &= \sum_{l=1}^{n} (A + B)_{il} \cdot C_{lj} \\
&= \sum_{l=1}^{n} (A_{il} + B_{il}) \cdot C_{lj} \\
&= \sum_{l=1}^{n} (A_{il} \cdot C_{lj} + B_{il} \cdot C_{lj}) \\
&= \sum_{l=1}^{n} A_{il} \cdot C_{lj} + \sum_{l=1}^{n} B_{il} \cdot C_{lj} \\
&= (A \cdot C)_{ij} + (B \cdot C)_{ij} \\
&= (A \cdot C + B \cdot C)_{ij} \,.
\end{aligned}
$$

Dies zeigt $(A + B) \cdot C = A \cdot C + B \cdot C$. $\qquad$ $\square$

Bemerkung 2.13. Diese Rechenregeln versetzen uns in die Lage, mit Matrizen fast so wie mit reellen Zahlen zu rechnen. Allerdings müssen wir beachten, dass für die Matrix-Multiplikation $A \cdot B = B \cdot A$ im Allgemeinen **nicht** gilt. Sei etwa $A \in \mathrm{Mat}(m \times n, \mathbb{R})$ und $B \in \mathrm{Mat}(n \times m, \mathbb{R})$. Wie wir wissen, ist dann $A \cdot B \in \mathrm{Mat}(m \times m, \mathbb{R})$ und $B \cdot A \in \mathrm{Mat}(n \times n, \mathbb{R})$. Ist nun $m \neq n$, so besitzen die beiden Produkte offenbar verschiedene Abmaße und insbesondere gilt somit $A \cdot B \neq B \cdot A$. Falls $m = n$, so kann sowohl der Fall $A \cdot B = B \cdot A$ als auch der Fall $A \cdot B \neq B \cdot A$ eintreten. Etwa für die Matrizen $A = \begin{pmatrix} 1 & 0 \\ 0 & 1 \end{pmatrix}$ und $B = \begin{pmatrix} 1 & 3 \\ 2 & 4 \end{pmatrix}$ erhalten wir einerseits:

$$A \cdot B = \begin{pmatrix} 1 & 3 \\ 2 & 4 \end{pmatrix} = B \cdot A \,.$$

Mit $A = \begin{pmatrix} 1 & 0 \\ 1 & 1 \end{pmatrix}$ und $B = \begin{pmatrix} 1 & 3 \\ 2 & 4 \end{pmatrix}$ ergibt sich jedoch:

$$A \cdot B = \begin{pmatrix} 1 & 3 \\ 3 & 7 \end{pmatrix} \neq \begin{pmatrix} 4 & 3 \\ 6 & 4 \end{pmatrix} = B \cdot A \,.$$

Die Reihenfolge der Faktoren ist bei der Multiplikation daher wesentlich.

Warum haben wir die Matrix-Multiplikation eigentlich so definiert, wie wir es getan haben, und nicht etwa komponentenweise so wie bei der Addition? Dies versteht man, wenn man die Beziehung zwischen LGS und Matrizen kennt. Sei hierfür $A \in \mathrm{Mat}(m \times n, \mathbb{R})$ sowie speziell $x \in \mathrm{Mat}(n \times 1, \mathbb{R}) = \mathbb{R}^n$. Es gilt:

$$A \cdot x = \begin{pmatrix} A_{11} & \cdots & A_{1n} \\ \vdots & \ddots & \vdots \\ A_{m1} & \cdots & A_{mn} \end{pmatrix} \cdot \begin{pmatrix} x_1 \\ \vdots \\ x_n \end{pmatrix} = \begin{pmatrix} A_{11} \cdot x_1 + A_{12} \cdot x_2 + \ldots + A_{1n} \cdot x_n \\ \vdots \\ A_{m1} \cdot x_1 + A_{m2} \cdot x_2 + \ldots + A_{mn} \cdot x_n \end{pmatrix} \,.$$

Das LGS

$$\begin{cases} A_{11} \cdot x_1 + \ldots + A_{1n} \cdot x_n = b_1 \\ \qquad\qquad \vdots \\ A_{m1} \cdot x_1 + \ldots + A_{mn} \cdot x_n = b_m \end{cases} \tag{2.4}$$

ist äquivalent zur Matrix-Gleichung

$$A \cdot x = b,$$

wobei $A = \begin{pmatrix} A_{11} & \cdots & A_{1n} \\ \vdots & \ddots & \vdots \\ A_{m1} & \cdots & A_{mn} \end{pmatrix}$ die **Koeffizientenmatrix** des LGS (2.4) ist und $x = \begin{pmatrix} x_1 \\ \vdots \\ x_n \end{pmatrix}$ sowie

$$b = \begin{pmatrix} b_1 \\ \vdots \\ b_m \end{pmatrix}.$$

Das funktioniert nur für unsere etwas kompliziertere Definition der Matrix-Multiplikation. Die Rechenregeln für Matrizen erleichtern uns den Umgang mit LGS erheblich, wie sich bereits im Beweis des nächsten Satzes zeigen wird. Zunächst jedoch führen wir noch einen Bezeichner für die Menge aller Lösungen eines LGS ein.

Definition 2.14. Sei $A \in \text{Mat}(m \times n, \mathbb{R})$ und $b \in \mathbb{R}^m$. Dann heißt

$$\text{Lös}(A, b) := \{x \in \mathbb{R}^n \mid A \cdot x = b\}$$

die **Lösungsmenge** von (2.4).

Notation 2.15. Seien $m, n \in \mathbb{N}$. Die **Nullmatrix** schreiben wir als

$$\mathbf{0} := \begin{pmatrix} 0 & \cdots & 0 \\ \vdots & & \vdots \\ 0 & \cdots & 0 \end{pmatrix} \in \text{Mat}(m \times n, \mathbb{R}).$$

Speziell haben wir Nullspaltenvektoren $\mathbf{0} = \begin{pmatrix} 0 \\ \vdots \\ 0 \end{pmatrix}$ und Nullzeilenvektoren $\mathbf{0} = (0, \dots, 0)$.

Diese Notation ist etwas ungenau, da die Abmessungen der Matrix, d.h. die Zahl der Spalten und Zeilen, nicht mit aufgeführt werden. Sie werden jedoch stets aus dem Kontext klar sein.

Bemerkung 2.16. Offensichtlich gilt für jede Matrix $A \in \text{Mat}(m \times n, \mathbb{R})$

$$A + \mathbf{0} = \mathbf{0} + A = A.$$

Untersuchen wir zunächst homogene LGS, also den Spezialfall $b = \mathbf{0} = \begin{pmatrix} 0 \\ \vdots \\ 0 \end{pmatrix}$.

> **Satz 2.17.** *Die Lösungsmenge des homogenen LGS $A \cdot x = 0$ hat folgende Eigenschaften:*
>
> *(i) Es ist $0 \in$ Lös$(A, 0)$. Insbesondere ist Lös$(A, 0) \neq \emptyset$.*
>
> *(ii) Sind $x, y \in$ Lös$(A, 0)$, so ist auch $x + y \in$ Lös$(A, 0)$.*
>
> *(iii) Ist $x \in$ Lös$(A, 0)$ und $\lambda \in \mathbb{R}$, so ist auch $\lambda \cdot x \in$ Lös$(A, 0)$.*

Beweis. Zu (i):
Sicherlich gilt $A \cdot 0 = 0$ und daher ist $0 \in$ Lös$(A, 0)$.

Zu (ii):
Seien $x, y \in$ Lös$(A, 0)$, d.h. es gilt $A \cdot x = 0$ und $A \cdot y = 0$. Mit Satz 2.12 (viii) erhalten wir dann:

$$A \cdot (x + y) = A \cdot x + A \cdot y = 0 + 0 = 0.$$

Folglich ist auch $x + y \in$ Lös$(A, 0)$.

Zu (iii):
Sei schließlich $x \in$ Lös$(A, 0)$ und $\lambda \in \mathbb{R}$. Nun nutzen wir Satz 2.12 (v) und bekommen:

$$A \cdot (\lambda \cdot x) = \lambda \cdot (A \cdot x) = \lambda \cdot 0 = 0.$$

Also gilt $\lambda \cdot x \in$ Lös$(A, 0)$. $\qquad\square$

Diese Eigenschaften der Lösungsmengen homogener LGS sind so wichtig, dass sie zu folgender Definition führen.

> **Definition 2.18.** Eine Teilmenge $V \subset \mathbb{R}^n$ heißt **Untervektorraum**, falls gilt:
>
> 1. Es ist $0 \in V$.
>
> 2. Sind $x, y \in V$, so ist auch $x + y \in V$.
>
> 3. Ist $x \in V$ und $\lambda \in \mathbb{R}$, so ist auch $\lambda \cdot x \in V$.

Nach Definition ist Lös$(A, 0)$ somit stets ein Untervektorraum von $\mathbb{R}^n$.

Beispiele 2.19. 1. Der kleinste Untervektorraum von $\mathbb{R}^n$ ist der Nullvektorraum $V = \{0\}$.

2. Ist hingegen $v \in \mathbb{R}^n$ mit $v \neq \mathbf{0}$, dann ist $V = \{v\}$ kein Untervektorraum. Tatsächlich sind sogar alle drei Bedingungen aus der Definition verletzt.

3. Der größtmögliche Untervektorraum von $\mathbb{R}^n$ ist $V = \mathbb{R}^n$ selbst.

4. Sei $v \in \mathbb{R}^n$. Dann bildet die Menge aller Vielfachen von v einen Untervektorraum $V = \{t \cdot v \mid t \in \mathbb{R}\}$.

Definition 2.20. Seien $v_1, \ldots, v_k \in \mathbb{R}^n$ gegeben. Vektoren der Form $t_1 \cdot v_1 + \cdots + t_k \cdot v_k$ nennt man **Linearkombinationen** von $v_1, \ldots, v_k$. Die Menge aller Linearkombinationen von $v_1, \ldots, v_k \in \mathbb{R}^n$ bezeichnen wir mit

$$L(v_1, \ldots, v_k) := \{t_1 \cdot v_1 + \cdots + t_k \cdot v_k \mid t_1, \ldots, t_k \in \mathbb{R}\}$$

und nennen sie die **lineare Hülle** von $v_1, \ldots, v_k$. Wir erlauben auch einen leeren Satz von Vektoren und setzen

$$L() := \{\mathbf{0}\}.$$

Bemerkung 2.21. Die lineare Hülle von Vektoren im $\mathbb{R}^n$ bildet stets einen Untervektorraum des $\mathbb{R}^n$. Seien dazu k Vektoren $v_1, \ldots, v_k \in \mathbb{R}^n$ gegeben. Überlegen wir kurz, dass für $V = L(v_1 \ldots, v_k)$ die drei Bedingungen aus Definition 2.18 erfüllt sind. Es ist $\mathbf{0} \in V$, da wir hierzu nur $t_1 = \cdots = t_k = 0$ setzen müssen.

Seien $x, y \in V$. Dann gibt es nach Definition von V zum einen Zahlen $t_1, \ldots, t_k$ mit $x = t_1 \cdot v_1 + \cdots + t_k \cdot v_k$ und zum anderen Zahlen, nennen wir sie zur Unterscheidung $s_1, \ldots, s_k \in \mathbb{R}$ mit $y = s_1 \cdot v_1 + \cdots + s_k \cdot v_k$. Dann ist $x + y = (t_1 + s_1) \cdot v_1 + \cdots + (t_k + s_k) \cdot v_k$, also auch $x + y \in V$. Damit ist die zweite Bedingung verifiziert.

Ist schließlich $x \in V$, also von der Form $x = t_1 \cdot v_1 + \cdots + t_k \cdot v_k$ für gewisse Koeffizienten $t_1, \ldots, t_k \in \mathbb{R}$, und ist $\lambda \in \mathbb{R}$, so ist $\lambda \cdot x = (\lambda \cdot t_1) \cdot v_1 + \cdots + (\lambda \cdot t_k) \cdot v_k$, also auch $\lambda \cdot x \in V$. Dies zeigt die dritte Bedingung.

Bemerkung 2.22. Stets sind $v_1, \ldots, v_k$ wieder Elemente ihrer linearen Hülle, d.h. es gilt $v_1, \ldots, v_k \in L(v_1, \ldots, v_k)$. Um dies einzusehen, schreiben wir einfach

$$v_1 = 1 \cdot v_1 + 0 \cdot v_2 + \ldots + 0 \cdot v_k \in L(v_1, \ldots, v_k)$$

und analog für die Vektoren $v_2, \ldots, v_k$. Des Weiteren gilt allgemein:

$$L(v_1, \ldots, v_k) \subset L(v_1, \ldots, v_k, v_{k+1}, \ldots, v_m).$$

Denn:

$$t_1 \cdot v_1 + \ldots + t_k \cdot v_k = t_1 \cdot v_1 + \ldots + t_k \cdot v_k + 0 \cdot v_{k+1} + \ldots + 0 \cdot v_m.$$

Bemerkung 2.23. Der Nullvektor ist stets in der Lösungsmenge eines homogenen LGS enthalten. Hat das homogene LGS mehr Unbekannte als Gleichungen, so besitzt es auch Lösungen

$\neq \mathbf{0}$ (und damit unendlich viele Lösungen, da alle Vielfachen einer Lösung wieder Lösungen sind). Warum gibt es dann eine Lösung $\neq \mathbf{0}$?

Dies zeigen wir durch vollständige Induktion nach der Anzahl m der Gleichungen.

Induktionsanfang: Haben wir nur eine Gleichung

$$A_{11} \cdot x_1 + A_{12} \cdot x_2 + \ldots + A_{1n} \cdot x_n = 0,$$

aber $n \geq 2$ Unbekannte, so ist z.B. $x := (-A_{12}, A_{11}, 0, \ldots, 0)^\top$ eine Lösung. Ist $A_{11} \neq 0$, dann ist $x \neq \mathbf{0}$ wie gewünscht. Ist dagegen $A_{11} = 0$, dann ist $x' := (1, 0, \ldots, 0)^\top$ eine Lösung $\neq \mathbf{0}$.

Induktionsschritt: Seien nun $m \geq 2$ viele Gleichungen mit $n > m$ vielen Unbekannten gegeben. Sind alle Koeffizienten A_{in} von x_n gleich 0, dann ist $x := (0, \ldots, 0, 1)^\top$ eine Lösung $\neq \mathbf{0}$. Ist dagegen wenigstens einer dieser Koeffizienten $A_{in} \neq 0$, dann können wir die i-te Gleichung nach x_n auflösen:

$$x_n = -\frac{1}{A_{in}}(A_{i1}x_1 + \ldots + A_{i,n-1}x_{n-1}).$$

Setzen wir das in die übrigen Gleichungen ein, so erhalten wir ein homogenes LGS mit $m - 1$ Gleichungen und $n - 1$ Unbekannten. Da $n - 1 > m - 1$ ist, besitzt dieses kleinere LGS nach Induktionsvoraussetzung eine Lösung $(x_1, \ldots, x_{n-1})^\top \neq \mathbf{0}$. Dann ist $(x_1, \ldots, x_{n-1}, -\frac{1}{A_{in}}(A_{i1}x_1 + \ldots + A_{i,n-1}x_{n-1}))^\top \neq \mathbf{0}$ eine Lösung des ursprünglichen LGS.

Bemerkung 2.24. Für jede Matrix A gilt $A \cdot \mathbf{0} = \mathbf{0}$. Ist also $\mathbf{0}$ in der Lösungsmenge eines linearen Gleichungssystems enthalten, so muss das LGS homogen sein. In anderen Worten, die Lösungsmenge eines inhomogenen LGS ist niemals ein Untervektorraum.

Wohl aber lassen sich Lösungmengen inhomogener Systeme auf Lösungsmengen homogener Systeme zurückführen.

Satz 2.25. *Sei $A \in \mathrm{Mat}(m \times n, \mathbb{R})$ und sei $b \in \mathbb{R}^m$. Weiterhin sei $L\ddot{o}s(A, b) \neq \emptyset$ und $y \in L\ddot{o}s(A, b)$. Dann gilt:*

$$L\ddot{o}s(A, b) = \{x + y \mid x \in L\ddot{o}s(A, \mathbf{0})\} .$$

Beweis. Um die behauptete Gleichheit beider Mengen zu zeigen, beweisen wir $L\ddot{o}s(A, b) \supset \{x + y \mid x \in L\ddot{o}s(A, \mathbf{0})\}$ sowie $L\ddot{o}s(A, b) \subset \{x + y \mid x \in L\ddot{o}s(A, \mathbf{0})\}$. Der Beweis wird übrigens durch die Verwendung der sehr effizienten Matrixnotation und der entsprechenden Rechenregeln sehr übersichtlich und ziemlich einfach.

Zu „$\supset$":

Sei $x \in L\ddot{o}s(A, \mathbf{0})$ und $y \in L\ddot{o}s(A, b)$. Wir überprüfen, dass $x + y$ das inhomogene System löst. Es gilt

$$A \cdot (x + y) = A \cdot x + A \cdot y = \mathbf{0} + b = b$$

und somit $x + y \in L\ddot{o}s(A, b)$.

Zu „$\subset$":

Sei nun $z \in \text{Lös}(A, b)$. Wir setzen $x := z - y$, denn dann gilt $z = x + y$. Nun ist zu zeigen, dass tatsächlich $x \in \text{Lös}(A, \mathbf{0})$ gilt. Betrachte dazu:

$$\begin{aligned}
A \cdot x &= A \cdot (z - y) \\
&= A \cdot (z + (-1) \cdot y) \\
&= A \cdot z + A \cdot (-1) \cdot y \\
&= A \cdot z + (-1) \cdot A \cdot y \\
&= b + (-1) \cdot b \\
&= \mathbf{0}.
\end{aligned}$$

Das heißt nun aber gerade $x \in \text{Lös}(A, \mathbf{0})$ und somit gilt $z \in \{x + y \mid x \in \text{Lös}(A, \mathbf{0})\}$. $\square$

Die Lösungsmenge eines inhomogenen LGS kann man also dadurch bestimmen, dass man eine Lösung y findet (sofern überhaupt eine existiert), dann das zugehörige homogene LGS löst, das dadurch entsteht, dass man die „rechte Seite" b durch $\mathbf{0}$ ersetzt, und dann zu allen Lösungen des homogenen Systems y addiert.

Führen wir dies in folgendem sehr einfachen Beispiel mit nur einer Gleichung und zwei Unbekannten einmal durch:

Beispiel 2.26. Für $x_1 + 3x_2 = 7$ haben wir die Koeffizientenmatrix $(1 \quad 3)$ sowie $b = (7)$. Wir erraten die Lösung $y = \begin{pmatrix} 1 \\ 2 \end{pmatrix}$ dieses inhomogenen LGS und brauchen nun dem Satz nach nur noch das zugehörige homogene LGS $x_1 + 3x_2 = 0$ zu lösen. Es ist:

$$\begin{aligned}
\text{Lös}(A, \mathbf{0}) &= \left\{ \begin{pmatrix} x_1 \\ x_2 \end{pmatrix} \in \mathbb{R}^2 \,\middle|\, x_1 + 3x_2 = 0 \right\} \\
&= \left\{ \begin{pmatrix} -3x_2 \\ x_2 \end{pmatrix} \,\middle|\, x_2 \in \mathbb{R} \right\} \\
&= \left\{ x_2 \cdot \begin{pmatrix} -3 \\ 1 \end{pmatrix} \,\middle|\, x_2 \in \mathbb{R} \right\} \\
&= \left\{ t \cdot \begin{pmatrix} -3 \\ 1 \end{pmatrix} \,\middle|\, t \in \mathbb{R} \right\}.
\end{aligned}$$

Weiter nach dem Satz genügt es dann, y hinzuzuzählen. Wir erhalten als Lösungsmenge:

$$\text{Lös}(A, b) = \left\{ t \cdot \begin{pmatrix} -3 \\ 1 \end{pmatrix} + \begin{pmatrix} 1 \\ 2 \end{pmatrix} \,\middle|\, t \in \mathbb{R} \right\} = \left\{ \begin{pmatrix} 1 - 3t \\ 2 + t \end{pmatrix} \,\middle|\, t \in \mathbb{R} \right\}.$$

Im folgenden Abschnitt werden wir Konzepte entwickeln, die es erlauben, Untervektorräume des $\mathbb{R}^n$ (und damit die Lösungsmengen homogener LGS) effektiv zu beschreiben.

2.2. Lineare Unabhängigkeit und Basen

Betrachten wir noch einmal einige Beispiele für lineare Hüllen in dem Spezialfall von Vektoren im $\mathbb{R}^3$. Es seien dazu

$$v_1 := \begin{pmatrix} 1 \\ 0 \\ 0 \end{pmatrix}, \qquad v_2 := \begin{pmatrix} 0 \\ 1 \\ 0 \end{pmatrix}, \qquad v_3 := \begin{pmatrix} 0 \\ 0 \\ 1 \end{pmatrix}, \qquad v_4 := \begin{pmatrix} 0 \\ 1 \\ 1 \end{pmatrix}.$$

Beispiel 2.27. Die lineare Hülle von v_1 ist gegeben durch

$$L(v_1) = \left\{ \lambda \cdot \begin{pmatrix} 1 \\ 0 \\ 0 \end{pmatrix} \,\middle|\, \lambda \in \mathbb{R} \right\} = \left\{ \begin{pmatrix} \lambda \\ 0 \\ 0 \end{pmatrix} \,\middle|\, \lambda \in \mathbb{R} \right\}.$$

Geometrisch ist $L(v_1)$ die Gerade durch den Ursprung $\mathbf{0}$, die der x_1-Achse entspricht:

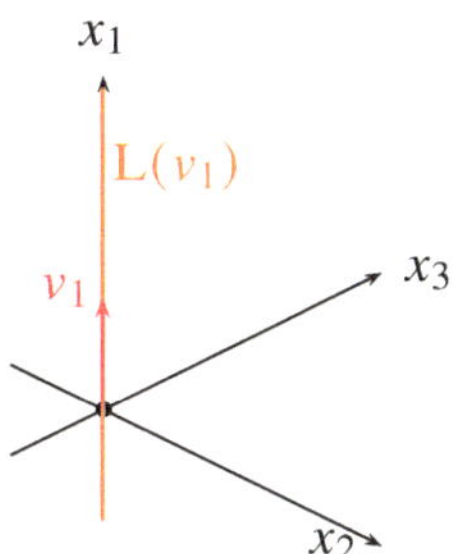

Abb. 25 *Lineare Hülle von v_1*

Beispiel 2.28. Die lineare Hülle von v_2 und v_3 ist gegeben durch

$$L(v_2, v_3) = \{ s \cdot v_2 + t \cdot v_3 \mid s, t \in \mathbb{R} \} = \left\{ \begin{pmatrix} 0 \\ s \\ 0 \end{pmatrix} + \begin{pmatrix} 0 \\ 0 \\ t \end{pmatrix} \,\middle|\, s, t \in \mathbb{R} \right\} = \left\{ \begin{pmatrix} 0 \\ s \\ t \end{pmatrix} \,\middle|\, s, t \in \mathbb{R} \right\}.$$

Geometrisch ist dies die x_2-x_3-Ebene:

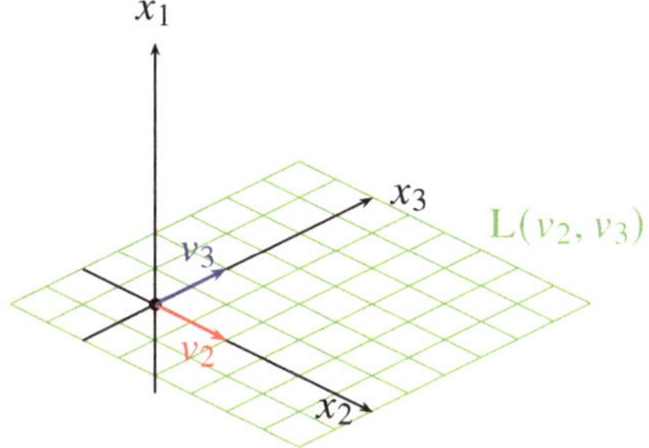

Abb. 26 *Lineare Hülle von v_2 und v_3*

Beispiel 2.29. Nimmt man nun zu v_2 und v_3 noch den Vektor v_4 hinzu, so erhält man

$$L(v_2, v_3, v_4) = \{\lambda \cdot v_2 + \mu \cdot v_3 + \eta \cdot v_4 \mid \lambda, \mu, \eta \in \mathbb{R}\}$$

$$= \left\{ \begin{pmatrix} 0 \\ \lambda \\ 0 \end{pmatrix} + \begin{pmatrix} 0 \\ 0 \\ \mu \end{pmatrix} + \begin{pmatrix} 0 \\ \eta \\ \eta \end{pmatrix} \,\middle|\, \lambda, \mu, \eta \in \mathbb{R} \right\}$$

$$= \left\{ \begin{pmatrix} 0 \\ \lambda + \eta \\ \mu + \eta \end{pmatrix} \,\middle|\, \lambda, \mu, \eta \in \mathbb{R} \right\}$$

$$= L(v_2, v_3).$$

Die Hinzunahme von v_4 hat die lineare Hülle nicht verändert. Dies liegt daran, dass v_4 bereits in der linearen Hülle von v_2 und v_3 liegt. Die Darstellung der x_2-x_3-Ebene als $L(v_2, v_3, v_4)$ ist offenbar weniger effizient als die durch $L(v_2, v_3)$.

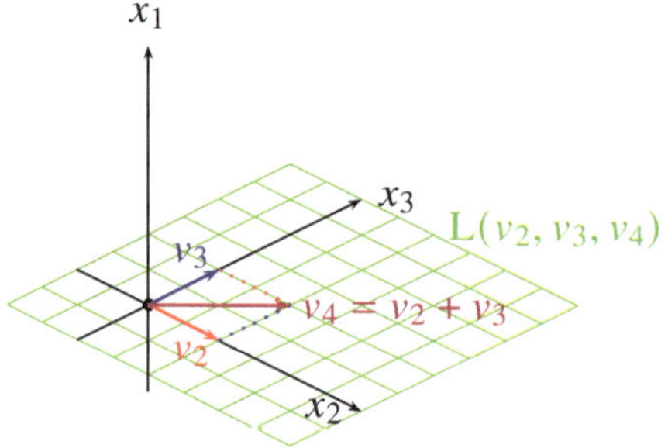

Abb. 27 *Lineare Hülle von v_2, v_3 und v_4*

Beispiel 2.30. Bilden wir dagegen die lineare Hülle von v_1, v_2 und v_3, so erhalten wir

$$L(v_1, v_2, v_3) = \mathbb{R}^3.$$

Im Beispiel 2.29 erhielten wir für die lineare Hülle dreier Vektoren (nur) eine Ebene. Für einen leicht abgeänderten Satz von Vektoren, wie im Beispiel 2.30, bekamen wir dagegen ganz $\mathbb{R}^3$. Unser nächstes Ziel ist es, die Systematik hinter diesem Phänomen zu verstehen. Der Schlüssel hierfür ist folgendes Lemma:

Lemma 2.31. *Seien $v_1, \ldots, v_m \in \mathbb{R}^n$. Dann sind folgende Aussagen äquivalent:*

(1) $\exists \lambda_1, \ldots, \lambda_m \in \mathbb{R}$, *nicht alle gleich 0, so dass:* $\lambda_1 v_1 + \ldots + \lambda_m v_m = \mathbf{0}$.

(2) $\exists l \in \{1, \ldots, m\} : v_l \in L(v_1, \ldots, v_{l-1}, v_{l+1}, \ldots, v_m)$.

(3) $\exists l \in \{1, \ldots, m\} : L(v_1, \ldots, v_{l-1}, v_{l+1}, \ldots, v_m) = L(v_1, \ldots, v_m)$.

Für Aussage (1) sagt man auch, dass sich $\mathbf{0}$ nichttrivial aus den Vektoren $v_1, \ldots, v_m$ linearkombinieren lässt. Aussage (2) besagt, dass einer der Vektoren bereits in der linearen Hülle der anderen enthalten ist. Aussage (3) besagt, dass die Hinzunahme dieses Vektors die lineare Hülle nicht vergrößert.

Beweis. Für die behauptete Äquivalenz der drei Aussagen genügt der Nachweis folgender Implikationen: (1) $\Rightarrow$ (2) und (2) $\Rightarrow$ (3) sowie (3) $\Rightarrow$ (1).

Zu „(1) $\Rightarrow$ (2)":
Seien $\lambda_1, \ldots, \lambda_m \in \mathbb{R}$ und davon wenigstens ein $\lambda_l \neq 0$, so dass $\lambda_1 v_1 + \ldots + \lambda_m v_m = \mathbf{0}$. Indem wir den l-ten Summanden auf die andere Seite bringen, erhalten wir:

$$-\lambda_l v_l = \lambda_1 v_1 + \ldots + \lambda_{l-1} v_{l-1} + \lambda_{l+1} v_{l+1} + \ldots + \lambda_m v_m.$$

Da $\lambda_l \neq 0$ ist, dürfen wir durch $-\lambda_l$ teilen und erhalten:

$$v_l = \frac{\lambda_1}{-\lambda_l} v_1 + \ldots + \frac{\lambda_{l-1}}{-\lambda_l} v_{l-1} + \frac{\lambda_{l+1}}{-\lambda_l} v_{l+1} + \ldots + \frac{\lambda_m}{-\lambda_l} v_m \in L(v_1, \ldots, v_{l-1}, v_{l+1}, \ldots, v_m).$$

Zu „(2) $\Rightarrow$ (3)":
Sei $v_l \in L(v_1, \ldots, v_{l-1}, v_{l+1}, \ldots, v_m)$. Wir zeigen $L(v_1, \ldots, v_{l-1}, v_{l+1}, \ldots, v_m) = L(v_1, \ldots, v_m)$. Nach Bemerkung 2.22 ist „$\subset$" bereits klar. Wir zeigen noch $L(v_1, \ldots, v_{l-1}, v_{l+1}, \ldots, v_m) \supset L(v_1, \ldots, v_m)$.
Sei hierfür $x \in L(v_1, \ldots, v_m)$. Dann existieren $\lambda_1, \ldots, \lambda_m \in \mathbb{R}$, so dass

$$x = \lambda_1 v_1 + \ldots + \lambda_m v_m.$$

Da nach Voraussetzung $v_l \in L(v_1, \ldots, v_{l-1}, v_{l+1}, \ldots, v_m)$ ist, können wir für geeignete Koeffizienten $\mu_k \in \mathbb{R}$

$$v_l = \mu_1 v_1 + \ldots + \mu_{l-1} v_{l-1} + \mu_{l+1} v_{l+1} + \ldots + \mu_m v_m$$

schreiben. Diesen Ausdruck setzen wir in die Darstellung für x ein und sortieren geeignet:

$$\begin{aligned}
x &= \lambda_1 v_1 + \ldots + \lambda_{l-1} v_{l-1} + \lambda_l v_l + \lambda_{l+1} v_{l+1} + \ldots + \lambda_m v_m \\
&= \lambda_1 v_1 + \ldots + \lambda_{l-1} v_{l-1} + \lambda_l (\mu_1 v_1 + \ldots + \mu_{l-1} v_{l-1} + \mu_{l+1} v_{l+1} + \ldots + \mu_m v_m) \\
&\quad + \lambda_{l+1} v_{l+1} + \ldots + \lambda_m v_m \\
&= (\lambda_1 + \lambda_l \mu_1) v_1 + \ldots + (\lambda_{l-1} + \lambda_l \mu_{l-1}) v_{l-1} \\
&\quad + (\lambda_{l+1} + \lambda_l \mu_{l+1}) v_{l+1} + \ldots + (\lambda_m + \lambda_l \mu_m) v_m \\
&\in L(v_1, \ldots, v_{l-1}, v_{l+1}, \ldots, v_m).
\end{aligned}$$

Es folgt $L(v_1, \ldots, v_m) \subset L(v_1, \ldots, v_{l-1}, v_{l+1}, \ldots, v_m)$.

Zu „(3) $\Rightarrow$ (1)":
Sei $L(v_1, \ldots, v_{l-1}, v_{l+1}, \ldots, v_m) = L(v_1, \ldots, v_m)$. Wegen $v_l \in L(v_1, \ldots, v_m) = L(v_1, \ldots, v_{l-1}, v_{l+1}, \ldots, v_m)$ gibt es Zahlen $\mu_k \in \mathbb{R}$, $k \in \{1, \ldots, l-1, l+1, \ldots, m\}$, so dass

$$v_l = \mu_1 v_1 + \ldots + \mu_{l-1} v_{l-1} + \mu_{l+1} v_{l+1} + \ldots + \mu_m v_m.$$

Dann ist

$$\mu_1 v_1 + \ldots + \mu_{l-1} v_{l-1} + (-1)v_l + \mu_{l+1} v_{l+1} + \ldots + \mu_m v_m = 0$$

eine nichttriviale Linearkombination von $\mathbf{0}$ durch die Vektoren $v_1, \ldots, v_m$. $\square$

Definition 2.32. Gilt eine (und damit alle) der Aussagen aus dem Lemma, dann heißt der Satz von Vektoren $v_1, \ldots, v_m$ **linear abhängig**, ansonsten **linear unabhängig**.

Möchte man einen Untervektorraum (z.B. die Lösungsmenge eines LGS) als lineare Hülle $L(v_1, \ldots, v_m)$ möglichst übersichtlich angeben, wird man keine „überflüssigen" Vektoren verwenden wollen. In anderen Worten, man wird die Vektoren $v_1, \ldots, v_m$ linear unabhängig haben wollen.

Wie weist man nun nach, dass gegebene Vektoren $v_1, \ldots, v_m$ linear unabhängig sind? Verwendet man das erste Kriterium aus Lemma 2.31, dann muss man für alle $\lambda_k \in \mathbb{R}$ die Gültigkeit folgender Implikation nachprüfen:

$$\lambda_1 v_1 + \ldots + \lambda_m v_m = \mathbf{0} \quad \Rightarrow \quad \lambda_1 = \ldots = \lambda_m = 0.$$

Der Nullvektor darf sich also nur auf triviale Art aus den Vektoren linear kombinieren lassen. Sehen wir uns einige Beispiele an.

Beispiel 2.33. In welchem Fall ist ein einziger Vektor $v \in \mathbb{R}^n$ linear (un-)abhängig?
1. Fall: Sei $v = \mathbf{0}$.
Dann ist $\lambda \cdot v = \mathbf{0}$ für alle $\lambda \in \mathbb{R}$, nicht nur für $\lambda = 0$. Also ist der Nullvektor $v = \mathbf{0}$ linear abhängig.
2. Fall: Sei $v \neq \mathbf{0}$.
Dann muss mindestens ein Eintrag in diesem Vektor $\neq 0$ sein. Multiplizieren wir v mit $\lambda \in \mathbb{R} \setminus \{0\}$, dann ist der entsprechende Eintrag von $\lambda \cdot v$ ebenfalls $\neq 0$ und damit ist $\lambda \cdot v \neq \mathbf{0}$. Der Nullvektor lässt sich mithin nur auf triviale Weise aus v linear kombinieren, $0 \cdot v = \mathbf{0}$. Somit ist jeder Vektor $v \in \mathbb{R}^n \setminus \{\mathbf{0}\}$ linear unabhängig.
Wir fassen zusammen: Ein einzelner Vektor ist linear unabhängig genau dann, wenn er nicht der Nullvektor ist.

Beispiel 2.34. Wann sind zwei Vektoren $v_1, v_2 \in \mathbb{R}^n$ linear abhängig? Laut Definition gilt unter anderem:

$$
\begin{aligned}
v_1, v_2 \text{ sind linear abhängig} \;\; &\Leftrightarrow\;\; v_1 \in L(v_2) \text{ oder } v_2 \in L(v_1)\\
&\Leftrightarrow\;\; v_1 \in \{t \cdot v_2 \mid t \in \mathbb{R}\} \text{ oder } v_2 \in \{s \cdot v_1 \mid s \in \mathbb{R}\}\\
&\Leftrightarrow\;\; \exists\, t \in \mathbb{R} : v_1 = t \cdot v_2 \text{ oder } v_2 = t \cdot v_1.
\end{aligned}
$$

Zwei Vektoren sind also genau dann linear abhängig, wenn einer sich als Vielfaches des anderen schreiben lässt.

Ist v_1 Vielfaches von v_2, d.h. $v_1 = t \cdot v_2$, dann ist meistens auch v_2 Vielfaches von v_1, denn $v_2 = \frac{1}{t} \cdot v_1$. Das funktioniert nur dann nicht, wenn $t = 0$. Dann ist v_1 der Nullvektor und v_2 irgendein Vektor. Diese beiden Vektoren sind linear abhängig, v_1 ist Vielfaches von v_2, aber v_2 ist nicht Vielfaches von v_1 (es sei denn, v_2 ist ebenfalls der Nullvektor).

Definition 2.35. Sei $V \subset \mathbb{R}^n$ ein Untervektorraum und seien $v_1, \ldots, v_m \in V$ paarweise verschieden. Dann heißt die Menge $B = \{v_1, \ldots, v_m\}$ dieser Vektoren **Basis** von V, falls zugleich gilt:

1. $v_1, \ldots, v_m$ sind linear unabhängig.

2. $L(v_1, \ldots, v_m) = V$.

Eine Basis von V ist somit ein minimaler Satz von Vektoren, deren lineare Hülle gerade V ergibt.

Bemerkung 2.36. Sei $B = \{v_1, \ldots, v_m\}$ eine Basis von V wie in Definition 2.35. Die zweite Bedingung besagt, dass sich jedes Element v von V als Linearkombination von $v_1, \ldots, v_m$ schreiben lässt,

$$v = \sum_{j=1}^{m} t_j \cdot v_j.$$

Die erste Bedingung sagt nun, dass diese Darstellung von v als Linearkombination von $v_1, \ldots, v_m$ eindeutig ist. Gilt nämlich $v = \sum_{j=1}^{m} t_j \cdot v_j$ und $v = \sum_{j=1}^{m} s_j \cdot v_j$, dann können wir die beiden Gleichungen von einander subtrahieren und erhalten $0 = \sum_{j=1}^{m} (t_j - s_j) \cdot v_j$. Die lineare Unabhängigkeit liefert nun für alle $j \in \{1, \ldots, m\}$, dass $t_j - s_j = 0$, d.h. $t_j = s_j$. Vektoren $v_1, \ldots, v_m \in V$ bilden also eine Basis von V genau dann, wenn sich jedes Element von V auf eindeutige Weise als Linearkombination dieser Vektoren schreiben lässt.

Wir verwenden die Konvention, dass auch die leere Menge eine Basis ist und zwar eine Basis des Nullvektorraums $V = \{0\}$. Man beachte, dass $\{0\}$ keine Basis ist, da der Nullvektor linear abhängig ist.

Beispiel 2.37. Für $V = \left\{ \begin{pmatrix} t \\ 0 \\ 0 \end{pmatrix} \middle| t \in \mathbb{R} \right\} \subset \mathbb{R}^3$ ist z.B. $B_1 = \left\{ \begin{pmatrix} 1 \\ 0 \\ 0 \end{pmatrix} \right\}$ eine Basis, ebenso $B_2 = \left\{ \begin{pmatrix} 2 \\ 0 \\ 0 \end{pmatrix} \right\}$. Überhaupt liefert jede reelle Zahl ungleich 0 in der ersten Komponente eine Basis von V.

Beispiel 2.38. Der Untervektorraum $V = \left\{ \begin{pmatrix} 0 \\ \lambda_1 \\ \lambda_2 \end{pmatrix} \,\middle|\, \lambda_1, \lambda_2 \in \mathbb{R} \right\} \subset \mathbb{R}^3$, d.h. die x_2-x_3-Ebene,

besitzt zum Beispiel die Basis $X = \left\{ \begin{pmatrix} 0 \\ 1 \\ 0 \end{pmatrix}, \begin{pmatrix} 0 \\ 0 \\ 1 \end{pmatrix} \right\}$. Hingegen ist die Menge $Y = \left\{ \begin{pmatrix} 0 \\ 1 \\ 1 \end{pmatrix} \right\}$ keine

Basis von V, da die zweite definierende Eigenschaft einer Basis nicht erfüllt ist. Genauer gesagt gilt einerseits

$$\mathrm{L}\left(\begin{pmatrix} 0 \\ 1 \\ 1 \end{pmatrix} \right) = \left\{ \lambda \cdot \begin{pmatrix} 0 \\ 1 \\ 1 \end{pmatrix} \,\middle|\, \lambda \in \mathbb{R} \right\} \subset V,$$

andererseits ist aber z.B.

$$\begin{pmatrix} 0 \\ 1 \\ 2 \end{pmatrix} \in V \setminus \mathrm{L}\left(\begin{pmatrix} 0 \\ 1 \\ 1 \end{pmatrix} \right).$$

Beispiel 2.39. Der Anschauungsraum $V = \mathbb{R}^3$ besitzt z.B. die Basis

$$B = \left\{ \begin{pmatrix} 1 \\ 0 \\ 0 \end{pmatrix}, \begin{pmatrix} 0 \\ 1 \\ 0 \end{pmatrix}, \begin{pmatrix} 0 \\ 0 \\ 1 \end{pmatrix} \right\}.$$

Diese Menge B wird auch als **Standardbasis** und die Basisvektoren mit e_1, e_2, e_3 bezeichnet.

Beispiel 2.40. Allgemeiner ist die Standardbasis von $V = \mathbb{R}^n$ gegeben durch

$$B = \left\{ \begin{pmatrix} 1 \\ 0 \\ 0 \\ \vdots \\ 0 \end{pmatrix}, \begin{pmatrix} 0 \\ 1 \\ 0 \\ \vdots \\ 0 \end{pmatrix}, \ldots, \begin{pmatrix} 0 \\ \vdots \\ 0 \\ 0 \\ 1 \end{pmatrix} \right\}.$$

Auch ihre Elemente bezeichnen wir künftig abkürzend mit $e_1, e_2, \ldots, e_n$.

Beispiel 2.41. $V = \mathbb{R}^2$ hat unter anderem die Basen

$$B_1 = \left\{ \begin{pmatrix} 1 \\ 0 \end{pmatrix}, \begin{pmatrix} 0 \\ 1 \end{pmatrix} \right\} \qquad \text{und} \qquad B_2 = \left\{ \begin{pmatrix} 1 \\ -1 \end{pmatrix}, \begin{pmatrix} 1 \\ 1 \end{pmatrix} \right\}.$$

Das folgende Lemma sagt, dass ein Satz linear unabhängiger Vektoren nicht zu lang sein kann.

> **Lemma 2.42.** *Seien* $w_1, \ldots, w_k \in \mathbb{R}^n$ *und* $v_1, \ldots, v_m \in \mathrm{L}(w_1, \ldots, w_k)$. *Sind* $v_1, \ldots, v_m$
> *linear unabhängig, dann gilt*
> $$m \le k.$$

Beweis. a) Wir machen zunächst eine Vorüberlegung. Sind die $w_1, \ldots, w_k$ linear abhängig, so können wir nach Lemma 2.31 ein Element entfernen, ohne die lineare Hülle zu ändern. Dies wiederholen wir so oft wie möglich, d.h. wir entfernen nach und nach Elemente aus $\{w_1, \ldots, w_k\}$ so lange das möglich ist, ohne die lineare Hülle zu ändern. Im letzten Schritt erhalten wir eine linear unabhängige Teilmenge mit derselben linearen Hülle wie $\{w_1, \ldots, w_k\}$. Ist k' die Anzahl der Elemente dieser Teilmenge, so gilt sicherlich $k' \le k$. Wenn wir die Aussage des Lemmas für diese linear unabhängige Menge von Vektoren zeigen können, haben wir sie auch für die ursprüngliche Menge, denn dann gilt ja

$$m \le k' \le k.$$

Aus diesem Grund reicht es, die Aussage nur für den Fall zu beweisen, dass auch die $w_1, \ldots, w_k$ linear unabhängig sind. Man sagt dann, wir können *ohne Beschränkung der Allgemeinheit* annehmen, dass die $w_1, \ldots, w_k$ linear unabhängig sind, was wir für den Rest des Beweises tun.
b) Jedes v_j lässt sich als Linearkombination der $w_1, \ldots, w_k$ ausdrücken. Es gibt also Zahlen $\alpha_{jl} \in \mathbb{R}$, so dass für alle $j = 1, \ldots, m$ gilt:

$$v_j = \sum_{l=1}^{k} \alpha_{jl} w_l. \tag{2.5}$$

Wir untersuchen nun, für welche Zahlen $t_1, \ldots, t_m \in \mathbb{R}$ die Gleichung

$$\sum_{j=1}^{m} t_j v_j = 0 \tag{2.6}$$

gilt. Wir setzen (2.5) in (2.6) ein und sehen, dass (2.6) äquivalent ist zu

$$0 = \sum_{j=1}^{m} t_j \left(\sum_{l=1}^{k} \alpha_{jl} w_l \right) = \sum_{l=1}^{k} \left(\sum_{j=1}^{m} t_j \alpha_{jl} \right) w_l. \tag{2.7}$$

Da $w_1, \ldots, w_k$ linear unabhängig sind, ist (2.7) äquivalent dazu, dass

$$\forall l = 1, \ldots, k: \quad \sum_{j=1}^{m} t_j \alpha_{jl} = 0. \tag{2.8}$$

Somit gilt (2.5) genau dann, wenn die t_j das homogene LGS (2.8) mit k Gleichungen lösen. Wäre nun $m > k$, dann hätten wir mehr Unbekannte als Gleichungen, also gäbe es gemäß Bemerkung 2.23 eine Lösung $(t_1, \ldots, t_m) \ne \mathbf{0}$ von (2.6). Dies hieße aber, dass die $v_1, \ldots, v_m$ linear abhängig sind, Widerspruch. $\square$

> **Korollar 2.43.** *Sind $v_1, \ldots, v_m \in \mathbb{R}^n$ linear unabhängig, so gilt $m \le n$.*

Beweis. Dies folgt direkt aus Lemma 2.42, da $\mathbb{R}^n = L(e_1, \ldots, e_n)$. $\square$

Wie verschafft man sich eine Basis eines Untervektorraums $V \subset \mathbb{R}^n$?

Algorithmus zur Bestimmung einer Basis:

0. Ist $V = \{\mathbf{0}\}$, so ist $\emptyset$ eine Basis und man ist fertig.

1. Ist $V \ne \{\mathbf{0}\}$, so wähle $v_1 \in V \setminus \{\mathbf{0}\}$ und bilde $L(v_1)$. Dann ist v_1 linear unabhängig und $L(v_1) \subset V$. Ist $L(v_1) = V$, so ist $\{v_1\}$ eine Basis und das war's.

2. Ist $L(v_1) \ne V$, so wähle $v_2 \in V \setminus L(v_1)$ und bilde $L(v_1, v_2)$. Dann sind v_1, v_2 linear unabhängig und es gilt $L(v_1, v_2) \subset V$. Ist $L(v_1, v_2) = V$, so ist $\{v_1, v_2\}$ eine Basis und die Suche ist beendet.

3. Ist $L(v_1, v_2) \ne V$, so wähle $v_3 \in V \setminus L(v_1, v_2)$ und bilde $L(v_1, v_2, v_3)$.

     $\ldots$

Dass wir in jedem Schritt *linear unabhängige* Vektoren $v_1, \ldots, v_k$ erhalten, liegt an folgendem Sachverhalt, der in Aufgabe 2.5 bewiesen wird:
Sind $v_1, \ldots, v_{k-1}$ linear unabhängig und gilt $v_k \notin L(v_1, \ldots, v_{k-1})$, dann sind auch $v_1, \ldots, v_k$ linear unabhängig.

Wegen Korollar 2.43 endet das Verfahren spätestens nach dem n-ten Schritt. Etwa im Fall $\mathbb{R}^3$ endet der Algorithmus also nach maximal 3 Schritten. Betrachten wir hierzu ein Beispiel und bestimmen wir einmal eine konkrete Basis zu einer vorgegebenen Lösungsmenge eines homogenen LGS, d.h. eines Untervektorraums $V \subset \mathbb{R}^3$.

Beispiel 2.44. Wir ermitteln eine Basis von $V = \left\{ x \in \mathbb{R}^3 \mid x_1 + x_2 + x_3 = 0 \right\}$.

Ist $V = \{\mathbf{0}\}$? Nein, denn wähle z.B. $v_1 := \begin{pmatrix} 1 \\ -2 \\ 1 \end{pmatrix} \in V \setminus \{\mathbf{0}\}$. Dann ist

$$L(v_1) = \left\{ t \cdot \begin{pmatrix} 1 \\ -2 \\ 1 \end{pmatrix} \,\middle|\, t \in \mathbb{R} \right\}.$$

Ist $V = L(v_1)$? Nein, denn z.B. $v_2 := \begin{pmatrix} -2 \\ 1 \\ 1 \end{pmatrix}$ löst die Gleichung ebenfalls, d.h. $v_2 \in V$, aber v_2

ist kein Vielfaches von v_1, also $v_2 \in V \setminus \mathrm{L}(v_1)$. Es ist:

$$\mathrm{L}(v_1, v_2) = \left\{ t \cdot \begin{pmatrix} 1 \\ -2 \\ 1 \end{pmatrix} + s \cdot \begin{pmatrix} -2 \\ 1 \\ 1 \end{pmatrix} \,\middle|\, t, s \in \mathbb{R} \right\} = \left\{ \begin{pmatrix} t - 2s \\ -2t + s \\ t + s \end{pmatrix} \,\middle|\, t, s \in \mathbb{R} \right\}.$$

Sei nun $x = (x_1, x_2, x_3)^\top \in V$, d.h. $x_1 + x_2 + x_3 = 0$. Setzt man $t := \frac{1}{3}(x_3 - x_2)$ und $s := \frac{1}{3}(x_2 + 2x_3)$ so stellt man fest, dass

$$\begin{pmatrix} x_1 \\ x_2 \\ x_3 \end{pmatrix} = \begin{pmatrix} t - 2s \\ -2t + s \\ t + s \end{pmatrix}.$$

Also ist $x \in \mathrm{L}(v_1, v_2)$. Dies zeigt, dass $V \subset \mathrm{L}(v_1, v_2)$. Da die umgekehrte Inklusion sowieso gilt, haben wir $V = \mathrm{L}(v_1, v_2)$. Somit ist $\{v_1, v_2\} = \left\{ \begin{pmatrix} 1 \\ -2 \\ 1 \end{pmatrix}, \begin{pmatrix} -2 \\ 1 \\ 1 \end{pmatrix} \right\}$ eine Basis von V.

Als Folgerung können wir auch festhalten:

Korollar 2.45. *Jeder Untervektorraum $V \subset \mathbb{R}^n$ besitzt (mindestens) eine Basis.*　$\square$

Basen gibt es also immer. Ein Untervektorraum des $\mathbb{R}^n$ hat allerdings im Allgemeinen sehr viele verschiedene Basen. Immerhin gilt:

Satz 2.46. *Sei $V \subset \mathbb{R}^n$ ein Untervektorraum. Sind B und B' Basen von V, so haben sie gleich viele Elemente*

$$\#B = \#B'.$$

Beweis. Setze $m := \#B$ und $k := \#B'$. Wenden wir Lemma 2.42 an, wobei die Elemente von B die Rolle der v_j und die von B' die der w_l spielen, so erhalten wir

$$m \leq k.$$

Indem wir die Rollen von B und B' vertauschen, so erhalten wir auch $k \leq m$ und damit insgesamt $m = k$.　$\square$

Definition 2.47. Sei $V \subset \mathbb{R}^n$ ein Untervektorraum und B eine Basis von V. Dann heißt die Zahl $\dim(V) := \#B$ die **Dimension** von V.

Diese Definition ist nur auf Grund von Satz 2.46 sinnvoll. Überlegen wir auch hierzu einige Beispiele.

Beispiel 2.48. Für $V = \mathbb{R}^n$ hat die Standardbasis $B = \{e_1, \ldots, e_n\}$ die Länge n. Damit besitzen alle Basen von V die Länge n und es gilt:

$$\dim(\mathbb{R}^n) = \#B = n.$$

Beispiel 2.49. Für den Nullvektorraum $V = \{\mathbf{0}\}$ haben wir $\emptyset$ als Basis festgelegt. Somit ist:

$$\dim(\{\mathbf{0}\}) = \#\emptyset = 0.$$

Beispiel 2.50. Im Beispiel (2.44) ermittelten wir für $V = \left\{x \in \mathbb{R}^3 \mid x_1 + x_2 + x_3 = 0\right\}$ eine Basis der Länge 2. Folglich gilt auch:

$$\dim(V) = 2.$$

Beispiel 2.51. Betrachten wir den Untervektorraum:

$$V = \{x \in \mathbb{R}^n \mid x_{m+1} = x_{m+2} = \ldots = x_n = 0\}$$

Dessen Elemente besitzen die Gestalt

$$x = \begin{pmatrix} x_1 \\ \vdots \\ x_m \\ x_{m+1} \\ \vdots \\ x_n \end{pmatrix} = \begin{pmatrix} \lambda_1 \\ \vdots \\ \lambda_m \\ 0 \\ \vdots \\ 0 \end{pmatrix}$$

mit $\lambda_1, \ldots, \lambda_m \in \mathbb{R}$. Dann bilden die Vektoren $e_1, \ldots, e_m \in V$ gegeben durch

$$\begin{pmatrix} 1 \\ \vdots \\ 0 \\ 0 \\ \vdots \\ 0 \end{pmatrix}, \ldots, \begin{pmatrix} 0 \\ \vdots \\ 1 \\ 0 \\ \vdots \\ 0 \end{pmatrix} \begin{array}{l} \\ \\ \leftarrow m\text{-te Komponente} \\ \leftarrow (m+1)\text{-te Komponente} \\ \\ \end{array}$$

eine Basis von V. Daher gilt:

$$\dim(V) = m.$$

Beispiel 2.52. Für den Spezialfall $\mathbb{R}^3$ ergeben die Untervektorräume

$$V = \left\{x \in \mathbb{R}^3 \mid x_3 = 0\right\} \qquad \text{bzw.} \qquad U = \left\{x \in \mathbb{R}^3 \mid x_2 = x_3 = 0\right\}$$

die räumlichen geometrischen Interpretationen der x_1-x_2-Ebene (im Fall von V) bzw. der x_1-Achse (im Fall von U). So überrascht es nicht, dass ihre Dimensionen durch

$$\dim(V) = 2 \qquad \text{bzw.} \qquad \dim(U) = 1$$

gegeben sind.

Ein Satz linear unabhängiger Vektoren in einem Untervektorraum lässt sich stets zu einer Basis ergänzen.

Satz 2.53 (Basisergänzungssatz). *Ist $V \subset \mathbb{R}^n$ ein Untervektorraum und sind $v_1, \ldots, v_m \in V$ linear unabhängig, so gibt es eine Basis B von V mit $v_1, \ldots, v_m \in B$.*

Beweis. Wir können den Algorithmus zum Auffinden einer Basis von V mit $v_1, \ldots, v_m$ beginnen:

Ist $L(v_1, \ldots, v_m) = V$, so ist $\{v_1, \ldots, v_m\}$ eine Basis von V und wir sind fertig.

Ist $L(v_1, \ldots, v_m) \neq V$, so wähle $v_{m+1} \in V \setminus L(v_1, \ldots, v_m)$. Dann sind $v_1, \ldots, v_{m+1}$ linear unabhängig und es gilt $L(v_1, \ldots, v_{m+1}) \subset V$. Ist $L(v_1, \ldots, v_{m+1}) = V$, so ist $\{v_1, \ldots, v_{m+1}\}$ eine Basis von V und wir sind fertig.

Falls nicht, wähle $v_{m+2} \in V \setminus L(v_1, \ldots, v_{m+1})$ usw. wie im Algorithmus.

Wegen Korollar 2.43 endet der Algorithmus spätestens, wenn wir n Vektoren $v_1, \ldots, v_n$ erhalten haben. $\qquad\square$

Das folgende Korollar besagt, dass größere Räume auch die höhere Dimension haben.

Korollar 2.54. *Seien $U, V \subset \mathbb{R}^n$ Untervektorräume. Dann gilt:*

(i) Ist $U \subset V$, so ist

$$\dim(U) \leq \dim(V).$$

(ii) Ist $U \subset V$ und $U \neq V$, so ist

$$\dim(U) < \dim(V).$$

Beweis. Beide Aussagen folgen daraus, dass wir eine Basis von U zu einer Basis von V ergänzen können. $\qquad\square$

Beispiel 2.55. Für $U = \{x \in \mathbb{R}^3 \mid x_1 = 0\}$ und $V = \{x \in \mathbb{R}^3 \mid x_2 = 0\}$ gilt zwar $\dim(U) = \dim(V) = 2$, jedoch ist $U \neq V$, da weder $U \subset V$ noch $V \subset U$ zutrifft.

Nachdem wir nun Untervektorräume besser verstehen, erinnern wir uns an den Ausgangspunkt: Untervektorräume interessieren uns als Lösungsmengen linearer Gleichungssysteme. Im folgenden Abschnitt konzentrieren wir uns darauf, LGS in eine optimale Form zu transformieren.

2.3. Der Gauß-Algorithmus

Beim Gauß'schen Lösungsalgorithmus für LGS ändern wir das Gleichungssystem durch bestimmte Transformationen ab, ohne dabei die Lösungsmenge zu ändern. Ziel dieser Transformationen ist es, das Gleichungssystem in eine Form zu bringen, bei der man die Lösungsmenge direkt ablesen kann. Die folgenden drei Manipulationen an einem LGS ändern die Lösungsmenge nicht:

○ Multiplikation einer Gleichung mit $\lambda \in \mathbb{R} \setminus \{0\}$:

$$A_{i1}x_1 + \ldots + A_{in}x_n = b_i$$
$$\stackrel{\lambda \neq 0}{\Leftrightarrow} \lambda(A_{i1}x_1 + \ldots + A_{in}x_n) = \lambda b_i$$
$$\Leftrightarrow (\lambda A_{i1})x_1 + \ldots + (\lambda A_{in})x_n = \lambda b_i$$

○ Vertauschen zweier Gleichungen

○ Addition des Vielfachen einer Gleichung zu einer <u>anderen</u> Gleichung:

$$\begin{cases} A_{i1}x_1 + \ldots + A_{in}x_n = b_i \\ A_{j1}x_1 + \ldots + A_{jn}x_n = b_j \end{cases}$$
$$\Leftrightarrow \begin{cases} A_{i1}x_1 + \ldots + A_{in}x_n = b_i \\ (A_{j1} + \lambda A_{i1})x_1 + \ldots + (A_{jn} + \lambda A_{in})x_n = b_j + \lambda b_i \end{cases}$$

Für ein LGS

$$\begin{cases} A_{11}x_1 + \ldots + A_{1n}x_n = b_1 \\ \quad\quad\quad \vdots \\ A_{m1}x_1 + \ldots + A_{mn}x_n = b_m \end{cases}$$

haben wir die kompakte Matrix-Schreibweise

$$A \cdot x = b$$

kennen gelernt, wobei wir A als Koeffizientenmatrix bezeichnen. Nun lassen sich auch A und b in einer Matrix zusammenfassen. Das Resultat ist die sogenannte **erweiterte Koeffizientenmatrix** von $A \cdot x = b$, nämlich:

$$(A, b) := \begin{pmatrix} A_{11} & \cdots & A_{1n} & b_1 \\ \vdots & \ddots & \vdots & \vdots \\ A_{m1} & \cdots & A_{mn} & b_m \end{pmatrix}$$

Definition 2.56. Folgende Transformationen einer Matrix bezeichnet man als **elementare Zeilenumformungen**:

○ Multiplikation einer Zeile mit $\lambda \in \mathbb{R} \setminus \{0\}$,

○ Vertauschen zweier Zeilen,

○ Addition des Vielfachen einer Zeile zu einer <u>anderen</u> Zeile.

Bemerkung 2.57. Die Lösungsmenge eines LGS bleibt bei Anwendung elementarer Zeilenumformungen auf die erweiterte Koeffizientenmatrix unverändert.
Achtung: Spaltenumformungen (z.B. die Vertauschung zweier Spalten) dagegen ändern die Lösungsmenge im Allgemeinen und sind daher nicht zulässig!

Das Wichtige ist nun, dass man elementare Zeilenumformungen nutzen kann, um die Koeffizientenmatrix eines LGS in eine Form zu bringen, bei der man die Lösungsmenge leichter bestimmen kann. Dabei handelt es sich um die sogenannte (spezielle) Zeilenstufenform.

Definition 2.58. Eine Matrix $A \in \mathrm{Mat}(m \times n, \mathbb{R})$ hat genau dann **Zeilenstufenform**, wenn für alle $i \in \{2, \ldots, m\}$ und alle $k \in \{2, \ldots, n\}$ gilt:
Sind die ersten $(k - 1)$ Einträge der $(i - 1)$-ten Zeile $= 0$, so sind auch die ersten k Einträge der i-ten Zeile $= 0$.
Ferner hat A **spezielle Zeilenstufenform**, falls zusätzlich für alle $i \in \{1, \ldots, m\}$ gilt: Sind $A_{i1} = A_{i2} = \ldots = A_{ij} = 0$, und ist $A_{ij+1} \neq 0$, so ist $A_{ij+1} = 1$.

In anderen Worten: Eine Matrix ist in Zeilenstufenform, wenn jede Zeile mindestens eine führende 0 mehr hat als die darüberliegende (es sei denn die darüberliegende Zeile hat nur Nullen, dann hat auch die nächste nur Nullen). Eine Matrix ist in spezieller Zeilenstufenform, wenn zusätzlich in jeder Zeile der erste von 0 verschiedene Eintrag 1 ist.

Einige Beispiele dazu:

○ *Zeilenstufenform:*
Jede Zeile der Matrix hat mindestens eine führende 0 mehr als die darüber liegende,

d.h. etwa für $\begin{pmatrix} 1 & 3 & -7 & 5 \\ * & * & * & * \\ * & * & * & * \end{pmatrix}$ wird $\begin{pmatrix} 1 & 3 & -7 & 5 \\ 0 & * & * & * \\ 0 & 0 & * & * \end{pmatrix}$ gefordert.

Ebenso o.k. wäre aber z.B. auch $\begin{pmatrix} 1 & 3 & -7 & 5 \\ 0 & 0 & 0 & * \\ 0 & 0 & 0 & 0 \end{pmatrix}$, nicht aber $\begin{pmatrix} 1 & 3 & -7 & 5 \\ 0 & 0 & 0 & * \\ 0 & 2 & 0 & 0 \end{pmatrix}$.

○ *spezielle Zeilenstufenform:*

Hier verschärft sich die Forderung zu $\begin{pmatrix} 1 & 3 & -7 & 5 \\ 0 & 1 & * & * \\ 0 & 0 & 1 & * \end{pmatrix}$ respektive $\begin{pmatrix} 1 & 3 & -7 & 5 \\ 0 & 0 & 0 & 1 \\ 0 & 0 & 0 & 0 \end{pmatrix}$.

Auch besitzt $\begin{pmatrix} 0 & 1 & 0 \\ 0 & 0 & 5 \end{pmatrix}$ Zeilenstufenform, und $\begin{pmatrix} 1 & 2 & 0 & 1 \\ 0 & 0 & 1 & 1 \\ 0 & 0 & 0 & 1 \end{pmatrix}$ sowie $\begin{pmatrix} 0 & 0 & 0 & 1 \\ 0 & 0 & 0 & 0 \\ 0 & 0 & 0 & 0 \end{pmatrix}$ sind in spezieller Zeilenstufenform.

Mit Hilfe des folgenden Algorithmus können wir jede beliebige Matrix $A \in \text{Mat}(m \times n, \mathbb{R})$ in spezielle Zeilenstufenform bringen.

Algorithmus zur Transformation einer Matrix in spezielle Zeilenstufenform

1. Vertausche die Zeilen so, dass in der ersten Zeile der erste Eintrag $\neq 0$ nicht weiter rechts steht, als in allen anderen Zeilen.

2. Multipliziere die Zeilen mit geeigneten $\lambda \in \mathbb{R} \setminus \{0\}$ so, dass in den Zeilen, bei denen der erste Eintrag $\neq 0$ an der gleichen Stelle wie in der ersten Zeile steht, dieser Eintrag 1 wird. (Dies schließt auch die erste Zeile ein!)

3. Subtrahiere die erste Zeile von allen anderen Zeilen, in denen der erste Eintrag $\neq 0$ an derselben Stelle steht wie in der 1. Zeile.

4. Die erste Zeile wird von jetzt an nicht mehr verändert. Wir starten den Algorithmus neu mit Schritt 1., angewandt auf diejenige Teilmatrix, die durch Streichung der ersten Zeile entsteht.

Beispiel 2.59. Wir führen den Algorithmus einmal an der Matrix

$$\begin{pmatrix} 0 & 1 & 1 \\ 5 & 10 & -20 \\ 2 & 8 & 4 \end{pmatrix}$$

durch und symbolisieren dabei die Transformationsschritte mit dem Pfeil „$\rightsquigarrow$":

$$\begin{pmatrix} 0 & 1 & 1 \\ 5 & 10 & -20 \\ 2 & 8 & 4 \end{pmatrix} \overset{1.}{\rightsquigarrow} \begin{pmatrix} 5 & 10 & -20 \\ 0 & 1 & 1 \\ 2 & 8 & 4 \end{pmatrix} \overset{2.}{\rightsquigarrow} \begin{pmatrix} 1 & 2 & -4 \\ 0 & 1 & 1 \\ 2 & 8 & 4 \end{pmatrix} \overset{2.}{\rightsquigarrow} \begin{pmatrix} 1 & 2 & -4 \\ 0 & 1 & 1 \\ 1 & 4 & 2 \end{pmatrix}$$

$$\overset{3.}{\rightsquigarrow} \begin{pmatrix} 1 & 2 & -4 \\ 0 & 1 & 1 \\ 0 & 2 & 6 \end{pmatrix} \overset{4./2.}{\rightsquigarrow} \begin{pmatrix} 1 & 2 & -4 \\ 0 & 1 & 1 \\ 0 & 1 & 3 \end{pmatrix} \overset{4./3.}{\rightsquigarrow} \begin{pmatrix} 1 & 2 & -4 \\ 0 & 1 & 1 \\ 0 & 0 & 2 \end{pmatrix} \overset{4./2.}{\rightsquigarrow} \begin{pmatrix} 1 & 2 & -4 \\ 0 & 1 & 1 \\ 0 & 0 & 1 \end{pmatrix}.$$

Nach so viel Matrixumgestaltung wollen wir nun endlich sehen, wie uns die Überführung von Matrizen in Zeilenstufenform bei der Lösung von LGS hilft und welche Rolle sie letztlich für den Gauß-Algorithmus spielt. Es fehlt uns noch eine effektive Entscheidungshilfe, wann ein inhomogenes LGS $A \cdot x = b$ überhaupt lösbar ist:

Bemerkung 2.60. Ist (A, b) die erweiterte Koeffizientenmatrix eines LGS, und ist (A, b) in Zeilenstufenform, so gilt genau dann Lös$(A, b) = \emptyset$, wenn es eine Zeile (sagen wir, die i-te) gibt, in der alle Einträge von A nur aus Nullen bestehen, aber die rechte Seite $b_i \neq 0$ ist. Denn dann lautet die i-te Gleichung $0 \cdot x_1 + 0 \cdot x_2 + \ldots + 0 \cdot x_n = b_i$. Diese Gleichung (und damit das gesamte LGS) besitzt keine Lösung, da die linke Seite 0 wäre, die rechte aber $\neq 0$. Bestehen dagegen alle Zeilen von A nur dann aus Nullen, wenn auch die entsprechende Komponente der rechten Seite $b_i = 0$ ist, dann finden wir Lösungen und die Lösungsmenge lässt sich durch *sukzessives Lösen* der einzelnen Gleichungen von unten nach oben ermitteln. Am besten, wir sehen uns die beiden Fälle einmal im Beispiel an:

Beispiel 2.61. Wir betrachten einerseits die erweiterte Koeffizientenmatrix von

$$\begin{pmatrix} 1 & 2 & 4 \\ 0 & 0 & 1 \\ 0 & 0 & 0 \end{pmatrix} \begin{pmatrix} x_1 \\ x_2 \\ x_3 \end{pmatrix} = \begin{pmatrix} 4 \\ 5 \\ 1 \end{pmatrix},$$

d.h.

$$(A, b) = \begin{pmatrix} 1 & 2 & 4 & 4 \\ 0 & 0 & 1 & 5 \\ 0 & 0 & 0 & 1 \end{pmatrix}.$$

Aus der letzten Zeile der Matrix wird unmittelbar ersichtlich, dass $A \cdot x = b$ nicht lösbar ist, d.h. Lös$(A, b) = \emptyset$.

Beispiel 2.62. Nun wandeln wir das Gleichungssystem ab, indem wir die 1 auf der rechten Seite durch 0 ersetzen,

$$\begin{pmatrix} 1 & 2 & 4 \\ 0 & 0 & 1 \\ 0 & 0 & 0 \end{pmatrix} \begin{pmatrix} x_1 \\ x_2 \\ x_3 \end{pmatrix} = \begin{pmatrix} 4 \\ 5 \\ 0 \end{pmatrix}.$$

In diesem Fall erhalten wir

$$(A, b) = \begin{pmatrix} 1 & 2 & 4 & 4 \\ 0 & 0 & 1 & 5 \\ 0 & 0 & 0 & 0 \end{pmatrix}.$$

Sukzessives Auflösen von unten nach oben liefert:

$$\begin{aligned} \text{Lös}(A, b) &= \left\{ x \in \mathbb{R}^3 \mid 1 \cdot x_1 + 2 \cdot x_2 + 4 \cdot x_3 = 4 \ \wedge \ 1 \cdot x_3 = 5 \right\} \\ &= \left\{ x \in \mathbb{R}^3 \mid x_3 = 5 \wedge x_1 + 2x_2 + 4 \cdot 5 = 4 \right\} \\ &= \left\{ x \in \mathbb{R}^3 \mid x_3 = 5 \wedge x_1 = -2x_2 - 16 \wedge x_2 \in \mathbb{R} \text{ beliebig} \right\} \\ &= \left\{ \begin{pmatrix} -2x_2 - 16 \\ x_2 \\ 5 \end{pmatrix} \in \mathbb{R}^3 \ \middle| \ x_2 \in \mathbb{R} \text{ beliebig} \right\}. \end{aligned}$$

Für die konkrete Ermittlung der Lösungsmenge lohnt sich offenbar die Überführung der erweiterten Koeffizientenmatrix eines LGS in Zeilenstufenform. Die Lösungen lassen sich dann, wie gesehen, nach und nach durch „Rückwärtseinsetzen" ermitteln.

Fassen wir die bisherigen Ergebnisse dieses Abschnitts zusammen und formulieren den

Gauß-Algorithmus zum Lösen linearer Gleichungssysteme. Seien $A \in \text{Mat}(m \times n, \mathbb{R})$ und $b \in \mathbb{R}^m$ gegeben. Gesucht sind alle $x \in \mathbb{R}^n$, für die $A \cdot x = b$ gilt.

1. Stelle die erweiterte Koeffizientenmatrix (A, b) auf.

2. Überführe (A, b) durch elementare Zeilenumformungen in $(\tilde{A}, \tilde{b})$ so, dass $(\tilde{A}, \tilde{b})$ Zeilenstufenform besitzt.[3]

3. Prüfe, ob $\text{Lös}(\tilde{A}, \tilde{b}) = \emptyset$ gilt.

4. Ist dagegen $\text{Lös}(\tilde{A}, \tilde{b}) \neq \emptyset$, so löse $\tilde{A}x = \tilde{b}$ durch sukzessives Lösen der einzelnen Gleichungen von unten nach oben.

Manchmal interessiert man sich nur für die Lösbarkeit eines inhomogenen LGS und nicht für die Lösungsmenge selbst. Ein passendes Hilfsmittels hierfür ist der sogenannte Rang einer Matrix.

---

[3] Wir wissen, dass dann $\text{Lös}(A, b) = \text{Lös}(\tilde{A}, \tilde{b})$ gilt.

Definition 2.63. Für

$$A = \begin{pmatrix} A_{11} & \cdots & A_{1i} & \cdots & A_{1n} \\ A_{21} & & A_{2i} & & A_{2n} \\ \vdots & & \vdots & & \vdots \\ A_{m1} & \cdots & A_{mi} & \cdots & A_{mn} \end{pmatrix}$$

und $i \in \{1, \ldots, n\}$ heißt

$$a_i := \begin{pmatrix} A_{1i} \\ A_{2i} \\ \vdots \\ A_{mi} \end{pmatrix} \in \mathbb{R}^m$$

i-ter **Spaltenvektor** von A.

Damit setzt sich A aus den Spaltenvektoren $a_1, \ldots, a_n$ zusammen.

Bemerkung 2.64. Häufig ist es nützlich, den i-ten Spaltenvektor a_i wie folgt auszudrücken. Durch Einsetzen sieht man direkt, dass für jedes $i \in \{1, \ldots, n\}$ gilt

$$A \cdot e_i = a_i,$$

wobei e_i der uns bekannte i-te Einheitsvektor aus der Standardbasis von $\mathbb{R}^n$ ist.

Definition 2.65. Für $A \in \mathrm{Mat}(m \times n, \mathbb{R})$ heißt

$$\mathrm{rg}(A) := \text{maximale Anzahl linear unabhängiger Spaltenvektoren von } A$$
$$= \dim(\mathrm{L}(a_1, \ldots, a_n))$$

der **Rang** (bzw. Spaltenrang) von A.

Beispiel 2.66. Es gilt

$$\mathrm{rg}\begin{pmatrix} 0 & 1 & 0 \\ 1 & 0 & 0 \\ 1 & 1 & 1 \end{pmatrix} = 3$$

und

$$\mathrm{rg}\begin{pmatrix} 1 & 0 & 1 & -1 \\ 1 & 1 & 2 & 0 \\ 0 & 1 & 1 & 1 \end{pmatrix} = 2.$$

Wie angekündigt, folgt nun die Charakterisierung der Lösbarkeit eines (inhomogenen) LGS durch den Rangbegriff:

Satz 2.67. *Sei $A \in \mathrm{Mat}(m \times n, \mathbb{R})$ mit den Spalten $a_1, \ldots, a_n$ und sei $b \in \mathbb{R}^m$. Dann gilt:*

(i) $\mathrm{L\ddot{o}s}(A, b) \neq \emptyset \Leftrightarrow b \in \mathrm{L}(a_1, \ldots, a_n) \Leftrightarrow \mathrm{rg}(A, b) = \mathrm{rg}(A)$.

(ii) $\mathrm{L\ddot{o}s}(A, b) = \emptyset \Leftrightarrow b \notin \mathrm{L}(a_1, \ldots, a_n) \Leftrightarrow \mathrm{rg}(A, b) = \mathrm{rg}(A) + 1$.

Beweis. Da die Hinzunahme einer Spalte den Rang höchstens um eins erhöhen kann, gilt entweder $\mathrm{rg}(A, b) = \mathrm{rg}(A)$ oder $\mathrm{rg}(A, b) = \mathrm{rg}(A) + 1$. Der Satz ergibt sich aus folgenden Äquivalenzen, wobei wir beim zweiten „$\Leftrightarrow$" Korollar 2.54 (ii) benutzen:

$$\mathrm{rg}(A, b) = \mathrm{rg}(A)$$
$$\Leftrightarrow \quad \dim(\mathrm{L}(a_1, \ldots, a_n, b)) = \dim(\mathrm{L}(a_1, \ldots, a_n))$$
$$\Leftrightarrow \quad \mathrm{L}(a_1, \ldots, a_n, b) = \mathrm{L}(a_1, \ldots, a_n)$$
$$\Leftrightarrow \quad b \in \mathrm{L}(a_1, \ldots, a_n)$$
$$\Leftrightarrow \quad \exists t_1, \ldots, t_n \in \mathbb{R} : \quad t_1 a_1 + \ldots + t_n a_n = b$$
$$\Leftrightarrow \quad \exists t_1, \ldots, t_n \in \mathbb{R} : \quad A \cdot \begin{pmatrix} t_1 \\ \vdots \\ t_n \end{pmatrix} = b$$
$$\Leftrightarrow \quad \mathrm{L\ddot{o}s}(A, b) \neq \emptyset. \qquad \square$$

Beschließen wir diesen Abschnitt mit einem Beispiel, in dem der Gauß-Algorithmus verwendet wird, um eine Basis des Lösungsraumes eines homogenen LGS zu bestimmen.

Beispiel 2.68. Die TNT-Reaktionsgleichung (2.2) führte uns auf das homogene LGS $A \cdot x = \mathbf{0}$ der konkreten Gestalt:

$$\begin{pmatrix} 7 & 0 & -7 & 0 \\ 8 & 1 & -5 & -2 \\ 0 & 1 & -3 & 0 \\ 0 & 3 & -6 & -1 \end{pmatrix} \begin{pmatrix} x_1 \\ x_2 \\ x_3 \\ x_4 \end{pmatrix} = \begin{pmatrix} 0 \\ 0 \\ 0 \\ 0 \end{pmatrix}.$$

Bekanntlich ist $\mathrm{L\ddot{o}s}(A, \mathbf{0})$ ein Untervektorraum von $\mathbb{R}^4$. Wir ermitteln eine Basis von $\mathrm{L\ddot{o}s}(A, \mathbf{0})$. Mit dem Gauß-Algorithmus überführen wir dazu A in Zeilenstufenform $\tilde{A}$, denn $\mathrm{L\ddot{o}s}(A, \mathbf{0}) =$

$\text{Lös}(\tilde{A}, \mathbf{0})$. Es gilt:

$$A = \begin{pmatrix} 7 & 0 & -7 & 0 \\ 8 & 1 & -5 & -2 \\ 0 & 1 & -3 & 0 \\ 0 & 3 & -6 & -1 \end{pmatrix} \rightsquigarrow \begin{pmatrix} 1 & 0 & -1 & 0 \\ 8 & 1 & -5 & -2 \\ 0 & 1 & -3 & 0 \\ 0 & 3 & -6 & -1 \end{pmatrix} \rightsquigarrow \begin{pmatrix} 1 & 0 & -1 & 0 \\ 1 & \frac{1}{8} & -\frac{5}{8} & -\frac{1}{4} \\ 0 & 1 & -3 & 0 \\ 0 & 3 & -6 & -1 \end{pmatrix}$$

$$\rightsquigarrow \begin{pmatrix} 1 & 0 & -1 & 0 \\ 0 & \frac{1}{8} & \frac{3}{8} & -\frac{1}{4} \\ 0 & 1 & -3 & 0 \\ 0 & 3 & -6 & -1 \end{pmatrix} \rightsquigarrow \begin{pmatrix} 1 & 0 & -1 & 0 \\ 0 & 1 & 3 & -2 \\ 0 & 1 & -3 & 0 \\ 0 & 3 & -6 & -1 \end{pmatrix} \rightsquigarrow \begin{pmatrix} 1 & 0 & -1 & 0 \\ 0 & 1 & 3 & -2 \\ 0 & 0 & -6 & 2 \\ 0 & 3 & -6 & -1 \end{pmatrix}$$

$$\rightsquigarrow \begin{pmatrix} 1 & 0 & -1 & 0 \\ 0 & 1 & 3 & -2 \\ 0 & 0 & -6 & 2 \\ 0 & 1 & -2 & -\frac{1}{3} \end{pmatrix} \rightsquigarrow \begin{pmatrix} 1 & 0 & -1 & 0 \\ 0 & 1 & 3 & -2 \\ 0 & 0 & -6 & 2 \\ 0 & 0 & -5 & \frac{5}{3} \end{pmatrix} \rightsquigarrow \begin{pmatrix} 1 & 0 & -1 & 0 \\ 0 & 1 & 3 & -2 \\ 0 & 0 & 1 & -\frac{1}{3} \\ 0 & 0 & -5 & \frac{5}{3} \end{pmatrix}$$

$$\rightsquigarrow \begin{pmatrix} 1 & 0 & -1 & 0 \\ 0 & 1 & 3 & -2 \\ 0 & 0 & 1 & -\frac{1}{3} \\ 0 & 0 & 1 & -\frac{1}{3} \end{pmatrix} \rightsquigarrow \begin{pmatrix} 1 & 0 & -1 & 0 \\ 0 & 1 & 3 & -2 \\ 0 & 0 & 1 & -\frac{1}{3} \\ 0 & 0 & 0 & 0 \end{pmatrix} =: \tilde{A}.$$

Beginnend bei der untersten Zeile von $\tilde{A}$ lösen wir das LGS nun sukzessive auf und bekommen:

$$\text{Lös}(A, \mathbf{0}) = \text{Lös}(\tilde{A}, \mathbf{0})$$

$$= \left\{ \begin{pmatrix} x_1 \\ x_2 \\ x_3 \\ x_4 \end{pmatrix} \in \mathbb{R}^4 \;\middle|\; \begin{array}{r} x_1 - x_3 = 0 \\ x_2 + 3x_3 - 2x_4 = 0 \\ x_3 - \frac{1}{3}x_4 = 0 \end{array} \right\}$$

$$= \left\{ \begin{pmatrix} x_1 \\ x_2 \\ x_3 \\ x_4 \end{pmatrix} \in \mathbb{R}^4 \;\middle|\; \begin{array}{r} x_1 - x_3 = 0 \\ x_2 + 3x_3 - 2x_4 = 0 \\ x_4 = 3x_3 \end{array} \right\}$$

$$= \left\{ \begin{pmatrix} x_1 \\ x_2 \\ x_3 \\ 3x_3 \end{pmatrix} \in \mathbb{R}^4 \;\middle|\; \begin{array}{r} x_1 - x_3 = 0 \\ x_2 = 3x_3 \end{array} \right\}$$

$$
= \left\{ \begin{pmatrix} x_1 \\ 3x_3 \\ x_3 \\ 3x_3 \end{pmatrix} \in \mathbb{R}^4 \,\middle|\, x_1 = x_3 \right\}
$$

$$
= \left\{ \begin{pmatrix} x_3 \\ 3x_3 \\ x_3 \\ 3x_3 \end{pmatrix} \in \mathbb{R}^4 \,\middle|\, x_3 \in \mathbb{R} \right\}
$$

$$
= \left\{ x_3 \cdot \begin{pmatrix} 1 \\ 3 \\ 1 \\ 3 \end{pmatrix} \in \mathbb{R}^4 \,\middle|\, x_3 \in \mathbb{R} \right\}
$$

$$
= \mathrm{L}\left(\begin{pmatrix} 1 \\ 3 \\ 1 \\ 3 \end{pmatrix} \right).
$$

Da $(1, 3, 1, 3)^\mathsf{T}$ nicht der Nullvektor ist, ist er linear unabhängig. Also ist

$$
X = \{(1, 3, 1, 3)^\mathsf{T}\}
$$

eine Basis von $\mathrm{Lös}(A, \mathbf{0})$.

2.4. Geometrie der Ebene, Teil 1

Bislang haben wir algebraische Probleme untersucht, nämlich das Lösen von Gleichungssystemen. Nun wenden wir uns erstmals der Geometrie zu. Lineare Algebra und analytische Geometrie ergänzen sich auf ideale Weise. Zum einen sind algebraische Hilfsmittel wie Vektoren und Matrizen sehr nützlich für die Geometrie, z.B. um einfache Beweise für geometrische Sätze zu finden, zum anderen liefert die Geometrie auch bei rein algebraischen Fragestellungen oft eine anschauliche Interpretation, die dem Verständnis sehr zugute kommt.
Als mathematisches Modell für die Ebene verwenden wir $\mathbb{R}^2$ und fassen die Ebene als ein unbegrenzt ausgedehntes, flaches, zweidimensionales Objekt auf. Dies bedeutet, dass wir die Ebene koordinatisieren, d.h. wir identifizieren Punkte der Ebene anhand zwei reeller Zahlen, ihren Koordinaten. Die Vorgehensweise, Vektorrechnung für geometrische Überlegungen zu nutzen und Koordinaten in der Ebene einzuführen, geht auf den französischen Philosoph René Descartes zurück. Man spricht daher auch von *kartesischen Koordinaten*, die gerade die beiden Komponenten des entsprechenden Vektors in $\mathbb{R}^2$ sind. In Schulbüchern finden sich oft Schreibweisen wie $P(0|1)$ für einen Punkt P, der die Koordinaten 0 und 1 hat. Wir verwenden diese Notation nicht und machen auch keinen Unterschied zwischen einem Punkt der Ebene

und seinem Ortsvektor. Wollen wir dem Punkt mit den Koordinaten 0 und 1 den Namen P geben, so schreiben wir einfach $P := \begin{pmatrix} 0 \\ 1 \end{pmatrix}$.

Nach den Punkten sind die Geraden die einfachsten geometrischen Objekte in der Ebene.

> **Definition 2.69.** Eine **Gerade** in der Ebene ist eine Menge der Form
>
> $$G_{a,v} = \{a + t \cdot v \mid t \in \mathbb{R}\} \subset \mathbb{R}^2.$$
>
> Hierbei ist $a \in \mathbb{R}^2$ ein **Aufpunkt** und $v \in \mathbb{R}^2 \setminus \{0\}$ ein **Richtungsvektor** der Geraden.

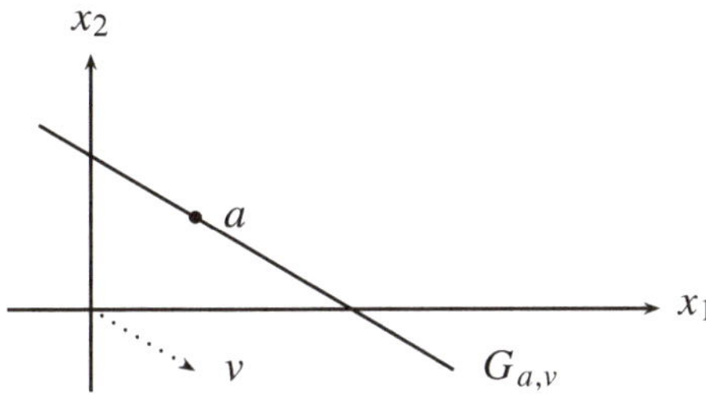

Abb. 28 *Gerade*

Wäre $v = 0$ zugelassen, so führte das zu einer Menge $G_{a,0} = \{a\}$, welche offenbar nur einen Punkt enthält - nicht gerade das, was wir uns unter einer Gerade vorstellen. Daher verlangen wir in der Definition, dass $v \neq 0$. An den Aufpunkt gibt es keine Einschränkung.

Wir zeigen nun, dass der Aufpunkt einer Geraden gegen jeden beliebigen Punkt der Gerade austauschbar ist.

> **Lemma 2.70.** *Ist $G_{a,v} \subset \mathbb{R}^2$ eine Gerade und $p \in G_{a,v}$, so gilt:*
>
> $$G_{a,v} = G_{p,v}.$$

Beweis. Zu „$G_{a,v} \supset G_{p,v}$":
Sei $q \in G_{p,v}$ gegeben. Wir müssen zeigen, dass nun auch $q \in G_{a,v}$ zutrifft. Wegen $p \in G_{a,v}$ gibt es ein $t_0 \in \mathbb{R}$, so dass

$$p = a + t_0 \cdot v \tag{2.9}$$

gilt. Da ferner $q \in G_{p,v}$ gilt, gibt es ein $t_1 \in \mathbb{R}$, so dass

$$q = p + t_1 \cdot v$$

gilt und wir (2.9) einsetzen können:

$$q = p + t_1 \cdot v = a + t_0 \cdot v + t_1 \cdot v = a + (t_0 + t_1) \cdot v \in G_{a,v}.$$

Zu „$G_{a,v} \subset G_{p,v}$":
Sei $x \in G_{a,v}$. Wir zeigen, dass auch $x \in G_{p,v}$ gilt. Zunächst existiert wegen $p \in G_{a,v}$ ein $t_0 \in \mathbb{R}$, so dass

$$p = a + t_0 \cdot v \tag{2.10}$$

gilt. Wegen $x \in G_{a,v}$ gibt es ein $t_2 \in \mathbb{R}$, so dass

$$x = a + t_2 \cdot v$$

gilt. Umstellen von (2.10) nach a und Einsetzen führt schließlich auf:

$$x = a + t_2 \cdot v = p - t_0 \cdot v + t_2 \cdot v = p + (t_2 - t_0) \cdot v \in G_{p,v}. \qquad \square$$

Wir beweisen nun, dass der Richtungsvektor aus zwei verschiedenen Punkten der Gerade gebildet werden kann. Insbesondere legen somit zwei verschiedene Punkte eine Gerade eindeutig fest.

Lemma 2.71. *Ist $G \subset \mathbb{R}^2$ eine Gerade und sind $a, b \in G$ mit $a \neq b$, so gilt:*

$$G = G_{a,b-a}.$$

Beweis. Laut Definition gibt es für die Gerade G einen Aufpunkt $p \in \mathbb{R}^2$ und einen Richtungsvektor $v \in \mathbb{R}^2 \setminus \{\mathbf{0}\}$, so dass

$$G = G_{p,v}$$

gilt. Wegen Lemma 2.70 können wir p durch a ersetzen, d.h. es gilt auch

$$G = G_{a,v}.$$

Ist nun $b \in G_{a,v}$ ein weiterer Punkt der Gerade, dann existiert ein $t_0 \in \mathbb{R}$, so dass

$$b = a + t_0 \cdot v \tag{2.11}$$

und wegen $a \neq b$ insbesondere $t_0 \neq 0$ gilt. Nach diesen Vorüberlegungen zeigen wir $G_{a,v} = G_{a,b-a}$.

Zu „$G_{a,v} \subset G_{a,b-a}$":
Zu $x \in G_{a,v}$ existiert ein $t_1 \in \mathbb{R}$, so dass

$$x = a + t_1 \cdot v$$

gilt. Da $t_0 \neq 0$ ist, kann die Gleichung (2.11) nach v umgestellt und das Resultat

$$v = \frac{1}{t_0} \cdot (b - a)$$

eingesetzt werden:

$$x = a + t_1 \cdot v = a + t_1 \cdot \frac{1}{t_0} \cdot (b - a) = a + \frac{t_1}{t_0} \cdot (b - a) \in G_{a,b-a}.$$

Zu „$G_{a,v} \supset G_{a,b-a}$":
Umgekehrt zieht $y \in G_{a,b-a}$ die Existenz eines $t_2 \in \mathbb{R}$ nach sich, so dass

$$y = a + t_2 \cdot (b - a)$$

gilt. Auch lässt sich die Gleichung (2.11) nach

$$b - a = t_0 \cdot v$$

überführen und damit ist:

$$y = a + t_2 \cdot (b - a) = a + t_2 \cdot t_0 \cdot v = a + (t_2 t_0) \cdot v \in G_{a,v}. \qquad \square$$

Wir gehen nun der Frage nach, wie man eigentlich Abstände in der Ebene misst. Wie kann die Länge eines Vektors berechnet werden? Ein wichtigstes Hilfsmittel hierfür und für Winkelberechnungen liefert

---

Definition 2.72. Für $x = \begin{pmatrix} x_1 \\ x_2 \end{pmatrix}, y = \begin{pmatrix} y_1 \\ y_2 \end{pmatrix} \in \mathbb{R}^2$ heißt

$$\langle x, y \rangle := x_1 \cdot y_1 + x_2 \cdot y_2$$

Skalarprodukt der Vektoren x und y.

Bemerkung 2.73. Offenbar ist das Skalarprodukt eine Abbildung:

$$\langle \cdot, \cdot \rangle : \mathbb{R}^2 \times \mathbb{R}^2 \to \mathbb{R}$$

Dabei gelten für alle $x, x', y \in \mathbb{R}^2$ und alle $t \in \mathbb{R}$ folgende Rechenregeln:

  (i) $\langle x + x', y \rangle = \langle x, y \rangle + \langle x', y \rangle,$

  (ii) $\langle t \cdot x, y \rangle = t \cdot \langle x, y \rangle,$

(iii) $\langle x, y \rangle = \langle y, x \rangle$,

(iv) $\langle x, x \rangle \geq 0$,

(v) $\langle x, x \rangle = 0 \Leftrightarrow x = \mathbf{0}$.

Definition 2.74. Zu $x \in \mathbb{R}^2$ heißt

$$\|x\| := \sqrt{\langle x, x \rangle} = \sqrt{x_1^2 + x_2^2}$$

die **Norm** von x.

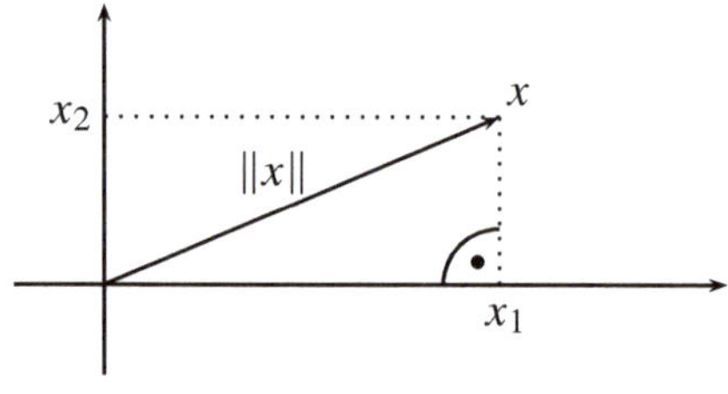

Abb. 29 *Norm*

Die Norm eines Vektors ist eine andere Bezeichnung für seine Länge. Aus den Rechenregeln (iv) und (v) für das Skalarprodukt ergibt sich für die Norm weiterhin

$$\|x\| \geq 0 \ \text{und} \ \|x\| = 0 \Leftrightarrow x = \mathbf{0}$$

für alle $x \in \mathbb{R}^2$. Aus den Rechenregeln (ii) und (iii) finden wir für alle $x \in \mathbb{R}^2$ und jedes $t \in \mathbb{R}$:

$$\begin{aligned}
\|t \cdot x\| &= \sqrt{\langle t \cdot x, t \cdot x \rangle} \\
&= \sqrt{t \cdot \langle x, t \cdot x \rangle} \\
&= \sqrt{t \cdot \langle t \cdot x, x \rangle} \\
&= \sqrt{t^2 \cdot \langle x, x \rangle} \\
&= \sqrt{t^2} \cdot \sqrt{\langle x, x \rangle} \\
&= |t| \cdot \|x\| .
\end{aligned}$$

Der noch ausstehende, allgemeine Abstandsbegriff erfordert nun zunächst einen kleinen Abstecher in die Analysis:

Definition 2.75. Sei $I \subset \mathbb{R}$. Eine Abbildung $f\colon I \to \mathbb{R}$ heißt **monoton wachsend**, falls für alle $t_1, t_2 \in I$ gilt:

$$t_1 \leq t_2 \Rightarrow f(t_1) \leq f(t_2)$$

So ist etwa die Funktion $f\colon \mathbb{R} \to \mathbb{R},\ x \mapsto x$, monoton wachsend, während $g\colon \mathbb{R} \to \mathbb{R},\ x \mapsto x^2$, nicht monoton wachsend ist, da z.B. für $-2 \leq 0$ gilt $g(-2) = 4 > 0 = g(0)$. Schränken wir g auf $I := \mathbb{R}^+ := \{t \in \mathbb{R} \mid t > 0\}$ ein, so ist diese Einschränkung monoton wachsend. Ferner ist auch $h\colon \mathbb{R}_0^+ := \{t \in \mathbb{R} \mid t \geq 0\} \to \mathbb{R}_0^+,\ x \mapsto \sqrt{x}$, monoton wachsend. Diese Eigenschaft wird sich im Beweis des folgenden Satzes und dessen Folgerung als hilfreich erweisen.

Satz 2.76 (Cauchy-Schwarz-Ungleichung). *Für alle* $x, y \in \mathbb{R}^2$ *gilt:*

$$|\langle x, y \rangle| \leq \|x\| \cdot \|y\|.$$

Beweis. Wir schreiben $x = \begin{pmatrix} x_1 \\ x_2 \end{pmatrix}$ und $y = \begin{pmatrix} y_1 \\ y_2 \end{pmatrix}$ und berechnen die Differenz der Quadrate beider Seiten. Es gilt:

$$
\begin{aligned}
(\|x\| \cdot \|y\|)^2 - (|\langle x, y \rangle|)^2 &= \|x\|^2 \cdot \|y\|^2 - \langle x, y \rangle^2 \\
&= \left(\sqrt{\langle x, x \rangle}\right)^2 \cdot \left(\sqrt{\langle y, y \rangle}\right)^2 - \langle x, y \rangle^2 \\
&= \langle x, x \rangle \cdot \langle y, y \rangle - \langle x, y \rangle^2 \\
&= (x_1^2 + x_2^2) \cdot (y_1^2 + y_2^2) - (x_1 y_1 + x_2 y_2)^2 \\
&= x_1^2 y_1^2 + x_1^2 y_2^2 + x_2^2 y_1^2 + x_2^2 y_2^2 - \left(x_1^2 y_1^2 + 2 x_1 x_2 y_1 y_2 + x_2^2 y_2^2\right) \\
&= x_1^2 y_2^2 - 2 x_1 y_1 x_2 y_2 + x_2^2 y_1^2 \\
&= (x_1 y_2 - x_2 y_1)^2 \\
&\geq 0.
\end{aligned}
$$

Insgesamt haben wir also

$$(\|x\| \cdot \|y\|)^2 \geq (|\langle x, y \rangle|)^2.$$

Aufgrund der Monotonie der Wurzelfunktion bleibt die Ungleichung erhalten, wenn man auf beiden Seiten die Wurzel zieht. Dies liefert $\|x\| \cdot \|y\| \geq |\langle x, y \rangle|$. $\qquad \square$

Korollar 2.77 (Dreiecksungleichung für $\|\cdot\|$). *Für alle* $x, y \in \mathbb{R}^2$ *gilt:*

$$\|x + y\| \leq \|x\| + \|y\|$$

Beweis. Wir berechnen:

$$
\begin{aligned}
\|x + y\|^2 &= \left(\sqrt{\langle x + y, x + y\rangle}\right)^2 \\
&= \langle x + y, x + y\rangle \\
&= \langle x, x + y\rangle + \langle y, x + y\rangle \\
&= \langle x + y, x\rangle + \langle x + y, y\rangle \\
&= \langle x, x\rangle + \langle y, x\rangle + \langle x, y\rangle + \langle y, y\rangle \\
&= \langle x, x\rangle + 2\langle x, y\rangle + \langle y, y\rangle \\
&= \|x\|^2 + 2\langle x, y\rangle + \|y\|^2 \\
&\overset{\text{CSU}}{\leq} \|x\|^2 + 2\|x\|\,\|y\| + \|y\|^2 \\
&= (\|x\| + \|y\|)^2 \,.
\end{aligned}
$$

Dabei steht CSU nicht etwa für eine bekannte politische Partei, sondern für die Cauchy-Schwarz-Ungleichung. Wieder führt das Anwenden der Wurzelfunktion auf beiden Seiten zum gewünschten Resultat. $\qquad\square$

Anhand folgender Abbildung erklären wir, weshalb die eben bewiesene Ungleichung den Namen „Dreiecksungleichung" trägt:

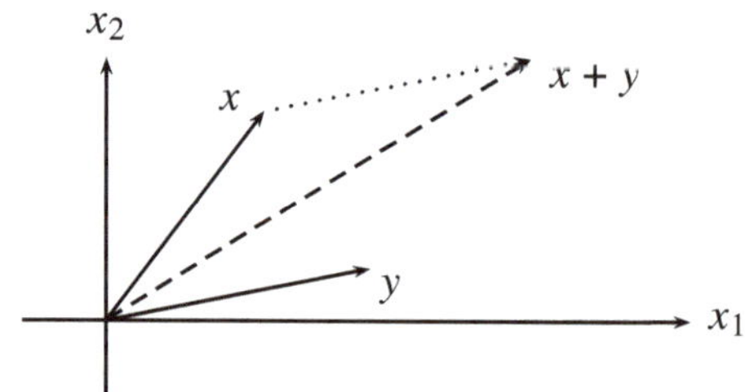

Abb. 30 *Dreiecksungleichung*

Offenbar ist der direkte Weg $\|x + y\|$ stets höchstens so lang, wie der „Umweg" $\|x\| + \|y\|$. Passend angeordnet, bilden x, y und $x + y$ ein Dreieck, welches nur dann konstruierbar ist, wenn zwei Seiten zusammen mindestens so lang sind, wie die dritte Seite.
Nun können wir sinnvoll den Abstandsbegriff zweier Punkte in der Ebene definieren:

Definition 2.78. Zu $x, y \in \mathbb{R}^2$ heißt

$$
d(x, y) := \|x - y\|
$$

euklidischer Abstand von x und y.

Die Norm eines Vektors ist also nichts anderes als der euklidische Abstand vom Nullvektor,

$$\|x\| = \|x - \mathbf{0}\| = d(x, \mathbf{0}).$$

Bemerkung 2.79. Sind $x, y \in \mathbb{R}^2$, so gilt $d(x, y) = d(y, x)$, denn

$$d(x, y) = \|x - y\| = \|(-1) \cdot (y - x)\| = |-1| \cdot \|y - x\| = \|y - x\| = d(y, x).$$

Nicht nur für die Norm, auch für den euklidischen Abstand gibt es eine Dreiecksungleichung:

Korollar 2.80 (Dreiecksungleichung für d). *Sind $x, y, z \in \mathbb{R}^2$, so gilt:*

$$d(x, z) \leq d(x, y) + d(y, z).$$

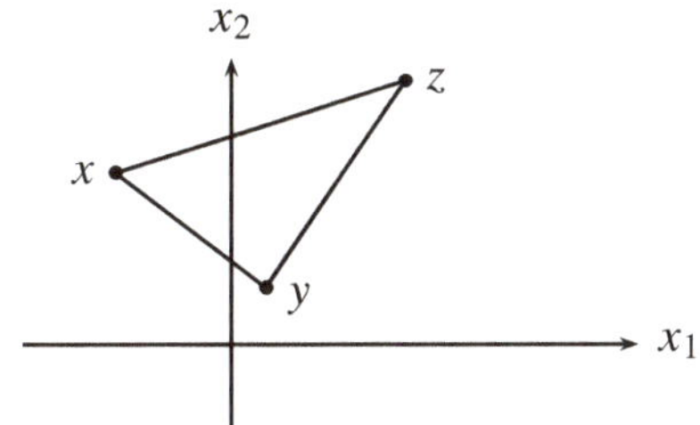

Abb. 31 *Dreiecksungleichung*

Beweis. Wir beginnen mit der linken Seite und rechnen los:

$$
\begin{aligned}
d(x, z) &= \|x - z\| \\
&= \|x - y + y - z\| \\
&= \|(x - y) + (y - z)\| \\
&\overset{\text{Kor. 2.77}}{\leq} \|x - y\| + \|y - z\| \\
&= d(x, y) + d(y, z).
\end{aligned}
$$

$\square$

Lemma 2.81 (Mittelpunkts-Lemma). *Sei $G \subset \mathbb{R}^2$ eine Gerade und $a, b \in G$, $a \neq b$. Dann existiert genau ein Punkt $c \in G$, so dass gilt:*

$$d(a, c) = d(b, c)$$

Für diesen Punkt c gilt ferner:

$$c = \frac{1}{2}(a + b) \qquad und \qquad d(a, c) = d(b, c) = \frac{1}{2}d(a, b)$$

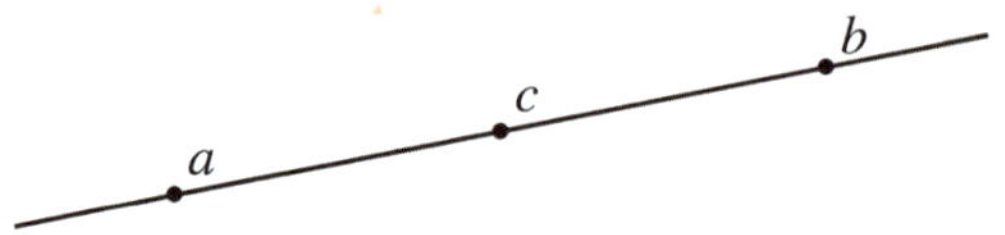

Abb. 32 *Mittelpunkt*

Beweis. Nach Lemma 2.71 wissen wir, dass G durch die auf ihr befindlichen Punkte $a \neq b$ eindeutig festgelegt ist, d.h. es gilt:

$$G = G_{a, b-a} = \{a + t \cdot (b - a) \mid t \in \mathbb{R}\} \,.$$

Sei nun $q = a + t_0 \cdot (b - a) \in G$ für ein bestimmtes $t_0 \in \mathbb{R}$. Dann gilt

$$\begin{aligned}
d(a, q) &= \|a - q\| \\
&= \|a - (a + t_0 \cdot (b - a))\| \\
&= \|(-t_0) \cdot (b - a)\| \\
&= |t_0| \cdot \|b - a\|
\end{aligned}$$

und analog

$$\begin{aligned}
d(b, q) &= \|b - q\| \\
&= \|b - (a + t_0 \cdot (b - a))\| \\
&= \|b - a - t_0 \cdot b + t_0 \cdot a\| \\
&= \|(1 - t_0) \cdot (b - a)\| \\
&= |1 - t_0| \cdot \|b - a\| \,.
\end{aligned}$$

Damit erhalten wir ein Kriterium dafür, dass q von a und b denselben Abstand hat:

$$\begin{aligned}
d(a, q) = d(b, q) \quad &\Leftrightarrow \quad |t_0| \cdot \|b - a\| = |1 - t_0| \cdot \|b - a\| \\
&\overset{a \neq b}{\Leftrightarrow} \quad |t_0| = |1 - t_0| \\
&\Leftrightarrow \quad t_0^2 = (1 - t_0)^2 \\
&\Leftrightarrow \quad t_0^2 = 1 - 2t_0 + t_0^2 \\
&\Leftrightarrow \quad t_0 = \frac{1}{2} \,.
\end{aligned}$$

Damit ist

$$c := a + \frac{1}{2}(b - a) = a + \frac{1}{2}b - \frac{1}{2}a = \frac{1}{2}(a + b)$$

der einzige Punkt auf G, der von a und b denselben Abstand hat. Dieser Abstand berechnet sich dann zu

$$
\begin{aligned}
d(b, c) &= d(a, c) \\
&= d\left(a, \tfrac{1}{2}(a + b)\right) \\
&= \left\| a - \tfrac{1}{2}(a + b) \right\| \\
&= \left\| a - \tfrac{1}{2}a - \tfrac{1}{2}b \right\| \\
&= \left\| \tfrac{1}{2}(a - b) \right\| \\
&= \tfrac{1}{2}\|a - b\| \\
&= \tfrac{1}{2}d(a, b). \qquad \qquad \square
\end{aligned}
$$

Definition 2.82. Der Punkt $\tfrac{1}{2}(a + b)$ heißt **Mittelpunkt** von a und b.

Diese Definition ist auch im Fall $a = b$ zulässig.

Definition 2.83. Zwei Geraden $G_{a,v}$ und $G_{b,w}$ heißen genau dann **parallel**, wenn ihre Richtungsvektoren v, w linear abhängig sind.

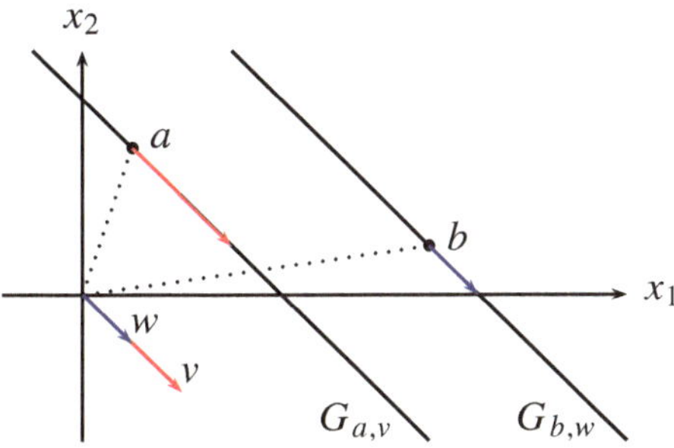

Abb. 33 *Parallele Geraden*

Bemerkung 2.84. Für parallele Geraden $G_{a,v}$ und $G_{b,w}$ gilt:

$$
G_{b,w} = G_{b,v}
$$

und

$$
G_{a,v} = G_{a,w},
$$

denn, da v und w linear abhängig sind, gilt $w = \alpha v$ für ein geeignetes $\alpha \in \mathbb{R} \setminus \{0\}$ und somit:

$$
G_{b,w} = \{b + tw \mid t \in \mathbb{R}\}
$$

$$= \{b + t(\alpha v) \mid t \in \mathbb{R}\}$$
$$= \{b + (t\alpha)v) \mid t \in \mathbb{R}\}$$
$$= \{b + t'v \mid t' \in \mathbb{R}\}$$
$$= G_{b,v}.$$

Mit $G_{a,v} = G_{a,w}$ verfährt man analog.

Das folgende Lemma ist charakteristisch für die zweidimensionale Geometrie. In höheren Dimensionen wird dies nicht mehr richtig sein.

Lemma 2.85. *Zwei Geraden G und G' in der Ebene sind genau dann parallel, wenn entweder $G = G'$ oder $G \cap G' = \emptyset$ gilt.*

Beweis. a) Seien G und G' parallel. Wir zeigen, dass dann $G = G'$ oder $G \cap G' = \emptyset$ gilt. Nehmen wir also an, dass $G \cap G' \neq \emptyset$, denn sonst sind wir schon fertig. Dann gibt es ein $a \in G \cap G'$. Wegen Lemma 2.70 können wir dann $G = G_{a,v}$ und $G' = G_{a,w}$ für bestimmte $v, w, \in \mathbb{R}^2 \setminus \{0\}$ schreiben. Da G und G' parallel sind, gilt wegen Bemerkung 2.84:

$$G_{a,w} = G_{a,v},$$

d.h.

$$G = G'.$$

b) Sei nun umgekehrt $G = G'$ oder $G \cap G' = \emptyset$. Wir zeigen, dass dann G und G' parallel sind. Falls $G = G'$ gilt, so ist dies klar. Sei also $G \cap G' = \emptyset$. Untersuchen wir, was diese Bedingung bedeutet. Ein Punkt x in $G \cap G'$ lässt sich sowohl in der Form $x = a + t_1 v$ als auch in der Form $x = b + t_2 w$ schreiben, wobei wir $G = G_{a,v}$ und $G' = G_{b,w}$ geschrieben haben. Also gilt

$$G \cap G' \neq \emptyset \quad \Leftrightarrow \quad \exists t_1, t_2 \in \mathbb{R} : a + t_1 v = b + t_2 w$$

$$\Leftrightarrow \quad \exists t_1, t_2 \in \mathbb{R} : (v, w) \cdot \begin{pmatrix} t_1 \\ -t_2 \end{pmatrix} = b - a$$

$$\Leftrightarrow \quad \text{Lös}((v, w), a - b) \neq \emptyset$$

Da wir $G \cap G' = \emptyset$ vorausgesetzt hatten, heißt das also $\text{Lös}((v, w), a - b) = \emptyset$. Somit ist $\text{rg}(v, w) < \text{rg}(v, w, a - b)$. Wegen $v, w, a - b \in \mathbb{R}^2$ ist aufgrund von Korollar 2.43 $\text{rg}(v, w, a - b) \leq 2$ und somit $\text{rg}(v, w) \leq 1$. Also sind v und w linear abhängig und somit G und G' parallel. $\qquad\square$

In höheren Dimensionen gibt es „windschiefe" Geraden, d.h. solche, die sich nicht schneiden und trotzdem nicht parallel sind.

Definition 2.86. Ein **Parallelogramm** ist ein 4-Tupel (a, b, c, d) von paarweise verschiedenen Punkten $a, b, c, d \in \mathbb{R}^2$, so dass $G_{a,b-a}$ parallel zu $G_{c,d-c}$ ist und $G_{a,c-a}$ parallel zu $G_{b,d-b}$.
Ferner heißt ein Parallelogramm (a, b, c, d) **nicht entartet**, falls keine drei Punkte auf einer Geraden liegen.

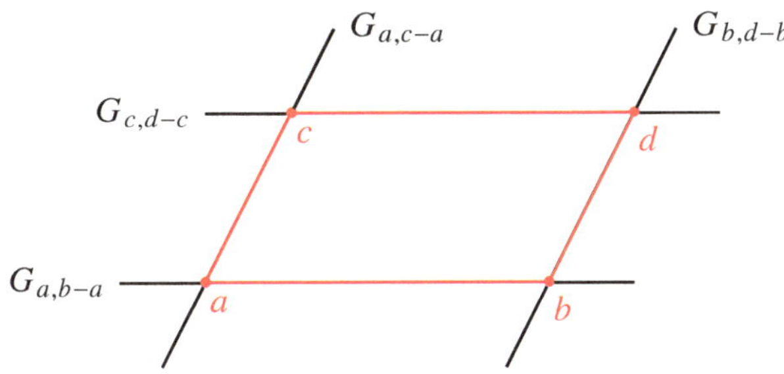

Abb. 34 *Parallelogramm*

Indem wir verlangen, dass ein Parallelogramm nicht entartet sein soll, schließt es stets eine Fläche ein. Etwa für $a = b$ und $c = d$ ist dies nicht der Fall. Als entartet sehen wir insbesondere den Fall an, bei dem alle vier Punkte auf einer Geraden liegen:

Abb. 35 *Entartetes Parallelogramm*

Bemerkung 2.87. Ist (a, b, c, d) ein nicht entartetes Parallelogramm, so sind die Geraden $G_{a,b-a}, G_{c,d-c}, G_{a,c-a}, G_{b,d-b}$ paarweise verschieden und $b - a, c - a$ sind linear unabhängig.

Beweis. Den Nachweis hierfür genehmigen wir uns als Übungsaufgabe 2.11.   □

Lemma 2.88. *Ist (a, b, c, d) ein nicht entartetes Parallelogramm, so gilt:*

$$c - a = d - b \qquad \text{und} \qquad b - a = d - c.$$

Beweis. Betrachten wir hierfür die parallelen Geraden $G_{a,c-a}$ und $G_{b,d-b}$. Dann gilt

$$c - a = \lambda(d - b) \tag{2.12}$$

für ein $\lambda \in \mathbb{R}$. Derselbe Ansatz für die Parallelen $G_{a,b-a}$ und $G_{c,d-c}$ liefert

$$b - a = \mu(d - c) \tag{2.13}$$

für ein $\mu \in \mathbb{R}$. Nun zeigen wir $\lambda = \mu = 1$. Wir subtrahieren Gleichung (2.13) von (2.12) und erhalten:

$$
\begin{aligned}
c - b &= \lambda(d - b) - \mu(d - c) \\
\Rightarrow \quad c - d + d - b &= \lambda(d - b) - \mu(d - c) \\
\Rightarrow \quad -(d - c) + (d - b) &= \lambda(d - b) - \mu(d - c) \\
\Rightarrow \quad (\mu - 1)(d - c) + (1 - \lambda)(d - b) &= 0
\end{aligned}
$$

Da das Parallelogramm nicht entartet ist, sind die Vektoren $d - c$ und $d - b$ linear unabhängig. Somit gibt es nur die triviale Linearkombination des Nullvektors und es folgt $\mu - 1 = 0$ sowie $1 - \lambda = 0$, also insgesamt $\mu = \lambda = 1$. $\qquad\square$

Zwei interessante Strecken in einem Parallelogramm sind die Diagonalen. Für sie gilt der

Satz 2.89 (Diagonalensatz). *In einem nicht entarteten Parallelogramm halbieren sich die Diagonalen gegenseitig.*

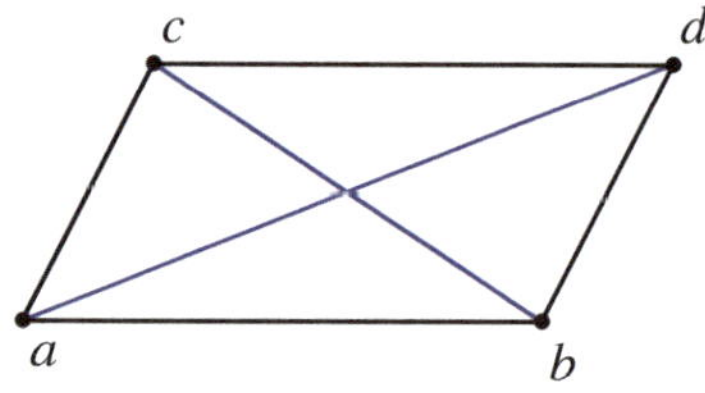

Abb. 36 *Diagonalensatz*

Beweis. Gemäß Lemma 2.81 ist $\frac{1}{2}(a + d)$ der Mittelpunkt der Diagonalen durch a und d sowie $\frac{1}{2}(b + c)$ der Mittelpunkt der Diagonalen durch b und c. Wir zeigen nun die Gleichheit $\frac{1}{2}(a + d) = \frac{1}{2}(b + c)$ mittels direkter Rechnung. Dazu subtrahieren wir die rechte Seite von der linken und erhalten den Nullvektor als Ergebnis:

$$
\frac{1}{2}(a + d) - \frac{1}{2}(b + c) = \frac{1}{2}(a + d - b - c) = \frac{1}{2}(-(c - a) + (d - b)) \overset{\text{Lemma 2.88}}{=} 0. \qquad\square
$$

Man beachte, dass der Diagonalensatz für allgemeine Vierecke falsch ist, wie folgende Abbildung illustriert:

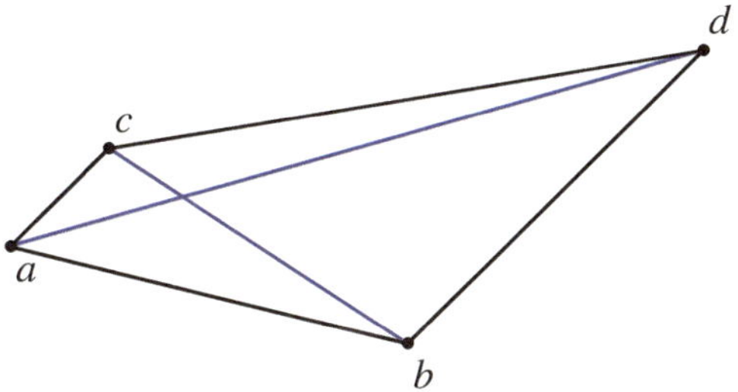

Abb. 37 *Diagonalensatz scheitert*

Nachfolgend sparen wir eine Ecke ein und wenden uns Dreiecken zu.

> **Definition 2.90.** Ein **Dreieck** ist ein Tripel (a, b, c) von Punkten $a, b, c \in \mathbb{R}^2$.
> Ein Dreieck (a, b, c) heißt **nicht entartet**, falls a, b, c nicht auf einer Geraden liegen.

Im Zusammenhang mit Dreiecken gibt es eine Fülle interessanter Geraden bzw. Strecken, etwa Seiten- und Winkelhalbierende, Mittelsenkrechte und Höhen.

> **Definition 2.91.** Sei (a, b, c) ein nicht entartetes Dreieck. Eine **Seitenhalbierende** ist eine Gerade durch eine der Ecken a, b, c des Dreiecks und den Mittelpunkt der gegenüberliegenden Seite.

Damit haben wir die:

○ Seitenhalbierende durch a und $\frac{1}{2}(b + c)$: $G_{a, \frac{1}{2}(b+c)-a} = \left\{ a + t \left(\frac{1}{2}(b + c) - a \right) \mid t \in \mathbb{R} \right\}$

○ Seitenhalbierende durch b und $\frac{1}{2}(a + c)$: $G_{b, \frac{1}{2}(a+c)-b} = \left\{ b + t \left(\frac{1}{2}(a + c) - b \right) \mid t \in \mathbb{R} \right\}$

○ Seitenhalbierende durch c und $\frac{1}{2}(a + b)$: $G_{c, \frac{1}{2}(a+b)-c} = \left\{ c + t \left(\frac{1}{2}(a + b) - c \right) \mid t \in \mathbb{R} \right\}$

Bemerkenswerterweise treffen sich die drei Seitenhalbierenden in einem Punkt:

> **Satz 2.92 (Schwerpunktsatz).** *In jedem nicht entarteten Dreieck (a, b, c) schneiden sich die drei Seitenhalbierenden im Punkt $\frac{1}{3}(a + b + c)$.*

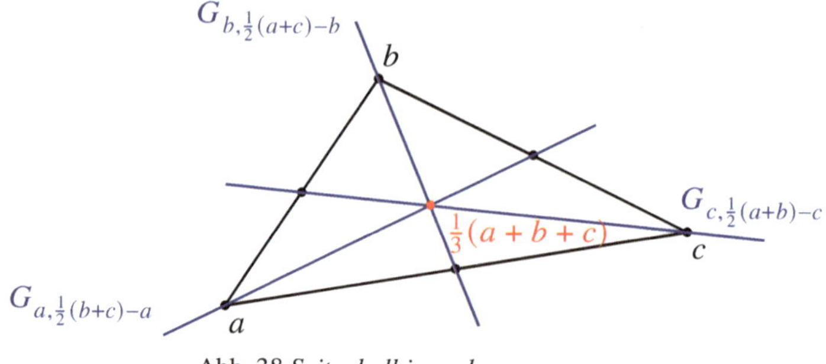

Abb. 38 *Seitenhalbierende*

Beweis. Wir zeigen, dass $\frac{1}{3}(a+b+c)$ auf allen Seitenhalbierenden liegt.

Für $G_{a,\frac{1}{2}(b+c)-a} = \left\{ a + t\left(\frac{1}{2}(b+c) - a\right) \mid t \in \mathbb{R} \right\}$ wählen wir $t = \frac{2}{3}$ und berechnen:

$$a + \frac{2}{3}\left(\frac{1}{2}(b+c) - a\right) = a + \frac{1}{3}(b+c) - \frac{2}{3}a = \frac{1}{3}(a+b+c).$$

Also liegt $\frac{1}{3}(a+b+c)$ auf der Seitenhalbierenden $G_{a,\frac{1}{2}(b+c)-a}$. Analog sieht man, dass $\frac{1}{3}(a+b+c)$ auch auf den anderen beiden Seitenhalbierenden liegt. $\qquad\square$

Definition 2.93. Der Punkt $\frac{1}{3}(a+b+c)$ heißt **Schwerpunkt** des Dreiecks (a,b,c).

Tatsächlich entspricht dieser Schwerpunkt auch dem physikalischen Schwerpunkt des Dreiecks.

Bemerkung 2.94. Die Seitenhalbierenden dritteln sich, d.h. sie teilen sich im Verhältnis $2:1$. Genauer: Der Schwerpunkt liegt von jeder Ecke doppelt so weit entfernt wie vom Mittelpunkt der gegenüberliegenden Seite. In Formeln:

$$d\left(a, \tfrac{1}{3}(a+b+c)\right) = 2 \cdot d\left(\tfrac{1}{2}(b+c), \tfrac{1}{3}(a+b+c)\right).$$

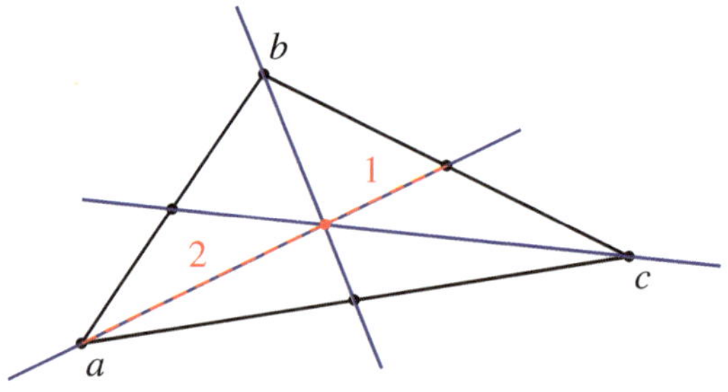

Abb. 39 *Seitenhalbierende dritteln sich*

Wir rechnen dies leicht nach. Zum einen gilt

$$
\begin{aligned}
d\left(a, \tfrac{1}{3}(a+b+c)\right) &= \left\| a - \tfrac{1}{3}(a+b+c) \right\| \\
&= \left\| \tfrac{2}{3}a - \tfrac{1}{3}b - \tfrac{1}{3}c \right\| \\
&= \tfrac{1}{3} \left\| 2a - b - c \right\|
\end{aligned}
$$

und zum anderen

$$
\begin{aligned}
d\left(\tfrac{1}{2}(b+c), \tfrac{1}{3}(a+b+c)\right) &= \left\| \tfrac{1}{2}(b+c) - \tfrac{1}{3}(a+b+c) \right\| \\
&= \left\| \tfrac{1}{2}b + \tfrac{1}{2}c - \tfrac{1}{3}a - \tfrac{1}{3}b - \tfrac{1}{3}c \right\| \\
&= \left\| -\tfrac{1}{3}a + \tfrac{1}{6}b + \tfrac{1}{6}c \right\| \\
&= \left\| \left(-\tfrac{1}{6}\right)(2a - b - c) \right\| \\
&= \tfrac{1}{6} \left\| 2a - b - c \right\| .
\end{aligned}
$$

Zur Komplettierung dieses Abschnitts wollen wir noch das wichtige Konzept von Winkeln, genauer, Winkelgrößen kennenlernen. Hierfür benötigen wir folgende zwei Beobachtungen. Einerseits kann für $x, y \in \mathbb{R}^2 \setminus \{\mathbf{0}\}$ der Zähler des Quotienten

$$
\left| \frac{\langle x, y \rangle}{\|x\| \cdot \|y\|} \right| = \frac{|\langle x, y \rangle|}{\|x\| \cdot \|y\|}
$$

mittels der Cauchy-Schwarz-Ungleichung $|\langle x, y \rangle| \leq \|x\| \cdot \|y\|$ abgeschätzt werden, so dass gilt:

$$
\frac{|\langle x, y \rangle|}{\|x\| \cdot \|y\|} \leq \frac{\|x\| \cdot \|y\|}{\|x\| \cdot \|y\|} = 1 .
$$

Also ist:

$$
\frac{\langle x, y \rangle}{\|x\| \cdot \|y\|} \in [-1, 1] .
$$

Andererseits kennen wir aus der Schule oder der Analysis-Vorlesung die Kosinus-Funktion

$$
\cos \colon [0, \pi] \to [-1, 1],
$$

welche das Intervall $[0, \pi]$ bijektiv auf das Intervall $[-1, 1]$ abbildet.

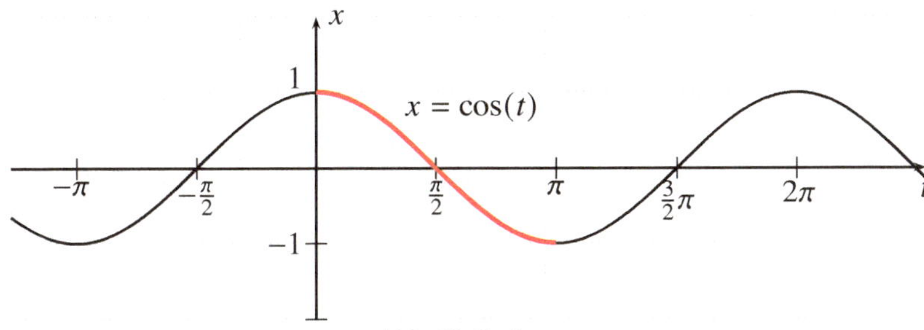

Abb. 40 *Kosinus*

Wie wir wissen, existiert daher eine Umkehrabbildung:

$$\arccos : [-1, 1] \to [0, \pi] \, .$$

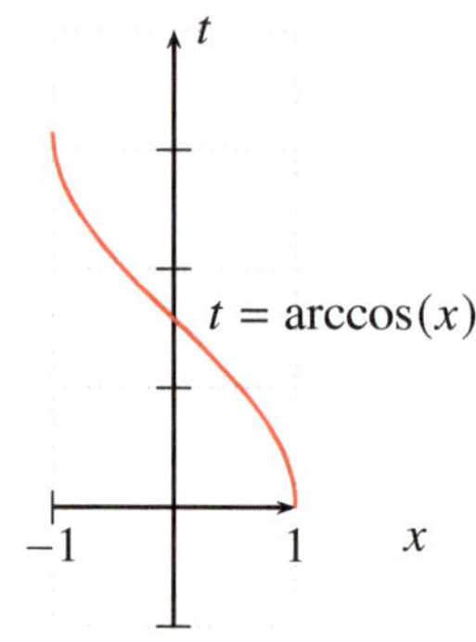

Abb. 41 *Arkus-Kosinus*

Somit ist $\cos(t) = x \Leftrightarrow \arccos(x) = t$ und wir können folgende Definition machen.

> **Definition 2.95.** Die Zahl
>
> $$\sphericalangle(x, y) := \arccos\left(\frac{\langle x, y \rangle}{\|x\| \cdot \|y\|}\right)$$
>
> heißt **Innenwinkel** von x und y.

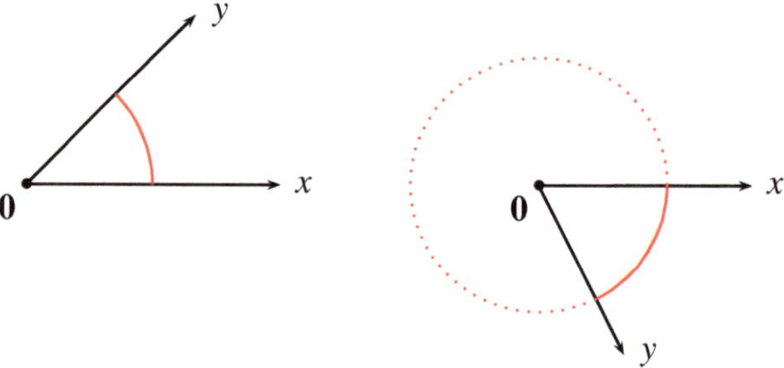

Abb. 42 *Innenwinkel*

Der Kosinus des Innenwinkels von x und y ist also gerade der Quotient $\frac{\langle x,y \rangle}{\|x\| \cdot \|y\|}$. Insbesondere wird der Innenwinkel demnach durch das Skalarprodukt definiert. Zu beachten ist, dass auch wirklich stets der Innenwinkel genommen wird, d.h. derjenige Winkel kleiner oder gleich π.

So wie wir Winkel definiert haben, werden sie im sogenannten **Bogenmaß** angegeben. Sehr verbreitet ist auch die Angabe von Winkeln in Grad. Die Umrechung in das **Gradmaß** erfolgt einfach mittels der Relation

$$1° := \frac{\pi}{180}.$$

Sehen wir uns ein paar Beispiele an.

Beispiel 2.96. Für $x = y$ gilt

$$\frac{\langle x, y \rangle}{\|x\| \cdot \|y\|} = \frac{\langle x, x \rangle}{\|x\| \cdot \|x\|} = \frac{\|x\|^2}{\|x\|^2} = 1.$$

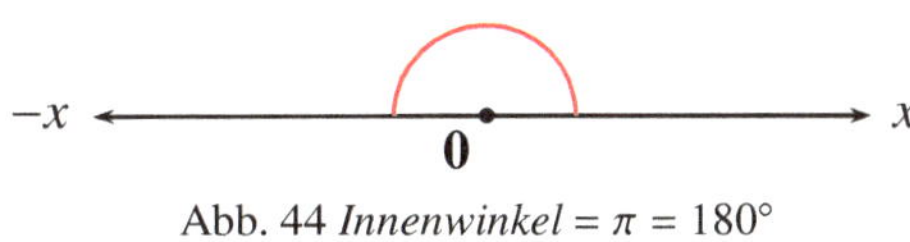

Abb. 43 *Innenwinkel* = 0

Folglich ist

$$\sphericalangle(x, x) = \arccos(1) = 0.$$

Beispiel 2.97. Für $x = -y$ gilt

$$\frac{\langle x, y \rangle}{\|x\| \cdot \|y\|} = \frac{\langle x, -x \rangle}{\|x\| \cdot \|-x\|} = \frac{-\langle x, x \rangle}{\|x\| \cdot \|x\|}$$

$$= \frac{-\|x\|^2}{\|x\|^2} = -1.$$

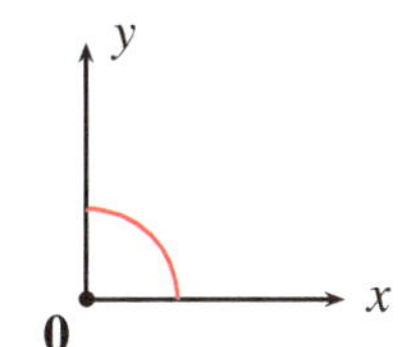

Abb. 44 *Innenwinkel* = π = 180°

Folglich ist

$$\sphericalangle(x, -x) = \arccos(-1) = \pi = 180°.$$

Beispiel 2.98. Ist $\langle x, y \rangle = 0$, so gilt

$$\sphericalangle(x, y) = \arccos(0) = \frac{\pi}{2} = 90°.$$

Abb. 45 *Innenwinkel* = $\frac{\pi}{2}$ = 90°

Definition 2.99. Falls $\langle x, y \rangle = 0$ gilt, so heißen x und y **orthogonal** zueinander. Wir sagen auch, dass x und y **aufeinander senkrecht** stehen. Wir schreiben in diesem Fall $x \perp y$.

Beispiel 2.100. Ist $x = (1, 0)^\mathsf{T}$ und $y = (1, 1)^\mathsf{T}$, so gilt:

$$\frac{\langle x, y \rangle}{\|x\| \cdot \|y\|} = \frac{1 \cdot 1 + 0 \cdot 1}{\sqrt{1^2 + 0^2} \cdot \sqrt{1^2 + 1^2}} = \frac{1}{\sqrt{2}}.$$

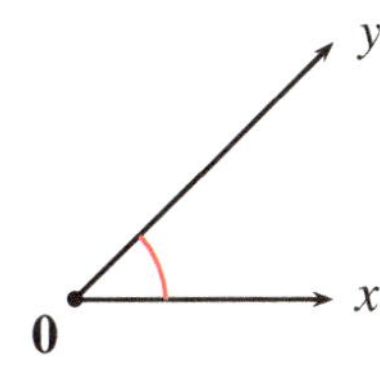

Abb. 46 *Innenwinkel* = $\frac{\pi}{4}$ = 45°

Folglich ist

$$\sphericalangle(x, y) = \arccos\left(\frac{1}{\sqrt{2}}\right) = \frac{\pi}{4} = 45°.$$

Beispiel 2.101. Ist $x = (1,0)^\top$ und $y = (1,\sqrt{3})^\top$, so gilt:

$$\frac{\langle x, y\rangle}{\|x\| \cdot \|y\|} = \frac{1 \cdot 1 + 0 \cdot \sqrt{3}}{\sqrt{1^2 + 0^2} \cdot \sqrt{1^2 + 3}} = \frac{1}{2}.$$

Folglich ist

$$\sphericalangle(x, y) = \arccos\left(\frac{1}{2}\right) = \frac{\pi}{3} = 60°.$$

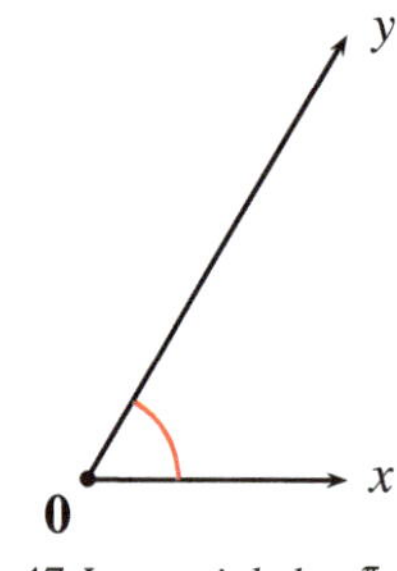

Abb. 47 *Innenwinkel* $= \frac{\pi}{3} = 60°$

Der folgende Satz erlaubt es z.B., aus vorgegebenen drei Seitenlängen eines nicht entarteten euklidischen Dreiecks die Innenwinkel desselben zu berechnen. Sind dagegen zwei Seiten und der durch diese Seiten eingeschlossene Winkel vorgegeben, so kann mit dem Satz die dem Winkel gegenüberliegende Seite berechnet werden.

> **Satz 2.102 (Kosinussatz).** *Sei (a, b, c) ein nicht entartetes Dreieck und sei $\alpha := \sphericalangle(b - a, c - a)$ der Innenwinkel in der Ecke α. Dann gilt:*
>
> $$d(b, c)^2 = d(a, b)^2 + d(a, c)^2 - 2 \cdot d(a, b) \cdot d(a, c) \cdot \cos(\alpha).$$

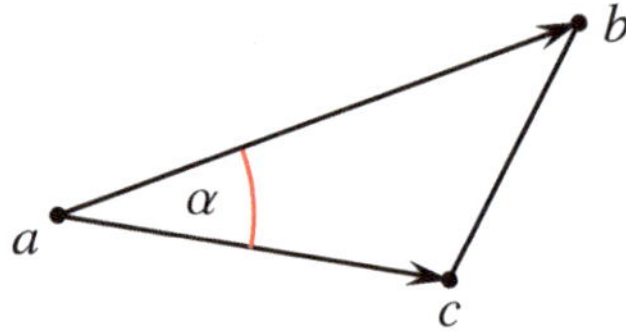

Abb. 48 *Kosinussatz*

Entsprechend gelten dann natürlich für $\beta := \sphericalangle(a - b, c - b)$ und $\gamma := \sphericalangle(a - c, b - c)$ die analogen Aussagen

$$d(a, c)^2 = d(b, a)^2 + d(b, c)^2 - 2 \cdot d(b, a) \cdot d(b, c) \cdot \cos(\beta),$$
$$d(a, b)^2 = d(c, a)^2 + d(c, b)^2 - 2 \cdot d(c, a) \cdot d(c, b) \cdot \cos(\gamma).$$

Beweis. Wir weisen die umgestellte Version

$$d(b, c)^2 - d(a, b)^2 - d(a, c)^2 = -2 \cdot d(a, b) \cdot d(a, c) \cdot \cos(\alpha)$$

nach. In der Tat gilt:

$$
\begin{aligned}
d(b,c)^2 - d(a,b)^2 - d(a,c)^2 &= \|b-c\|^2 - \|a-b\|^2 - \|a-c\|^2 \\
&= \langle b-c, b-c \rangle - \langle a-b, a-b \rangle - \langle a-c, a-c \rangle \\
&= \langle b,b \rangle - 2\langle b,c \rangle + \langle c,c \rangle - (\langle a,a \rangle - 2\langle a,b \rangle + \langle b,b \rangle) \\
&\quad - (\langle a,a \rangle - 2\langle a,c \rangle + \langle c,c \rangle) \\
&= -2\langle a,a \rangle - 2\langle b,c \rangle + 2\langle a,b \rangle + 2\langle a,c \rangle \\
&= -2 \cdot (\langle c,b \rangle - \langle a,b \rangle + \langle a,a \rangle - \langle c,a \rangle) \\
&= -2 \cdot \langle c-a, b-a \rangle \\
&= -2 \cdot \|c-a\| \, \|b-a\| \cdot \frac{\langle c-a, b-a \rangle}{\|c-a\| \, \|b-a\|} \\
&= -2 \cdot d(a,c) \cdot d(a,b) \cdot \cos(\alpha). \qquad \square
\end{aligned}
$$

Korollar 2.103. *Die Seitenlängen eines nicht entarteten Dreiecks legen die Innenwinkel eindeutig fest.* $\qquad \square$

Vorsicht: Umgekehrt legen die Innenwinkel die Seitenlängen nicht fest. Strecken wir nämlich ein Dreieck um einen positiven Faktor, dann werden die Seitenlängen um diesen Faktor gestreckt, die Innenwinkel bleiben jedoch unverändert.

Korollar 2.104 (Satz des Pythagoras). *Ist $\alpha = \frac{\pi}{2}$, so gilt*

$$
d(b,c)^2 = d(a,b)^2 + d(a,c)^2. \qquad \square
$$

Nun noch zu einem Satz über Parallelogramme.

Satz 2.105 (Rhombensatz). *Die vier Seitenlängen eines nicht entarteten Parallelogramms sind genau dann gleich, wenn die beiden Diagonalen sich senkrecht schneiden.*

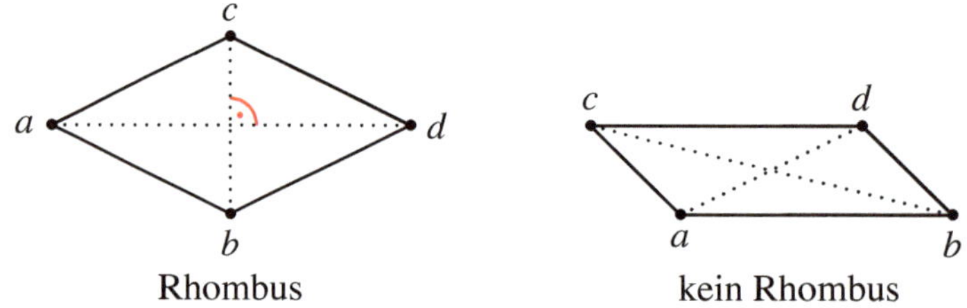

Abb. 49 *Rhombensatz*

Beweis. Für ein nicht entartetes Parallelogramm (a, b, c, d) setze:

$$v := b - a = d - c \quad \text{und} \quad w := c - a = d - b.$$

Damit sind die Diagonalen des Parallelogramms gegeben durch

$$d - a = v + w \quad \text{und} \quad c - b = v - w.$$

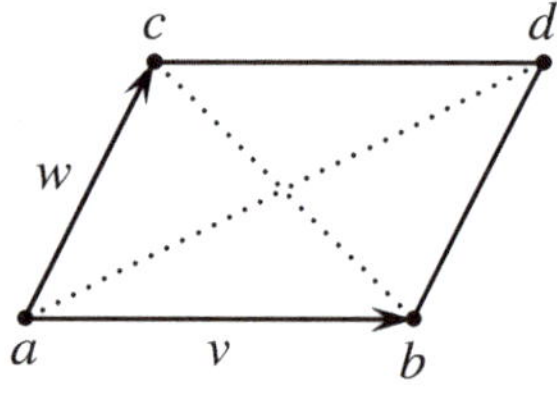

Abb. 50 *Rhombensatz*

Nun stehen die beiden Diagonalen genau dann senkrecht aufeinander, wenn

$$\langle d - a, c - b \rangle = 0.$$

Wir berechnen

$$\langle d - a, c - b \rangle = \langle v + w, v - w \rangle = \langle v, v \rangle - \langle v, w \rangle + \langle w, v \rangle - \langle w, w \rangle = \|v\|^2 - \|w\|^2.$$

Also stehen die Diagonalen genau dann aufeinander senkrecht, wenn

$$\|v\|^2 - \|w\|^2 = 0,$$

d.h. genau dann wenn

$$\|v\|^2 = \|w\|^2,$$

d.h. genau dann wenn

$$\|v\| = \|w\|,$$

d.h. genau dann wenn die Seiten gleich lang sind. $\qquad\square$

> **Definition 2.106.** Ein nicht entartetes Parallelogramm mit gleich langen Seiten heißt **Rhombus** oder auch **Raute**.

2.5. Die komplexen Zahlen

Die natürlichen Zahlen $\mathbb{N}$ entstanden durch das Zählen von Objekten. Die Einführung der Zahl 0 ermöglichte es, das Dezimalsystem zur Darstellung von Zahlen zu entwickeln. Dieses System ist heute der internationale Standard. Wer einmal versucht hat, mit römischen Zahldarstellungen elementare Rechenoperationen durchzuführen, lernt schnell die Dezimaldarstellung schätzen. Ein Problem, welches beim Rechnen mit natürlichen Zahlen (inkl. 0) auftritt, besteht darin, dass einfache Gleichungen wie z.B. $x + 5 = 1$ keine Lösungen in $\mathbb{N}_0$ besitzen. Die ganzen Zahlen $\mathbb{Z}$ beseitigen diesen Mangel durch Einführen der negativen Zahlen.

Allerdings sind in $\mathbb{Z}$ einfache lineare Gleichungen, wie etwa $2x - 1 = 0$, nicht lösbar. Dies führt uns zur Menge der rationalen Zahlen $\mathbb{Q}$. Nun gibt es jedoch auch hier wiederum problematische Gleichungen, z.B. die quadratische Gleichung $x^2 - 2 = 0$. Wir haben in Satz 1.23 gesehen, dass diese Gleichung in $\mathbb{Q}$ nicht lösbar ist. Die Einführung der reellen Zahlen $\mathbb{R}$ schafft hier Abhilfe. Aber auch in den reellen Zahlen gibt es sehr einfache nicht lösbare quadratische Gleichungen wie etwa $x^2 + 1 = 0$.

Geht das nun immer so weiter? Wir erweitern ständig unser Repertoire an Zahlen, stoßen aber sofort wieder auf neue einfache Gleichungen, die eine erneute Erweiterung notwendig machen. Nein, es geht nicht immer so weiter. Wir müssen die reellen noch einmal zu den komplexen Zahlen $\mathbb{C}$ erweitern. In $\mathbb{C}$ werden dann polynomiale Gleichungen, egal von welchem Grad, immer lösbar sein. Insofern findet der Ausbau des Zahlensystems bei den komplexen Zahlen einen natürlichen Abschluss. Was sind komplexe Zahlen? Wir setzen

$$\mathbb{C} := \mathbb{R}^2.$$

Die Menge der komplexen Zahlen $\mathbb{C}$ heißt daher auch **Gauß'sche Zahlenebene**. Nun müssen wir mit den komplexen Zahlen rechnen können, insbesondere müssen wir sie addieren und multiplizieren können. Die Addition komplexer Zahlen kennen wir schon, es ist die gewöhnliche Vektoraddition. Es gilt also für alle $x, y \in \mathbb{C}$:

$$\begin{pmatrix} x_1 \\ x_2 \end{pmatrix} + \begin{pmatrix} y_1 \\ y_2 \end{pmatrix} = \begin{pmatrix} x_1 + y_1 \\ x_2 + y_2 \end{pmatrix}.$$

Ferner kennen wir aus der Vektorrechnung bereits die Rechenregeln:

(i) Assoziativgesetz der Addition:

$$\forall x, y, z \in \mathbb{C}: \quad (x + y) + z = x + (y + z).$$

(ii) Kommutativgesetz der Addition:

$$\forall x, y \in \mathbb{C}: \quad x + y = y + x.$$

(iii) Existenz des neutralen Elements der Addition:

$$\forall x \in \mathbb{C}: \quad x + \mathbf{0} = x, \quad \text{wobei } \mathbf{0} = \begin{pmatrix} 0 \\ 0 \end{pmatrix} \in \mathbb{C}.$$

(iv) Existenz inverser Elemente der Addition:

$$\forall x \in \mathbb{C} \, \exists y \in \mathbb{C}: \quad x + y = \mathbf{0}, \quad \text{nämlich } y = -x = (-1) \cdot x.$$

Die entscheidende Neuerung ist die Multiplikation zweier komplexer Zahlen. Für alle $x, y \in \mathbb{C}$ definieren wir:

$$\begin{pmatrix} x_1 \\ x_2 \end{pmatrix} \cdot \begin{pmatrix} y_1 \\ y_2 \end{pmatrix} := \begin{pmatrix} x_1 \cdot y_1 - x_2 \cdot y_2 \\ x_1 \cdot y_2 + x_2 \cdot y_1 \end{pmatrix}. \tag{2.14}$$

Diese Definition wirkt zunächst recht willkürlich. Wir werden aber sehen, dass sie sich doch ziemlich zwangsläufig ergibt. Zunächst verifizieren wir, dass die Multiplikation komplexer Zahlen denselben Rechenregeln genügt wie die der reellen Zahlen:

(v) Assoziativgesetz der Multiplikation:

$$\forall x, y, z \in \mathbb{C}: \quad (x \cdot y) \cdot z = x \cdot (y \cdot z).$$

(vi) Kommutativgesetz der Multiplikation:

$$\forall x, y \in \mathbb{C}: \quad x \cdot y = y \cdot x.$$

(vii) Existenz des neutralen Elements der Multiplikation:

$$\forall x \in \mathbb{C}: \quad x \cdot \mathbf{1} = x, \quad \text{wobei } \mathbf{1} := \begin{pmatrix} 1 \\ 0 \end{pmatrix} \in \mathbb{C}.$$

(viii) Existenz inverser Elemente der Multiplikation:

$$\forall x \in \mathbb{C} \setminus \{\mathbf{0}\} \, \exists y \in \mathbb{C}: \quad x \cdot y = \mathbf{1}, \quad \text{nämlich}$$

$$y = x^{-1} := \frac{1}{x_1^2 + x_2^2} \cdot \begin{pmatrix} x_1 \\ -x_2 \end{pmatrix} \in \mathbb{C}.$$

Man beachte, dass wegen der Voraussetzung $x \neq \mathbf{0}$ auch $x_1^2 + x_2^2 > 0$ gilt und wir daher durch $x_1^2 + x_2^2$ dividieren können.

Schließlich gibt es ein weiteres Gesetz, das regelt, wie Addition und Multiplikation zusammenspielen. Es stellt sicher, dass man ausmultiplizieren bzw. ausklammern darf:

(ix) Distributivgesetz:

$$\forall x, y, z \in \mathbb{C}: \quad x \cdot (y + z) = x \cdot y + x \cdot z.$$

Beweis der Rechenregeln für die Multiplikation. Zu (v):

$$(x \cdot y) \cdot z = \begin{pmatrix} x_1 y_1 - x_2 y_2 \\ x_1 y_2 + x_2 y_1 \end{pmatrix} \cdot \begin{pmatrix} z_1 \\ z_2 \end{pmatrix}$$

$$= \begin{pmatrix} (x_1 y_1 - x_2 y_2) z_1 - (x_1 y_2 + x_2 y_1) z_2 \\ (x_1 y_1 - x_2 y_2) z_2 + (x_1 y_2 + x_2 y_1) z_1 \end{pmatrix}$$

$$= \begin{pmatrix} x_1 y_1 z_1 - x_2 y_2 z_1 - x_1 y_2 z_2 - x_2 y_1 z_2 \\ x_1 y_1 z_2 - x_2 y_2 z_2 + x_1 y_2 z_1 + x_2 y_1 z_1 \end{pmatrix}$$

$$= \begin{pmatrix} x_1 y_1 z_1 - x_1 y_2 z_2 - x_2 y_1 z_2 - x_2 y_2 z_1 \\ x_1 y_1 z_2 + x_1 y_2 z_1 + x_2 y_1 z_1 - x_2 y_2 z_2 \end{pmatrix}$$

$$= \begin{pmatrix} x_1 (y_1 z_1 - y_2 z_2) - x_2 (y_1 z_2 + y_2 z_1) \\ x_1 (y_1 z_2 + y_2 z_1) + x_2 (y_1 z_1 - y_2 z_2) \end{pmatrix}$$

$$= \begin{pmatrix} x_1 \\ x_2 \end{pmatrix} \cdot \begin{pmatrix} y_1 z_1 - y_2 z_2 \\ y_1 z_2 + y_2 z_1 \end{pmatrix}$$

$$= x \cdot (y \cdot z).$$

Zu (vi):

$$x \cdot y = \begin{pmatrix} x_1 y_1 - x_2 y_2 \\ x_1 y_2 + x_2 y_1 \end{pmatrix} = \begin{pmatrix} y_1 x_1 - y_2 x_2 \\ y_2 x_1 + y_1 x_2 \end{pmatrix} = \begin{pmatrix} y_1 x_1 - y_2 x_2 \\ y_1 x_2 + y_2 x_1 \end{pmatrix} = y \cdot x.$$

Zu (vii):

$$x \cdot \mathbf{1} = \begin{pmatrix} x_1 \\ x_2 \end{pmatrix} \cdot \begin{pmatrix} 1 \\ 0 \end{pmatrix} = \begin{pmatrix} x_1 \cdot 1 - x_2 \cdot 0 \\ x_1 \cdot 0 + x_2 \cdot 1 \end{pmatrix} = \begin{pmatrix} x_1 \\ x_2 \end{pmatrix} = x.$$

Zu (viii):

$$x \cdot x^{-1} = \begin{pmatrix} x_1 \\ x_2 \end{pmatrix} \cdot \begin{pmatrix} \frac{x_1}{x_1^2 + x_2^2} \\ \frac{-x_2}{x_1^2 + x_2^2} \end{pmatrix} = \begin{pmatrix} \frac{x_1^2}{x_1^2 + x_2^2} - \frac{-x_2^2}{x_1^2 + x_2^2} \\ x_1 \frac{-x_2}{x_1^2 + x_2^2} + x_2 \frac{x_1}{x_1^2 + x_2^2} \end{pmatrix} = \begin{pmatrix} 1 \\ 0 \end{pmatrix} = \mathbf{1}.$$

Zu (ix):

$$x \cdot (y + z) = \begin{pmatrix} x_1 \\ x_2 \end{pmatrix} \cdot \begin{pmatrix} y_1 + z_1 \\ y_2 + z_2 \end{pmatrix}$$

$$= \begin{pmatrix} x_1 \cdot (y_1 + z_1) - x_2 \cdot (y_2 + z_2) \\ x_1 \cdot (y_2 + z_2) + x_2 \cdot (y_1 + z_1) \end{pmatrix}$$

$$= \begin{pmatrix} x_1 y_1 + x_1 z_1 - x_2 y_2 - x_2 z_2 \\ x_1 y_2 + x_1 z_2 + x_2 y_1 + x_2 z_1 \end{pmatrix}$$

$$
\begin{aligned}
&= \begin{pmatrix} x_1 y_1 - x_2 y_2 + x_1 z_1 - x_2 z_2 \\ x_1 y_2 + x_2 y_1 + x_1 z_2 + x_2 z_1 \end{pmatrix} \\
&= \begin{pmatrix} x_1 y_1 - x_2 y_2 \\ x_1 y_2 + x_2 y_1 \end{pmatrix} + \begin{pmatrix} x_1 z_1 - x_2 z_2 \\ x_1 z_2 + x_2 z_1 \end{pmatrix} \\
&= x \cdot y + x \cdot z. \hspace{4cm} \square
\end{aligned}
$$

Bislang war es bei der Einführung neuer Zahlen immer so, dass sie die bereits bekannten Zahlen umfasst haben, $\mathbb{N} \subset \mathbb{N}_0 \subset \mathbb{Z} \subset \mathbb{Q} \subset \mathbb{R}$. Wir hätten also gerne, dass $\mathbb{R} \subset \mathbb{C}$, aber das ist wegen $\mathbb{C} = \mathbb{R}^2$ ja nicht richtig. Um das zu beheben, betten wir den reellen Zahlenstrahl in die Gauß'sche Zahlenebene ein. Wir setzen

$$
i := \begin{pmatrix} 0 \\ 1 \end{pmatrix}.
$$

Dabei steht i für $i$maginär. Bei der Einführung der komplexen Zahlen war man der Ansicht, dass die reellen Zahlen „wirklich" sind, während die Vielfachen von i, die sogenannten **imaginären Zahlen**, nur Vorstellungen sind. Jede komplexe Zahl $x = \begin{pmatrix} x_1 \\ x_2 \end{pmatrix} \in \mathbb{C}$ können wir aus reellen Vielfachen von $\mathbf{1}$ und i zusammensetzen:

$$
x = \begin{pmatrix} x_1 \\ x_2 \end{pmatrix} = \begin{pmatrix} x_1 \\ 0 \end{pmatrix} + \begin{pmatrix} 0 \\ x_2 \end{pmatrix} = x_1 \cdot \begin{pmatrix} 1 \\ 0 \end{pmatrix} + x_2 \cdot \begin{pmatrix} 0 \\ 1 \end{pmatrix} = x_1 \cdot \mathbf{1} + x_2 \cdot i.
$$

Komplexe Zahlen sind allerdings genauso wirklich wie reelle und besitzen vielfältige Anwendungen, etwa in der Physik. Sehen wir, was uns die Einführung von imaginären Zahlen einbringt. Hierfür quadrieren wir:

$$
i^2 = i \cdot i = \begin{pmatrix} 0 \\ 1 \end{pmatrix} \cdot \begin{pmatrix} 0 \\ 1 \end{pmatrix} = \begin{pmatrix} 0 \cdot 0 - 1 \cdot 1 \\ 0 \cdot 1 + 1 \cdot 0 \end{pmatrix} = \begin{pmatrix} -1 \\ 0 \end{pmatrix} = - \begin{pmatrix} 1 \\ 0 \end{pmatrix} = -\mathbf{1}.
$$

In den komplexen Zahlen können wir also die Wurzel aus $-\mathbf{1}$ ziehen. Hiermit lässt sich die komplexe Multiplikation leicht merken, denn für $x, y \in \mathbb{C}$ gilt:

$$
\begin{aligned}
x \cdot y &= (x_1 \cdot \mathbf{1} + x_2 \cdot i) \cdot (y_1 \cdot \mathbf{1} + y_2 \cdot i) \\
&= x_1 y_1 \cdot \mathbf{1} + x_1 y_2 \cdot i + x_2 y_1 \cdot i + x_2 y_2 \cdot i^2 \\
&= (x_1 y_1 - x_2 y_2) \cdot \mathbf{1} + (x_1 y_2 + x_2 y_1) \cdot i.
\end{aligned}
$$

Wenn man also den Ansatz macht, dass komplexe Zahlen von der Form $x = x_1 \cdot \mathbf{1} + x_2 \cdot i$ sein sollen und $i^2 = -\mathbf{1}$ gilt, dann ergibt sich die Definition der komplexen Multiplikation in (2.14) zwangsläufig.

Von nun an identifizieren wir $\mathbf{0} \in \mathbb{C}$ mit $0 \in \mathbb{R}$ sowie $\mathbf{1} \in \mathbb{C}$ mit $1 \in \mathbb{R}$ und schreiben statt

$$x = \begin{pmatrix} x_1 \\ x_2 \end{pmatrix} \text{ kurz}$$

$$x = x_1 + x_2 \cdot i \qquad \text{oder auch} \qquad x = x_1 + ix_2.$$

Dadurch wird jede reelle Zahl t mit der komplexen Zahl $t = t + 0 \cdot i$ identifiziert und somit gilt

$$\mathbb{R} \subset \mathbb{C}.$$

Oft werden z und w statt x und y als Platzhalter für komplexe Zahlen verwendet.

> **Definition 2.107.** Für $z = z_1 + z_2 \cdot i \in \mathbb{C}$ mit $z_1, z_2 \in \mathbb{R}$ heißt $z_1 =: \operatorname{Re}(z)$ der **Realteil** und $z_2 =: \operatorname{Im}(z)$ der **Imaginärteil** von z.

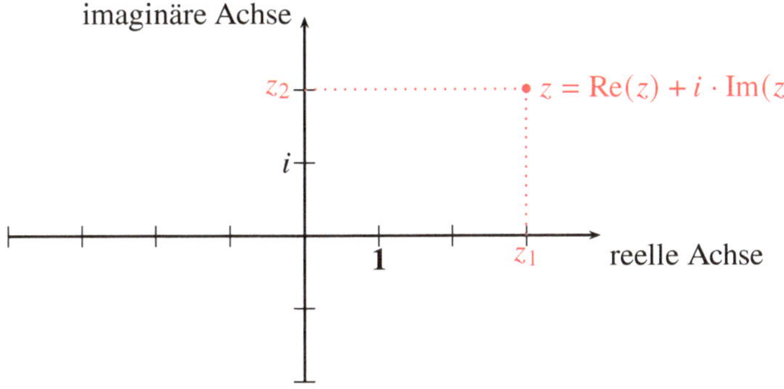

Abb. 51 *Gauß'sche Zahlenebene*

Beispiel 2.108. Wir betrachten $z = 1 + i\sqrt{2}$ sowie $w = 2 + i\sqrt{3}$ und berechnen

$$\begin{aligned}
\frac{z}{w} &= \frac{1 + i\sqrt{2}}{2 + i\sqrt{3}} \\
&= \frac{(1 + i\sqrt{2}) \cdot (2 - i\sqrt{3})}{(2 + i\sqrt{3}) \cdot (2 - i\sqrt{3})} \\
&= \frac{2 - i\sqrt{3} + i2\sqrt{2} + \sqrt{2}\sqrt{3}}{4 - (i\sqrt{3})^2} \\
&= \frac{\left(2 + \sqrt{6}\right) + i\left(2\sqrt{2} - \sqrt{3}\right)}{4 + 3} \\
&= \frac{2 + \sqrt{6}}{7} + i\frac{2\sqrt{2} - \sqrt{3}}{7}.
\end{aligned}$$

Also gilt

$$\operatorname{Re}\left(\frac{z}{w}\right) = \frac{2 + \sqrt{6}}{7} \qquad \text{und} \qquad \operatorname{Im}\left(\frac{z}{w}\right) = \frac{2\sqrt{2} - \sqrt{3}}{7}.$$

Wir haben bei der Berechnung des Bruchs den Trick verwendet, dass wir den Bruch $\frac{z}{w}$ mit derjenigen komplexen Zahl erweitert haben, bei der der Imaginärteil das entgegengesetzte Vorzeichen (des Imaginärteils von w) besitzt, der Realteil jedoch derselbe ist.

> **Definition 2.109.** Für $z = z_1 + iz_2 \in \mathbb{C}$ heißt $\bar{z} := z_1 - iz_2$ die **komplex konjugierte Zahl** zu z. Die Abbildung $\mathbb{C} \to \mathbb{C}, z \mapsto \bar{z}$, heißt **komplexe Konjugation**.

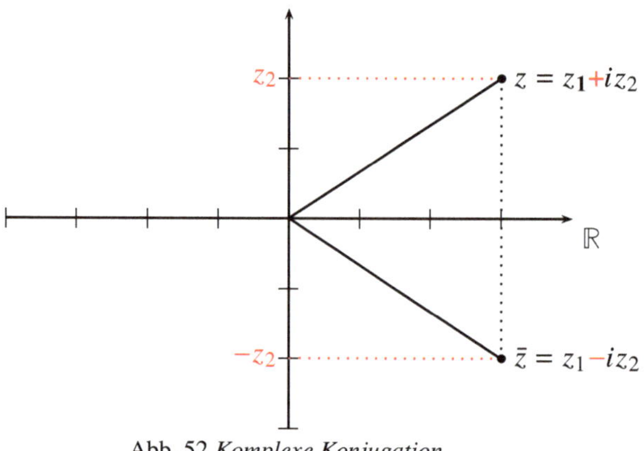

Abb. 52 *Komplexe Konjugation*

Geometrisch ist die komplexe Konjugation die Spiegelung an der reellen Achse $\mathbb{R} = \left\{ \begin{pmatrix} x \\ 0 \end{pmatrix} \,\middle|\, x \in \mathbb{R} \right\}$. Insbesondere gilt für alle $z = z_1 + iz_2 \in \mathbb{C}$:

(i) Die komplexe Konjugation ist selbstinvers, d.h. es gilt:
$$\overline{(\bar{z})} = \overline{\overline{(z_1 + iz_2)}} = \overline{(z_1 - iz_2)} = z_1 + iz_2 = z.$$

(ii) Es ist $z = \bar{z} \Leftrightarrow z \in \mathbb{R}$.

Der folgende Satz listet einige weitere Eigenschaften der komplexen Konjugation:

> **Satz 2.110.** *Für alle $z, w \in \mathbb{C}$ gilt:*
>
> *(i)* $\overline{z + w} = \bar{z} + \bar{w}$,
>
> *(ii)* $\overline{z \cdot w} = \bar{z} \cdot \bar{w}$,
>
> *(iii)* $z \cdot \bar{z} = |z|^2$, *wobei* $|z| = \|z\| = \sqrt{\mathrm{Re}(z)^2 + \mathrm{Im}(z)^2}$.

Beweis. Zu (i): Es gilt

$$\overline{z+w} = \overline{\begin{pmatrix} z_1 \\ z_2 \end{pmatrix} + \begin{pmatrix} w_1 \\ w_2 \end{pmatrix}}$$

$$= \overline{\begin{pmatrix} z_1 + w_1 \\ z_2 + w_2 \end{pmatrix}}$$

$$= \begin{pmatrix} z_1 + w_1 \\ -(z_2 + w_2) \end{pmatrix}$$

$$= \begin{pmatrix} z_1 + w_1 \\ -z_2 - w_2 \end{pmatrix}$$

$$= \begin{pmatrix} z_1 \\ -z_2 \end{pmatrix} + \begin{pmatrix} w_1 \\ -w_2 \end{pmatrix}$$

$$= \bar{z} + \bar{w}.$$

Zu (ii):
Für komplexe Zahlen $z = z_1 + iz_2$ und $w = w_1 + iw_2$ bekommen wir

$$\overline{z \cdot w} = \overline{(z_1 + iz_2) \cdot (w_1 + iw_2)}$$

$$= \overline{z_1 w_1 - z_2 w_2 + i(z_1 w_2 + z_2 w_1)}$$

$$= z_1 w_1 - z_2 w_2 - i(z_1 w_2 + z_2 w_1)$$

$$= (z_1 - iz_2) \cdot (w_1 - iw_2)$$

$$= \bar{z} \cdot \bar{w}.$$

Zu (iii):
Wir berechnen

$$z \cdot \bar{z} = (z_1 + iz_2) \cdot (z_1 - iz_2)$$

$$= z_1^2 - (iz_2)^2$$

$$= z_1^2 - i^2 z_2^2$$

$$= z_1^2 + z_2^2 \;=\; |z|^2. \qquad \square$$

Bemerkung 2.111. Im Beispiel 2.108 erweiterten wir den Bruch $\frac{z}{w}$ mit der komplexen Konjugation $\bar{w}$ des Nenners, mit der Absicht, einen reellen Nenner zu erhalten. Wie sich nun herausstellt, geschah dies implizit mittels der Regel (3.), denn es gilt

$$\frac{z}{w} = \frac{z \cdot \bar{w}}{w \cdot \bar{w}} = \frac{z \cdot \bar{w}}{|w|^2},$$

wobei $|w|^2 \in \mathbb{R}$ ist.

Sie sollten das Rechnen mit komplexen Zahlen nun hier üben bis Sie es sicher beherrschen: `https://ueben.cbaer.eu/01.html`

Für die Operationen Addition und Konjugation kennen wir bereits geometrische Interpretationen. Für die Multiplikation komplexer Zahlen allerdings fehlt uns eine solche noch. Wir benötigen hierzu eine weitere Darstellungsform komplexer Zahlen z, die durch den Betrag $|z|$ und folgenden Winkelbegriff festgelegt ist.

Definition 2.112. Sei $z \in \mathbb{C} \setminus \{0\}$. Dann heißt

$$\arg(z) := \begin{cases} \sphericalangle(\mathbf{1}, z), & \text{falls } \operatorname{Im}(z) \geq 0, \\ 2\pi - \sphericalangle(\mathbf{1}, z), & \text{falls } \operatorname{Im}(z) < 0, \end{cases}$$

das **Argument** von z.

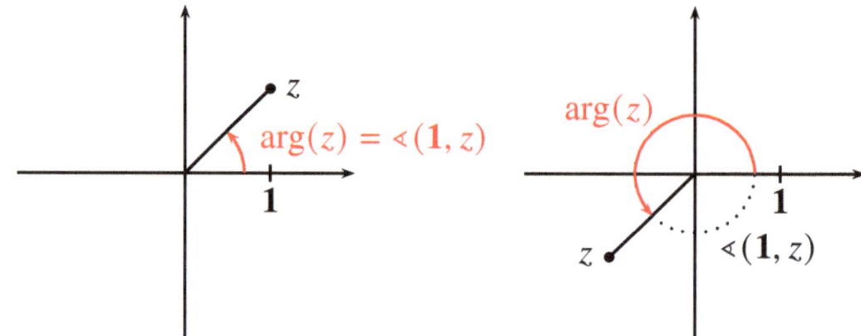

Abb. 53 *Argument*

Jede komplexe Zahl $z = \operatorname{Re}(z) + i \cdot \operatorname{Im}(z) \neq 0$ lässt sich nun durch $|z|$ und $\arg(z)$ ausdrücken:

Satz 2.113. *Für jedes $z \in \mathbb{C} \setminus \{0\}$ gilt:*

(i) $\operatorname{Re}(z) = |z| \cdot \cos(\arg(z))$,

(ii) $\operatorname{Im}(z) = |z| \cdot \sin(\arg(z))$.

Beweis. Zu (i):
Wegen der Definition von $\arg(z)$ haben wir zwei Fälle zu betrachten:
1. Fall: Für $\operatorname{Im}(z) \geq 0$ gilt:

$$|z| \cdot \cos(\arg(z)) = |z| \cdot \cos(\sphericalangle(\mathbf{1}, z))$$

$$= |z| \cdot \cos\left(\arccos\left(\frac{\left\langle \binom{1}{0}, \binom{z_1}{z_2} \right\rangle}{\left\|\binom{1}{0}\right\| \cdot \left\|\binom{z_1}{z_2}\right\|}\right)\right)$$

$$= |z| \cdot \frac{\left\langle \binom{1}{0}, \binom{z_1}{z_2} \right\rangle}{\left\|\binom{1}{0}\right\| \cdot \left\|\binom{z_1}{z_2}\right\|}$$

$$= |z| \cdot \frac{\left\langle \binom{1}{0}, \binom{z_1}{z_2} \right\rangle}{1 \cdot |z|}$$

$$= \left\langle \binom{1}{0}, \binom{z_1}{z_2} \right\rangle$$

$$= z_1 \ = \ \mathrm{Re}(z).$$

2. Fall: Für $\mathrm{Im}(z) < 0$ gilt:
Da die Kosinus-Funktion 2π-periodisch und eine gerade Funktion ist, gilt

$$\begin{aligned}
|z| \cdot \cos(\arg(z)) &= |z| \cdot \cos(2\pi - \sphericalangle(\mathbf{1}, z)) \\
&= |z| \cdot \cos(-\sphericalangle(\mathbf{1}, z)) \\
&= |z| \cdot \cos(\sphericalangle(\mathbf{1}, z)) \\
&= \mathrm{Re}(z).
\end{aligned}$$

Zu (ii):
Setzen wir zunächst zur Abkürzung $x := \frac{\mathrm{Im}(z)}{|z|}$. Wegen $|z| = \sqrt{\mathrm{Re}(z)^2 + \mathrm{Im}(z)^2}$ gilt

$$\begin{aligned}
|z|^2 &= \mathrm{Re}(z)^2 + \mathrm{Im}(z)^2 \\
&= \mathrm{Re}(z)^2 + |z|^2 \frac{\mathrm{Im}(z)^2}{|z|^2} \\
&= \mathrm{Re}(z)^2 + |z|^2 x^2 \\
&\overset{(i)}{=} (|z| \cos(\arg(z)))^2 + |z|^2 x^2 \\
&= |z|^2 \left(\cos(\arg(z))^2 + x^2\right).
\end{aligned}$$

Da $z \neq \mathbf{0}$ in der Voraussetzung des Satzes steht, können wir nun durch $|z|^2 \neq 0$ dividieren und bekommen

$$1 = \cos(\arg(z))^2 + x^2.$$

Der trigonometrische Pythagoras liefert uns andererseits:

$$1 = \cos(\arg(z))^2 + \sin(\arg(z))^2.$$

Subtraktion dieser beiden Gleichungen führt auf

$$x^2 = \sin(\arg(z))^2,$$

also

$$x = \sin(\arg(z)) \qquad \text{oder} \qquad x = -\sin(\arg(z)).$$

Nun wieder zu den beiden möglichen Fällen:

1. Fall: Für $\operatorname{Im}(z) \geq 0$ ist $x = \frac{\operatorname{Im}(z)}{|z|} \geq 0$. Ferner gilt

$$\arg(z) = \sphericalangle(\mathbf{1}, z) \in [0, \pi]$$

und dem Verlauf der Sinus-Funktion nach damit $\sin(\arg(z)) \geq 0$, also $x = \sin(\arg(z))$. Einsetzen für x ergibt wie gewünscht

$$\operatorname{Im}(z) = x \cdot |z| = \sin(\arg(z)) \cdot |z| \,.$$

2. Fall: Für $\operatorname{Im}(z) < 0$ ist $x = \frac{\operatorname{Im}(z)}{|z|} < 0$. Weiterhin gilt

$$\arg(z) = 2\pi - \sphericalangle(\mathbf{1}, z) \in [\pi, 2\pi],$$

also dieses Mal $\sin(\arg(z)) \leq 0$ und damit wie im 1. Fall $x = \sin(\arg(z))$. Also folgt wie oben:

$$\operatorname{Im}(z) = |z| \cdot \sin(\arg(z)). \qquad\qquad \square$$

Im Ergebnis können wir nun komplexe Zahlen $z = \operatorname{Re}(z) + i \cdot \operatorname{Im}(z)$ auch in der Form

$$z = |z| \cdot (\cos(\arg(z)) + i\sin(\arg(z)))$$

schreiben. In der Literatur wird oft abkürzend $\varphi := \arg(z) \in [0, 2\pi)$ gesetzt.

Die Darstellung

$$z = |z| \cdot (\cos(\varphi) + i\sin(\varphi))$$

nennt man die **Polardarstellung** für komplexe Zahlen. Sie ist durch den Betrag $|z|$ und den Winkel φ (ggf. abzüglich $k \cdot 2\pi$ für ein $k \in \mathbb{Z}$) eindeutig bestimmt.

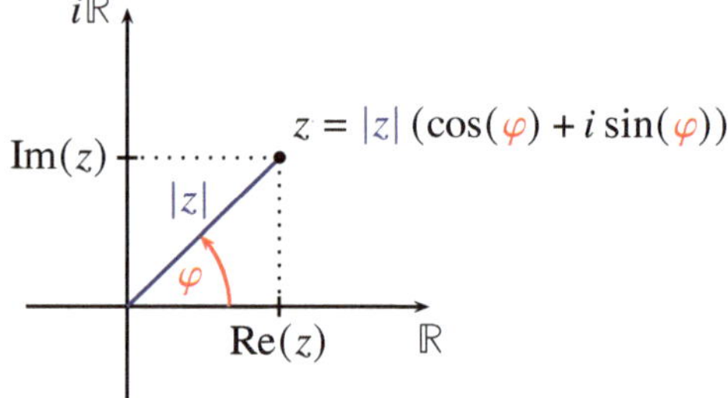

Abb. 54 *Komplexe Polardarstellung*

Nun liefert uns folgender Satz eine geometrische Interpretation für die Multiplikation:

Satz 2.114. *Für alle $z, w \in \mathbb{C} \setminus \{0\}$ gilt:*

(i) $|z \cdot w| = |z| \cdot |w|$.

(ii) $\arg(z \cdot w) = \begin{cases} \arg(z) + \arg(w), & \text{falls } \arg(z) + \arg(w) < 2\pi, \\ \arg(z) + \arg(w) - 2\pi, & \text{sonst.} \end{cases}$

Beweis. Zu (i):
Wegen Satz 2.110 gilt:

$$
\begin{aligned}
|z \cdot w|^2 &= (z \cdot w) \cdot \overline{(z \cdot w)} \\
&= (z \cdot w) \cdot (\bar{z} \cdot \bar{w}) \\
&= (z \cdot \bar{z}) \cdot (w \cdot \bar{w}) \\
&= |z|^2 \cdot |w|^2 \\
&= (|z| \cdot |w|)^2 .
\end{aligned}
$$

Da $|z \cdot w|, |z| \cdot |w| \geq 0$ sind, folgt die Behauptung (i) durch Wurzelziehen.

Zu (ii):
Wir schreiben abkürzend $\varphi := \arg(z)$ und $\psi := \arg(w)$. Dann gilt

$$
\begin{aligned}
z &= |z| \cdot (\cos(\varphi) + i \sin(\varphi)) \qquad \text{sowie} \\
w &= |w| \cdot (\cos(\psi) + i \sin(\psi))
\end{aligned}
$$

und wir erhalten

$$
\begin{aligned}
z \cdot w &= |z| \cdot (\cos(\varphi) + i \sin(\varphi)) \cdot |w| \cdot (\cos(\psi) + i \sin(\psi)) \\
&= |z| \cdot |w| \cdot (\cos(\varphi) + i \sin(\varphi)) \cdot (\cos(\psi) + i \sin(\psi)) \\
&= |z| \cdot |w| \cdot (\cos(\varphi)\cos(\psi) + i \cos(\varphi)\sin(\psi) + i \sin(\varphi)\cos(\psi) + i^2 \sin(\varphi)\sin(\psi)) \\
&= |z| \cdot |w| \cdot ((\cos(\varphi)\cos(\psi) - \sin(\varphi)\sin(\psi)) + i(\cos(\varphi)\sin(\psi) + \sin(\varphi)\cos(\psi))) \\
&\overset{(i)}{=} |z \cdot w| \cdot (\cos(\varphi + \psi) + i \sin(\varphi + \psi)).
\end{aligned}
$$

In die letzte Gleichung gehen die Additionstheoreme für Kosinus und Sinus ein. Wir werden nochmal darauf zurückkommen.

Falls nun $\varphi + \psi \in [0, 2\pi)$ ist, so gilt

$$
\arg(z \cdot w) = \varphi + \psi = \arg(z) + \arg(w).
$$

Ist dagegen $\varphi + \psi \geq 2\pi$, so gilt $\varphi + \psi \in [2\pi, 4\pi)$. Wegen der 2π-Periodizität von Kosinus und Sinus erhalten wir dann

$$
z \cdot w = |z \cdot w| \cdot (\cos(\varphi + \psi) + i \sin(\varphi + \psi))
$$

$$= |z \cdot w| \cdot (\cos(\varphi + \psi - 2\pi) + i \sin(\varphi + \psi - 2\pi))$$

und damit

$$\arg(z \cdot w) = \varphi + \psi - 2\pi \in [0, 2\pi). \qquad \square$$

Aus diesem Satz ergibt sich folgende geometrische Interpretation der Multiplikation in $\mathbb{C}$:

○ Die Beträge werden multipliziert: $|z \cdot w| = |z| \cdot |w|$.

○ Die Argumente werden addiert (und von der Summe ggf. 2π subtrahiert).

Sehen wir uns die beiden Fälle $\arg(z) + \arg(w) \in [0, 2\pi)$ und $\arg(z) + \arg(w) \in [2\pi, 4\pi)$ in je einem Beispiel an:

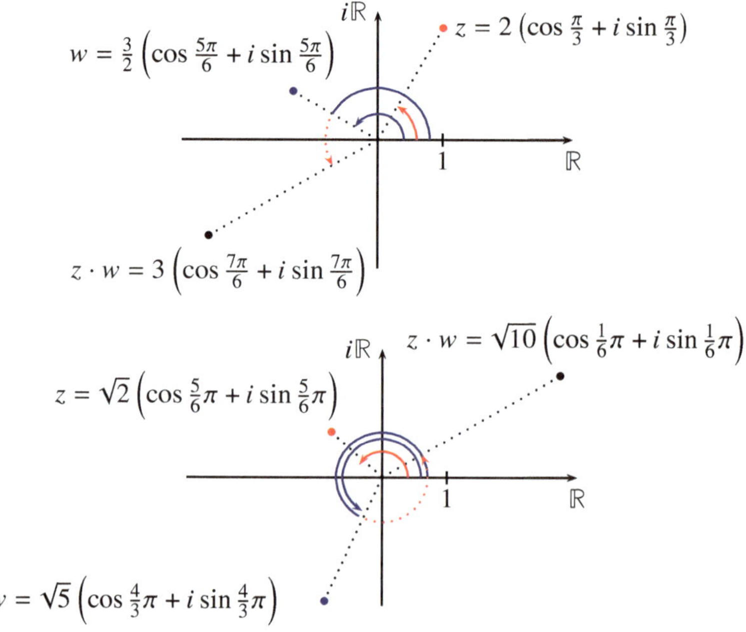

Abb. 55 *Komplexe Multiplikation*

Wir überlegen uns nachfolgend eine Möglichkeit, die eben verwendeten Additionstheoreme herzuleiten, schon damit wir sie uns besser merken können. Aus der Analysis ist uns die e-Funktion $\mathbb{R} \to \mathbb{R}$ mit $x \mapsto e^x$ bekannt:

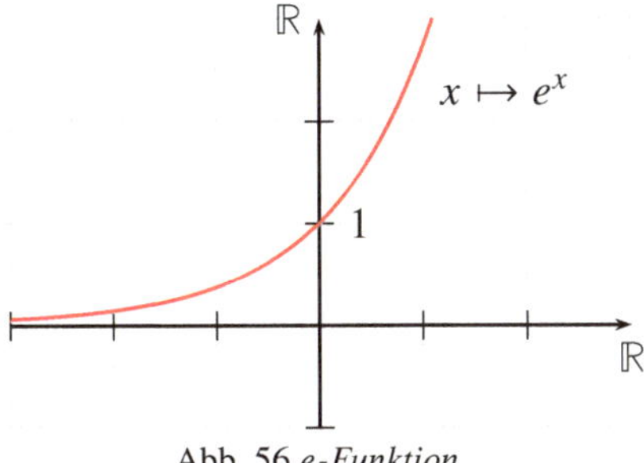

Abb. 56 *e-Funktion*

Für alle $x, x' \in \mathbb{R}$ genügt die *e*-Funktion der Funktionalgleichung:

$$e^{x+x'} = e^x \cdot e^{x'}. \tag{2.15}$$

Im Kontext komplexer Zahlen erhebt sich nun die Frage, ob die *e*-Funktion zu einer komplexen Funktion $\mathbb{C} \to \mathbb{C}$ fortsetzbar ist, so dass die Funktionalgleichung (2.15) für alle komplexen Zahlen gültig ist. Ist dies der Fall, so muss für jedes $z = x + iy$ mit $x, y \in \mathbb{R}$ gelten

$$e^z = e^{x+iy} = e^x \cdot e^{iy}.$$

Überlegen wir, wie die *e*-Funktion auf der imaginären Achse definiert werden kann. Wir benötigen also eine Funktion $\mathbb{R} \to \mathbb{C}$ mit $y \mapsto e^{iy}$, so dass schließlich für alle $y, y' \in \mathbb{R}$ gilt

$$e^{i(y+y')} = e^{iy+iy'} = e^{iy} \cdot e^{iy'}. \tag{2.16}$$

Wir definieren

$$e^{iy} := \cos(y) + i\sin(y). \tag{2.17}$$

Dies liefert eine Variante der Polardarstellung komplexer Zahlen $z = |z| \cdot e^{i\varphi}$, die sogenannte **Euler'sche Darstellung** komplexer Zahlen. Hierbei ist $\varphi := \arg(z)$.

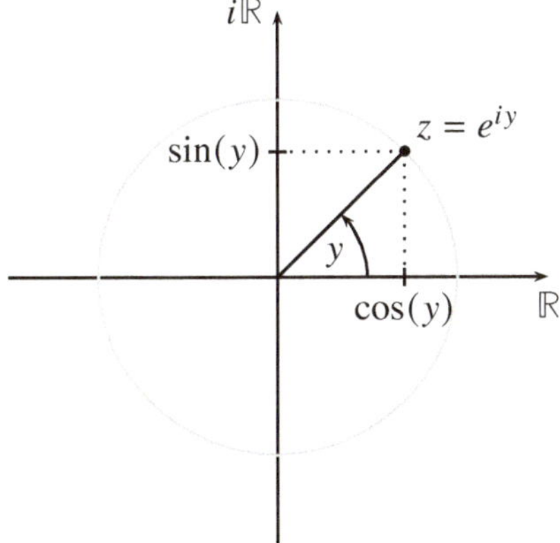

Abb. 57 *Eulerdarstellung komplexer Zahlen*

Die Rechnung aus dem Beweis von Satz 2.114 zeigt, dass tatsächlich für alle $y, y' \in \mathbb{R}$ die Funktionalgleichung (2.16) gilt. Mittels (2.17) erhalten wir nun die gewünschte (komplexe) Fortsetzung:

$$e^{x+iy} = e^x \cdot (\cos(y) + i\sin(y)).$$

Bemerkung 2.115. Mit der komplexen e-Funktion lassen sich die Additionstheoreme für Kosinus und Sinus, sollte man sie einmal vergessen haben, wie folgt leicht herleiten. Einerseits gilt nach (2.17)

$$e^{i(y+y')} = \cos(y + y') + i\sin(y + y'). \qquad (2.18)$$

Andererseits liefern die Funktionalgleichung (2.16) und (2.17)

$$\begin{aligned}
e^{i(y+y')} &= e^{iy} \cdot e^{iy'} \\
&= (\cos(y) + i\sin(y)) \cdot (\cos(y') + i\sin(y')) \\
&= \cos(y)\cos(y') - \sin(y)\sin(y') + i(\sin(y)\cos(y') + \cos(y)\sin(y')). \qquad (2.19)
\end{aligned}$$

Nun sind zwei komplexe Zahlen genau dann gleich, wenn ihre Real- und Imaginärteile übereinstimmen. Der Vergleich eben dieser in (2.18) und (2.19) ergibt genau die Additionstheoreme für alle $y, y' \in \mathbb{R}$:

$$\begin{aligned}
\cos(y + y') &= \cos(y)\cos(y') - \sin(y)\sin(y') \qquad \text{und} \\
\sin(y + y') &= \sin(y)\cos(y') + \cos(y)\sin(y').
\end{aligned}$$

Bemerkung 2.116. Im Spezialfall haben wir:

$$e^{i\pi} = -1.$$

Dies nennt man auch die **Euler'sche Formel**. Deren Umstellung

$$e^{i\pi} + 1 = 0$$

gilt unter manchen Mathematikern als die schönste Gleichung der Mathematik, da hier die wichtigsten Zahlen $0, 1, i, \pi, e$ vorkommen.

Leonhard Euler gehört zu den bedeutendsten Mathematikern aller Zeiten. Er war unglaublich produktiv und publizierte 866 Arbeiten, darunter grundlegende Werke über Differenzial- und Integralrechnung, Algebra, Zahlentheorie und vielerlei Anwendungen der Mathematik. Viele heute gebräuchliche mathematische Schreibweisen gehen auf Euler zurück, z.B. das Summenzeichen $\sum$, e, π und i für die komplexe Wurzel aus -1.
Euler war Professor an der Universität von Sankt Petersburg, unterbrochen von 25 Jahren an der Königlich-Preußischen Akademie der

Abb. 58 *Leonhard Euler (1707–1783)* [4]

---

[4]Künstler: Emanuel Handmann, Quelle: Kunstmuseum Basel,
    `https://sammlungonline.kunstmuseumbasel.ch/eMuseumPlus?module=collection&objectId=1429`

Wissenschaften in Berlin. Euler und Friedrich der Große gingen allerdings im Streit auseinander. Euler hatte die Aufgabe bekommen, die Hydraulik zu konstruieren, die die Springbrunnen im Schlosspark von Sanssouci mit Wasser versorgen sollte. Dass diese Hydraulik dann nicht funktionierte, verärgerte den König außerordentlich, wollte er mit seinen Springbrunnen doch diejenigen von Versailles übertreffen.

Am Anfang dieses Abschnitts standen wir vor dem Problem, bestimmte Gleichungen nicht lösen zu können. Nun haben wir z.B. für $z^2 + 1 = 0$ die Lösungen $z_1 = i$ und $z_2 = -i$ vorzuweisen. Die Anzahl der Lösungen des Polynoms $z \mapsto z^2 + 1$ entspricht also genau seinem Grad. Für komplexe Polynome ist dies immer der Fall. Insbesondere sind in $\mathbb{C}$ alle Polynomgleichungen lösbar. Diese Aussage ist formalisiert im

---

Satz 2.117 (Fundamentalsatz der Algebra). *Sei $n \in \mathbb{N}$. Seien $a_0, \ldots, a_n \in \mathbb{C}$ mit $a_n \neq 0$. Dann existieren $z_1, \ldots, z_n \in \mathbb{C}$, so dass für alle $z \in \mathbb{C}$ gilt:*

$$a_n z^n + a_{n-1} z^{n-1} + \ldots + a_1 z + a_0 = a_n \cdot (z - z_1) \cdot \ldots \cdot (z - z_n).$$

Dabei ist die linke Seite ein komplexes Polynom vom Grad $n \geq 1$. Die rechte Seite nennt man **Linearfaktorzerlegung** des Polynoms mit Linearfaktoren $(z - z_j)$. Insbesondere sind damit $z = z_1, \ldots, z = z_n$ genau die Lösungen der Gleichung:

$$a_n z^n + a_{n-1} z^{n-1} + \ldots + a_1 z + a_0 = 0.$$

In den komplexen Zahlen sind polynomiale Gleichungen also stets lösbar. Jedes komplexe Polynom besitzt eine Linearfaktorzerlegung. Der Beweis des Fundamentalsatzes erfordert ein wenig Analysis und die Polynomdivision, die wir später noch behandeln werden. Der Beweis findet sich in Anhang B.2.

Man beachte, dass die $z_1, \ldots, z_n$ nicht verschieden zu sein brauchen, denn etwa für

$$(z - 1)^2 = (z - 1)(z - 1) = z^2 - 2z + 1 = 0$$

erhalten wir die Lösungen $z_1 = z_2 = 1$.

Exakt ausgedrückt hat ein komplexes Polynom n-ten Grades also genau n (nicht notwendigerweise verschiedene) Nullstellen. Daher ist folgende Definition angebracht:

Definition 2.118. Für jede Nullstelle ζ von $z \mapsto a_n z^n + a_{n-1} z^{n-1} + \ldots + a_1 z + a_0$ heißt die Anzahl der Faktoren $(z - \zeta)$ in der Linearfaktorzerlegung die **Vielfachheit** der Nullstelle ζ.

Zählt man die Anzahl der Nullstellen eines komplexen Polynoms vom Grad n inklusive aller Vielfachheiten zusammen, so erhält man stets genau n.

Beispiel 2.119. Wir haben die Linearfaktorzerlegung

$$z \mapsto z^2 + 1 = (z - i)(z - (-i)) = (z - i)(z + i).$$

Also sind $z_1 = i$ und $z_2 = -i$ die beiden Nullstellen, jeweils von der Vielfachheit 1.

Beispiel 2.120. Das Polynom

$$z \mapsto z^2 - 2z + 1 = (z - 1)(z - 1)$$

besitzt die Nullstelle $z_1 = 1$ mit der Vielfachheit 2.

Die Konstruktion der Zahlbereiche ist damit in der Tat abgeschlossen. Wir wollen nun noch das komplexe Analogon zum reellen Wurzelziehen diskutieren und betrachten hierfür die komplexe Gleichung

$$z^n - 1 = 0.$$

Als Spezialfall haben wir etwa

$$\begin{aligned}
z^4 - 1 &= (z - 1)(z - i)(z - (-1))(z - (-i)) \\
&= (z - 1)(z - i)(z + 1)(z + i).
\end{aligned}$$

Löst $z \in \mathbb{C}$ die Gleichung, d.h. gilt $z^n = 1$, so ist

$$1 = |1| = |z^n| = |z|^n$$

und damit $|z| = 1$. Alle Lösungen der Gleichung $z^n = 1$ liegen somit auf dem Einheitskreis, also dem Kreis um 0 mit Radius 1. Insbesondere ist damit z von der Form $z = e^{iy}$ für ein, noch zu bestimmendes, $y \in \mathbb{R}$. Die Funktionalgleichung (2.16) liefert

$$1 = z^n = (e^{iy})^n = e^{iny} = \cos(ny) + i \sin(ny),$$

also muss

$$\cos(ny) = 1 \quad \text{sowie} \quad \sin(ny) = 0$$

gelten. Die $y \in \mathbb{R}$, welche diesen beiden Gleichungen genügen, erhalten wir durch Nullstellenbetrachtung von Sinus und Kosinus. Da der Sinus genau die Vielfachen von π als Nullstellen hat, existiert ein $m \in \mathbb{Z}$, so dass $ny = m \cdot \pi$. Den Wert 1 nimmt der Kosinus bei den geraden Vielfachen von π an, -1 bei den ungeraden Vielfachen. Also ist m von der Form $m = 2k$ für ein $k \in \mathbb{Z}$, so dass $ny = 2k \cdot \pi$ gilt. Wir erhalten folglich insgesamt, dass es ein $k \in \mathbb{Z}$ gibt, so dass

$$y = \frac{2k \cdot \pi}{n}$$

und damit

$$z = e^{i \frac{2k\pi}{n}}$$

gilt.

Nehmen wir umgekehrt $z = e^{i\frac{2k\pi}{n}}$ mit $k \in \mathbb{Z}$ her, so gilt

$$z^n = \left(e^{i\frac{2k\pi}{n}}\right)^n = e^{i\frac{2k\pi}{n}n} = e^{i2k\pi} = \cos(2k\pi) + i\sin(2k\pi) = 1,$$

d.h. die $z \in \mathbb{C}$ von der Form $z = e^{i\frac{2k\pi}{n}}$ sind Lösungen.

Insgesamt haben wir somit alle Lösungen der Gleichung $z^n - 1 = 0$ auf dem Einheitskreis identifiziert. Hier zwei Beispiele für $n = 3$ und $n = 4$:

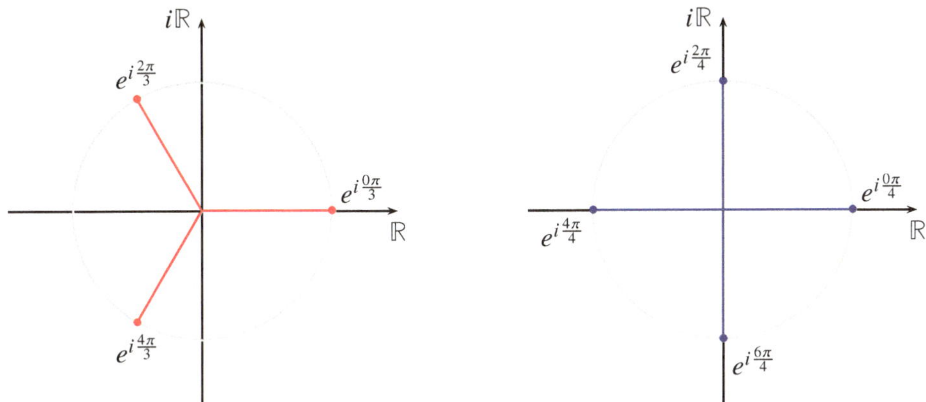

Abb. 59 *Komplexe Einheitswurzeln*

Da die Nullstellen von $z \mapsto z^n - 1$ den Einheitskreis stets in gleich große Segmente aufteilen, nennt man dieses Polynom auch **Kreisteilungspolynom**.

Definition 2.121. Die Lösungen der Gleichung $z^n - 1 = 0$ heißen **n-te Einheitswurzeln**.

Beispiel 2.122. Für $n = 3$ ergeben sich die dritten Einheitswurzeln:

$$e^{i\frac{0\pi}{3}} = 1, \qquad \rho_+ := e^{i\frac{2\pi}{3}} = -\frac{1}{2} + \frac{\sqrt{3}}{2}i, \qquad \rho_- := e^{i\frac{4\pi}{3}} = -\frac{1}{2} - \frac{\sqrt{3}}{2}i.$$

Sehen wir, was beim Quadrieren, Konjugieren und Aufaddieren passiert:

$$\rho_+^2 = e^{i2\cdot\frac{2\pi}{3}} = e^{i\frac{4\pi}{3}} = \rho_-,$$
$$\rho_-^2 = e^{i2\cdot\frac{4\pi}{3}} = e^{i\frac{8\pi}{3}} = e^{i(\frac{6}{3}\pi+\frac{2}{3}\pi)} = e^{i2\pi}e^{i\frac{2}{3}\pi} = 1 \cdot e^{i\frac{2}{3}\pi} = \rho_+,$$
$$\bar{\rho}_+ = \rho_-,$$
$$1 + \rho_+ + \rho_- = 0.$$

Wir wissen nun wie viele Lösungen komplexe polynomiale Gleichungen n-ten Grades besitzen, nicht jedoch, wie diese für eine gegebene Gleichung berechnet werden können. Betrachten wir also allgemein eine Gleichung der Form

$$a_n z^n + a_{n-1} z^{n-1} + \ldots + a_1 z + a_0 = 0$$

mit gegebenen $a_j \in \mathbb{C}$, $a_n \neq 0$, und gesuchtem z.

Lineare Polynome ($n = 1$):   Hier gilt

$$a_1 z + a_0 = 0$$
$$\Leftrightarrow \qquad z = -\frac{a_0}{a_1}.$$

Quadratische Polynome ($n = 2$):   Wir bestimmen die Lösungen der Gleichung

$$a_2 z^2 + a_1 z + a_0 = 0. \tag{2.20}$$

Dabei setzen wir natürlich wieder $a_2 \neq 0$ voraus. Wir setzen $p := \frac{a_1}{2a_2}$ und $q := \frac{a_0}{a_2}$. Gleichung (2.20) ist äquivalent zu

$$z^2 + \frac{a_1}{a_2} z + \frac{a_0}{a_2} = 0,$$

und damit zu

$$z^2 + 2pz + q = 0. \tag{2.21}$$

Hierbei heißt $D := p^2 - q \in \mathbb{C}$ **Diskriminante** von (2.21). Sei nun $\sqrt{D} \in \mathbb{C}$ eine Wurzel von D. Gemeint ist eine Lösung w der Gleichung

$$w^2 = D.$$

Aus dem Fundamentalsatz wissen wir, dass es in diesem Fall genau zwei Wurzeln gibt. Ist also $\sqrt{D}$ die eine Wurzel, so ist $-\sqrt{D}$ die andere. Bei reellen Wurzeln legt man $\sqrt{D}$ als diejenige Wurzel fest, die nicht negativ ist. Das ergibt bei komplexen Zahlen keinen Sinn mehr. Daher ist $\sqrt{D}$ nur bis auf das Vorzeichen definiert. Dies macht aber im Folgenden nichts.

Satz 2.123 (p-q-Formel, Satz von Vieta für quadratische Gleichungen). *Die Lösungen von (2.21) sind gegeben durch*

$$z_1 = -p + \sqrt{D} \qquad und \qquad z_2 = -p - \sqrt{D}.$$

Ferner gilt

$$z_1 + z_2 = -2p, \qquad z_1 \cdot z_2 = q \qquad sowie \qquad (z_1 - z_2)^2 = 4D. \tag{2.22}$$

Beweis. Wir überprüfen zunächst, dass (2.22) für unsere Wahl von z_1 und z_2 gilt. Es ist

$$z_1 + z_2 = -p + \sqrt{D} + \left(-p - \sqrt{D}\right) = -2p$$

und

$$z_1 \cdot z_2 = \left(-p + \sqrt{D}\right)\left(-p - \sqrt{D}\right) = p^2 - D = q$$

sowie

$$(z_1 - z_2)^2 = \left(-p + \sqrt{D} - \left(-p - \sqrt{D}\right)\right)^2 = \left(2\sqrt{D}\right)^2 = 4D.$$

Nun sehen wir, dass z_1 und z_2 tatsächlich die beiden Nullstellen des Polynoms sind, denn

$$\begin{aligned}
(z - z_1)(z - z_2) &= z^2 - z_1 z - z_2 z + z_1 z_2 \\
&= z^2 - (z_1 + z_2)z + z_1 z_2 \\
&\overset{(2.22)}{=} z^2 + 2pz + q.
\end{aligned}$$

Für die letzte Gleichheit haben wir die ersten beiden Formeln aus (2.22) benutzt.   □

Beispiel 2.124. Für $z^2 - 2z - 3 = 0$ haben wir $p = -1$, $q = -3$ und $D = p^2 - q = 1 - (-3) = 4$. Damit folgt nach dem Satz

$$z_1 = -p + \sqrt{D} = 1 + \sqrt{4} = 3 \qquad \text{und}$$
$$z_2 = -p - \sqrt{D} = 1 - \sqrt{4} = -1.$$

Beispiel 2.125. Für $z^2 - (1+i)z + i = 0$ ist $p = -\frac{1+i}{2}$, $q = i$ und $D = \left(-\frac{1+i}{2}\right)^2 - i = \frac{1+2i-1}{4} - i = \frac{1}{2}i - i = -\frac{1}{2}i$. Damit ist $\sqrt{D} = \frac{\sqrt{-i}}{\sqrt{2}}$. Wir bestimmen $\sqrt{-i}$ durch Lösen der Gleichung $w \cdot w = -i$. Hierbei ist unser geometrisches Verständnis von der Multiplikation komplexer Zahlen überaus hilfreich. Wegen $|-i| = 1$ und $\arg(-i) = \frac{3\pi}{2}$ ist

$$-i = e^{i\frac{3\pi}{2}} = e^{i\left(\frac{3}{4}\pi + \frac{3}{4}\pi\right)} = e^{i\frac{3}{4}\pi} \cdot e^{i\frac{3}{4}\pi}.$$

Wählen wir als eine Lösung also

$$\sqrt{-i} = e^{i\frac{3\pi}{4}} = \cos\left(\frac{3\pi}{4}\right) + i\sin\left(\frac{3\pi}{4}\right) = -\frac{\sqrt{2}}{2} + i\frac{\sqrt{2}}{2} = \frac{\sqrt{2}}{2}(-1+i),$$

so erhalten wir schließlich

$$\sqrt{D} = \frac{\sqrt{-i}}{\sqrt{2}} = \frac{\frac{\sqrt{2}}{2}(-1+i)}{\sqrt{2}} = \frac{1}{2}(-1+i).$$

Folglich sind die beiden Nullstellen gegeben durch

$$z_1 = -p + \sqrt{D} = \frac{1+i}{2} + \frac{1}{2}(-1+i) = i \qquad \text{und}$$
$$z_2 = -p - \sqrt{D} = \frac{1+i}{2} - \frac{1}{2}(-1+i) = 1.$$

Bemerkung 2.126. Für $p, q \in \mathbb{R}$ ist auch $D \in \mathbb{R}$ und wir erhalten folgende Fallunterscheidung:

reelle Diskriminante	Anzahl der Lösungen	
$D > 0$	zwei verschiedene reelle Lösungen	$z_1 \neq z_2 \in \mathbb{R}$
$D = 0$	eine doppelte reelle Lösung	$z_1 = z_2 \in \mathbb{R}$
$D < 0$	zwei verschiedene, zueinander komplex konjugierte Lösungen	$\bar{z}_1 = z_2 \in \mathbb{C} \setminus \mathbb{R}$

Tab. 11 *Lösungen quadratischer Gleichungen*

In Beispiel 1.6 hatten wir nur die ersten beiden Fälle behandelt. Den dritten konnten wir mangels komplexer Zahlen noch nicht besprechen.

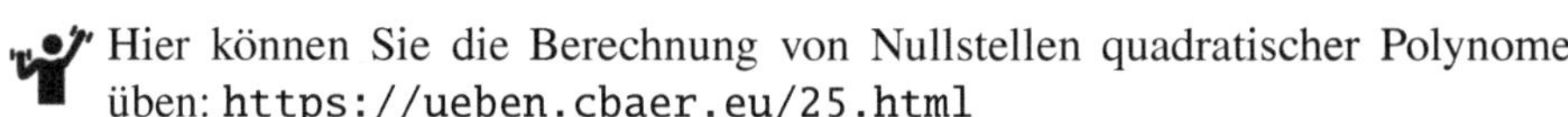 Hier können Sie die Berechnung von Nullstellen quadratischer Polynome üben: `https://ueben.cbaer.eu/25.html` 

Kubische Polynome ($n = 3$):   Nun wollen wir kubische Gleichungen

$$a_3 z^3 + a_2 z^2 + a_1 z + a_0 = 0 \tag{2.23}$$

lösen, wobei natürlich $a_3 \neq 0$ vorausgesetzt ist. Wir substituieren

$$w := z + \frac{a_2}{3a_3}.$$

Damit ist (2.23) äquivalent zu

$$0 = a_3 \left(w - \frac{a_2}{3a_3} \right)^3 + a_2 \left(w - \frac{a_2}{3a_3} \right)^2 + a_1 \left(w - \frac{a_2}{3a_3} \right) + a_0$$

$$= a_3 \left(w^3 - 3 \cdot w^2 \cdot \frac{a_2}{3a_3} + 3 \cdot w \cdot \left(\frac{a_2}{3a_3} \right)^2 - \left(\frac{a_2}{3a_3} \right)^3 \right)$$

$$+ a_2 \left(w^2 - 2 \cdot w \cdot \frac{a_2}{3a_3} + \left(\frac{a_2}{3a_3} \right)^2 \right) + a_1 \left(w - \frac{a_2}{3a_3} \right) + a_0$$

$$= a_3 \left(w^3 - \frac{a_2}{a_3} w^2 + \frac{a_2^2}{3a_3^2} w - \frac{a_2^3}{27a_3^3} \right) + a_2 \left(w^2 - \frac{2a_2}{3a_3} w + \frac{a_2^2}{9a_3^2} \right) + a_1 \left(w - \frac{a_2}{3a_3} \right) + a_0$$

$$= \left(a_3 w^3 - a_2 w^2 + \frac{a_2^2}{3a_3} w - \frac{a_2^3}{27a_3^2} \right) + \left(a_2 w^2 - \frac{2a_2^2}{3a_3} w + \frac{a_2^3}{9a_3^2} \right) + \left(a_1 w - \frac{a_1 a_2}{3a_3} \right) + a_0$$

$$= a_3 w^3 + \left(\frac{a_2^2}{3a_3} - \frac{2a_2^2}{3a_3} + a_1 \right) w - \frac{a_2^3}{27a_3^2} + \frac{a_2^3}{9a_3^2} - \frac{a_1 a_2}{3a_3} + a_0$$

$$= a_3 w^3 + \left(-\frac{a_2^2}{3a_3} + a_1\right) w + \left(\frac{2a_2^3}{27a_3^2} - \frac{a_1 a_2}{3a_3} + a_0\right).$$

Division durch a_3 liefert

$$w^3 + \underbrace{\left(-\frac{a_2^2}{3a_3^2} + \frac{a_1}{a_3}\right)}_{=:3p} w + \underbrace{\left(\frac{2a_2^3}{27a_3^3} - \frac{a_1 a_2}{3a_3^2} + \frac{a_0}{a_3}\right)}_{=:2q} = 0$$

und damit

$$w^3 + 3pw + 2q = 0. \tag{2.24}$$

Wenn wir (2.24) lösen können, dann liefert uns die Rücksubstitution

$$z = w - \frac{a_2}{3a_3}$$

die Lösungen der ursprünglichen Gleichung (2.23). Die Substitutionen haben bewirkt, dass der quadratische Term aus der Gleichung verschwunden ist. Im kubischen Fall ist die Diskriminante von (2.24) nun definiert durch $D := p^3 + q^2$. Die Formeln für die allgemeinen Lösungen kubischer Polynomialgleichungen heißen Cardanische Gleichungen. Wir fassen sie in folgendem

---

Satz 2.127 (Cardano, Vieta). *Seien die dritten Wurzeln $u_\pm := \sqrt[3]{-q \pm \sqrt{D}}$ so gewählt, dass $u_+ u_- = -p$. Dann sind*

$$w_1 = u_+ + u_-,$$
$$w_2 = \rho_+ u_+ + \rho_- u_-,$$
$$w_3 = \rho_- u_+ + \rho_+ u_-$$

die Lösungen von (2.24). Dabei sind ρ_+ und ρ_- die dritten Einheitswurzeln wie in Beispiel 2.122. Ferner gilt

$$w_1 + w_2 + w_3 = 0, \tag{2.25}$$
$$w_1 w_2 + w_2 w_3 + w_1 w_3 = 3p, \tag{2.26}$$
$$w_1 w_2 w_3 = -2q, \tag{2.27}$$
$$(w_1 - w_2)^2 (w_2 - w_3)^2 (w_1 - w_3)^2 = -108D. \tag{2.28}$$

Wie wir die Wurzel von D in der Definition von $u_\pm$ wählen, spielt keine Rolle, da sowieso beide Wurzeln zu nehmen sind. Ersetzt man eine Wahl von $\sqrt{D}$ durch ihr Negatives, dann vertauschen sich lediglich die Rollen von u_+ und u_-. Wichtig ist aber, dass man die dritten Wurzeln in der

Definition von u_+ und u_- richtig wählt. Wählt man zunächst irgendwelche dritten Wurzeln von $-q \pm \sqrt{D}$, dann gilt auf jeden Fall $(u_+ u_-)^3 = \left(-q + \sqrt{D}\right)\left(-q - \sqrt{D}\right) = q^2 - D = -p^3 = (-p)^3$. Also kann man eine dritte Einheitswurzel ρ finden, so dass $u_+ u_- \rho = -p$. Ersetzt man nun u_- durch $u_- \rho$, dann sind die dritten Wurzeln richtig gewählt.

Beweis von Satz 2.127. Unter Benutzung einer Formel aus Beispiel 2.122 rechnen wir (2.25) nach

$$
\begin{aligned}
w_1 + w_2 + w_3 &= u_+ + u_- + \rho_+ u_+ + \rho_- u_- + \rho_- u_+ + \rho_+ u_- \\
&= (1 + \rho_+ + \rho_-) u_+ + (1 + \rho_+ + \rho_-) u_- \\
&= 0.
\end{aligned}
$$

Ähnlich folgt (2.26)

$$
\begin{aligned}
w_1 w_2 + w_2 w_3 + w_1 w_3 &= w_1 (w_2 + w_3) + w_2 w_3 \\
&= \underbrace{(\rho_+ + \rho_-)}_{=-1} (u_+ + u_-)^2 + u_+^2 + \underbrace{(\rho_+^2 + \rho_-^2)}_{=\rho_- + \rho_+ = -1} u_+ u_- + u_-^2 \\
&= -(u_+^2 + 2 u_+ u_- + u_-^2) + u_+^2 + - u_+ u_- + u_-^2 \\
&= -3 u_+ u_- \\
&= 3p,
\end{aligned}
$$

sowie (2.27)

$$
\begin{aligned}
w_1 w_2 w_3 &= (u_+ + u_-)(\rho_+ u_+ + \rho_- u_-)(\rho_- u_+ + \rho_+ u_-) \\
&= \rho_+ \rho_- u_+^3 + (\rho_+^2 + \rho_-^2 + \rho_+ \rho_-) u_+^2 u_- + (\rho_+^2 + \rho_-^2 + \rho_+ \rho_-) u_+ u_-^2 + \rho_- \rho_+ u_-^3 \\
&= u_+^3 + u_-^3 \\
&= -q + \sqrt{D} + (-q - \sqrt{D}) \\
&= -2q.
\end{aligned}
$$

Damit können wir nachprüfen, dass w_1, w_2 und w_3 tatsächlich die drei Nullstellen des Polynoms sind:

$$
\begin{aligned}
(w - w_1)(w - w_2)(w - w_3) \\
= w^3 - (w_1 + w_2 + w_3) w^2 + (w_1 w_2 + w_1 w_3 + w_2 w_3) w - w_1 w_2 w_3 \\
= w^3 + 3pw + 2q.
\end{aligned}
$$

Für die letzte Gleichung haben wir die Formeln (2.25), (2.26) und (2.27) eingesetzt. Die noch fehlende Formel (2.28) rechnet man auf ähnliche Weise nach. $\qquad\square$

Beispiel 2.128. Wir suchen die Lösungen der kubischen Gleichung mit reellen Koeffizienten:

$$z^3 - 6z^2 + 21z - 52 = 0. \tag{2.29}$$

Hierbei ist $a_0 = -52$, $a_1 = 21$, $a_2 = -6$ und $a_3 = 1$. Zunächst eliminieren wir den quadratischen Term mittels der Substitution

$$w = z + \frac{a_2}{3a_3} = z - 2.$$

Dann ist (2.29) äquivalent zu

$$w^3 + 3pw + 2q = 0, \tag{2.30}$$

wobei

$$3p = -\frac{a_2^2}{3a_3^2} + \frac{a_1}{a_3} = 9, \quad \text{also} \quad p = 3,$$

und

$$2q = \frac{2a_2^3}{27a_3^3} - \frac{a_1 a_2}{3a_3^2} + \frac{a_0}{a_3} = -26, \quad \text{also} \quad q = -13$$

ist. Für die Diskriminante erhalten wir

$$D = p^3 + q^2 = 196.$$

Nun können die Cardanischen Lösungsformeln angewendet werden. Es ist

$$u_\pm = \sqrt[3]{-q \pm \sqrt{D}} = \sqrt[3]{13 \pm \sqrt{196}}$$

und damit

$$u_+ = \sqrt[3]{27} = 3 \quad \text{und} \quad u_- = \sqrt[3]{-1} = -1.$$

Man beachte, dass hierbei die Forderung

$$u_+ \cdot u_- = 3 \cdot (-1) = -3 = -p$$

erfüllt ist. Insbesondere bei kubischen Gleichungen mit komplexen Koeffizienten darf man nicht vergessen zu überprüfen, dass man die „richtigen" dritten Wurzeln gewählt hat.
Mit den dritten Einheitswurzeln $\rho_+ = -\frac{1}{2}\left(1 - \sqrt{3}i\right)$ und $\rho_- = -\frac{1}{2}\left(1 + \sqrt{3}i\right)$ können wir hier direkt die Lösungen von (2.30) angeben:

$$w_1 = u_+ + u_- = 3 - 1 = 2,$$
$$w_2 = \rho_+ u_+ + \rho_- u_- = -\frac{3}{2}\left(1 - \sqrt{3}i\right) + \frac{1}{2}\left(1 + \sqrt{3}i\right) = -1 + 2\sqrt{3}i,$$
$$w_3 = \rho_- u_+ + \rho_+ u_- = -\frac{3}{2}\left(1 + \sqrt{3}i\right) + \frac{1}{2}\left(1 - \sqrt{3}i\right) = -1 - 2\sqrt{3}i.$$

Die Rücksubstitution

$$z_i = w_i - \frac{a_2}{3a_3} = w_i + 2$$

liefert schließlich die Lösungen von (2.29) zu

$$z_1 = 4 \quad \text{sowie} \quad z_2 = 1 + 2\sqrt{3}i \quad \text{und} \quad z_3 = 1 - 2\sqrt{3}i.$$

Hierbei sind z_2 und z_3 zueinander komplex konjugiert. Die Lösungsmenge ist symmetrisch, da z_3 aus z_2 durch Konjugation, d.h. durch Spiegelung an der reellen Achse hervorgeht. Polynomiale Gleichungen mit reellen Koeffizienten $a_i \in \mathbb{R}$ für alle $i \in \{0, \ldots, n\}$, $n \geq 1$, besitzen stets symmetrische Lösungsmengen.

Auch für Polynome vom Grad 4 kann man vergleichbare Lösungsformeln herleiten. Für Grad 5 und größer hatte man lange nach ähn-
lichen Formeln gesucht, bis der norwegische Mathematiker Niels
Henrik Abel bewies, dass es solche geschlossenen Formeln dafür
nicht geben kann. Abel starb 1829 mit 26 Jahren an Lungentuberko-
lose. Aus seiner Schulzeit soll es einen Klassenbucheintrag seines
Lehrers Holmboe geben: „... dass er der größte Mathematiker der
Welt werden kann, wenn er lange genug lebt". Anlässlich des 200.
Geburtstages von Abel richtete die norwegische Regierung im Jahr
2002 eine Stiftung zur Verleihung eines Preises für außergewöhnli-
che wissenschaftliche Arbeiten auf dem Gebiet der Mathematik ein.

Abb. 60 *Niels Henrik Abel*
(1802–1829) [5]

Dieser **Abelpreis** wird seit 2003 jährlich durch die Norwegische Akademie der Wissenschaften
verliehen und ist mit 6 Millionen norwegischen Kronen (derzeit etwa 515.000 Euro)[6] dotiert.
Er entspricht dem Nobelpreis in anderen wissenschaftlichen Disziplinen.

2.6. Aufgaben

2.1. Entscheiden Sie, ob die folgenden Mengen M Untervektorräume des $\mathbb{R}^n$ sind. Geben Sie
einen Beweis an, falls dies der Fall ist, und andernfalls ein Beispiel für eine Eigenschaft eines
Untervektorraums von $\mathbb{R}^n$, die verletzt ist. Skizzieren Sie diese Mengen.

a) $M = \{(x, y) \in \mathbb{R}^2 \mid (x - y)(x + y) = 0\} \subset \mathbb{R}^2$.

b) $M = \{(x, y, z) \in \mathbb{R}^3 \mid x^2 - z = 0\} \cap \{(x, y, z) \in \mathbb{R}^3 \mid z \leq 0\}$

c) $M = \{(x_1, \ldots, x_n) \in \mathbb{R}^n \mid \sum_{k=1}^{n} (-1)^k x_k = 0\}$ (Skizze für $n = 3$)

d) $M = \{(x_1, \ldots, x_n) \in \mathbb{R}^n \mid \sum_{k=1}^{n} x_k^3 = 0\}$ (Skizze für $n = 2$)

2.2. Zeigen Sie die verbleibenden Rechenregeln für Matrizen aus Satz 2.12.

a) Für alle $\lambda, \mu \in \mathbb{R}$ und $A \in \mathrm{Mat}(m \times n, \mathbb{R})$ gilt:

$$(\lambda + \mu) \cdot A = \lambda \cdot A + \mu \cdot A.$$

b) Für alle $\lambda, \mu \in \mathbb{R}$ und $A \in \mathrm{Mat}(m \times n, \mathbb{R})$ sowie $B \in \mathrm{Mat}(n \times k, \mathbb{R})$ gilt:

$$(\lambda \cdot \mu) \cdot (A \cdot B) = (\lambda \cdot A) \cdot (\mu \cdot B).$$

c) Für alle $A \in \mathrm{Mat}(m \times n, \mathbb{R})$ und $B, C \in \mathrm{Mat}(n \times k, \mathbb{R})$ gilt:

$$A \cdot (B + C) = A \cdot B + A \cdot C.$$

---

[5] Künstler: Johan Görbitz, Quelle: Institut für Mathematik der Universität Oslo,
`https://de.wikipedia.org/wiki/Niels_Henrik_Abel`
[6] Stand vom Oktober 2025

2.3. Sei $A \in \mathrm{Mat}(2 \times 2, \mathbb{R})$ eine Matrix. Zeigen Sie:

$$\forall\, B \in \mathrm{Mat}(2 \times 2, \mathbb{R}): \quad A \cdot B = B \cdot A \qquad \Leftrightarrow \qquad \exists\, a \in \mathbb{R}: \quad A = \begin{pmatrix} a & 0 \\ 0 & a \end{pmatrix}.$$

2.4. Sei $V \subset \mathbb{R}^n$ ein Untervektorraum und seien $v_1, \ldots, v_m \in V$. Zeigen Sie durch vollständige Induktion nach m, dass

$$\mathrm{L}(v_1, \ldots, v_m) \subset V.$$

2.5. Seien $v_1, \ldots, v_{k-1} \in \mathbb{R}^n$ linear unabhängig und sei $v_k \in \mathbb{R}^n$ ein weiterer Vektor. Zeigen Sie:

Es gilt $v_k \notin \mathrm{L}(v_1, \ldots, v_{k-1})$ genau dann, wenn $v_1, \ldots, v_k$ ebenfalls linear unabhängig sind.

2.6. Beweisen Sie die folgenden Aussagen, falls sie wahr sind, bzw. geben Sie ein Gegenbeispiel, falls sie falsch sind:

a) Für alle Untervektorräume $V \subset \mathbb{R}^n$ und $W \subset \mathbb{R}^n$ ist auch $V \cap W$ ein Untervektorraum von $\mathbb{R}^n$.

b) Für alle Untervektorräume $V \subset \mathbb{R}^n$ und $W \subset \mathbb{R}^n$ ist auch $V \cup W$ ein Untervektorraum von $\mathbb{R}^n$.

c) Für alle Untervektorräume $V \subset \mathbb{R}^n$ und $W \subset \mathbb{R}^n$ ist auch $V \setminus W$ ein Untervektorraum von $\mathbb{R}^n$.

2.7. a) Bestimmen Sie die Lösungsmenge des folgenden linearen Gleichungssystems:

$$\begin{array}{rrrcl} x & -2y & +5z & = & 0 \\ -3x & +6y & -4z & = & 0 \\ & -y & +3z & = & 0 \end{array}$$

b) Bestimmen Sie die Lösungsmenge des folgenden linearen Gleichungssystems:

$$\begin{array}{rrrcr} 2x & -3y & -z & = & -1 \\ 5x & -2y & +14z & = & 3 \\ -x & & -4z & = & -1 \end{array}$$

c) Bestimmen Sie die Lösungsmenge des folgenden linearen Gleichungssystems in den Variablen x, y, z, w in Abhängigkeit von den Parametern $s, t \in \mathbb{R}$ (d.h. die Lösungsmenge ist für jede Kombination von Parametern $s, t \in \mathbb{R}$ anzugeben):

$$\begin{array}{rrrrcl} x & -2y & & -w & = & t - 2 \\ 2x & & +4z & +2w & = & 2t + 4 \\ 3x & +y & +2z & +4w & = & 3 - 2t \\ & 2y & -z & +2w & = & s^2 - 3t \end{array}$$

2.8. a) Gegeben seien die folgenden 4 Vektoren im $\mathbb{R}^4$:

$$w_1 = \begin{pmatrix} -2 \\ 2 \\ 0 \\ -4 \end{pmatrix}, \quad w_2 = \begin{pmatrix} -2 \\ -3 \\ 5 \\ 6 \end{pmatrix}, \quad w_3 = \begin{pmatrix} 1 \\ 2 \\ -3 \\ -4 \end{pmatrix}, \quad w_4 = \begin{pmatrix} 4 \\ 0 \\ -6 \\ 1 \end{pmatrix}$$

und sei $V := L(w_1, \ldots, w_4)$. Bestimmen Sie eine Basis von V. Welche Dimension hat V?

b) Im $\mathbb{R}^3$ seien die folgenden 3 Vektoren gegeben:

$$a_1 = \begin{pmatrix} -1 \\ 1 \\ 6 \end{pmatrix}, \quad a_2 = \begin{pmatrix} 2 \\ 3 \\ -3 \end{pmatrix}, \quad a_3 = \begin{pmatrix} 3 \\ -3 \\ 4 \end{pmatrix}.$$

Zeigen Sie zunächst, dass a_1, a_2, a_3 eine Basis von $\mathbb{R}^3$ bilden.

c) Wir definieren nun eine Matrix A, indem wir die Vektoren a_1, a_2, a_3 nebeneinander schreiben, und geben eine weitere Matrix B vor:

$$A := \begin{pmatrix} -1 & 2 & 3 \\ 1 & 3 & -3 \\ 6 & -3 & 4 \end{pmatrix}, \quad B := \begin{pmatrix} 1 & -1 & 1 \\ 0 & 0 & 1 \\ 1 & 1 & 0 \end{pmatrix}.$$

Finden Sie eine Matrix $C \in \mathrm{Mat}(3 \times 3, \mathbb{R})$, so dass gilt :

$$A = B \cdot C.$$

Hinweis: Sie können C dadurch erhalten, dass Sie die Gleichung $A = B \cdot C$ als LGS mit den Einträgen von C als Unbekannte auffassen.

d) Ist die Matrix C eindeutig bestimmt? Begründen Sie Ihre Antwort kurz! Sie dürfen dabei ohne Beweis verwenden, dass die Spalten von B eine Basis von $\mathbb{R}^3$ bilden.

2.9. a) Bestimmen Sie mit Hilfe des Rangkriteriums, ob das Gleichungssystem

$$A \cdot x = b$$

Lösungen $x \in \mathbb{R}^5$ hat, wobei

$$A = \begin{pmatrix} 0 & 4 & -2 & 0 & 2 \\ 2 & 1 & 3 & -1 & 2 \\ 3 & 0 & 2 & 5 & -1 \\ -1 & 2 & 1 & -1 & 4 \\ 1 & 2 & 1 & -3 & 2 \end{pmatrix} \quad \text{und} \quad b = \begin{pmatrix} 2 \\ -2 \\ 6 \\ -3 \\ -3 \end{pmatrix}.$$

Nutzen Sie dabei den Gauß-Algorithmus zur Bestimmung des Rangs einer Matrix.

b) Bestimmen Sie alle $b = (b_1, b_2, b_3)^\top \in \mathbb{R}^3$, so dass das Gleichungssystem

$$\begin{pmatrix} 2 & -4 & 8 \\ -1 & 2 & -4 \\ 1 & -2 & 4 \end{pmatrix} \cdot \begin{pmatrix} x_1 \\ x_2 \\ x_3 \end{pmatrix} = \begin{pmatrix} b_1 \\ b_2 \\ b_3 \end{pmatrix}$$

lösbar ist. Geben Sie für diese b die Lösungsmenge $\text{Lös}(A, b)$ in Abhängigkeit von b an.

2.10. Sei $v := (1, 2)^\top \in \mathbb{R}^2$. Wir betrachten die Gerade $G := G_{0,v} \subset \mathbb{R}^2$ und definieren eine Abbildung

$$S_G : \mathbb{R}^2 \to \mathbb{R}^2, \quad \begin{pmatrix} x \\ y \end{pmatrix} \mapsto \begin{pmatrix} -\frac{3}{5} & \frac{4}{5} \\ \frac{4}{5} & \frac{3}{5} \end{pmatrix} \cdot \begin{pmatrix} x \\ y \end{pmatrix},$$

die die Ebene $\mathbb{R}^2$ in sich abbildet. Geometrisch ist S_G die Spiegelung an der Geraden G. Im Folgenden sollen einige Eigenschaften der Spiegelung verfiziert werden:

a) Berechnen Sie $S_G(p)$ für $p_1 = (2, 4)^\top$ und $p_2 = (-1, 3)^\top$. Machen Sie eine Skizze von G, den Punkten p_1, p_2 sowie deren Bildern unter S_G.

b) Zeigen Sie, dass S_G das Skalarprodukt erhält, d.h. zeigen Sie, dass für alle $x, y \in \mathbb{R}^2$ gilt:

$$\langle S_G(x), S_G(y) \rangle = \langle x, y \rangle.$$

c) Zeigen Sie, dass für alle $p \in G$ gilt: $S_G(p) = p$.

d) Zeigen Sie, dass für alle Vektoren $v \in \mathbb{R}^2$, die auf G senkrecht stehen, gilt: $S_G(v) = -v$.

2.11. Beweisen Sie Bemerkung 2.87:
Ist (a, b, c, d) ein nicht entartetes Parallelogramm, so sind die Geraden $G_{a,b-a}, G_{c,d-c}, G_{a,c-a}, G_{b,d-b}$ paarweise verschieden und die Vektoren $b - a, c - a$ sind linear unabhängig.

2.12. a) Sei $w := 1 + \sqrt{3}i$ und $z := \frac{1}{2}(\sqrt{3})^3 - \frac{3}{2}i$. Geben Sie w und z in Polardarstellung an. Berechnen Sie $w + z$, $w - z$, $\frac{1}{w}$, $\bar{z}$, wz sowie $\frac{w}{z}$ und zeichnen Sie ein Diagramm der Gauß'schen Zahlenebene mit allen diesen Zahlen.

b) Skizzieren Sie die folgenden beiden Teilmengen von $\mathbb{C}$:

$$M_1 = \{z \in \mathbb{C} \mid \text{Im}(z)/\text{Re}(z) \leq 1\},$$
$$M_2 = \{z \in \mathbb{C} \mid 1 \leq |z| \leq 2 \text{ und } |\text{Re}(z)/\text{Im}(z)| \leq 1\}.$$

2.13. a) Zeigen Sie, dass für alle komplexen Zahlen $z \neq 0$ gilt:

$$\text{Re}\left(\frac{1}{z}\right) = \frac{1}{|z|^2}\text{Re}(z) \quad \text{und} \quad \text{Im}\left(\frac{1}{z}\right) = -\frac{1}{|z|^2}\text{Im}(z).$$

b) Sei $a \in \mathbb{C} \setminus \{0\}$. Zeigen Sie, dass die Gleichung $z^2 = a$ zwei Lösungen z hat. Eine davon ist gegeben durch

$$\mathrm{Re}(z) = \sqrt{\frac{|a| + \mathrm{Re}(a)}{2}}, \quad \mathrm{Im}(z) = \epsilon \sqrt{\frac{|a| - \mathrm{Re}(a)}{2}}.$$

Dabei ist

$$\epsilon = \begin{cases} +1, & \text{falls } \mathrm{Im}(a) \geq 0, \\ -1, & \text{falls } \mathrm{Im}(a) < 0. \end{cases}$$

Die andere Lösung ist das Negative hiervon.

2.14. a) Zeigen Sie: Für alle $z, w \in \mathbb{C} = \mathbb{R}^2$ gilt $\langle z, w \rangle = \mathrm{Re}(z\overline{w})$. Folgern Sie daraus, dass z und w genau dann orthogonal aufeinander stehen, wenn $\frac{z}{w}$ imaginär ist.

b) Seien $a, b \in \mathbb{C} \setminus \{0\}$. Zeigen Sie, dass die Abbildungen $R, S \colon \mathbb{C} \to \mathbb{C}$, definiert durch $R(z) := az$ und $S(z) := b\overline{z}$, die Winkel erhalten, d.h. es gilt für alle $z, w \in \mathbb{C} \setminus \{0\}$: $\frac{\langle S(z), S(w) \rangle}{\|S(z)\| \cdot \|S(w)\|} = \frac{\langle z, w \rangle}{\|z\| \cdot \|w\|}$ (und analog für R).

c) Sei nun $T \colon \mathbb{C} \to \mathbb{C}$ eine Abbildung mit den folgenden Eigenschaften:

   (i) T erhält die Winkel;

  (ii) Für alle $z, w \in \mathbb{C}$ und $\lambda \in \mathbb{R}$ gilt: $T(z + w) = T(z) + T(w)$ und $T(\lambda z) = \lambda T(z)$.

Zeigen Sie: Es gibt ein $a \in \mathbb{C}$ so dass für alle $z \in \mathbb{C}$ gilt: $T(z) = az$ oder $T(z) = a\overline{z}$.

Anleitung:

  1. Überlegen Sie sich zunächst, dass nur $a = T(1)$ in Frage kommt.

  2. Folgern Sie mit a): $\frac{T(1)}{T(i)} = i\mu$ für ein $\mu \in \mathbb{R}$.

  3. Nutzen Sie (ii) um zu zeigen, dass T die angegebene Form hat.

2.15. Keine Panik, die Aufgabe ist nicht halb so lang wie sie aussieht und sie erfordert auch keine Kenntnisse der Elektrotechnik!

Zunächst zum Hintergrund: In der Elektrotechnik werden komplexe Zahlen zur Beschreibung frequenzabhängiger Schaltungen verwendet. Eine Wechselspannung $U_\omega \colon \mathbb{R} \to \mathbb{R}$, $U_\omega(t) := U_0 \cdot \cos(\omega t)$, wird an eine Schaltung angelegt. Dabei heißen $\omega \in \mathbb{R}^+$ die **Frequenz** und $U_0 \in \mathbb{R}^+$ die **Amplitude**. Durch die Schaltung fließt dann ein Strom der **Stärke** $I_\omega \colon \mathbb{R} \to \mathbb{R}$, der sich am besten mit komplexen Zahlen beschreiben lässt. Dazu setzt man $U_\omega^{\mathbb{C}}(t) := U_0 \cdot e^{i\omega t}$. Aus den Gesetzen der Physik folgt nun, dass sich die Stromstärke durch $I_\omega(t) = \mathrm{Re}(I_\omega^{\mathbb{C}}(t))$ berechnen lässt, wobei die Größen $U_\omega^{\mathbb{C}}$ und $I_\omega^{\mathbb{C}}$ in der folgenden Beziehung stehen:

$$U_\omega^{\mathbb{C}}(t) = Z_\omega \cdot I_\omega^{\mathbb{C}}(t).$$

Die komplexe Zahl $Z_\omega \in \mathbb{C}$ heißt **komplexe Impedanz** der Schaltung. Sie hängt von ω, aber nicht von t ab. Die Impedanzen von Widerständen, Kondensatoren und Induktivitäten (von links nach rechts dargestellt) sind aus der Literatur bekannt:

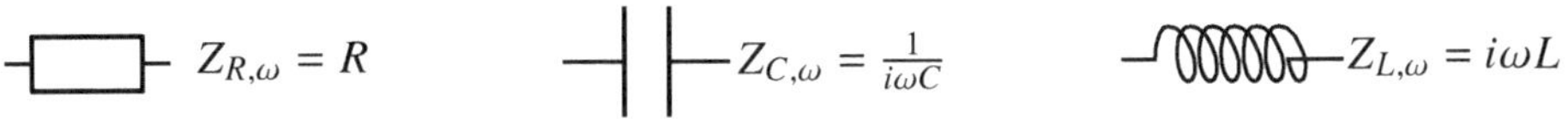

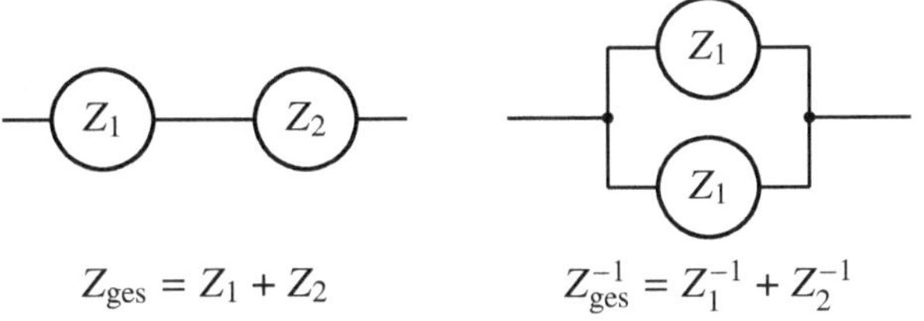

$$Z_{R,\omega} = R \qquad Z_{C,\omega} = \tfrac{1}{i\omega C} \qquad Z_{L,\omega} = i\omega L$$

Abb. 61 *Widerstand, Kondensator, Induktivität*

Dabei sind $R, L, C \in \mathbb{R}^+$ Konstanten, die charakteristisch für die Bauteile sind.

a) Berechnen Sie $I_\omega(t)$ für $Z_\omega = Z_{R,\omega}$, $Z_\omega = Z_{C,\omega}$ und $Z_\omega = Z_{L,\omega}$.

b) Aus einfachen Elementen lassen sich komplexere Schaltungen bauen. Wir betrachten die Reihen- bzw. Parallelschaltung von zwei beliebigen Bauelemente mit Impedanzen Z_1, Z_2, wobei die Impedanz Z_{ges} der Kombination sich wie unter der Skizze angegeben aus den Einzelimpedanzen ergibt:

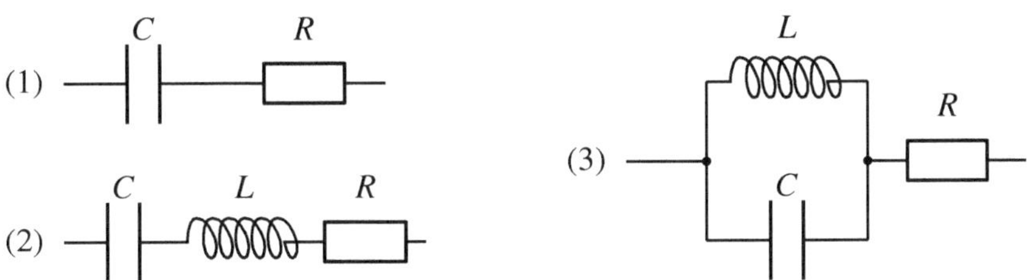

$$Z_{\text{ges}} = Z_1 + Z_2 \qquad\qquad Z_{\text{ges}}^{-1} = Z_1^{-1} + Z_2^{-1}$$

Abb. 62 *Reihen- und Parallelschaltung*

Berechnen Sie die Impedanzen der folgenden 3 Bauteilkombinationen:

Abb. 63 *Bauteilkombinationen*

c) Die Größe $|I_\omega^{\mathbb{C}}(t)| = \frac{U_0}{|Z_\omega|}$ hängt nur von ω und nicht von t ab. Sie beschreibt, wie gut die Schaltung eine Signal der Frequenz ω „durchlässt". Berechnen Sie $|I_\omega^{\mathbb{C}}|$ für die 3 Schaltungen aus Teil b) und skizzieren Sie sie in Abhängigkeit von ω. Für die Skizzen können Sie $U_0 = R = 1$, $L = C = 3$ sowie $0 < \omega < 2$ verwenden.

3. Algebraische Grundbegriffe

Viele Menschen sind
unglücklich, weil sie nicht
abstrahieren können.

*(Immanuel Kant
Anthropologie in pragmatischer
Hinsicht)*

Wir haben bislang hauptsächlich konkret im $\mathbb{R}^n$, oft speziell im $\mathbb{R}^2$ gerechnet. Rechnen bedeutete dabei z.B. das Addieren von reellen oder komplexen Zahlen oder auch von Vektoren oder Matrizen sowie das Multiplizieren von Zahlen oder Matrizen. Dabei haben wir festgestellt, dass manche der von den reellen Zahlen gewohnten Rechenregeln sich übertragen, wie z.B. das Assoziativgesetz für Addition und Multiplikation, andere jedoch gelegentlich nicht; so gilt z.B. das Kommutativgesetz für die Matrixmultiplikation nicht. Aus den gültigen elementaren Rechenregeln lassen sich weitere herleiten. Damit wir nun nicht in jedem Fall wieder erneut überlegen müssen, welche Regeln denn nun gelten und welche nicht, abstrahieren wir das Rechnen. Dies dient der Übersicht und der Arbeitsersparnis. Wir führen abstrakte Rechenoperationen ein, für die wir möglichst wenige Rechenregeln voraussetzen. Dann untersuchen wir, welche anderen Regeln daraus folgen.

3.1. Abstraktes Rechnen: Gruppen und Halbgruppen

Wir beginnen mit dem wohl allgemeinsten Konzept des Rechnens, das in der Definition der Halbgruppe beschrieben wird.

Definition 3.1. Eine **Halbgruppe** ist ein Paar $(G, *)$, wobei G eine Menge ist und $*$ eine Abbildung

$$* : G \times G \to G,$$
$$(g_1, g_2) \mapsto g_1 * g_2,$$

so dass das Assoziativgesetz gilt:

$$\forall g_1, g_2, g_3 \in G : \quad g_1 * (g_2 * g_3) = (g_1 * g_2) * g_3.$$

Die Elemente von G sind die Objekte mit denen gerechnet wird (Zahlen, Vektoren, ...) und die Abbildung $*$ ist die Rechenoperation. Daher schreiben wir auch $g_1 * g_2$ statt wie sonst bei Abbildungen eher gewohnt $*(g_1, g_2)$. Eine Halbgruppe zu haben, heißt also eine Rechenoperation zu haben, für die das Assoziativgesetz gilt.

Beispiel 3.2. Wir kennen schon eine ganze Reihe von Beispielen:

G	$*$
$\mathbb{N}$	$+$
$\mathbb{N}_0$	$+$
$\mathbb{N}$	$\cdot$
$\mathbb{N}_0$	$\cdot$
$\mathbb{Z}$	$\cdot$
$\mathrm{Mat}(n \times n, \mathbb{R})$	$\cdot$ (Matrixmultiplikation)
$\mathrm{Abb}(X, X)$	$\circ$ (Verkettung)

Tab. 12 Beispiele für Halbgruppen

Hierbei ist X eine beliebige Menge.

Tatsächlich kennen wir bereits sehr viel mehr Halbgruppen, aber zu diesen anderen Beispielen kommen wir gleich, da sie besser als Halbgruppen sind.

Definition 3.3. Sei $(G, *)$ eine Halbgruppe. Ein Element $e \in G$ heißt **neutrales Element**, falls für alle $g \in G$ gilt

$$g * e = e * g = g.$$

Nicht alle Halbgruppen besitzen ein neutrales Element.

Beispiel 3.4. Alle bis auf eine der Halbgruppen aus Beispiel 3.2 besitzen ein neutrales Element.

G	$*$	e
$\mathbb{N}$	$+$	nicht vorhanden
$\mathbb{N}_0$	$+$	0
$\mathbb{N}$	$\cdot$	1
$\mathbb{N}_0$	$\cdot$	1
$\mathbb{Z}$	$\cdot$	1
$\mathrm{Mat}(n \times n, \mathbb{R})$	$\cdot$	$\mathbb{1}_n$
$\mathrm{Abb}(X, X)$	$\circ$	id_X

Tab. 13 *Beispiele für neutrales Element in Halbgruppen*

Hierbei ist

$$\mathbb{1}_n = \begin{pmatrix} 1 & & \\ & \ddots & \\ & & 1 \end{pmatrix}$$

die n-dimensionale Einheitsmatrix.

Kann eine Halbgruppe auch mehr als ein neutrales Element haben? Die Antwort lautet „nein"! Wir brauchen in den obigen Beispielen also gar nicht nach weiteren neutralen Elementen zu suchen.

Proposition 3.5. *Sei $(G, *)$ eine Halbgruppe und seien $e, e' \in G$ neutrale Elemente. Dann gilt*

$$e = e'.$$

Beweis. Wir benutzen, dass e und e' neutrale Elemente sind, und erhalten

$$e = e * e' = e'. \qquad \square$$

Oft möchte man eine Rechenoperation rückgängig machen, also umkehren. Bei der Addition heißt das, man möchte subtrahieren, und bei der Multiplikation bedeutet es zu dividieren. Dies führt auf das Konzept des inversen Elements zu einem gegebenen Element einer Halbgruppe. Dazu müssen wir voraussetzen, dass die Halbgruppe ein neutrales Element besitzt.

Definition 3.6. Sei $(G, *)$ eine Halbgruppe mit neutralem Element e und sei $g \in G$. Ein Element $h \in G$ heißt **inverses Element** zu g, falls gilt:

$$h * g = g * h = e.$$

Besitzt g ein inverses Element, so heißt es **invertierbar**.

Im Gegensatz zum neutralen Element, das durch die Halbgruppe eindeutig bestimmt ist, wenn es denn existiert, hängt das inverse Element vom Element g ab. Dann ist es allerdings eindeutig:

Proposition 3.7. *Sei $(G, *)$ eine Halbgruppe mit neutralem Element e. Dann hat jedes $g \in G$ höchstens ein inverses Element.*

Beweis. Sei $g \in G$ invertierbar und seien $h, h' \in G$ inverse Elemente zu g. Dann gilt:

$$h' = h' * e = h' * (g * h) = (h' * g) * h = e * h = h.$$

Also ist $h = h'$. $\qquad\qquad\qquad\qquad\qquad\qquad\qquad\qquad\qquad\qquad\qquad\qquad\qquad\quad$ □

Da das inverse Element eines invertierbaren Elements $g \in G$ eindeutig ist, schreiben wir oft g^{-1} dafür, jedenfalls dann, wenn man die Rechenoperation $*$ multiplikativ schreibt, also etwa $\cdot$ oder $\circ$. Schreibt man die Rechenoperation $*$ hingegen additiv, d.h. $+$, dann schreibt man für das inverse Element $-g$. Wollen wir das nicht genauer spezifizieren, z.B. weil wir Aussagen über allgemeine Halbgruppen machen, dann benutzen wir die multiplikative Variante g^{-1}.

Notation 3.8. Ist $(G, *)$ eine Halbgruppe mit neutralem Element e, dann bezeichnen wir die Menge der invertierbaren Elemente von G mit $G^{\times}$.

Beispiel 3.9. Hier einige Beispiele für die Menge der invertierbaren Elemente.

G	$*$	e	$G^{\times}$
$\mathbb{N}_0$	$+$	0	$\{0\}$
$\mathbb{N}$	$\cdot$	1	$\{1\}$
$\mathbb{N}_0$	$\cdot$	1	$\{1\}$
$\mathbb{Z}$	$\cdot$	1	$\{-1, 1\}$
$\mathrm{Abb}(X, X)$	$\circ$	id_X	$\{f \in \mathrm{Abb}(X, X) \mid f \text{ ist bijektiv}\}$

Tab. 14 *Beispiele für invertierbare Elemente in Halbgruppen*

Proposition 3.10. *Sei $(G, *)$ eine Halbgruppe mit neutralem Element e. Dann gilt:*

(i) Das neutrale Element ist invertierbar und sein eigenes Inverses, $e \in G^\times$ und $e^{-1} = e$.

(ii) Sind $g_1, g_2 \in G^\times$, so ist auch $g_1 * g_2 \in G^\times$ und $(g_1 * g_2)^{-1} = g_2^{-1} * g_1^{-1}$.

(iii) Ist $g \in G^\times$, so ist auch $g^{-1} \in G^\times$ und es gilt $(g^{-1})^{-1} = g$.

Beweis. Aussage (i) gilt, weil

$$e * e = e.$$

Zu (ii):

Wir überprüfen, dass $g_2^{-1} * g_1^{-1}$ inverses Element zu $g_1 * g_2$ ist. Zum einen gilt

$$
\begin{aligned}
(g_1 * g_2) * (g_2^{-1} * g_1^{-1}) &= g_1 * (g_2 * (g_2^{-1} * g_1^{-1})) \\
&= g_1 * ((g_2 * g_2^{-1}) * g_1^{-1}) \\
&= g_1 * (e * g_1^{-1}) \\
&= g_1 * g_1^{-1} \\
&= e
\end{aligned}
$$

und ähnlich sieht man auch, dass

$$(g_2^{-1} * g_1^{-1}) * (g_1 * g_2) = e.$$

Zu (iii):

Da g^{-1} zu g invers ist, gilt

$$g * g^{-1} = g^{-1} * g = e.$$

Also ist g zu g^{-1} invers, d.h. $g = (g^{-1})^{-1}$. $\square$

Man beachte, dass sich in der Formel für das inverse Element eines Produkts in (ii) die Reihenfolge der Faktoren umkehrt.

Definition 3.11. Eine **Gruppe** ist eine Halbgruppe $(G, *)$ mit neutralem Element, in der jedes Element invertierbar ist, d.h. für die $G = G^\times$ gilt.

Die Halbgruppen aus Beispiel 3.9 sind allesamt keine Gruppen, da $G^\times$ stets eine echte Teilmenge von G ist. Allerdings gibt es eine Ausnahme. Hat nämlich die Menge X nur ein Element, so ist $\mathrm{Abb}(X, X) = \{\mathrm{id}_X\}$. In diesem Fall besteht die Halbgruppe nur aus dem neutralen Element und ist daher eine Gruppe, wenn auch keine sonderlich interessante. Eine Gruppe, die nur aus dem neutralen Element besteht, nennen wir **triviale Gruppe**. Wir kennen aber durchaus auch schon interessante Gruppen:

Beispiel 3.12. Bei den folgenden Strukturen handelt es sich um Gruppen:

Gruppe $(G, *)$	neutrales Element e	inverses Element zu g
$(\mathbb{Z}, +)$	0	$-g$
$(\mathbb{Q}, +)$	0	$-g$
$(\mathbb{Q} \setminus \{0\}, \cdot)$	1	$\frac{1}{g}$
$(\mathbb{Q}_+, \cdot)$	1	$\frac{1}{g}$
$(\mathbb{C}, +)$	0	$-g$
$(\mathbb{C} \setminus \{0\}, \cdot)$	1	$\frac{1}{g}$
$(\mathbb{R}, +)$	0	$-g$
$(\mathbb{R} \setminus \{0\}, \cdot)$	1	$\frac{1}{g}$

Tab. 15 *Beispiele für Gruppen*

Bemerkung 3.13. Sei $(G, *)$ eine Halbgruppe mit neutralem Element. Dann besagt Proposition 3.10 (ii), dass die Rechenoperation $*$ zu einer Abbildung $G^\times \times G^\times \to G^\times$ eingeschränkt werden kann, die wir wieder mit $*$ bezeichnen. Da das Assoziativgesetz natürlich gültig bleibt, ist $(G^\times, *)$ wieder eine Halbgruppe. Wegen Proposition 3.10 (i) enthält sie das neutrale Element und wegen Proposition 3.10 (iii) ist jedes Element von $G^\times$ auch in $G^\times$ invertierbar. Also ist $(G^\times, *)$ stets eine Gruppe.

Beispiel 3.14. Die Gruppe der (bzgl. Matrixmultiplikation) invertierbaren reellen $n \times n$-Matrizen

$$\mathrm{GL}(n, \mathbb{R}) := \mathrm{Mat}(n \times n, \mathbb{R})^\times$$

nennen wir die **allgemeine lineare Gruppe**.

Beispiel 3.15. Sei X eine Menge. Dann bildet die Menge der bijektiven Abbildungen von X nach X eine Gruppe bzgl. der Verkettung. Das neutrale Element ist id_X. Im Fall $X = X_n := \{1, \ldots, n\}$ schreiben wir

$$S_n := \{f \colon X_n \to X_n \mid f \text{ ist bijektiv}\} = \mathrm{Abb}(X_n, X_n)^\times$$

und nennen $(S_n, \circ)$ die **symmetrische Gruppe** vom Grad n. Elemente von S_n, also bijektive Abbildungen $\{1, \ldots, n\} \to \{1, \ldots, n\}$, heißen **Permutationen**.
Für $n = 1$ ist $S_1 = \{\mathrm{id}_{X_1}\}$, also die triviale Gruppe. Im Fall $n = 2$ gibt es genau zwei Permutationen, die identische Abbildung und die Abbildung, die 1 und 2 vertauscht. Es gibt zwei weitere Abbildungen $\{1, 2\} \to \{1, 2\}$, nämlich die, die beide Elemente auf 1 bzw. beide Elemente auf 2 abbildet, aber die sind nicht bijektiv. Daher hat S_2 nur zwei Elemente.

Die Rechenoperation einer Gruppe (oder auch Halbgruppe) mit nur endlich vielen Elementen kann man in der **Verknüpfungstabelle** festlegen. Dabei listet man alle Gruppenelemente, meist beginnend mit dem neutralen Element, auf und trägt die Produkte in der Tabelle ein. Für $G = \{g_1, g_2, \ldots, g_m\}$ ergibt sich

G	g_1	$\cdots$	g_m
g_1	$g_1 * g_1$	$\cdots$	$g_1 * g_m$
$\vdots$	$\vdots$	$\ddots$	$\vdots$
g_m	$g_m * g_1$	$\cdots$	$g_m * g_m$

Tab. 16 *Verknüpfungstabelle*

Bezeichnen wir das nicht neutrale Element von S_2, also die Abbildung, die 1 und 2 vertauscht, mit τ, so ergibt sich für S_2 die Verknüpfungstabelle

S_2	id	τ
id	id	τ
τ	τ	id

Tab. 17 *Verknüpfungstabelle von S_2*

Eine gebräuchliche Art, Permutationen vom Grad n anzugeben, besteht darin, die Elemente von X_n in einer Zeile aufzulisten und die Bilder dieser Elemente unter der Permutation in der Zeile darunter. So wäre z.B.

$$\mathrm{id}_{X_3} = \begin{bmatrix} 1 & 2 & 3 \\ 1 & 2 & 3 \end{bmatrix}$$

während die Permutation τ_1, die 1 auf sich selbst abbildet und 2 und 3 vertauscht, gegeben ist durch

$$\tau_1 = \begin{bmatrix} 1 & 2 & 3 \\ 1 & 3 & 2 \end{bmatrix}.$$

Insgesamt hat S_3 folgende sechs Elemente:

$$\mathrm{id}_{X_3} = \begin{bmatrix} 1 & 2 & 3 \\ 1 & 2 & 3 \end{bmatrix}, \quad \sigma_1 := \begin{bmatrix} 1 & 2 & 3 \\ 2 & 3 & 1 \end{bmatrix}, \quad \sigma_2 := \begin{bmatrix} 1 & 2 & 3 \\ 3 & 1 & 2 \end{bmatrix},$$

$$\tau_1 := \begin{bmatrix} 1 & 2 & 3 \\ 1 & 3 & 2 \end{bmatrix}, \quad \tau_2 := \begin{bmatrix} 1 & 2 & 3 \\ 3 & 2 & 1 \end{bmatrix}, \quad \tau_3 := \begin{bmatrix} 1 & 2 & 3 \\ 2 & 1 & 3 \end{bmatrix}.$$

Dann sieht man leicht, dass z.B. $\sigma_1 \circ \sigma_1 = \sigma_2$ und $\tau_1 \circ \tau_2 = \sigma_1$. Insgesamt ergibt sich folgende Verknüpfungstabelle:

S_3	id	σ_1	σ_2	τ_1	τ_2	τ_3
id	id	σ_1	σ_2	τ_1	τ_2	τ_3
σ_1	σ_1	σ_2	id	τ_3	τ_1	τ_2
σ_2	σ_2	id	σ_1	τ_2	τ_3	τ_1
τ_1	τ_1	τ_2	τ_3	id	σ_1	σ_2
τ_2	τ_2	τ_3	τ_1	σ_2	id	σ_1
τ_3	τ_3	τ_1	τ_2	σ_1	σ_2	id

Tab. 18 *Verknüpfungstabelle von S_3*

Definition 3.16. Sei $(G, *)$ eine Gruppe und sei $H \subset G$ eine Teilmenge mit folgenden Eigenschaften:

1. Die Teilmenge H enthält das neutrale Element.

2. Sind $h_1, h_2 \in H$, so ist auch $h_1 * h_2 \in H$.

3. Ist $h \in H$, so ist auch $h^{-1} \in H$.

Dann heißt H **Untergruppe** von G.

Bemerkung 3.17. Ist H eine Untergruppe der Gruppe $(G, *)$, dann kann $*$ zu einer Abbildung $H \times H \to H$ eingeschränkt werden, die wir wieder $*$ nennen. Dadurch wird $(H, *)$ selbst zu einer Gruppe.

Beispiel 3.18. Ist $(G, *) = (S_3, \circ)$, dann bilden z.B. $H = \{\text{id}, \sigma_1, \sigma_2\}$ und $H' = \{\text{id}, \tau_1\}$ Untergruppen. Dagegen ist $H'' = \{\tau_1\}$ keine Untergruppe, da id $\notin H''$ und $\tilde{H} = \{\text{id}, \sigma_1\}$ ist keine Untergruppe, da $\sigma_1 \circ \sigma_1 = \sigma_2 \notin \tilde{H}$.

Beispiel 3.19. Ist $(G, *)$ eine Gruppe mit neutralem Element e, dann ist $H = G$ eine Untergruppe und auch $H = \{e\}$ ist eine Untergruppe. Dies sind die beiden Extremfälle, die größte und die kleinste Untergruppe von G.

Beispiel 3.20. Sei $n \in \mathbb{N}$ und $\Omega_n := \{z \in \mathbb{C} \mid z^n = 1\}$ die Menge der n-ten Einheitswurzeln. Dann ist Ω_n eine Untergruppe von $(\mathbb{C} \setminus \{0\}, \cdot)$. Zunächst mal ist das neutrale Element $1 \in \Omega_n$. Sind $z, w \in \Omega_n$, so ist auch $z \cdot w \in \Omega_n$, denn $(z \cdot w)^n = z^n \cdot w^n = 1 \cdot 1 = 1$. Ist schließlich $z \in \Omega_n$, so ist auch $z^{-1} = 1/z \in \Omega_n$, da $(1/z)^n = \frac{1}{z^n} = \frac{1}{1} = 1$.

Vom Rechnen mit Zahlen kennen wir die Regel $x \cdot y = y \cdot x$, d.h. dass es nicht auf die Reihenfolge der Faktoren ankommt. Bei Gruppen gilt dies im Allgemeinen nicht, wie wir schon bei der Matrixmultiplikation gesehen haben. Halbgruppen, in denen diese Regel, das

Kommutativgesetz, gilt, verdienen einen besonderen Namen.

Definition 3.21. Eine Halbgruppe $(G, *)$ heißt **abelsch** oder auch **kommutativ**, wenn für alle $g_1, g_2 \in G$ gilt:
$$g_1 * g_2 = g_2 * g_1.$$

Beispiel 3.22. Alle in Beispiel 3.12 gelisteten Gruppen sind abelsch. Die symmetrische Gruppe S_3 ist nicht abelsch, da z.B. $\tau_1 * \tau_2 \neq \tau_2 * \tau_1$. Die Untergruppe $\{\mathrm{id}, \sigma_1, \sigma_2\}$ von S_3 dagegen ist abelsch.

Bemerkung 3.23. Jede Untergruppe einer abelschen Untergruppe ist selbst wieder abelsch. Daher ist z.B. die Gruppe der n-ten Einheitswurzeln Ω_n abelsch.

Beispiel 3.24. Der $(\mathbb{R}^n, +)$ bildet eine abelsche Gruppe mit neutralem Element $\mathbf{0}$. Ist $V \subset \mathbb{R}^n$ ein Untervektorraum, dann ist V eine Untergruppe, denn $\mathbf{0} \in V$, mit $x, y \in V$ ist auch $x + y \in V$ und auch $-x = (-1) \cdot x \in V$.

Allerdings gibt es auch Untergruppen von $(\mathbb{R}^n, +)$, die keine Untervektorräume sind, z.B. $\mathbb{Z}^n$.

Rechnen modulo n. Wir lernen jetzt eine wichtige Form des Rechnens kennen, das Rechnen modulo einer natürlichen Zahl n. Für $n = 12$ kennen wir das schon vom Rechnen mit Uhrzeiten, wobei wir hier 1 Uhr nachmittags als 1 Uhr bezeichnen und nicht als 13 Uhr, ansonsten müssten wir halt modulo $n = 24$ rechnen.

Abb. 64 *Rechnen modulo* 12

Wie funktioniert nun das Rechnen mit Uhrzeiten? Wollen wir wissen, wie spät es 4 Stunden nach 3 Uhr ist, so addieren wir 4 und 3 und erhalten als Antwort 7 Uhr. Wollen wir aber wissen, wie spät es 5 Stunden nach 11 Uhr ist, so addieren wir zunächst, was uns 16 liefert. Das liegt außerhalb des auf der Uhr anzeigbaren Bereichs. Daher ziehen wir $n = 12$ ab und erhalten als Antwort 4 Uhr.

Wir addieren also nicht einfach nur, sondern wir nehmen von der Summe den Rest, der sich bei Division durch $n = 12$ ergibt. Dem Ganzen liegt also die Division mit Rest zugrunde.

Satz 3.25 (Division mit Rest). *Sei $n \in \mathbb{N}$. Zu jedem $k \in \mathbb{Z}$ gibt es genau ein $q \in \mathbb{Z}$ und ein $r \in \{0, 1, \ldots, n-1\}$, so dass gilt:*
$$k = n \cdot q + r.$$

Beweis. Wir zeigen zunächst die Eindeutigkeit von q und r. Seien dazu $q, q' \in \mathbb{Z}$ und $r, r' \in$

$\{0, 1, \ldots, n-1\}$ mit

$$k = n \cdot q + r = n \cdot q' + r'.$$

Dann folgt

$$n \cdot (q - q') = r' - r.$$

Nun ist die linke Seite durch n teilbar, die rechte Seite aber muss in $\{-(n-1), \ldots, 0, \ldots, n-1\}$ liegen. Die einzige durch n teilbare Zahl in dieser Menge ist 0. Also folgt $n \cdot (q-q') = r'-r = 0$, und daher $r = r'$ und $q = q'$.

Nun zur Existenz von q und r. Gegeben $k \in \mathbb{Z}$ wählen wir für q die größte ganze Zahl, die kleiner oder gleich $\frac{k}{n} \in \mathbb{Q}$ ist. Nun setzen wir $r := k - nq \in \mathbb{Z}$. Dann gilt schon mal die gewünschte Gleichung in der Aussage des Satzes. Da $q \leq \frac{k}{n}$ ist, gilt $nq \leq k$ und damit $r \geq 0$. Wäre $r \geq n$, dann wäre $\frac{r}{n} \geq 1$ und somit

$$q + 1 = \frac{k-r}{n} + 1 = \frac{k}{n} - \frac{r}{n} + 1 \leq \frac{k}{n}.$$

Dann aber wäre q doch nicht die *größte* ganze Zahl $\leq \frac{k}{n}$, Widerspruch! Also muss $r < n$ sein und damit $r \in \{0, \ldots, n-1\}$. $\qquad\square$

Wir definieren nun die „Restabbildung"

$$\mathrm{MOD}_n \colon \mathbb{Z} \to \{0, \ldots, n-1\},$$

die den Rest bei der Division durch n liefert. Die Abbildung ist also dadurch charakterisiert, dass es für alle $k \in \mathbb{Z}$ genau ein $q \in \mathbb{Z}$ gibt mit

$$k = n \cdot q + \mathrm{MOD}_n(k).$$

Nun führen wir auf $\mathbb{Z}/n := \{0, \ldots, n-1\}$ (sprich: $\mathbb{Z}$ modulo n) folgende Addition ein:

$$x +_n y := \mathrm{MOD}_n(x + y).$$

Für $n = 12$ ist das genau das Rechnen mit Uhrzeiten, abgesehen davon, dass wir statt 12 Uhr 0 Uhr sagen.

Lemma 3.26. *Sei $n \in \mathbb{N}$. Dann ist $(\mathbb{Z}/n, +_n)$ eine abelsche Gruppe mit neutralem Element 0.*

Beweis. Wir überprüfen zunächst das Assoziativgesetz. Seien dazu $x, y, z \in \mathbb{Z}/n$. Wir setzen zur Abkürzung $w := y + z$. Dann gilt

$$x +_n (y +_n z) = \mathrm{MOD}_n(x + \mathrm{MOD}_n(y + z)) = \mathrm{MOD}_n(x + y + z + (\mathrm{MOD}_n(w) - w)).$$

Nun ist $w - \mathrm{MOD}_n(w)$ durch n teilbar und daher ist $\mathrm{MOD}_n(x + y + z + (\mathrm{MOD}_n(w) - w)) = \mathrm{MOD}_n(x + y + z)$. Also gilt:

$$x +_n (y +_n z) = \mathrm{MOD}_n(x + y + z).$$

Analog sieht man

$$(x +_n y) +_n z = \mathrm{MOD}_n(x + y + z)$$

womit das Assoziativgesetz bewiesen ist. Also bildet $(\mathbb{Z}/n, +_n)$ schon mal eine Halbgruppe. Da für jedes $x \in \mathbb{Z}/n$ gilt $x +_n 0 = \mathrm{MOD}_n(x + 0) = \mathrm{MOD}_n(x) = x$, ist 0 neutrales Element. Das Kommutativgesetz für $(\mathbb{Z}/n, +_n)$ folgt direkt aus dem für $(\mathbb{Z}, +)$:

$$x +_n y = \mathrm{MOD}_n(x + y) = \mathrm{MOD}_n(y + x) = y +_n x.$$

Falls also $(\mathbb{Z}/n, +_n)$ eine Gruppe ist, so ist sie eine abelsche Gruppe.
Bleibt noch die Existenz inverser Elemente nachzuweisen. Zu $x \in \mathbb{Z}/n$ setze $y := \mathrm{MOD}_n(-x)$. Dann ist $x + y = x + \mathrm{MOD}_n(-x) = \mathrm{MOD}_n(-x) - (-x)$ durch n teilbar und daher gilt:

$$x +_n y = \mathrm{MOD}_n(x + y) = 0.$$

Wegen des bereits nachgewiesenen Kommutativgesetzes gilt auch $y +_n x = 0$. Also ist y inverses Element zu x. $\qquad\square$

Für $n = 2, 3$ und 4 erhalten wir die folgenden Verknüpfungstabellen:

$\mathbb{Z}/2$	0	1
0	0	1
1	1	0

Tab. 19 *Verknüpfungstabelle von $\mathbb{Z}/2$*

$\mathbb{Z}/3$	0	1	2
0	0	1	2
1	1	2	0
2	2	0	1

Tab. 20 *Verknüpfungstabelle von $\mathbb{Z}/3$*

$\mathbb{Z}/4$	0	1	2	3
0	0	1	2	3
1	1	2	3	0
2	2	3	0	1
3	3	0	1	2

Tab. 21 *Verknüpfungstabelle von $\mathbb{Z}/4$*

Neben den für Uhrzeiten wichtigen Fällen $n = 12$ und $n = 24$ gibt es weitere besonders bedeutende Beispiele. Mit $n = 10$ erhalten wir die Regeln der Addition ganzer Zahlen an den einzelnen Ziffern im Dezimalsystem. Jede Ziffer kann nur die Werte aus $\mathbb{Z}/10 = \{0, 1, \dots, 9\}$ annehmen und die Addition ist in jeder Ziffer (bei Berücksichtigung des Übertrags aus der vorherigen Ziffer) genau die Addition $+_{10}$. Computer rechnen intern nicht im Dezimalsystem, sondern im Binärsystem, benutzen also $+_2$, oder aber auch im Hexadezimalsystem und benutzen dabei $+_{16}$.

Neben den Gruppen selbst sind auch Abbildungen zwischen zwei Gruppen wichtig, die die Rechenoperation respektieren.

> **Definition 3.27.** Seien $(G, *)$ und $(H, \bullet)$ Gruppen. Wir nennen eine Abbildung $f: G \to H$ einen **Homomorphismus** oder genauer einen **Gruppenhomomorphismus**, wenn für alle $g_1, g_2 \in G$ gilt:
> $$f(g_1 * g_2) = f(g_1) \bullet f(g_2).$$

Beispiel 3.28. Sei $(G, *) = (H, \bullet) = (\mathbb{Z}, +)$. Fixiere ein $m \in \mathbb{Z}$ und setze $f_m : \mathbb{Z} \to \mathbb{Z}$, $f_m(k) := m \cdot k$. Dann gilt für alle $k, l \in \mathbb{Z}$:

$$f_m(k + l) = m \cdot (k + l) = m \cdot k + m \cdot l = f_m(k) + f_m(l) \, .$$

Somit ist f_m ein Gruppenhomomorphismus von $(\mathbb{Z}, +)$ nach $(\mathbb{Z}, +)$.

Beispiel 3.29. Seien $(G, *) = (\mathbb{R}, +)$ und $(H, \bullet) = (\mathbb{R}_+, \cdot)$. Hierbei ist $\mathbb{R}_+$ die Menge der positiven reellen Zahlen. Für $f(x) = e^x$ gilt

$$f(x + y) = e^{x+y} = e^x \cdot e^y = f(x) \cdot f(y).$$

Proposition 3.30. *Seien $(G, *)$ und $(H, \bullet)$ Gruppen mit neutralem Element e_G bzw. e_H. Sei $f \colon G \to H$ ein Homomorphismus. Dann gilt:*

(i) Das neutrale Element von G wird auf das von H abgebildet, $f(e_G) = e_H$.

(ii) Für alle $g \in G$ gilt $f(g^{-1}) = f(g)^{-1}$.

(iii) Ist f bijektiv, dann ist auch $f^{-1} \colon H \to G$ ein Homomorphismus.

Beweis. Zu (i):
Zunächst einmal gilt
$$f(e_G) = f(e_G * e_G) = f(e_G) \bullet f(e_G).$$
Nun multiplizieren wir die Gleichung von links mit dem inversen Element $f(e_G)^{-1}$ von $f(e_G)$ und erhalten
$$e_H = f(e_G)^{-1} \bullet f(e_G) = f(e_G)^{-1} \bullet (f(e_G) \bullet f(e_G))$$
$$= (f(e_G)^{-1} \bullet f(e_G)) \bullet f(e_G) = e_H \bullet f(e_G) = f(e_G).$$

Zu (ii):
Wir berechnen
$$f(g^{-1}) \bullet f(g) = f(g^{-1} * g) = f(e_G) \stackrel{(i)}{=} e_H$$
und analog
$$f(g) \bullet f(g^{-1}) = f(g * g^{-1}) = f(e_G) \stackrel{(i)}{=} e_H.$$
Daher ist $f(g^{-1})$ das inverse Element zu $f(g)$, d.h. $f(g^{-1}) = f(g)^{-1}$.

Zu (iii):
Sei f bijektiv und seien $h, h' \in H$. Da f ein Homomorphismus ist, gilt
$$f(f^{-1}(h) * f^{-1}(h')) = f(f^{-1}(h)) \bullet f(f^{-1}(h')) = h \bullet h'.$$
Wenden wir f^{-1} auf die linke und die rechte Seite dieser Gleichung an, so erhalten wir
$$f^{-1}(h) * f^{-1}(h') = f^{-1}(h \bullet h') \, . \qquad \square$$

Beispiel 3.31. Für $(G, *) = (\mathbb{R}, +)$ und $(H, \bullet) = (\mathbb{R}_+, \cdot)$ und $f(x) = e^x$ die e-Funktion liefert Proposition 3.30:

(i) $e^0 = 1$,

(ii) $e^{-x} = \frac{1}{e^x}$,

(iii) Die Umkehrabbildung $\ln\colon \mathbb{R}_+ \to \mathbb{R}$, der **natürliche Logarithmus**, ist ein Gruppenhomomorphismus von $(\mathbb{R}_+, \cdot)$ nach $(\mathbb{R}, +)$, d.h. für alle $x, y > 0$ gilt:

$$\ln(x \cdot y) = \ln(x) + \ln(y).$$

> **Definition 3.32.** Ein bijektiver Gruppenhomomorphismus heißt **Gruppenisomorphismus** oder kurz **Isomorphismus**. Gibt es einen Gruppenisomorphismus, so nennt man die betreffenden Gruppen **isomorph**.

Sind zwei Gruppen $(G, *)$ und $(H, \bullet)$ isomorph, so schreiben wir hierfür $(G, *) \cong (H, \bullet)$ oder etwas ungenauer $G \cong H$. In diesem Fall kann jede Rechnung in der einen Gruppe mit Hilfe des Isomorphismus in eine entsprechende Rechnung in der anderen Gruppe übersetzt werden.

Die Gruppen $(\mathbb{R}, +)$ und $(\mathbb{R}_+, \cdot)$ sind also isomorph. Somit kann die Multiplikation positiver reeller Zahlen auf die Addition reeller Zahlen zurückgeführt werden. Das hat man sich vor

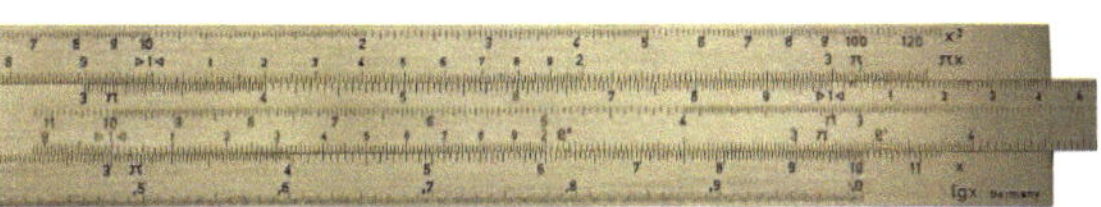

Abb. 65 *Rechenschieber*

dem Siegeszug der Computer auf Rechenschiebern zunutze gemacht. Sie haben eine logarithmische Skala, mit deren Hilfe man Multiplikationen dadurch durchführen kann, indem man Strecken aneinander legt (also eigentlich eine Addition vornimmt). Im Bild ist der mittlere, bewegliche Schieber so platziert, dass an seiner unteren Kante eine Multiplikation mit 3 vorgenommen wird, die Werte unterhalb der Unterkante sind die Dreifachen der Werte oberhalb der Unterkante.

> **Definition 3.33.** Seien $(G, *)$ und $(H, \bullet)$ Gruppen mit neutralem Element e_G bzw. e_H. Sei $f\colon G \to H$ ein Gruppenhomomorphismus. Dann heißt
>
> $$\ker(f) := f^{-1}(\{e_H\}) = \{g \in G \mid f(g) = e_H\}$$
>
> der **Kern** von f.

Wie für jede Abbildung heißt $\mathrm{im}(f) = f(G) = \{f(g) \mid g \in G\}$ das **Bild** von f.

Proposition 3.34. *Sei $f\colon G \to H$ ein Gruppenhomomorphismus. Dann gilt:*

(i) Der Kern $\ker(f) \subset G$ ist eine Untergruppe von G.

(ii) Es ist f injektiv genau dann, wenn $\ker(f) = \{e_G\}$.

(iii) Das Bild $\mathrm{im}(f) \subset H$ ist eine Untergruppe von H.

(iv) Es ist f genau dann surjektiv, wenn $\mathrm{im}(f) = H$.

Beweis. Zu (i):
Nach Proposition 3.30 ist $f(e_G) = e_H$, so dass schon mal $e_G \in \ker(f)$ gilt.
Seien nun $g, g' \in \ker(f)$, d.h. $f(g) = f(g') = e_H$. Dann ist $f(g \cdot g') = f(g) \cdot f(g') = e_H \cdot e_H = e_H$. Folglich ist $g \cdot g' \in \ker(f)$.
Sei nun $g \in \ker(f)$. Nach den Propositionen 3.10 und 3.30 ist dann

$$f(g^{-1}) = f(g)^{-1} = (e_H)^{-1} = e_H \,,$$

so dass $g^{-1} \in \ker(f)$ erfüllt ist.

Zu (ii):
Sei $f\colon G \to H$ injektiv. Nach Proposition 3.30 ist $f(e_G) = e_H$, d.h. $e_G \in \ker(f)$. Sei nun $g \in \ker(f)$ beliebig. Dann ist $f(g) = e_H = f(e_G)$, und aus der Injektivität von f folgt $g = e_G$. Also ist $\ker(f) = \{e_G\}$.
Nun setzen wir umgekehrt $\ker(f) = \{e_G\}$ voraus. Seien $g, g' \in G$ mit $f(g) = f(g')$. Dann gilt:
$$f(g' \cdot g^{-1}) = f(g') \cdot f(g^{-1}) = f(g') \cdot f(g)^{-1} = f(g) \cdot f(g)^{-1} = e_H \,.$$

Folglich ist $g' \cdot g^{-1} \in \ker(f) = \{e_G\}$. Es ist also $g' \cdot g^{-1} = e_G$, d.h. $g = g'$. Somit ist f injektiv.

Zu (iii):
Zunächst ist $e_H = f(e_G) \in \mathrm{im}(f)$.
Seien nun $h, h' \in \mathrm{im}(f)$. Wähle $g, g' \in G$ mit $f(g) = h$ und $f(g') = h'$. Dann ist

$$h \cdot h' = f(g) \cdot f(g') = f(g \cdot g') \in \mathrm{im}(f) \,.$$

Sei nun $h \in \mathrm{im}(f)$. Wähle $g \in G$ mit $f(g) = h$. Dann ist nach Proposition 3.30

$$h^{-1} = f(g)^{-1} = f(g^{-1}) \in \mathrm{im}(f) \,.$$

Damit haben wir alle Eigenschaften einer Untergruppe für $\mathrm{im}(f)$ nachgeprüft.
Aussage (iv) ist klar nach Definition. □

Beispiel 3.35. Wir berechnen Kern und Bild der Gruppenhomomorphismen $f_m \colon \mathbb{Z} \to \mathbb{Z}$, definiert durch $f_m(k) := m \cdot k$, aus Beispiel 3.28: Offensichtlich ist $m \cdot k = 0$ genau dann, wenn $m = 0$ oder $k = 0$. Somit ist der Kern von f_m gegeben durch:

$$\ker(f_m) = \{k \in \mathbb{Z} \mid m \cdot k = 0\} = \begin{cases} \mathbb{Z} & \text{für } m = 0, \\ \{0\} & \text{für } m \neq 0. \end{cases}$$

Somit ist $f_m \colon \mathbb{Z} \to \mathbb{Z}$ injektiv genau dann, wenn $m \neq 0$.

Das Bild von f_m ist gegeben durch:

$$\operatorname{im}(f_m) = \{m \cdot k \mid k \in \mathbb{Z}\} =: m\mathbb{Z}.$$

Offenbar ist $m\mathbb{Z} = \{0\}$ genau für $m = 0$ und $m\mathbb{Z} = \mathbb{Z}$ für $m = \pm 1$. Für $m \neq 0$ ist $m\mathbb{Z}$ die Menge der durch m teilbaren ganzen Zahlen. Somit ist $f_m \colon \mathbb{Z} \to \mathbb{Z}$ genau dann surjektiv, wenn $m = \pm 1$.

Beispiel 3.36. Sei $(G, *) = (\mathbb{Z}/n, +_n)$ und $(H, \bullet) = (\Omega_n, \cdot)$. Wir betrachten die Abbildung $f \colon \mathbb{Z}/n \to \Omega_n$ gegeben durch $f(k) = \left(e^{2\pi i/n}\right)^k = e^{2\pi i k/n}$. Wir überprüfen zunächst, dass f ein Gruppenhomomorphismus ist. Für $k, k' \in \mathbb{Z}/n$ unterscheiden sich $k +_n k'$ und $k + k'$ allenfalls durch ein Vielfaches von n, d.h. $k +_n k' = k + k' + nm$ für ein $m \in \mathbb{Z}$. Nun gilt

$$\begin{aligned} f(k +_n k') = \left(e^{2\pi i/n}\right)^{k +_n k'} &= \left(e^{2\pi i/n}\right)^{k+k'+nm} \\ &= \left(e^{2\pi i/n}\right)^{k} \cdot \left(e^{2\pi i/n}\right)^{k'} \cdot \left(e^{2\pi i/n}\right)^{nm} \\ &= f(k) \cdot f(k') \cdot \underbrace{\left(e^{2\pi i}\right)^{m}}_{=1} = f(k) \cdot f(k'). \end{aligned}$$

Nun ist $k \in \ker(f)$ genau dann, wenn $f(k) = e^{2\pi i k/n} = 1$, d.h. wenn k ein Vielfaches von n ist. Das einzige Vielfache von n in $\mathbb{Z}/n$ ist 0. Also ist $\ker(f) = \{0\}$. Somit ist f injektiv nach Proposition 3.34.

Da $\mathbb{Z}/n$ und Ω_n gleich viele Elemente haben, nämlich n Stück, ist die injektive Abbildung f nach dem Hotelzimmerlemma 1.73 sogar bijektiv. Wir sehen also, dass f ein Isomorphismus ist und somit $(\mathbb{Z}/n, +_n)$ und $(\Omega_n, \cdot)$ isomorph sind. Das Addieren modulo n ist daher im Wesentlichen dasselbe wie das (komplexe) Multiplizieren von n-ten Einheitswurzeln.

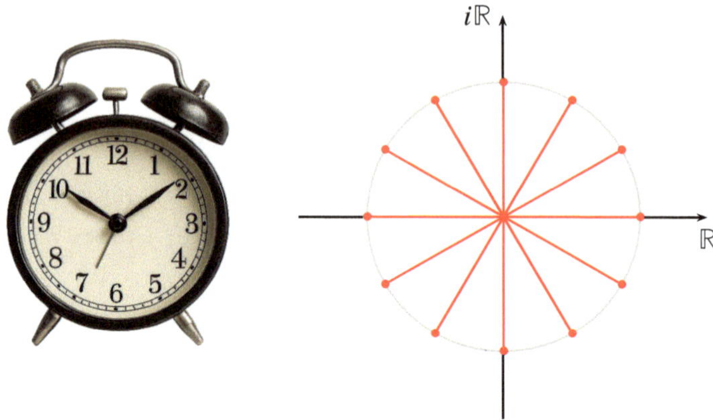

Abb. 66 $\mathbb{Z}/12 \cong \Omega_{12}$

Untersuchen wir zum Abschluss dieses Abschnitts über Gruppen die symmetrischen Gruppen noch etwas genauer, weil wir sie später noch einmal benötigen werden.

Definition 3.37. Eine Permutation $\sigma \in S_n$ heißt **Transposition**, wenn es $i, j \in X_n = \{1, \ldots, n\}$ gibt mit $i \neq j$, so dass für alle $k \in X_n$ gilt

$$\sigma(k) = \begin{cases} j & \text{für } k = i, \\ i & \text{für } k = j, \\ k & \text{sonst.} \end{cases}$$

Eine Transposition vertauscht also zwei Elemente i und j und bildet alle anderen auf sich selbst ab. Insbesondere erfüllt jede Transposition $\sigma^2 = \text{id}$. Jede Transposition ist ihr eigenes inverses Element.

Die Transpositionen von S_3 sind, in der auf Seite 137 verwendeten Notation, genau die Permutationen τ_1, τ_2 und τ_3.

Lemma 3.38. *Sei $n \in \mathbb{N}$. Jede Permutation $\sigma \in S_n$ lässt sich als Verkettung von Transpositionen schreiben.*

Das Lemma besagt also, dass wir für jedes $\sigma \in S_n$ Transpositionen $\tau_1, \ldots, \tau_N \in S_n$ finden können, so dass

$$\sigma = \tau_1 \circ \ldots \circ \tau_N.$$

Dabei verwenden wir die Konvention, dass auch die Verkettung von $N = 0$ Transpositionen erlaubt sein soll und als die Identität id definiert ist.

Beweis. Wir zeigen das Lemma durch Induktion nach dem Grad n.

Induktionsanfang: $n = 1$. Hier ist die Aussage trivial, da $S_1 = \{\mathrm{id}\}$ und die Identität die Verkettung von 0 Transpositionen ist.

Induktionsschritt: $n \geq 2$. Sei $\sigma \in S_n$. Wir betrachten die beiden Fälle $\sigma(n) = n$ und $\sigma(n) \neq n$ separat.

1. Fall: $\sigma(n) = n$. Dann bildet die Einschränkung von σ auf X_{n-1} die Menge X_{n-1} wieder auf X_{n-1} ab. Es ist also $\sigma|_{X_{n-1}} \in S_{n-1}$. Nach Induktionsannahme gibt es Transpositionen $\tau_1', \ldots, \tau_N' \in S_{n-1}$ so dass

$$\sigma|_{X_{n-1}} = \tau_1' \circ \ldots \circ \tau_N'.$$

Wir setzen die Transpositionen τ_j' von X_{n-1} zu Transpositionen τ_j auf X_n fort, indem wir setzen

$$\tau_j(k) := \begin{cases} \tau_j'(k) & \text{für } k \in X_{n-1}, \\ n & \text{für } k = n. \end{cases}$$

Dann gilt $\sigma = \tau_1 \circ \ldots \circ \tau_N$, wie gewünscht.

2. Fall: $\sigma(n) \neq n$. Sei τ_0 die Transposition, die n und $\sigma(n)$ vertauscht. Dann bildet die Permutation $\tau_0 \circ \sigma$ das Element n auf sich ab. Nach dem ersten Fall, angewandt auf $\tau_0 \circ \sigma$, gibt es also Transpositionen $\tau_1, \ldots, \tau_N$, so dass

$$\tau_0 \circ \sigma = \tau_1 \circ \ldots \circ \tau_N.$$

Wir verketten von links mit τ_0 und erhalten unter Benutzung von $\tau_0^2 = \mathrm{id}$, dass

$$\sigma = \tau_0 \circ \tau_1 \circ \ldots \circ \tau_N.$$

Wieder haben wir σ als Verkettung von Transpositionen geschrieben. $\qquad\square$

Ist $\sigma \in S_n$ eine Permutation und $\{i, j\} \subset X_n$ eine 2-elementige Teilmenge, dann setzen wir

$$\varepsilon(\sigma, i, j) := \begin{cases} 1, & \text{falls } j - i \text{ und } \sigma(j) - \sigma(i) \text{ dasselbe Vorzeichen haben,} \\ -1, & \text{falls } j - i \text{ und } \sigma(j) - \sigma(i) \text{ entgegengesetztes Vorzeichen haben.} \end{cases}$$

Nach Definition gilt stets $\varepsilon(\sigma, i, j) = \varepsilon(\sigma, j, i)$.

Beispiel 3.39. Ist $\sigma \in S_3$ gegeben durch

$$\begin{bmatrix} 1 & 2 & 3 \\ 2 & 3 & 1 \end{bmatrix},$$

dann ist $\varepsilon(\sigma, 1, 2) = 1$, weil $\sigma(2) - \sigma(1) = 3 - 2 = 1$ und $2 - 1 = 1$ beide positiv sind. Dagegen ist $\varepsilon(\sigma, 2, 3) = -1$, weil $\sigma(3) - \sigma(2) = 1 - 3 = -2$ negativ ist während $3 - 2 = 1$ positiv ist. Genauso sieht man, dass $\varepsilon(\sigma, 1, 3) = -1$.

Definition 3.40. Für $\sigma \in S_n$ bilden wir das Produkt der Epsilons über alle 2-elementigen Teilmengen von X_n und nennen

$$\mathrm{sgn}(\sigma) := \prod_{1 \le i < j \le n} \varepsilon(\sigma, i, j) \in \{-1, 1\} = \Omega_2$$

das **Signum** der Permutation.

Die Bedingung $i < j$ bei der Produktbildung stellt sicher, dass jede 2-elementige Teilmenge von X_n nur einmal vorkommt.

Beispiel 3.41. Für $\sigma = \mathrm{id}$ gilt für alle i und j, dass $\varepsilon(\mathrm{id}, i, j) = 1$, also $\mathrm{sgn}(\mathrm{id}) = 1$.

Für $\sigma \in S_3$ gegeben durch $\begin{bmatrix} 1 & 2 & 3 \\ 2 & 3 & 1 \end{bmatrix}$ ist $\varepsilon(\sigma, 1, 2) = 1$ und $\varepsilon(\sigma, 2, 3) = \varepsilon(\sigma, 1, 3) = -1$, also gilt ebenfalls

$$\mathrm{sgn}(\sigma) = \varepsilon(\sigma, 1, 2) \cdot \varepsilon(\sigma, 2, 3) \cdot \varepsilon(\sigma, 1, 3) = 1 \cdot (-1) \cdot (-1) = 1.$$

Ist dagegen τ gegeben durch $\begin{bmatrix} 1 & 2 & 3 \\ 1 & 3 & 2 \end{bmatrix}$, dann ist $\varepsilon(\tau, 1, 2) = \varepsilon(\tau, 1, 3) = 1$ und $\varepsilon(\tau, 2, 3) = -1$. Also gilt

$$\mathrm{sgn}(\tau) = 1 \cdot 1 \cdot (-1) = -1.$$

Lemma 3.42. *Sei $n \in \mathbb{N}$. Die Abbildung* $\mathrm{sgn} \colon S_n \to \Omega_2$ *ist ein Gruppenhomomorphismus von $(S_n, \circ)$ nach $(\Omega_2, \cdot)$.*

Beweis. Seien $\sigma, \sigma' \in S_n$. Man überlegt sich durch Fallunterscheidung leicht, dass für jede 2-elementige Teilmenge $\{i, j\} \subset X_n$ gilt

$$\varepsilon(\sigma_1 \circ \sigma_2, i, j) = \varepsilon(\sigma_1, \sigma_2(i), \sigma_2(j)) \cdot \varepsilon(\sigma_2, i, j).$$

Wir berechnen

$$\begin{aligned}
\mathrm{sgn}(\sigma_1 \circ \sigma_2) &= \prod_{i<j} \varepsilon(\sigma_1 \circ \sigma_2, i, j) \\
&= \prod_{i<j} \left(\varepsilon(\sigma_1, \sigma_2(i), \sigma_2(j)) \cdot \varepsilon(\sigma_2, i, j) \right) \\
&= \prod_{i<j} \varepsilon(\sigma_1, \sigma_2(i), \sigma_2(j)) \cdot \prod_{i<j} \varepsilon(\sigma_2, i, j). \qquad (3.1)
\end{aligned}$$

Nun haben wir $\prod_{i<j} \varepsilon(\sigma_2, i, j) = \mathrm{sgn}(\sigma_2)$. Da σ_2 bijektiv ist, wird im ersten Produkt ebenfalls über alle 2-elementigen Teilmengen von X_n multipliziert. Es gilt also auch

$\prod_{i<j} \varepsilon(\sigma_1, \sigma_2(i), \sigma_2(j)) = \prod_{k<l} \varepsilon(\sigma_1, k, l) = \mathrm{sgn}(\sigma_1)$. Setzen wir dies in (3.1) ein, erhalten wir

$$\mathrm{sgn}(\sigma_1 \circ \sigma_2) = \mathrm{sgn}(\sigma_1) \cdot \mathrm{sgn}(\sigma_2). \qquad \square$$

Aus Lemma 3.38 wissen wir, dass wir jede Permutation σ als Verkettung von Transpositionen schreiben können, $\sigma = \tau_1 \circ \ldots \circ \tau_N$. Aufgabe 3.7 zusammen mit Lemma 3.42 liefert nun

$$\mathrm{sgn}(\sigma) = \mathrm{sgn}(\tau_1 \circ \ldots \circ \tau_N) = \mathrm{sgn}(\tau_1) \cdots \mathrm{sgn}(\tau_N) = (-1)^N.$$

Das Signum einer Permutation ist also -1 hoch die Anzahl der Transposition, die man braucht, um σ als ihre Verkettung zu schreiben. Diese Anzahl ist nicht eindeutig durch σ bestimmt. So gilt ja z.B. $\mathrm{id} = \tau^2 = \tau^4 = \ldots$ für jede Transposition τ. Für $\sigma = \mathrm{id}$ ist also $N = 0$, $N = 2$, $N = 4$ usw. möglich. Dagegen ist ein ungerades N nicht möglich, weil $\mathrm{sgn}(\mathrm{id}) = 1$.

Wir können es also so ausdrücken: $\mathrm{sgn}(\sigma)$ ist $+1$, wenn sich σ als Verkettung von einer geraden Anzahl von Transpositionen schreiben lässt, und $\mathrm{sgn}(\sigma) = -1$, wenn sich σ als Verkettung von ungerade vielen Transpositionen schreiben lässt.

Definition 3.43. Die Untergruppe $A_n := \ker(\mathrm{sgn}) \subset S_n$ heißt **alternierende Gruppe** vom Grad n.

3.2. Zwei Rechenarten im Zusammenspiel: Ringe und Körper

Durch Halbgruppen und Gruppen wird das Rechnen mit einer Rechenart sehr allgemein und abstrakt beschrieben. Diese Rechenart kann z.B. die Addition oder die Multiplikation von Zahlen sein. In Gruppen haben wir stets inverse Elemente. Mit deren Hilfe kann man die Rechenoperationen rückgängig machen. Man kann also im Fall der Addition auch subtrahieren und im Fall der Multiplikation auch dividieren.

Vom Rechnen mit Zahlen sind wir es gewohnt, dass wir mit zwei fundamentalen Rechenoperationen gleichzeitig umgehen, nämlich mit der Addition und der Multiplikation. Auch $n \times n$-Matrizen können wir sowohl addieren (komponentenweise) als auch multiplizieren. Daher wollen wir als Nächstes ein abstraktes Konzept einführen, das dieses Zusammenspiel zweier Rechenarten beschreibt.

Definition 3.44. Ein **Ring** ist ein Tripel $(R, +, \cdot)$, so dass gilt:

1. $(R, +)$ ist eine abelsche Gruppe.

2. $(R, \cdot)$ ist eine Halbgruppe.

> 3. Es gelten die *Distributivgesetze*: für alle $a, b, c \in R$ ist sowohl
>
> $$a \cdot (b + c) = a \cdot b + a \cdot c \quad \text{als auch} \quad (a + b) \cdot c = a \cdot c + b \cdot c.$$

Bei der Formulierung der Distributivgesetze haben wir wieder die Punkt-vor-Strich-Konvention benutzt; so ist z.B. mit $a \cdot b + a \cdot c$ eigentlich $(a \cdot b) + (a \cdot c)$ gemeint. Die Distributivgesetze regeln das Zusammenspiel der beiden fundamentalen Rechenarten $+$ und $\cdot$. Anschaulich gesprochen besagen sie, dass wir stets ausmultiplizieren können.

In einem Ring können wir also addieren, subtrahieren und multiplizieren, im Allgemeinen aber nicht dividieren, da $(R, \cdot)$ nur eine Halbgruppe ist und daher die Existenz inverser Elemente bzgl. $\cdot$ nicht gesichert ist.

Beispiel 3.45. Die ganzen Zahlen $R = \mathbb{Z}$ bilden mit der üblichen Addition und Multiplikation einen Ring. Gleiches gilt für $R = \mathbb{Q}$, $R = \mathbb{R}$ und $R = \mathbb{C}$, nicht aber für $R = \mathbb{N}$, weil $(\mathbb{N}, +)$ keine Gruppe ist.

Beispiel 3.46. Sei X eine Menge und $R = \mathrm{Abb}(X, \mathbb{R})$. Für zwei Abbildungen $f, g \in R$ definieren wir die Addition und die Multiplikation punktweise, d.h. für alle $x \in X$ setzen wir

$$(f + g)(x) := f(x) + g(x) \quad \text{und} \quad (f \cdot g)(x) := f(x) \cdot g(x).$$

Dann überprüft man leicht, dass R mit dieser punktweisen Addition und Multiplikation einen Ring bildet. Das neutrale Element der Addition ist die Nullfunktion gegeben durch $f(x) = 0$ für alle $x \in X$, das additive Inverse zu $g \in R$ ist $-g$, das gegeben ist durch $(-g)(x) = -g(x)$. Wenn man alle Ringeigenschaften für $R = \mathrm{Abb}(X, \mathbb{R})$ überprüft, stellt man fest, dass man für $\mathbb{R}$ lediglich die Ringeigenschaften benutzt. Daher kann dieses Beispiel folgendermaßen verallgemeinert werden: Ist X eine Menge und R ein Ring, dann ist $R' := \mathrm{Abb}(X, R)$ mit punktweiser Addition und Multiplikation wieder ein Ring. Insbesondere sind $\mathrm{Abb}(X, \mathbb{Z})$, $\mathrm{Abb}(X, \mathbb{Q})$ und $\mathrm{Abb}(X, \mathbb{C})$ Ringe mit punktweiser Addition und Multiplikation.

Beispiel 3.47. Sei $n \in \mathbb{N}$. Dann bildet $R = \mathrm{Mat}(n \times n, \mathbb{R})$ einen Ring mit komponentenweiser Addition und Matrixmultiplikation, siehe Satz 2.12.

Beispiel 3.48. Wir führen auf $\mathbb{Z}/n = \{0, \ldots, n-1\}$ eine Multiplikation ein, indem wir ähnlich wie bei der Addition definieren

$$x \cdot_n y = \mathrm{MOD}_n(x \cdot y).$$

Dann bildet $(\mathbb{Z}/n, +_n, \cdot_n)$ einen Ring. Siehe Aufgabe 3.10 a) für die Einzelheiten.

Bislang hatten unsere Matrizen stets reelle Zahlen als Einträge. Tatsächlich haben wir beim Rechnen mit Matrizen nie davon Gebrauch gemacht, dass wir speziell reelle Zahlen als Einträge verwendet haben. Wir haben lediglich benutzt, wie man mit reellen Zahlen rechnet, genau genommen mussten wir lediglich wissen, wie die Rechenregeln für Addition und Multiplikation lauten. Diese machen aber gerade die Definition von Ringen aus. Daher ändert sich kaum etwas, wenn wir von jetzt ab auch Matrizen zulassen, deren Einträge aus einem einmal festgelegten Ring stammen und nicht notwendigerweise aus $\mathbb{R}$.

Definition 3.49. Sei $(R, +, \cdot)$ ein Ring. Eine $m \times n$-**Matrix** mit Einträgen in R ist ein rechteckiges Schema der Form

$$\begin{pmatrix} A_{11} & \cdots & A_{1n} \\ \vdots & \ddots & \vdots \\ A_{m1} & \cdots & A_{mn} \end{pmatrix},$$

wobei $A_{ij} \in R$ für alle $i \in \{1, \ldots, m\}$ und $j \in \{1, \ldots, n\}$ ist.

Die Menge aller $m \times n$-Matrizen mit Einträgen in R wird als $\mathrm{Mat}(m \times n, R)$ geschrieben. Wieder nennen wir eine $1 \times n$-Matrix Zeilenvektor und eine $m \times 1$-Matrix Spaltenvektor. Die transponierte Matrix entsteht wie gehabt durch Vertauschung der Spalten- und Zeilenindizes. Wir verwenden wieder die Konvention, dass die Elemente aus R^n stets Spaltenvektoren, d.h. $n \times 1$-Matrizen sind.

Die Rechenoperationen mit Matrizen sind wie im Fall reeller Einträge erklärt:

- **Addition von Matrizen:** Seien $A, B \in \mathrm{Mat}(m \times n, R)$ Matrizen, die in Höhe und Breite übereinstimmen. Dann ist die Addition komponentenweise definiert,

$$(A + B)_{ij} = A_{ij} + B_{ij}.$$

- **Multiplikation von Matrizen mit Skalaren:** Die Skalare sind jetzt die Elemente aus dem Ring R. Für $A \in \mathrm{Mat}(m \times n, R)$ mit Einträgen wie oben und $\lambda \in R$ ist $\lambda \cdot A \in \mathrm{Mat}(m \times n, R)$ definiert durch

$$(\lambda \cdot A)_{ij} = \lambda \cdot A_{ij}.$$

- **Multiplikation zweier Matrizen:** Sei $A \in \mathrm{Mat}(m \times n, R)$ und $B \in \mathrm{Mat}(n \times k, R)$. Dann ist $A \cdot B \in \mathrm{Mat}(m \times k, R)$ definiert durch

$$(A \cdot B)_{ij} \quad := \quad A_{i1} \cdot B_{1j} + A_{i2} \cdot B_{2j} + \ldots + A_{in} \cdot B_{nj} \quad = \quad \sum_{l=1}^{n} A_{il} \cdot B_{lj}.$$

Bis auf eine Ausnahme bleiben alle Rechenregeln aus Satz 2.12 gültig:

Satz 3.50. *Sei* $(R, +, \cdot)$ *ein Ring. Matrizen mit Einträgen in R genügen den folgenden Rechenregeln:*

(i) $\forall A, B \in \mathrm{Mat}(m \times n, R)$:
$$A + B = B + A.$$

(ii) $\forall A, B, C \in \mathrm{Mat}(m \times n, R)$:
$$(A + B) + C = A + (B + C).$$

(iii) $\forall \lambda \in R \; \forall A, B \in \mathrm{Mat}(m \times n, R)$:
$$\lambda \cdot (A + B) = \lambda \cdot A + \lambda \cdot B.$$

(iv) $\forall \lambda, \mu \in R \; \forall A \in \mathrm{Mat}(m \times n, R)$:
$$(\lambda + \mu) \cdot A = \lambda \cdot A + \mu \cdot A.$$

(v) $\forall A \in \mathrm{Mat}(m \times n, R) \; \forall B \in \mathrm{Mat}(n \times k, R) \; \forall C \in \mathrm{Mat}(k \times l, R)$:
$$(A \cdot B) \cdot C = A \cdot (B \cdot C).$$

(vi) $\forall A, B \in \mathrm{Mat}(m \times n, R) \; \forall C \in \mathrm{Mat}(n \times k, R)$:
$$(A + B) \cdot C = A \cdot C + B \cdot C.$$

(vii) $\forall A \in \mathrm{Mat}(m \times n, R) \; \forall B, C \in \mathrm{Mat}(n \times k, R)$:
$$A \cdot (B + C) = A \cdot B + A \cdot C.$$

Der Beweis ist wörtlich derselbe wie der von Satz 2.12.

Korollar 3.51. *Sei* $(R, +, \cdot)$ *ein Ring und* $n \in \mathbb{N}$. *Dann ist* $\mathrm{Mat}(n \times n, R)$ *mit komponentenweiser Addition und Matrixmultiplikation wieder ein Ring.* $\qquad\square$

Die einzige Regel aus Satz 2.12, die uns verlorengegangen ist, ist
$$\forall \lambda, \mu \in R \; \forall A \in \mathrm{Mat}(m \times n, R) \; \forall B \in \mathrm{Mat}(n \times k, R) : \quad (\lambda \cdot \mu) \cdot (A \cdot B) = (\lambda \cdot A) \cdot (\mu \cdot B).$$
Für den Beweis dieser Regel haben wir nämlich die Kommutativität der Multiplikation reeller

Zahlen benutzt, aber die braucht in Ringen nicht zu gelten.

Abgesehen von dieser einen Regel können wir aber mit Matrizen mit Einträgen in einem Ring so rechnen wie mit reellen Matrizen. Wir können also auch Matrizen mit Einträgen in $\mathbb{Z}$, $\mathbb{Q}$ oder $\mathbb{C}$ benutzen; selbst Matrizen, deren Einträge selbst wieder quadratische Matrizen sind, wären möglich.

Definition 3.52. Ein Ring $(R, +, \cdot)$ heißt **kommutativ**, falls auch die Multiplikation $\cdot$ kommutativ ist, d.h. falls für alle $a, b \in R$ gilt:

$$a \cdot b = b \cdot a.$$

Ist der Ring R kommutativ, dann gilt für Matrizen mit Koeffizienten in R auch die Regel

$$\forall \lambda, \mu \in R \;\; \forall A \in \mathrm{Mat}(m \times n, R) \;\; \forall B \in \mathrm{Mat}(n \times k, R):$$
$$(\lambda \cdot \mu) \cdot (A \cdot B) = (\lambda \cdot A) \cdot (\mu \cdot B). \tag{3.2}$$

Wir beachten allerdings, dass der Ring $\mathrm{Mat}(n \times n, R)$ im Allgemeinen nicht kommutativ ist, auch wenn R selbst kommutativ ist. Das hatten wir schon im Fall $R = \mathbb{R}$ gesehen.

Für jeden Ring $(R, +, \cdot)$ bezeichnen wir das neutrale Element der Gruppe $(R, +)$ mit 0. Sollte die Halbgruppe $(R, \cdot)$ ein neutrales Element haben, so bezeichnen wir es mit 1. In diesem Fall sagt man, R ist ein **Ring mit Eins** oder auch ein **unitärer Ring**.

Beispiel 3.53. Mit der üblichen Addition und Multiplikation bilden $R = \mathbb{Z}$, $R = \mathbb{Q}$, $R = \mathbb{R}$ und $R = \mathbb{C}$ kommutative unitäre Ringe. Dagegen ist $(2\mathbb{Z}, +, \cdot)$ zwar ein kommutativer Ring, hat aber keine Eins.

Beispiel 3.54. Hat der Ring R eine Eins, so hat auch der Ring $\mathrm{Mat}(n \times n, R)$ eine Eins, nämlich die Einheitsmatrix.

Beispiel 3.55. Der Ring $(\mathbb{Z}/n, +_n, \cdot_n)$ ist kommutativ und hat eine Eins. Es gilt nämlich für alle $x, y \in \mathbb{Z}/n$, dass $x \cdot_n y = \mathrm{MOD}_n(x \cdot y) = \mathrm{MOD}_n(y \cdot x) = y \cdot_n x$, also ist der Ring kommutativ. Ferner haben wir für jedes $x \in \mathbb{Z}/n$, dass $x \cdot_n 1 = \mathrm{MOD}_n(x \cdot 1) = \mathrm{MOD}_n(x) = x$, also ist 1 tatsächlich neutrales Element der Multiplikation.

Lemma 3.56. *Sei $(R, +, \cdot)$ ein Ring. Dann gilt:*

(i) Für alle $x \in R$ ist $0 \cdot x = x \cdot 0 = 0$.

(ii) Hat R eine Eins, dann gilt für alle $x \in R$, dass $(-1) \cdot x = -x$.

(iii) Hat R eine Eins und ist $1 = 0$, so ist $R = \{0\}$.

Beweis. Zu (i):
Sei $x \in R$. Dann ist

$$0 \cdot x = (0 + 0) \cdot x = 0 \cdot x + 0 \cdot x.$$

Nun ziehen wir auf beiden Seiten $0 \cdot x$ ab, d.h. wir addieren das additive Inverse $-(0 \cdot x)$ von $0 \cdot x$, und erhalten für die linke Seite $0 \cdot x + (-(0 \cdot x)) = 0$ und für die rechte Seite

$$(0 \cdot x + 0 \cdot x) + (-(0 \cdot x)) = 0 \cdot x + (0 \cdot x + (-(0 \cdot x))) = 0 \cdot x + 0 = 0 \cdot x.$$

Also ist $0 = 0 \cdot x$. Die Gleichung $x \cdot 0 = 0$ sieht man genauso.

Zu (ii):
Zunächst ist -1 das additive Inverse der Eins in R. Sei $x \in R$. Es ist nun zu zeigen, dass $(-1) \cdot x$ das additive Inverse von x ist. Es gilt

$$(-1) \cdot x + x = (-1) \cdot x + 1 \cdot x = (-1 + 1) \cdot x = 0 \cdot x \stackrel{(i)}{=} 0.$$

Wegen der Kommutativität von $+$ gilt auch $x + (-1) \cdot x = 0$, also ist $(-1) \cdot x$ das additive Inverse von x, d.h. $(-1) \cdot x = -x$.

Zu (iii):
Ist $1 = 0$, so gilt für jedes $x \in R$:

$$x = 1 \cdot x = 0 \cdot x = 0. \qquad \qquad \square$$

Für alle interessanten Ringe mit Eins gilt also $1 \neq 0$.

Bemerkung 3.57. In der Schule haben wir gelernt, dass man auf keinen Fall durch 0 teilen darf. Warum eigentlich nicht?
Um das zu verstehen, nehmen wir an, dass $(R, +, \cdot)$ ein unitärer Ring ist und dass $0 \in R$ multiplikativ invertierbar ist, d.h. wir können durch 0 dividieren. Dann folgt unter Verwendung von Lemma 3.56:

$$1 = 0 \cdot 0^{-1} = 0,$$

also $R = \{0\}$. Salopp formuliert: Wenn man in einem Zahlensystem, in dem die üblichen Rechenregeln gelten, durch 0 teilen kann, dann besteht dieses Zahlensystem nur aus der 0 und ist somit völlig uninteressant.

Definition 3.58. Sei $(R, +, \cdot)$ ein Ring. Eine Teilmenge $Q \subset R$ heißt **Unterring**, falls Q eine Untergruppe von $(R, +)$ ist und für alle $x, y \in Q$ gilt $x \cdot y \in Q$.

Genau wie bei Gruppen können wir die Rechenoperationen zu Abbildungen $+: Q \times Q \to Q$ und $\cdot: Q \times Q \to Q$ einschränken. Dann ist $(Q, +, \cdot)$ selbst auch wieder ein Ring. Ist R kommutativ, so auch Q.

Allerdings braucht Q nicht unitär zu sein, auch wenn R unitär ist. In anderen Worten, auch wenn R eine Eins hat, braucht der Unterring diese Eins nicht zu enthalten. Ein einfaches Beispiel hierfür ist $R = \mathbb{Z}$ und $Q = 2\mathbb{Z}$, jeweils mit der üblichen Addition und Multiplikation.

Ähnlich wie bei Gruppen sind auch bei Ringen die Abbildungen, die die Rechenoperationen erhalten, von besonderer Bedeutung.

Definition 3.59. Seien $(R, +, \cdot)$ und $(Q, \mathbf{+}, \bullet)$ Ringe. Eine Abbildung $f \colon R \to Q$ heißt **Ringhomomorphismus**, falls für alle $x, y \in R$ gilt:

$$f(x + y) = f(x) \mathbf{+} f(y) \quad \text{und} \quad f(x \cdot y) = f(x) \bullet f(y).$$

Insbesondere ist ein Ringhomomorphismus also ein Gruppenhomomorphismus von $(R, +)$ nach $(Q, \mathbf{+})$. Damit gilt nach Proposition 3.30 $f(-x) = -f(x)$ für alle $x \in R$ und $f(0) = 0$.

Beispiel 3.60. Die Abbildung $f \colon k \mapsto \begin{pmatrix} k & 0 \\ 0 & 0 \end{pmatrix}$ ist ein Ringhomomorphismus von $(\mathbb{Z}, +, \cdot)$ nach $(\mathrm{Mat}(2 \times 2, \mathbb{Z}), +, \cdot)$. Ein Ringhomomorphismus bildet also stets die 0 auf die 0 ab, nicht aber notwendigerweise die 1 auf die 1, selbst wenn die beteiligten Ringe eine Eins haben. In diesem Beispiel ist $f(1) = \begin{pmatrix} 1 & 0 \\ 0 & 0 \end{pmatrix}$, was nicht die Eins in $(\mathrm{Mat}(2 \times 2, \mathbb{Z}), +, \cdot)$ ist. Das wäre ja die Einheitsmatrix $\begin{pmatrix} 1 & 0 \\ 0 & 1 \end{pmatrix}$. Da bei einem Ring $(R, \cdot)$ keine Gruppe bildet, ist Proposition 3.30 hierauf nicht anwendbar.

Definition 3.61. Ein Ringhomomorphismus f heißt **einserhaltend** oder **unitär**, wenn

$$f(1) = 1.$$

Lemma 3.62. *Seien $(R, +, \cdot)$ und $(Q, \mathbf{+}, \bullet)$ Ringe und sei $f \colon R \to Q$ ein Ringhomomorphismus.*

(i) Ist f bijektiv, so ist auch $f^{-1} \colon Q \to R$ ein Ringhomomorphismus.

(ii) Haben R und Q eine Eins und ist f surjektiv, dann ist f einserhaltend.

Beweis. Zu (i): Sei f bijektiv. Nach Proposition 3.30 ist f^{-1} ein Gruppenhomomorphismus von $(Q, \boldsymbol{+})$ nach $(R, +)$. Bleibt zu zeigen, dass f^{-1} auch die Multiplikation respektiert. Seien $x, y \in Q$. Dann gilt:

$$f^{-1}(x \bullet y) = f^{-1}(f(f^{-1}(x)) \bullet f(f^{-1}(y))) = f^{-1}(f(f^{-1}(x) \cdot f^{-1}(y))) = f^{-1}(x) \cdot f^{-1}(y).$$

Zu (ii): Sei $y \in Q$. Da f surjektiv ist, gibt es ein $x \in R$ mit $f(x) = y$. Wir berechnen

$$f(1) \bullet y = f(1) \bullet f(x) = f(1 \cdot x) = f(x) = y$$

und analog $y \bullet f(1) = y$. Somit ist $f(1)$ neutrales Element der Halbgruppe $(Q, \bullet)$. Wegen der Eindeutigkeit des neutralen Elements nach Proposition 3.5 gilt $f(1) = 1$. $\square$

Definition 3.63. Bijektive Ringhomomorphismen heißen **Ringisomorphismen**. Existiert ein Ringisomorphismus von $(R, +, \cdot)$ nach $(Q, \boldsymbol{+}, \bullet)$, dann heißen die beiden Ringe **isomorph**. Wir schreiben dafür $(R, +, \cdot) \cong (Q, \boldsymbol{+}, \bullet)$ oder auch etwas laxer $R \cong Q$.

In Ringen können wir addieren, subtrahieren und multiplizieren, aber in der Regel nicht dividieren. Kann man das doch, liegt ein besonders guter Ring vor, ein sogenannter Körper.

Definition 3.64. Ein kommutativer Ring $(R, +, \cdot)$ heißt **Körper**, falls er eine Eins $1 \neq 0$ hat und alle Elemente $\neq 0$ invertierbar bzgl. $\cdot$ sind, d.h. für die Halbgruppe $(R, \cdot)$ gilt $R^{\times} = R \setminus \{0\}$.

In einem Körper können wir durch alle Elemente $\neq 0$ dividieren. In Bemerkung 3.57 haben wir gesehen, warum wir die multiplikative Invertierbarkeit von 0 nicht fordern.

Beispiel 3.65. Die Ringe $(\mathbb{Q}, +, \cdot)$, $(\mathbb{R}, +, \cdot)$ und $(\mathbb{C}, +, \cdot)$ sind Körper. Dagegen ist $(\mathbb{Z}, +, \cdot)$ kein Körper, da $\mathbb{Z}^{\times} = \{-1, 1\}$.

Bemerkung 3.66. In Lemma 3.56 haben wir gesehen, dass in jedem Ring das Produkt zweier Elemente null ist, wenn einer der beiden Faktoren null ist. Umgekehrt sind Körper stets **nullteilerfrei**, d.h. ein Produkt $x \cdot y$ kann nur dann null sein, wenn wenigstens einer der beiden Faktoren null ist. Sei nämlich $x \cdot y = 0$ und $x \neq 0$. Da wir in einem Körper sind, ist x invertierbar und wir erhalten

$$y = 1 \cdot y = (x^{-1} \cdot x) \cdot y = x^{-1} \cdot (x \cdot y) = x^{-1} \cdot 0 = 0.$$

Ringe, die keine Körper sind, können, müssen aber nicht nullteilerfrei sein. So ist z.B. $(\mathbb{Z}, +, \cdot)$ nullteilerfrei. Dagegen ist $R = \mathrm{Mat}(2 \times 2, \mathbb{R})$ nicht nullteilerfrei, denn

$$\begin{pmatrix} 1 & 0 \\ 0 & 0 \end{pmatrix} \cdot \begin{pmatrix} 0 & 0 \\ 0 & 1 \end{pmatrix} = \begin{pmatrix} 0 & 0 \\ 0 & 0 \end{pmatrix}.$$

Bemerkung 3.67. In einem nullteilerfreien Ring können wir die Multiplikation zu einer Abbildung $\cdot\colon R\setminus\{0\}\times R\setminus\{0\}\to R\setminus\{0\}$ einschränken. Ist $(R,+,\cdot)$ ein Körper, so bildet $(R\setminus\{0\},\cdot)$ eine abelsche Gruppe mit neutralem Element 1.

Proposition 3.68. *Sei $n\in\mathbb{N}$, $n\geq 2$. Dann sind folgende Aussagen äquivalent:*

(1) $(\mathbb{Z}/n,+_n,\cdot_n)$ ist ein Körper.

(2) $(\mathbb{Z}/n,+_n,\cdot_n)$ ist nullteilerfrei.

(3) n ist eine Primzahl.

Beweis. Es genügt, die Implikationen $(1)\Rightarrow(2)$, $(2)\Rightarrow(3)$ und $(3)\Rightarrow(1)$ zu zeigen.
Zu „$(1)\Rightarrow(2)$":
Da Körper stets nullteilerfrei sind, ist hier nichts zu zeigen.

Zu „$(2)\Rightarrow(3)$":
Sei $(\mathbb{Z}/n,+_n,\cdot_n)$ nullteilerfrei. Angenommen, n ist keine Primzahl. Dann können wir n als Produkt $n=p\cdot q$ mit $p,q\in\{2,\dots,n-1\}\subset\mathbb{Z}/n$ schreiben. Es gilt dann

$$p\cdot_n q=\mathrm{MOD}_n(p\cdot q)=\mathrm{MOD}_n(n)=0,$$

aber p und q sind beide selbst nicht null. Also ist $(\mathbb{Z}/n,+_n,\cdot_n)$ nicht nullteilerfrei, im Widerspruch zur Annahme.

Zu „$(3)\Rightarrow(1)$":
Da wir bereits wissen, dass $(\mathbb{Z}/n,+_n,\cdot_n)$ ein kommutativer Ring mit Eins ist, bleibt lediglich zu zeigen, dass jedes Element von $\mathbb{Z}/n$ ungleich 0 ein multiplikatives Inverses hat.
Sei $k\in(\mathbb{Z}/n)\setminus\{0\}=\{1,\dots,n-1\}$. Wir wollen zeigen, dass k ein Inverses in $(\mathbb{Z}/n,\cdot_n)$ hat. Dazu betrachten wir die Abbildung

$$f_k\colon\mathbb{Z}/n\to\mathbb{Z}/n,\quad f_k(l)=k\cdot_n l.$$

Wir werden zeigen, dass f_k injektiv ist. Wegen des Hotelzimmerlemmas 1.73 ist f_k dann auch surjektiv. Insbesondere liegt 1 im Bild von f_k, d.h. es gibt ein $l\in\mathbb{Z}/n$ mit $k\cdot_n l=f_k(l)=1$. Wegen der Kommutativität von $\cdot_n$ gilt dann auch $l\cdot_n k=1$, d.h. l ist multiplikatives Inverses von k wie gewünscht.
Bleibt also zu zeigen, dass f_k injektiv ist. Seien $l,l'\in\mathbb{Z}/n$ mit $f_k(l)=f_k(l')$. Wir haben zu zeigen, dass $l=l'$. Wir wissen $k\cdot_n l=k\cdot_n l'$, d.h. $\mathrm{MOD}_n(k\cdot l)=\mathrm{MOD}_n(k\cdot l')$. Es folgt $\mathrm{MOD}_n(k(l-l'))=\mathrm{MOD}_n(kl-kl')=0$. Also ist $k(l-l')$ durch n teilbar. Da $k\in\{1,\dots,n-1\}$, ist k nicht durch n teilbar. Da n eine Primzahl ist, muss der andere Faktor $l-l'$ durch n teilbar sein. Daher gilt

$$l=\mathrm{MOD}_n(l)=\mathrm{MOD}_n(l')=l'. \qquad\qquad\square$$

Definition 3.69. Ist n eine Primzahl, so schreibt man statt $\mathbb{Z}/n$ auch $\mathbb{F}_n$ und nennt $(\mathbb{F}_n, +_n, \cdot_n)$ den **Primkörper** der Charakteristik n.

 Das Rechnen in Primkörpern sollte nun hier geübt werden, bis es sicher beherrscht wird: `https://ueben.cbaer.eu/06.html` 

Definition 3.70. Sei $(K, +, \cdot)$ ein Körper. Ist $K' \subset K$ ein Unterring, der selbst wieder ein Körper ist, so heißt K' **Unterkörper** von K.

Ein Unterring K' eines Körpers K ist selbst wieder ein Körper genau dann, wenn $1 \in K'$ und für jedes $\lambda \in K'$, $\lambda \neq 0$, ist $\lambda^{-1} \in K'$.

Beispiel 3.71. Die rationalen Zahlen $\mathbb{Q}$ bilden einen Unterkörper von $\mathbb{R}$ und $\mathbb{R}$ ist ein Unterkörper von $\mathbb{C}$. Dagegen bilden die ganzen Zahlen $\mathbb{Z}$ keinen Unterkörper von $\mathbb{R}$, sondern nur einen Unterring.

3.3. Vektorräume

Körper abstrahieren das Rechnen mit Zahlen. Nun abstrahieren wir noch das Rechnen mit Vektoren. Dabei muss man zunächst festlegen, mit welchen Skalaren, d.h. mit Zahlen aus welchem Körper man arbeiten will.

Definition 3.72. Sei $(K, +, \cdot)$ ein Körper. Ein K-**Vektorraum** oder auch **Vektorraum über** K ist ein Tripel $(V, +, \cdot)$, wobei V eine Menge ist und $+$ sowie $\cdot$ Verknüpfungen

$$+: V \times V \to V, \quad (v, w) \mapsto v + w,$$
$$\cdot: K \times V \to V, \quad (\lambda, v) \mapsto \lambda \cdot v,$$

sind, so dass gilt:

1. $(V, +)$ ist eine abelsche Gruppe.

2. Für alle $\lambda, \mu \in K$ und für alle $v, w \in V$ gilt:

   a) $(\lambda + \mu) \cdot v = \lambda \cdot v + \mu \cdot v$,

   b) $\lambda \cdot (v + w) = \lambda \cdot v + \lambda \cdot w$,

   c) $(\lambda \cdot \mu) \cdot v = \lambda \cdot (\mu \cdot v)$,

   d) $1 \cdot v = v$.

Das neutrale Element von $(V, +)$ nennen wir den *Nullvektor* und schreiben dafür 0. Obwohl wir dasselbe Symbol verwenden, dürfen wir die $0 \in K$ nicht mit der $0 \in V$ verwechseln. Für $v \in V$ schreiben wir für das inverse Element von v bzgl. $+$ wieder $-v$.

Ist aus dem Kontext klar, welcher Körper K zugrunde gelegt ist, so spricht man auch einfach von einem Vektorraum. Wir beachten, dass in der Liste der Forderungen unter 2. die Symbole $+$ und $\cdot$ in mehrfacher Bedeutung vorkommen. So ist das $+$ in $\lambda + \mu$ die Addition in K, das $+$ in $\lambda \cdot v + \mu \cdot v$ dagegen die Addition in V. Genauso ist das $\cdot$ in $\lambda \cdot \mu$ die Multiplikation in K, das $\cdot$ in $\mu \cdot v$ hingegen die Verknüpfung $\cdot : K \times V \to V$. Wäre man ganz penibel, so müsste man eigentlich verschiedene Symbole für diese verschiedenen Inkarnationen der Addition und Multiplikation verwenden. Da man an der Herkunft der Summanden bzw. Faktoren aber immer erkennen kann, welche Addition bzw. Multiplikation gemeint ist, ist das nicht notwendig.

Beispiel 3.73. Ist K ein beliebiger Körper und $n \in \mathbb{N}$, dann bildet $V = K^n$ einen K-Vektorraum, wobei wir die Addition in V und die Multiplikation mit Skalaren komponentenweise definieren:

$$\begin{pmatrix} v_1 \\ \vdots \\ v_n \end{pmatrix} + \begin{pmatrix} w_1 \\ \vdots \\ w_n \end{pmatrix} := \begin{pmatrix} v_1 + w_1 \\ \vdots \\ v_n + w_n \end{pmatrix} \quad \text{sowie} \quad \lambda \cdot \begin{pmatrix} v_1 \\ \vdots \\ v_n \end{pmatrix} := \begin{pmatrix} \lambda \cdot v_1 \\ \vdots \\ \lambda \cdot v_n \end{pmatrix}.$$

Das neutrale Element der abelschen Gruppe $(V, +)$ ist der Nullvektor $\mathbf{0} = \begin{pmatrix} 0 \\ \vdots \\ 0 \end{pmatrix}$. Allgemeiner bildet für $n, m \in \mathbb{N}$ sogar $\mathrm{Mat}(n \times m, K)$ einen K-Vektorraum, wenn man Addition und Multiplikation mit Skalaren wieder komponentenweise definiert. Man beachte, dass Matrixmultiplikation an dieser Stelle nicht vorkommt und daher keine Rolle spielt.

Beispiel 3.74. Sei K ein Körper und X eine nichtleere Menge. Wir setzen $V := \mathrm{Abb}(X, K)$ und definieren ähnlich wie in Beispiel 3.46 für zwei Abbildungen $f, g \in V$ die Addition punktweise. Auch die Multiplikation mit Skalaren $\lambda \in K$ wird punktweise definiert. In anderen Worten, wir setzen für alle $x \in X$:

$$(f + g)(x) := f(x) + g(x) \quad \text{und} \quad (\lambda \cdot g)(x) := \lambda \cdot g(x).$$

Dann ist es nicht schwer zu überprüfen, dass $(V, +, \cdot)$ ein K-Vektorraum ist.

Beispiel 3.75. Ein interessanter Spezialfall von Beispiel 3.74 ergibt sich für $X = \mathbb{N}$. Dann ist $V = \mathrm{Abb}(\mathbb{N}, K)$ der K-Vektorraum der Folgen von Elementen von K.

Bemerkung 3.76. Genau genommen ist auch Beispiel 3.73 ein Spezialfall von Beispiel 3.74, denn ein n-Tupel von Elementen aus K kann als Abbildung von $\{1, \ldots, n\} \to K$ aufgefasst werden. Die punktweise Addition und Multiplikation aus Beispiel 3.74 entspricht dabei der komponentenweisen Addition und Multiplikation aus Beispiel 3.73.

Beispiel 3.77. Ist V ein K-Vektorraum und K' ein Unterkörper von K, so kann man die Multiplikation $\cdot : K \times V \to V$ einschränken zu einer Multiplikation $\cdot : K' \times V \to V$. Dadurch wird V zu einem K'-Vektorraum.

So ist z.B. $V = \mathbb{R} = \mathbb{R}^1$ ein $\mathbb{R}$-Vektorraum. Durch diese Einschränkungsprozedur wird $\mathbb{R}$ auch zu einem $\mathbb{Q}$-Vektorraum. Analog ist $\mathbb{C}$ ein $\mathbb{R}$-Vektorraum. Diesen kennen wir allerdings schon, denn als $\mathbb{R}$-Vektorraum ist $\mathbb{C}$ nichts anderes als $\mathbb{R}^2$.

Beispiel 3.78. Sei K ein Körper und seien $V_1, \ldots, V_n$ Vektorräume über K. Dann erhalten wir einen neuen K-Vektorraum $V := V_1 \times \ldots \times V_n$, wobei wir Addition in V und Multiplikation mit Skalaren wie in Beispiel 3.73 komponentenweise definieren. Der einzige Unterschied zu Beispiel 3.73 besteht darin, dass die Komponenten v_j eines Vektors $v = \begin{pmatrix} v_1 \\ \vdots \\ v_n \end{pmatrix}$ nun nicht mehr Skalare aus K sind, sondern selbst Vektoren $v_j \in V_j$.

Ganz allgemein haben wir folgende Rechenregeln für Vektoren:

Lemma 3.79. *Sei $(K, +, \cdot)$ ein Körper und $(V, +, \cdot)$ ein K-Vektorraum. Dann gilt für alle $v \in V$ und $\lambda \in K$:*

  (i) $0 \cdot v = 0.$

  (ii) $\lambda \cdot 0 = 0.$

  (iii) $\lambda \cdot v = 0 \quad \Rightarrow \quad \lambda = 0 \vee v = 0.$

  (iv) $(-1) \cdot v = -v.$

Beweis. Zu (i):
Wir berechnen $0 \cdot v = (0 + 0) \cdot v = 0 \cdot v + 0 \cdot v$ und subtrahieren $0 \cdot v$ auf beiden Seiten.

Zu (ii):
Wir berechnen $\lambda \cdot 0 = \lambda \cdot (0 + 0) = \lambda \cdot 0 + \lambda \cdot 0$ und subtrahieren $\lambda \cdot 0$ auf beiden Seiten.

Zu (iii):
Sei $\lambda \cdot v = 0$ und $\lambda \neq 0$. Dann folgt einerseits $\lambda^{-1} \cdot (\lambda \cdot v) = (\lambda^{-1} \cdot \lambda) \cdot v = 1 \cdot v = v$ und andererseits nach (ii) $\lambda^{-1} \cdot (\lambda \cdot v) = \lambda^{-1} \cdot 0 = 0$. Also ist $v = 0$.

Aussage (iv) folgt aus $v + (-1) \cdot v = 1 \cdot v + (-1) \cdot v = (1 + (-1)) \cdot v = 0 \cdot v \overset{(i)}{=} 0.$ $\square$

Beispiel 3.80. Sei $K = \mathbb{F}_2$ der Primkörper der Charakteristik 2. Der Nullvektorraum $V = \{0\}$ hat genau ein Element, den Nullvektor. Der Vektorraum $V = \mathbb{F}_2 = \mathbb{F}_2^1$ hat genau zwei Elemente, 0 und 1. Der Vektorraum $V = \mathbb{F}_2^2$ hat genau vier Elemente, $V = \{(0,0)^\mathsf{T}, (0,1)^\mathsf{T}, (1,0)^\mathsf{T}, (1,1)^\mathsf{T}\}$. Gibt es auch einen $\mathbb{F}_2$-Vektorraum mit genau drei Elementen?

Die Antwort lautet nein. Nehmen wir an, V wäre ein $\mathbb{F}_2$-Vektorraum mit genau drei Elementen. Eines dieser Elemente ist der Nullvektor, also ist $V = \{0, v, w\}$, wobei v und w beide nicht der Nullvektor sind und $v \neq w$. Nun muss $v + w$ auch wieder eins dieser drei Elemente sein. Es kann $v + w = v$ nicht gelten, da hieraus $w = 0$ folgen würde. Genauso kann $v + w = w$ nicht gelten. Also müsste $v + w = 0$ sein. Addieren wir v auf beiden Seiten, so erhalten wir

$$v = v + 0 = v + (v + w) = (v + v) + w = (1 \cdot v + 1 \cdot v) + w = ((1 +_2 1) \cdot v) + w = 0 \cdot v + w = w$$

im Widerspruch zu $v \neq w$.

Wir verallgemeinern jetzt Definition 2.18, wo wir Untervektorräume von $\mathbb{R}^n$ definiert hatten.

Definition 3.81. Sei $(K, +, \cdot)$ ein Körper und $(V, +, \cdot)$ ein K-Vektorraum. Eine Teilmenge $W \subset V$ heißt **Untervektorraum** von V, wenn gilt:

1. Es ist $0 \in W$.

2. Sind $v_1, v_2 \in W$, so ist auch $v_1 + v_2 \in W$.

3. Sind $v \in W$ und $\lambda \in K$, dann ist auch $\lambda \cdot v \in W$.

Bemerkung 3.82. Ist W ein Untervektorraum von $(V, +, \cdot)$, so ist W eine Untergruppe von $(V, +)$. Angesichts der ersten beiden Bedinungen in Definition 3.81 ist das einzige, was dazu noch zu zeigen bleibt, dass mit $v \in W$ auch $-v \in W$ ist. Das folgt aus der dritten Bedingung und Lemma 3.79 (iv).

Allerdings ist nicht jede Untergruppe von $(V, +)$ auch ein Untervektorraum von $(V, +, \cdot)$. So ist etwa $W = \mathbb{Z}^n$ eine Untergruppe von $(\mathbb{R}^n, +)$, aber kein Untervektorraum des $\mathbb{R}$-Vektorraums $(\mathbb{R}^n, +, \cdot)$. Z.B. das $1/2$-fache eines ganzzahligen Vektors ist im Allgemeinen nicht wieder ganzzahlig. Daher ist die dritte Bedingung aus Definition 3.81 verletzt.

Bemerkung 3.83. Ist W ein Untervektorraum eines K-Vektorraums $(V, +, \cdot)$, dann kann man $+$ und $\cdot$ zu Abbildungen $+: W \times W \to W$ bzw. $\cdot: K \times W \to W$ einschränken. Mit dieser eingeschränkten Addition bzw. Multiplikation wird dann W selbst auch wieder ein K-Vektorraum.

Beispiel 3.84. Für jeden K-Vektorraum V haben wir zwei extreme Untervektorräume. Der Nullvektorraum $W = \{0\}$ ist der kleinste Untervektorraum von V, da er in jedem Untervektorraum von V enthalten sein muss. Um zu sehen, dass der Nullvektorraum tatsächlich ein

Untervektorraum von V ist, braucht man übrigens Lemma 3.79 (ii). Andererseits ist $W = V$ ebenfalls ein Untervektorraum von V, sicherlich der größte.

Beispiel 3.85. Sei K ein Körper und $X \neq \emptyset$ eine Menge. Wir kennen schon aus Beispiel 3.74 den K-Vektorraum $V = \mathrm{Abb}(X, K)$ der Abbildungen von X nach K. Wir nennen eine Abbildung $f : X \to K$ **endlich getragen**, wenn es nur endlich viele $x \in X$ gibt, so dass $f(x) \neq 0$. Wir setzen

$$K^X := \{f \in \mathrm{Abb}(X, K) \mid f \text{ ist endlich getragen}\}.$$

Falls die Menge X endlich ist, so gilt natürlich $K^X = \mathrm{Abb}(X, K)$, ansonsten ist K^X eine echte Teilmenge von $\mathrm{Abb}(X, K)$. Da die Nullabbildung endlich getragen ist, die Summe zweier endlich getragener Abbildungen wieder endlich getragen ist und das λ-fache einer endlich getragenen Abbildung wieder endlich getragen ist, bildet K^X einen Untervektorraum von $V = \mathrm{Abb}(X, K)$.

Beispiel 3.86. Wir betrachten den $\mathbb{R}$-Vektorraum $V = \mathrm{Abb}(X, \mathbb{R})$, wobei jetzt $X \subset \mathbb{R}$ ein nichtdegeneriertes[1] Intervall sein soll. In der Analysis lernt man, dass die Summe zweier stetiger Funktionen wieder stetig ist, genauso das λ-fache einer stetigen Funktion, $\lambda \in \mathbb{R}$. Die 2. und die 3. Bedingung aus Definition 3.81 sind also erfüllt für

$$W = C^0(X, \mathbb{R}) := \{f \in \mathrm{Abb}(X, \mathbb{R}) \mid f \text{ ist stetig}\}.$$

Außerdem ist die Nullfunktion offensichtlich stetig. Somit ist $W = C^0(X, \mathbb{R})$ ein Untervektorraum von $V = \mathrm{Abb}(X, \mathbb{R})$.
Allgemeiner ist auch

$$C^k(X, \mathbb{R}) := \{f \in \mathrm{Abb}(X, \mathbb{R}) \mid f \text{ ist } k\text{-mal stetig differenzierbar}\}$$

ein Untervektorraum von $V = \mathrm{Abb}(X, \mathbb{R})$, wobei $k \in \mathbb{N} \cup \{\infty\}$.

Beispiel 3.87. Betrachten wir nun den $\mathbb{R}$-Vektorraum der reellen Folgen $V = \mathrm{Abb}(\mathbb{N}_0, \mathbb{R})$ aus Beispiel 3.75. Sei

$$W = \mathrm{Konv}(\mathbb{N}_0, \mathbb{R}) := \{f \in \mathrm{Abb}(\mathbb{N}_0, \mathbb{R}) \mid f \text{ konvergiert}\}$$

die Menge der konvergenten Folgen. Dann lernt man wiederum in der Analysis, dass die Summe zweier konvergenter Folgen wieder konvergiert, genauso das λ-fache einer konvergenten Folge. Die Nullfolge ist offensichtlich konvergent. Also ist $W = \mathrm{Konv}(\mathbb{N}_0, \mathbb{R})$ ein Untervektorraum von $V = \mathrm{Abb}(\mathbb{N}_0, \mathbb{R})$.

Beispiel 3.88. Sei $(V, +, \cdot)$ ein K-Vektorraum und sei $\mathcal{W}$ eine möglicherweise unendliche, aber auf jeden nicht leere Menge von Untervektorräumen von V. Dann ist der Durchschnitt

$$W = \bigcap_{W' \in \mathcal{W}} W'$$

---

[1]Ein Intervall heißt *nichtdegeneriert*, wenn es nicht leer ist und nicht nur einen Punkt enthält.

wieder ein Untervektorraum. Gehen wir rasch die drei Bedingungen aus Definition 3.81 durch. Da jedes $W' \in \mathcal{W}$ ein Untervektorraum ist, gilt $0 \in W'$ für alle $W' \in \mathcal{W}$ und damit $0 \in \bigcap_{W' \in \mathcal{W}} W' = W$.

Seien nun $v_1, v_2 \in W$. Dann sind v_1 und v_2 in W' für alle $W' \in \mathcal{W}$. Da jedes dieser W' ein Untervektorraum ist, ist $v_1 + v_2 \in W'$ für jedes dieser W' und damit auch $v_1 + v_2 \in \bigcap_{W' \in \mathcal{W}} W' = W$. Die dritte Bedingung überprüft man ähnlich.

Bemerkung 3.89. Die Vereinigung von Untervektorräumen eines Vektorraums ist im Allgemeinen kein Untervektorraum. So sind z.B. $W_1 = \{(x, 0)^{\mathsf{T}} \in \mathbb{R}^2 \mid x \in \mathbb{R}\}$ und $W_2 = \{(0, y)^{\mathsf{T}} \in \mathbb{R}^2 \mid y \in \mathbb{R}\}$ Untervektorräume des $\mathbb{R}$-Vektorraums $\mathbb{R}^2$, aber $W := W_1 \cup W_2$ ist kein Untervektorraum, da z.B. $(1, 0)^{\mathsf{T}} \in W_1 \subset W$ und $(0, 1)^{\mathsf{T}} \in W_2 \subset W$, aber $(1, 0)^{\mathsf{T}} + (0, 1)^{\mathsf{T}} = (1, 1)^{\mathsf{T}} \notin W$.

Definition 3.90. Sei $(V, +, \cdot)$ ein K-Vektorraum und seien $W_1, \ldots, W_n \subset V$ Untervektorräume. Wir definieren die **Summe** durch

$$W_1 + \ldots + W_n := \{v \in V \mid \exists w_j \in W_j \text{ so dass } v = w_1 + \ldots + w_n\}.$$

Die Summe $W := W_1 + \ldots + W_n$ von Untervektorräumen von V ist selbst wieder ein Untervektorraum von V, denn

1. Es ist $0 \in W$, da $0 \in W_j$ für alle $j = 1, \ldots, n$ und $0 = 0 + \ldots + 0$.

2. Seien $v, v' \in W$. Schreibe $v = w_1 + \ldots + w_n$ und $v' = w_1' + \ldots + w_n'$ mit $w_j, w_j' \in W_j$. Dann ist $v + v' = (w_1 + w_1') + \ldots + (w_n + w_n')$. Da $w_j + w_j' \in W_j$ ist, gilt $v + v' \in W$.

3. Sei $\lambda \in K$ und $v \in W$. Schreibe $v = w_1 + \ldots + w_n$ mit $w_j \in W_j$. Dann ist $\lambda \cdot v = (\lambda \cdot w_1) + \ldots + (\lambda \cdot w_n)$ und damit $\lambda \cdot v \in W$.

Kommen wir nun auf das Konzept der linearen Hülle zurück, das wir im Spezialfall des $\mathbb{R}$-Vektorraums $\mathbb{R}^n$ schon kennengelernt haben. Sei K ein Körper und V ein K-Vektorraum. Sei $X \subset V$ eine Teilmenge. Betrachten wir die Menge aller Untervektorräume von V, die X enthalten,

$$\mathcal{W} := \{W \subset V \mid W \text{ ist Untervektorraum mit } X \subset W\}.$$

Diese Menge $\mathcal{W}$ von Untervektorräumen ist nicht leer, da $V \in \mathcal{W}$. Dann wissen wir aus Beispiel 3.88, dass

$$\mathrm{L}(X) := \bigcap_{W \in \mathcal{W}} W$$

ein Untervektorraum von V ist.

Definition 3.91. Wir nennen $\mathrm{L}(X)$ die **lineare Hülle** von X.

Die lineare Hülle ist also der „kleinste" Untervektorraum von V, der X enthält.

Beispiel 3.92. Ist $X \subset V$ selbst ein Untervektorraum, dann ist $L(X) = X$.

Beispiel 3.93. Was ist die lineare Hülle der leeren Menge? In diesem Fall ist $\mathcal{W}$ die Menge aller Untervektorräume von V. Insbesondere ist $\{0\} \in \mathcal{W}$. Also gilt $L(\emptyset) = \{0\}$.

Beispiel 3.94. Sei V ein K-Vektorraum und $v \in V$. Was ist $L(\{v\})$? Ist $v = 0$, dann ist X ein Untervektorraum, nämlich der Nullvektorraum und damit gilt gemäß Beispiel 3.92

$$L(\{0\}) = \{0\}.$$

Sei nun $v \neq 0$. Mit v muss jeder Untervektorraum auch alle Vielfachen von v enthalten, also

$$K \cdot v \subset L(\{v\}),$$

wobei wir die Notation

$$K \cdot v := \{\lambda \cdot v \mid \lambda \in K\}$$

verwenden wollen. Da $K \cdot v$ selbst ein Untervektorraum von V ist, folgt

$$L(\{v\}) = K \cdot v.$$

Bemerkung 3.95. Ist V ein K-Vektorraum und sind $X, Y \subset V$ Teilmengen mit $X \subset Y$, dann gilt offensichtlich $L(X) \subset L(Y)$.

Das folgende Lemma besagt, dass die lineare Hülle einer Teilmenge eines Vektorraums V genau die Vektoren aus V enthält, die sich aus den Elementen von X linear kombinieren lassen.

> **Lemma 3.96.** *Sei K ein Körper und V ein K-Vektorraum. Sei $X \subset V$ eine Teilmenge, $X \neq \emptyset$. Dann gilt:*
>
> $$L(X) = \{v \in V \mid \exists v_1, \ldots, v_n \in X \;\exists \lambda_1, \ldots, \lambda_n \in K : \; v = \lambda_1 v_1 + \ldots + \lambda_n v_n\}.$$

Beweis. Wir setzen $W := \{v \in V \mid \exists v_1, \ldots, v_n \in X \;\exists \lambda_1, \ldots, \lambda_n \in K : \; v = \lambda_1 v_1 + \ldots + \lambda_n v_n\}$ und haben zu zeigen, dass $W = L(X)$.
Jeder Untervektorraum von V, der X enthält, muss auch alle Linearkombinationen der Elemente aus X enthalten. Also gilt

$$W \subset L(X).$$

Andererseits ist W selbst ein Untervektorraum von V, der X enthält. Also gilt auch

$$L(X) \subset W. \qquad \square$$

Beispiel 3.97. Sei $K = \mathbb{R}$ und $V = \text{Abb}(\mathbb{R}, \mathbb{R})$. Für jedes $k \in \mathbb{N}_0$ sei $f_k \in V$ gegeben durch

$$f_k(x) = x^k.$$

Die Elemente des Untervektorraums $\text{L}(X)$ mit $X = \{f_k \mid k \in \mathbb{N}_0\}$ nennt man **Polynomfunktionen**. Betrachten wir nun die Funktionen $g_k, h_k \in V$ gegeben durch

$$g_k(x) = \cos(kx) \quad \text{und} \quad h_k(x) = \sin(kx).$$

Dann nennt man die Elemente des Untervektorraums $\text{L}(X)$ mit $X = \{g_k \mid k \in \mathbb{N}_0\} \cup \{h_k \mid k \in \mathbb{N}\}$ **trigonometrische Polynome**.

Es gibt auch eine komplexe Version hiervon. Nehmen wir $K = \mathbb{C}$ und $V = \text{Abb}(\mathbb{R}, \mathbb{C})$ und setzen wir für alle $k \in \mathbb{Z}$

$$f_k(x) = e^{ikx},$$

dann heißen die Elemente des Untervektorraums $\text{L}(X)$ mit $X = \{f_k \mid k \in \mathbb{Z}\}$ **komplexe trigonometrische Polynome**.

3.4. Basen

Als Nächstes wollen wir die Konzepte „lineare Unabhängigkeit", „Erzeugendensystem" und „Basis", die wir bislang nur für Untervektorräume des $\mathbb{R}^n$ kennen, auf allgemeine Vektorräume übertragen.

Zunächst beweisen wir das Analogon zu Lemma 2.31.

Lemma 3.98. *Sei K ein Körper und V ein K-Vektorraum. Sei $X \subset V$ eine Teilmenge. Dann sind äquivalent:*

(1) Es gibt Skalare $\lambda_1, \ldots, \lambda_n \in K$, nicht alle gleich 0, sowie paarweise verschiedene Vektoren $v_1, \ldots, v_n \in X$ mit

$$\lambda_1 v_1 + \ldots + \lambda_n v_n = 0.$$

(2) Es gibt ein $v \in X$ mit $v \in \text{L}(X \setminus \{v\})$.

(3) Es gibt ein $v \in X$ mit $\text{L}(X \setminus \{v\}) = \text{L}(X)$.

Beweis. Es reicht die Implikationen „(1)$\Rightarrow$(2)", „(2)$\Rightarrow$(3)" sowie „(3)$\Rightarrow$(1)" zu zeigen.

Zu „(1)$\Rightarrow$(2)":

Seien $\lambda_1, \ldots, \lambda_n \in K$, nicht alle gleich 0, und $v_1, \ldots, v_n \in X$ paarweise verschieden, so dass

$$\lambda_1 \cdot v_1 + \ldots + \lambda_n \cdot v_n = 0.$$

Ohne Einschränkung der Allgemeinheit können wir annehmen, dass $\lambda_1 \neq 0$ (ansonsten nummerieren wir um). Dann ist λ_1 multiplikativ invertierbar. Multiplizieren wir in

$$\lambda_1 \cdot v_1 = -(\lambda_2 \cdot v_2 + \ldots + \lambda_n \cdot v_n) = (-1) \cdot (\lambda_2 \cdot v_2 + \ldots + \lambda_n \cdot v_n)$$

die linke Seite mit λ_1^{-1}, dann erhalten wir

$$\lambda_1^{-1} \cdot (\lambda_1 \cdot v_1) = (\lambda_1^{-1} \cdot \lambda_1) \cdot v_1 = 1 \cdot v_1 = v_1.$$

Die rechte Seite ergibt

$$\begin{aligned}
\lambda_1^{-1} \cdot ((-1) \cdot (\lambda_2 \cdot v_2 + \ldots + \lambda_n \cdot v_n)) &= (\lambda_1^{-1} \cdot (-1)) \cdot (\lambda_2 \cdot v_2 + \ldots + \lambda_n \cdot v_n) \\
&= (-\lambda_1^{-1}) \cdot (\lambda_2 \cdot v_2 + \ldots + \lambda_n \cdot v_n) \\
&= (-\lambda_1^{-1}) \cdot (\lambda_2 \cdot v_2) + \ldots + (-\lambda_1^{-1}) \cdot (\lambda_n \cdot v_n) \\
&= (-\lambda_1^{-1} \cdot \lambda_2) \cdot v_2 + \ldots + (-\lambda_1^{-1} \cdot \lambda_n) \cdot v_n.
\end{aligned}$$

Insgesamt ergibt sich

$$v_1 = (-\lambda_1^{-1} \cdot \lambda_2) \cdot v_2 + \ldots + (-\lambda_1^{-1} \cdot \lambda_n) \cdot v_n.$$

Da die v_j paarweise verschieden sind, liegen $v_2, \ldots, v_n \in X \setminus \{v_1\}$. Also folgt $v_1 \in L(X \setminus \{v_1\})$.

Zu „(2)$\Rightarrow$(3)":
Sei $v \in X$ mit $v \in L(X \setminus \{v\})$. Offenbar gilt $L(X \setminus \{v\}) \subset L(X)$. Bleibt also $L(X) \subset L(X \setminus \{v\})$ zu zeigen. Sei $w \in L(X)$. Gemäß Lemma 3.96 existieren dann $v_1, \ldots, v_n \in X$ und $\lambda_1, \ldots, \lambda_n \in K$ mit

$$w = \lambda_1 v_1 + \ldots + \lambda_n v_n. \tag{3.3}$$

Stimmt keines der v_j mit v überein, dann ist $w \in L(X \setminus \{v\})$ und wir sind fertig. Nehmen wir also an, v stimmt mit einem der v_j überein. Ohne Beschränkung der Allgemeinheit können wir annehmen, dass $v = v_1$. Wegen $v_1 = v \in L(X \setminus \{v\})$ gibt es wiederum nach Lemma 3.96 $u_1, \ldots, u_m \in X \setminus \{v\}$ und Skalare $\mu_1, \ldots, \mu_m \in K$ mit

$$v_1 = \mu_1 u_1 + \ldots + \mu_m u_m. \tag{3.4}$$

Wir setzen (3.4) in (3.3) ein und erhalten

$$w = \lambda_1 \mu_1 u_1 + \ldots + \lambda_1 \mu_m u_m + \lambda_2 v_2 + \ldots + \lambda_n v_n \in L(X \setminus \{v\}).$$

Zu „(3)$\Rightarrow$(1)":
Sei $v \in X$ mit $L(X \setminus \{v\}) = L(X)$. Dann ist $v \in L(X \setminus \{v\})$. Also gibt es $u_1, \ldots, u_m \in X \setminus \{v\}$ und $\mu_1, \ldots, \mu_m \in K$ mit

$$v = \mu_1 u_1 + \ldots + \mu_m u_m.$$

Ohne Beschränkung der Allgemeinheit können wir annehmen, dass die Vektoren $u_1, \ldots, u_m$ paarweise verschieden sind (ansonsten entfernen wir bereits vorhandenes u_j und addieren die zugehörigen Koeffizienten). Dann haben wir durch

$$1 \cdot v + (-\mu_1)u_1 + \ldots + (-\mu_m)u_m = 0$$

eine Linearkombination des Nullvektors gefunden, in der alle Vektoren paarweise verschieden sind und nicht alle Koeffizienten gleich 0. $\qquad\qquad\square$

Bemerkung 3.99. Der Beweis zeigt auch, dass wenn $v \in X$ die Bedingung (2) erfüllt, dass dann *dasselbe* v auch die Bedingung (3) erfüllt und umgekehrt.

> **Definition 3.100.** Sei K ein Körper und V ein K-Vektorraum. Eine Teilmenge $X \subset V$ heißt **linear abhängig**, wenn eine (und damit alle) Bedingung aus Lemma 3.98 gilt. Ansonsten heißt X **linear unabhängig**.

Beispiel 3.101. Die leere Menge $X = \emptyset$ ist offenbar linear unabhängig.

Beispiel 3.102. Sei $K = \mathbb{R}$ und $V = \mathrm{Abb}(\mathbb{R}, \mathbb{R})$. Sei $X = \{f, g, h\}$, wobei $f(x) = 5$, $g(x) = \sin(x)^2$ und $h(x) = \cos(x)^2$. Dann ist X linear abhängig, denn aus der bekannten Relation

$$\sin(x)^2 + \cos(x)^2 = 1$$

folgt

$$-1 \cdot f + 5 \cdot g + 5 \cdot h = 0,$$

was eine nichttriviale Linearkombination der 0 ist.

Beispiel 3.103. Betrachten wir wie in Beispiel 3.97 $K = \mathbb{R}$, $V = \mathrm{Abb}(\mathbb{R}, \mathbb{R})$ und $X = \{f_k \mid k \in \mathbb{N}_0\}$, wobei $f_k(x) = x^k$. Dann ist X linear unabhängig. Sei nämlich $\lambda_1 f_{k_1} + \ldots + \lambda_n f_{k_n} = 0$. Wir können die Nummerierung so wählen, dass $0 \leq k_1 < \ldots < k_n$. Da die Polynomfunktion $\lambda_1 x^{k_1} + \ldots + \lambda_n x^{k_n}$ konstant 0 ist, gilt dies auch für die k_n-te Ableitung, d.h.

$$\lambda_n \cdot (k_n)! \cdot 1 = 0.$$

Also ist $\lambda_n = 0$ und wir erhalten die Gleichung $\lambda_1 f_{k_1} + \ldots + \lambda_{n-1} f_{k_{n-1}} = 0$. Wir fahren induktiv fort und sehen, dass alle Koeffizienten gleich 0 sein müssen.

Beispiel 3.104. Nun betrachten wir die komplexen trigonometrischen Polynome in Beispiel 3.97. Sei also $K = \mathbb{C}$, $V = \mathrm{Abb}(\mathbb{R}, \mathbb{C})$ und $f_k(x) = e^{ikx}$ mit $k \in \mathbb{Z}$. Dann ist $X = \{f_k \mid k \in \mathbb{Z}\}$ linear unabhängig. Um das einzusehen, machen wir zunächst folgende

Vorüberlegung. Wenn $k = 0$ ist, dann ist f_0 konstant gleich 1 und wir erhalten für das Integral

$$\int_0^{2\pi} f_0(x)dx = 2\pi.$$

Ist dagegen $k \neq 0$, dann ist $\frac{1}{ik}e^{ikx}$ eine Stammfunktion[2] von f_k und wir erhalten

$$\int_0^{2\pi} f_k(x)dx = \frac{1}{ik}[e^{ik\cdot 2\pi} - e^{ik\cdot 0}] = \frac{1}{ik}[1 - 1] = 0.$$

Soweit die Vorüberlegung. Sei nun

$$\lambda_1 f_{k_1} + \ldots + \lambda_n f_{k_n} = 0, \tag{3.5}$$

wobei die k_j paarweise verschieden sind. Für jedes $j = 1, \ldots, n$ können wir jetzt Folgendes machen: Wir multiplizieren (3.5) mit $e^{-ik_j x}$ und erhalten für alle $x \in \mathbb{R}$:

$$\lambda_1 e^{i(k_1-k_j)x} + \ldots + \lambda_j + \ldots + \lambda_n e^{i(k_n-k_j)x} = 0.$$

Integration über das Intervall $[0, 2\pi]$ liefert dann $\lambda_j \cdot 2\pi = 0$, also $\lambda_j = 0$.

Definition 3.105. Sei K ein Körper und V ein K-Vektorraum. Eine Teilmenge $X \subset V$ heißt **Erzeugendensystem** von V, falls $L(X) = V$. Eine Teilmenge $X \subset V$ heißt **Basis** von V, falls X ein linear unabhängiges Erzeugendensystem von V ist.

Bemerkung 3.106. Jeder Vektorraum besitzt ein Erzeugendensystem, z.B. $X = V$. Dass X ein Erzeugendensystem von V ist, heißt dass jedes Element von V als Linearkombination von Elementen von X dargestellt werden kann. Dass X eine Basis von V ist, heißt dass jedes Element von V *auf eindeutige Weise* als Linearkombination von Elementen von X dargestellt werden kann. Haben wir nämlich $v \in V$ auf zwei Weisen als Linearkombination von paarweise verschiedenen Elementen $v_1, \ldots, v_n \in X$ dargestellt,

$$v = \lambda_1 v_1 + \ldots + \lambda_n v_n = \mu_1 v_1 + \ldots + \mu_n v_n,$$

dann ist

$$(\lambda_1 - \mu_1)v_1 + \ldots + (\lambda_n - \mu_n)v_n = 0$$

und wegen der linearen Unabhängigkeit ist $\lambda_j - \mu_j = 0$ für alle j.

---

[2]Komplexwertige Funktionen werden integriert, indem man Real- und Imaginärteil einzeln integriert. Der Hauptsatz der Differential- und Integralrechnung bleibt gültig, da man ihn separat auf Real- und Imaginärteil anwenden kann.

Beispiel 3.107. Sei K ein Körper und $V = K^n$. Wie in Beispiel 2.40 definieren wir die Vektoren $e_1, \ldots, e_n \in K^n$. Dann ist $X = \{e_1, \ldots, e_n\}$ die **Standardbasis** von K^n. Jedes $v \in K^n$ kann nämlich durch

$$v = \begin{pmatrix} v_1 \\ v_2 \\ \vdots \\ v_n \end{pmatrix} = v_1 \cdot \begin{pmatrix} 1 \\ 0 \\ \vdots \\ 0 \end{pmatrix} + \ldots + v_n \cdot \begin{pmatrix} 0 \\ \vdots \\ 0 \\ 1 \end{pmatrix}$$

eindeutig durch die Standardbasisvektoren $e_1, \ldots, e_n$ linearkombiniert werden.

Beispiel 3.108. Die komplexen Zahlen $\mathbb{C}$ betrachtet als $\mathbb{R}$-Vektorraum haben die Basis $\{1, i\}$. Jede komplexe Zahl kann ja auf eindeutige Weise aus 1 und i mit *reellen* Koeffizienten linearkombiniert werden. Diese Koeffizienten sind der Real- und Imaginärteil der komplexen Zahl.

Wenn wir dagegen $\mathbb{C}$ als $\mathbb{C}$-Vektorraum betrachten, dann hat $\mathbb{C}$ die Basis $\{1\}$. Denn jede komplexe Zahl kann eindeutig als *komplexes* Vielfaches von 1 geschrieben werden. Der Koeffizient ist die komplexe Zahl selbst. In diesem Fall ist $\{1, i\}$ linear abhängig und damit keine Basis. Eine nichttriviale Linearkombination der 0 mit komplexen Koeffizienten wäre z.B.

$$1 \cdot 1 + i \cdot i = 0.$$

In einem solchen Fall sagen wir, $\{1, i\}$ ist linear unabhängig über $\mathbb{R}$, aber linear abhängig über $\mathbb{C}$.

Bemerkung 3.109. Ist K ein Körper, V ein K-Vektorraum und $X \subset V$ linear unabhängig, dann ist X eine Basis des Untervektorraums $\mathrm{L}(X)$.

Beispiel 3.110. Die Menge $\{f_k \mid k \in \mathbb{N}_0\}$ mit $f_k(x) = x^k$ bildet eine Basis des $\mathbb{R}$-Vektorraums der reellen Polynomfunktionen. Die Menge $\{f_k \mid k \in \mathbb{Z}\}$ mit $f_k(x) = e^{ikx}$ bildet eine Basis des $\mathbb{C}$-Vektorraums der komplexen trigonometrischen Polynome.

Bemerkung 3.111. Sei X eine Teilmenge eines Vektorraums V über einem Körper K. Ist X linear unabhängig, dann ist auch jede Teilmenge $X' \subset X$ linear unabhängig. Ist X ein Erzeugendensystem von V, dann ist auch jede Menge X'' mit $X \subset X'' \subset V$ ein Erzeugendensystem von V.

> **Lemma 3.112.** *Sei V ein K-Vektorraum, sei $X \subset V$ linear unabhängig und sei $v \in V \setminus \mathrm{L}(X)$. Dann ist auch $X \cup \{v\}$ linear unabhängig.*

Beweis. Angenommen, $X \cup \{v\}$ ist linear abhängig. Nach Kriterium (2) in Lemma 3.98 gibt es dann ein $v_0 \in X \cup \{v\}$ mit $v_0 \in \mathrm{L}((X \cup \{v\}) \setminus \{v_0\})$. Daraus müssen wir eine Widerspruch herleiten. Wir unterscheiden zwei Fälle, je nachdem, ob $v = v_0$ oder nicht.

1. Fall: Sei $v_0 = v$.

Dann ist $v \in L((X \cup \{v\}) \setminus \{v\}) = L(X)$, was der Voraussetzung im Lemma widerspricht.

2. Fall: Sei $v_0 \neq v$, d.h. $v_0 \in X$.

Wegen $v_0 \in L((X \cup \{v\}) \setminus \{v_0\})$ finden wir Vektoren $u_1, \ldots, u_n \in X \setminus \{v_0\}$ und Skalare $\lambda_1, \ldots, \lambda_n, \mu \in K$, so dass

$$v_0 = \lambda_1 u_1 + \ldots + \lambda_n u_n + \mu v. \tag{3.6}$$

Ist nun $\mu = 0$, dann ist $v_0 \in L(X \setminus \{v_0\})$, was nach dem dritten Kriterium in Lemma 3.98 sagt, dass X linear abhängig ist, im Widerspruch zur Annahme.

Ist dagegen $\mu \neq 0$, dann können wir (3.6) nach v auflösen und erhalten v als Linearkombination der Vektoren $v_0, u_1, \ldots, u_n$. Damit ist $v \in L(X)$, ebenfalls im Widerspruch zur Annahme. $\square$

Satz 3.113. *Sei K ein Körper, $V \neq \{0\}$ ein K-Vektorraum und $X \subset V$ eine Teilmenge. Dann sind äquivalent:*

(1) X ist eine Basis von V.

*(2) X ist ein **minimales Erzeugendensystem** von V, d.h. X ist ein Erzeugendensystem von V und für jedes $v \in X$ ist $X \setminus \{v\}$ kein Erzeugendensystem von V.*

*(3) X ist eine **maximale linear unabhängige Teilmenge**, d.h. X ist linear unabhängig und für jedes $v \in V \setminus X$ ist $X \cup \{v\}$ linear abhängig.*

Beweis. Zu „(1)$\Rightarrow$(2)":

Sei X eine Basis von V. Dann ist X insbesondere ein Erzeugendensystem von V. Zu zeigen bleibt die Minimalität von X.

Angenommen, es existiert ein $v \in X$ so dass $X \setminus \{v\}$ noch ein Erzeugendensystem V ist. Dann ist $v \in V = L(X \setminus \{v\})$. Nach Lemma 3.98 (2) ist X linear abhängig im Widerspruch dazu, dass X eine Basis ist.

Zu „(2)$\Rightarrow$(1)":

Sei X ein minimales Erzeugendensystem von V. Wegen der Minimalität gilt für jedes $v \in V$:

$$L(X \setminus \{v\}) \neq V = L(X).$$

Nach Lemma 3.98 (3) ist X linear unabhängig und damit eine Basis.

Zu „(1)$\Rightarrow$(3)":

Sei X eine Basis von V. Dann ist X insbesondere linear unabhängig. Für jedes $v \in V$ ist

$$V = L(X) \subset L(X \cup \{v\}) \subset V$$

also $L(X) = L(X \cup \{v\})$. Ist nun $v \in V \setminus X$, dann folgt aus Lemma 3.98 (2), dass $X \cup \{v\}$ linear abhängig ist.

Schließlich zeigen wir die Implikation „(3)$\Rightarrow$(1)“: Sei also X eine maximale linear unabhängige Teilmenge von V. Zu zeigen bleibt, dass X ein Erzeugendensystem von V ist, d.h. dass $L(X) = V$. Angenommen, es gibt ein $v \in V \setminus L(X)$. Nach Lemma 3.112 ist dann $X \cup \{v\}$ auch linear unabhängig, im Widerspruch zur Maximalität von X. $\qquad\square$

Definition 3.114. Ein K-Vektorraum V heißt **endlich erzeugt**, falls V ein endliches Erzeugendensystem besitzt, d.h. falls es eine endliche Menge $X = \{v_1, \ldots, v_m\}$ gibt, so dass $V = L(X)$.

Beispiel 3.115. In Korollar 2.45 haben wir festgestellt, dass jeder Untervektorraum von $\mathbb{R}^n$ eine Basis hat, die wegen Korollar 2.43 höchstens n Elemente haben kann. Daher ist jeder Untervektorraum endlich erzeugt.

Beispiel 3.116. Für jeden Körper K besitzt K^n die Standardbasis, die genau n Elemente hat. Also ist K^n endlich erzeugt.

Beispiel 3.117. Wir haben bereits gesehen, dass $\mathbb{C}$ als $\mathbb{R}$-Vektorraum die Basis $\{1, i\}$ hat, also insbesondere endlich erzeugt ist. Ist nun $\mathbb{R}$ als $\mathbb{Q}$-Vektorraum endlich erzeugt? Die Antwort lautet nein. Denn nehmen wir an, $\mathbb{R}$ wäre über $\mathbb{Q}$ endlich erzeugt. Dann gäbe es endlich viele reelle Zahlen $x_1, \ldots, x_n$, so dass sich jede reelle Zahl x in der Form

$$x = q_1 x_1 + \ldots + q_n x_n$$

schreiben lässt, wobei $q_1, \ldots, q_n \in \mathbb{Q}$ geeignete rationale Koeffizienten sind. Mit anderen Worten, die Abbildung

$$\Phi \colon \mathbb{Q}^n \to \mathbb{R}, \quad (q_1, \ldots, q_n) \mapsto q_1 x_1 + \ldots + q_n x_n,$$

wäre surjektiv. Mit $\mathbb{Q}$ ist auch $\mathbb{Q}^n$ abzählbar, also gibt es eine bijektive Abbildung $\Psi \colon \mathbb{N} \to \mathbb{Q}^n$. Also wäre $\Phi \circ \Psi \colon \mathbb{N} \to \mathbb{R}$ eine surjektive Abbildung und $\mathbb{R}$ müsste ebenfalls abzählbar sein. Wir wissen aber bereits, dass $\mathbb{R}$ überabzählbar ist.

Lemma 3.118. *Sei V ein K-Vektorraum und seien $X_1 \subset X_2 \subset \cdots \subset V$ ineinander enthaltene Teilmengen von V. Ist jedes X_j linear unabhängig, so ist auch die Vereinigungsmenge $X := X_1 \cup X_2 \cup \cdots$ linear unabhängig.*

Bemerkung 3.119. Falls wir nur endliche viele solcher ineinander geschachtelter linear unabhängiger Mengen $X_1 \subset \ldots \subset X_N \subset V$ haben, ist die Aussage des Lemmas trivial, da dann ja einfach $X = X_N$ gilt. Interessant ist das Lemma also nur im Fall, dass wir eine unendliche Kette ineinander geschachtelter linear unabhängiger Teilmengen von V vorliegen haben.

Beweis von Lemma 3.118. Seien $v_1, \ldots, v_n \in X$ paarweise verschieden und seien $\lambda_1, \ldots, \lambda_n \in K$, so dass

$$\lambda_1 v_1 + \ldots + \lambda_n v_n = 0. \tag{3.7}$$

Nach Definition von X gibt es zu jedem $k \in \{1, \ldots, n\}$ ein j_k mit $v_k \in X_{j_k}$. Sei $N :=$ $\max\{j_1, \ldots, j_n\}$. Da die X_j ineinander enthalten sind, gilt $X_{j_k} \subset X_N$ und damit $v_k \in X_N$ für alle $k \in \{1, \ldots, n\}$. Da X_N linear unabhängig ist, folgt aus (3.7), dass $\lambda_1 = \ldots = \lambda_n = 0$, was zu zeigen war. $\qquad\square$

Lemma 3.120. *Sei V ein K-Vektorraum, der nicht endlich erzeugt ist. Dann enthält V eine unendliche linear unabhängige Teilmenge.*

Beweis. Wir konstruieren induktiv für jedes $j \in \mathbb{N}_0$ linear unabhängige Teilmengen $X_j \subset V$ mit $\#X_j = j$, die ineinander geschachtelt sind, d.h. $X_j \subset X_{j+1}$. Nach Lemma 3.118 ist dann $X := \bigcup_{j=0}^{\infty} X_j = \bigcup_{j=1}^{\infty} X_j$ eine linear unabhängige Teilmenge von V mit unendlich vielen Elementen.

Für $j = 0$ setzen wir $X_0 := \emptyset$. Sei nun X_j, eine linear unabhängige Teilmenge von V mit genau j Elementen, bereits konstruiert. Da V nicht endlich erzeugt ist, kann X_j kein Erzeugendensystem von V sein. Also gibt es ein $v \in V \setminus \mathrm{L}(X_j)$. Wir setzen $X_{j+1} := X_j \cup \{v\}$. Wegen $v \notin X_j$ hat X_{j+1} genau $j + 1$ viele Elemente. Wegen Lemma 3.112 ist X_{j+1} ebenfalls linear unabhängig. $\square$

Satz 3.121 (Basisauswahlsatz). *Sei V ein K-Vektorraum und $X \subset V$ ein endliches Erzeugendensystem. Dann gibt es eine Teilmenge $B \subset X$, die Basis von V ist.*

Beweis. Sei X ein endliches Erzeugendensystem von V. Falls X linear unabhängig ist, so ist bereits $B = X$ eine Basis von V und wir sind fertig.

Sei also X linear abhängig. Dann gibt es nach Lemma 3.98 ein $v \in X$ mit $\mathrm{L}(X \setminus \{v\}) = \mathrm{L}(X) = V$. Dann ist $X' := X \setminus \{v\}$ wieder ein endliches Erzeugendensystem von V mit einem Element weniger als X. Wir setzen das Verfahren fort und entfernen solange Elemente bis wir ein minimales Erzeugendensystem erhalten. Da X endlich ist, ist dies nach endlich vielen Schritten der Fall. Das so erhaltene minimale Erzeugendensystem ist nach Satz 3.113 eine Basis von V. $\qquad\square$

Damit haben wir auch:

Korollar 3.122. *Jeder endlich erzeugte Vektorraum besitzt eine endliche Basis.* $\qquad\square$

> **Proposition 3.123.** *Sei V ein K-Vektorraum. Seien $X, Y \subset V$ endliche Teilmengen, so dass X linear unabhängig ist und Y ein Erzeugendensystem. Dann gilt:*
>
> $$\#X \leq \#Y.$$

Bemerkung 3.124. Bevor wir die Proposition beweisen, eine Bemerkung über lineare Gleichungssysteme über einem allgemeinen Körper K. Seien $A_{ij} \in K$ mit $i = 1, \ldots, m$ und $j = 1, \ldots, n$. Dann hat das homogene lineare Gleichungssystem

$$A_{11} \cdot x_1 + A_{12} \cdot x_2 + \ldots + A_{1n} \cdot x_n = 0$$
$$\vdots$$
$$A_{m1} \cdot x_1 + A_{m2} \cdot x_2 + \ldots + A_{mn} \cdot x_n = 0 \tag{3.8}$$

sicherlich die triviale Lösung $(x_1, \ldots, x_n) = (0, \ldots, 0)$. Gilt nun $n > m$, d.h. haben wir weniger Gleichungen als Variablen, dann besitzt das Gleichungssystem auch eine nichttriviale Lösung, d.h. eine Lösung $(x_1, \ldots, x_n) \neq (0, \ldots, 0)$. Im Fall $K = \mathbb{R}$ haben wir das in Bemerkung 2.23 bewiesen. Derselbe Beweis funktioniert auch für allgemeine Körper K; wir haben im Beweis nirgendwo irgendwelche speziellen Eigenschaften der reellen Zahlen benutzt.

Beweis von Proposition 3.123. Sei $\#X = n$ und $X = \{v_1, \ldots, v_n\}$ sowie $\#Y = m$ und $Y = \{w_1, \ldots, w_m\}$. Wir führen die Annahme $n > m$ zum Widerspruch.
Da Y ein Erzeugendensystem ist, lässt sich jedes v_j aus den w_i linearkombinieren, d.h. es gibt Koeffizienten $A_{ij} \in K$, so dass für alle $j = 1, \ldots, n$ gilt

$$v_j = A_{1j} w_1 + \ldots + A_{mj} w_m.$$

Nach Bemerkung 3.124 gibt es im Fall $n > m$ eine Lösung $(x_1, \ldots, x_n) \neq (0, \ldots, 0)$ des Gleichungssystems (3.8). Dann folgt

$$\begin{aligned}
x_1 v_1 + \ldots + x_n v_n &= x_1(A_{11} w_1 + \ldots + A_{m1} w_m) + \ldots + x_n(A_{1n} w_1 + \ldots + A_{mn} w_m) \\
&= (A_{11} x_1 + \ldots + A_{1n} x_n) w_1 + \ldots + (A_{m1} x_1 + \ldots + A_{mn} x_n) w_m \\
&= 0 \cdot w_1 + \ldots + 0 \cdot w_m \\
&= 0.
\end{aligned}$$

Da $v_1, \ldots, v_n$ paarweise verschieden sind und nicht alle Koeffizienten $x_j = 0$, ist dies eine nichttriviale Linearkombination des Nullvektors. Dies widerspricht der linearen Unabhängigkeit von X. $\qquad\square$

Als erste Folgerung halten wir die Umkehrung von Lemma 3.120 fest:

> **Korollar 3.125.** *Sei V ein K-Vektorraum. Enthält V eine unendliche linear unabhängige Teilmenge, so ist V nicht endlich erzeugt.*

Beweis. Angenommen, V besitzt ein endliches Erzeugendensystem Y und eine unendliche linear unabhängige Teilmenge X. Wähle eine Teilmenge $X' \subset X$ mit genau $\#Y + 1$ vielen Elementen. Als Teilmenge von X ist auch X' wieder linear unabhängig. Nun verletzen X' und Y die Ungleichung aus Proposition 3.123. $\qquad\square$

Beispiel 3.126. Der $\mathbb{R}$-Vektorraum $V = \mathrm{Abb}(\mathbb{R}, \mathbb{R})$ besitzt unendliche linear unabhängige Teilmengen und ist daher nicht endlich erzeugt. Nach Beispiel 3.103 ist $X = \{f_0, f_1, f_2, \ldots\}$ mit $f_k(x) = x^k$ linear unabhängig.
Genauso ist auch der $\mathbb{C}$-Vektorraum $V = \mathrm{Abb}(\mathbb{R}, \mathbb{C})$ nicht endlich erzeugt, da nach Beispiel 3.104 die Menge $X = \{f_k \mid k \in \mathbb{Z}\}$ mit $f_k(x) = e^{ikx}$ linear unabhängig ist.

Als zweite Folgerung erhalten wir:

> **Korollar 3.127.** *Sei V ein endlich erzeugter K-Vektorraum. Dann ist jede Basis von V endlich und alle Basen von V haben gleich viele Elemente.*

Beweis. Da V endlich erzeugt ist und jede Basis linear unabhängig ist, muss sie nach Korollar 3.125 endlich sein.
Seien nun B und B' zwei Basen von V. Wenden wir Proposition 3.123 mit $X = B$ und $Y = B'$ an, so erhalten wir $\#B \leq \#B'$. Wir können die Proposition aber auch mit $X = B'$ und $Y = B$ anwenden und erhalten $\#B' \leq \#B$. Beides zusammen ergibt $\#B = \#B'$. $\qquad\square$

> **Definition 3.128.** Sei V ein K-Vektorraum. Ist B eine endliche Basis von V, dann nennen wir $\#B \in \mathbb{N}_0$ die **Dimension** von V und schreiben dafür $\dim(V)$. Wegen Korollar 3.127 hängt die Dimension nicht von der Wahl der Basis B, sondern nur von V ab.
> Ist V nicht endlich erzeugt, so schreiben wir $\dim(V) = \infty$.
> Wir sagen ferner, der Vektorraum ist **$\dim(V)$-dimensional**.

Beispiel 3.129. Da die Standardbasis von K^n genau n Elemente hat, gilt $\dim(K^n) = n$. Da $\mathrm{Abb}(\mathbb{R}, \mathbb{R})$ nicht endlich erzeugt ist, gilt $\dim(\mathrm{Abb}(\mathbb{R}, \mathbb{R})) = \infty$.

Beispiel 3.130. Wir hatten $\mathbb{C}$ sowohl als reellen als auch als komplexen Vektorraum betrachtet.

Möchten man verdeutlichen, welcher Körper K einem Vektorraum V zugrunde gelegt wird, so schreibt man auch $\dim_K(V)$ statt $\dim(V)$. Für $V = \mathbb{C}$ hatten wir als Basis über $K = \mathbb{R}$ die Menge $\{1, i\}$ und als Basis über $\mathbb{C}$ die Menge $\{1\}$. Also ist

$$\dim_{\mathbb{R}}(\mathbb{C}) = 2 \qquad \text{und} \qquad \dim_{\mathbb{C}}(\mathbb{C}) = 1.$$

Da $\mathbb{R}$ als $\mathbb{Q}$-Vektorraum nicht endlich erzeugt ist, haben wir sogar

$$\dim_{\mathbb{Q}}(\mathbb{R}) = \infty \qquad \text{und} \qquad \dim_{\mathbb{R}}(\mathbb{R}) = 1.$$

Der folgende Satz besagt, dass man (im endlich erzeugten Fall) aus einer linearen unabhängigen Menge eine Basis machen kann, indem man endlich viele geeignete Elemente aus V hinzunimmt.

Satz 3.131 (Basisergänzungssatz). *Sei V ein endlich erzeugter K-Vektorraum und sei $X \subset V$ linear unabhängig.*
Dann gibt es eine Basis B von V mit $X \subset B$.

Beweis. Wir setzen $X_0 := X$ und definieren linear unabhängige Mengen X_j, die X enthalten, induktiv wie folgt: Ist $\mathrm{L}(X_j) = V$, dann ist X_j eine Basis von V und der Satz ist mit $B = X_j$ bewiesen. Ist hingegen $\mathrm{L}(X_j) \subsetneq V$, dann wählen wir ein Element $v_{j+1} \in V \setminus \mathrm{L}(X_j)$ und setzen $X_{j+1} := X \cup \{v_{j+1}\}$. Wegen Lemma 3.112 ist X_{j+1} wiederum linear unabhängig und enthält X_j und damit auch X. Außerdem hat X_{j+1} ein Element mehr als X_j. Da eine linear unabhängige Teilmenge von V nicht mehr als $\dim(V)$ viele Elemente haben kann, bricht die Prozedur irgendwann ab und der Satz ist bewiesen. $\qquad\square$

Korollar 3.132. *Sei V ein K-Vektorraum und $W \subset V$ ein Untervektorraum. Ist V endlich erzeugt, so ist auch W endlich erzeugt und es gilt*

$$\dim(W) \leq \dim(V).$$

Gilt unter diesen Voraussetzungen ferner $\dim(W) = \dim(V)$, so ist $W = V$.

Beweis. Wäre W nicht endlich erzeugt, so enthielte W gemäß Lemma 3.120 eine unendliche linear unabhängige Teilmenge X. Damit enthielte auch V diese unendliche linear unabhängige Teilmenge X und wäre nach Korollar 3.125 nicht endlich erzeugt, im Widerspruch zur Annahme. Also ist W endlich erzeugt.
Gemäß Korollar 3.122 besitzt W eine endliche Basis $B \subset W$. Nun ist B auch eine linear unabhängige Teilmenge von V und kann gemäß Satz 3.131 zu einer Basis B' von V ergänzt werden. Insbesondere gilt

$$\dim(W) = \#B \leq \#B' = \dim(V).$$

Gilt nun ferner $\dim(W) = \dim(V)$, so muss $B = B'$ sein und damit $W = \mathrm{L}(B) = \mathrm{L}(B') = V$. $\square$

Grob gesprochen besagt der Basisauswahlsatz, dass man eine Basis bekommen kann, indem man aus einem Erzeugendensystem überflüssige Elemente entfernt, und der Basisergänzungssatz, dass man eine Basis bekommen kann, indem man zu einer linear unabhängigen Teilmenge geeignete Elemente hinzufügt.

Fassen wir kurz zusammen. Ist V ein K-Vektorraum, so sind äquivalent:

(1) V ist endlich erzeugt.

(2) V hat eine endliche Basis.

(3) $\dim(V) < \infty$.

(4) Alle linear unabhängigen Teilmengen sind endlich.

Dass es überhaupt immer eine Basis gibt, haben wir nur für endlich erzeugte Vektorräume bewiesen. Tatsächlich gilt

Satz 3.133. *Sei K ein beliebiger Körper und V ein beliebiger K-Vektorraum. Dann besitzt V eine Basis.*

Versucht man, den Beweis des Basisauswahlsatzes 3.121 anzupassen, stößt man auf das Problem, dass das sukzessive Weglassen überflüssiger Elemente aus einem *unendlichen* Erzeugendensystem niemals zu enden braucht. Diese Schwierigkeit kann aber mittels eines mengentheoretischen Hilfsmittels, dem sogenannten „Lemma von Zorn", behoben werden. Für die Einzelheiten hierzu und einen Beweis von Satz 3.133 siehe z.B. [13, Abschnitt 2.3].

In einer Menge gibt es für die Elemente keine vorgegebene Reihenfolge. Wenn wir später lineare Abbildungen einführen und sie durch Matrizen beschreiben, brauchen wir aber eine Reihenfolge der Basisvektoren. Daher machen wir die folgende Definition:

Definition 3.134. Sei V ein K-Vektorraum. Ein n-Tupel paarweise verschiedener Vektoren $(v_1, \ldots, v_n)$ aus V heißt **geordnete Basis** von V, wenn $\{v_1, \ldots, v_n\}$ eine Basis im herkömmlichen Sinn ist.

Beispiel 3.135. Für $V = K^n$ ist $(e_1, \ldots, e_n)$ die **geordnete Standardbasis**, wobei die Vektoren $e_1, \ldots, e_n$ so sind wie in Beispiel 2.40. Setzen wir $n \geq 2$ voraus. Dann ist $(e_2, e_1, e_3, \ldots, e_n)$ eine andere geordnete Basis von K^n als die geordnete Standardbasis, wohingegen $\{e_2, e_1, e_3, \ldots, e_n\} = \{e_1, e_2, e_3, \ldots, e_n\}$ die Standardbasis ist.

3.5. Aufgaben

3.1. Sei $G = \mathbb{R}_+$ und $*$ definiert durch

$$a * b = \frac{1}{\frac{1}{a} + \frac{1}{b}}.$$

Zeigen Sie, dass $(G, *)$ eine abelsche Halbgruppe bildet. Hat diese Halbgruppe ein neutrales Element?

3.2. a) Zeigen Sie, dass in jeder Gruppe $(G, *)$ die Kürzungsregel gilt:

Sind $g, x, y \in G$ mit $g * x = g * y$, dann gilt $x = y$.

b) Zeigen Sie durch Gegenbeispiel, dass die Kürzungsregel in Halbgruppen im Allgemeinen nicht gilt.

c) Sei $(G, *)$ eine Gruppe mit neutralem Element e und seien $g, h \in G$. Zeigen Sie, dass aus $g * h = e$ oder $h * g = e$ bereits folgt, dass h das zu g inverse Element ist.

Das können wir folgendermaßen ausdrücken: in Gruppen sind Linksinverse automatisch auch Rechtsinverse und umgekehrt. Das ist praktisch, halbiert es doch den Rechenaufwand beim Nachprüfen, dass ein Element das Inverse eines anderen Elements ist.

d) Zeigen Sie durch Gegenbeispiel, dass die Aussage c) in Halbgruppen im Allgemeinen nicht richtig ist.

3.3. Zeigen Sie durch vollständige Induktion, dass die symmetrische Gruppe S_n genau $n!$ Elemente hat.

3.4. Listen Sie alle Untergruppen von S_3 auf.

3.5. Sei $(G, *)$ eine Gruppe und $H \subset G$ eine Teilmenge, die das neutrale Element enthält. Zeigen Sie, dass H genau dann eine Untergruppe ist, wenn für alle $h_1, h_2 \in H$ gilt:

$$h_1 * (h_2)^{-1} \in H.$$

3.6. Zeigen Sie, dass $\mathrm{GL}(n, \mathbb{R})$ für $n \geq 2$ nicht abelsch ist.

3.7. Zeigen Sie, dass für jede Transposition τ gilt: $\mathrm{sgn}(\tau) = -1$.

3.8. Eine deutsche **IBAN** (International Bank Account Number) setzt sich folgendermaßen zusammen: Die Länderkennung DE wird gefolgt von zwei Prüfziffern, dann 8 Ziffern, die die Bank festlegen (die ehemalige Bankleitzahl), und schließlich 10 Ziffern für die eigentliche Kontonummer bei dieser Bank. Die Prüfziffern sollen für eine gewissen Redundanz sorgen und z.B. verhindern, dass bei Schreibfehlern eine Überweisung auf dem falschen Konto landet. Dabei sind die Prüfziffern so zu wählen, dass folgende Rechnung zum Ergebnis 1 führt:

1. Bewege die Länderkennung und die beiden Prüfziffern vom Anfang an das Ende der IBAN.

   Beispiel: DE68210501700012345678 $\rightsquigarrow$ 210501700012345678DE68

2. Ersetze die Buchstaben durch Ziffern, wobei A=10, B=11, ..., Z=35 ist.

   Beispiel: 210501700012345678DE68 $\rightsquigarrow$ 210501700012345678131468

3. Diese Ziffernfolge betrachten wir nun als (große) ganze Zahl und verlangen, dass der Rest modulo 97 uns 1 liefert.

   Beispiel: $\mathrm{MOD}_{97}(210501700012345678131468) = 1$ gilt tatsächlich, also ist unsere IBAN gültig und wird für eine Überweisung akzeptiert.

Bei einer Schweizer IBAN ist die Länderkennung CH und nach den beiden Prüfziffern folgen nur 17 Stellen (statt 18), bei einer österreichischen kommen nach der Länderkennung AT und den beiden Prüfziffern noch 16 Stellen.
Wie müssen in den folgenden Beispielen die Prüfziffern lauten, damit die IBANs gültig sind?

a) DE?? 1509 1704 0120 6889 79

b) AT?? 2011 1826 9136 0700

3.9. Sei $n \in \mathbb{N}$. Zeigen Sie:

a) Die Abbildung $\mathbb{Z} \to \mathbb{Z}/n$, $k \mapsto \mathrm{MOD}_n(k)$, ist ein Gruppenhomomorphismus von $(\mathbb{Z}, +)$ nach $(\mathbb{Z}/n, +_n)$.

b) Die Abbildung $\mathbb{Z} \to \Omega_n$, $k \mapsto e^{2\pi i k/n}$, ist ein Gruppenhomomorphismus von $(\mathbb{Z}, +)$ nach $(\Omega_n, \cdot)$.

c) In beiden Fällen ist der Kern des Homomorphismus $n\mathbb{Z}$.

3.10. Sei $n \in \mathbb{N}$, $n \geq 2$. Wir definieren eine Multiplikation auf $\mathbb{Z}/n$ so ähnlich, wie wir es mit der Addition gemacht haben, nämlich durch

$$k \cdot_n l := \mathrm{MOD}_n(k \cdot l) \text{ für alle } k, l \in \mathbb{Z}/n = \{0, 1, \ldots, n-1\}.$$

Zeigen Sie:

a) $(\mathbb{Z}/n, +_n, \cdot_n)$ ist ein Ring.

b) Die Abbildung $f : k \mapsto \mathrm{MOD}_n(k)$ ist ein einserhaltender Ringhomomorphismus von $(\mathbb{Z}, +, \cdot)$ nach $(\mathbb{Z}/n, +_n, \cdot_n)$.

3.11. Sei X eine Menge und $R := \mathcal{P}(X)$ ihre Potenzmenge. Für $A, B \in R$ definieren wir die **symmetrische Differenz**

$$A \Delta B := (A \setminus B) \cup (B \setminus A).$$

Für $A, B \in R$ sind $A \Delta B$ und $A \cap B$ selbstverständlich wieder Elemente von R.

a) Zeigen Sie: $(R, \Delta, \cap)$ ist ein kommutativer Ring mit Eins.

b) Welche Elemente von R sind invertierbar bzgl. der „Multiplikation" $\cap$?

c) Für welche Mengen X ist R ein Körper?

3.12. Hier behandeln wir eine alternative Möglichkeit, die komplexen Zahlen einzuführen. Sei dazu

$$R := \left\{ \begin{pmatrix} x & -y \\ y & x \end{pmatrix} \middle| x, y \in \mathbb{R} \right\},$$

versehen mit der komponentenweisen Addition "+" und der Matrixmultiplikation "·". Zeigen Sie:

a) $(R, +, \cdot)$ ist ein Unterring von $(\mathrm{Mat}(2 \times 2, \mathbb{R}), +, \cdot)$.

b) $(R, +, \cdot)$ ist isomorph zum Körper $\mathbb{C}$ der komplexen Zahlen (mit der üblichen Addition und Multiplikation).

3.13. Sei $R = \mathrm{Abb}(X, \mathbb{R})$ der Ring der reellen Funktionen auf einer Menge X wie in Beispiel 3.46.
Zeigen Sie: Hat X mehr als ein Element, so ist R nicht nullteilerfrei.

3.14. Sei $R := \{x + iy \mid x, y \in \mathbb{Z}\}$. Man nennt die Elemente von R **Gauß'sche Zahlen.**

a) Zeigen Sie, dass R ein Unterring von $\mathbb{C}$ ist.

b) Zeigen Sie, dass für jedes $z \in R$ gilt $|z|^2 \in \mathbb{Z}$.

c) Zeigen Sie, dass für jedes multiplikativ invertierbare Element $z \in R$ gilt $|z| = 1$.

d) Bestimmen Sie alle multiplikativ invertierbaren Elemente von R.

3.15. Sei $\rho_+ = e^{i \frac{2\pi}{3}} = -\frac{1}{2} + \frac{\sqrt{3}}{2} i$ die dritte Einheitswurzel, wie sie schon mehrfach vorkam. Wir setzen $R := \{x + y\rho_+ \mid x, y \in \mathbb{Z}\}$. Man nennt die Elemente von R **Eisensteinzahlen.**

a) Zeigen Sie, dass R ein Unterring von $\mathbb{C}$ ist.

   Hinweis: Rechnen Sie nach, dass $1 + \rho_+ + \rho_+^2 = 0$.

b) Zeigen Sie, dass für jedes $z \in R$ gilt: $|z|^2 \in \mathbb{Z}$.

c) Zeigen Sie, dass für jedes multiplikativ invertierbare Element $z \in R$ gilt: $|z| = 1$.

d) Bestimmen Sie alle multiplikativ invertierbaren Elemente von R.

e) Zeichnen Sie alle Eisensteinzahlen z mit $|z| \leq 2$.

3.16. Sei K ein Körper. Für $a, b \in K$ mit $b \neq 0$ führen wir die Bruchnotation $\frac{a}{b} := a \cdot b^{-1} \in K$ ein. Beweisen Sie die nachfolgenden Regeln der Bruchrechnung in K. Geben Sie bei jeder Umformung an, welche Körper- oder Ringeigenschaft (z.B. aus Definition 3.44, 3.64 oder Lemma 3.56) Sie dabei benutzen.

a) Für alle $a \in K$ und $b, \lambda \in K^\times$ gilt: $\frac{\lambda a}{\lambda b} = \frac{a}{b}$ (Erweitern und Kürzen)

b) Für alle $a, \mu \in K$ und $b \in K^\times$ gilt: $\mu \cdot \frac{a}{b} = \frac{\mu \cdot a}{b}$. (Produkt von Bruch mit Zahl)

c) Für alle $a, c \in K$ und $b, d \in K^\times$ gilt: $\frac{a}{b} \cdot \frac{c}{d} = \frac{a \cdot c}{b \cdot d}$. (Produkt zweier Brüche)

d) Für alle $a, c \in K$ und $b, d \in K^\times$ gilt: $\frac{a}{b} + \frac{c}{d} = \frac{a \cdot d + b \cdot c}{b \cdot d}$. (Summe zweier Brüche)

e) Für alle $a, b \in K^\times$ gilt: $\left(\frac{a}{b}\right)^{-1} = \frac{b}{a}$. (Inverses eines Bruchs)

f) Für alle $a \in K$ und $b \in K^\times$ gilt: $-\frac{a}{b} = \frac{-a}{b} = \frac{a}{-b}$. (Negatives eines Bruchs)

3.17. Zeigen Sie, dass

$$\mathbb{Q}[\sqrt{2}] := \{x \in \mathbb{R} \mid \exists q, p \in \mathbb{Q} : x = q + p \cdot \sqrt{2}\}$$

ein Unterkörper von $\mathbb{R}$ ist.

3.18. Da 4 keine Primzahl ist, ist $\mathbb{Z}/4$ kein Körper. Es gibt aber sehr wohl einen Körper mit 4 Elementen, wie diese Aufgabe zeigt.
Sei dazu $K = \{0, 1, \alpha, \beta\}$. Wir definieren die Addition und die Multiplikation mittels folgender Tabellen:

$+$	0	1	α	β
0	0	1	α	β
1	1	0	β	α
α	α	β	0	1
β	β	α	1	0

$\cdot$	0	1	α	β
0	0	0	0	0
1	0	1	α	β
α	0	α	β	1
β	0	β	1	α

Tab. 22 *Verknüfungstabellen von K*

a) Zeigen Sie, dass $(K, +, \cdot)$ ein Körper ist.

b) Zeigen Sie, dass es einen zu $\mathbb{Z}/2$ isomorphen Unterkörper von K gibt.

3.19. In Aufgabe 3.11 wurde gezeigt, dass $(R, \Delta, \cap)$ ein Ring ist, wobei X eine Menge ist, $R = \mathcal{P}(X)$ und $A \Delta B = (A \setminus B) \cup (B \setminus A)$. Insbesondere ist also (R, Δ) eine abelsche Gruppe. Wir definieren $\bullet \colon \mathbb{F}_2 \times R \to R$ durch $0 \bullet A := \emptyset$ und $1 \bullet A := A$.
Zeigen Sie, dass $(R, \Delta, \bullet)$ ein $\mathbb{F}_2$-Vektorraum ist.

3.20. Sei V ein K-Vektorraum und seien $W_1, \ldots, W_n \subset V$ Untervektorräume. Wir setzen $V_1 := (W_1 + W_2) \cap W_3$ und $V_2 := (W_1 \cap W_3) + (W_2 \cap W_3)$.

a) Zeigen Sie: $L(W_1 \cup \ldots \cup W_n) = W_1 + \ldots + W_n$.

b) Beweisen Sie bzw. widerlegen Sie durch Gegenbeispiel: $V_1 \subset V_2$.

c) Beweisen Sie bzw. widerlegen Sie durch Gegenbeispiel: $V_2 \subset V_1$.

3.21. Sei $K = \mathbb{R}$ und $V = \mathrm{Abb}(\mathbb{R}, \mathbb{R})$. Zeigen Sie, dass $X = \{g_k \mid k \in \mathbb{N}_0\} \cup \{h_k \mid k \in \mathbb{N}\}$ linear unabhängig ist, wobei g_k und h_k wie in Beispiel 3.97 sind.

3.22. Sei K ein Körper und $K' \subset K$ ein Unterkörper. Sei V ein K-Vektorraum. In Beispiel 3.77 wurde erläutert, dass V dann auch ein K'-Vektorraum ist. Sei $X \subset V$. Zeigen Sie: Ist X linear unabhängig über K, so auch über K'.

4. Lineare Abbildungen

Das Leben ist dynamisch. Linear
ist Wunschdenken.

(Torsten Marold)

Nun kommen wir zum zentralen Gegenstand der linearen Algebra, den linearen Abbildungen zwischen Vektorräumen.

4.1. Grundlegende Definitionen

Definition 4.1. Sei K ein Körper und seien V und W zwei K-Vektorräume. Eine Abbildung $\varphi\colon V \to W$ heißt K**-linear** oder K**-Vektorraumhomomorphismus**, falls gilt:

1. Die Abbildung φ ist ein Gruppenhomomorphismus bzgl. der Addition, d.h. für alle $v, v' \in V$ gilt
$$\varphi(v + v') = \varphi(v) + \varphi(v') \,.$$

2. Für jedes $v \in V$ und jedes $\lambda \in K$ ist
$$\varphi(\lambda \cdot v) = \lambda \cdot \varphi(v) \,.$$

Bemerkung 4.2. Ist aus dem Kontext klar, welcher Körper zugrunde gelegt wird, so sagt man auch einfach φ sei **linear** bzw. ein **Vektorraumhomomorphismus**.

Bemerkung 4.3. Die beiden Bedingungen aus Definition 4.1 lassen sich zu einer zusammenfassen:
Für alle $v, v' \in V$ und alle $\lambda, \lambda' \in K$ gilt:
$$\varphi(\lambda \cdot v + \lambda' \cdot v') = \lambda \cdot \varphi(v) + \lambda' \cdot \varphi(v') \,. \tag{4.1}$$

Aus (4.1) folgt mit $\lambda = \lambda' = 1$ die Bedingung 1 und mit $\lambda' = 0$ die Bedingung 2. Umgekehrt folgt aus 1 und 2 zusammen auch das Axiom (4.1), denn:
$$\varphi(\lambda \cdot v + \lambda' \cdot v') \overset{1}{=} \varphi(\lambda \cdot v) + \varphi(\lambda' \cdot v') \overset{2}{=} \lambda \cdot \varphi(v) + \lambda' \cdot \varphi(v') \,.$$

© Der/die Autor(en), exklusiv lizenziert an
Springer Fachmedien Wiesbaden GmbH, ein Teil von Springer Nature 2026
C. Bär, *Lineare Algebra und analytische Geometrie*,
https://doi.org/10.1007/978-3-658-51055-8_4

Beispiel 4.4. Sei K ein beliebiger Körper und seien V und W beliebige K-Vektorräume. Dann ist die Nullabbildung $\varphi\colon V \to W$, die jeden Vektor aus V auf den Nullvektor aus W abbildet, linear. Sind nämlich $v, v' \in V$ und $\lambda, \lambda' \in K$, dann gilt:

$$\varphi(\lambda \cdot v + \lambda' \cdot v') = 0 = \lambda \cdot 0 + \lambda' \cdot 0 = \lambda \cdot \varphi(v) + \lambda' \cdot \varphi(v').$$

Ist $V = W$, dann ist auch die Identität $\psi = \mathrm{id}_V \colon V \to V$ linear, denn

$$\psi(\lambda \cdot v + \lambda' \cdot v') = \lambda \cdot v + \lambda' \cdot v' = \lambda \cdot \psi(v) + \lambda'\psi(v').$$

Beispiel 4.5. Sei zunächst $K = \mathbb{R}$, $V = W = \mathbb{R}$ und $\varphi(x) = x^2$. Dann ist φ nicht linear, denn wir haben z.B. $\varphi(1 + 1) = (1 + 1)^2 = 4$, aber $\varphi(1) + \varphi(1) = 1^2 + 1^2 = 2$.
Ist aber $K = \mathbb{F}_2$, $V = W = \mathbb{F}_2$ und $\varphi(x) = x^2$, dann gilt $\varphi(0) = 0^2 = 0$ und $\varphi(1) = 1^2 = 1$. Also ist $\varphi = \mathrm{id}_{\mathbb{F}_2}$ und somit linear.

Beispiel 4.6. Sei K ein Körper, $V = K^m$ und $W = K^n$. Sei $A \in \mathrm{Mat}(n \times m, K)$. Dann sagen uns Satz 3.50 (vii) und Gleichung (3.2), dass die Abbildung

$$K^m \to K^n, \quad x \mapsto A \cdot x,$$

linear ist. Wir werden sehen, dass jede lineare Abbildung $K^m \to K^n$ von dieser Form ist, d.h. zu einer Matrix aus $\mathrm{Mat}(n \times m, K)$ gehört.

Beispiel 4.7. Sei $K = \mathbb{R}$, $V = C^1(\mathbb{R}, \mathbb{R})$ der Vektorraum der stetig differenzierbaren reellen Funktionen und $W = C^0(\mathbb{R}, \mathbb{R})$ der Vektorraum der stetigen reellen Funktionen. Dann lernt man in der Analysis, dass die *Differentiationsabbildung*

$$\frac{d}{dx}\colon C^1(\mathbb{R}, \mathbb{R}) \to C^0(\mathbb{R}, \mathbb{R}), \quad f \mapsto \frac{df}{dx} = f',$$

linear ist.

Beispiel 4.8. Sei $K = \mathbb{R}$, $V = C^0([a, b], \mathbb{R})$ und $W = \mathbb{R}$. Hier ist $a < b$ vorausgesetzt. Wiederum in der Analysis lernt man, dass die *Integrationsabbildung*

$$C^0([a, b], \mathbb{R}) \to \mathbb{R}, \quad f \mapsto \int_a^b f(x)\, dx,$$

linear ist.

Beispiel 4.9. Sei nun $V = W = \mathbb{C}$. Ist die komplexe Konjugation $\varphi\colon \mathbb{C} \to \mathbb{C}$, $\varphi(z) = \bar{z}$, linear? Das kommt darauf an, ob wir $\mathbb{C}$ als reellen oder als komplexen Vektorraum auffassen. Nach Satz 2.110 ist die Additivität in Ordnung,

$$\varphi(z + z') = \overline{z + z'} = \bar{z} + \bar{z}' = \varphi(z) + \varphi(z').$$

Sind $\lambda, z \in \mathbb{C}$, dann gilt

$$\varphi(\lambda \cdot z) = \overline{\lambda \cdot z} = \bar{\lambda} \cdot \bar{z} = \bar{\lambda} \cdot \varphi(z).$$

Für die Linearität brauchen wir jedoch $\varphi(\lambda \cdot z) = \lambda \cdot \varphi(z)$. Für *reelle* λ ist das ok, denn dann ist $\bar{\lambda} = \lambda$. Für nichtreelle komplexe λ ist $\bar{\lambda} \neq \lambda$. Kurz: φ ist $\mathbb{R}$-linear, aber nicht $\mathbb{C}$-linear.

Satz 4.10. *Seien V und W zwei K-Vektorräume und sei $\varphi\colon V \to W$ eine lineare Abbildung. Dann gilt:*

(i) *Es ist $\varphi(0) = 0$.*

(ii) *Für alle $v, v' \in V$ ist $\varphi(v - v') = \varphi(v) - \varphi(v')$.*

(iii) *Für alle $v_1, \ldots, v_n \in V$ und für alle $\lambda_1, \ldots, \lambda_n \in K$ ist*

$$\varphi(\lambda_1 v_1 + \ldots + \lambda_n v_n) = \lambda_1 \varphi(v_1) + \ldots + \lambda_n \varphi(v_n). \tag{4.2}$$

(iv) *Ist $V' \subset V$ ein Untervektorraum von V, so ist $\varphi(V') \subset W$ ein Untervektorraum von W.*

(v) *Ist $W' \subset W$ ein Untervektorraum von W, so ist $\varphi^{-1}(W') \subset V$ ein Untervektorraum von V.*

(vi) *Ist Z ein weiterer K-Vektorraum und $\psi\colon W \to Z$ eine weitere lineare Abbildung, dann ist auch $\psi \circ \varphi\colon V \to Z$ linear.*

(vii) *Ist φ bijektiv, so ist die Umkehrabbildung $\varphi^{-1}\colon W \to V$ ebenfalls linear.*

Beweis. Aussagen (i) und (ii) folgen aus Proposition 3.30 und der Tatsache, dass φ ein Gruppenhomomorphismus von $(V, +)$ nach $(W, +)$ ist.

Aussage (iii) zeigt man mittels vollständiger Induktion nach n. Für $n = 1$ ist die Aussage klar aufgrund der Definition von Linearität. Sei nun $n \geq 2$ und die Aussage für weniger als n Summanden bewiesen. Dann berechnen wir:

$$\begin{aligned}
\varphi(\lambda_1 v_1 + \ldots + \lambda_n v_n) &= \varphi(\lambda_1 v_1 + \ldots + \lambda_{n-1} v_{n-1}) + \varphi(\lambda_n v_n) \\
&= \lambda_1 \varphi(v_1) + \ldots + \lambda_{n-1} \varphi(v_{n-1}) + \lambda_n \varphi(v_n).
\end{aligned} \tag{4.3}$$

Dabei haben wir bei der Umformung (4.3) die Induktionsannahme benutzt.

Zu (iv):
Wegen (i) ist $0 = \varphi(0) \in \varphi(V')$. Sind $w_1, w_2 \in \varphi(V')$ und $\lambda_1, \lambda_2 \in K$, dann können wir $v_j \in V$ wählen, so dass $\varphi(v_j) = w_j$ und wir berechen:

$$\lambda_1 w_1 + \lambda_2 w_2 = \lambda_1 \varphi(v_1) + \lambda_2 \varphi(v_2) = \varphi(\lambda_1 v_1 + \lambda_2 v_2) \in \varphi(V').$$

Zu (v):

Wegen (i) ist $\varphi(0) = 0 \in W'$ und damit $0 \in \varphi^{-1}(W')$. Seien $v_1, v_2 \in \varphi^{-1}(W')$ und $\lambda_1, \lambda_2 \in K$. Dann gilt

$$\varphi(\lambda_1 v_1 + \lambda_2 v_2) = \lambda_1 \varphi(v_1) + \lambda_2 \varphi(v_2) \in W',$$

also $\lambda_1 v_1 + \lambda_2 v_2 \in \varphi^{-1}(W')$.

Zu (vi):

Für $v_1, v_2 \in V$ und $\lambda_1, \lambda_2 \in K$ rechnen wir nach:

$$\begin{aligned}
(\psi \circ \varphi)(\lambda_1 \cdot v_1 + \lambda_2 \cdot v_2) &= \psi(\varphi(\lambda_1 \cdot v_1 + \lambda_2 \cdot v_2)) \\
&= \psi(\lambda_1 \cdot \varphi(v_1) + \lambda_2 \cdot \varphi(v_2)) \\
&= \lambda_1 \cdot \psi(\varphi(v_1)) + \lambda_2 \cdot \psi(\varphi(v_2)) \\
&= \lambda_1 \cdot (\psi \circ \varphi)(v_1) + \lambda_2 \cdot (\psi \circ \varphi)(v_2).
\end{aligned}$$

Zu (vii):

Wegen Proposition 3.30 (iii) ist φ^{-1} auch additiv, d.h. erfüllt Bedingung 1 in Definition 4.1. Sei nun $w \in W$ und $\lambda \in K$. Setze $v := \varphi^{-1}(w)$. Wenden wir φ^{-1} auf beide Seiten von $\lambda \cdot \varphi(v) = \varphi(\lambda \cdot v)$ an, so erhalten wir

$$\varphi^{-1}(\lambda \cdot w) = \varphi^{-1}(\lambda \cdot \varphi(v)) = \varphi^{-1}(\varphi(\lambda \cdot v)) = \lambda \cdot v = \lambda \cdot \varphi^{-1}(w).$$

Damit erfüllt φ^{-1} auch Bedingung 2 aus Definition 4.1. $\qquad\qquad\qquad\qquad\square$

Definition 4.11. Seien V und W zwei K-Vektorräume und sei $\varphi \colon V \to W$ linear. Dann heißt

$$\ker(\varphi) := \varphi^{-1}(\{0\}) = \{v \in V \mid \varphi(v) = 0\}$$

der **Kern** von φ.

Wie für jede Abbildung heißt $\operatorname{im}(\varphi) = \varphi(V) \subset W$ das **Bild** von φ.

Korollar 4.12. *Seien V und W zwei K-Vektorräume und sei $\varphi \colon V \to W$ linear. Dann sind* $\ker(\varphi) \subset V$ *und* $\operatorname{im}(\varphi) \subset W$ *Untervektorräume.*

Beweis. Offensichtlich ist $\ker(\varphi) = \varphi^{-1}(\{0\})$ und $\operatorname{im}(\varphi) = \varphi(V)$. Da nun $\{0\} \subset W$ und $V \subset V$ Untervektorräume sind, folgt die Behauptung aus Satz 4.10. $\qquad\qquad\square$

Aus Proposition 3.34 (ii) und (iv) erhalten wir ferner:

Korollar 4.13. *Seien V und W zwei K-Vektorräume und sei $\varphi\colon V \to W$ linear. Dann ist φ surjektiv genau dann, wenn* $\mathrm{im}(\varphi) = W$ *und injektiv genau dann, wenn* $\ker(\varphi) = \{0\}$. $\qquad\square$

Beispiel 4.14. Sei K ein Körper und $\varphi\colon K^m \to K^n$, $\varphi(x) = A \cdot x$, wie in Beispiel 4.6 durch Multiplikation mit der Matrix A gegeben. Dann ist der Kern von φ

$$\ker(\varphi) = \{x \in K^m \mid A \cdot x = 0\} = \mathrm{L\ddot{o}s}(A, 0)$$

nichts anderes als die Lösungsmenge des homogenen linearen Gleichungssystems $A \cdot x = 0$. Somit stellt sich Satz 2.17, der für $K = \mathbb{R}$ besagt, dass $\mathrm{L\ddot{o}s}(A, 0)$ ein Untervektorraum von $\mathbb{R}^m$ ist, als Spezialfall von Korollar 4.12 heraus.

Allgemeiner ist für $b \in K^n$ die Menge $\varphi^{-1}(\{b\})$ die Lösungsmenge des inhomogenen linearen Gleichungssystems $A \cdot x = b$.

Beispiel 4.15. Ist $K = \mathbb{R}$ und $\varphi = \frac{d}{dx}\colon C^1(\mathbb{R}, \mathbb{R}) \to C^0(\mathbb{R}, \mathbb{R})$ wie in Beispiel 4.7, dann enthält der Kern von φ genau die C^1-Funktionen mit Ableitung 0. Das sind genau die konstanten Funktionen. Also ist

$$\ker(\varphi) = \mathbb{R} \cdot \mathbf{1}$$

ein eindimensionaler Untervektorraum des unendlich-dimensionalen Vektorraums $C^1(\mathbb{R}, \mathbb{R})$. Hierbei bezeichnet $\mathbf{1}$ die konstante Funktion mit $\mathbf{1}(x) = 1$ für alle $x \in \mathbb{R}$. Insbesondere ist $\varphi = \frac{d}{dx}$ nicht injektiv.

Definition 4.16. Sei K ein Körper und seien V und W zwei K-Vektorräume. Eine lineare Abbildung $\varphi\colon V \to W$ heißt

	(K-Vektorraum-) **Monomorphismus**,	falls φ injektiv ist,
	(K-Vektorraum-) **Epimorphismus**,	falls φ surjektiv ist,
	(K-Vektorraum-) **Isomorphismus**,	falls φ bijektiv ist,
	(K-Vektorraum-) **Endomorphismus**,	falls $V = W$,
und	(K-Vektorraum-) **Automorphismus**,	falls $V = W$ und φ bijektiv ist.

Zwei K-Vektorräume V und W heißen **isomorph**, falls es einen Vektorraumisomorphismus $\varphi\colon V \to W$ gibt. Wir schreiben in diesem Fall $V \cong W$.

Wir verwenden folgende Notationen:

$$\mathrm{Hom}_K(V, W) := \{\varphi\colon V \to W \mid \varphi \text{ ist } K\text{-linear}\},$$
$$\mathrm{End}_K(V) := \mathrm{Hom}_K(V, V),$$
$$\mathrm{Aut}_K(V) := \{\varphi \in \mathrm{End}_K(V) \mid \varphi \text{ ist bijektiv}\}.$$

Ist aus dem Kontext klar, welcher Körper K zugrunde gelegt wird, so schreiben wir auch $\mathrm{Hom}(V, W)$ statt $\mathrm{Hom}_K(V, W)$ und analog für $\mathrm{End}_K(V)$ sowie $\mathrm{Aut}_K(V)$.

Bemerkung 4.17. Seien V und W zwei K-Vektorräume und sei $\varphi\colon V \to W$ linear. Ist $X \subset V$ ein Erzeugendensystem von V, so ist $\varphi(X) \subset W$ ein Erzeugendensystem des Bildes $\varphi(V)$. Denn für jedes $w \in \varphi(V)$ gibt es ein $v \in V$ mit $\varphi(v) = w$. Da nun X ein Erzeugendensystem von V ist, so gibt es $\lambda_1, \ldots, \lambda_n \in K$ und $v_1, \ldots, v_n \in X$ mit $v = \sum_{i=1}^n \lambda_i v_i$. Damit ist

$$w = \varphi(v) = \varphi\left(\sum_{i=1}^n \lambda_i v_i \right) = \sum_{i=1}^n \lambda_i \varphi(v_i).$$

Insbesondere sehen wir: Ist V endlich-dimensional, dann ist auch das Bild $\varphi(V)$ endlich-dimensional. Ist X eine Basis von V, dann ist

$$\dim(V) = \#X \geq \#\varphi(X) \geq \dim(\varphi(V)).$$

Definition 4.18. Sei K ein Körper, seien V und W zwei K-Vektorräume und sei $\varphi\colon V \to W$ linear. Dann heißt $\mathrm{rg}(\varphi) := \dim(\mathrm{im}(\varphi))$ der **Rang** von φ.

Satz 4.19 (Dimensionsformel für lineare Abbildungen). *Sei K ein Körper und seien V und W zwei K-Vektorräume mit $\dim(V) < \infty$. Sei ferner $\varphi\colon V \to W$ eine lineare Abbildung. Dann gilt*

$$\dim V = \dim \ker(\varphi) + \mathrm{rg}(\varphi)\,. \tag{4.4}$$

Beweis. Nach Voraussetzung ist V endlich-dimensional, also auch $\ker(\varphi) \subset V$. Sei also $\dim V =: n$ und $\dim \ker(\varphi) =: k \leq n$. Zu beweisen ist dann: $\mathrm{rg}(\varphi) = n - k$.
Wir wählen eine Basis $\{v_1, \ldots, v_k\}$ von $\ker(\varphi)$ und ergänzen diese gemäß Satz 3.131 zu einer Basis $\{v_1, \ldots, v_k, v_{k+1}, \ldots, v_n\}$ von V. Dann ist $\{v_1, \ldots, v_n\}$ insbesondere ein Erzeugendensystem von V, und nach Bemerkung 4.17 ist $\{\varphi(v_1), \ldots, \varphi(v_n)\}$ ein Erzeugendensystem von $\varphi(V)$. Da aber $v_1, \ldots, v_k \in \ker(\varphi)$, also $\varphi(v_1) = \ldots = \varphi(v_k) = 0$, ist bereits $\{\varphi(v_{k+1}), \ldots, \varphi(v_n)\}$ ein Erzeugendensystem von $\varphi(V)$.
Wir zeigen, dass $\{\varphi(v_{k+1}), \ldots, \varphi(v_n)\}$ linear unabhängig ist: Seien also $\lambda_{k+1}, \ldots, \lambda_n \in K$ mit $\lambda_{k+1}\varphi(v_{k+1}) + \ldots + \lambda_n\varphi(v_n) = 0$. Da φ linear ist, haben wir $\varphi(\lambda_{k+1}v_{k+1} + \ldots + \lambda_n v_n) = 0$, d.h. $w := \lambda_{k+1}v_{k+1} + \ldots + \lambda_n v_n \in \ker(\varphi)$. Es gibt also Koeffizienten $\mu_1, \ldots, \mu_k$, so dass $w = \mu_1 v_1 + \ldots + \mu_k v_k$. Damit ist

$$0 = w - w = \mu_1 v_1 + \ldots + \mu_k v_k + (-\lambda_{k+1})v_{k+1} + \ldots + (-\lambda_n)v_n\,.$$

Da aber $\{v_1, \ldots, v_n\}$ eine Basis von V, also insbesondere linear unabhängig ist, folgt $\mu_i = 0$ für $i = 1, \ldots, k$ und $\lambda_j = 0$ für $j = k + 1, \ldots, n$. Folglich ist $\{\varphi(v_{k+1}), \ldots, \varphi(v_n)\}$ ein linear unabhängiges Erzeugendensystem, d.h. eine Basis von $\varphi(V)$.
Damit ist $\mathrm{rg}(\varphi) = \dim \varphi(V) = n - k$ wie behauptet. $\qquad\square$

Wir erhalten nun ein Analogon zum Hotelzimmerlemma 1.73 für lineare Abbildungen. Im Gegensatz zum Hotelzimmerlemma brauchen die Vektorräume V und W zwischen denen die lineare Abbildung vermittelt, keine *endlichen Mengen* zu sein, sondern lediglich *endlich-dimensional*.

Korollar 4.20. *Seien V und W zwei K-Vektorräume mit $\dim V = \dim W < \infty$. Sei $\varphi\colon V \to W$ eine lineare Abbildung. Dann sind folgende Aussagen äquivalent:*

(1) Die Abbildung φ ist injektiv (d.h. ein Monomorphismus).

(2) Die Abbildung φ ist surjektiv (d.h. ein Epimorphismus).

(3) Die Abbildung φ ist bijektiv (d.h. ein Isomorphismus).

Beweis. Es genügt, die Äquivalenz der Aussagen (1) und (2) zu zeigen, denn (1) und (2) zusammen sind offensichtlich äquivalent zu (3). Wir finden:

$$\begin{aligned}
(1), \text{ d.h. } \varphi \text{ ist injektiv} &\iff \ker(\varphi) = \{0\} \\
&\iff \dim \ker(\varphi) = 0 \\
&\overset{(4.4)}{\iff} \dim V = \dim \operatorname{im}(\varphi) \\
&\iff \dim W = \dim \operatorname{im}(\varphi) \\
&\iff W = \operatorname{im}(\varphi) \qquad \text{nach Korollar 3.132} \\
&\iff (2), \text{ d.h. } \varphi \text{ ist surjektiv.} \qquad \square
\end{aligned}$$

Bemerkung 4.21. Das Korollar gilt nicht für ∞-dimensionale Vektorräume V.

Beispiel 4.22. Sei $K = \mathbb{R}$ und sei $V = C^1(\mathbb{R}, \mathbb{R})$ sowie $W = C^0(\mathbb{R}, \mathbb{R})$. Dann ist $\dim V = \dim W = \infty$. Die Differentiationsabbildung $\frac{d}{dx}\colon V \to W$ aus Beispiel 4.7 ist nicht injektiv, wie bereits in Beispiel 4.15 festgestellt. Sie ist aber surjektiv, denn jedes $f \in C^0(\mathbb{R}, \mathbb{R})$ besitzt eine Stammfunktion $F \in C^1(\mathbb{R}, \mathbb{R})$, die $\frac{d}{dx}F = f$ erfüllt. Man kann z.B. $F(x) = \int_0^x f(t)\, dt$ nehmen.

Beispiel 4.23. Hier ein Beispiel eines Endomorphismus, der injektiv, aber nicht surjektiv ist. Sei K ein beliebiger Körper und $V = \operatorname{Abb}(\mathbb{N}, K)$ der K-Vektorraum der K-wertigen Folgen. Man zeigt leicht, dass die Abbildung

$$\varphi\colon V \to V, \quad (a_1, a_2, a_3, \ldots) \mapsto (0, a_1, a_2, a_3, \ldots),$$

linear ist. Ist $(a_1, a_2, a_3, \ldots) \in \ker(\varphi)$, dann ist $(0, a_1, a_2, a_3, \ldots) = (0, 0, 0, 0, \ldots)$. Daher sind alle $a_j = 0$ und damit ist die ursprüngliche Folge die Nullfolge. Der Kern von φ ist also der Nullvektorraum, d.h. φ ist injektiv.

Dagegen ist φ nicht surjektiv, da jede Folge, die nicht mit 0 beginnt, nicht im Bild von φ liegt.

4.2. Lineare Abbildungen und Matrizen

Wir wollen nun abklären, wie lineare Abbildungen mit Matrizen zusammenhängen. In Beispiel 4.6 haben wir gesehen, wie eine Matrix $A \in \mathrm{Mat}(n \times m, K)$ zu einer linearen Abbildung $\varphi_A \colon K^m \to K^n$ führt, nämlich durch die Definition $\varphi_A(x) = A \cdot x$. Jetzt wollen wir uns überlegen, dass jede lineare Abbildung $\varphi \colon K^m \to K^n$ von dieser Form ist, d.h. von einer Matrix herkommt.

Sei also $\varphi \colon K^m \to K^n$ eine lineare Abbildung. Sei $(e_1, \ldots, e_m)$ die geordnete Standardbasis von K^m. Wir definieren $a_j \in K^n$ durch $a_j := \varphi(e_j)$. Sei nun A die $n \times m$-Matrix mit den Spaltenvektoren $a_1, \ldots, a_m$, d.h. $A = (a_1, \ldots, a_m) \in \mathrm{Mat}(n \times m, K)$. Wir überprüfen nun, dass die durch diese Matrix gegebene lineare Abbildung φ_A mit der ursprünglichen linearen Abbildung φ übereinstimmt. Sei $x \in K^m$. Dann gilt:

$$\varphi(x) = \varphi\left(\sum_{j=1}^{m} x_j e_j \right) = \sum_{j=1}^{m} x_j \varphi\left(e_j\right) = \sum_{j=1}^{m} x_j a_j = (a_1, \ldots, a_m) \begin{pmatrix} x_1 \\ \vdots \\ x_m \end{pmatrix} = A \cdot x = \varphi_A(x).$$

Also ist $\varphi = \varphi_A$. Wir sehen hier nicht nur, dass jede lineare Abbildung $K^m \to K^n$ von einer Matrix herkommt, sondern auch wie wir diese Matrix zu einer gegebenen linearen Abbildung finden. Wir müssen die Matrix nehmen, deren Spaltenvektoren die Bilder der Standardbasisvektoren unter der linearen Abbildung sind. Dabei ist es wichtig, dass wir die *geordnete* Standardbasis genommen haben, da die Reihenfolge der Spaltenvektoren der Matrix von der Reihenfolge der Standardbasisvektoren abhängt. Fassen wir kurz zusammen:

Proposition 4.24. *Sei K ein Körper. Dann ist die Zuordnung* $\mathrm{Mat}(n \times m, K) \to \mathrm{Hom}(K^m, K^n)$ *gegeben durch $A \mapsto \varphi_A$ bijektiv, wobei*

$$\varphi_A(x) = A \cdot x.$$

Die Umkehrabbildung $\mathrm{Hom}(K^m, K^n) \to \mathrm{Mat}(n \times m, K)$ *ist gegeben durch*

$$\varphi \mapsto (\varphi(e_1), \ldots, \varphi(e_m)). \qquad \square$$

Definition 4.25. Für $\varphi \in \mathrm{Hom}(K^m, K^n)$ schreiben wir

$$M(\varphi) := (\varphi(e_1), \ldots, \varphi(e_m)) \in \mathrm{Mat}(n \times m, K)$$

und nennen $M(\varphi)$ die **darstellende Matrix** von φ.

Beispiel 4.26. Bestimmen wir die Matrix, die die Drehung (um den Ursprung, im mathematisch positiven Sinn) um den Winkel θ in der Ebene beschreibt. Eine solche Drehung ist eine lineare Abbildung $\mathbb{R}^2 \to \mathbb{R}^2$ über dem Körper $K = \mathbb{R}$. Zur Bestimmung der Matrix müssen wir lediglich die Bilder der beiden Standardbasisvektoren finden.

Drehen wir $e_1 = (1,0)^\mathsf{T}$ um den Winkel θ, so erhalten wir $(\cos\theta, \sin\theta)^\mathsf{T}$. Drehen wir $e_2 = (0,1)^\mathsf{T}$, so ergibt sich $(-\sin\theta, \cos\theta)^\mathsf{T}$.

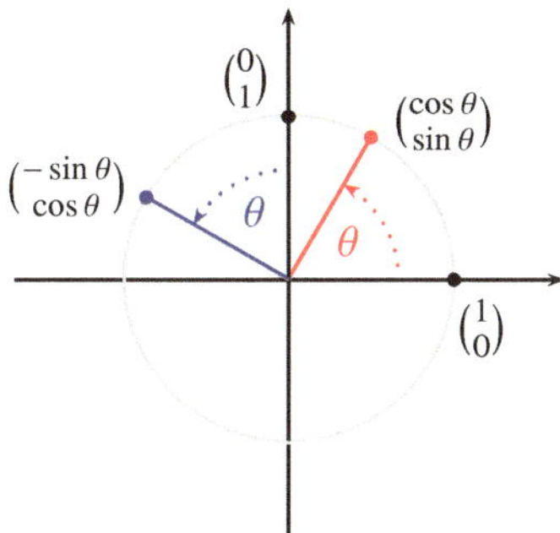

Abb. 67 *Drehung um den Winkel θ*

Somit wird die Drehung beschrieben durch die **Drehmatrix**

$$R_\theta := \begin{pmatrix} \cos\theta & -\sin\theta \\ \sin\theta & \cos\theta \end{pmatrix}.$$

Bemerkung 4.27. Sind $\varphi \in \mathrm{Hom}(K^m, K^n)$ und $\psi \in \mathrm{Hom}(K^n, K^l)$, dann gilt wegen Satz 3.50 (v) für alle $x \in K^m$

$$M(\psi \circ \varphi) \cdot x = (\psi \circ \varphi)(x) = \psi(\varphi(x)) = M(\psi) \cdot \varphi(x)$$
$$= M(\psi) \cdot (M(\varphi) \cdot x) = (M(\psi) \cdot M(\varphi)) \cdot x$$

und somit

$$M(\psi \circ \varphi) = M(\psi) \cdot M(\varphi). \tag{4.5}$$

Ist φ ein Automorphismus, $\varphi \in \mathrm{Aut}_K(K^n)$, dann gilt

$$M(\varphi^{-1}) \cdot M(\varphi) = M(\varphi^{-1} \circ \varphi) = M(\mathrm{id}_{K^n}) = \mathbb{1}_n$$

und analog $M(\varphi) \cdot M(\varphi^{-1}) = \mathbb{1}_n$. Also ist die Matrix $M(\varphi)$ invertierbar mit $M(\varphi)^{-1} = M(\varphi^{-1})$. Ähnlich sieht man, dass umgekehrt φ ein Automorphismus ist, falls die darstellende Matrix $M(\varphi)$ invertierbar ist.

Definition 4.28. Wir nennen $\mathrm{GL}(n, K) := \{A \in \mathrm{Mat}(n \times n, K) \mid A \text{ ist invertierbar}\}$ die **allgemeine lineare Gruppe**.

Also ist $\varphi \in \mathrm{Aut}_K(K^n)$ genau dann, wenn $M(\varphi) \in \mathrm{GL}(n, K)$.

Wir haben gesehen, dass lineare Abbildungen $K^m \to K^n$ den $n \times m$-Matrizen entsprechen. Wie sieht das bei linearen Abbildungen zwischen allgemeinen Vektorenräumen $V \to W$ aus? Wir werden sehen, dass man lineare Abbildungen zwischen allgemeinen endlich-dimensionalen Vektorräumen ebenfalls durch Matrizen beschreiben kann. Dazu benötigen wir allerdings noch Basen der betreffenden Vektorräume.

Lemma 4.29. *Sei K ein Körper und V ein K-Vektorraum. Sei $B = (v_1, \ldots, v_n)$ ein n-Tupel paarweise verschiedener Vektoren in V. Dann ist die Abbildung $\Psi_B : K^n \to V$ gegeben durch*

$$\Psi_B(x_1, \ldots, x_n) = x_1 v_1 + \ldots + x_n v_n,$$

ein

(i) Monomorphismus genau dann, wenn $\{v_1, \ldots, v_n\}$ linear unabhängig ist,

(ii) Epimorphismus genau dann, wenn $\{v_1, \ldots, v_n\}$ ein Erzeugendensystem von V ist,

(iii) Isomorphismus genau dann, wenn B eine geordnete Basis von V ist.

Beweis. Wir überprüfen zunächst die Linearität von Ψ_B. Seien $x = (x_1, \ldots, x_n)^\mathsf{T}$, $y = (y_1, \ldots, y_n)^\mathsf{T} \in K^n$ und $\lambda, \mu \in K$. Dann gilt:

$$\begin{aligned}
\Psi_B(\lambda x + \mu y) &= \Psi_B(\lambda x_1 + \mu y_1, \ldots, \lambda x_n + \mu y_n) \\
&= (\lambda x_1 + \mu y_1)v_1 + \ldots + (\lambda x_n + \mu y_n)v_n \\
&= \lambda(x_1 v_1 + \ldots + x_n v_n) + \mu(y_1 v_1 + \ldots + y_n v_n) \\
&= \lambda \Psi_B(x) + \mu \Psi_B(y).
\end{aligned}$$

Nun ist $\Psi_B(x) = 0$ genau dann, wenn $x_1 v_1 + \ldots + x_n v_n = 0$. Also ist Ψ_B ein Monomorphismus genau dann, wenn $\ker(\Psi_B) = \{0\}$, d.h. genau dann, wenn $x_1 v_1 + \ldots + x_n v_n = 0$ nur mit $x = 0$ möglich ist. Dies ist gerade die Definition von linearer Unabhängigkeit. Somit ist (i) gezeigt.

Zu (ii): Aufgrund der Definition ist $\mathrm{im}(\Psi_B) = \mathrm{L}(\{v_1, \ldots, v_n\})$. Insbesondere ist Ψ_B ein Epimorphismus genau dann, wenn $\mathrm{L}(\{v_1, \ldots, v_n\}) = V$, d.h. genau dann, wenn $\{v_1, \ldots, v_n\}$ ein Erzeugendensystem von V ist.

Aussage (iii) ist eine Kombination von (i) und (ii). □

> **Korollar 4.30.** *Sei K ein Körper und V ein n-dimensionaler K-Vektorraum mit $n \in \mathbb{N}_0$. Dann ist*
>
> $$V \cong K^n.$$

Beweis. Wähle eine Basis $B = \{v_1, \ldots, v_n\}$ von V. Dann liefert nach Lemma 4.29 einen Isomorphismus $\Psi_B \colon K^n \to V$. $\qquad\square$

Nun können wir auch lineare Abbildungen zwischen beliebigen endlich-dimensionalen K-Vektorräumen durch Matrizen darstellen.

> **Definition 4.31.** Sei V ein n-dimensionaler K-Vektorraum mit geordneter Basis $A = (a_1, \ldots, a_n)$ und W ein m-dimensionaler K-Vektorraum mit geordneter Basis $B = (b_1, \ldots, b_m)$. Sei $\varphi \colon V \to W$ eine lineare Abbildung. Dann haben wir zusammen mit den Isomorphismen $\Psi_A \colon K^n \to V$ und $\Psi_B \colon K^m \to W$ folgendes kommutative Diagramm:
>
> $$
> \begin{array}{ccc}
> V & \xrightarrow{\ \varphi\ } & W \\[4pt]
> {\scriptstyle \Psi_A}\big\uparrow & & \big\uparrow{\scriptstyle \Psi_B} \\[4pt]
> K^n & \xrightarrow[\ \Psi_B^{-1} \circ \varphi \circ \Psi_A\ ]{} & K^m
> \end{array}
> $$
>
> Die **darstellende Matrix** von φ bzgl. der geordneten Basen A und B ist die $m \times n$-Matrix
>
> $$M_B^A(\varphi) := M(\Psi_B^{-1} \circ \varphi \circ \Psi_A) \in \operatorname{Mat}(m \times n, K). \tag{4.6}$$

Die darstellende Matrix einer linearen Abbildung $\varphi \colon K^n \to K^m$ ist ein Spezialfall der Definition 4.31, indem wir als Basen von K^n bzw. K^m die geordneten Standardbasen nehmen. Für die geordnete Standardbasis $A = (e_1, \ldots, e_n)$ von K^n gilt nämlich $\Psi_A = \operatorname{id}_{K^n}$ und analog für die geordnete Standardbasis von K^m. Also gilt dann

$$M_B^A(\varphi) = M(\Psi_B^{-1} \circ \varphi \circ \Psi_A) = M(\operatorname{id}_{K^m}^{-1} \circ \varphi \circ \operatorname{id}_{K^n}) = M(\varphi).$$

Bemerkung 4.32. Wir wollen nun die Einträge der darstellenden Matrix

$$M_B^A(\varphi) = \begin{pmatrix} c_{11} & \cdots & c_{1n} \\ \vdots & & \vdots \\ c_{m1} & \cdots & c_{mn} \end{pmatrix}$$

berechnen. Betrachten wir dazu das Bild des Basisvektors a_j unter der Abbildung φ. Aus der Definition des Isomorphismus Ψ_A folgt unmittelbar $\Psi_A(e_j) = a_j$, wobei e_j der j-te

Standardbasisvektor von K^n ist. Somit ist

$$
\begin{aligned}
\varphi(a_j) &= \varphi(\Psi_A(e_j)) \\
&= \Psi_B \circ (\Psi_B^{-1} \circ \varphi \circ \Psi_A)(e_j) \\
&= \Psi_B(M(\Psi_B^{-1} \circ \varphi \circ \Psi_A) \cdot e_j) \\
&\overset{(4.6)}{=} \Psi_B(M_B^A(\varphi) \cdot e_j) \\
&= \Psi_B\left(\begin{pmatrix} c_{1j} \\ \vdots \\ c_{mj} \end{pmatrix}\right) \\
&= \Psi_B\left(\sum_{i=1}^{m} c_{ij} e_i\right) \\
&= \sum_{i=1}^{m} c_{ij} b_i \, .
\end{aligned}
$$

Wir können die Einträge c_{ij} der darstellenden Matrix $M_B^A(\varphi)$ also berechnen, indem wir die Bilder $\varphi(a_j)$ der Basisvektoren aus A unter der Abbildung φ als Linearkombination bezüglich der geordneten Basis B ausdrücken. Die dabei auftretenden Koeffizienten sind die Einträge der darstellenden Matrix $M_B^A(\varphi)$.

Beispiel 4.33. Sei $K = \mathbb{R}$ und $k \in \mathbb{N}_0$. Mit $\mathbb{R}_k[x]$ bezeichnen wir die Menge der reellen Polynomfunktionen vom Grad $\leq k$. In anderen Worten,

$$
\mathbb{R}_k[x] = L(f_0, f_1, \ldots, f_k),
$$

wobei $f_j(x) = x^j$. Nun ist $\mathbb{R}_k[x]$ ein Untervektorraum von $C^\infty(\mathbb{R}, \mathbb{R})$ mit geordneter Basis $(f_0, \ldots, f_k)$. Insbesondere ist $\dim(\mathbb{R}_k[x]) = k + 1$.
Sei $V = \mathbb{R}_k[x]$ und $W = \mathbb{R}_{k-1}[x]$. Sei

$$
\varphi = d/dx \colon V \to W, f \mapsto f' ,
$$

die Differentiationsabbildung aus Beispiel 4.7. Wähle $A = (f_0, f_1, \ldots, f_k)$ als geordnete Basis von V und $B = (f_0, f_1, \ldots, f_{k-1})$ als geordnete Basis von W. Aus der Analysis wissen wir, dass $\varphi(f_j) = f_j' = j \cdot f_{j-1}$. Damit erhalten wir die darstellende Matrix

$$
M_B^A(d/dx) = \begin{pmatrix}
0 & 1 & 0 & \cdots & & 0 & 0 \\
0 & 0 & 2 & \ddots & & & 0 \\
\vdots & \vdots & \ddots & \ddots & & \ddots & \vdots \\
0 & 0 & & & \ddots & k-1 & 0 \\
0 & 0 & 0 & \cdots & & 0 & k
\end{pmatrix} .
$$

Proposition 4.34. *Sei K ein Körper und seien V, W und Z endlich-dimensionale K-Vektorräume. Seien A, B und C geordnete Basen von V, W bzw. Z. Dann gilt für alle linearen Abbildungen $\varphi\colon V \to W$ und $\psi\colon W \to Z$:*

$$M_C^A(\psi \circ \varphi) = M_C^B(\psi) \cdot M_B^A(\varphi) . \tag{4.7}$$

Beweis. Wir haben folgendes kommutatives Diagramm:

$$
\begin{array}{ccccc}
V & \xrightarrow{\ \varphi\ } & W & \xrightarrow{\ \psi\ } & Z \\
\Big\uparrow{\Psi_A} & & \Big\uparrow{\Psi_B} & & \Big\uparrow{\Psi_C} \\
K^n & \xrightarrow[\Psi_B^{-1}\circ\varphi\circ\Psi_A]{} & K^m & \xrightarrow[\Psi_C^{-1}\circ\psi\circ\Psi_B]{} & K^l
\end{array}
$$

Damit erhalten wir für die darstellende Matrix der Verkettung:

$$
\begin{aligned}
M_C^A(\psi \circ \varphi) &= M(\Psi_C^{-1} \circ (\psi \circ \varphi) \circ \Psi_A) \\
&= M\big((\Psi_C^{-1} \circ \psi \circ \Psi_B) \circ (\Psi_B^{-1} \circ \varphi \circ \Psi_A)\big) \\
&\overset{(4.5)}{=} M(\Psi_C^{-1} \circ \psi \circ \Psi_B) \cdot M(\Psi_B^{-1} \circ \varphi \circ \Psi_A) \\
&= M_C^B(\psi) \cdot M_B^A(\varphi) . \qquad\qquad\qquad\qquad \square
\end{aligned}
$$

Zur Definition der darstellenden Matrix $M_B^A(\varphi)$ einer linearen Abbildung $\varphi\colon V \to W$ haben wir geordnete Basen A von V und B von W verwendet. Wir untersuchen nun, wie sich die darstellende Matrix ändert, wenn wir diese Basen wechseln.

Definition 4.35. Sei V ein n-dimensionaler K-Vektorraum, und seien A und A' zwei geordnete Basen von V. Dann heißt die darstellende Matrix $T_{A'}^A := M(\Psi_{A'}^{-1} \circ \Psi_A) \in \mathrm{GL}(n, K)$ die **Transformationsmatrix** des Basiswechsels von A nach A'.

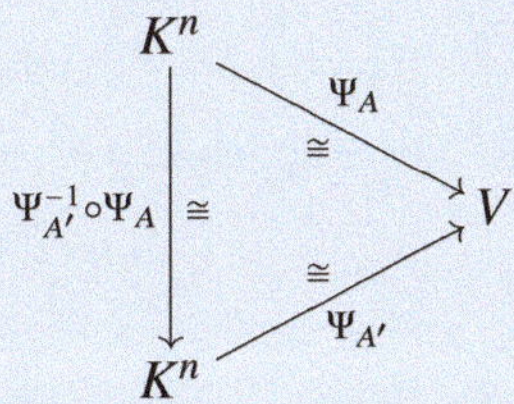

Bemerkung 4.36. Für die Transformationsmatrix $T_{A'}^A$ des Basiswechsels von A nach A' gilt:

$$T_{A'}^A = M(\Psi_{A'}^{-1} \circ \mathrm{id}_V \circ \Psi_A) = M_{A'}^A(\mathrm{id}_V) , \tag{4.8}$$

d.h. $T_{A'}^{A}$ ist die darstellende Matrix der Identität id_V bzgl. der geordneten Basen A (im Vektorraum V, wo die Abbildung id_V startet) und A' (im Zielraum V der Abbildung id_V). Insbesondere sind die Einträge von $T_{A'}^{A}$ nach Bemerkung 4.32 die Koeffizienten c_{ij} der Linearkombinationen $a_j = \sum_{i=1}^{n} c_{ij} a_i'$ der Vektoren der Basis A (im Startraum) durch die Vektoren der Basis A' (im Zielraum). Ferner ist

$$(T_{A'}^{A})^{-1} = T_{A}^{A'}, \tag{4.9}$$

denn

$$T_{A'}^{A} \cdot T_{A}^{A'} = M_{A'}^{A}(\mathrm{id}_V) \cdot M_{A}^{A'}(\mathrm{id}_V) \overset{(4.7)}{=} M_{A'}^{A'}(\mathrm{id}_V \circ \mathrm{id}_V) = M_{A'}^{A'}(\mathrm{id}_V) = \mathbb{1}_n$$

und analog $T_{A}^{A'} \cdot T_{A'}^{A} = \mathbb{1}_n$. Außerdem gilt für drei geordnete Basen A, A' und A'' von V, dass

$$T_{A''}^{A'} \cdot T_{A'}^{A} = T_{A''}^{A}, \tag{4.10}$$

denn

$$T_{A''}^{A'} \cdot T_{A'}^{A} = M(\Psi_{A''}^{-1} \circ \Psi_{A'}) \cdot M(\Psi_{A'}^{-1} \circ \Psi_A) = M(\Psi_{A''}^{-1} \circ \Psi_{A'} \circ \Psi_{A'}^{-1} \circ \Psi_A) = M(\Psi_{A''}^{-1} \circ \Psi_A) = T_{A''}^{A}.$$

 Hier können Sie die Berechnung der Transformationsmatrizen von zwei geordneten Basen üben: `https://ueben.cbaer.eu/15.html`

Proposition 4.37 (Transformationsformel für lineare Abbildungen). *Sei V ein endlich-dimensionaler K-Vektorraum mit geordneten Basen A und A', sei W ein endlich-dimensionaler K-Vektorraum mit geordneten Basen B und B', und sei $\varphi\colon V \to W$ eine lineare Abbildung. Dann gilt für die darstellenden Matrizen von φ bzgl. der verschiedenen Basen:*

$$M_{B'}^{A'}(\varphi) = T_{B'}^{B} \cdot M_{B}^{A}(\varphi) \cdot \left(T_{A'}^{A}\right)^{-1}. \tag{4.11}$$

Beweis. Wir berechnen:

$$
\begin{aligned}
M_{B'}^{A'}(\varphi) &= M_{B'}^{A'}(\mathrm{id}_W \circ \varphi \circ \mathrm{id}_V) \\
&\overset{(4.7)}{=} M_{B'}^{B}(\mathrm{id}_W) \cdot M_{B}^{A}(\varphi) \cdot M_{A}^{A'}(\mathrm{id}_V) \\
&\overset{(4.8)}{=} T_{B'}^{B} \cdot M_{B}^{A}(\varphi) \cdot T_{A}^{A'}. \qquad \square
\end{aligned}
$$

Bemerkung 4.38. Speziell für Endomorphismen $\varphi\colon V \to V$ und geordnete Basen B und B' von V ergibt sich für die darstellende Matrix $M_{B}^{B}(\varphi) =: M_B(\varphi)$ die Transformationsformel:

$$M_{B'}(\varphi) = T \cdot M_B(\varphi) \cdot T^{-1}, \tag{4.12}$$

wobei $T := T_{B'}^{B}$.

Beispiel 4.39. Sei $K = \mathbb{R}$ und $V = \mathbb{R}^2$ mit der geordneten Standardbasis $B = (e_1, e_2)$. Sei φ die Drehung um den Winkel θ wie in Beispiel 4.26. Dann ist

$$M_B(\varphi) = M(\varphi) = \begin{pmatrix} \cos\theta & -\sin\theta \\ \sin\theta & \cos\theta \end{pmatrix}.$$

Wähle nun $B' = (b_1, b_2) = \left(\begin{pmatrix} 2 \\ 0 \end{pmatrix}, \begin{pmatrix} 0 \\ 1 \end{pmatrix} \right)$ als weitere geordnete Basis von $\mathbb{R}^2$. Wir berechnen die Einträge der Transformationsmatrix $T_{B'}^B$ wie in Bemerkung 4.36 angegeben, indem wir die Vektoren von B in der Basis B' darstellen:

$$e_1 = \tfrac{1}{2} \cdot b_1 + 0 \cdot b_2,$$
$$e_2 = 0 \cdot b_1 + 1 \cdot b_2.$$

Somit sind die Transformationsmatrix $T_{B'}^B$ und ihre Inverse gegeben durch:

$$T_{B'}^B = \begin{pmatrix} \tfrac{1}{2} & 0 \\ 0 & 1 \end{pmatrix} \qquad \text{und} \qquad (T_{B'}^B)^{-1} = \begin{pmatrix} 2 & 0 \\ 0 & 1 \end{pmatrix}.$$

Bezüglich der Basis B' hat somit die Drehung φ die darstellende Matrix

$$\begin{aligned}
M_{B'}(\varphi) &= T_{B'}^B \cdot M_B(\varphi) \cdot (T_{B'}^B)^{-1} \\
&= \begin{pmatrix} \tfrac{1}{2} & 0 \\ 0 & 1 \end{pmatrix} \cdot \begin{pmatrix} \cos\theta & -\sin\theta \\ \sin\theta & \cos\theta \end{pmatrix} \cdot \begin{pmatrix} 2 & 0 \\ 0 & 1 \end{pmatrix} \\
&= \begin{pmatrix} \tfrac{1}{2}\cos\theta & -\tfrac{1}{2}\sin\theta \\ \sin\theta & \cos\theta \end{pmatrix} \cdot \begin{pmatrix} 2 & 0 \\ 0 & 1 \end{pmatrix} \\
&= \begin{pmatrix} \cos\theta & -\tfrac{1}{2}\sin\theta \\ 2\sin\theta & \cos\theta \end{pmatrix}.
\end{aligned}$$

Auch eine Änderung der Reihenfolge der Basisvektoren ändert die darstellende Matrix. Sei nämlich $B'' = (e_2, e_1)$ die umgeordnete Standardbasis. Dann sind die Transformationsmatrix $T_{B''}^B$ und ihre Inverse gegeben durch

$$T_{B''}^B = \begin{pmatrix} 0 & 1 \\ 1 & 0 \end{pmatrix} \qquad \text{und} \qquad (T_{B''}^B)^{-1} = \begin{pmatrix} 0 & 1 \\ 1 & 0 \end{pmatrix}.$$

Bezüglich der Basis B'' hat somit die Drehung φ die darstellende Matrix

$$\begin{aligned}
M_{B''}(\varphi) &= T_{B''}^B \cdot M_B(\varphi) \cdot (T_{B''}^B)^{-1} \\
&= \begin{pmatrix} 0 & 1 \\ 1 & 0 \end{pmatrix} \cdot \begin{pmatrix} \cos\theta & -\sin\theta \\ \sin\theta & \cos\theta \end{pmatrix} \cdot \begin{pmatrix} 0 & 1 \\ 1 & 0 \end{pmatrix}
\end{aligned}$$

$$= \begin{pmatrix} \sin\theta & \cos\theta \\ \cos\theta & -\sin\theta \end{pmatrix} \cdot \begin{pmatrix} 0 & 1 \\ 1 & 0 \end{pmatrix}$$

$$= \begin{pmatrix} \cos\theta & \sin\theta \\ -\sin\theta & \cos\theta \end{pmatrix}.$$

Wir sehen also, dass wir tatsächlich *geordnete* Basen benötigen, um lineare Abbildungen durch Matrizen zu beschreiben.

Beispiel 4.40. Sei $\varphi\colon \mathbb{R}^2 \to \mathbb{R}^2$ die Spiegelung an der Achse, die durch den Vektor $\begin{pmatrix} 1 \\ 1 \end{pmatrix}$ aufgespannt wird. Setze $b_1 := \begin{pmatrix} 1 \\ 1 \end{pmatrix}$ und $b_2 := \begin{pmatrix} -1 \\ 1 \end{pmatrix}$.

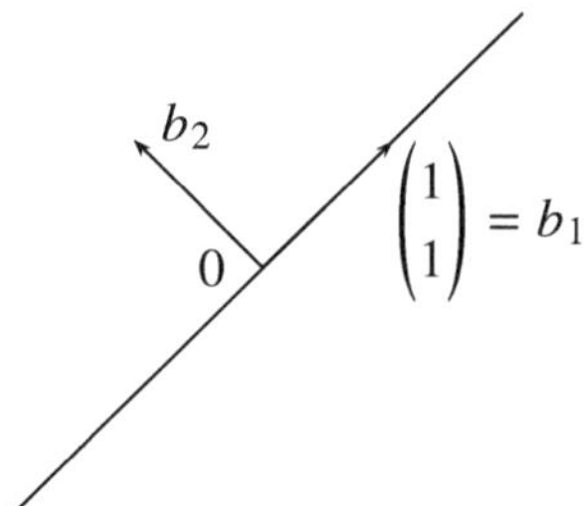

Abb. 68 *Spiegelung an Achse*

Dann ist $B := (b_1, b_2)$ eine geordnete Basis von $\mathbb{R}^2$. Ferner ist $\varphi(b_1) = b_1$ und $\varphi(b_2) = -b_2$, so dass die darstellende Matrix von φ bzgl. der Basis B nach Bemerkung 4.32 gegeben ist durch:

$$M_B(\varphi) = \begin{pmatrix} 1 & 0 \\ 0 & -1 \end{pmatrix}.$$

Mittels der Transformationsformel (4.11) können wir die darstellende Matrix von φ bzgl. der Standardbasis $B' = (e_1, e_2)$ berechnen: Die Vektoren b_1 und b_2 sind in der Basis B' gegeben durch $b_1 = 1 \cdot e_1 + 1 \cdot e_2$ und $b_2 = -1 \cdot e_1 + 1 \cdot e_2$. Damit ist die Transformationsmatrix $T_{B'}^{B}$ und ihre Inverse gegeben durch:

$$T_{B'}^{B} = \begin{pmatrix} 1 & -1 \\ 1 & 1 \end{pmatrix} \qquad \text{und} \qquad (T_{B'}^{B})^{-1} = \frac{1}{2}\begin{pmatrix} 1 & 1 \\ -1 & 1 \end{pmatrix}.$$

Für die darstellende Matrix der Spiegelung φ bzgl. der Standardbasis erhalten wir daher:

$$M(\varphi) = M_{B'}(\varphi) \overset{(4.12)}{=} T_{B'}^{B} \cdot M_B(\varphi) \cdot (T_{B'}^{B})^{-1} = \begin{pmatrix} 1 & -1 \\ 1 & 1 \end{pmatrix} \cdot \begin{pmatrix} 1 & 0 \\ 0 & -1 \end{pmatrix} \cdot \frac{1}{2} \cdot \begin{pmatrix} 1 & 1 \\ -1 & 1 \end{pmatrix}$$

$$= \frac{1}{2} \begin{pmatrix} 1 & 1 \\ 1 & -1 \end{pmatrix} \cdot \begin{pmatrix} 1 & 1 \\ -1 & 1 \end{pmatrix} = \frac{1}{2} \begin{pmatrix} 0 & 2 \\ 2 & 0 \end{pmatrix} = \begin{pmatrix} 0 & 1 \\ 1 & 0 \end{pmatrix}.$$

Definition 4.41. Zwei Matrizen $X, Y \in \mathrm{Mat}(m \times n, K)$ heißen **äquivalent**, falls es Matrizen $S \in \mathrm{GL}(m, K)$ und $T \in \mathrm{GL}(n, K)$ gibt, so dass gilt:

$$Y = S \cdot X \cdot T^{-1}. \tag{4.13}$$

Zwei Matrizen $X, Y \in \mathrm{Mat}(m \times m, K)$ heißen **ähnlich**, falls es eine Matrix $T \in \mathrm{GL}(m, K)$ gibt, so dass gilt:

$$Y = T \cdot X \cdot T^{-1}. \tag{4.14}$$

Bemerkung 4.42. Ist X zu Y äquivalent, so ist auch Y zu X äquivalent, denn aus $Y = S \cdot X \cdot T^{-1}$ folgt $X = S^{-1} \cdot Y \cdot T = S^{-1} \cdot Y \cdot (T^{-1})^{-1}$. Jede Matrix X ist zu sich selbst äquivalent; wähle $S = \mathbb{1}_m$ und $T = \mathbb{1}_n$. Sind schließlich X und Y äquivalent und auch Y und Z äquivalent, so sind auch X und Z äquivalent. Gilt nämlich $Y = S \cdot X \cdot T^{-1}$ und $Z = \tilde{S} \cdot Y \cdot \tilde{T}^{-1}$, so gilt auch

$$Z = \tilde{S} \cdot S \cdot X \cdot T^{-1} \cdot \tilde{T}^{-1} = (\tilde{S} \cdot S) \cdot X \cdot (\tilde{T} \cdot T)^{-1}.$$

Analoge Bemerkungen gelten für ähnliche Matrizen.

Definition 4.43. Eine Abbildung der Form

$$\mathrm{Mat}(n \times n, K) \to \mathrm{Mat}(n \times n, K),$$
$$X \mapsto S \cdot X \cdot S^{-1},$$

mit $S \in \mathrm{GL}(n, K)$ heißt **Ähnlichkeitstransformation**.

Bemerkung 4.44. Sind zwei Matrizen ähnlich, so sind sie auch äquivalent (mit $S = T$), aber die Umkehrung gilt im Allgemeinen nicht, denn äquivalente Matrizen müssen z.B. nicht quadratisch sein.

Beispiel 4.45. Seien $X = \mathbb{1}_n$ und $Y \in \mathrm{GL}(n, K)$ mit $Y \neq \mathbb{1}_n$. Dann sind X und Y äquivalent, denn mit $S := Y$ und $T := \mathbb{1}_n$ ist

$$S \cdot X \cdot T = Y \cdot \mathbb{1}_n \cdot \mathbb{1}_n = Y.$$

Anderseits sind X und Y aber nicht ähnlich, denn für jedes $T \in \mathrm{GL}(n, K)$ ist

$$T \cdot X \cdot T^{-1} = T \cdot \mathbb{1}_n \cdot T^{-1} = T \cdot T^{-1} = \mathbb{1}_n \neq Y.$$

Die Einheitsmatrix $\mathbb{1}_n$ ist nur zu sich selbst ähnlich, aber zu jeder anderen invertierbaren $n \times n$-Matrix äquivalent.

Bemerkung 4.46. Die Transformationsformel (4.11) zeigt, dass die darstellenden Matrizen eines Homomorphismus bzgl. verschiedener Basen der beteiligten Vektorräume zueinander äquivalent sind.

Ist umgekehrt $X = M_B^A(\varphi)$ die darstellende Matrix eines Homomorphismus $\varphi \in \mathrm{Hom}_K(V, W)$ bzgl. geordneter Basen $A = (a_1, \ldots, a_n)$ von V und $B = (b_1, \ldots, b_m)$ von W und ist Y zu X äquivalent, dann schreiben wir $Y = S \cdot X \cdot T^{-1}$. Entsprechend Bemerkung 4.36 definieren wir neue geordnete Basen $A' = (a'_1, \ldots, a'_n)$ von V und $B' = (b'_1, \ldots, b'_m)$ von W durch

$$a'_j := \sum_{i=1}^n (T^{-1})_{ij} a_i \quad \text{und} \quad b'_j := \sum_{i=1}^m (S^{-1})_{ij} b_i.$$

Dann ist T^{-1} die Transformationsmatrix des Basiswechsels von A' nach A, d.h. $T^{-1} = T_A^{A'}$ und damit $T = T_{A'}^A$. Analog ist $S = T_{B'}^B$. Nun sagt die Transformationsformel $Y = M_{B'}^{A'}(\varphi)$.

Also sind zwei Matrizen genau dann äquivalent, wenn sie denselben Homomorphismus bzgl. möglicherweise verschiedener Basen darstellen.

Genauso sieht man, dass zwei Matrizen X und Y genau dann ähnlich sind, wenn sie denselben Endomorphismus bzgl. möglicherweise verschiedener Basen des Vektorraums darstellen, d.h. genau dann, wenn $X = M_B(\varphi)$ und $Y = M_{B'}(\varphi)$.

Beispiel 4.47. Zu $\theta \in \mathbb{R}$ betrachte die **Spiegelungsmatrix**

$$S_\theta := \begin{pmatrix} \cos(2\theta) & \sin(2\theta) \\ \sin(2\theta) & -\cos(2\theta) \end{pmatrix}.$$

Diese Matrix stellt die Spiegelung an der Achse durch den Ursprung dar, die mit der e_1-Achse den Winkel θ einschließt. Wir setzen

$$v_\theta := \begin{pmatrix} \cos(\theta) \\ \sin(\theta) \end{pmatrix} \quad \text{und} \quad w_\theta := \begin{pmatrix} -\sin(\theta) \\ \cos(\theta) \end{pmatrix}.$$

Eine kurze Rechnung zeigt, dass die Drehmatrix

$$S := R_{-\theta} = \begin{pmatrix} \cos(\theta) & \sin(\theta) \\ -\sin(\theta) & \cos(\theta) \end{pmatrix}$$

invertierbar ist mit der Inversen $S^{-1} = R_\theta = (v_\theta, w_\theta)$, vgl. auch Aufgabe 4.3. Unter Benutzung der Additionstheoreme für Sinus und Kosinus rechnet man zunächst nach, dass

$$\begin{pmatrix} \cos(2\theta) & \sin(2\theta) \\ \sin(2\theta) & -\cos(2\theta) \end{pmatrix} \cdot \begin{pmatrix} \cos(\theta) & -\sin(\theta) \\ \sin(\theta) & \cos(\theta) \end{pmatrix} = \begin{pmatrix} \cos(\theta) & \sin(\theta) \\ \sin(\theta) & -\cos(\theta) \end{pmatrix}.$$

Damit erhalten wir

$$S^{-1} \cdot S_\theta \cdot S = \begin{pmatrix} \cos(\theta) & \sin(\theta) \\ -\sin(\theta) & \cos(\theta) \end{pmatrix} \cdot \begin{pmatrix} \cos(2\theta) & \sin(2\theta) \\ \sin(2\theta) & -\cos(2\theta) \end{pmatrix} \cdot \begin{pmatrix} \cos(\theta) & -\sin(\theta) \\ \sin(\theta) & \cos(\theta) \end{pmatrix}$$

$$= \begin{pmatrix} \cos(\theta) & \sin(\theta) \\ -\sin(\theta) & \cos(\theta) \end{pmatrix} \cdot \begin{pmatrix} \cos(\theta) & \sin(\theta) \\ \sin(\theta) & -\cos(\theta) \end{pmatrix} = \begin{pmatrix} 1 & 0 \\ 0 & -1 \end{pmatrix}.$$

Somit ist jede Spiegelungsmatrix S_θ ähnlich zu der Diagonalmatrix $\begin{pmatrix} 1 & 0 \\ 0 & -1 \end{pmatrix}$.

Beispiel 4.48. Alice und Bob wollen sich gegenseitig Bilder über das Internet zuschicken. Der Einfachheit halber beschränken wir uns auf Schwarz-Weiß-Bilder, bei denen jedes Pixel entweder weiß oder schwarz ist. Ein solches Bild mit $n \times m$ vielen Pixeln können wir mathematisch durch eine Matrix $X \in \mathrm{Mat}(n \times m, \mathbb{F}_2)$ beschreiben, wobei ein weißes Pixel durch einen Eintrag von 0 an der entsprechenden Stelle der Matrix festgelegt wird, und ein schwarzes Pixel durch 1.

Da im Internet Unbefugte leicht „mithören" können, beschließen Alice und Bob zum Schutz ihrer Privatsphäre die Bilder zu verschlüsseln. Dazu einigen sie sich auf einen Schlüssel, der aus zwei Matrizen $S \in \mathrm{GL}(n, \mathbb{F}_2)$ und $T \in \mathrm{GL}(m, \mathbb{F}_2)$ besteht. Diesen Schlüssel halten Alice und Bob geheim, er ist nur ihnen beiden bekannt. Möchte nun Alice Bob ein Bild zusenden, das der Matrix X entspricht, so verschlüsselt sie es zunächst indem sie $Y := S \cdot X \cdot T^{-1}$ berechnet und Bob Y zusendet. Bob entschlüsselt das Bild dann, indem er $X = S^{-1} \cdot Y \cdot T$ berechnet.

Wollen wir Bilder mit 10×15 Pixeln verschicken, so könnten sich Alice und Bob auf folgende Schlüssel einigen:

$$S = \begin{pmatrix} 1 & 1 & 1 & 0 & 0 & 1 & 1 & 0 & 0 & 1 \\ 1 & 1 & 0 & 0 & 0 & 0 & 1 & 1 & 1 & 0 \\ 0 & 1 & 1 & 1 & 1 & 0 & 1 & 0 & 0 & 1 \\ 0 & 1 & 0 & 1 & 0 & 0 & 1 & 0 & 0 & 0 \\ 1 & 1 & 0 & 0 & 0 & 0 & 0 & 1 & 0 & 0 \\ 0 & 1 & 1 & 0 & 0 & 0 & 0 & 1 & 1 & 1 \\ 0 & 0 & 0 & 0 & 0 & 0 & 0 & 1 & 1 & 1 \\ 0 & 1 & 0 & 1 & 1 & 0 & 1 & 1 & 1 & 1 \\ 1 & 0 & 1 & 1 & 1 & 1 & 0 & 1 & 0 & 1 \\ 0 & 1 & 1 & 0 & 1 & 1 & 0 & 1 & 0 & 0 \end{pmatrix} \in \mathrm{GL}(10, \mathbb{F}_2)$$

mit

$$S^{-1} = \begin{pmatrix}
1 & 1 & 0 & 1 & 1 & 0 & 0 & 1 & 0 & 1 \\
0 & 1 & 0 & 1 & 0 & 0 & 1 & 0 & 1 & 1 \\
0 & 1 & 0 & 1 & 0 & 1 & 0 & 0 & 1 & 1 \\
1 & 1 & 1 & 1 & 1 & 1 & 0 & 0 & 1 & 0 \\
0 & 0 & 0 & 1 & 0 & 0 & 1 & 1 & 0 & 0 \\
1 & 0 & 0 & 1 & 0 & 1 & 1 & 0 & 1 & 1 \\
1 & 0 & 1 & 1 & 1 & 1 & 1 & 0 & 0 & 1 \\
1 & 0 & 0 & 0 & 0 & 0 & 1 & 1 & 1 & 0 \\
1 & 1 & 1 & 1 & 0 & 1 & 1 & 0 & 0 & 1 \\
0 & 1 & 1 & 1 & 0 & 1 & 1 & 1 & 1 & 1
\end{pmatrix}$$

und

$$T = \begin{pmatrix}
0 & 1 & 0 & 1 & 1 & 1 & 0 & 1 & 0 & 0 & 1 & 0 & 1 & 0 & 1 \\
0 & 1 & 1 & 1 & 0 & 1 & 1 & 0 & 1 & 1 & 1 & 0 & 0 & 1 & 1 \\
0 & 0 & 0 & 0 & 0 & 1 & 0 & 1 & 0 & 1 & 1 & 0 & 1 & 1 & 1 \\
0 & 0 & 0 & 0 & 1 & 1 & 0 & 1 & 1 & 1 & 0 & 0 & 1 & 0 & 1 \\
0 & 1 & 0 & 1 & 1 & 0 & 0 & 1 & 1 & 0 & 0 & 1 & 1 & 1 & 0 \\
1 & 1 & 0 & 1 & 1 & 0 & 1 & 1 & 0 & 0 & 0 & 1 & 0 & 0 & 0 \\
1 & 0 & 1 & 1 & 0 & 1 & 1 & 0 & 0 & 1 & 0 & 0 & 0 & 1 & 1 \\
1 & 1 & 1 & 1 & 0 & 0 & 1 & 0 & 1 & 0 & 1 & 1 & 1 & 0 & 1 \\
0 & 1 & 0 & 0 & 0 & 0 & 1 & 1 & 0 & 1 & 0 & 0 & 0 & 0 & 0 \\
1 & 0 & 1 & 1 & 1 & 0 & 0 & 1 & 1 & 1 & 0 & 1 & 0 & 0 & 1 \\
0 & 1 & 1 & 1 & 1 & 1 & 1 & 1 & 0 & 1 & 1 & 0 & 0 & 1 & 1 \\
0 & 0 & 1 & 1 & 1 & 0 & 1 & 0 & 0 & 0 & 1 & 0 & 1 & 0 & 1 \\
0 & 1 & 0 & 1 & 1 & 1 & 0 & 1 & 0 & 1 & 0 & 0 & 1 & 1 & 1 \\
0 & 0 & 0 & 0 & 1 & 1 & 1 & 0 & 1 & 0 & 0 & 1 & 1 & 0 & 1 \\
0 & 0 & 0 & 1 & 1 & 1 & 0 & 0 & 1 & 0 & 0 & 0 & 1 & 1 & 1
\end{pmatrix} \in \mathrm{GL}(15, \mathbb{F}_2)$$

mit

$$T^{-1} = \begin{pmatrix}
0 & 0 & 1 & 0 & 0 & 1 & 1 & 1 & 1 & 0 & 1 & 1 & 0 & 0 & 1 \\
1 & 1 & 1 & 0 & 1 & 0 & 1 & 0 & 1 & 1 & 0 & 1 & 1 & 0 & 1 \\
0 & 0 & 1 & 1 & 0 & 1 & 1 & 1 & 0 & 1 & 0 & 0 & 0 & 1 & 0 \\
0 & 1 & 1 & 1 & 0 & 0 & 1 & 1 & 1 & 0 & 0 & 1 & 1 & 1 & 0 \\
0 & 0 & 1 & 0 & 1 & 1 & 0 & 0 & 1 & 1 & 0 & 1 & 1 & 1 & 1 \\
0 & 0 & 1 & 1 & 0 & 0 & 0 & 1 & 1 & 1 & 1 & 1 & 1 & 0 & 1 \\
0 & 0 & 0 & 1 & 1 & 0 & 1 & 0 & 0 & 1 & 1 & 1 & 0 & 0 & 1 \\
0 & 1 & 1 & 1 & 0 & 1 & 1 & 0 & 0 & 0 & 0 & 0 & 0 & 1 & 1 \\
0 & 0 & 0 & 1 & 1 & 0 & 1 & 0 & 1 & 1 & 1 & 1 & 1 & 0 & 0 \\
1 & 0 & 0 & 0 & 0 & 1 & 1 & 0 & 0 & 0 & 1 & 0 & 1 & 1 & 1 \\
1 & 0 & 0 & 1 & 0 & 1 & 0 & 1 & 1 & 0 & 0 & 1 & 0 & 0 & 0 \\
1 & 1 & 1 & 1 & 1 & 0 & 1 & 0 & 0 & 1 & 0 & 1 & 1 & 1 & 1 \\
1 & 0 & 1 & 1 & 1 & 0 & 0 & 0 & 1 & 0 & 0 & 0 & 1 & 1 & 1 \\
1 & 0 & 0 & 1 & 0 & 0 & 1 & 1 & 1 & 0 & 1 & 1 & 0 & 1 & 1 \\
0 & 1 & 0 & 1 & 1 & 1 & 1 & 1 & 0 & 1 & 1 & 1 & 1 & 0 & 1
\end{pmatrix}.$$

Für das unverschlüsselte Bild,

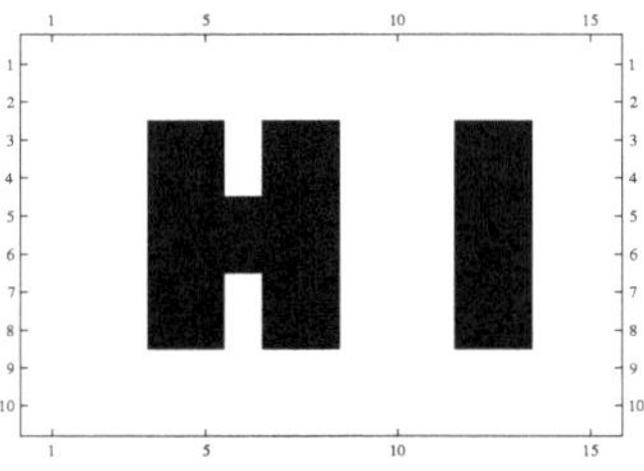

Abb. 69 *Unverschlüsseltes Bild*

das der Matrix

$$X = \begin{pmatrix}
0 & 0 & 0 & 0 & 0 & 0 & 0 & 0 & 0 & 0 & 0 & 0 & 0 & 0 & 0 \\
0 & 0 & 0 & 0 & 0 & 0 & 0 & 0 & 0 & 0 & 0 & 0 & 0 & 0 & 0 \\
0 & 0 & 0 & 1 & 1 & 0 & 1 & 1 & 0 & 0 & 0 & 1 & 1 & 0 & 0 \\
0 & 0 & 0 & 1 & 1 & 0 & 1 & 1 & 0 & 0 & 0 & 1 & 1 & 0 & 0 \\
0 & 0 & 0 & 1 & 1 & 1 & 1 & 1 & 0 & 0 & 0 & 1 & 1 & 0 & 0 \\
0 & 0 & 0 & 1 & 1 & 1 & 1 & 1 & 0 & 0 & 0 & 1 & 1 & 0 & 0 \\
0 & 0 & 0 & 1 & 1 & 0 & 1 & 1 & 0 & 0 & 0 & 1 & 1 & 0 & 0 \\
0 & 0 & 0 & 1 & 1 & 0 & 1 & 1 & 0 & 0 & 0 & 1 & 1 & 0 & 0 \\
0 & 0 & 0 & 0 & 0 & 0 & 0 & 0 & 0 & 0 & 0 & 0 & 0 & 0 & 0 \\
0 & 0 & 0 & 0 & 0 & 0 & 0 & 0 & 0 & 0 & 0 & 0 & 0 & 0 & 0
\end{pmatrix}$$

entspricht, ergibt die Rechnung $Y = S \cdot X \cdot T^{-1}$ die verschlüsselte Matrix,

$$Y = \begin{pmatrix}
0 & 1 & 0 & 0 & 0 & 0 & 0 & 0 & 0 & 0 & 0 & 1 & 1 & 1 & 0 \\
0 & 0 & 0 & 0 & 0 & 0 & 0 & 0 & 0 & 0 & 0 & 0 & 0 & 0 & 0 \\
0 & 0 & 1 & 1 & 0 & 0 & 0 & 1 & 1 & 1 & 1 & 1 & 1 & 0 & 1 \\
0 & 0 & 0 & 0 & 0 & 0 & 0 & 0 & 0 & 0 & 0 & 0 & 0 & 0 & 0 \\
0 & 1 & 1 & 1 & 0 & 0 & 0 & 1 & 1 & 1 & 1 & 0 & 0 & 1 & 1 \\
0 & 0 & 0 & 0 & 0 & 0 & 0 & 0 & 0 & 0 & 0 & 0 & 0 & 0 & 0 \\
0 & 1 & 1 & 1 & 0 & 0 & 0 & 1 & 1 & 1 & 1 & 0 & 0 & 1 & 1 \\
0 & 0 & 1 & 1 & 0 & 0 & 0 & 1 & 1 & 1 & 1 & 1 & 1 & 0 & 1 \\
0 & 1 & 1 & 1 & 0 & 0 & 0 & 1 & 1 & 1 & 1 & 0 & 0 & 1 & 1 \\
0 & 0 & 0 & 0 & 0 & 0 & 0 & 0 & 0 & 0 & 0 & 0 & 0 & 0 & 0
\end{pmatrix}$$

die dem Bild

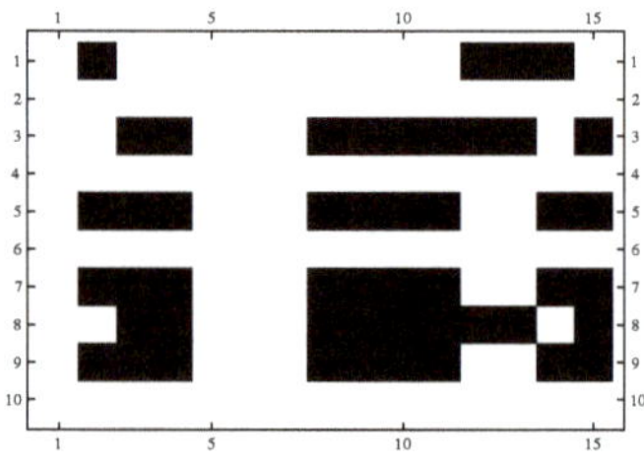

Abb. 70 *Verschlüsseltes Bild*

enstpricht.

Dieses Verschlüsselungsverfahren wäre allerdings nicht wirklich praxistauglich. Zum einen bräuchte man für jede Bildergröße eigene Schlüssel, zum anderen würden manche Bilder nur schwach oder gar nicht verschlüsselt. Ein rein weißes Bild zum Beispiel entspricht der Nullmatrix. Ist aber X die Nullmatrix, dann ist auch $Y = S \cdot X \cdot T^{-1}$ die Nullmatrix. Dieses Bild ginge also immer unverschlüsselt über das Internet.

 Der Zusammenhang zwischen linearen Abbildungen und Matrizen ist ein zentraler Punkt der linearen Algebra, den Sie unbedingt gut verstehen müssen. Hier eine Übung dazu: `https://ueben.cbaer.eu/14.html` 

Für reelle Matrizen haben wir in Definition 2.65 den Rang definiert. Für Matrizen mit Einträgen in einem allgemeinen Körper ist die Definition dieselbe:

> **Definition 4.49.** Sei K ein Körper. Für $X \in \mathrm{Mat}(m \times n, K)$ heißt
>
> $$\mathrm{rg}(X) := \text{maximale Anzahl linear unabhängiger Spaltenvektoren von } X$$

> der **Rang** (bzw. Spaltenrang) von X.
> In anderen Worten: Sind $v_1, \ldots, v_n$ die Spaltenvektoren von X, dann ist
>
> $$rg(X) = \dim(L(v_1, \ldots, v_n)).$$

Bemerkung 4.50. Nun kennen wir den Rang von Matrizen und den Rang von linearen Abbildungen. Diese beiden Konzepte von Rang vertragen sich gut in dem Sinne, dass der Rang einer darstellenden Matrix eines Homomorphismus φ mit dem Rang von φ selbst übereinstimmt. Genauer: Sind V und W endlich-dimensionale K-Vektorräume mit geordneten Basen A bzw. B und ist $\varphi \in \mathrm{Hom}(V, W)$, dann gilt:

$$rg(M_B^A(\varphi)) = rg(\varphi).$$

Ist nämlich $A = (a_1, \ldots, a_n)$, dann gilt:

$$
\begin{aligned}
rg(\varphi) &= \dim(\mathrm{im}(\varphi)) \\
&= \dim(L(\varphi(a_1), \ldots, \varphi(a_n))) \\
&= \dim(\psi_B^{-1}(L(\varphi(a_1), \ldots, \varphi(a_n)))) \\
&= \dim(L(\psi_B^{-1} \circ \varphi(a_1), \ldots, \psi_B^{-1} \circ \varphi(a_n))) \\
&= \dim(L(\psi_B^{-1} \circ \varphi \circ \psi_A(e_1), \ldots, \psi_B^{-1} \circ \varphi \circ \psi_A(e_n))) \\
&= \dim(L(M_B^A(\varphi) \cdot e_1, \ldots, M_B^A(\varphi) \cdot e_n)) \\
&= rg(M_B^A(\varphi)).
\end{aligned}
$$

Da äquivalente Matrizen denselben Homomorphismus bzgl. verschiedener Basen darstellen, folgt hieraus auch, dass äquivalente Matrizen denselben Rang haben.

Satz 4.51. *Sei K ein Körper, seien V und W endlich-dimensionale K-Vektorräume, und sei $\varphi \colon V \to W$ eine lineare Abbildung mit Rang $rg(\varphi) = r$. Dann gibt es geordnete Basen A von V und B von W, so dass die darstellende Matrix $M_B^A(\varphi)$ die folgende Gestalt hat:*

$$
M_B^A(\varphi) =
\begin{pmatrix}
1 & 0 & \cdots & \cdots & \cdots & 0 \\
0 & \ddots & \ddots & & & \vdots \\
\vdots & \ddots & 1 & \ddots & & \vdots \\
\vdots & & \ddots & 0 & \ddots & \vdots \\
\vdots & & & \ddots & \ddots & 0 \\
0 & \cdots & \cdots & \cdots & 0 & 0
\end{pmatrix}
=
\left(
\begin{array}{c|c}
\mathbb{1}_r & 0 \\
\hline
0 & 0
\end{array}
\right).
$$

Beweis. a) Wir wählen eine geordnete Basis $(b_1, \ldots, b_r)$ von $\mathrm{im}(\varphi)$ und ergänzen diese zu einer geordneten Basis $B := (b_1, \ldots, b_r, b_{r+1}, \ldots, b_m)$ von W. Für $j = 1, \ldots, r$ liegt $b_j \in \mathrm{im}(\varphi)$ und kann daher in der Form $b_j = \varphi(a_j)$ geschrieben werden, wobei $a_j \in V$ ein geeignetes Element ist.

Wir setzen $n := \dim(V)$. Nach der Dimensionsformel (4.4) ist

$$\dim \ker(\varphi) = \dim(V) - \dim \mathrm{im}(\varphi) = n - r\,.$$

Wähle also eine geordnete Basis $(a_{r+1}, \ldots, a_n)$ von $\ker(\varphi)$. Wir zeigen nun, dass $(a_1, \ldots, a_r, a_{r+1}, \ldots, a_n)$ eine geordnete Basis von V ist.

b) Dazu reicht es zu zeigen, dass $(a_1, \ldots, a_r, a_{r+1}, \ldots, a_n)$ linear unabhängig ist, denn dann ist wegen $\dim(V) = n$ die Menge $\{a_1, \ldots, a_r, a_{r+1}, \ldots, a_n\}$ maximal linear unabhängig damit nach Satz 3.113 eine Basis.

Sei also

$$\lambda_1 a_1 + \ldots + \lambda_n a_n = 0 \tag{4.15}$$

für $\lambda_1, \ldots, \lambda_n \in K$. Dann gilt

$$\begin{aligned}
0 &= \varphi(0) \\
&= \varphi(\lambda_1 a_1 + \ldots + \lambda_n a_n) \\
&= \lambda_1 \varphi(a_1) + \ldots + \lambda_r \varphi(a_r) + \lambda_{r+1} \varphi(a_r) + \ldots + \lambda_n \varphi(a_n) \\
&= \lambda_1 b_1 + \ldots + \lambda_r b_r\,,
\end{aligned}$$

denn nach Konstruktion ist $\varphi(a_i) = b_i$ für $i = 1, \ldots, r$ und $\varphi(a_i) = 0$ für $i = r + 1, \ldots, n$. Nun ist aber $(b_1, \ldots, b_r)$ eine Basis von $\mathrm{im}(\varphi)$, also insbesondere linear unabhängig. Somit ist $\lambda_1 = \ldots = \lambda_r = 0$. Eingesetzt in Gleichung (4.15) erhalten wir

$$\lambda_{r+1} a_{r+1} + \ldots + \lambda_n a_n = 0\,.$$

Da $(a_{r+1}, \ldots, a_n)$ eine Basis von $\ker(\varphi)$ und damit insbesondere linear unabhängig ist, folgt $\lambda_{r+1} = \ldots = \lambda_n = 0$. Damit ist gezeigt, dass $A := (a_1, \ldots, a_r, a_{r+1}, \ldots, a_n)$ eine geordnete Basis von V ist.

c) Wir haben jetzt eine geordnete Basis A von V und eine geordnete Basis B von W gefunden und müssen nun noch zeigen, dass die darstellende Matrix $M_B^A(\varphi)$ von φ bzgl. dieser Basen die angegebene Form hat. Da für die Basisvektoren aus A gilt: $\varphi(a_i) = b_i$ für $i = 1, \ldots, r$ und

$\varphi(a_i) = 0$ für $i = r+1, \ldots, n$, so ist die darstellende Matrix gegeben durch:

$$M_B^A(\varphi) = \begin{pmatrix} 1 & 0 & \cdots & & \cdots & 0 & 0 & \cdots & & \cdots & 0 \\ 0 & 1 & \ddots & & & \vdots & \vdots & & & & \vdots \\ \vdots & 0 & \ddots & \ddots & & \vdots & \vdots & & & & \vdots \\ \vdots & \vdots & \ddots & \ddots & 0 & \vdots & & & & \vdots \\ \vdots & \vdots & & \ddots & 1 & \vdots & & & & & \vdots \\ \vdots & \vdots & & & 0 & \vdots & & & & & \vdots \\ \vdots & \vdots & & & & \vdots & \vdots & & & & \vdots \\ 0 & 0 & \cdots & & \cdots & 0 & 0 & \cdots & & \cdots & 0 \end{pmatrix}$$

$$\underbrace{}_{r} \quad \underbrace{}_{n-r}$$

Damit ist Satz 4.51 bewiesen. $\qquad\square$

Korollar 4.52. *Jede Matrix $X \in \mathrm{Mat}(m \times n, K)$ vom Rang r ist äquivalent zu der Matrix* $\left(\begin{array}{c|c} \mathbb{1}_r & 0 \\ \hline 0 & 0 \end{array}\right)$. $\qquad\square$

Korollar 4.53. *Zwei Matrizen $X, Y \in \mathrm{Mat}(m \times n, K)$ sind genau dann äquivalent, wenn sie denselben Rang haben, d.h. $\mathrm{rg}(X) = \mathrm{rg}(Y)$.*

Beweis. In Bemerkung 4.50 haben wir festgestellt, dass äquivalente Matrizen denselben Rang haben. Gilt umgekehrt $\mathrm{rg}(X) = \mathrm{rg}(Y) = r$, dann sind nach Korollar 4.52 sowohl X als auch Y äquivalent zu $\left(\begin{array}{c|c} \mathbb{1}_r & 0 \\ \hline 0 & 0 \end{array}\right)$, und damit auch zueinander äquivalent. $\qquad\square$

Bemerkung 4.54. In Beispiel 4.45 haben wir gesehen, dass die Einheitsmatrix $\mathbb{1}_n$ nur zu sich selbst ähnlich ist. Jede andere invertierbare Matrix $X \in \mathrm{GL}(n, K)$ hat aber ebenfalls Rang n. Die Korollare 4.52 und 4.53 gelten also nicht, wenn man das Wort „äquivalent" durch „ähnlich" ersetzt.

Ein Endomorphismus $\varphi \in \mathrm{End}_K(V)$ kann im Allgemeinen nur bzgl. *verschiedener* Basen A und B von V durch eine Matrix der Gestalt $\left(\begin{array}{c|c} \mathbb{1}_r & 0 \\ \hline 0 & 0 \end{array}\right)$ dargestellt werden.

Da sich der Rang einer Matrix auf ihre Spaltenvektoren bezieht, nennt man ihn auch den

Spaltenrang. Analog können wir auch den Zeilenrang einer Matrix definieren:

Definition 4.55. Sei K ein Körper und $X \in \mathrm{Mat}(m \times n, K)$. Dann heißt

$$\widetilde{\mathrm{rg}}(X) := \text{maximale Anzahl linear unabhängiger Zeilenvektoren von } X$$

der **Zeilenrang** von X.

Von den reellen Matrizen kennen wir bereits das Konzept der transponierten Matrix, die wir bekommen, indem wir Spalten und Zeilen vertauschen.

Definition 4.56. Sei

$$X = \begin{pmatrix} c_{11} & \cdots & c_{1n} \\ \vdots & & \vdots \\ c_{m1} & \cdots & c_{mn} \end{pmatrix} \in \mathrm{Mat}(m \times n, K)\,.$$

Dann heißt die Matrix

$$X^{\mathsf{T}} := \begin{pmatrix} c_{11} & \cdots & c_{m1} \\ \vdots & & \vdots \\ c_{1n} & \cdots & c_{mn} \end{pmatrix} \in \mathrm{Mat}(n \times m, K) \tag{4.16}$$

die **Transponierte** von X. Die Abbildung

$$\mathrm{Mat}(m \times n, K) \to \mathrm{Mat}(n \times m, K),$$
$$X \mapsto X^{\mathsf{T}},$$

heißt **Transposition**.

Satz 4.57. *Sei K ein Körper, seien $X, Y \in \mathrm{Mat}(m \times n, K)$, sei $Z \in \mathrm{Mat}(l \times m, K)$, sei $S \in \mathrm{GL}(m, K)$, und sei $\alpha \in K$. Dann gilt:*

$$(X + Y)^{\mathsf{T}} = X^{\mathsf{T}} + Y^{\mathsf{T}}, \tag{4.17}$$
$$(\alpha \cdot X)^{\mathsf{T}} = \alpha \cdot X^{\mathsf{T}}, \tag{4.18}$$
$$(X^{\mathsf{T}})^{\mathsf{T}} = X, \tag{4.19}$$
$$(Z \cdot Y)^{\mathsf{T}} = Y^{\mathsf{T}} \cdot Z^{\mathsf{T}}, \tag{4.20}$$

$$\left(S^{-1}\right)^{\mathsf{T}} = \left(S^{\mathsf{T}}\right)^{-1}, \tag{4.21}$$

$$\mathrm{rg}\left(X^{\mathsf{T}}\right) = \widetilde{\mathrm{rg}}(X), \tag{4.22}$$

$$\widetilde{\mathrm{rg}}\left(X^{\mathsf{T}}\right) = \mathrm{rg}(X). \tag{4.23}$$

Beweis. Die Gleichungen (4.17), (4.18), (4.19), (4.22) und (4.23) erhält man unmittelbar aus der Definition 4.56 der Transponierten sowie der Definition des Spalten- und Zeilenrangs. Die Gleichung (4.20) erhält man durch eine einfache Rechnung:

$$(Z \cdot Y)_{ij}^{\mathsf{T}} = (Z \cdot Y)_{ji} = \sum_{k=1}^{m} Z_{jk} \cdot Y_{ki} = \sum_{k=1}^{m} (Y^{\mathsf{T}})_{ik} \cdot (Z^{\mathsf{T}})_{kj} = (Y^{\mathsf{T}} \cdot Z^{\mathsf{T}})_{ij} \,.$$

Schließlich rechnen wir:

$$(S^{-1})^{\mathsf{T}} \cdot S^{\mathsf{T}} \stackrel{(4.20)}{=} (S \cdot S^{-1})^{\mathsf{T}} = \mathbb{1}_m^{\mathsf{T}} = \mathbb{1}_m$$

und analog $S^{\mathsf{T}} \cdot (S^{-1})^{\mathsf{T}} = \mathbb{1}_m$. Somit ist $(S^{-1})^{\mathsf{T}}$ die Inverse von S^{T}, wie in Gleichung (4.21) behauptet. $\qquad\square$

Bemerkung 4.58. Wir haben schon gesehen, dass äquivalente Matrizen denselben (Spalten-) Rang haben. Sie haben aber auch denselben Zeilenrang, d.h. sind $X, Y \in \mathrm{Mat}(m \times n, K)$ äquivalent, so gilt:

$$\widetilde{\mathrm{rg}}(X) = \widetilde{\mathrm{rg}}(Y). \tag{4.24}$$

Sind nämlich X und Y äquivalent, so gibt es Matrizen $S \in \mathrm{GL}(m, K)$ und $T \in \mathrm{GL}(n, K)$, so dass $Y = SXT^{-1}$. Daraus erhalten wir durch Transposition:

$$Y^{\mathsf{T}} = \left(SXT^{-1}\right)^{\mathsf{T}} \stackrel{(4.20)}{=} \left(T^{-1}\right)^{\mathsf{T}} \cdot X^{\mathsf{T}} \cdot S^{\mathsf{T}} \stackrel{(4.21)}{=} \left(T^{\mathsf{T}}\right)^{-1} \cdot X^{\mathsf{T}} \cdot S^{\mathsf{T}} \,.$$

Somit sind X^{T} und Y^{T} ebenfalls äquivalent und wir erhalten

$$\widetilde{\mathrm{rg}}(X) \stackrel{(4.22)}{=} \mathrm{rg}(X^{\mathsf{T}}) = \mathrm{rg}(Y^{\mathsf{T}}) \stackrel{(4.22)}{=} \widetilde{\mathrm{rg}}(Y) \,.$$

Nun können wir feststellen, dass Spalten- und Zeilenrang einer Matrix stets übereinstimmen. Daher brauchen wir nicht zwischen diesen beiden Konzepten von Rang zu unterscheiden und werden wir künftig nur noch vom Rang der Matrix sprechen.

Satz 4.59. *Sei K ein Körper und $X \in \mathrm{Mat}(m \times n, K)$. Dann gilt:*

$$\mathrm{rg}(X) = \widetilde{\mathrm{rg}}(X) \,. \tag{4.25}$$

Beweis. Sei $\operatorname{rg}(X) = r$. Dann ist nach Korollar 4.52 die Matrix X äquivalent zu der Matrix $\left(\begin{array}{c|c} \mathbb{1}_r & 0 \\ \hline 0 & 0 \end{array}\right)$. Somit gilt:

$$\widetilde{\operatorname{rg}}(X) = \widetilde{\operatorname{rg}}\left(\begin{array}{c|c} \mathbb{1}_r & 0 \\ \hline 0 & 0 \end{array}\right) = \operatorname{rg}\left(\begin{array}{c|c} \mathbb{1}_r & 0 \\ \hline 0 & 0 \end{array}\right)^{\mathsf{T}} = \operatorname{rg}\left(\begin{array}{c|c} \mathbb{1}_r & 0 \\ \hline 0 & 0 \end{array}\right) = r = \operatorname{rg}(X). \qquad \square$$

Beispiel 4.60. Bei folgender Matrix sieht man sofort, dass die untere Zeile das Doppelte der oberen ist. Daher gilt

$$\operatorname{rg}\begin{pmatrix} 1 & 2 & 3 & 4 \\ 2 & 4 & 6 & 8 \end{pmatrix} = \widetilde{\operatorname{rg}}\begin{pmatrix} 1 & 2 & 3 & 4 \\ 2 & 4 & 6 & 8 \end{pmatrix} = 1 \,.$$

Zum Schluss dieses Abschnitts noch einige Bemerkungen über lineare Gleichungssysteme. In Abschnitt 2.3 haben wir den Gauß-Algorithmus für reelle lineare Gleichungssysteme kennengelernt. Ersetzen wir die reellen Zahlen durch einen beliebigen Körper, so ändert sich an der Diskussion nichts. Auch Satz 2.67 bleibt gültig.

Führt man elementare Zeilentransformationen an einer Matrix $A \in \operatorname{Mat}(m \times n, K)$ durch, so ändert sich die Lösungsmenge des homogenen LGS $A \cdot x = 0$ nicht, d.h. der Kern von A bleibt unverändert. Aufgrund der Dimensionsformel ändert sich auch der Rang von A dabei nicht. Haben wir A in Zeilenstufenform gebracht, so können wir den (Zeilen-) Rang leicht ablesen; er ist dann die Anzahl der Zeilen, die nicht aus lauter Nullen bestehen.

Beispiel 4.61. Um den Rang der Matrix

$$A = \begin{pmatrix} 7 & 0 & -7 & 0 \\ 8 & 1 & -5 & -2 \\ 0 & 1 & -3 & 0 \\ 0 & 3 & -6 & -1 \end{pmatrix}$$

zu bestimmen, können wir sie durch elementare Zeilentransformationen in Zeilenstufenform bringen, was wir in Beispiel 2.68 bereits getan haben. Wir erhielten die Matrix

$$\begin{pmatrix} 1 & 0 & -1 & 0 \\ 0 & 1 & 3 & -2 \\ 0 & 0 & 1 & -\frac{1}{3} \\ 0 & 0 & 0 & 0 \end{pmatrix} =: \tilde{A}$$

in Zeilenstufenform. Nun hat $\tilde{A}$ drei Zeilen, die nicht nicht nur null sind, also ist $\operatorname{rg}(\tilde{A}) = 3$ und damit $\operatorname{rg}(A) = 3$.

4.3. Determinanten

Als Nächstes führen wir Determinanten ein. Mit ihrer Hilfe kann man überprüfen, ob eine quadratische Matrix invertierbar ist oder nicht. Sie sind aber auch geometrisch sehr nützlich bei der Berechnung von Volumina.

Bevor wir zu einer Definition von Determinanten kommen, überlegen wir uns zunächst, was sie tun sollen. Dann werden wir feststellen, dass es genau eine sinnvolle Definition gibt.

Da wir es bei Determinaten andauernd mit quadratischen Matrizen zu tun haben, wollen wir die kürzere Notation

$$\mathrm{Mat}(n, K) := \mathrm{Mat}(n \times n, K)$$

verwenden.

Definition 4.62. Sei K ein Körper und sei $n \in \mathbb{N}$. Eine Abbildung

$$\det : \mathrm{Mat}(n, K) \to K \,,$$
$$A \mapsto \det(A) \,,$$

heißt **Determinantenabbildung**, falls sie folgenden Axiomen genügt:

(D1) Die Abbildung det ist linear in jeder Zeile, d.h. für jede Matrix $A \in \mathrm{Mat}(n, K)$ mit Zeilen $a_1, \ldots, a_n$ gilt:

$$\det \begin{pmatrix} a_1 \\ \vdots \\ a_{i-1} \\ \lambda \cdot a_i \\ a_{i+1} \\ \vdots \\ a_n \end{pmatrix} = \lambda \cdot \det \begin{pmatrix} a_1 \\ \vdots \\ a_{i-1} \\ a_i \\ a_{i+1} \\ \vdots \\ a_n \end{pmatrix}$$

und

$$\det \begin{pmatrix} a_1 \\ \vdots \\ a_{i-1} \\ a_i' + a_i'' \\ a_{i+1} \\ \vdots \\ a_n \end{pmatrix} = \det \begin{pmatrix} a_1 \\ \vdots \\ a_{i-1} \\ a_i' \\ a_{i+1} \\ \vdots \\ a_n \end{pmatrix} + \det \begin{pmatrix} a_1 \\ \vdots \\ a_{i-1} \\ a_i'' \\ a_{i+1} \\ \vdots \\ a_n \end{pmatrix} \,.$$

(D2) Die Abbildung det ist **alternierend**, d.h. falls in einer Matrix A zwei Zeilen übereinstimmen, so ist $\det(A) = 0$.

(D3) Die Abbildung det ist **normiert**, d.h. $\det(\mathbb{1}_n) = 1$.

Aus diesen drei Eigenschaften ergeben sich eine ganze Reihe weiterer Eigenschaften von Determinatenabbildungen.

Satz 4.63. *Sei K ein Körper und sei $n \in \mathbb{N}$. Sei* $\det\colon \mathrm{Mat}(n, K) \to K$ *eine Determinanten-abbildung. Dann gilt für alle $A, B \in \mathrm{Mat}(n, K)$ und alle $\lambda \in K$:*

(D4)
$$\det(\lambda \cdot A) = \lambda^n \cdot \det(A) . \tag{4.26}$$

(D5) *Ist eine Zeile von A gleich 0, so ist $\det(A) = 0$.*

(D6) *Entsteht B aus A durch Vertauschung zweier Zeilen, so ist $\det(B) = -\det(A)$.*

(D7) *Entsteht B aus A durch Addition des Vielfachen einer Zeile zu einer anderen, so ist $\det(B) = \det(A)$.*

(D8) *Ist A eine obere Dreiecksmatrix mit den Diagonaleneinträgen $\lambda_1, \ldots, \lambda_n$, d.h. hat A die Gestalt*

$$A = \begin{pmatrix} \lambda_1 & * & \cdots & * \\ 0 & \ddots & \ddots & \vdots \\ \vdots & \ddots & \ddots & * \\ 0 & \cdots & 0 & \lambda_n \end{pmatrix},$$

so ist $\det(A) = \lambda_1 \cdots \lambda_n$.

Beweis. Zu (D4):

Wir berechnen unter Benutzung von (D1):

$$\det(\lambda \cdot A) = \det \begin{pmatrix} \lambda \cdot a_1 \\ \lambda \cdot a_2 \\ \lambda \cdot a_3 \\ \vdots \\ \lambda \cdot a_n \end{pmatrix} = \lambda \cdot \det \begin{pmatrix} a_1 \\ \lambda \cdot a_2 \\ \lambda \cdot a_3 \\ \vdots \\ \lambda \cdot a_n \end{pmatrix} = \lambda^2 \cdot \det \begin{pmatrix} a_1 \\ a_2 \\ \lambda \cdot a_3 \\ \vdots \\ \lambda \cdot a_n \end{pmatrix}$$

$$= \ldots = \lambda^n \cdot \det \begin{pmatrix} a_1 \\ a_2 \\ a_3 \\ \vdots \\ a_n \end{pmatrix} = \lambda^n \cdot \det(A) \,.$$

Zu (D5):

Wir berechnen unter Benutzung von (D1):

$$\det(A) = \det \begin{pmatrix} a_1 \\ \vdots \\ a_{i-1} \\ 0 \\ a_{i+1} \\ \vdots \\ a_n \end{pmatrix} = \det \begin{pmatrix} a_1 \\ \vdots \\ a_{i-1} \\ 0 \cdot 0 \\ a_{i+1} \\ \vdots \\ a_n \end{pmatrix} \overset{(D1)}{=} 0 \cdot \det \begin{pmatrix} a_1 \\ \vdots \\ a_{i-1} \\ 0 \\ a_{i+1} \\ \vdots \\ a_n \end{pmatrix} = 0 \,.$$

Zu (D6):

Sei $A = \begin{pmatrix} a_1 \\ \vdots \\ a_n \end{pmatrix}$ und es gehe B aus A durch Vertauschung der i-ten mit der j-ten Zeile hervor, wobei wir $i < j$ wählen. Dann erhalten wir aus (D2):

$$0 \overset{(D2)}{=} \det \begin{pmatrix} a_1 \\ \vdots \\ a_{i-1} \\ a_i + a_j \\ a_{i+1} \\ \vdots \\ a_{j-1} \\ a_i + a_j \\ a_{j+1} \\ \vdots \\ a_n \end{pmatrix} = \det \begin{pmatrix} a_1 \\ \vdots \\ a_{i-1} \\ a_i \\ a_{i+1} \\ \vdots \\ a_{j-1} \\ a_i + a_j \\ a_{j+1} \\ \vdots \\ a_n \end{pmatrix} + \det \begin{pmatrix} a_1 \\ \vdots \\ a_{i-1} \\ a_j \\ a_{i+1} \\ \vdots \\ a_{j-1} \\ a_i + a_j \\ a_{j+1} \\ \vdots \\ a_n \end{pmatrix}$$

$$
= \det\begin{pmatrix} a_1 \\ \vdots \\ a_{i-1} \\ a_i \\ a_{i+1} \\ \vdots \\ a_{j-1} \\ a_i \\ a_{j+1} \\ \vdots \\ a_n \end{pmatrix} + \det\begin{pmatrix} a_1 \\ \vdots \\ a_{i-1} \\ a_i \\ a_{i+1} \\ \vdots \\ a_{j-1} \\ a_j \\ a_{j+1} \\ \vdots \\ a_n \end{pmatrix} + \det\begin{pmatrix} a_1 \\ \vdots \\ a_{i-1} \\ a_j \\ a_{i+1} \\ \vdots \\ a_{j-1} \\ a_i \\ a_{j+1} \\ \vdots \\ a_n \end{pmatrix} + \det\begin{pmatrix} a_1 \\ \vdots \\ a_{i-1} \\ a_j \\ a_{i+1} \\ \vdots \\ a_{j-1} \\ a_j \\ a_{j+1} \\ \vdots \\ a_n \end{pmatrix}
$$

$$
\overset{(D2)}{=} 0 + \det(A) + \det(B) + 0 \,.
$$

Wir haben also $\det(A) = -\det(B)$.

Zu (D7):

Sei $A = \begin{pmatrix} a_1 \\ \vdots \\ a_n \end{pmatrix}$ und es gehe B aus A durch Addition des λ-fachen der j-ten Zeile zur i-ten Zeile

hervor, wobei $j \neq i$. Dann erhalten wir aus (D2):

$$
\det(B) = \det\begin{pmatrix} a_1 \\ \vdots \\ a_{i-1} \\ a_i + \lambda \cdot a_j \\ a_{i+1} \\ \vdots \\ a_j \\ \vdots \\ a_n \end{pmatrix} = \det\begin{pmatrix} a_1 \\ \vdots \\ a_{i-1} \\ a_i \\ a_{i+1} \\ \vdots \\ a_j \\ \vdots \\ a_n \end{pmatrix} + \lambda \cdot \det\begin{pmatrix} a_1 \\ \vdots \\ a_{i-1} \\ a_j \\ a_{i+1} \\ \vdots \\ a_j \\ \vdots \\ a_n \end{pmatrix} \overset{(D2)}{=} \det(A) + \lambda \cdot 0 = \det(A) \,.
$$

Zu (D8):

a) Betrachten wir zunächst den Fall, dass $\lambda_i \neq 0$ für alle $i = 1, \ldots, n$. Dann lässt sich die Matrix A durch Operationen wie in (D7) in eine Diagonalmatrix

$$
B = \begin{pmatrix} \lambda_1 & 0 & \ldots & 0 \\ 0 & \ddots & \ddots & \vdots \\ \vdots & \ddots & \ddots & 0 \\ 0 & \ldots & 0 & \lambda_n \end{pmatrix}
$$

überführen.[1] Mittels (D7) erhalten wir dann:

$$\det(A) \stackrel{\text{(D7)}}{=} \det\begin{pmatrix} \lambda_1 & 0 & \cdots & 0 \\ 0 & \ddots & \ddots & \vdots \\ \vdots & \ddots & \ddots & 0 \\ 0 & \cdots & 0 & \lambda_n \end{pmatrix} \stackrel{\text{(D1)}}{=} \lambda_1 \cdots \lambda_n \cdot \det(\mathbb{1}_n) = \lambda_1 \cdots \lambda_n.$$

b) Sei nun $\lambda_i = 0$ für mindestens ein $i \in \{1, \ldots, n\}$. Wir wählen das maximale solche i, so dass also $\lambda_i = 0$ und $\lambda_j \neq 0$ für $j = i+1, \ldots, n$. Wie in a) lässt sich die Matrix A durch elementare Zeilenumformungen wie in (D7) in eine Matrix

$$B = \begin{pmatrix} \lambda_1 & * & \cdots & \cdots & \cdots & \cdots & * \\ & \ddots & \ddots & & & & \vdots \\ & & \lambda_{i-1} & * & \cdots & \cdots & * \\ 0 & \cdots & \cdots & 0 & \cdots & \cdots & 0 \\ & & & & \lambda_{i+1} & & \\ & & & & & \ddots & \\ & & & & & & \lambda_n \end{pmatrix}$$

überführen.[2] Damit ist $\det(A) \stackrel{\text{(D7)}}{=} \det(B) \stackrel{\text{(D5)}}{=} 0 = \lambda_1 \cdots \lambda_n.$ $\qquad\square$

Satz 4.64. *Sei K ein Körper und sei $n \in \mathbb{N}$. Sei* $\det\colon \mathrm{Mat}(n, K) \to K$ *eine Determinantenabbildung. Dann ist für alle $A \in \mathrm{Mat}(n, K)$ äquivalent:*

(1) $\det(A) \neq 0$.

(2) $\mathrm{rg}(A) = n$.

(3) A ist invertierbar, d.h. $A \in \mathrm{GL}(n, K)$.

Beweis. Zu „(1)$\Leftrightarrow$(2)":

In Abschnitt 2.3 haben wir gelernt, dass sich eine Matrix durch Vertauschen von Zeilen und Addition von Vielfachen von Zeilen zu anderen Zeilen in Zeilenstufenform bringen lässt. Im

---

[1]Ziehe zunächst geeignete Vielfache des $1/\lambda_n$-fachen der letzten Zeile von den darüber liegenden Zeilen ab. Dadurch werden alle bis auf den untersten Eintrag in der letzten Spalte = 0. Ziehe anschließend geeignete Vielfache des $1/\lambda_{n-1}$-fachen der vorletzten Zeile von den darüber liegenden Zeilen ab. Dadurch werden alle Einträge oberhalb der Diagonale in der vorletzten Spalte = 0, usw.

[2]Wir verfahren wie in a) und stoppen nachdem wir die i-te Zeile verarztet haben.

Fall einer quadratischen Matrix erhalten wir somit eine obere Dreiecksmatrix

$$
A' = \begin{pmatrix} \lambda_1 & * & \cdots & * \\ 0 & \ddots & \ddots & \vdots \\ \vdots & \ddots & \ddots & * \\ 0 & \cdots & 0 & \lambda_n \end{pmatrix}.
$$

Wegen (D6) und (D7) ändert die Determinante dabei allenfalls ihr Vorzeichen, $\det(A) = \pm \det(A')$. Auch der Rang einer Matrix ändert sich nicht bei Zeilenumformungen, $\mathrm{rg}(A) = \mathrm{rg}(A')$. Also haben wir:

$$
\begin{aligned}
\det(A) \neq 0 &\Longleftrightarrow \det(A') \neq 0 \\
&\overset{(D8)}{\Longleftrightarrow} \lambda_1 \cdots \lambda_n \neq 0 \\
&\Longleftrightarrow \lambda_1 \neq 0 \quad \wedge \quad \cdots \quad \wedge \quad \lambda_n \neq 0 \\
&\Longleftrightarrow \mathrm{rg}(A') = n \\
&\Longleftrightarrow \mathrm{rg}(A) = n\,.
\end{aligned}
$$

Zu „(3)$\Rightarrow$(2)“:

Ist A invertierbar, so ist $\varphi_A \colon K^n \to K^n$, $\varphi_A(x) = A \cdot x$, bijektiv, insbesondere surjektiv. Also ist $\mathrm{im}(\varphi_A) = K^n$ und damit $\mathrm{rg}(A) = \mathrm{rg}(\varphi_A) = \dim(K^n) = n$.

Zu „(2)$\Rightarrow$(3)“:

Sei $\mathrm{rg}(A) = n$. Dann ist $\dim(\mathrm{im}(\varphi_A)) = \mathrm{rg}(\varphi) = \mathrm{rg}(A) = n$. Also ist $\mathrm{im}(\varphi_A)$ ein n-dimensionaler Untervektorraum von K^n und damit nach Korollar 3.132 $\mathrm{im}(\varphi_A) = K^n$. Also ist φ_A surjektiv. Nach Korollar 4.20 ist φ_A ein Isomorphismus und damit A invertierbar. $\qquad \square$

Determinantenabbildungen können uns also dabei helfen zu entscheiden, ob eine Matrix invertierbar ist. Allerdings wissen wir noch gar nicht, ob es überhaupt Determinantenabbildungen gibt.

Satz 4.65. *Für jeden Körper K und jedes $n \in \mathbb{N}$, $n \geq 1$, gibt es genau eine Determinantenabbildung* $\det \colon \mathrm{Mat}(n, K) \to K$.

Beweis. Eindeutigkeit: Seien $\det$ und $\widetilde{\det} \colon \mathrm{Mat}(n, K) \to K$ zwei Determinantenabbildungen und sei $A \in \mathrm{Mat}(n, K)$ eine Matrix. Wir überführen A mittels spezieller Zeilenumformungen (Zeilenvertauschungen und Addition von Vielfachen von Zeilen zu anderen Zeilen) in eine obere Dreiecksmatrix

$$A' = \begin{pmatrix} \lambda_1 & * & \cdots & * \\ 0 & \ddots & \ddots & \vdots \\ \vdots & \ddots & \ddots & * \\ 0 & \cdots & 0 & \lambda_n \end{pmatrix}.$$

Sei dabei k die Anzahl der Zeilenvertauschungen. Aus den Eigenschaften (D6), (D7) und (D8) erhalten wir dann:

$$\det(A) = (-1)^k \det(A') = (-1)^k \cdot \lambda_1 \cdot \ldots \cdot \lambda_n$$

und genauso $\widetilde{\det}(A') = (-1)^k \cdot \lambda_1 \cdot \ldots \cdot \lambda_n$. Also ist $\det(A) = \widetilde{\det}(A)$.

Die *Existenz* zeigen wir mittels vollständiger Induktion nach n.
Induktionsanfang: Für $n = 1$ definieren wir $\det_1 : \mathrm{Mat}(1, K) \to K$ durch $\det_1 ((a)) := a$. Die Axiome (D1), (D2) und (D3) sind dann offensichtlich erfüllt.
Induktionsschritt: Sei $n \in \mathbb{N}$, $n \geq 2$. Wir zeigen: Gibt es eine Determinantenabbildung

$$\det_{n-1} : \mathrm{Mat}(n - 1, K) \to K,$$

so gibt es auch eine Determinantenabbildung $\det_n : \mathrm{Mat}(n, K) \to K$. Hierzu konstruieren wir $\det_n$ aus $\det_{n-1}$ wie folgt: Sei $A \in \mathrm{Mat}(n, K)$. Für $i, j \in \{1, \ldots, n\}$ bezeichne $A_{i,j}^{\mathrm{Str}} \in \mathrm{Mat}(n - 1, K)$ diejenige $(n - 1) \times (n - 1)$-Matrix, die aus A durch Streichen der i-ten Zeile und der j-ten Spalte entsteht:

$$A_{ij}^{\mathrm{Str}} := \begin{pmatrix} a_{11} & \cdots & a_{1j} & \cdots & a_{1n} \\ \vdots & \ddots & \vdots & & \vdots \\ a_{i1} & \cdots & a_{ij} & \cdots & a_{in} \\ \vdots & & \vdots & \ddots & \vdots \\ a_{n1} & \cdots & a_{nj} & \cdots & a_{nn} \end{pmatrix}.$$

Man bezeichnet A_{ij}^{Str} dann als **Streichungsmatrix**. Sei nun $j \in \{1, \ldots, n\}$ fest gewählt. Dann setzen wir:

$$\det_n(A) := \sum_{i=1}^{n} (-1)^{i+j} \cdot a_{ij} \cdot \det_{n-1}(A_{ij}^{\mathrm{Str}}). \tag{4.27}$$

Wir müssen nun nachweisen, dass die so definierte Abbildung $\det_n : \mathrm{Mat}(n, K) \to K$ tatsächlich eine Determinantenabbildung ist, d.h. dass sie den Axiomen (D1), (D2) und (D3) genügt:

(D1) Es entstehe $\hat{A}$ aus A durch Multiplikation der k-ten Zeile mit λ. Dann ist $\hat{A}_{kj}^{\mathrm{Str}} = A_{kj}^{\mathrm{Str}}$, denn die veränderte k-te Zeile wird ja gestrichen. Für $i \neq k$ entsteht $\hat{A}_{ij}^{\mathrm{Str}}$ aus A_{ij}^{Str}

durch Multiplikation einer Zeile mit λ (nämlich der k-ten, falls $i > k$, der $(k-1)$-ten andernfalls). Nach Voraussetzung ist $\det_{n-1}$ eine Determinantenabbildung, so dass $\det_{n-1}(\hat{A}_{ij}^{\mathrm{Str}}) = \lambda \cdot \det_{n-1}(A_{ij}^{\mathrm{Str}})$. Wir erhalten also für die Determinantenabbildung $\det_n$:

$$\det{}_n(\hat{A}) = (-1)^{k+j} \underbrace{\hat{a}_{kj}}_{=\lambda a_{kj}} \cdot \det{}_{n-1}(\underbrace{\hat{A}_{kj}^{\mathrm{Str}}}_{=A_{kj}^{\mathrm{Str}}}) + \sum_{i \neq k} (-1)^{i+j} \underbrace{\hat{a}_{ij}}_{=a_{ij}} \cdot \underbrace{\det{}_{n-1}(\hat{A}_{ij}^{\mathrm{Str}})}_{=\lambda \det_{n-1}(A_{ij}^{\mathrm{Str}})}$$

$$= \lambda \cdot \sum_{i=1}^{n} (-1)^{i+j} a_{ij} \cdot \det{}_{n-1}(A_{ij}^{\mathrm{Str}})$$

$$= \lambda \cdot \det{}_n(A)\,.$$

Ganz analog zeigt man die Additivität.

(D2) Sei $A \in \mathrm{Mat}(n, K)$, und seien die k-te und l-te Zeile von A identisch, wobei o.B.d.A. $k < l$. Falls $l \neq i \neq k$, so besitzt auch die Matrix A_{ij}^{Str} zwei identische Zeilen, so dass $\det_{n-1}(A_{ij}^{\mathrm{Str}}) = 0$ ist. In der Formel (4.27) bleiben also nur noch die folgenden beiden Summanden:

$$\det{}_n(A) = (-1)^{k+j} \cdot a_{kj} \cdot \det{}_{n-1}(A_{kj}^{\mathrm{Str}}) + (-1)^{l+j} \cdot a_{lj} \cdot \det{}_{n-1}(A_{lj}^{\mathrm{Str}})\,.$$

Da die k-te und l-te Zeile von A übereinstimmen, ist nun $a_{kj} = a_{lj}$ für jedes $j \in \{1, \ldots, n\}$. Die Matrizen A_{kj}^{Str} und A_{lj}^{Str} sind aus A durch Streichung der j-ten Spalte und jeweils einer der beiden übereinstimmenden Zeilen entstanden. Somit haben A_{kj}^{Str} und A_{lj}^{Str} bis auf die Reihenfolge identische Zeilen. Genauer geht A_{kj}^{Str} aus A_{lj}^{Str} hervor indem man die l-te Zeile mit allen Zeilen zwischen der k-ten und der l-ten vertauscht. Das macht genau $l - k - 1$ Zeilenvertauschungen. Somit ist

$$\det{}_{n-1}(A_{kj}^{\mathrm{Str}}) = (-1)^{l-k-1} \cdot \det{}_{n-1}(A_{lj}^{\mathrm{Str}})\,,$$

und schließlich

$$\det{}_n(A) = \underbrace{\left((-1)^{k+j+l-k-1} + (-1)^{l+j}\right)}_{=0} \cdot a_{lj} \cdot \det{}_{n-1}(A_{lj}^{\mathrm{Str}}) = 0\,.$$

(D3) Für $A = \mathbb{1}_n$ finden wir:

$$\det{}_n(A) = \sum_{i=1}^{n} (-1)^{i+j} \cdot a_{ij} \cdot \det{}_{n-1}(A_{ij}^{\mathrm{Str}})$$

$$= (-1)^{j+j} \cdot 1 \cdot \det{}_{n-1}(A_{jj}^{\mathrm{Str}}) + \sum_{i \neq j} (-1)^{i+j} \cdot 0 \cdot \det{}_{n-1}(A_{ij}^{\mathrm{Str}})$$

$$= \det{}_{n-1}(A_{jj}^{\mathrm{Str}})$$

$$= \det{}_{n-1}(\mathbb{1}_{n-1})$$

$$= 1\,. \qquad\qquad\qquad\qquad\qquad\qquad\qquad\qquad \square$$

Bemerkung 4.66. Nachdem wir gezeigt haben, dass es für jedes $n \in \mathbb{N}$ genau eine Determinantenabbildung $\det \colon \mathrm{Mat}(n, K) \to K$ gibt, bezeichnen wir diese Abbildung stets mit det, ohne Kennzeichnung der Zahl n im Index. Die Formel (4.27) bezeichnen wir als *Entwicklung der Determinante* nach der j-ten Spalte. Interessanterweise hat die Wahl von j keine Rolle gespielt. Mit dem Beweis von Satz 4.65 haben wir auch schon den folgenden Entwicklungssatz gleich mit bewiesen:

Satz 4.67 (Spaltenentwicklungssatz von Laplace). *Sei K ein Körper, sei $n \geq 2$ und sei $A \in \mathrm{Mat}(n, K)$ mit den Einträgen a_{ij} und den Streichungsmatrizen A_{ij}^{Str}. Dann gilt*

$$\det(A) = \sum_{i=1}^{n} (-1)^{i+j} \cdot a_{ij} \cdot \det(A_{ij}^{\mathrm{Str}}) \tag{4.28}$$

für jedes $j \in \{1, \ldots, n\}$. $\qquad\square$

Bemerkung 4.68. Die Vorzeichen $(-1)^{i+j}$ in der Laplace-Entwicklung bilden ein Schachbrettmuster:

+	−	+	−	+	−
−	+	−	+	−	+
+	−	+	−	+	−
−	+	−	+	−	+
+	−	+	−	+	−
−	+	−	+	−	+

Tab. 23 *Vorzeichen in der Laplace-Entwicklung*

Für kleine Matrizen können wir relativ einfache Formeln für die Determinante angeben. Sei K ein Körper und sei $A \in \mathrm{Mat}(n, K)$.

a) Für $n = 1$ haben wir einfach $A = (a)$ und $\det(A) = a$, vgl. den Beweis von Satz 4.65.

b) Für $n = 2$ schreiben wir $A = \begin{pmatrix} a & b \\ c & d \end{pmatrix}$ und entwickeln nach der ersten Spalte:

$$\det(A) = a \cdot \det((d)) - c \cdot \det((b)) = ad - bc.$$

c) Für $n = 3$ schreiben wir $A = \begin{pmatrix} a & b & c \\ d & e & f \\ g & h & i \end{pmatrix}$. Entwicklung nach der ersten Spalte liefert:

$$\det(A) = a \cdot \det \begin{pmatrix} e & f \\ h & i \end{pmatrix} - d \cdot \det \begin{pmatrix} b & c \\ h & i \end{pmatrix} + g \cdot \det \begin{pmatrix} b & c \\ e & f \end{pmatrix}$$
$$= a \cdot (ei - hf) - d \cdot (bi - hc) + g \cdot (bf - ec)$$
$$= aei + dhc + gbf - (ahf + dbi + gec).$$

Für diese Formel gibt es als Merkhilfe die **Regel von Sarrus**. Dazu schreibt man die ersten beiden Spalten nochmal hinter die Matrix. Die Produkte mit positivem Vorzeichen sind dann die Diagonalprodukte, die von links oben losgehen (blau), die mit negativem Vorzeichen, diejenigen die links unten beginnen (rot).

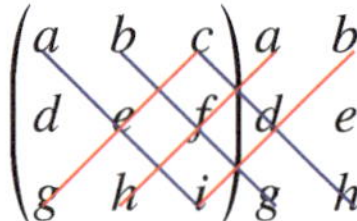

Beispiel 4.69. Sei $K = \mathbb{C}$ und sei $A \in \mathrm{Mat}(3, \mathbb{C})$ die Matrix

$$A = \begin{pmatrix} 0 & 1 & i \\ 1 & i & 1 \\ 2 & 3 & 4 \end{pmatrix}.$$

Wir können die Determinante berechnen, indem wir sie durch spezielle Zeilentransformationen in obere Dreiecksform bringen:

$$\det(A) = -\det \begin{pmatrix} 2 & 3 & 4 \\ 1 & i & 1 \\ 0 & 1 & i \end{pmatrix} = -\det \begin{pmatrix} 2 & 3 & 4 \\ 0 & i - \frac{3}{2} & -1 \\ 0 & 1 & i \end{pmatrix} = -\det \begin{pmatrix} 2 & 3 & 4 \\ 0 & i - \frac{3}{2} & -1 \\ 0 & 0 & i + \frac{1}{i - \frac{3}{2}} \end{pmatrix}$$

$$= -2 \cdot \left(i - \frac{3}{2}\right) \cdot \left(i + \frac{1}{i - \frac{3}{2}}\right) = -2\left(i - \frac{3}{2}\right)i - 2 = 3i.$$

Wir können aber auch die Regel von Sarrus anwenden und erhalten ebenfalls

$$\det(A) = 0 \cdot i \cdot 4 + 1 \cdot 1 \cdot 2 + i \cdot 1 \cdot 3 - 2 \cdot i \cdot i - 3 \cdot 1 \cdot 0 - 4 \cdot 1 \cdot 1 = 0 + 2 + 3i + 2 - 0 - 4 = 3i.$$

In diesem Beispiel ist die Regel von Sarrus weniger rechenaufwändig und daher eine bequeme Möglichkeit, die Determinante zu berechnen. Wir vergessen aber nicht, dass die Regel von Sarrus nur für 3×3-Matrizen gültig ist. Dagegen funktioniert die Überführung in Dreiecksform durch Zeilentransformationen in allen Dimensionen.

Als Nächstes stellen wir fest, dass die Determinante nicht nur linear in jeder Zeile ist, sondern auch in jeder Spalte.

Korollar 4.70. *Sei K ein Körper und sein $n \in \mathbb{N}$. Die Determinante ist linear in jeder Spalte, d.h. sind $a_1, \ldots, a_n, a'_j, a''_j \in K^n$ Spaltenvektoren von Matrizen aus $\mathrm{Mat}(n, K)$ und ist $\lambda \in K$, so gilt:*

$$\det \begin{pmatrix} a_1 & \ldots & \lambda \cdot a_j & \ldots & a_n \end{pmatrix} = \lambda \cdot \det \begin{pmatrix} a_1 & \ldots & a_j & \ldots & a_n \end{pmatrix},$$

$$\det \begin{pmatrix} a_1 & \ldots & a'_j + a''_j & \ldots & a_n \end{pmatrix}$$

$$= \det \begin{pmatrix} a_1 & \ldots & a'_j & \ldots & a_n \end{pmatrix} + \det \begin{pmatrix} a_1 & \ldots & a''_j & \ldots & a_n \end{pmatrix}.$$

Beweis. Die Entwicklung nach der j-ten Spalte liefert:

$$\det \begin{pmatrix} a_1 & \ldots & \lambda \cdot a_j & \ldots & a_n \end{pmatrix} = \sum_{i=1}^{n} (-1)^{i+j} \lambda a_{ij} \cdot \det(A_{ij}^{\mathrm{Str}})$$

$$= \lambda \cdot \sum_{i=1}^{n} (-1)^{i+j} a_{ij} \cdot \det(A_{ij}^{\mathrm{Str}})$$

$$= \lambda \cdot \det(A).$$

Ganz analog zeigt man auch die Additivität. $\qquad\square$

Transposition ändert die Determinante nicht:

Satz 4.71. *Sei K ein Körper und sei $n \in \mathbb{N}$. Dann gilt für alle $A \in \mathrm{Mat}(n, K)$:*

$$\det(A^\top) = \det(A). \tag{4.29}$$

Beweis. Wir betrachten die Abbildung

$$\widetilde{\det} \colon \mathrm{Mat}(n, K) \to K, \quad \widetilde{\det}(A) := \det(A^\top).$$

Wenn wir zeigen können, dass $\widetilde{\det}$ den Axiomen (D1), (D2) und (D3) genügt, also eine Determinantenabbildung ist, so folgt wegen der Eindeutigkeit in Satz 4.65 $\widetilde{\det} = \det$ und damit die Behauptung. Also überprüfen wir die Axiome:

Zu (D1):

Die Determinante det ist nach der Korollar 4.70 linear in jeder Spalte. Damit ist die Abbildung $\widetilde{\det}$ linear in jeder Zeile.

Zu (D2):

Hat $A \in \mathrm{Mat}(n, K)$ zwei identische Zeilen, so hat $A^\top$ zwei identische Spalten. Damit ist $\mathrm{rg}(A^\top) < n$ und folglich $\widetilde{\det}(A) = \det(A^\top) = 0$.

Zu (D3):

Offensichtlich gilt:

$$\widetilde{\det}(\mathbb{1}_n) = \det(\mathbb{1}_n^\top) = \det(\mathbb{1}_n) = 1 \,. \qquad \Box$$

Satz 4.72 (Zeilenentwicklungssatz von Laplace). *Sei K ein Körper, sei $n \in \mathbb{N}$, $n \geq 2$, und sei $A \in \mathrm{Mat}(n, K)$ mit den Einträgen a_{ij} und den Streichungsmatrizen A_{ij}^{Str}. Dann gilt für jedes $i \in \{1, \ldots, n\}$:*

$$\det(A) = \sum_{j=1}^{n} (-1)^{i+j} \cdot a_{ij} \cdot \det(A_{ij}^{\mathrm{Str}}) \,. \tag{4.30}$$

Beweis. Wir können $\det(A) = \det(A^\top)$ mit der Formel (4.28) durch die Entwicklung nach der i-ten Spalte von $A^\top$ berechnen. Das entspricht genau der Entwicklung nach der i-ten Zeile von A in der Formel (4.30). $\qquad \Box$

Beispiel 4.73. Entwicklung nach der ersten Zeile liefert:

$$\det\begin{pmatrix} 0 & 1 & i \\ 1 & i & 1 \\ 2 & 3 & 4 \end{pmatrix} = 0 \cdot \det\begin{pmatrix} i & 1 \\ 3 & 4 \end{pmatrix} - 1 \cdot \det\begin{pmatrix} 1 & 1 \\ 2 & 4 \end{pmatrix} + i \cdot \det\begin{pmatrix} 1 & i \\ 2 & 3 \end{pmatrix} = -2 + i(3 - 2i) = 3i \,.$$

Korollar 4.74. *Sei K ein Körper, sei $n \in \mathbb{N}$ und sei $A \in \mathrm{Mat}(n, K)$. Entsteht $\hat{A}$ aus A durch Vertauschen zweier Spalten, so ist $\det(\hat{A}) = -\det(A)$.*

Beweis. Entsteht $\hat{A}$ entsteht A durch Vertauschen zweier Spalten, so entsteht $\hat{A}^\top$ aus $A^\top$ durch Vertauschen zweier Zeilen. Aus (D6) und Satz 4.71 erhalten wir dann

$$\det(\hat{A}) = \det(\hat{A}^\top) \overset{\text{(D6)}}{=} -\det(A^\top) = -\det(A) \,. \qquad \Box$$

Satz 4.75 (Determinantenmultiplikationssatz). *Sei K ein Körper und $n \in \mathbb{N}$. Dann gilt für alle $A, B \in \mathrm{Mat}(n, K)$:*

$$\det(A \cdot B) = \det(A) \cdot \det(B) \, . \tag{4.31}$$

Beweis. a) Wir betrachten zunächst den Fall $\det(B) = 0$. Nach Satz 4.64 ist dann $\mathrm{rg}(B) < n$. Es gibt also ein $x \in K^n \setminus \{0\}$ mit $B \cdot x = 0$. Damit ist auch $A \cdot B \cdot x = 0$, folglich $\mathrm{rg}(A \cdot B) < n$. Wiederum nach Satz 4.64 ist dann $\det(A \cdot B) = 0$ und daher

$$\det(A \cdot B) = 0 = \det(A) \cdot 0 = \det(A) \cdot \det(B) \, .$$

b) Sei nun $\det(B) \neq 0$. Wir fixieren B und setzen

$$\widetilde{\det} \colon \mathrm{Mat}(n, K) \to K \, , \quad \widetilde{\det}(A) := \frac{\det(A \cdot B)}{\det(B)} \, .$$

Wir zeigen nun, dass $\widetilde{\det}$ den Axiomen (D1), (D2) und (D3) einer Determinantenabbildung genügt. Wegen der Eindeutigkeit in Satz 4.65 ist dann $\widetilde{\det}(A) = \det(A)$, und daraus folgt unmittelbar die Behauptung.

Zu (D1):

Seien $a_1, \ldots, a_n, a_i', a_i'', b_1, \ldots, b_n \in K^n$ und $\lambda', \lambda'' \in K$. Wir schreiben A in Zeilenvektoren $a_1^\mathsf{T}, \ldots, a_n^\mathsf{T}$, und B in Spaltenvektoren $b_1, \ldots, b_n$:

$$A = \begin{pmatrix} a_1^\mathsf{T} \\ \vdots \\ a_n^\mathsf{T} \end{pmatrix}, \qquad B = \begin{pmatrix} b_1 & \ldots & b_n \end{pmatrix} \, .$$

Sei nun $a_i = \lambda' \cdot a_i' + \lambda'' \cdot a_i''$. Dann hat das Produkt $A \cdot B$ die folgenden Einträge:

$$A \cdot B = \begin{pmatrix} a_1^\mathsf{T} \cdot b_1 & \ldots & a_1^\mathsf{T} \cdot b_n \\ \vdots & & \vdots \\ a_i^\mathsf{T} \cdot b_1 & \ldots & a_i^\mathsf{T} \cdot b_n \\ \vdots & & \vdots \\ a_n^\mathsf{T} \cdot b_1 & \ldots & a_n^\mathsf{T} \cdot b_n \end{pmatrix}$$

$$= \begin{pmatrix} a_1^\mathsf{T} \cdot b_1 & \ldots & a_1^\mathsf{T} \cdot b_n \\ \vdots & & \vdots \\ (\lambda' \cdot a_i' + \lambda'' \cdot a_i'')^\mathsf{T} \cdot b_1 & \ldots & (\lambda' \cdot a_i' + \lambda'' \cdot a_i'')^\mathsf{T} \cdot b_n \\ \vdots & & \vdots \\ a_n^\mathsf{T} \cdot b_1 & \ldots & a_n^\mathsf{T} \cdot b_n \end{pmatrix}$$

$$= \begin{pmatrix} a_1^\mathsf{T} \cdot b_1 & \cdots & a_1^\mathsf{T} \cdot b_n \\ \vdots & & \vdots \\ \lambda' \cdot (a_i')^\mathsf{T} \cdot b_1 + \lambda'' \cdot (a_i'')^\mathsf{T} \cdot b_1 & \cdots & \lambda' \cdot (a_i')^\mathsf{T} \cdot b_n + \lambda'' \cdot (a_i'')^\mathsf{T} \cdot b_n \\ \vdots & & \vdots \\ a_n^\mathsf{T} \cdot b_1 & \cdots & a_n^\mathsf{T} \cdot b_n \end{pmatrix}.$$

Seien nun A' bzw. A'' die Matrizen, die aus A durch Ersetzen der i-ten Zeile a_i^T durch $(a_i')^\mathsf{T}$ bzw. $(a_i'')^\mathsf{T}$ entstehen. Da die Abbildung det dem Axiom (D1) genügt, ist somit $\det(A \cdot B) = \lambda' \cdot \det(A' \cdot B) + \lambda'' \cdot \det(A'' \cdot B)$. Wir erhalten also:

$$\widetilde{\det}(A) = \frac{\det(A \cdot B)}{\det(B)} = \frac{\lambda' \cdot \det(A' \cdot B) + \lambda'' \cdot \det(A'' \cdot B)}{\det(B)} = \lambda' \cdot \widetilde{\det}(A') + \lambda'' \cdot \widetilde{\det}(A'').$$

Zu (D2):
Sei $A \in \mathrm{Mat}(n, K)$ mit zwei gleichen Zeilen. Dann ist $\mathrm{rg}(A) < n$, also für jedes $B \in \mathrm{Mat}(n, K)$ auch $\mathrm{rg}(A \cdot B) < n$. Somit ist $\det(A \cdot B) = 0$ und $\widetilde{\det}(A) = 0$.

Zu (D3):
Schließlich gilt:

$$\widetilde{\det}(\mathbb{1}_n) = \frac{\det(\mathbb{1}_n \cdot B)}{\det(B)} = \frac{\det(B)}{\det(B)} = 1. \qquad \square$$

Korollar 4.76. *Sei K ein Körper und sei $n \in \mathbb{N}$. Ist $A \in \mathrm{GL}(n, K)$, so gilt:*

$$\det(A^{-1}) = \frac{1}{\det(A)}. \tag{4.32}$$

Beweis. Aus dem Determinantenmultiplikationssatz 4.75 erhalten wir:

$$1 = \det(\mathbb{1}_n) = \det(A \cdot A^{-1}) = \det(A) \cdot \det(A^{-1}).$$

Nach Division durch $\det(A)$ folgt die Behauptung. $\qquad \square$

Determinanten helfen uns nicht nur festzustellen, ob eine Matrix invertierbar ist. Wir können sie auch verwenden, um die Inverse zu berechnen, falls sie existiert.

Satz 4.77. *Sei K ein Körper und sei $n \in \mathbb{N}$. Für $A \in \mathrm{Mat}(n, K)$ setzen wir $B := (b_{ij})_{i,j=1,\dots,n}$ mit*

$$b_{ij} := (-1)^{i+j} \cdot \det(A_{ji}^{\mathrm{Str}}). \tag{4.33}$$

> *Dann gilt:*
> $$A \cdot B = B \cdot A = \det(A) \cdot \mathbb{1}_n \,.$$
> *Ist insbesondere A invertierbar, so gilt:*
> $$A^{-1} = \frac{1}{\det(A)} \cdot B \,. \tag{4.34}$$

Beweis. Wir berechnen zunächst die Diagonaleinträge des Produkts $A \cdot B$ und benutzen dabei die Formel (4.30) für die Entwicklung der Determinante nach der i-ten Zeile:

$$(A \cdot B)_{ii} = \sum_{j=1}^{n} a_{ij} \cdot b_{ji} = \sum_{j=1}^{n} a_{ij} \cdot (-1)^{i+j} \cdot \det(A_{ij}^{\mathrm{Str}}) \overset{(4.30)}{=} \det(A) \,.$$

Nun berechnen wir die übrigen Einträge der i-ten Zeile von $A \cdot B$. Sei $k \neq i$ und sei $\hat{A}$ diejenige Matrix, die aus A entsteht, indem wir die k-Zeile durch die i-te ersetzen. Damit haben wir

$$\begin{aligned}
(A \cdot B)_{ik} &= \sum_{j=1}^{n} a_{ij} \cdot b_{jk} \\
&= \sum_{j=1}^{n} a_{ij} \cdot (-1)^{j+k} \cdot \det(A_{kj}^{\mathrm{Str}}) \\
&= \sum_{j=1}^{n} \hat{a}_{kj} \cdot (-1)^{j+k} \cdot \det(\hat{A}_{kj}^{\mathrm{Str}}) \\
&= \det(\hat{A}) \,.
\end{aligned}$$

Da aber $\hat{A}$ zwei gleiche Zeilen – nämlich die k-te und die i-te – hat, ist $\det(\hat{A}) = 0$. Somit ist $(A \cdot B)_{ik} = 0$ für $k \neq i$ und damit $A \cdot B = \det(A) \cdot \mathbb{1}_n$. Analog berechnet man $B \cdot A$ mittels der Formel (4.28) für die Entwicklung der Determinante nach der i-ten Spalte. $\square$

Beispiel 4.78. Sei K ein beliebiger Körper und sei $n = 2$. Ist $A = \begin{pmatrix} a & b \\ c & d \end{pmatrix}$ invertierbar, so ist nach Satz 4.77 die Inverse gegeben durch:

$$A^{-1} = \frac{1}{\det(A)} \begin{pmatrix} d & -c \\ -b & a \end{pmatrix}^{\mathsf{T}} = \frac{1}{ad - bc} \begin{pmatrix} d & -b \\ -c & a \end{pmatrix} \,.$$

Die Transposition der Matrix beim zweiten Term war nötig, weil in (4.33) die Indizes i und j auf den beiden Seiten in vertauschter Reihenfolge auftreten.

Beispiel 4.79. Sei $K = \mathbb{C}$ und $n = 3$. Dann ist nach Satz 4.77:

$$\begin{pmatrix} 0 & 1 & i \\ 1 & i & 1 \\ 2 & 3 & 4 \end{pmatrix}^{-1} = \frac{1}{3i} \begin{pmatrix} 4i-3 & -2 & 3-2i \\ -4+3i & -2i & 2 \\ 2 & i & -1 \end{pmatrix}^{\mathsf{T}} = \frac{1}{3i} \begin{pmatrix} 4i-3 & -4+31 & 2 \\ -2 & -2i & i \\ 3-2i & 2 & -1 \end{pmatrix}.$$

Hat ein inhomogenes lineares Gleichungssystem genau eine Lösung, dann kann diese mit Hilfe von Determinanten berechnet werden.

> **Satz 4.80 (Cramer'sche Regel).** *Sei K ein Körper und sei $n \in \mathbb{N}$. Seien $a_1, \ldots, a_n, b \in K^n$, und sei $A = (a_1, \ldots, a_n) \in \mathrm{Mat}(n, K)$ invertierbar.*
> *Dann ist die eindeutige Lösung $x \in K^n$ des linearen Gleichungssystems $Ax = b$ gegeben durch:*
> $$x_i = \frac{\det(a_1, \ldots, a_{i-1}, b, a_{i+1}, \ldots, a_n)}{\det(A)}. \tag{4.35}$$

Beweis. Da A invertierbar ist, hat das lineare Gleichungssystem $Ax = b$ genau eine Lösung, nämlich $x = A^{-1} \cdot b$. Nach Satz 4.77 ist der (i, j)-te Eintrag von A^{-1} gegeben durch

$$\left(A^{-1}\right)_{ij} = \frac{1}{\det(A)} \cdot (-1)^{i+j} \cdot \det(A_{ji}^{\mathrm{Str}}).$$

Daher ist die i-te Komponente des Lösungsvektors x gegeben durch

$$x_i = \sum_{j=1}^{n} \left(A^{-1}\right)_{ij} \cdot b_j = \frac{1}{\det(A)} \sum_{j=1}^{n} (-1)^{i+j} \cdot \det(A_{ji}^{\mathrm{Str}}) \cdot b_j. \tag{4.36}$$

Wir berechnen $\det(a_1, \ldots, a_{i-1}, b, a_{i+1}, \ldots, a_n)$ indem wir nach der i-ten Spalte entwickeln. Dabei beachten wir, dass die Streichungsmatrix dann dieselbe ist wie die von A.

$$\det(a_1, \ldots, a_{i-1}, b, a_{i+1}, \ldots, a_n) = \sum_{j=1}^{n} (-1)^{i+j} \cdot b_j \cdot \det(A_{ji}^{\mathrm{Str}}).$$

Wir setzen dies in (4.36) ein und erhalten die Behauptung. $\square$

Beispiel 4.81. Sei $K = \mathbb{C}$ und betrachte das lineare Gleichungssystem $Ax = b$ mit $A = \begin{pmatrix} 0 & 1 & i \\ 1 & i & 1 \\ 2 & 3 & 4 \end{pmatrix}$ und $b = \begin{pmatrix} 3 \\ 0 \\ 0 \end{pmatrix}$. Nach Beispiel 4.69 ist $\det(A) = 3i \neq 0$, so dass die Matrix

A nach Satz 4.64 invertierbar ist. Wir berechnen die eindeutige Lösung x mittels der Cramer'schen Regel:

$$x_1 = \frac{1}{3i} \det \begin{pmatrix} 3 & 1 & i \\ 0 & i & 1 \\ 0 & 3 & 4 \end{pmatrix} = \frac{3(4i-3)}{3i} = 4 + 3i,$$

$$x_2 = \frac{1}{3i} \det \begin{pmatrix} 0 & 3 & i \\ 1 & 0 & 1 \\ 2 & 0 & 4 \end{pmatrix} = \frac{-6}{3i} = 2i,$$

$$x_3 = \frac{1}{3i} \det \begin{pmatrix} 0 & 1 & 3 \\ 1 & i & 0 \\ 2 & 3 & 0 \end{pmatrix} = \frac{3(3-2i)}{3i} = -2 - 3i\,.$$

Also ist die Lösung gegeben durch

$$x = \begin{pmatrix} 4+3i \\ 2i \\ -2-3i \end{pmatrix}.$$

Für lineare Gleichungssysteme mit wenigen Gleichungen und Unbekannten, so wie in diesem Beispiel, kann die Cramer'sche Regel eine bequeme Möglichkeit sein, die Lösung zu berechnen. Für sehr große Matrizen dagegen erfordert die Determinantenbestimmung einen gewaltigen Rechenaufwand. Daher ist die Cramer'sche Regel dann meist nicht praktikabel. Der Gauß'sche Algorithmus ist dann vorzuziehen, vergleiche Anhang B.3.

Der folgende Satz liefert eine weitere Möglichkeit, die Determinante zu berechnen. Er besagt, dass wir die Determinante bekommen, indem wir Produkte von Einträgen der Matrix bilden und diese mit dem richtigen Vorzeichen aufsummieren. Die Produkte, die dabei vorkommen, sind alle die, bei denen aus jeder Zeile und jeder Spalte genau ein Faktor auftritt. Dazu erinnern wir uns daran, dass S_n die Gruppe der Permutationen von $\{1, \ldots, n\}$ bezeichnet und $\text{sgn}(\sigma)$ das Signum der Permutation σ.

> **Satz 4.82.** *Sei K ein Körper, sei $n \in \mathbb{N}$ und sei $A \in \text{Mat}(n, K)$ mit den Einträgen A_{ij}. Dann gilt:*
> $$\det(A) = \sum_{\sigma \in S_n} \text{sgn}(\sigma) \cdot A_{1,\sigma(1)} \cdots A_{n,\sigma(n)}. \tag{4.37}$$

Bemerkung 4.83. Bevor wir den Beweis durchführen, überlegen wir kurz, was dieser Satz für kleine Matrizen besagt. Im Fall $n = 1$ haben wir $S_1 = \{\text{id}\}$ und daher

$$\det(A) = A_{11}.$$

Im Fall $n = 2$ ist $S_2 = \{\mathrm{id}, \tau\}$, wobei τ die Vertauschung von 1 und 2 ist. Transpositionen haben Signum -1. Es folgt

$$\det(A) = +A_{1,\mathrm{id}(1)} \cdot A_{2,\mathrm{id}(2)} - A_{1,\tau(1)} \cdot A_{2,\tau(2)} = A_{11} \cdot A_{22} - A_{12} \cdot A_{21}.$$

Für $n = 3$ erinnern wir uns daran, dass

$$S_3 = \left\{ \begin{bmatrix} 1 & 2 & 3 \\ 1 & 2 & 3 \end{bmatrix}, \begin{bmatrix} 1 & 2 & 3 \\ 2 & 3 & 1 \end{bmatrix}, \begin{bmatrix} 1 & 2 & 3 \\ 3 & 1 & 2 \end{bmatrix}, \begin{bmatrix} 1 & 2 & 3 \\ 1 & 3 & 2 \end{bmatrix}, \begin{bmatrix} 1 & 2 & 3 \\ 3 & 2 & 1 \end{bmatrix}, \begin{bmatrix} 1 & 2 & 3 \\ 2 & 1 & 3 \end{bmatrix} \right\},$$

vgl. Seite 137. Die ersten drei Permutationen haben positives Signum, die letzten drei negatives. Also besagt Satz 4.82:

$$\begin{aligned} \det(A) = {} & A_{11} \cdot A_{22} \cdot A_{33} + A_{12} \cdot A_{23} \cdot A_{31} + A_{13} \cdot A_{21} \cdot A_{32} \\ & - A_{11} \cdot A_{23} \cdot A_{32} - A_{13} \cdot A_{22} \cdot A_{31} - A_{12} \cdot A_{21} \cdot A_{33}. \end{aligned}$$

In allen Fällen erhalten wir wieder dieselben Formeln wie in Bemerkung 4.68.

Beweis von Satz 4.82. Wir definieren die Abbildung $\widetilde{\det}\colon \mathrm{Mat}(n, K) \to K$ durch die rechte Seite der Gleichung im Satz,

$$\widetilde{\det}(A) := \sum_{\sigma \in S_n} \mathrm{sgn}(\sigma) \cdot A_{1,\sigma(1)} \cdots A_{n,\sigma(n)}.$$

Wir werden nun nachweisen, dass $\widetilde{\det}$ eine Determinantenabbildung ist, so dass wir wegen der Eindeutigkeitsaussage in Satz 4.65 folgern können, dass $\widetilde{\det}(A) = \det(A)$ für alle $A \in \mathrm{Mat}(n, K)$. Damit ist der Satz dann bewiesen.

Zu (D1):
Entsteht A' aus A durch Multiplikation der k-ten Zeile mit $\lambda \in K$, dann gilt

$$\begin{aligned} \widetilde{\det}(A') &= \sum_{\sigma \in S_n} \mathrm{sgn}(\sigma) \cdot A_{1,\sigma(1)} \cdots (\lambda \cdot A_{k,\sigma(k)}) \cdots A_{n,\sigma(n)} \\ &= \lambda \cdot \sum_{\sigma \in S_n} \mathrm{sgn}(\sigma) \cdot A_{1,\sigma(1)} \cdots A_{k,\sigma(k)} \cdots A_{n,\sigma(n)} \\ &= \lambda \cdot \widetilde{\det}(A). \end{aligned}$$

Die Additivität sieht man ähnlich.

Zu (D2):
Seien die k-te und die l-te Zeile von A gleich, wobei $k < l$. In anderen Worten, es gilt $A_{kj} = A_{lj}$ für alle $j = 1, \ldots, n$.
Sei $\tau \in S_n$ die Transposition, die k und l vertauscht. Für eine Permutation $\sigma \in S_n$ nennen wir $\sigma' := \sigma \circ \tau$ den *Partner* von σ. Ist σ' der Partner von σ, dann gilt wegen $\tau^2 = \mathrm{id}$, dass

$\sigma' \circ \tau = \sigma \circ \tau \circ \tau = \sigma$, d.h. dann ist σ auch der Partner von σ'. Wegen $\tau \neq \mathrm{id}$ ist kein σ sein eigener Partner.

Ist σ' der Partner von σ, dann gilt $A_{k,\sigma(k)} = A_{l,\sigma(k)} = A_{l,\sigma' \circ \tau(k)} = A_{l,\sigma'(l)}$. Analog gilt $A_{l,\sigma(l)} = A_{k,\sigma'(k)}$. Stimmt i weder mit k noch mit l überein, so gilt $\sigma(i) = \sigma'(i)$. Also stimmen die beiden Produkte, die zu σ bzw. zu seinem Partner σ' gehören, überein,

$$A_{1,\sigma(1)} \cdots A_{k,\sigma(k)} \cdots A_{l,\sigma(l)} \cdots A_{n,\sigma(n)} = A_{1,\sigma'(1)} \cdots A_{k,\sigma'(k)} \cdots A_{l,\sigma'(l)} \cdots A_{n,\sigma'(n)}.$$

Die Vorzeichen, die zu σ bzw. zu σ' gehören, sind jedoch entgegengesetzt, denn

$$\mathrm{sgn}(\sigma') = \mathrm{sgn}(\sigma \circ \tau) = \mathrm{sgn}(\sigma) \cdot \mathrm{sgn}(\tau) = -\mathrm{sgn}(\sigma),$$

da das Signum einer Transposition stets gleich -1 ist. Also hebt sich in der Summe in (4.37) der Beitrag einer jeder Permutation mit dem Beitrag des Partners weg. Wir erhalten $\widetilde{\det}(A) = 0$.

Zu (D3):
Sei $A = \mathbb{1}_n$. Die einzige Permutation, die einen Beitrag zur Summe in (4.37) liefert, ist $\sigma = \mathrm{id}$, denn bei jeder anderen Permutation kommen Nichtdiagonaleinträge im Produkt vor, die im Fall $A = \mathbb{1}_n$ gleich 0 sind. Also ist

$$\widetilde{\det}(A) = \mathrm{sgn}(\mathrm{id}) \cdot A_{11} \cdots A_{nn} = 1. \qquad \square$$

Bemerkung 4.84. Ähnliche Matrizen haben dieselbe Determinante, denn ist $\hat{A}$ ähnlich zu A, d.h. $\hat{A} = T \cdot A \cdot T^{-1}$ für ein $T \in \mathrm{GL}(n, K)$, so ist nach dem Determinatenmultiplikationssatz 4.75:

$$\det\left(\hat{A}\right) = \det\left(T \cdot A \cdot T^{-1}\right) = \det(T) \cdot \det(A) \cdot \det\left(T^{-1}\right) = \det(T) \cdot \det(A) \cdot \frac{1}{\det(T)} = \det(A).$$

Definition 4.85. Sei K ein Körper, sei V ein endlich-dimensionaler K-Vektorraum, sei B eine Basis von V, und sei $\varphi \colon V \to V$ ein Endomorphismus. Dann heißt

$$\det(\varphi) := \det\left(M_B^B(\varphi)\right) \tag{4.38}$$

Determinante von φ.

Bemerkung 4.86. Die Determinante eines Endomorphismus $\varphi \colon V \to V$ ist wohldefiniert, d.h. unabhängig von der Wahl der Basis B. Denn ist B' eine weitere Basis von V, dann sind die darstellenden Matrizen $M_B^B(\varphi)$ und $M_{B'}^{B'}(\varphi)$ ähnlich. Somit ist nach Bemerkung 4.84

$$\det\left(M_B^B(\varphi)\right) = \det\left(M_{B'}^{B'}(\varphi)\right).$$

Beispiel 4.87. Wir berechnen die Determinante einer Drehung in der Ebene um den Winkel θ. In der Standardbasis von $\mathbb{R}^2$ wird diese Drehung durch die Matrix

$$R_\theta = \begin{pmatrix} \cos\theta & -\sin\theta \\ \sin\theta & \cos\theta \end{pmatrix}$$

dargestellt. Für die Determinante erhalten wir also:

$$\det\left(R_\theta\right) = \det\begin{pmatrix} \cos\theta & -\sin\theta \\ \sin\theta & \cos\theta \end{pmatrix} = \cos^2(\theta) + \sin^2(\theta) = 1\,.$$

Beispiel 4.88. Analog berechnen wir die Determinate einer Achsenspiegelung. Dabei wollen wir an der Achse spiegeln, die durch den Ursprung geht und mit der e_1-Achse den Winkel θ einschließt. In der Standardbasis hat diese Achsenspiegelung die darstellende Matrix

$$S_\theta = \begin{pmatrix} \cos 2\theta & \sin 2\theta \\ \sin 2\theta & -\cos 2\theta \end{pmatrix}\,.$$

Für die Determinate erhalten wir daher:

$$\det\left(S_\theta\right) = \det\begin{pmatrix} \cos 2\theta & \sin 2\theta \\ \sin 2\theta & -\cos 2\theta \end{pmatrix} = -\cos^2(2\theta) - \sin^2(2\theta) = -1\,.$$

In Beispiel 4.47 haben wir gesehen, dass die Spiegelungsmatrix zu

$$\begin{pmatrix} 1 & 0 \\ 0 & -1 \end{pmatrix}$$

ähnlich ist. Damit ist offensichtlich $\det(S_\theta) = -1$.

Beispiel 4.89. Sei $V = \mathbb{R}_4[x]$ der $\mathbb{R}$-Vektorraum der Polynome vierten Grades mit reellen Koeffizienten. Sei $\varphi = \frac{d}{dx} : \mathbb{R}_4[x] \to \mathbb{R}_4[x]$ der Endomorphismus, der durch die Ableitung der Polynomfunktionen gegeben ist, d.h. $\varphi(x^k) := k \cdot x^{k-1}$. In der geordneten Basis $B = (1, x, x^2, x^3, x^4)$ von $\mathbb{R}_4[x]$ hat φ dann die darstellende Matrix

$$M_B^B(\varphi) = \begin{pmatrix} 0 & 1 & 0 & 0 & 0 \\ 0 & 0 & 2 & 0 & 0 \\ 0 & 0 & 0 & 3 & 0 \\ 0 & 0 & 0 & 0 & 4 \\ 0 & 0 & 0 & 0 & 0 \end{pmatrix}\,.$$

Somit ist $\det(\varphi) = \det\left(M_B^B(\varphi)\right) = 0$.

Bemerkung 4.90. Seien $\varphi, \psi \in \mathrm{End}(V)$ Endomorphismen eines endlich-dimensionalen K-Vektorraums V. Dann gilt:

(i) φ ist ein Automorphismus $\Leftrightarrow \det(\varphi) \neq 0$.

(ii) Ist φ ein Automorphismus, so ist $\det\left(\varphi^{-1}\right) = \frac{1}{\det(\varphi)}$.

(iii) $\det(\varphi \circ \psi) = \det(\varphi) \cdot \det(\psi)$.

Beweis. Zu (i):
Sei B eine Basis von V und $n = \dim(V)$. Dann haben wir folgende Äquivalenzen:

$$\varphi \text{ ist Automorphismus} \iff M_B^B(\varphi) \text{ ist invertierbar} \iff \det(M_B^B(\varphi)) \neq 0 \iff \det(\varphi) \neq 0.$$

Zu (ii):
Wegen $M_B^B(\varphi^{-1}) = \left(M_B^B(\varphi)\right)^{-1}$ folgt die Behauptung aus (4.32).

Zu (iii):
Die Behauptung folgt aus dem Determinantenmultiplikationssatz 4.75 und der Proposition 4.34. $\qquad\qquad\square$

 Die praktische Berechnung von Determinanten kann und sollte nun hier geübt werden: `https://ueben.cbaer.eu/03.html` 

4.4. Orientierungen

Determinanten sind von großer geometrischer Bedeutung. Wir werden sie in diesem Abschnitt benutzen, um Orientierungen zu definieren. Später werden sie uns noch bei der Berechnung von Volumina gute Dienste leisten.

Im Folgenden betrachten wir endlich-dimensionale Vektorräume und ihre geordneten Basen. Dabei schließen wir den uninteressanten Fall des 0-dimensionalen Vektorraums $V = \{0\}$ aus, da es dann nur eine Basis, nämlich die leere Menge gibt. Sind B und B' zwei geordnete Basen eines endlich-dimensionalen K-Vektorraums, so ist die Transformationsmatrix $T_{B'}^B$ invertierbar, d.h. die Determinante ist ungleich 0, $\det(T_{B'}^B) \neq 0$. Wir schränken uns nun auf den Fall reeller Vektorräume ein, also $K = \mathbb{R}$. Dann gibt es die beiden Möglichkeiten $\det(T_{B'}^B) > 0$ und $\det(T_{B'}^B) < 0$.

Definition 4.91. Sei $V \neq \{0\}$ ein endlich-dimensionaler $\mathbb{R}$-Vektorraum. Zwei geordnete Basen B und B' von V heißen **gleich orientiert** , falls

$$\det\left(T_{B'}^B\right) > 0$$

und **entgegengesetzt orientiert** oder auch **verschieden orientiert**, falls

$$\det\left(T_{B'}^B\right) < 0.$$

> **Lemma 4.92.** *Sei $V \neq \{0\}$ ein endlich-dimensionaler reeller Vektorraum. Die Bedingung „gleich orientiert" definiert eine Äquivalenzrelation auf der Menge aller geordneten Basen von V, d.h.*
>
> *(i) Jede geordnete Basis ist mit sich selbst gleich orientiert.*
>
> *(ii) Sind B und B' gleich orientiert, so sind auch B' und B gleich orientiert.*
>
> *(iii) Sind B und B' gleich orientiert und B' und B'' gleich orientiert, so sind auch B und B'' gleich orientiert.*

Beweis. Zu (i):

Jede Basis ist zu sich selbst gleich orientiert, denn es gilt:

$$\det(T_B^B) = \det(\mathbb{1}_n) = 1 > 0\,.$$

Zu (ii):

Sind B und B' orientierte Basen, so gilt nach Gleichung (4.9) in Bemerkung 4.36 für die Transformationsmatrizen $T_B^{B'} = (T_{B'}^B)^{-1}$. Sind B und B' gleich orientiert, so ist $\det(T_{B'}^B) > 0$. Damit ist nach Korollar 4.76

$$\det\left(T_B^{B'}\right) = \det\left((T_{B'}^B)^{-1}\right) = \frac{1}{\det(T_{B'}^B)} > 0.$$

Folglich sind auch B' und B gleich orientiert.

Zu (iii):

Seien nun B, B' und B'' geordnete Basen von V, wobei B und B' sowie B' und B'' jeweils gleich orientiert seien. Wegen (4.10) gilt für die Transformationsmatrizen

$$T_{B''}^B = T_{B''}^{B'} \cdot T_{B'}^B$$

und damit nach dem Determinantenmultiplikationssatz 4.75

$$\det(T_{B''}^B) = \det(T_{B''}^{B'} \cdot T_{B'}^B) = \underbrace{\det(T_{B''}^{B'})}_{>0} \cdot \underbrace{\det(T_{B'}^B)}_{>0} > 0\,.$$

Somit sind auch B und B'' gleich orientiert. $\qquad\square$

Sei V ein endlich-dimensionaler reeller Vektorraum. Für jede geordnete Basis B von V sei

$$O(V, B) := \{B' \mid B' \text{ ist geordnete Basis von } V, \text{ die mit } B \text{ gleich orientiert ist}\}.$$

Lemma 4.92 (i) besagt $B \in O(V, B)$. Insbesondere ist $O(V, B) \neq \emptyset$. Aussage (ii) besagt

$$B \in O(V, B') \implies B' \in O(V, B).$$

Die dritte Aussage schließlich besagt

$$B \in O(V, B') \implies O(V, B') \subset O(V, B).$$

Sind nun B und B' zwei geordnete Basen von V, dann treten zwei Fälle auf.
1. Fall: B und B' sind gleich orientiert.
Dann ist $B \in O(V, B')$ und somit $O(V, B') \subset O(V, B)$. Andererseits ist aber auch $B' \in O(V, B)$ und somit $O(V, B) \subset O(V, B')$. Also gilt dann

$$O(V, B) = O(V, B').$$

2. Fall: B und B' sind entgegengesetzt orientiert.
Gäbe es nun eine geordnete Basis B'' von V im Durchschnitt $O(V, B) \cap O(V, B')$, dann wäre

$$
\begin{aligned}
& B'' \in O(V, B) \quad \wedge \quad B'' \in O(V, B') \\
\implies\ & B \in O(V, B'') \quad \wedge \quad B' \in O(V, B'') \\
\implies\ & B \in O(V, B'') \quad \wedge \quad O(V, B'') \subset O(V, B') \\
\implies\ & B \in O(V, B'),
\end{aligned}
$$

also wären B und B' gleich orientiert, Widerspruch! Daher müssen $O(V, B)$ und $O(V, B')$ im 2. Fall disjunkt sein,

$$O(V, B) \cap O(V, B') = \emptyset.$$

Diese Überlegungen haben lediglich Lemma 4.92 benutzt, also die Tatsache, dass „gleich orientiert" eine Äquivalenzrelation bildet.

Definition 4.93. Sei $V \neq \{0\}$ ein endlich-dimensionaler $\mathbb{R}$-Vektorraum. Dann heißen die Mengen $O(V, B)$ **Orientierungen** von V.

Lemma 4.94. *Jeder endlich-dimensionale reelle Vektorraum $V \neq \{0\}$ besitzt genau zwei Orientierungen.*

Beweis. a) Wir zeigen zunächst, dass V mindestens zwei Orientierungen hat. Dazu setzen wir $n := \dim(V)$. Sei $B = (b_1, \ldots, b_n)$ eine geordnete Basis von V. Wir setzen $B' := (-b_1, b_2, \ldots, b_n)$ und zeigen, dass B und B' entgegengesetzt orientiert sind. Die Transformationsmatrix zwischen den beiden Basen ist gegeben durch

$$
T^B_{B'} = \begin{pmatrix}
-1 & 0 & \ldots & \ldots & 0 \\
0 & 1 & 0 & \ldots & 0 \\
\vdots & 0 & \ddots & & \vdots \\
\vdots & & & \ddots & \vdots \\
0 & \ldots & \ldots & 0 & 1
\end{pmatrix},
$$

und daher ist $\det(T_{B'}^{B}) = -1 < 0$. Somit sind die Basen B und B' entgegengesetzt orientiert, und daher ist $O(V, B) \neq O(V, B')$. Es gibt also mindestens zwei Orientierungen.

b) Nun bleibt zu zeigen, dass V höchstens zwei Orientierungen hat. Angenommen, es gäbe mehr als zwei Orientierungen von V. Dann gibt es Basen B, B' und B'' von V, die paarweise verschieden orientiert sind; d.h. für die Transformationsmatrizen zwischen diesen Basen gilt:

$$\det(T_{B'}^{B}) < 0, \quad \det(T_{B''}^{B'}) < 0 \quad \text{und} \quad \det(T_{B''}^{B}) < 0\,.$$

Dann aber wäre

$$0 > \det(T_{B''}^{B}) = \det(T_{B''}^{B'} \cdot T_{B'}^{B}) = \underbrace{\det(T_{B''}^{B'})}_{<0} \cdot \underbrace{\det(T_{B'}^{B})}_{<0} > 0,$$

Widerspruch! $\qquad\qquad\qquad\qquad\qquad\qquad\qquad\qquad\qquad\qquad\qquad\qquad\qquad$ □

Fassen wir zusammen: Durch das Konzept „gleich orientiert" wird die Menge aller geordneten Basen von V disjunkt in zwei Teilmengen zerlegt, die beiden Orientierungen von V. Wir haben jetzt also zwei Sorten von geordneten Basen V. Wählen wir irgendeine geordnete Basis B von V, dann besteht die erste Sorte von geordneten Basen genau aus denjenigen, die mit B gleich orientiert sind, die zweite aus genau denjenigen, die zu B entgegengesetzt orientiert sind.

Bemerkung 4.95. Die allgemeinen Eigenschaften der Determinante liefern folgende Aussagen:

 (i) Vertauschung zweier Basisvektoren kehrt die Orientierung um.

 (ii) Ersetzung eines Basisvektors durch sein Negatives kehrt die Orientierung um.

(iii) Streckung eines Basisvektores um einen positiven Faktor erhält die Orientierung.

Verschaffen wir uns nun eine anschauliche Vorstellung von der Bedeutung des Konzepts der Orientierung im Falle kleiner Dimensionen $n = \dim(V)$:

Beispiel 4.96. Im eindimensionalen Fall, $n = 1$, besteht eine (geordnete) Basis aus einem Vektor $\neq 0$. Seien $B = (b)$ und $B' = (b')$ zwei geordnete Basen von V. Dann ist $b = t \cdot b'$ für ein $t \in \mathbb{R} \setminus \{0\}$ und $T_{B'}^{B} = (t)$. Also sind B und B' genau dann gleich orientiert, wenn $t = \det(t) > 0$. Gleich orientiert zu sein, heißt im eindimensionalen Fall also, dass die Basisvektoren in dieselbe Richtung zeigen.

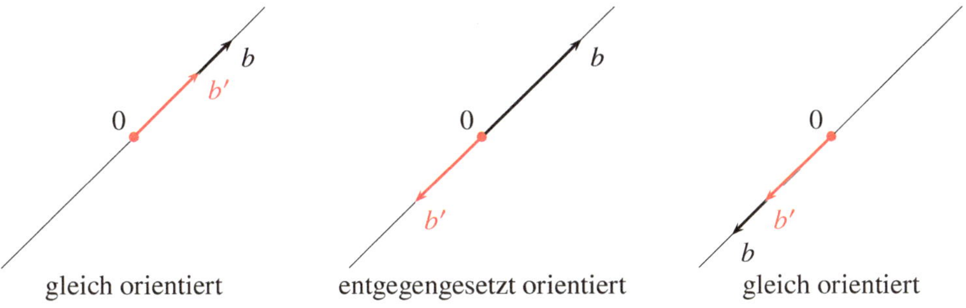

Abb. 71 *Orientierung in einer Dimension*

Eine Orientierung entspricht im Fall $n = 1$ also einer Durchlaufrichtung.

Abb. 72 *Die beiden Orientierungen eines eindimensionalen $\mathbb{R}$-Vektorraums*

Beispiel 4.97. Im Fall $n = 2$ entspricht die Orientierung dem „Drehsinn" der Basen:

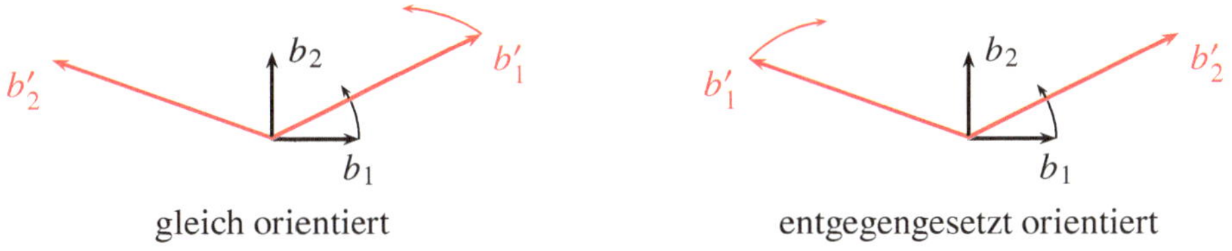

Abb. 73 *Orientierung in 2 Dimensionen*

Wie kann man sich das vorstellen? Nehmen wir an, Sie sitzen im Auto und fahren auf einer schnurgeraden Straße in Richtung b_1. Da b_1 und b_2 linear unabhängig sind, zeigt b_2 nicht in Fahrtrichtung und auch nicht entgegengesetzt der Fahrtrichtung. Um b_2 zu sehen, müssen Sie also nach links oder nach rechts aus dem Auto sehen.

Zwei Basen sind nun genau dann gleich orientiert, wenn Sie in dieselbe Richtung aus dem Auto (das in Richtung des ersten Basisvektors fährt) sehen müssen, um den zweiten Basisvektor zu sehen. Ihr Kopf muss sich also in dieselbe Richtung drehen, wenn die Basen gleich orientiert sind.

Warum stimmt das? Um das einzusehen, stellen wir zunächst fest, dass die Orientierung einer Basis sich nicht ändert, wenn man die Basis dreht. Dies liegt daran, dass die Drehmatrix

$R_\theta = \begin{pmatrix} \cos(\theta) & -\sin(\theta) \\ \sin(\theta) & \cos(\theta) \end{pmatrix}$ positive Determinante $\cos(\theta)^2 + \sin(\theta)^2 = 1$ hat. Also können wir

nach Drehung annehmen, dass die ersten Basisvektoren b_1 und b_1' kollinear sind und in dieselbe Richtung zeigen, d.h. $b_1' = \alpha b_1$ mit $\alpha > 0$. Die Basistransformationsmatrix $T_B^{B'}$ hat also die

Form

$$T_B^{B'} = \begin{pmatrix} \alpha & \beta \\ 0 & \gamma \end{pmatrix}.$$

Nun ist $\det(T_B^{B'}) = \alpha \cdot \gamma$ positiv genau dann, wenn $\gamma > 0$. Dies bedeutet gerade, dass b_2 und b_2' auf derselben Seite der „Straße" $\mathbb{R} \cdot b_1$ liegen.

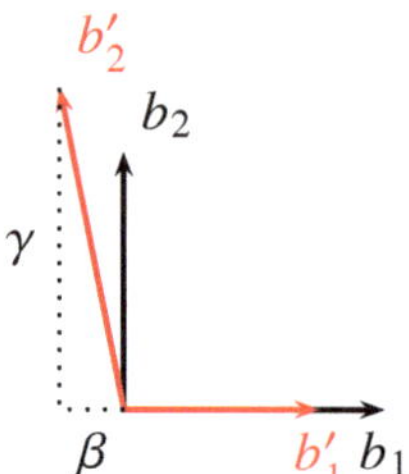

Abb. 74 *Orientierung in 2 Dimensionen*

Beispiel 4.98. Im Fall $n = 3$ entspricht die Orientierung der „Händigkeit" der Basen, d.h. die Basen sind gleich orientiert, wenn sie durch Daumen, Zeigefinger und Mittelfinger derselben Hand beschrieben werden können, und entgegengesetzt orientiert, wenn man dazu zwei verschiedene Hände braucht.

Abb. 75 *Orientierung in 3 Dimensionen*

 Bei dieser Übung müssen Sie herausfinden, ob zwei gegebene geordnete Basen  gleich oder entgegengesetzt orientiert sind:
`https://ueben.cbaer.eu/19.html`

Definition 4.99. Hat man auf einem endlich-dimensionalen reellen Vektorraum eine Orientierung O gewählt, so nennt man eine Basis B von V **positiv orientiert** (bzgl. O), falls $B \in O$, und **negativ orientiert** andernfalls.

Definition 4.100. Der Vektorraum $V = \mathbb{R}^n$, $n \in \mathbb{N}$, besitzt die geordnete Standardbasis $(e_1, \ldots, e_n)$ und damit auch die **Standardorientierung** $O = O(\mathbb{R}^n, (e_1, \ldots, e_n))$.

Bemerkung 4.101. Orientierungen sind sehr robust, d.h. bei kleinen Änderungen der Basis bleibt die Orientierung erhalten. Genauer: Sind $v_1, \ldots, v_n \colon I \to \mathbb{R}^n$ stetige Abbildungen und $I \subset \mathbb{R}$ ein Intervall, so dass $(v_1(t), \ldots, v_n(t))$ für jedes $t \in I$ eine geordnete Basis ist, dann sind alle $(v_1(t), \ldots, v_n(t))$ gleich orientiert.

Beweis. Die Funktion $I \to \mathbb{R}$ mit $t \mapsto \det(v_1(t), \ldots, v_n(t))$ ist stetig und verschwindet auf ganz I nirgends. Also ist sie immer positiv oder immer negativ (vgl. Zwischenwertsatz aus der Analysis). Damit sind entweder alle $(v_1(t), \ldots, v_n(t))$ gleich orientiert wie die Standardbasis oder alle sind der Standardbasis entgegengesetzt orientiert. $\qquad\square$

Man kann also entgegengesetzt orientierte Basen nicht ineinander deformieren.

Definition 4.102. Sei $V \neq \{0\}$ ein endlich-dimensionaler reeller Vektorraum. Ein Automorphismus $\varphi \colon V \to V$ heißt **orientierungserhaltend** oder auch **orientierungstreu**, falls $\det(\varphi) > 0$, und **orientierungsumkehrend**, falls $\det(\varphi) < 0$.

Beispiel 4.103. Nach Beispiel 4.87 sind in $V = \mathbb{R}^2$ die Drehungen, dargestellt durch die Drehmatrizen R_θ, orientierungserhaltend. Die Achsenspiegelungen, gegeben durch die Spiegelungsmatrizen S_θ, sind dagegen gemäß Beispiel 4.88 orientierungsumkehrend.

Bemerkung 4.104. Ein Automorphismus φ von V ist orientierungstreu genau dann, wenn für jede geordnete Basis $B = (b_1, \ldots, b_n)$ gilt: Die geordneten Basen B und $B' := (\varphi(b_1), \ldots, \varphi(b_n))$ sind gleich orientiert.

Beweis. Für die Transformationsmatrix zwischen den Basen B und B' gilt $T_B^{B'} = M_B^B(\varphi)$, und somit $\det(T_B^{B'}) = \det(\varphi)$. $\qquad\square$

Bemerkung 4.105. Direkt aus den Definitionen und den Eigenschaften der Determinante folgt nun:

(i) id ist orientierungserhaltend.

(ii) Sind $\varphi, \psi \in \mathrm{Aut}(V)$ orientierungserhaltend, so ist auch $\psi \circ \varphi$ orientierungserhaltend.

(iii) Ist $\varphi \in \mathrm{Aut}(V)$ orientierungserhaltend, so ist auch φ^{-1} orientierungserhaltend.

4.5. Aufgaben

4.1. Sei die lineare Abbildung $\varphi_A \colon \mathbb{R}^4 \to \mathbb{R}^4$, $v \mapsto A \cdot v$, durch die folgende Matrix gegeben:

$$
A = \begin{pmatrix} -1 & 3 & 5 & -2 \\ 1 & -1 & -1 & 1 \\ -5 & 3 & 1 & -4 \\ 2 & -2 & -2 & 2 \end{pmatrix}.
$$

a) Geben Sie jeweils eine Basis für $\ker(\varphi_A)$ und $\operatorname{im}(\varphi_A)$ sowie die Dimension dieser Unter-vektorräume an.

b) Untersuchen Sie, ob die folgenden Vektoren im Kern oder im Bild von φ_A liegen:

$$
v_1 = \begin{pmatrix} 1 \\ -4 \\ 1 \\ -4 \end{pmatrix}, \quad v_2 = \begin{pmatrix} 1 \\ 2 \\ 3 \\ 4 \end{pmatrix}.
$$

4.2. Sei $A \in \operatorname{Mat}(n \times m, K)$ und $B \in \operatorname{Mat}(m \times l, K)$. Sei $\varphi_A \colon K^m \to K^n$, $\varphi_A(x) = A \cdot x$, und ähnlich für $\varphi_B \colon K^l \to K^m$.
Zeigen Sie, dass das Matrixprodukt der beiden Matrizen der Verkettung der zugehörigen linearen Abbildungen entspricht, genauer:

$$
\varphi_A \circ \varphi_B = \varphi_{A \cdot B}.
$$

4.3. Drehen wir in der Ebene erst um einen Winkel θ_1 und dann um θ_2, so sollten wir insgesamt eine Drehung um den Winkel $\theta_1 + \theta_2$ erhalten. Zeigen Sie, dass in der Tat gilt:

$$
R_{\theta_2} \cdot R_{\theta_1} = R_{\theta_1 + \theta_2}.
$$

4.4. Sei V ein K-Vektorraum und seien U und W zwei endlich-dimensionale Untervektorräume von V.

a) Zeigen Sie:
$$
\dim(U + W) + \dim(U \cap W) = \dim(U) + \dim(W).
$$

   Hinweis: Starten Sie mit einer Basis für $U \cap W$ und nutzen Sie den Basisergänzungssatz.

b) Gilt die Aussage auch für unendlich-dimensionale Untervektorräume, wenn wir für $n \in \mathbb{Z}$ die Konventionen $n + \infty = \infty$ und $\infty + \infty = \infty$ verwenden?

4.5. Sei K ein Körper und V und W seien K-Vektorräume. Für $\varphi, \psi \in \operatorname{Hom}(V, W)$ definieren wir die Summe durch $(\varphi + \psi)(v) := \varphi(v) + \psi(v)$ für alle $v \in V$, wobei das zweite +-Zeichen die

Addition in W bezeichnet. Analog definieren wir das Produkt von $\lambda \in K$ und $\varphi \in \mathrm{Hom}(V, W)$ durch $(\lambda \cdot \varphi)(v) := \lambda \cdot \varphi(v)$.
Zeigen Sie, dass damit $\mathrm{Hom}(V, W)$ zu einem K-Vektorraum wird.

4.6. Sei K ein Körper und V ein K-Vektorraum. Der Vektorraum $V^* := \mathrm{Hom}(V, K)$ heißt **Dualraum** von V. Ist V endlich-dimensional mit geordneter Basis $B = (b_1, \ldots, b_n)$, dann können wir $\beta_1, \ldots, \beta_n \in V^*$ festlegen durch

$$\beta_j(\lambda_1 b_1 + \ldots + \lambda_n b_n) = \lambda_j.$$

Zeigen Sie, dass $(\beta_1, \ldots, \beta_n)$ eine geordnete Basis von V^* ist. Sie heißt die zu B **duale Basis**.

4.7. Sei K ein Körper und V ein endlich-dimensionaler K-Vektorraum. Sei $B = (b_1, \ldots, b_n)$ eine geordnete Basis von V und $(\beta_1, \ldots, \beta_n)$ die zugehörige duale Basis von V^*. Zeigen Sie, dass für jedes $v \in V$ die Entwicklung in der Basis B gegeben ist durch

$$v = \sum_{j=1}^{n} \beta_j(v) b_j.$$

4.8. Sei K ein Körper und V und W zwei K-Vektorräume. Sei $\varphi \colon V \to W$ eine lineare Abbildung. Für $\ell \in W^*$ ist $\ell \circ \varphi$ eine lineare Abbildung von V nach K, d.h. $\ell \circ \varphi \in V^*$. Wir setzen $\varphi^*(\ell) := \ell \circ \varphi$ und nennen $\varphi^* \colon W^* \to V^*$ die **duale Abbildung** von φ. Zeigen Sie:

a) Die duale Abbildung $\varphi^* \colon W^* \to V^*$ ist linear.

b) Ist Z ein weiterer K-Vektorraum und $\psi \colon W \to Z$ eine weitere lineare Abbildung, so gilt $(\psi \circ \varphi)^* = \varphi^* \circ \psi^*$.

4.9. Sei K ein Körper und V und W zwei endlich-dimensionale K-Vektorräume mit geordneten Basen B_V und B_W. Seien B_V^* und B_W^* die zugehörigen dualen Basen von V^* bzw. W^*. Sei $\varphi \colon V \to W$ eine lineare Abbildung. Zeigen Sie, dass für die darstellenden Matrizen gilt:

$$M_{B_V^*}^{B_W^*}(\varphi^*) = \left(M_{B_W}^{B_V}(\varphi) \right)^\top.$$

4.10. Sei $K = \mathbb{F}_3$ und $V = (\mathbb{F}_3)^4$. Berechnen Sie die Transformationsmatrizen $T_{A'}^A$, $T_A^{A'}$, $T_A^{A''}$, $T_{A''}^A$, $T_{A'}^{A''}$ und $T_{A''}^{A'}$ für die geordneten Basen

$$A = (e_1, e_2, e_3, e_4), \quad A' = (e_1, e_3, e_2, e_4) \quad \text{und} \quad A'' = \left(\begin{pmatrix} 1 \\ 0 \\ 1 \\ 0 \end{pmatrix}, \begin{pmatrix} 0 \\ 2 \\ 0 \\ 1 \end{pmatrix}, \begin{pmatrix} 1 \\ 1 \\ 0 \\ 2 \end{pmatrix}, \begin{pmatrix} 0 \\ 1 \\ 0 \\ 0 \end{pmatrix} \right)$$

von V.

4.11. Sei $K = \mathbb{R}$ und $V = \mathrm{Abb}(\mathbb{R}, \mathbb{R})$. Sei $\varphi \colon V \to V$ die Abbildung, die eine Funktion „um 1 verschiebt", genauer, $\varphi(f)(x) = f(x-1)$. So würde z.B. die Polynomfunktion x^2 auf $(x-1)^2 = x^2 - 2x + 1$ abgebildet.

a) Zeigen Sie, dass $\varphi \colon V \to V$ linear ist.

b) Sei $W \subset V$ der Untervektorraum der Polynomfunktionen vom Grad ≤ 3. Zeigen Sie, dass $A = (1, x, x^2, x^3)$ und $A' = (1 + x, 1 - x, x^2 \cdot (1 + x), x^2(1 - x))$ Basen von W sind.

c) Da $\varphi(W) \subset W$ gilt, können wir φ zu einer Abbildung $\psi \colon W \to W$ einschränken. Berechnen Sie die darstellenden Matrizen $M_A^A(\psi)$, $M_A^{A'}(\psi)$, $M_{A'}^A(\psi)$ und $M_{A'}^{A'}(\psi)$.

4.12. Sei K ein Körper und $A \in \mathrm{Mat}(n, K)$. Zeigen Sie, dass die beiden folgenden Aussagen äquivalent sind:

(1) A ist Vielfaches der Identität, d.h. es gibt ein $\lambda \in K$ mit $A = \lambda \cdot 1_n$.

(2) A ist nur zu sich selbst ähnlich.

Hinweis für die Richtung „(2)$\Rightarrow$(1)": Zeigen Sie zunächst, dass die lineare Abbildung $\varphi_A \colon K^n \to K^n$ jeden Vektor auf ein Vielfaches von sich abbildet.

4.13. Sei $\theta \in \mathbb{R}$ und $\varphi \colon \mathbb{R}^2 \to \mathbb{R}^2$, $x \mapsto R_\theta x$, die Drehung um den Winkel θ.

a) Finden Sie geordnete Basen A und B von $\mathbb{R}^2$ wie in Satz 4.51.

b) Für welche θ kann man $A = B$ wählen?

4.14. Seien V, W und $\varphi = d/dx$ wie in Beispiel 4.33. Finden Sie geordnete Basen A und B von V bzw. W wie in Satz 4.51.

4.15. Berechnen Sie die Determinante der Matrix

a)
$$\begin{pmatrix} 1 & i \\ i & -1 \end{pmatrix}.$$

b)
$$\begin{pmatrix} 1 & 2 & 1 \\ 2 & 3 & 4 \\ -1 & 1 & 2 \end{pmatrix}.$$

c)
$$\begin{pmatrix} 1 & 2 & 1 & 0 \\ 1 & 2 & 3 & 4 \\ -1 & 1 & 2 & 1 \\ 1 & 1 & 1 & 0 \end{pmatrix}.$$

4.16. Zeigen Sie, dass für alle $z \in \mathbb{C}$ gilt:

$$\det \begin{pmatrix} z & 1 & 1 & 1 \\ 1 & z & 1 & 1 \\ 1 & 1 & z & 1 \\ 1 & 1 & 1 & z \end{pmatrix} = (z+3)(z-1)^3.$$

4.17. Bestimmen Sie die Determinante von

$$\begin{pmatrix} 0 & 0 & \cdots & 0 & 1 \\ 0 & 0 & \cdots & 1 & 0 \\ \vdots & \vdots & \ddots & \vdots & \vdots \\ 0 & 1 & \cdots & 0 & 0 \\ 1 & 0 & \cdots & 0 & 0 \end{pmatrix} \in \mathrm{Mat}(n, \mathbb{R}).$$

4.18. Für $a \in \mathbb{R}$ sei das folgende lineare Gleichungssystem gegeben:

$$\begin{pmatrix} 2 & 3 & a \\ 4 & a & -3 \\ -2 & 1 & 2 \end{pmatrix} \cdot \begin{pmatrix} x \\ y \\ z \end{pmatrix} = \begin{pmatrix} 2 \\ 1 \\ 0 \end{pmatrix}$$

a) Untersuchen Sie, für welche Werte von $a \in \mathbb{R}$ dieses Gleichungssystem keine, genau eine bzw. unendlich viele Lösungen hat.

b) Bestimmen Sie in dem Fall, dass das Gleichungssystem genau eine Lösung hat, diese Lösung mit Hilfe der Cramer'schen Regel.

4.19. Sei $A \in \mathrm{Mat}(n, \mathbb{Z})$. Zeigen Sie, dass

a) $\det(A) \in \mathbb{Z}$.

b) A genau dann in $\mathrm{Mat}(n, \mathbb{Z})$ invertierbar ist, wenn $\det(A) = \pm 1$.

4.20. Zeigen Sie, dass für die **Vandermonde-Determinante** gilt:

$$\det \begin{pmatrix} 1 & x_1 & \cdots & x_1^{n-1} \\ \vdots & \vdots & & \vdots \\ 1 & x_n & \cdots & x_n^{n-1} \end{pmatrix} = \prod_{1 \le i < j \le n} (x_j - x_i).$$

Hinweis: Der Beweis erfolgt mit vollständiger Induktion nach n. Zeigen Sie im Induktionsschritt mittels Spaltenumformungen, dass gilt:

$$\det\begin{pmatrix} 1 & x_1 & \cdots & x_1^{n-1} \\ \vdots & \vdots & & \vdots \\ 1 & x_n & \cdots & x_n^{n-1} \end{pmatrix} = \det\begin{pmatrix} 1 & 0 & 0 & \cdots & 0 \\ 1 & (x_2 - x_1)\cdot 1 & (x_2 - x_1)\cdot x_2 & \cdots & (x_2 - x_1)\cdot x_2^{n-2} \\ \vdots & \vdots & \vdots & \ddots & \vdots \\ 1 & (x_n - x_1)\cdot 1 & (x_n - x_1)\cdot x_n & \cdots & (x_n - x_1)\cdot x_n^{n-2} \end{pmatrix}.$$

4.21. Sei K ein Körper mit unendlich vielen Elementen. Geben Sie eine unendliche Teilmenge $X \subset K^n$ an, so dass jede n-elementige Teilmenge von X linear unabhängig ist.
Hinweis: Hier kann die Vandermonde-Determinante helfen.

4.22. Untersuchen Sie, ob die folgenden beiden geordneten Basen von $\mathbb{R}^3$ gleich orientiert sind oder nicht:

$$B_1 = \left(\begin{pmatrix} 4 \\ -2 \\ 1 \end{pmatrix}, \begin{pmatrix} -1 \\ 1 \\ 3 \end{pmatrix}, \begin{pmatrix} -3 \\ 2 \\ 1 \end{pmatrix}\right), \qquad B_2 = \left(\begin{pmatrix} 1 \\ 4 \\ 0 \end{pmatrix}, \begin{pmatrix} 5 \\ 1 \\ -4 \end{pmatrix}, \begin{pmatrix} 1 \\ 0 \\ 5 \end{pmatrix}\right).$$

4.23. Entscheiden Sie, für welche $n \in \mathbb{N}$ die lineare Abbildung $-\mathrm{id}\colon \mathbb{R}^n \to \mathbb{R}^n$ orientierungserhaltend ist.

4.24. Geben Sie zwei stetige Abbildungen $v, w\colon [0,1] \to \mathbb{R}^3$ an, so dass $(v(t), w(t))$ für jedes $t \in [0,1]$ linear unabhängig sind, dass $\mathrm{L}(v(0), w(0)) = \mathrm{L}(v(1), w(1)) =: V$ und dass $(v(0), w(0))$ und $(v(1), w(1))$ entgegengesetzt orientierte Basen von V bilden.

4.25. Sei $B := (b_1, \ldots, b_n)$ eine geordnete Basis des Vektorraums V. Zu einer Permutation $\sigma \in S_n$ betrachten wir die geordnete Basis $B' := (b_{\sigma(1)}, \ldots, b_{\sigma(n)})$. Zeigen Sie, dass B und B' genau dann gleich orientiert sind, wenn $\mathrm{sgn}(\sigma) = +1$ gilt.

5. Geometrie

Bereits in Abschnitt 2.4 haben wir uns mit Geometrie, genauer mit der Geometrie der Ebene, beschäftigt. Dies wollen wir nun fortsetzen, wobei wir uns nicht mehr auf zwei Dimensionen beschränken.

Geometrisch beschreibt ein 1-dimensionaler Untervektorraum eine Gerade und ein 2-dimensionaler eine Ebene. Da Untervektorräume stets den Nullvektor enthalten, erhalten wir so nur Geraden und Ebenen, die den Ursprung enthalten. Um auch Geraden und Ebenen zu beschreiben, die nicht durch den Ursprung gehen, müssen wir zunächst das Konzept von Untervektorräumen verallgemeinern. Dies führt uns auf affine Unterräume. Analog dazu werden lineare Abbildungen zu affinen Abbildungen verallgemeinert.

5.1. Affine Unterräume und affine Abbildungen

Sei K ein Körper und V ein K-Vektorraum. Wir verwenden von nun an folgende Notation: Für jede Teilmenge $A \subset V$ und jeden Vektor $v \in V$ sei

$$A + v := v + A := \{a + v \mid a \in A\}$$

die Menge, die man erhält, indem man A um den Vektor v verschiebt.

© Der/die Autor(en), exklusiv lizenziert an
Springer Fachmedien Wiesbaden GmbH, ein Teil von Springer Nature 2026
C. Bär, *Lineare Algebra und analytische Geometrie*,
https://doi.org/10.1007/978-3-658-51055-8_5

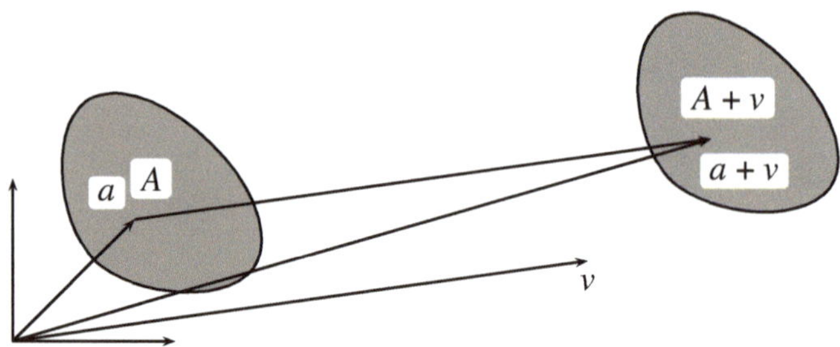

Abb. 76 *Um v verschobene Menge A*

Für uns ist jetzt besonders der Fall interessant, in dem ein Untervektorraum verschoben wird.

Definition 5.1. Sei V ein K-Vektorraum. Eine Teilmenge von V der Form $U = U_0 + v \subset V$ heißt **affiner Unterraum**, wenn $v \in V$ ist und $U_0 \subset V$ ein Untervektorraum.

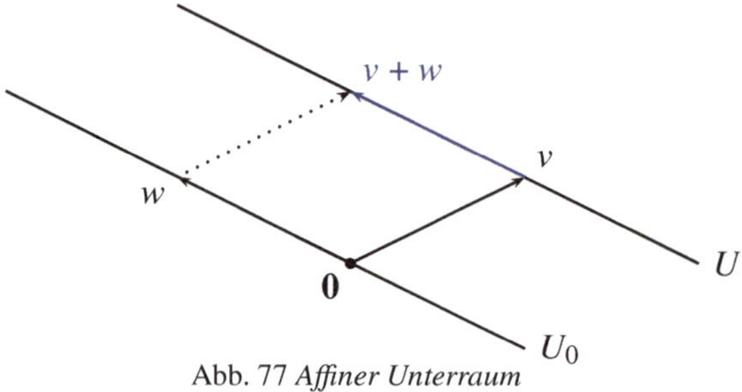

Abb. 77 *Affiner Unterraum*

Da man für den Verschiebungsvektor insbesondere $v = 0$ wählen kann, ist jeder Untervektorraum auch ein affiner Unterraum. Es gibt jedoch im Allgemeinen mehr affine Unterräume als Untervektorräume.

Lemma 5.2. *Sei V ein K-Vektorraum und $U_0 \subset V$ ein Untervektorraum. Ist $U = v + U_0$ ein affiner Unterraum von V, so gilt:*

$$U_0 = \{a - a' \mid a, a' \in U\}. \tag{5.1}$$

Insbesondere ist der Untervektorraum U_0 durch den affinen Unterraum U eindeutig bestimmt.

Beweis. Wir zeigen zuerst: $U_0 \subset \{a - a' \mid a, a' \in A\}$. Sei dazu $w \in U_0$ beliebig. Setze $a := v + w$ und $a' := v + 0$. Dann sind $a, a' \in v + U_0 = U$ und $a - a' = w$.

Für die umgekehrte Inklusion seien nun $a, a' \in A$. Dann gibt es $w, w' \in U_0$, so dass $a = v + w$ und $a' = v + w'$. Damit ist $a - a' = w' - w \in U_0$. $\qquad\square$

Definition 5.3. Sei U ein affiner Unterraum von V. Dann heißt der eindeutig bestimmte Untervektorraum $U_0 \subset V$ mit $U = v + U_0$ der **zu U gehörige Untervektorraum** von V.

Während der Untervektorraum U_0 durch den affinen Unterraum $U = v + U_0$ festgelegt ist, gilt dies nicht für den Verschiebungsvektor v.

Lemma 5.4. *Sei V ein K-Vektorraum, sei $U_0 \subset V$ ein Untervektorraum und seien $v, v' \in V$. Dann gilt:*
$$v + U_0 = v' + U_0 \Longleftrightarrow v - v' \in U_0 \,. \tag{5.2}$$

Beweis. Zu „$\Rightarrow$“:
Sei $v + U_0 = v' + U_0$. Wegen $v = v + 0 \in v + U_0 = v' + U_0$ gibt es ein $w \in U_0$ mit $v = v' + w$. Somit ist $v - v' = w \in U_0$.

Zu „$\Leftarrow$“:
Sei nun $v - v' \in U_0$. Zu zeigen ist: $v + U_0 = v' + U_0$. Sei dazu $v' + w \in v' + U_0$ beliebig. Dann ist
$$v' + w = v + \underbrace{w + (v' - v)}_{\in U_0} \in v + U_0 \,.$$

Somit ist $v' + U_0 \subset v + U_0$. Ganz analog zeigt man die umgekehrte Inklusion $v + U_0 \subset v' + U_0$. $\square$

Der Verschiebungsvektor v in der Darstellung $U = v + U_0$ ist durch jeden beliebigen Vektor $v' \in U$ ersetzbar.

Lemma 5.5. *Sei V ein K-Vektorraum, sei $U \subset V$ ein affiner Unterraum und $U_0 \subset V$ der zugehörige Untervektorraum. Sei $v \in V$. Dann gilt:*
$$U = v + U_0 \Longleftrightarrow v \in U \,.$$

Beweis. Zu „$\Rightarrow$“:
Ist $U = v + U_0$, so gilt $v = v + 0 \in v + U_0 = U$.

Zu „$\Leftarrow$":

Sei $v \in U$. Wir schreiben $U = v' + U_0$ für ein $v' \in V$. Dann ist nach dem ersten Teil auch $v' \in U$ und daher nach Lemma 5.2 $v - v' \in U_0$. Aus Lemma 5.4 folgt dann $v + U_0 = v' + U_0 = U$. $\quad\square$

Korollar 5.6. *Sei V ein K-Vektorraum, sei $U \subset V$ ein affiner Unterraum und $U_0 \subset V$ der zugehörige Untervektorraum. Dann sind äquivalent:*

(1) U ist ein Untervektorraum.

(2) $U = U_0$.

(3) $0 \in U$.

Beweis. Die Implikationen „(1)$\Rightarrow$(3)" und „(2)$\Rightarrow$(1)" sind klar. Die Implikationen „(3)$\Rightarrow$(2)" folgt aus Lemma 5.5, denn mit $0 \in U$ ist $U = 0 + U_0 = U_0$. $\quad\square$

Definition 5.7. Sei V ein K-Vektorraum und $U \subset V$ ein affiner Unterraum mit zugehörigem Untervektorraum U_0. Dann heißt $\dim U := \dim U_0$ die **Dimension des affinen Unterraums U**.

Beispiel 5.8. Sei $K = \mathbb{R}$ und $V = \mathbb{R}^2$. Wir bestimmen die affinen Unterräume U von V:

a) Ist $\dim(U) = 0$, so muss $U_0 = \{0\}$ sein. Somit ist jede einpunktige Menge $U = v + \{0\} = \{v\}$ mit $v \in V$ ein 0-dimensionaler affiner Unterraum von V. Mit anderen Worten ist

$$\{\text{0-dimensionale affine Unterräume von } V\} = \{\{v\} \mid v \in V\}.$$

b) Ist $\dim(U) = 1$, so ist U_0 von der Form $U_0 = \{\lambda \cdot w \mid \lambda \in \mathbb{R}\}$ für ein $w \neq 0$, also eine Ursprungsgerade. Damit ist $U = v + U_0 = G_{v,w}$ eine Gerade in V. Mit anderen Worten ist

$$\{\text{eindimensionale affine Unterräume von } V\} = \{\text{Geraden in } V\}.$$

c) Ist $\dim = 2$, so ist $U_0 = V$. Damit ist $U = v + U_0 = V$. Mit anderen Worten ist

$$\{\text{zweidimensionale affine Unterräume von } V\} = \{V\}.$$

Generell haben wir in niedrigen Dimensionen folgende affine Unterräume bzw. Untervektorräume eines K-Vektorraums V:

dim	affine Unterräume	Untervektorräume
0	Punkte	Ursprung
1	Geraden	Ursprungsgeraden
2	Ebenen	Ursprungsebenen

Tab. 24 *Affine Unterräume in niedrigen Dimensionen*

Definition 5.9. Sei V ein n-dimensionaler K-Vektorraum. Die eindimensionalen affinen Unterräume nennen wir **Geraden**, die zweidimensionalen **Ebenen** und die $(n-1)$-dimensionalen **Hyperebenen**.

Lemma 5.10. *Sei V ein K-Vektorraum und sei I eine Menge. Seien $A_i \subset V$, $i \in I$, affine Unterräume von V.*
Dann ist $\bigcap_{i \in I} A_i$ entweder leer oder selbst wieder ein affiner Unterraum.

Beweis. Sei $\bigcap_{i \in I} A_i \neq \emptyset$, denn andernfalls ist nichts zu zeigen. Dann gibt es ein $v \in \bigcap_{i \in I} A_i$, d.h. $v \in A_i$ für alle $i \in I$. Schreiben wir die affinen Unterräume A_i als $A_i = v + W_i$ mit zugehörigen Untervektorräumen $W_i \subset V$, so ist also

$$\bigcap_{i \in I} A_i = \bigcap_{i \in I} (v + W_i) = \{v + w \mid w \in W_i \quad \forall i \in I\} = \{v + w \mid w \in \bigcap_{i \in I} W_i\} = v + \bigcap_{i \in I} W_i.$$

Da der Schnitt $W := \bigcap_{i \in I} W_i$ von Untervektorräumen stets wieder ein Untervektorraum ist, ist $\bigcap_{i \in I} A_i = v + W$ ein affiner Unterraum von V. $\qquad\square$

Beispiel 5.11. Sei $K = \mathbb{R}$, und sei $V = \mathbb{R}^3$. Seien A_1 und A_2 affine Unterräume von V der Dimension 1 bzw. 2. Dann haben wir folgende drei Fälle für $A_1 \cap A_2$:

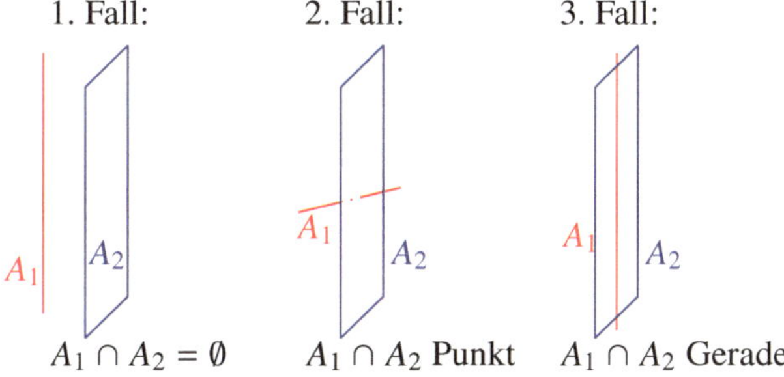

Abb. 78 *Schnittmenge affiner Unterräume*

Nachdem wir nun Untervektorräume zu affinen Unterräumen verallgemeinert haben, führen wir auch die entsprechende Verallgemeinerung linearer Abbildungen ein. Lineare Abbildungen bilden stets den Ursprung (Nullvektor) auf sich ab. In der Geometrie sind jedoch auch Abbildungen wichtig, die das nicht tun, z.B. Verschiebungen.

Definition 5.12. Seien V und W zwei K-Vektorräume. Eine Abbildung $F\colon V \to W$ heißt **affine Abbildung**, falls es eine lineare Abbildung $\varphi\colon V \to W$ und ein $w \in W$ gibt, so dass

$$F(v) = \varphi(v) + w \tag{5.3}$$

für alle $v \in V$ gilt.

Eine affine Abbildung F ist also gegeben durch eine lineare Abbildung φ und einen Verschiebungsvektor w. Beide sind durch F festgelegt, denn

$$F(0) = \varphi(0) + w = w$$

und

$$\varphi(v) = F(v) - w = F(v) - F(0).$$

Wir nennen φ den **linearen Teil** von F.

Ist der lineare Teil $\varphi = \mathrm{id}$, d.h. ist F von der Form $F(v) = v + w$, dann nennt man F eine **Translation**. Für die Translation mit dem Verschiebungsvektor w schreibt man oft T_w statt F. Jede affine Abbildung ist die Verkettung einer linearen Abbildung mit einer Translation, denn für F mit $F(v) = \varphi(v) + w$ gilt $F = T_w \circ \varphi$.

Satz 5.13. *Seien V, W, Z drei K-Vektorräume, und seien $F\colon V \to W$ und $G\colon W \to Z$ zwei affine Abbildungen. Dann gilt:*

(i) Die Verkettung $G \circ F$ ist eine affine Abbildung.

(ii) Ist $A \subset V$ ein affiner Unterraum, so ist auch $F(A) \subset W$ ein affiner Unterraum. Ist φ der lineare Teil von F und U der zu A gehörige Untervektorraum, dann ist $\varphi(U)$ der zu $F(A)$ gehörige Untervektorraum.

(iii) Ist $B \subset W$ ein affiner Unterraum, so ist $F^{-1}(B)$ entweder leer oder ein affiner Unterraum. Ist φ der lineare Teil von F und U der zu B gehörige Untervektorraum, dann ist $\varphi^{-1}(U)$ der zu $F^{-1}(B)$ gehörige Untervektorraum.

(iv) Ist $F(v) = \varphi(v) + w$, wobei $\varphi\colon V \to W$ eine lineare Abbildung ist, so gilt:

$$F \text{ ist injektiv} \quad \Leftrightarrow \quad \varphi \text{ ist injektiv.}$$

$$\text{und} \quad F \text{ ist surjektiv} \quad \Leftrightarrow \quad \varphi \text{ ist surjektiv.}$$

Beweis. Zu (i):
Sei $F(x) = \varphi(x) + w$ und $G(y) = \psi(y) + z$ mit linearen Abbildungen $\varphi \colon V \to W$ und $\psi \colon W \to Z$ und Vektoren $w \in W$ und $z \in Z$. Dann gilt für jedes $x \in V$:

$$\begin{aligned}
(G \circ F)(x) &= G(F(x)) \\
&= \psi(F(x)) + z \\
&= \psi(\varphi(x) + w) + z \\
&= \psi(\varphi(x)) + \psi(w) + z \\
&= (\psi \circ \varphi)(x) + \big(\psi(w) + z\big).
\end{aligned}$$

Somit ist $G \circ F$ eine affine Abbildung mit dem linearen Teil $\psi \circ \varphi \colon V \to Z$ und dem Verschiebungsvektor $\psi(w) + z \in Z$.

Zu (ii):
Sei $A = v + U$ für ein $v \in V$ und einen Untervektorraum $U \subset V$. Sei $F(x) = \varphi(x) + w$ mit $\varphi \colon V \to W$ linear und $w \in W$. Dann ist

$$\begin{aligned}
F(A) &= \varphi(A) + w \\
&= \varphi(v + U) + w \\
&= \varphi(v) + \varphi(U) + w \\
&= \big(\varphi(v) + w\big) + \varphi(U)
\end{aligned}$$

ein affiner Unterraum von W, denn nach Satz 4.10 ist $\varphi(U) \subset W$ ein Untervektorraum.

Zu (iii):
Sei $U \subset W$ der dem affinen Unterraum $B \subset W$ zugehörige Untervektorraum. Sei ferner $F^{-1}(B) \neq \emptyset$ und sei $v_0 \in F^{-1}(B)$. Dann ist $F(v_0) \in B$ und daher $B = F(v_0) + U$. Sei nun $F(v) = \varphi(v) + w$ mit linearer Abbildung $\varphi \colon V \to W$. Damit ist

$$\begin{aligned}
F^{-1}(B) &= \{v \in V \mid F(v) \in B\} \\
&= \{v \in V \mid \varphi(v) + w \in F(v_0) + U\} \\
&= \{v \in V \mid \varphi(v) + w \in (\varphi(v_0) + w) + U\} \\
&= \{v \in V \mid \varphi(v) \in \varphi(v_0) + U\} \\
&= \{v \in V \mid \varphi(v) - \varphi(v_0) \in U\} \\
&= \{v \in V \mid \varphi(v - v_0) \in U\} \\
&= \{v \in V \mid v - v_0 \in \varphi^{-1}(U)\} \\
&= v_0 + \varphi^{-1}(U)
\end{aligned}$$

ein affiner Unterraum von W, denn nach Satz 4.10 ist $\varphi^{-1}(U) \subset V$ ein Untervektorraum.

Zu (iv):
Sei $F = T_w \circ \varphi$ mit $\varphi \colon V \to W$ linear. Die Translation T_w ist bijektiv mit Umkehrabbildung $(T_w)^{-1} = T_{-w}$. Daraus folgt unmittelbar die Behauptung. $\qquad\square$

> **Korollar 5.14.** *Sei $\varphi\colon V \to W$ eine lineare Abbildung. Dann ist das Urbild $\varphi^{-1}(\{w\})$ eines Punktes $w \in W$ entweder leer oder ein affiner Unterraum von V.*
> *Im letzteren Fall ist $\varphi^{-1}(\{w\}) = v + \ker(\varphi)$ für jedes $v \in V$ mit $\varphi(v) = w$.*

Beweis. Die erste Behauptung folgt aus Satz 5.13 (iii), denn $\{w\}$ ist ein (0-dimensionaler) affiner Unterraum von W. Der zu $\{w\}$ gehörige Untervektorraum ist $\{0\}$. Also ist $\varphi^{-1}(0) = \ker(\varphi)$ der zu $\varphi^{-1}(w)$ gehörige Untervektorraum. $\qquad\square$

Bemerkung 5.15. Mit diesen Erkenntnissen über affine Abbildungen können wir lineare Gleichungssysteme nochmal neu betrachten. Beim Lösen inhomogener LGS tun wir nichts anderes, als das Urbild eines Punktes unter einer linearen Abbildung zu bestimmen. Lautet das LGS $A \cdot x = b$, dann ist die lineare Abbildung einfach die, die durch Matrixmultiplikation mit der $m \times n$-Matrix A gegeben ist, d.h. $\varphi\colon K^n \to K^m$, $\varphi(x) = A \cdot x$. Die Lösungsmenge ist $\text{Lös}(A, b) = \varphi^{-1}(b)$. Gemäß Korollar 5.14 ist $\text{Lös}(A, b)$ ein affiner Unterraum von K^n oder leer. Ist $\text{Lös}(A, b)$ ein 0-dimensionaler affiner Unterraum, hat das LGS genau eine Lösung. Ist $\text{Lös}(A, b)$ ein ℓ-dimensionaler affiner Unterraum mit $\ell \geq 1$, dann hat das LGS genau so viele Lösungen, wie K^ℓ Elemente hat. Dies sind unendlich viele, wenn K unendlich viele Elemente hat wie z.B. für $K = \mathbb{R}$. Außerdem gilt für jedes $x \in \text{Lös}(A, b)$:

$$\text{Lös}(A, b) = \varphi^{-1}(b) = x + \ker(\varphi) = x + \text{Lös}(A, 0).$$

5.2. Volumina

In diesem Abschnitt verwenden wir Determinanten zur Volumenberechnung. Um unnötige Wiederholungen und überflüssigen Arbeitsaufwand zu vermeiden, behandeln wir alle Dimensionen auf einmal. Dabei haben wir uns unter einem eindimensionalen Volumen eine Länge, einem zweidimensionalen Volumen einen Flächeninhalt und einem dreidimensionalen Volumen das anschauliche Volumen eines Körpers im dreidimensionalen Raum vorzustellen. Die Theorie funktioniert aber auch für Volumina in Dimension ≥ 4.
Systematisch entwickelt man diese Theorie in der sogenannten *Maßtheorie*, einer mathematischen Disziplin, die eng mit der Analysis und der Wahrscheinlichkeitstheorie zusammenhängt. Wir werden hier lediglich einige Eigenschaften der Volumenfunktion benutzen ohne uns um die Einzelheiten ihrer Konstruktion zu kümmern.
Legen wir zunächst fest, von welchen Mengen wir das Volumen untersuchen werden. Sei $\mathcal{K}_n$ die Menge der n-dimensionalen reellen Kompakta, also

$$\mathcal{K}_n := \{X \subset \mathbb{R}^n \mid X \text{ ist beschränkt und abgeschlossen}\} = \{X \subset \mathbb{R}^n \mid X \text{ kompakt}\}.$$

Hierbei bedeutet **beschränkt**, dass X sich nicht ins Unendliche erstreckt. Genauer heißt dies, dass es einen Radius $R > 0$ gibt mit

$$X \subset B_R(0) := \{x \in \mathbb{R}^n \mid \|x\| \leq R\}.$$

Eine Teilmenge $X \subset \mathbb{R}^n$ heißt **abgeschlossen**, wenn jeder Punkt $x \in \mathbb{R}^n$, für den es Punkte $x_i \in X$ mit $\lim\limits_{i \to \infty} x_i = x$ gibt, selbst zu X gehören muss, $x \in X$.

Definition 5.16. Das n-**dimensionale Volumen** ist eine Abbildung

$$\mathrm{vol}_n : \mathcal{K}_n \to \mathbb{R}$$

mit $\mathrm{vol}_n(X) \geq 0$ für alle $X \in \mathcal{K}_n$, so dass gilt:

1. Für den n-dimensionalen Einheitswürfel $W_n = \underbrace{[0,1] \times \ldots \times [0,1]}_{n\text{-mal}} \subset \mathbb{R}^n$ gilt $\mathrm{vol}_n(W_n) =$

   1.

2. Ist $X \subset Y$, so gilt $\mathrm{vol}_n(X) \leq \mathrm{vol}_n(Y)$.

3. Es gilt $\mathrm{vol}_n(X \cup Y) = \mathrm{vol}_n(X) + \mathrm{vol}_n(Y) - \mathrm{vol}_n(X \cap Y)$ für alle $X, Y \in \mathcal{K}_n$.

4. Ist $F : \mathbb{R}^n \to \mathbb{R}^n$ eine affine Abbildung, d.h. $F(x) = Ax + b$ mit $A \in \mathrm{Mat}(n, \mathbb{R})$ und $b \in \mathbb{R}^n$, dann gilt für alle $X \in \mathcal{K}_n$:

$$\mathrm{vol}_n(F(X)) = |\det(A)| \cdot \mathrm{vol}_n(X).$$

Die vierte Bedingung stellt sicher, dass sich das Volumen „richtig verhält". Bei Translationen, d.h. $A = \mathbb{1}_n$, ändert sich das Volumen nicht. Strecken wir das Kompaktum in eine Richtung mit dem Faktor r, so sollte sich das Volumen mit r multiplizieren.

Abb. 79 *Volumenänderung bei Streckung*

So erwarten wir z.B. für $\det \begin{pmatrix} 3 & 0 \\ 0 & 1 \end{pmatrix} = 3$, dass sich das 2-dimensionale Volumen eines Rechtecks verdreifacht (Streckung in e_1-Richtung mit dem Faktor 3). Für die Streckung in alle drei Richtungen mit dem Faktor 2, d.h. für $\det \begin{pmatrix} 2 & 0 & 0 \\ 0 & 2 & 0 \\ 0 & 0 & 2 \end{pmatrix} = 8$, wird sich das dreidimensionale

Volumen verachtfachen, denn $2^3 = 8$.

Für die nachfolgenden Volumenberechnungen brauchen wir überhaupt nicht zu wissen, wie man das Volumen definiert. Wir kommen allein mit den Eigenschaften 1 bis 4 von vol_n aus. Daher nehmen wir von jetzt ab an, dass vol_n ein n-dimensionales Volumen ist und überlassen den Existenzbeweis der Maßtheorie.

Definition 5.17. Eine Teilmenge $X \subset \mathbb{R}^n$ der Form

$$X = \{q + t_1 b_1 + \ldots + t_n b_n \mid t_i \in [0,1]\}$$

für eine Basis $\{b_1, \ldots, b_n\}$ von $\mathbb{R}^n$ und $q \in \mathbb{R}^n$ heißt **n-dimensionales Parallelotop**.

Beispiel 5.18. Für $n = 2$ erhalten wir ein Parallelogramm, im Falle $n = 3$ ein Parallelepiped.

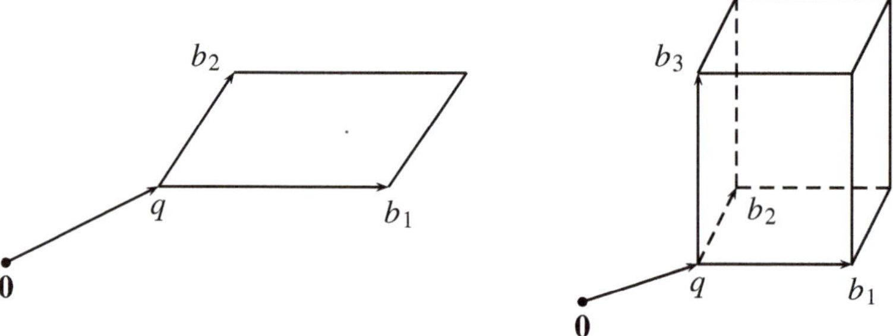

Abb. 80 *Parallelogramm und Parallelepiped*

Für die Berechnung des Volumens betrachten wir die affine Abbildung $F \colon \mathbb{R}^n \to \mathbb{R}^n$, $F(x) = Ax + b$, mit $A = (b_1, \ldots, b_n)$ und $b = q$, wobei $b_1, \ldots, b_n$ das n-dimensionale Parallelotop X aufspannen. Mittels der Definition von W_n sieht man leicht:

$$F(W_n) = X.$$

Damit folgt:

$$\text{vol}_n(X) = \text{vol}_n(F(W_n)) \overset{4.}{=} |\det(A)| \cdot \text{vol}_n(W_n) \overset{1.}{=} |\det(A)| \cdot 1 = |\det(b_1, \ldots, b_n)|.$$

Wir haben also gezeigt, dass das n-dimensionale Volumen eines Parallelotops X, das durch die Vektoren $b_1, \ldots, b_n$ aufgespannt wird, gegeben ist durch

$$\boxed{\text{vol}_n(X) = |\det(b_1, \ldots, b_n)|} \tag{5.4}$$

Man kann Formel (5.4) als eine Formel ansehen, die uns sagt, wie man mit Hilfe der Determinante das Volumen von Parallelotopen bestimmt. Man kann sie umgekehrt aber auch als eine mögliche geometrische Definition der Determinante betrachten. Die Determinante einer reellen $n \times n$-Matrix A ist 0, wenn die Matrix nicht maximalen Rang hat. Wenn sie maximalen Rang hat, dann bilden die Spaltenvektoren eine Basis von $\mathbb{R}^n$ und die Determinante $\det(A)$ ist, bis aufs Vorzeichen, das n-dimensionale Volumen des von den Spaltenvektoren aufgespannten Parallelotops. Das Vorzeichen ist $+1$, wenn die geordnete Basis der Spaltenvektoren positiv orientiert ist, und negativ, wenn sie negativ orientiert ist.

 Hier üben Sie die Berechnung der Volumina von Parallelotopen verschiedener Dimension: `https://ueben.cbaer.eu/20.html`

Das folgende Lemma verallgemeinert die Tatsache, dass eine Menge, die in einer Ebene enthalten ist, dreidimensionales Volumen 0 haben muss, und eine Menge, die in einer Geraden enthalten ist, Flächeninhalt 0.

> **Lemma 5.19.** *Sei $X \in \mathcal{K}_n$. Sei X ferner enthalten in einem $(n-1)$-dimensionalen affinen Unterraum $V \subset \mathbb{R}^n$. Dann ist*
> $$\mathrm{vol}_n(X) = 0.$$

Beweis. Mittels einer affinen Abbildung machen wir uns zunächst das Leben etwas leichter und verschieben X in eine „günstige" Lage. Da Translationen das Volumen nicht ändern, können wir V so verschieben, dass V auf einen Untervektorraum abgebildet wird. Dabei wird X mit verschoben, ohne dass das Volumen sich ändert. Daher können wir ohne Beschränkung der Allgemeinheit annehmen, dass V ein Untervektorraum von $\mathbb{R}^n$ ist.

Sei $(b_1, \ldots, b_{n-1})$ eine geordnete Basis von V. Wir ergänzen sie zu einer Basis $B := (b_1, \ldots, b_n)$ von $\mathbb{R}^n$. Sei nun $P \colon \mathbb{R}^n \to \mathbb{R}^n$ die lineare Abbildung, die bzgl. der Basis B die darstellende Matrix

$$M_B^B(P) = \begin{pmatrix} \mathbb{1}_{n-1} & 0 \\ 0 & 0 \end{pmatrix}$$

hat. In anderen Worten, $P(b_i) = b_i$ für $i = 1, \ldots, n-1$ und $P(b_n) = 0$. Für alle $x \in V$ gilt dann $P(x) = x$. Insbesondere gilt dies für alle $x \in X$ und wir erhalten $P(X) = X$. Da $\mathrm{rg}(P) = n - 1$ ist, ist $\det(P) = 0$. Nun gilt

$$\mathrm{vol}_n(X) = \mathrm{vol}_n(P(X)) = |\det(P)| \cdot \mathrm{vol}_n(X) = 0 \cdot \mathrm{vol}_n(X) = 0. \qquad \square$$

Dreiecke. Wir kommen nun zu zweidimensionalen Volumina $\mathrm{vol}_2(\Delta)$ von Dreiecken Δ. Durch Verdoppelung des Dreiecks längs der Hypotenuse erhalten wir ein Parallelogramm.

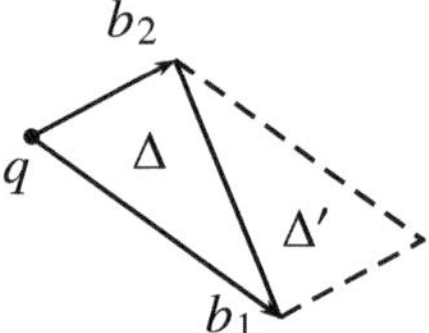

Abb. 81 Flächenberechnung für Dreiecke

Für das entstandene Parallelogramm bekommen wir

$$|\det(b_1, b_2)| = \mathrm{vol}_2(\Delta \cup \Delta') = \mathrm{vol}_2(\Delta) + \mathrm{vol}_2(\Delta') - \underbrace{\mathrm{vol}_2(\Delta \cap \Delta')}_{\stackrel{(5.19)}{=} 0} = \mathrm{vol}_2(\Delta) + \mathrm{vol}_2(\Delta').$$

Nun ist aber $\mathrm{vol}_2(\Delta') = \mathrm{vol}_2(\Delta)$, denn Δ' geht aus Δ durch eine Drehung hervor. Drehungen haben Determinante 1 und ändern daher nicht den Flächeninhalt. Also gilt:

$$\boxed{\mathrm{vol}_2(\Delta) = \frac{1}{2}\,|\det(b_1, b_2)|} \tag{5.5}$$

Beispiel 5.20. Habe Δ die Ecken $\begin{pmatrix} -1 \\ 0 \end{pmatrix}, \begin{pmatrix} 1 \\ 1 \end{pmatrix}, \begin{pmatrix} 2 \\ -2 \end{pmatrix}$. Wir nehmen $q = \begin{pmatrix} -1 \\ 0 \end{pmatrix}$ und erhalten

$$b_1 = \begin{pmatrix} 1 \\ 1 \end{pmatrix} - \begin{pmatrix} -1 \\ 0 \end{pmatrix} = \begin{pmatrix} 2 \\ 1 \end{pmatrix} \qquad \text{sowie}$$

$$b_2 = \begin{pmatrix} 2 \\ -2 \end{pmatrix} - \begin{pmatrix} -1 \\ 0 \end{pmatrix} = \begin{pmatrix} 3 \\ -2 \end{pmatrix}.$$

Damit ist

$$\mathrm{vol}_2(\Delta) = \frac{1}{2}\,|\det(b_1, b_2)| = \frac{1}{2}\left|\det\begin{pmatrix} 2 & 3 \\ 1 & -2 \end{pmatrix}\right| = \frac{1}{2}\,|-7| = \frac{7}{2}.$$

Die oben hergeleitete Formel eignet sich gut für Dreiecke, deren Ecken man explizit kennt. Häufig kennt man jedoch nur Seitenlängen und Winkel. Was macht man dann? Betrachten wir dazu das Dreieck Δ mit einem Innnenwinkel $0 < \gamma < \pi$. Die beiden anliegenden Seiten sollen die Länge a bzw. b haben.

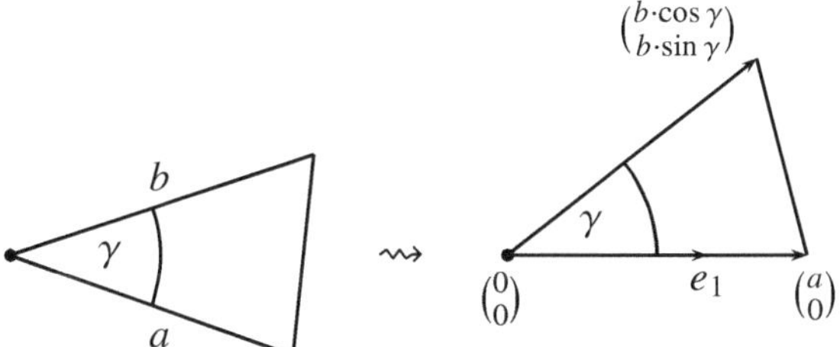

Abb. 82 *Dreieck mit vorgegebenem Innenwinkel*

Ohne den Flächeninhalt von Δ zu ändern erreichen wir durch Translation zunächst, dass eine Ecke im Ursprung zu liegen kommt. Dann drehen wir, was wiederum den Flächeninhalt nicht ändert, so dass die zweite Ecke auf der e_1-Achse zu liegen kommt. Da der Abstand von der ersten zur zweiten Ecke a beträgt, ist die zweite Ecke gegeben durch $\begin{pmatrix} a \\ 0 \end{pmatrix}$. Die dritte Ecke hat von der ersten den Abstand b und schließt mit der e_1-Achse den Winkel γ ein. Daher ergibt sie sich aus $\begin{pmatrix} b \\ 0 \end{pmatrix}$ durch eine Drehung um den Winkel γ. Sie ist gegeben durch

$$R_\gamma \cdot \begin{pmatrix} b \\ 0 \end{pmatrix} = \begin{pmatrix} \cos(\gamma) & -\sin(\gamma) \\ \sin(\gamma) & \cos(\gamma) \end{pmatrix} \begin{pmatrix} b \\ 0 \end{pmatrix} = \begin{pmatrix} b \cdot \cos(\gamma) \\ b \cdot \sin(\gamma) \end{pmatrix}.$$

Wir setzen in die Flächenformel für Dreiecke ein und erhalten

$$\mathrm{vol}_2(\Delta) = \frac{1}{2} \left| \det \begin{pmatrix} a & b\cos(\gamma) \\ 0 & b\sin(\gamma) \end{pmatrix} \right| = \frac{1}{2} \left| ab\sin(\gamma) \right|.$$

Wir können daher den Flächeninhalt eines Dreiecks, von dem wir die zwei Seitenlängen a, b und den eingeschlossenen Winkel $\gamma \in (0, \pi)$ kennen, nach folgender Formel berechnen:

$$\boxed{\mathrm{vol}_2(\Delta) = \frac{1}{2} ab\sin(\gamma)} \tag{5.6}$$

Im Spezialfall rechtwinkliger Dreiecke mit $\gamma = \frac{\pi}{2}$ ergibt sich:

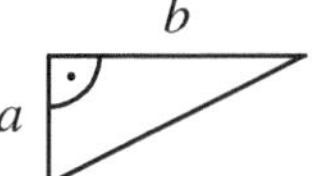

Abb. 83 *Rechtwinkliges Dreieck*

$$\boxed{\mathrm{vol}_2(\Delta) = \frac{ab}{2}} \tag{5.7}$$

Daraus erhält man für ein beliebiges Dreieck

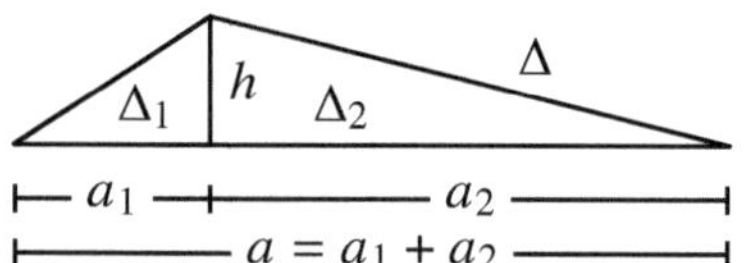

Abb. 84 *Dreieck, zusammengesetzt aus zwei rechtwinkligen*

eine Flächenformel in Termen der Grundlänge und der Höhe:

$$\begin{aligned}
\mathrm{vol}_2(\Delta) &= \mathrm{vol}_2(\Delta_1 \cup \Delta_2) \\
&= \mathrm{vol}_2(\Delta_1) + \mathrm{vol}_2(\Delta_2) - \underbrace{\mathrm{vol}_2(\Delta_1 \cap \Delta_2)}_{=0} \\
&= \frac{a_1 h}{2} + \frac{a_2 h}{2} \\
&= \frac{ah}{2},
\end{aligned}$$

also:

$$\boxed{\mathrm{vol}_2(\Delta) = \frac{1}{2} ah} \tag{5.8}$$

Regelmäßige *n*-Ecke.

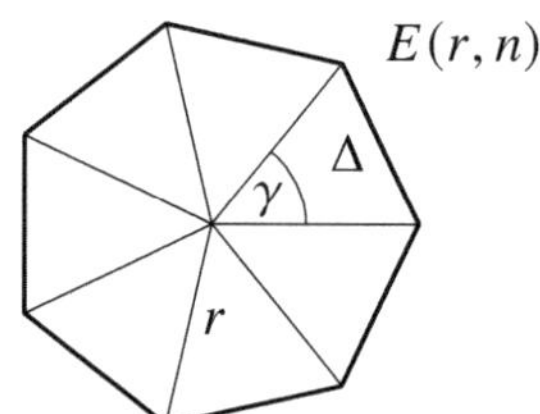

Abb. 85 *Regelmäßiges n-Eck*

Wir betrachten ein regelmäßiges n-Eck $E(r, n)$, dessen Ecken vom Mittelpunkt den Abstand r haben. Die Segmente dieses n-Ecks sind Dreiecke mit Innenwinkel $\frac{2\pi}{n}$ und anliegenden Seitenlängen r.

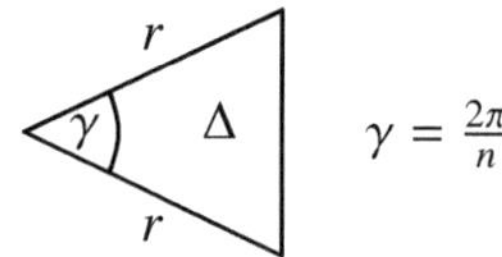

Abb. 86 *Segment von $E(r, n)$*

Jedes Segment hat daher den Flächeninhalt $\frac{r^2}{2}\sin(\frac{2\pi}{n})$. Wir erhalten:

$$\text{vol}_2\,(E(r,n)) = \frac{nr^2}{2} \cdot \sin\left(\frac{2\pi}{n}\right) \tag{5.9}$$

Kreisscheiben. Wir approximieren den Flächeninhalt einer Kreisscheibe $D(r)$ vom Radius r von innen und von außen.

Dazu beschreiben wir zunächst der Kreisscheibe ein n-Eck $E(r,n)$ ein und erhalten eine untere Schranke für den Flächeninhalt.

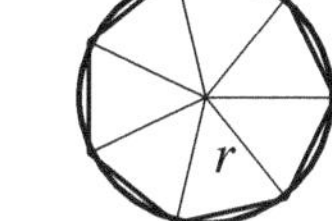

Abb. 87 *Einbeschriebenes n-Eck*

Für das einbeschriebene n-Eck gilt $E(r,n) \subset D(r)$ für alle n, also gilt nach der zweiten Eigenschaft von Volumina

$$\text{vol}_2(D(r)) \geq \text{vol}_2\,(E(r,n)) = \frac{nr^2}{2} \cdot \sin\left(\frac{2\pi}{n}\right).$$

Da dies für jedes n gilt, können wir n gegen ∞ gehen lassen und erhalten mit der Substitution $x = \frac{2\pi}{n}$:

$$\text{vol}_2(D(r)) \geq \lim_{n\to\infty}\left(\frac{nr^2}{2}\cdot\sin\left(\frac{2\pi}{n}\right)\right) = \lim_{x\to 0}\left(\frac{2\pi}{x}\cdot\frac{r^2}{2}\cdot\sin(x)\right)$$

$$= \pi r^2 \cdot \underbrace{\lim_{x\to 0}\left(\frac{\sin(x)}{x}\right)}_{=1} = \pi r^2.$$

Die einbeschriebenen n-Ecke haben uns also die Abschätzung $\text{vol}_2(D(r)) \geq \pi r^2$ geliefert. Als Nächstes benutzen wir umschriebene n-Ecke, um die entgegengesetzte Ungleichung herzuleiten. Dann folgt $\text{vol}_2(D(r)) = \pi r^2$.

Für das umschriebene n-Eck $E(r_n,n)$ erhalten wir aus der Beziehung $\cos\left(\frac{\pi}{n}\right) = \frac{r}{r_n}$ die Gleichung $r_n = \frac{r}{\cos\left(\frac{\pi}{n}\right)}$.

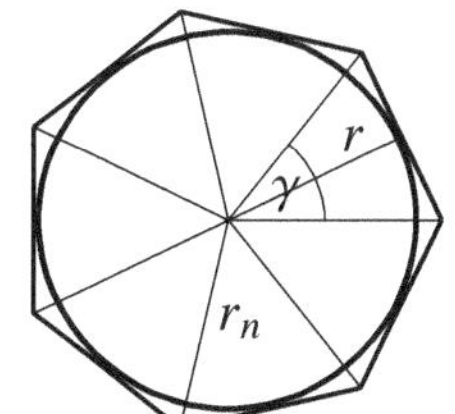

Abb. 88 *Umschriebenes n-Eck*

Wir bekommen

$$\text{vol}_2\,(E(r_n,n)) = \frac{nr_n^2}{2}\cdot\sin\left(\frac{2\pi}{n}\right) = \frac{nr^2}{2\cdot\left(\cos\left(\frac{\pi}{n}\right)\right)^2}\cdot\sin\left(\frac{2\pi}{n}\right).$$

Aus $E(r_n, n) \supset D(r)$ folgt nun

$$\mathrm{vol}_2(D(r)) \le \mathrm{vol}_2\left(E(r_n, n)\right) = \frac{nr^2 \sin\left(\frac{2\pi}{n}\right)}{2 \cdot \left(\cos\left(\frac{\pi}{n}\right)\right)^2},$$

also, wiederum mit der Substitution $x = \frac{2\pi}{n}$:

$$\mathrm{vol}_2(D(r)) \le \lim_{n\to\infty} \frac{nr^2 \sin\left(\frac{2\pi}{n}\right)}{2\left(\cos\left(\frac{\pi}{n}\right)\right)^2} = \lim_{x\to 0} \frac{\frac{2\pi}{x}\sin(x)}{2\left(\cos\left(\frac{x}{2}\right)\right)^2}$$

$$= \pi r^2 \cdot \lim_{x\to 0} \underbrace{\frac{\sin(x)}{x}}_{\to 1} \cdot \underbrace{\frac{1}{\left(\cos\left(\frac{x}{2}\right)\right)^2}}_{\to 1} = \pi r^2.$$

Insgesamt haben wir gezeigt:

$$\boxed{\mathrm{vol}_2(D(r)) = \pi r^2} \tag{5.10}$$

Ellipsen. Vom Flächeninhalt der Einheitskreisscheibe $D(1)$ ausgehend, betrachten wir Gebiete $\mathcal{E}(a, b)$, welche von Ellipsen mit den halben Hauptachsenlängen a und b berandet werden. Es gilt also

$$\mathcal{E}(a, b) = \left\{ \begin{pmatrix} x \\ y \end{pmatrix} \in \mathbb{R}^2 \,\middle|\, \frac{x^2}{a^2} + \frac{y^2}{b^2} \le 1 \right\}.$$

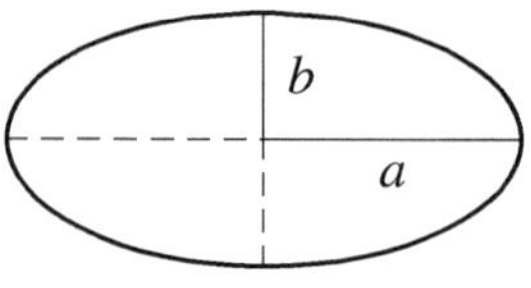

Abb. 89 *Ellipse*

Hierzu wird $D(1)$ in e_1-Richtung um den Faktor a und in e_2-Richtung um b mittels $A = \begin{pmatrix} a & 0 \\ 0 & b \end{pmatrix}$ gestreckt. In anderen Worten, es gilt $\mathcal{E}(a, b) = A(D(1))$. Wir erhalten

$$\mathrm{vol}_2\left(\mathcal{E}(a, b)\right) = |\det(A)| \cdot \mathrm{vol}_2(D(1)) = ab \cdot \pi,$$

also:

$$\boxed{\mathrm{vol}_2(\mathcal{E}(a, b)) = \pi ab} \tag{5.11}$$

Weitere Beispiele für die Berechnung von Volumina, insbesondere in Dimension ≥ 3, finden sich in Anhang A.3.

5.3. **Geometrie der Ebene, Teil 2**

Wir wollen die Geometrie der Ebene noch ein wenig weiterführen. Dazu erinnern wir uns an die Drehmatrizen

$$R_\theta = \begin{pmatrix} \cos\theta & -\sin\theta \\ \sin\theta & \cos\theta \end{pmatrix}.$$

Die Menge der Drehmatrizen

$$\mathrm{SO}(2) := \{ R_\theta \mid \theta \in \mathbb{R} \}$$

bildet eine Untergruppe von $\mathrm{GL}(2,\mathbb{R})$, denn

1. das neutrale Element $\mathbb{1}_2 = R_0 \in \mathrm{SO}(2)$;

2. mit R_{θ_1} und $R_{\theta_2} \in \mathrm{SO}(2)$ ist auch das Produkt $R_{\theta_1} \cdot R_{\theta_2} = R_{\theta_1+\theta_2} \in \mathrm{SO}(2)$;

3. mit $R_\theta \in \mathrm{SO}(2)$ ist auch das Inverse $R_\theta^{-1} = R_{-\theta} \in \mathrm{SO}(2)$.

Definition 5.21. Die Gruppe $\mathrm{SO}(2)$ heißt **spezielle orthogonale Gruppe** von $\mathbb{R}^2$.

Die Gruppe $\mathrm{SO}(2)$ ist, im Gegensatz zu $\mathrm{GL}(2,\mathbb{R})$, abelsch, denn für alle $\theta_1, \theta_2 \in \mathbb{R}$ gilt

$$R_{\theta_1} \cdot R_{\theta_2} = R_{\theta_1+\theta_2} = R_{\theta_2+\theta_1} = R_{\theta_2} \cdot R_{\theta_1}.$$

Lemma 5.22. *Für alle $v, w \in \mathbb{R}^2$ und alle Drehmatrizen $R_\theta \in \mathrm{SO}(2)$ gilt:*

(i) $\langle R_\theta \cdot v, R_\theta \cdot w \rangle = \langle v, w \rangle$.

(ii) Drehungen sind längenerhaltend, $\| R_\theta \cdot v \| = \| v \|$.

(iii) $\langle R_\theta \cdot v, v \rangle = \cos\theta \cdot \langle v, v \rangle$.

Beweis. Zu (i):
Für $v, w \in \mathbb{R}^2$ und $R_\theta \in \mathrm{SO}(2)$ berechnen wir

$$
\begin{aligned}
\langle R_\theta(v), R_\theta(w) \rangle &= \left\langle \begin{pmatrix} \cos\theta \cdot v_1 - \sin\theta \cdot v_2 \\ \sin\theta \cdot v_1 + \cos\theta \cdot v_2 \end{pmatrix}, \begin{pmatrix} \cos\theta \cdot w_1 - \sin\theta \cdot w_2 \\ \sin\theta \cdot w_1 + \cos\theta \cdot w_2 \end{pmatrix} \right\rangle \\
&= (\cos\theta)^2 \cdot v_1 w_1 - \cos\theta \sin\theta \cdot (v_1 w_2 + v_2 w_1) + (\sin\theta)^2 \cdot v_2 w_2 \\
&\quad + (\sin\theta)^2 \cdot v_1 w_1 + \cos\theta \sin\theta \cdot (v_1 w_2 + v_2 w_1) + (\cos\theta)^2 \cdot v_2 w_2 \\
&= v_1 w_1 + v_2 w_2 \\
&= \langle v, w \rangle.
\end{aligned}
$$

Gleichung (ii) ergibt sich aus (i), indem man $v = w$ setzt und die Wurzel zieht.

Zu (iii):

$$\langle R_\theta(v), w \rangle = \left\langle \begin{pmatrix} \cos\theta \cdot v_1 - \sin\theta \cdot v_2 \\ \sin\theta \cdot v_1 + \cos\theta \cdot v_2 \end{pmatrix}, \begin{pmatrix} v_1 \\ v_2 \end{pmatrix} \right\rangle$$

$$= \cos\theta \cdot v_1 v_1 - \sin\theta \cdot v_2 \cdot v_1 + \sin\theta \cdot v_1 \cdot v_2 + \cos\theta \cdot v_2 v_2$$

$$= \cos\theta \cdot \langle v, v \rangle$$

$$= \cos\theta \cdot \|v\|^2 . \qquad \Box$$

Für die letzte Aussage des Lemmas hat man im Fall $\|v\| = 1$ folgende geometrische Interpretation:

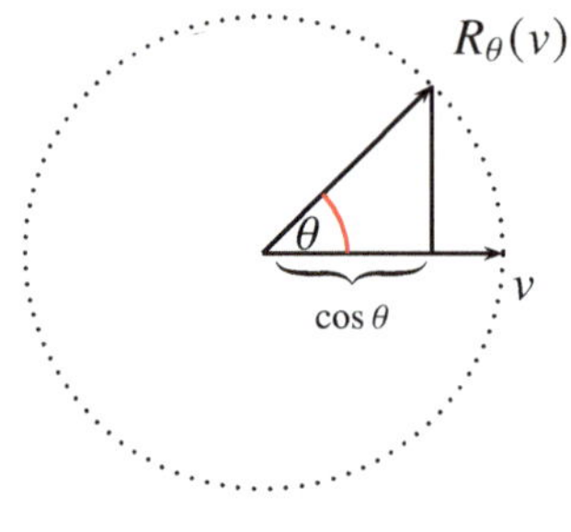

Abb. 90

Speziell für $\theta = \pi/2$ setzen wir

$$J := R_{\pi/2} = \begin{pmatrix} \cos(\pi/2) & -\sin(\pi/2) \\ \sin(\pi/2) & \cos(\pi/2) \end{pmatrix} = \begin{pmatrix} 0 & -1 \\ 1 & 0 \end{pmatrix} .$$

Wir erinnern uns auch an die Spiegelungsmatrizen

$$S_\theta = \begin{pmatrix} \cos(2\theta) & \sin(2\theta) \\ \sin(2\theta) & -\cos(2\theta) \end{pmatrix} .$$

Die Menge $O(2)^- := \{ S_\theta \mid \theta \in \mathbb{R} \}$ der Spiegelungsmatrizen bildet keine Untergruppe von $GL(2, \mathbb{R})$, denn $\mathbb{1}_2 \notin O(2)^-$.

Lemma 5.23. *Für alle $v, w \in \mathbb{R}^2$ und alle Spiegelungsmatrizen $S_\theta \in O(2)^-$ gilt*

(i) $\langle S_\theta \cdot v, S_\theta \cdot w \rangle = \langle v, w \rangle$.

(ii) Spiegelungen sind längenerhaltend, $\|S_\theta \cdot v\| = \|v\|$.

Beweis. Der Beweis ist ganz ähnlich wie der von Lemma 5.22. $\qquad\square$

Lemma 5.24. *Für alle $\theta_1, \theta_2 \in \mathbb{R}$ gelten die folgenden Beziehungen:*

$$S_{\theta_1} \cdot S_{\theta_2} = R_{2(\theta_1-\theta_2)}, \qquad (5.12)$$
$$S_{\theta_1} \cdot R_{\theta_2} = S_{\theta_1-\theta_2/2}, \qquad (5.13)$$
$$R_{\theta_1} \cdot S_{\theta_2} = S_{\theta_2+\theta_1/2}. \qquad (5.14)$$

Bemerkung 5.25. Identifiziert man $\mathbb{R}^2$ wie üblich mit $\mathbb{C}$ durch $(x, y)^\top = x + iy$, dann ist Matrixmultiplikation mit R_θ dasselbe wie komplexe Multiplikation mit $e^{i\theta}$ und Matrixmultiplikation mit S_θ ist die Abbildung $z \mapsto e^{2i\theta} \cdot \bar{z}$. Hat man dies erkannt, so kann man Lemma 5.24 mit komplexen Zahlen recht einfach beweisen.

Beweis von Lemma 5.24. Beginnen wir mit Gleichung (5.14). In komplexer Schreibweise erhalten wir für die Anwendung von $R_{\theta_1} \cdot S_{\theta_2}$:

$$e^{i\theta_1} \cdot e^{2i\theta_2} \cdot \bar{z} = e^{2i(\theta_2+\theta_1/2)} \cdot \bar{z},$$

was nichts anderes als die Anwendung von $S_{\theta_2+\theta_1/2}$ ist. Gleichung (5.13) folgt aus

$$e^{2i\theta_1} \cdot \overline{e^{i\theta_2} \cdot z} = e^{2i\theta_1} \cdot \overline{e^{i\theta_2}} \cdot \bar{z} = e^{2i(\theta_1-\theta_2/2)} \cdot \bar{z}$$

und (5.12) aus

$$e^{2i\theta_1} \cdot \overline{e^{2i\theta_2} \cdot \bar{z}} = e^{2i\theta_1} \cdot \overline{e^{2i\theta_2}} \cdot z = e^{2i(\theta_1-\theta_2)} \cdot z. \qquad\square$$

Betrachten wir nun den Spezialfall $\theta_1 = \theta_2 = \theta$, dann sagt uns (5.13)

$$S_\theta \cdot R_\theta = S_{\theta/2}.$$

Also gilt für

$$v_\theta := R_\theta \cdot e_1 = \begin{pmatrix} \cos\theta \\ \sin\theta \end{pmatrix} \quad \text{und} \quad w_\theta := R_\theta \cdot e_2 = \begin{pmatrix} -\sin\theta \\ \cos\theta \end{pmatrix},$$

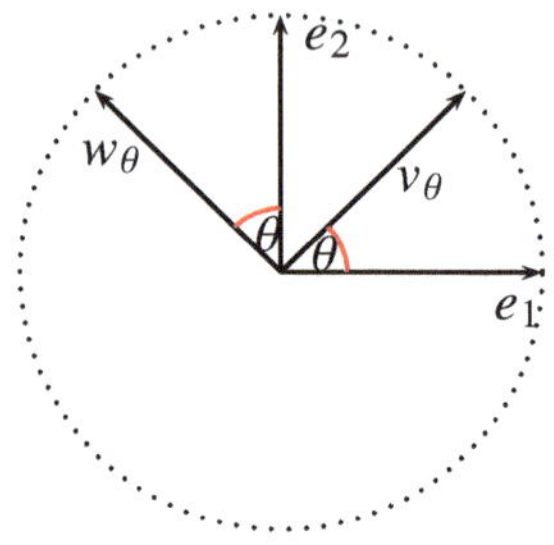

Abb. 91

dass

$$S_\theta \cdot v_\theta = S_\theta \cdot R_\theta \cdot e_1 = S_{\theta/2} \cdot e_1 = v_\theta \quad \text{sowie}$$
$$S_\theta \cdot w_\theta = S_\theta \cdot R_\theta \cdot e_2 = S_{\theta/2} \cdot e_2 = -w_\theta.$$

Dies zeigt, dass S_θ die Achsenspiegelung an der von v_θ aufgespannten Achse darstellt. Das passt auch zu der Beobachtung, dass wegen (5.12)

$$S_\theta \cdot S_\theta = R_0 = \mathbb{1}_2$$

gilt, und damit S_θ ihr eigenes Inverses ist.

Definition 5.26. Die Menge $O(2) := SO(2) \cup O(2)^-$ heißt die **orthogonale Gruppe** von $\mathbb{R}^2$.

Satz 5.27. $O(2)$ *ist eine Untergruppe von* $GL(2, \mathbb{R})$.

Beweis. Zunächst einmal stellen wir fest, dass $\mathbb{1}_2 \in SO(2) \subset O(2)$. Dann zeigen die Gleichungen (5.12)-(5.14), dass Produkte von Elementen aus $O(2)$ stets wieder in $O(2)$ enthalten sind. Schließlich sind die Inversen von Drehmatrizen wieder Drehmatrizen, und die von Spiegelungsmatrizen sind sogar gleich sich selbst, also wieder Spiegelungsmatrizen. In jedem Fall sind die Inversen wieder in $O(2)$. $\qquad\square$

Bemerkung 5.28. Im Gegensatz zu $SO(2)$ ist $O(2)$ allerdings nicht abelsch, denn z.B. ist

$$S_0 \cdot R_{\pi/2} = S_{-\pi/4}, \text{ aber } R_{\pi/2} \cdot S_0 = S_{\pi/4}.$$

Nun charakterisieren wir Dreh- und Spiegelungsmatrizen mit Hilfe des Skalarprodukts.

Satz 5.29. *Es gilt:*

$$O(2) = \{T \in GL(2, \mathbb{R}) \mid \langle Tx, Ty \rangle = \langle x, y \rangle \quad \forall x, y \in \mathbb{R}^2\}.$$

Beweis. Die Inklusion „$\subset$" folgt aus Lemma 5.22 (i) und Lemma 5.23 (i).

Zu „$\supset$":
Sei $T \in GL(2, \mathbb{R})$ mit $\langle Tx, Ty \rangle = \langle x, y \rangle$ für alle $x, y \in \mathbb{R}^2$. Speziell für $x = y = e_1$ erhalten wir

$$\|Te_1\|^2 = \langle Te_1, Te_1 \rangle = \langle e_1, e_1 \rangle = \|e_1\|^2 = 1.$$

Also ist der Vektor Te_1 von der Form

$$Te_1 = \begin{pmatrix} \cos \theta \\ \sin \theta \end{pmatrix}$$

für ein $\theta \in \mathbb{R}$. Analog sieht man $\|Te_2\| = 1$ und außerdem gilt

$$\langle Te_1, Te_2 \rangle = \langle e_1, e_2 \rangle = 0, \text{ d.h. } Te_1 \perp Te_2.$$

Daher ist

$$Te_2 = \pm J(Te_1) = \pm \begin{pmatrix} 0 & -1 \\ 1 & 0 \end{pmatrix} \begin{pmatrix} \cos \theta \\ \sin \theta \end{pmatrix} = \pm \begin{pmatrix} -\sin \theta \\ \cos \theta \end{pmatrix}.$$

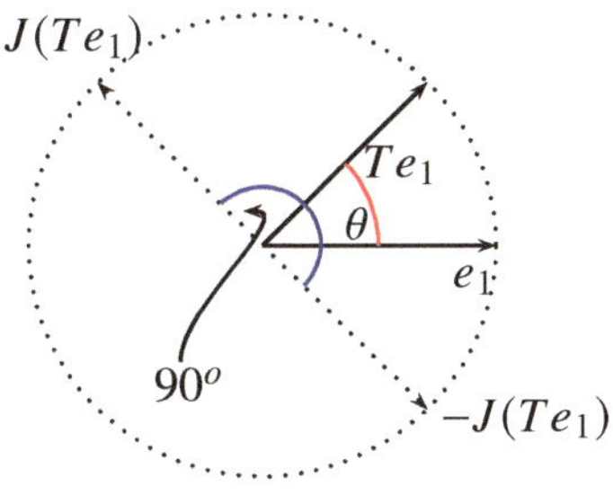

Abb. 92

Im Fall $Te_2 = \begin{pmatrix} -\sin \theta \\ \cos \theta \end{pmatrix}$ ist

$$T = (Te_1, Te_2) = \begin{pmatrix} \cos \theta & -\sin \theta \\ \sin \theta & \cos \theta \end{pmatrix} = R_\theta \in SO(2) \subset O(2);$$

und im Fall $Te_2 = -\left(\begin{smallmatrix} -\sin\theta \\ \cos\theta \end{smallmatrix}\right)$ ist

$$T = (Te_1, Te_2) = \begin{pmatrix} \cos\theta & \sin\theta \\ \sin\theta & -\cos\theta \end{pmatrix} = S_{\theta/2} \in O(2)^- \subset O(2). \qquad \square$$

Definition 5.30. Eine affine Abbildung $F\colon \mathbb{R}^2 \to \mathbb{R}^2$, $F(x) = Ax + b$, deren linearer Anteil orthogonal ist, d.h. $A \in O(2)$, heißt **euklidische Bewegung** der Ebene. Wir definieren die **euklidische Bewegungsgruppe** des $\mathbb{R}^2$ durch

$$E(2) := \{\text{euklidische Bewegungen von } \mathbb{R}^2\}.$$

Eine affine Abbildung ist per Definition orientierungserhaltend, wenn ihr linearer Anteil dies ist, d.h. wenn der lineare Anteil positive Determinante hat. Im Fall einer euklidischen Bewegung bedeutet dies, dass der lineare Anteil aus $SO(2)$ ist, denn für alle $A \in SO(2)$ ist $\det(A) = 1$ und alle $A \in O(2)^-$ gilt $\det(A) = -1$. Die Menge der orientierungserhaltenden euklidischen Bewegungen von $\mathbb{R}^2$ bezeichnen wir mit

$$E^+(2) := \{\text{orientierungserhaltende euklidischen Bewegungen von } \mathbb{R}^2\}.$$

Definition 5.31. Sei X eine Menge und $\varphi\colon X \to X$ eine Abbildung. Ein **Fixpunkt** von φ ist ein Punkt $p \in X$ mit $\varphi(p) = p$.

Für jede lineare Abbildung ist 0 ein Fixpunkt. Affine Abbildungen hingegen brauchen keine Fixpunkte zu haben, wie man schon an den Translationen sieht. Die Drehungen, dargestellt durch R_θ, haben nur den Ursprung 0 als Fixpunkt, es sei denn $R_\theta = \mathbb{1}_2$. Dann ist jeder Punkt in $\mathbb{R}^2$ Fixpunkt. Diese Bemerkung hat folgende Verallgemeinerung für orientierungserhaltende euklidische Bewegungen:

Satz 5.32. *Ist $F \in E^+(2)$, $F(x) = Ax + b$ mit $A \neq \mathbb{1}_2$, dann hat F genau einen Fixpunkt.*

Beweis. Setze $H := F - \mathrm{id}_{\mathbb{R}^2}$. Offenbar ist $x \in \mathbb{R}^2$ ein Fixpunkt von F genau dann, wenn $H(x) = 0$ gilt. Da $F \in E^+(2)$ ist, ist $A \in SO(2)$, d.h. $A = R_\theta$ für ein $\theta \in \mathbb{R}$. Wegen $A \neq \mathbb{1}_2$ muss $\theta \neq k \cdot 2\pi$ für alle $k \in \mathbb{Z}$ sein. Es genügt nun

$$\det(A - \mathbb{1}_2) \neq 0 \tag{5.15}$$

zu zeigen. Denn dann ist die lineare Abbildung $x \mapsto (A - \mathbb{1}_2) \cdot x$ bijekiv und damit ist nach Satz 5.13 (iv) auch $H = F - \mathrm{id}_{\mathbb{R}^2}$ bijektiv. Also gibt es dann genau ein $x \in \mathbb{R}^2$ mit $H(x) = 0$, d.h. genau einen Fixpunkt von F.

Beweis von (5.15):

$$
\begin{aligned}
\det(A - \mathbb{1}_2) &= \det \begin{pmatrix} \cos\theta - 1 & -\sin\theta \\ \sin\theta & \cos\theta - 1 \end{pmatrix} \\
&= (\cos\theta - 1)^2 + \sin^2\theta \\
&= \cos^2\theta - 2\cos\theta + 1 + \sin^2\theta \\
&= 2 - 2\cos\theta \\
&= 2(1 - \cos\theta).
\end{aligned}
$$

Da $\theta \neq 2\pi k$ für $k \in \mathbb{Z}$ ist, ist $\cos\theta \neq 1$. $\qquad\qquad\qquad\qquad\qquad\qquad\qquad$ $\square$

Wir können nun die euklidischen Bewegungen wie folgt charakterisieren:

Satz 5.33. *Sei $F\colon \mathbb{R}^2 \to \mathbb{R}^2$ eine beliebige Abbildung. Dann sind äquivalent:*

(1) $F \in \mathrm{E}(2)$, d.h. F ist eine euklidische Bewegung.

(2) F ist abstandserhaltend, d.h. für alle $x, y \in \mathbb{R}^2$ gilt $d(F(x), F(y)) = d(x, y)$.

Zur Vorbereitung des Beweises benötigen wir folgendes Lemma:

Lemma 5.34. *Seien $v, w \in \mathbb{R}^2 \setminus \{0\}$. Ist $\langle v, w \rangle = 0$, dann sind v und w linear unabhängig.*

Beweis von Lemma 5.34. Seien $v, w \in \mathbb{R}^2 \setminus \{0\}$ mit $\langle v, w \rangle = 0$. Seien $\alpha, \beta \in \mathbb{R}$ mit $\alpha v + \beta w = 0$. Zu zeigen ist: $\alpha = \beta = 0$. Es gilt

$$
0 = \langle 0, v \rangle = \langle \alpha v + \beta w, v \rangle = \alpha \langle v, v \rangle + \beta \langle v, w \rangle = \alpha \|v\|^2
$$

und somit $\alpha = 0$, da $v \neq 0$ nach Voraussetzung. Analog sieht man $\beta = 0$. $\qquad\qquad$ $\square$

Beweis von Satz 5.33. Zu „(1) $\Rightarrow$ (2)":
Sei $F \in \mathrm{E}(2)$. Dann gibt es ein $A \in \mathrm{O}(2)$ und ein $b \in \mathbb{R}^2$, so dass für alle $x \in \mathbb{R}^2$ gilt:

$$
F(x) = Ax + b.
$$

Wir haben dann für alle $x, y \in \mathbb{R}^2$:

$$d(F(x), F(y)) = \|F(x) - F(y)\|$$
$$= \|Ax + b - (Ay + b)\|$$
$$= \|Ax - Ay\|$$
$$= \|A(x - y)\|$$
$$= \|x - y\|$$
$$= d(x, y).$$

Dabei haben wir Lemma 5.22 bzw. Lemma 5.23 benutzt, je nachdem ob $A \in SO(2)$ oder $A \in O(2)^-$.

Zu „$(2) \Rightarrow (1)$":
Sei F abstandserhaltend. Wir setzen $b := F(0)$ und $\varphi(x) := F(x) - b$. Zu zeigen ist, dass φ linear ist mit darstellender Matrix $M(\varphi) \in O(2)$.

Schritt 1: Wir zeigen, dass $\langle \varphi(x), \varphi(y) \rangle = \langle x, y \rangle$ gilt für alle $x, y \in \mathbb{R}^2$.
Seien nämlich $x, y \in \mathbb{R}^2$. Betrachte das Dreieck $(0, x, y)$. Durch F wird es abgebildet auf das Dreieck $(b, F(x), F(y))$. Da F abstandserhaltend ist, haben die beiden Dreiecke dieselben Seitenlängen. Da Translationen abstandserhaltend sind, hat das Dreieck $(0, \varphi(x), \varphi(y))$ ebenfalls dieselben Seitenlängen wie $(0, x, y)$. Gemäß Korollar 2.103 haben die beiden Dreiecke $(0, x, y)$ und $(0, \varphi(x), \varphi(y))$ auch dieselben Innenwinkel. Inbesondere gilt $\sphericalangle(x, y) = \sphericalangle(\varphi(x), \varphi(y))$. Damit können wir berechnen:

$$\langle \varphi(x), \varphi(y) \rangle = \cos\left(\sphericalangle(\varphi(x), \varphi(y))\right) \cdot \|\varphi(x)\| \cdot \|\varphi(y)\|$$
$$= \cos(\sphericalangle(x, y)) \cdot d(\varphi(x), 0) \cdot d(\varphi(y), 0)$$
$$= \cos(\sphericalangle(x, y)) \cdot d(F(x), b) \cdot d(F(y), b)$$
$$= \cos(\sphericalangle(x, y)) \cdot d(F(x), F(0)) \cdot d(F(y), F(0))$$
$$= \cos(\sphericalangle(x, y)) \cdot d(x, 0) \cdot d(y, 0)$$
$$= \cos(\sphericalangle(x, y)) \cdot \|x\| \cdot \|y\|$$
$$= \langle x, y \rangle.$$

Schritt 2: Nun zeigen wir, dass φ linear ist.
Sei dazu (e_1, e_2) die Standardbasis von $\mathbb{R}^2$. Wir setzen $f_1 := \varphi(e_1)$ und $f_2 := \varphi(e_2)$. Für diese Vektoren gilt zum einen

$$\|f_i\|^2 = \langle f_i, f_i \rangle = \langle \varphi(e_i), \varphi(e_i) \rangle = \langle e_i, e_i \rangle = 1.$$

Insbesondere sind sie nicht 0. Zum anderen haben wir

$$\langle f_1, f_2 \rangle = \langle \varphi(e_1), \varphi(e_2) \rangle = \langle e_1, e_2 \rangle = 0.$$

Nach Lemma 5.34 sind f_1 und f_2 linear unabhängig und bilden daher eine Basis von $\mathbb{R}^2$.

Sei nun $x \in \mathbb{R}^2$, $x = \binom{x_1}{x_2}$. Wir schreiben $\varphi(x) = \alpha_1 f_1 + \alpha_2 f_2$ mit geeigneten Koeffizienten $\alpha_i \in \mathbb{R}$, $i = 1, 2$. Dann gilt einerseits, unter Benutzung des ersten Schritts,

$$\langle \varphi(x), f_i \rangle = \langle \varphi(x), \varphi(e_i) \rangle = \langle x, e_i \rangle = x_i$$

und andererseits

$$\langle \varphi(x), f_i \rangle = \langle \alpha_1 f_1 + \alpha_2 f_2, f_i \rangle = \alpha_1 \langle f_1, f_i \rangle + \alpha_2 \langle f_2, f_i \rangle = \alpha_i.$$

Also ist $\alpha_i = x_i$. Bezeichnet (f_1, f_2) die reelle 2×2-Matrix mit den Spalten f_1 und f_2, so gilt

$$\varphi(x) = x_1 f_1 + x_2 f_2 = (f_1, f_2) \cdot \binom{x_1}{x_2}.$$

Daher ist φ linear mit darstellender Matrix $M(\varphi) = (f_1, f_2)$.
Schritt 3: Die Aussage des ersten Schritts liefert nun zusammen mit Satz 5.29, dass $M(\varphi) \in$ O(2). Somit ist $F \colon \mathbb{R}^2 \to \mathbb{R}^2$, $F(x) = \varphi(x) + b$, eine euklidische Bewegung. $\qquad\square$

Beispiel 5.35. Die Drehungen, die durch die Matrizen R_θ dargestellt werden, haben alle den Ursprung als Drehpunkt. Aber auch die Drehungen um einen beliebigen Drehpunkt $p \in \mathbb{R}^2$ um einen Winkel θ sind orientierungserhaltende euklidische Bewegungen.
Denn wir können eine solche Drehung folgendermaßen als Verkettung schreiben: erst Verschieben um $-p$, dann Drehen um θ, danach (zurück) verschieben um p. Damit hat die Abbildung die Form

$$x \mapsto R_\theta(x - p) + p = R_\theta x + (p - R_\theta p).$$

Bemerkung 5.36. Umgekehrt ist jedes $F \in \mathrm{E}^+(2)$ eine Drehung um einen Drehpunkt $p \in \mathbb{R}^2$ oder eine Translation, vgl. Aufgabe 5.9. Der Fixpunkt aus Satz 5.32 ist dann nichts anderes als der Drehpunkt.

Satz 5.37 (Hesse'sche Normalform für Geraden in der Ebene). *Sei* $v \in \mathbb{R}^2 \setminus \{0\}$ *und* $p \in \mathbb{R}^2$. *Dann gilt für die Gerade* $G_{p,v}$:

$$G_{p,v} = \{x \in \mathbb{R}^2 \mid \langle x, Jv \rangle = \langle p, Jv \rangle\}.$$

Bemerkung 5.38. Wir erinnern uns, dass $J = R_{\pi/2}$. Der Vektor Jv heißt **Normalenvektor** an $G_{p,v}$.

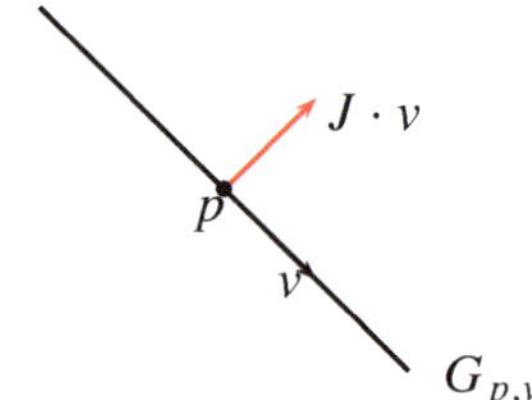

Abb. 93 *Normalenvektor*

Beweis von Satz 5.37. Zu „$\subset$“:

Sei $x \in G_{p,v}$. Schreibe $x = p + t \cdot v$ für ein $t \in \mathbb{R}$. Dann gilt

$$\langle x, Jv \rangle = \langle p + tv, Jv \rangle = \langle p, Jv \rangle + t \underbrace{\langle v, Jv \rangle}_{=0} = \langle p, Jv \rangle.$$

Zu „$\supset$“:

Die Vektoren v, Jv stehen senkrecht aufeinander und sind beide $\neq 0$, denn $v \neq 0$ nach Voraussetzung und J ist ein Automorphismus. Somit bildet (v, Jv) nach Lemma 5.34 eine Basis von $\mathbb{R}^2$.

Nehmen wir nun an, dass x die Gleichung $\langle x, Jv \rangle = \langle p, Jv \rangle$ erfüllt. Wir schreiben $x - p = t \cdot v + s \cdot J \cdot v$ mit $s, t \in \mathbb{R}$. Dann ist

$$0 = \langle x, Jv \rangle - \langle p, Jv \rangle = \langle x - p, Jv \rangle = \langle tv + sJv, Jv \rangle = t \underbrace{\langle v, Jv \rangle}_{=0} + s \underbrace{\langle Jv, Jv \rangle}_{\neq 0} = s \, \|Jv\|^2.$$

Also ist $s = 0$ und somit $x - p = t \cdot v$. Es folgt $x = p + t \cdot v \in G_{p,v}$. $\qquad\square$

Definition 5.39. Sei (a, b, c) ein nichtentartetes Dreieck in $\mathbb{R}^2$. Die **Höhe** H_a ist diejenige Gerade durch den Punkt a, die auf $b - c$ senkrecht steht, d.h.

$$H_a = \{x \in \mathbb{R}^2 \mid \langle x, b - c \rangle = \langle a, b - c \rangle\}.$$

Analog definiert man die Höhe H_b durch b und H_c durch c.

Satz 5.40 (Höhenschnittsatz). *Sei (a, b, c) ein nicht entartetes Dreieck. Dann schneiden sich die drei Höhen in einem Punkt.*

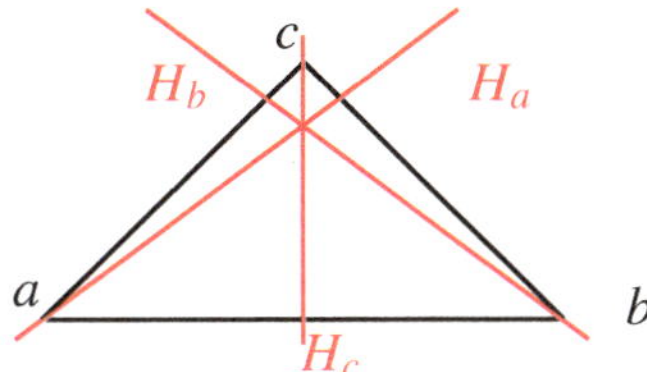

Abb. 94 *Höhenschnittsatz*

Beweis. Die Höhen H_a und H_b sind nicht parallel, weil sonst die Seiten gegenüber a bzw. b parallel sein müssten. Dann wäre das Dreieck entartet. Also haben H_a und H_b einen Schnittpunkt $h \in H_a \cap H_b$. Bleibt zu zeigen, dass h auch auf der dritten Höhe liegt, $h \in H_c$.
Wegen $h \in H_a$ gilt

$$\langle h, b - c \rangle = \langle a, b - c \rangle$$

und wegen $h \in H_b$ haben wir

$$\langle h, a - c \rangle = \langle b, a - c \rangle.$$

Ziehen wir die erste von der zweiten Gleichung ab, so erhalten wir für die linke Seite

$$\langle h, a - c \rangle - \langle h, b - c \rangle = \langle h, a - c - (b - c) \rangle = \langle h, a - b \rangle$$

und für die rechte

$$\langle b, a - c \rangle - \langle a, b - c \rangle = \langle b, a \rangle - \langle b, c \rangle - \langle a, b \rangle + \langle a, c \rangle = -\langle b, c \rangle + \langle a, c \rangle = \langle c, a - b \rangle.$$

Also ist $\langle h, a - b \rangle = \langle c, a - b \rangle$, d.h. $h \in H_c$. $\square$

Definition 5.41. Sei $m \in \mathbb{R}^2$ und $r > 0$. Dann heißt

$$K_r(m) := \{x \in \mathbb{R}^2 \mid d(x, m) = r\}$$

Kreis mit Mittelpunkt m und Radius r.

Wir können die Formel für den Kreis auch leicht modifiziert so schreiben:

$$K_r(m) = \{x \in \mathbb{R}^2 \mid \|x - m\|^2 = r^2\} = \{x \in \mathbb{R}^2 \mid \langle x - m, x - m \rangle = r^2\}.$$

Sei nun $G_{a,v}$ eine Gerade. Ohne Beschränkung der Allgemeinheit können wir $\|v\| = 1$ voraussetzen. Wir untersuchen nun die verschiedenen Möglichkeiten, wie die Gerade $G_{a,v}$ den Kreis $K_r(m)$ schneiden kann. Wir fragen also: Was ist $G_{a,v} \cap K_r(m)$?
Zu $x = a + tv \in G_{a,v}$ betrachte

$$\langle x - m, x - m \rangle = \langle a + tv - m, a + tv - m \rangle$$

$$= \|v\|^2 t^2 + 2\langle a - m, v\rangle t + \|a - m\|^2$$
$$= t^2 + 2\langle a - m, v\rangle t + \|a - m\|^2.$$

Das bedeutet:

$$x \in K_r(m) \quad \Leftrightarrow \quad t^2 + 2\langle a - m, v\rangle \cdot t + (\|a - m\|^2 - r^2) = 0. \tag{5.16}$$

Die Schnittpunkte von $G_{a,v}$ mit $K_r(m)$ zu berechnen ist also gleichbedeutend damit, die quadratische Gleichung (5.16) für die Unbekannte t zu lösen. Die quadratische Gleichung ist in der Form (2.21) mit $p = \langle a - m, v\rangle$ und $q = \|a - m\|^2 - r^2$. Die Diskriminante ergibt sich zu

$$D = p^2 - q = \langle a - m, v\rangle^2 - (\|a - m\|^2 - r^2).$$

Nach Bemerkung 2.126 gibt uns das Vorzeichen der Diskriminante Auskunft über die Anzahl der reellen Lösungen von (5.16).
1. Fall: Es gibt keine reelle Lösung t.
Dies ist äquivalent zu $D < 0$ und damit zu

$$\langle a - m, v\rangle^2 < \|a - m\|^2 - r^2.$$

Insbesondere hat $G_{a,v}$ keine Punkte im Inneren des Kreises, denn sonst könnte man einen solchen Punkt als Aufpunkt a der Gerade nehmen und in der Ungleichung

$$\langle a - m, v\rangle^2 < \|a - m\|^2 - r^2$$

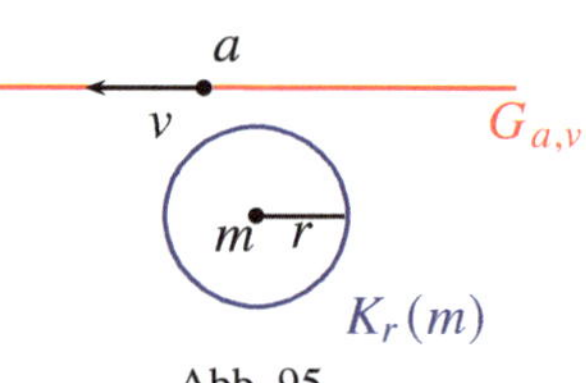

Abb. 95

wäre die rechte Seite negativ, die linke als ein Quadrat aber ≥ 0, ein Widerspruch.

2. Fall: Es gibt genau eine Lösung t.
Dies ist äquivalent zu $D = 0$ und damit zu

$$\langle a - m, v\rangle^2 = \|a - m\|^2 - r^2.$$

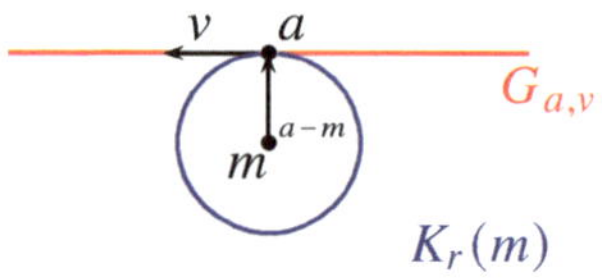

Wählen wir als Aufpunkt a der Gerade den Schnittpunkt mit dem Kreis, dann ist $\|a - m\| = r$ und die Bedingung an die Diskriminante ist äquivalent zu

Abb. 96

$$\langle a - m, v\rangle = 0,$$

d.h. $a - m$ steht senkrecht auf v.
In diesem Fall nennt man $G_{a,v}$ eine **Tangente** (Berührende) des Kreises $K_r(m)$.

3.Fall: Es gibt zwei verschiedene reelle Lösungen. Dies ist äquivalent zu $D > 0$ und damit zu

$$\langle a - m, v \rangle^2 > \|a - m\|^2 - r^2.$$

Wählt man a als einen der beiden Schnittpunkte, so besagt die Bedingung an die Diskriminante

$$\langle a - m, v \rangle \neq 0,$$

also steht $a - m$ in diesem Fall nicht auf v senkrecht.

In diesem Fall nennt man $G_{a,v}$ eine **Sekante** (Schneidende) oder **Sehne** von $K_r(m)$.

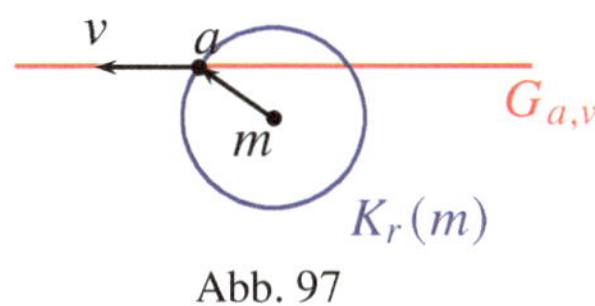
Abb. 97

Satz 5.42 (Zwei-Sehnen-Satz). *Sei $K_r(m)$ ein Kreis und $a \in \mathbb{R}^2$. Dann ist für alle Sekanten G von $K_r(m)$ durch den Punkt a das Produkt der Sehnenabschnitte $\zeta_1 \cdot \zeta_2$ dasselbe.*

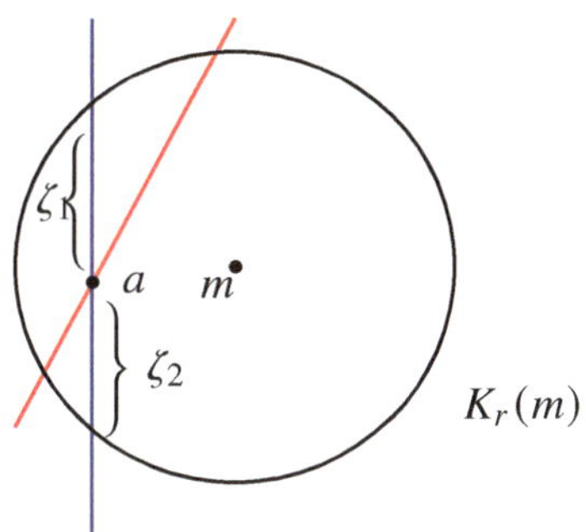
Abb. 98 *Zwei-Sehnen-Satz*

Beweis. Sei $G_{a,v}$ eine Sekante von $K_r(m)$, wobei wir wieder ohne Beschränkung der Allgemeinheit $\|v\| = 1$ voraussetzen. Nach Satz 2.123 gilt für das Produkt der Lösungen t_1 und t_2 von (5.16)

$$t_1 \cdot t_2 = q = \|a - m\|^2 - r^2.$$

Nun gilt für die Sehnenabschnitte

$$\zeta_i = d(a, a + t_i v) = \|t_i v\| = |t_i| \|v\| = |t_i|.$$

Also ist

$$\zeta_1 \cdot \zeta_2 = |t_1 \cdot t_2| = \left| \|a - m\|^2 - r^2 \right|,$$

und damit unabhängig von v, d.h. nimmt für alle Sekanten von $K_r(m)$ durch a denselben Wert an. $\qquad \square$

Wir haben keine Einschränkung an die Lage von a gemacht. Der Punkt a darf auch außerhalb des Kreises liegen. Falls a auf dem Kreis liegt, ist die Aussage des Satzes trivial, weil dann einer der beiden Sehnenabschnitte 0 ist und damit auch das Produkt 0 sein muss. Ganz genauso wie den Zwei-Sehnen-Satz sieht man auch den

Satz 5.43 (Tangenten-Sehnen-Satz). *Sei $K_r(m)$ ein Kreis und a ein Punkt im Äußeren von $K_r(m)$, d.h. $d(m,a) > r$. Dann gilt für die Sehnenabschnitte ζ_1 und ζ_2 einer beliebigen Sekante von $K_r(m)$ durch den Punkt a und den Abstand I von a zu dem Schnittpunkt einer Tangente von $K_r(m)$ durch a, dass*

$$I^2 = \zeta_1 \cdot \zeta_2.$$

$\square$

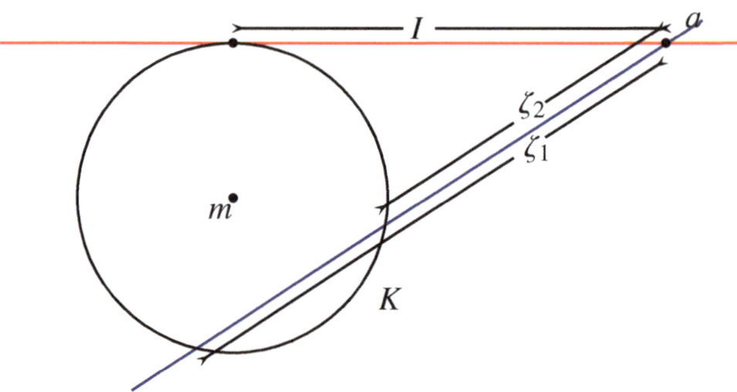

Abb. 99 *Tangenten-Sehnen-Satz*

Im Tangenten-Sehnen-Satz haben wir ausgeschlossen, dass a im Inneren des Kreises liegt, weil es sonst überhaupt keine Tangenten durch a gibt.

5.4. Das Vektorprodukt

Den Körper der komplexen Zahlen hatten wir aus $\mathbb{R}^2$ gewonnen, indem wir ein geeignetes Produkt für Vektoren in $\mathbb{R}^2$ eingeführt haben. Kann man nun auch in höheren Dimensionen $n \geq 3$ auf $\mathbb{R}^n$ Produkte definieren, die $\mathbb{R}^n$ zu einem Körper machen? Die Antwort hierauf lautet nein. Allerdings besitzt $\mathbb{R}^3$ ein interessantes Produkt, so dass $\mathbb{R}^3$ hierdurch zwar nicht zu einem Körper wird, aber das Produkt doch für die dreidimensionale Geometrie nützliche Eigenschaften hat.

Definition 5.44. Sind $v, w \in \mathbb{R}^3$, so heißt

$$v \times w := \begin{pmatrix} v_2 w_3 - v_3 w_2 \\ v_3 w_1 - v_1 w_3 \\ v_1 w_2 - v_2 w_1 \end{pmatrix} \in \mathbb{R}^3$$

das **Vektorprodukt** oder auch **Kreuzprodukt** von v und w.

Wie kann man sich diese scheinbar komplizierte Definition gut merken? Wir schreiben $\begin{pmatrix} v_1 & w_1 \\ v_2 & w_2 \\ v_3 & w_3 \end{pmatrix}$, streichen die jeweils betrachtete Zeile, bilden die Determinante der entstehenden 2×2-Matrix und versehen sie mit dem Schachbrettmustervorzeichen:

$$v \times w = \begin{pmatrix} +\det \begin{pmatrix} v_2 & w_2 \\ v_3 & w_3 \end{pmatrix} \\ -\det \begin{pmatrix} v_1 & w_1 \\ v_3 & w_3 \end{pmatrix} \\ +\det \begin{pmatrix} v_1 & w_1 \\ v_2 & w_2 \end{pmatrix} \end{pmatrix}.$$

Bevor wir nun das Vektorprodukt genauer untersuchen, verallgemeinern wir das Skalarprodukt und die Norm von $\mathbb{R}^2$ auf beliebige Dimensionen, d.h. auf $\mathbb{R}^n$.

Definition 5.45. Für $x = \begin{pmatrix} x_1 \\ \vdots \\ x_n \end{pmatrix}, y = \begin{pmatrix} y_1 \\ \vdots \\ y_n \end{pmatrix} \in \mathbb{R}^n$ heißt

$$\langle x, y \rangle := x_1 \cdot y_1 + \ldots + x_n \cdot y_n$$

Skalarprodukt der Vektoren x und y. Ferner heißt

$$\|x\| := \sqrt{\langle x, x \rangle}$$

die **euklidische Norm** von x.

Bemerkung 5.46. Das Skalarprodukt ist eine Abbildung

$$\langle \cdot, \cdot \rangle : \mathbb{R}^n \times \mathbb{R}^n \to \mathbb{R},$$

und die euklidische Norm eine Abbildung

$$\| \cdot \| : \mathbb{R}^n \to \mathbb{R},$$

so dass für alle $x, x', y \in \mathbb{R}^n$ und alle $t \in \mathbb{R}$ gilt:

(i) $\langle x + x', y \rangle = \langle x, y \rangle + \langle x', y \rangle$;

(ii) $\langle t \cdot x, y \rangle = t \cdot \langle x, y \rangle$;

(iii) $\langle x, y \rangle = \langle y, x \rangle$;

(iv) $\langle x, x \rangle \geq 0$;

(v) $\langle x, x \rangle = 0 \Leftrightarrow x = \mathbf{0}$;

(vi) $\|x\| \geq 0$ und $\|x\| = 0 \Leftrightarrow x = \mathbf{0}$;

(vii) $\|t \cdot x\| = |t| \cdot \|x\|$;

(viii) $x = y \Leftrightarrow \forall z \in \mathbb{R}^n : \langle x, z \rangle = \langle y, z \rangle$.

Diese Regeln rechnet man wie im Fall $n = 2$ leicht nach. Überlegen wir uns nur kurz die letzte Aussage: Für „$\Rightarrow$" ist nichts zu zeigen. Für „$\Leftarrow$" wählen wir speziell $z = e_k$ und sehen $x_k = \langle x, e_k \rangle = \langle y, e_k \rangle = y_k$ für alle k. Es folgt $x = y$.

Nun zurück zum Vektorprodukt, das eine Abbildung

$$\mathbb{R}^3 \times \mathbb{R}^3 \to \mathbb{R}^3$$

definiert. Es hat folgende Eigenschaften:

Satz 5.47. *Für alle $v, \tilde{v}, w, \tilde{w}, z \in \mathbb{R}^3$ und alle $\lambda \in \mathbb{R}$ gilt:*

(i) $\langle v \times w, z \rangle = \det(v, w, z)$.

(ii) $v \times w = -(w \times v)$.

(iii) Linearität in beiden Argumenten:

$$(v + \tilde{v}) \times w = (v \times w) + (\tilde{v} \times w),$$
$$v \times (w + \tilde{w}) = (v \times w) + (v \times \tilde{w}),$$
$$(\lambda v) \times w = \lambda \cdot (v \times w) = v \times (\lambda w).$$

(iv) $v \times w = \mathbf{0} \Leftrightarrow v, w$ sind linear abhängig.

> *(v)* $v \times w \perp v, w.$
>
> *(vi)* $\|v \times w\| = \mathrm{vol}_2(P)$, *wobei P das von v und w aufgespannte Parallelogramm ist.*
>
> *(vii) Sind v und w linear unabhängig, so bildet $(v, w, v \times w)$ eine positiv orientierte Basis von $\mathbb{R}^3$.*

Beweis. Zu (i):
Durch Entwicklung nach der 3. Spalte sehen wir:

$$\det \begin{pmatrix} v_1 & w_1 & z_1 \\ v_2 & w_2 & z_2 \\ v_3 & w_3 & z_3 \end{pmatrix} = +\det \begin{pmatrix} v_2 & w_2 \\ v_3 & w_3 \end{pmatrix} \cdot z_1 - \det \begin{pmatrix} v_1 & w_1 \\ v_3 & w_3 \end{pmatrix} \cdot z_2 + \det \begin{pmatrix} v_1 & w_1 \\ v_2 & w_2 \end{pmatrix} \cdot z_3 = \langle v \times w, z \rangle \,.$$

Zu (ii):
Für alle $z \in \mathbb{R}^3$ gilt:

$$\langle v \times w, z \rangle \overset{(i)}{=} \det(v, w, z)$$
$$= -\det(w, v, z)$$
$$\overset{(i)}{=} -\langle w \times v, z \rangle$$
$$= \langle -(w \times v), z \rangle \,.$$

Nach Bemerkung 5.46 (viii) folgt $v \times w = -(w \times v)$.

Zu (iii):
Für alle $z \in \mathbb{R}^3$ gilt:

$$\langle (v + \tilde{v}) \times w, z \rangle \overset{(i)}{=} \det(v + \tilde{v}, w, z)$$
$$= \det(v, w, z) + \det(\tilde{v}, w, z)$$
$$\overset{(i)}{=} \langle v \times w, z \rangle + \langle \tilde{v} \times w, z \rangle$$
$$= \langle (v \times w) + (\tilde{v} \times w), z \rangle \,.$$

Nach Bemerkung 5.46 (viii) ist somit $(v + \tilde{v}) \times w = (v \times w) + (\tilde{v} \times w)$. Die anderen beiden Regeln folgen analog.

Zu (iv):
Es gilt:

$$v, w \text{ sind linear abhängig} \quad \Leftrightarrow \quad \mathrm{rg}(v, w) \leq 1$$
$$\Leftrightarrow \quad \mathrm{rg}(v, w, z) \leq 2 \text{ für alle } z \in \mathbb{R}^3$$

$$\Leftrightarrow \quad \det(v, w, z) = 0 \text{ für alle } z \in \mathbb{R}^3$$
$$\Leftrightarrow \quad \langle v \times w, z \rangle = 0 \text{ für alle } z \in \mathbb{R}^3$$
$$\Leftrightarrow \quad v \times w = \mathbf{0}.$$

Zu (v):
Wir berechnen

$$\langle v \times w, v \rangle \overset{(i)}{=} \det(v, w, v) = \mathbf{0}.$$

Hieraus folgt $v \times w \perp v$. Für $v \times w \perp w$ argumentiert man analog.

Zu (vi):
1. Fall: Sind v, w linear abhängig, so folgt nach (iv) sofort $v \times w = \mathbf{0}$, also $\|v \times w\| = 0$. Ferner ist P dann auch in einer Geraden des $\mathbb{R}^2$ enthalten, also folgt $\mathrm{vol}_2(P) = 0$.
2. Fall:
Sind v, w linear unabhängig, so gilt

$$\|v \times w\|^2 = \langle v \times w, v \times w \rangle \overset{(i)}{=} \det(v, w, v \times w) = \mathrm{vol}_3(Q), \qquad (5.17)$$

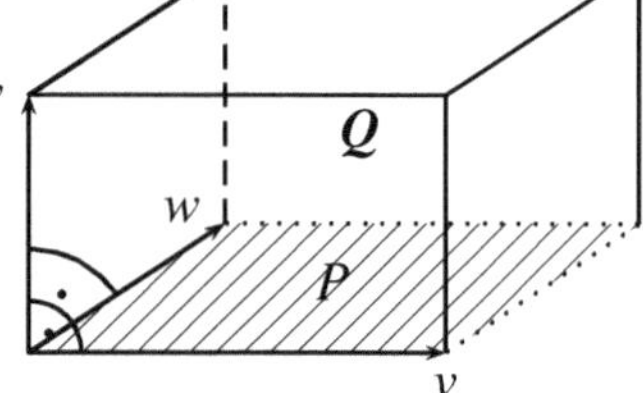

Abb. 100

wobei Q das Parallelepiped ist, welches von $v, w, v \times w$ aufgespannt wird. Da nach e) $v \times w \perp v, w$ gilt, ist $Q = \mathcal{Z}_{\|v \times w\|}(P)$. Wegen (A.6) haben wir

$$\mathrm{vol}_3(Q) = \mathrm{vol}_2(P) \cdot \|v \times w\|. \qquad (5.18)$$

Einsetzen von (5.18) in (5.17) liefert schließlich

$$\|v \times w\|^2 = \mathrm{vol}_2(P) \cdot \underbrace{\|v \times w\|}_{\neq 0 \text{ nach (iv)}},$$

also $\|v \times w\| = \mathrm{vol}_2(P)$.

Zu (vii):
Nach (iv) ist $v \times w \neq 0$. Nun gilt

$$\det(v, w, v \times w) \overset{(i)}{=} \langle v \times w, v \times w \rangle = \|v \times w\|^2 > 0.$$

Also bildet $(v, w, v \times w)$ eine positiv orientierte Basis von $\mathbb{R}^3$. $\qquad\qquad \square$

Fassen wir zusammen: $v \times w$ ist der eindeutige Vektor im $\mathbb{R}^3$, der auf der Ebene, die von v und w aufgespannt wird, senkrecht steht, dessen Länge gleich dem Flächeninhalt des Parallelogramms ist, welches von v und w aufgespannt wird, so dass $(v, w, v \times w)$ rechtshändig ist (d.h. eine positiv orientierte Basis des $\mathbb{R}^3$ bildet).

 Hier können Sie die Berechnung von Skalar- und Vektorprodukten üben. Das  ist eine gute Kontrolle um zu prüfen, ob Sie alles richtig verstanden haben:
`https://ueben.cbaer.eu/12.html`

5.5. Aufgaben

5.1. Sei (e_1, e_2, e_3) die Standardbasis von $\mathbb{R}^3$. Wir betrachten die affine Ebene $E := -e_3 + \mathrm{L}(e_1, e_2)$. Desweiteren sei $v \in \mathbb{R}^3$ ein Vektor, so dass $\mathrm{L}(e_1, e_2, v) = \mathbb{R}^3$ gilt. Zu jedem $x \in \mathbb{R}^3$ sei $G(x) := x + \mathrm{L}(v)$ die affine Gerade durch x in Richtung v.

a) Zeigen Sie, dass für jedes $x \in \mathbb{R}^3$ der Schnitt $G(x) \cap E$ aus genau einem Element besteht, das wir mit $p(x)$ bezeichnen.

b) Zeigen Sie, dass die Abbildung $p\colon \mathbb{R}^3 \to \mathbb{R}^3, x \mapsto p(x)$, affin ist. Anmerkung: Geometrisch handelt es sich bei p um die Parallelprojektion auf E mit Projektionsrichtung v.

c) Sei nun $v = (-1, 0, 1)^\top$. Berechnen Sie die Bilder der Punkte $A = (0, 2, 2)^\top$, $B = (0, 1, 1)^\top$, $C = (0, 3, 1)^\top$ und $D = (2, 2, 1)^\top$ unter p und fertigen Sie eine Skizze an. Auf dieser sollte der Körper mit den Eckpunkten A, B, C, D sowie dessen Bild unter p eingezeichnet sein.

5.2. Sei K ein Körper, $n \in \mathbb{N}$ und $F\colon K^n \to K^n$ eine affine Abbildung. Es gilt also $F(x) = \varphi(x) + a$ für eine lineare Abbildung $\varphi\colon K^n \to K^n$ und ein $a \in K^n$. Wir definieren die Abbildungen

$$\iota\colon K^n \to K^{n+1}, \qquad\qquad \iota(x) := (1, x),$$
$$\Phi_F\colon K^{n+1} \to K^{n+1}, \qquad\qquad \Phi_F((x_0, x)) := (x_0, x_0 \cdot a + \varphi(x)).$$

Hierbei ist $x \in K^n$, $1, x_0 \in K$ und $(1, x), (x_0, x) \in K^{n+1}$.

a) Zeigen Sie, dass ι affin und injektiv ist.

b) Zeigen Sie, dass Φ_F linear ist und folgende darstellende Matrix hat:

$$M(\Phi_F) = \left(\begin{array}{c|c} 1 & 0 \;\cdots\; 0 \\ \hline a & M(\varphi) \end{array} \right)$$

c) Zeigen Sie, dass

$$\Phi_F \circ \iota = \iota \circ F$$

gilt. Dies bedeutet, dass die Einschränkung von Φ_F auf $\iota(K^n)$ gerade durch F gegeben ist, wenn man K^n mit $\iota(K^n)$ identifiziert.

d) Sei nun $G\colon K^n \to K^n$ eine weitere affine Abbildung. Zeigen Sie:

$$M(\Phi_{G \circ F}) = M(\Phi_G) \cdot M(\Phi_F)$$

5.3. Sei $a > 0$. Zeigen Sie: Unter allen Rauten (siehe Definition 2.106) mit der Seitenlänge a hat das Quadrat den größten Flächeninhalt.

5.4. Der gesamte Trefferbereich einer Dartscheibe hat den Radius 17 cm, der des innersten Trefferbereichs (Bull's eye) 6,35 mm. Als ungeübte Dartspieler treffen wir zwar die Scheibe, aber jeden Punkt mit gleicher Wahrscheinlichkeit. Das heißt, dass die Wahrscheinlichkeit eine Region X im Trefferbereich zu treffen gegeben ist durch

$$\frac{\mathrm{vol}_2(X)}{\mathrm{vol}_2(\text{Trefferbereich})}.$$

a) Wie groß ist die Wahrscheinlichkeit das Bull's eye zu treffen?

b) Wie groß ist diese Wahrscheinlichkeit bei einer n-dimensionalen Dartscheibe für $n = 3$, $n = 4$ und $n = 10$?

5.5. Zeigen, Sie dass

a) E(2) eine Untergruppe der Gruppe aller bijektiven affinen Abbildungen $\mathbb{R}^2 \to \mathbb{R}^2$ ist;

b) $\mathrm{E}^+(2)$ eine Untergruppe von E(2) ist.

5.6. Beweisen Sie mit Hilfe des Zwei-Sehnen-Satzes den nachfolgenden Höhensatz:

Sei durch $a, b, c \in \mathbb{R}^2$ ein rechtwinkliges euklidisches Dreieck mit rechtem Winkel bei c gegeben. Sei d der Schnittpunkt der Höhe H_c mit $G_{a,b-a}$. Dann gilt:

$$\|a - d\| \cdot \|b - d\| = \|c - d\|^2$$

5.7. Zeigen Sie, dass

$$K = \left\{ z \in \mathbb{C} \,\middle|\, \mathrm{Re}\!\left(\frac{z+1}{z-1}\right) = 2 \right\}$$

einen Kreis in der komplexen Ebene definiert und bestimmen Sie Mittelpunkt und Radius von K.

5.8. Eine Mathematik-Studentin fährt nach bestandener Klausur in den wohlverdienten Urlaub. Dort geht sie an den Strand und blickt auf das Meer. Ihre Augen befinden sich dabei $1,60$ Meter über dem Meeresspiegel.
Benutzen Sie den Tangenten-Sehnen-Satz, um zu berechnen, wie weit der Horizont entfernt ist.

Abb. 101 *Urlaub*

5.9. a) Zeigen Sie, dass jedes $F \in \mathrm{E}^+(2)$ eine Translation oder eine Drehung um einen Drehpunkt $p \in \mathbb{R}^2$ ist.

Hinweis: Der Fixpunkt aus Satz 5.32 ist gerade der Drehpunkt.

b) Hat jede euklidische Bewegung $F \in E(2) \setminus E^+(2)$ einen Fixpunkt? (Beweis oder Gegenbeispiel)

5.10. Sei durch $a, b, c \in \mathbb{R}^2$ ein nicht-ausgeartetes euklidisches Dreieck gegeben. Die Mittelsenkrechte der Seite zwischen a und b ist gegeben durch $M_{a,b} := G_{(a+b)/2, J(a-b)}$, die Mittelsenkrechten $M_{a,c}$ und $M_{b,c}$ werden entsprechend definiert. Zeigen Sie:

a) Die Mittelsenkrechten $M_{a,b}$, $M_{a,c}$ und $M_{b,c}$ schneiden sich in einem Punkt.

b) Es gibt genau einen Kreis K, der durch die drei Punkte a, b und c geht.

5.11. Seien $p, v, w \in \mathbb{R}^3$, wobei v, w linear unabhängig seien. Wir setzen $N := v \times w$. Zeigen Sie:
$$\{p + tv + sw \mid s, t \in \mathbb{R}\} = \{x \in \mathbb{R}^3 \mid \langle x, N \rangle = \langle p, N \rangle\}$$
Hier wird die affine Ebene beschrieben, die durch p geht und deren zugehöriger Untervektorraum die Basis $\{v, w\}$ hat. Die Darstellung dieser Ebene, die durch die rechte Seite der Gleichung gegeben ist, nennt man die **Hesse'sche Normalform** der Ebene.

5.12. Seien $v, w, z \in \mathbb{R}^3$. Zeigen bzw. beantworten Sie:

a) (Graßmann-Identität) $v \times (w \times z) = \langle v, z \rangle\, w - \langle v, w \rangle\, z$.

b) Ist das Vektorprodukt assoziativ?

c) (Jacobi-Identität) $v \times (w \times z) + w \times (z \times v) + z \times (v \times w) = 0$.

5.13. (Kreuzprodukt in n Dimensionen) Das Kreuzprodukt in n Dimensionen hat $n - 1$ statt 2 Faktoren und ist durch die Gleichung
$$\langle v_1 \times \ldots \times v_{n-1}, z \rangle = \det(v_1, \ldots, v_{n-1}, z)$$
charakterisiert, $v_1, \ldots, v_{n-1}, z \in \mathbb{R}^n$.

a) Formulieren und zeigen Sie Aussagen analog zu (ii)–(vii) aus Satz 5.47.

b) Was ist das Kreuzprodukt im Fall $n = 2$?

6. Eigenwertprobleme

Wörter sind wie Münzen: Sie
haben einen Eigenwert, ehe sie
alle möglichen Werte
bezeichnen.

(Antoine de Rivarol)

Um zu verstehen, was ein gegebener Endomorphismus „geometrisch tut", versuchen wir, eine
Basis des Vektorraums zu finden, bzgl. derer die darstellende Matrix möglichst einfach ist. Am
liebsten wäre uns eine Diagonalmatrix. Dies führt auf das Konzept der Diagonalisierbarkeit,
der Eigenwerte und Eigenvektoren. Vorher müssen wir allerdings Polynome mit Koeffizienten
in beliebigen Körpern verstehen. Es wird sich herausstellen, dass man Endomorphismen nicht
immer diagonalisieren kann, wohl aber trigonalisieren, zumindest über den komplexen Zahlen.
Schließlich werden wir das Minimalpolynom und die Jordan'sche Normalform besprechen.

6.1. Polynome

Bevor wir das Rechnen mit Matrizen weiter vertiefen, schieben wir eine systematische Untersuchung von Polynomen mit Koeffizienten in einem beliebigen Körper ein. Zunächst einmal,
was ist eigentlich ein Polynom?

Dazu erinnern wir uns an Beispiel 3.75. Für einen beliebigen Körper K bildet die Menge
$\text{Abb}(\mathbb{N}_0, K)$ der Folgen in K einen K-Vektorraum. Dabei sind Addition und skalare Multiplikation komponentenweise erklärt. Wir schreiben jetzt solche Folgen etwas anders hin. Sei dazu
x ein abstraktes Symbol. Statt der Folge $(a_0, a_1, a_2, \dots)$ schreiben wir nun

$$\sum_{j=0}^{\infty} a_j \cdot x^j. \tag{6.1}$$

Man beachte, dass x hier keine Zahl (aus K) ist, sondern tatsächlich nur ein Platzhalter. Das
gilt dann auch für x^j. Statt x wird häufig auch ein anderer Buchstabe genommen, z.B. t oder y,
man könnte statt x im Prinzip auch *Kunigunde* oder *Winnetou* nehmen.

© Der/die Autor(en), exklusiv lizenziert an
Springer Fachmedien Wiesbaden GmbH, ein Teil von Springer Nature 2026
C. Bär, *Lineare Algebra und analytische Geometrie*,
https://doi.org/10.1007/978-3-658-51055-8_6

> **Definition 6.1.** Sei K ein Körper und x ein abstraktes Symbol. Einen formalen Ausdruck wie in (6.1) nennt man eine **formale Potenzreihe** mit Koeffizienten in K in der Veränderlichen x. Die Menge aller solcher formaler Potenzreihen bezeichnet man mit $K[\![x]\!]$.

Beispiel 6.2. Statt der Folge $(1, 1, 1/2, 1/6, 1/24, \ldots, 1/j!, \ldots)$ in $\mathbb{Q}$ schreiben wir die formale Potenzreihe

$$\sum_{j=0}^{\infty} \frac{1}{j!} \cdot x^j$$

und statt der Folge $(1, 0, 1, 0, 1, 0, \ldots)$ in $\mathbb{F}_2$ schreiben wir die formale Potenzreihe

$$\sum_{k=0}^{\infty} x^{2k}.$$

Summanden, deren Koeffizient $= 0$ ist, lässt man in der Potenzreihenschreibweise in der Regel weg.

Die komponentenweise Addition und skalare Multiplikation übersetzt sich dann in die Potenzreihenschreibweise wie folgt:

$$\sum_{j=0}^{\infty} a_j \cdot x^j + \sum_{j=0}^{\infty} b_j \cdot x^j = \sum_{j=0}^{\infty} (a_j + b_j) \cdot x^j,$$

$$\alpha \cdot \sum_{j=0}^{\infty} a_j \cdot x^j = \sum_{j=0}^{\infty} (\alpha \cdot a_j) \cdot x^j.$$

Wir haben also den K-Vektorraum $K[\![x]\!]$ der formalen Potenzreihen, der isomorph ist zum K-Vektorraum $\mathrm{Abb}(\mathbb{N}_0, K)$ der Folgen. Im Gegensatz zur Analysis spielt Konvergenz für uns hier keine Rolle; sie wäre für allgemeine Körper K auch überhaupt nicht definiert.

> **Definition 6.3.** Eine formale Potenzreihe
>
> $$\sum_{j=0}^{\infty} a_j \cdot x^j$$
>
> heißt **Polynom**, wenn nur endlich viele der Koeffizienten $a_j \neq 0$ sind. Genauer sprechen wir von einem Polynom in der Veränderlichen x mit Koeffizienten in K und bezeichnen die Menge aller solcher mit $K[x]$.

Wir beachten: Die Koeffizienten a_j eines Polynoms sind Elemente aus dem Körper K, die Veränderliche x und ihre Potenzen x^j aber zunächst nicht. Diese sind lediglich *abstrakte*

Symbole. Wir werden dafür später auch Elemente aus K einsetzen, aber zunächst einmal sind die x^j nur Platzhalter. Polynome sind also nicht zu verwechseln mit den bisher von uns betrachteten *Polynomfunktionen*, die Abbildungen $K \to K, x \mapsto \sum_{j=0}^{n} a_j \cdot x^j$, sind.

Da man die Summanden, deren Koeffizienten $a_j = 0$ sind, beim Aufschreiben des Polynoms in der Regel weglässt, sind definitionsgemäß nur endlich viele Summanden anzugeben. Sind alle Koeffizienten $= 0$, so bleibt die leere Summe übrig, für die wir einfach 0 schreiben.

Beispiel 6.4. Sei $K = \mathbb{F}_2$. Hier sind drei verschiedene Polynome mit Koeffizienten in $\mathbb{F}_2$:

$$f = x^2 + x \in \mathbb{F}_2[x],$$
$$g = 1 \in \mathbb{F}_2[x],$$
$$h = 1 + y^2 + y^{500} \in \mathbb{F}_2[y].$$

Bemerkung 6.5. Die Menge der Polynome $K[x]$ bildet einen Untervektorraum von $K[\![x]\!]$:

1. Es ist $0 = \sum_{j=0}^{\infty} 0 \cdot x^j$ in $K[x]$ enthalten.

2. Sind alle bis auf endlich viele der Koeffizienten von $\sum_{j=0}^{\infty} a_j \cdot x^j$ und $\sum_{j=0}^{\infty} b_j \cdot x^j$ gleich 0, dann gilt das auch für die Summe $\sum_{j=0}^{\infty} (a_j + b_j) \cdot x^j$.

3. Sind alle bis auf endlich viele der Koeffizienten von $\sum_{j=0}^{\infty} a_j \cdot x^j$ gleich 0, dann gilt das auch für Koeffizienten von $\sum_{j=0}^{\infty} (\alpha \cdot a_j) \cdot x^j$

Insbesondere ist also $K[x]$ auch selbst ein K-Vektorraum.

Definition 6.6. Ist $f = \sum a_j \cdot x^j$ ein Polynom, so heißt

$$\deg(f) := \begin{cases} -\infty, & \text{falls } f = 0 \\ \max\{j \mid a_j \neq 0\}, & \text{sonst} \end{cases}$$

der **Grad** von f.

Beispiel 6.7. Sei $K = \mathbb{F}_2$. Dann ist $\deg(x^2 + x) = 2$, $\deg(1) = 0$, $\deg(1 + y^2 + y^{500}) = 500$.

Definition 6.8. Ein Polynom, dessen Koeffizienten alle bis auf einen $= 0$ sind, und der eine $= 1$ ist, heißt **Monom**. In anderen Worten, Monome sind Polynome der Form $f = x^j$.

Beispiel 6.9. Sei $K = \mathbb{F}_2$. Dann ist $f = y^5 \in K[y]$ ein Monom, wohingegen $g = x^2 + x^4 \in K[x]$ kein Monom ist.

Bemerkung 6.10. Die Menge der Monome bildet eine Basis des Vektorraums $K[x]$, da sich jedes Polynom eindeutig als (endliche) Linearkombination von Monomen schreiben lässt. Insbesondere ist $\dim(K[x]) = \infty$. Damit muss auch $\dim(K[\![x]\!]) = \infty$ gelten.

Wir können $K[\![x]\!]$ auch zu einem Ring machen. Dazu müssen wir noch wissen, wir das Produkt zweier formaler Potenzreihen definiert ist.

> **Definition 6.11.** Für $f = \sum_{j=0}^{\infty} a_j \cdot x^j$ und $g = \sum_{j=0}^{\infty} b_j \cdot x^j$ ist $f \cdot g$ definiert durch
> $$f \cdot g := \sum_{k=0}^{\infty} \left(\sum_{j=0}^{k} a_j \cdot b_{k-j} \right) \cdot x^k.$$

Wir beachten, dass für jedes k der Koeffizient von x^k in $f \cdot g$ eine *endliche* Summe von Elementen aus K ist. Das Produkt $f \cdot g$ ist also definiert, ohne dass wir irgendwelche Konvergenzannahmen an die formalen Potenzreihen f und g machen müssten.

Beispiel 6.12. Wir berechnen das Produkt von $f = \sum_{j=0}^{\infty} \frac{(-1)^j}{j!} \cdot x^j$ und $g = \sum_{j=0}^{\infty} \frac{1}{j!} \cdot x^j$ in $\mathbb{Q}[\![x]\!]$:

$$f \cdot g = \sum_{k=0}^{\infty} \left(\sum_{j=0}^{k} \frac{(-1)^j}{j!(k-j)!} \right) \cdot x^k = \sum_{k=0}^{\infty} \frac{1}{k!} \underbrace{\sum_{j=0}^{k} (-1)^j \binom{k}{j}}_{=0 \text{ falls } k \geq 1} \cdot x^k = 1.$$

Beispiel 6.13. Wir multiplizieren die formale Potenzreihe $f = 1 + x + x^2 + x^3 + \ldots$ in $\mathbb{F}_2[\![x]\!]$ mit sich selbst:

$$f \cdot f = \sum_{k=0}^{\infty} \left(\sum_{j=0}^{k} 1 \cdot 1 \right) \cdot x^k = \sum_{\ell=0}^{\infty} x^{2\ell}.$$

Beim Produkt von formalen Potenzreihen zeigt sich die Stärke der Potenzreihenschreibweise. Wir multiplizieren zwei Potenzreihen, indem wir wie gewohnt ausmultiplizieren als sei der abstrakte Platzhalter x eine Zahl in K und dann sortieren wir das Ergebnis nach Potenzen von x. In der Folgenschreibweise sähe das Produkt so aus:

$$(a_0, a_1, a_2, \ldots) \cdot (b_0, b_1, b_2, \ldots) = (a_0 b_0, a_0 b_1 + a_1 b_0, a_0 b_2 + a_1 b_1 + a_2 b_0, \ldots),$$

was uns vielleicht nicht sofort als vernünftige Definition einleuchten würde. In Aufgabe 6.1 wird gezeigt, dass $K[x]$ ein kommutativer Ring mit Eins ist.

> **Lemma 6.14.** *Sei K ein Körper und seien $f, g \in K[x]$. Dann ist auch $f \cdot g \in K[x]$ und es gilt*
>
> $$\deg(f \cdot g) = \deg(f) + \deg(g).$$
>
> *Insbesondere ist $K[x]$ ein Unterring von $K[\![x]\!]$ und $K[x]$ ist nullteilerfrei.*

Es ist eine berechtigte Frage, was die Formel bedeutet, wenn $-\infty$ als Grad vorkommt. Hierfür verwenden wir die Konvention

$$-\infty + n = n - \infty = -\infty$$

für alle $n \in \mathbb{N}_0 \cup \{-\infty\}$.

Beweis. a) Kommt $-\infty$ auf der rechten Seite der Formel für den Grad vor, dann heißt das, dass $f = 0$ oder $g = 0$. Dann ist auch $f \cdot g = 0$, d.h. $\deg(f \cdot g) = -\infty$, und die Formel gilt konventionsgemäß.

b) Nehmen wir daher an, dass f und g beide nicht $= 0$ sind. Wir schreiben dann

$$f = \sum_{j=0}^{\deg(f)} a_j \cdot x^j \quad \text{und} \quad g = \sum_{j=0}^{\deg(g)} b_j \cdot x^j.$$

Die führenden Koeffizienten sind dann ungleich 0, d.h. $a_{\deg(f)} \neq 0$ und $b_{\deg(g)} \neq 0$. Dann ist

$$f \cdot g = \sum_{k=0}^{\deg(f)+\deg(g)} \left(\sum_{j=0}^{k} a_j \cdot b_{k-j} \right) \cdot x^k.$$

Im Koeffizienten der höchstmöglichen auftretenden Potenz $x^{\deg(f)+\deg(g)}$ trägt nur das Produkt $a_{\deg(f)} \cdot b_{\deg(g)}$ bei, da für alle anderen Summanden einer der beiden Faktoren $= 0$ ist. Es gilt daher

$$f \cdot g = (a_{\deg(f)} \cdot b_{\deg(g)}) \cdot x^{\deg(f)+\deg(g)} + \text{ niedrigere Potenzen von } x.$$

Also ist $\deg(f \cdot g) = \deg(f) + \deg(g)$.

c) Mit f und g ist auch $f \cdot g$ wieder ein Polynom. Gleiches gilt für die Summe. Also $K[x]$ ein Unterring von $K[\![x]\!]$.

Ist $f \cdot g = 0$, dann ist $\deg(f \cdot g) = -\infty$. Also muss $\deg(f) = -\infty$ oder $\deg(g) = -\infty$ gelten, d.h. $f = 0$ oder $g = 0$. Dies zeigt, dass $K[x]$ nullteilerfrei ist. $\qquad\square$

> **Satz 6.15 (Polynomdivision).** *Sei K ein Körper und x ein abstraktes Symbol. Seien $f, g \in K[x]$, $g \neq 0$. Dann existieren eindeutig bestimmte Polynome $q, r \in K[x]$ mit $f = q \cdot g + r$, wobei $\deg(r) < \deg(g)$.*

Beweis. a) Zeigen wir zunächst die *Eindeutigkeit*: Seien $q, \hat{q}, r, \hat{r} \in K[x]$ mit $f = q \cdot g + r = \hat{q} \cdot g + \hat{r}$ und $\deg(r), \deg(\hat{r}) < \deg(g)$. Dann ist $0 = (q - \hat{q})g + (r - \hat{r})$, also $\hat{r} - r = (q - \hat{q})g$ und außerdem $\deg(\hat{r} - r) < \deg(g)$. Wäre $q \neq \hat{q}$, so wäre andererseits nach Lemma 6.14

$$\deg(\hat{r} - r) = \deg((q - \hat{q})g) = \underbrace{\deg(q - \hat{q})}_{\geq 0,\ \text{da } q - \hat{q} \neq 0} + \deg(g) \geq \deg(g),$$

Widerspruch. Also ist $q = \hat{q}$ und damit auch $r = \hat{r}$.

b) Zur *Existenz*: Ist $n := \deg(f) < m := \deg(g)$, so können wir einfach $q = 0$ und $r = f$ wählen. Wir nehmen daher $n \geq m \geq 0$ an und schreiben

$$f = a_n x^n + \ldots + a_0,$$
$$g = b_m x^m + \ldots + b_0,$$

wobei $a_n \neq 0$ und $b_m \neq 0$. Wir setzen

$$q_1 := \frac{a_n}{b_m} x^{n-m} \text{ und } f_1 := f - q_1 \cdot g.$$

Da sowohl f als auch $q_1 \cdot g$ mit $a_n \cdot x^n$ beginnen, gilt $\deg(f_1) < \deg(f)$. Ist nun $\deg(f_1) < \deg(g)$, so setzen wir

$$q := q_1 \text{ und } r := f_1$$

und beenden die Prozedur. Ist immer noch $\deg(f_1) \geq \deg(g)$, so wiederholen wir diesen Schritt mit f_1 statt f und erhalten f_2 und q_2. Wir wiederholen diesen Schritt so oft bis schließlich $\deg(f_n) < \deg(g)$. Das ist nach endlich vielen Schritten der Fall, da für alle j gilt $\deg(f_{j+1}) < \deg(f_j)$. Dann setzen wir

$$r := f_n \text{ und } q := q_1 + \ldots + q_n.$$

Nun gilt:

$$\begin{aligned}
f &= f_1 + q_1 \cdot g \\
&= (f_2 + q_2 \cdot g) + q_1 \cdot g \\
&= f_2 + (q_1 + q_2) \cdot g \\
&\quad\ \vdots \\
&= f_n + (q_1 + \ldots + q_n) \cdot g \\
&= r + q \cdot g,
\end{aligned}$$

wie gewünscht. $\qquad\square$

Das Schöne an diesem Beweis ist, dass er gleich ein konkretes Verfahren zur Durchführung der Polynomdivision liefert.

Beispiel 6.16. Sei $K = \mathbb{R}$. Wir dividieren das Polynom $f = 3x^3 + 2x + 1 \in \mathbb{R}[x]$ durch das Polynom $g = x^2 - 4x \in \mathbb{R}[x]$. Es ist $\deg(g) < \deg(f)$.

1. Schritt: Setze

$$q_1 := \frac{3}{1}x^{3-2} = 3x \quad \text{und}$$

$$f_1 := f - q_1 g = 3x^3 + 2x + 1 - 3x(x^2 - 4x) = 12x^2 + 2x + 1.$$

Es gilt $\deg(g) = \deg(f_1)$.

2. Schritt: Setze

$$q_2 := \frac{12}{1}x^{2-2} = 12 \quad \text{und}$$

$$f_2 := f_1 - q_2 g = 12x^2 + 2x + 1 - 12(x^2 - 4x) = 50x + 1.$$

Nun ist $\deg(g) > \deg(f_2)$ und die Prozedur bricht ab.

Wir erhalten $q = q_1 + q_2 = 3x + 12$ und für den Rest $r = f_2 = 50x + 1$. In der Tat gilt

$$qg + r = (3x + 12)(x^2 - 4x) + 50x + 1 = 3x^3 - 12x^2 + 12x^2 - 48x + 50x + 1 = 3x^3 + 2x + 1 = f.$$

Hier können Sie die Polynomdivision üben:
`https://ueben.cbaer.eu/09.html`

Nun vergleichen wir die Polynome und die Polynomfunktionen.

Definition 6.17. Sei K ein Körper. Der **Auswertehomomorphismus** ist die Abbildung $K[x] \to \mathrm{Abb}(K, K)$, $f \mapsto \tilde{f}$, wobei $\tilde{f}$ die Abbildung ist, die man erhält, indem man für das abstrakte Symbol x alle möglichen Zahlen aus K einsetzt. Genauer: Ist $f = \sum\limits_{j=0}^{n} a_j x^j$, dann ist $\tilde{f}(\lambda) = \sum\limits_{j=0}^{n} a_j \lambda^j$ für alle $\lambda \in K$.

Wie in Aufgabe 6.3 gezeigt wird, ist der Auswertehomomorphismus tatsächlich ein Homomorphismus, und zwar sowohl ein Vektorraumhomomorphismus als auch ein Ringhomomorphismus. In anderen Worten, es gilt $\widetilde{\lambda f} = \lambda \tilde{f}$, $\widetilde{f + g} = \tilde{f} + \tilde{g}$ und $\widetilde{f \cdot g} = \tilde{f} \cdot \tilde{g}$.

Warum haben wir so pingelig zwischen Polynomen und Polynomfunktionen unterschieden? Hier ist der Grund:

Hat der Körper nur endlich viele Elemente, d.h. ist $\#K < \infty$, so ist auch $\#\mathrm{Abb}(K, K) < \infty$, aber $\#K[x] = \infty$, da $K[x]$ unendlich-dimensional ist. Also kann der Auswertehomomorphismus in diesem Fall nicht injektiv sein!

Verschiedene Polynome können daher zur selben Polynomfunktion führen.

Beispiel 6.18. Sei $K = \mathbb{F}_2$. Das Polynom $f = x^2 + x \in \mathbb{F}_2[x]$ ist nicht das Nullpolynom; es hat Grad 2. Für die zugehörige Polynomfunktion berechnen wir

$$\tilde{f}(0) = 0^2 + 0 = 0 \quad \text{und}$$
$$\tilde{f}(1) = 1^2 + 1 = 0.$$

Also ist $\tilde{f}$ die Nullfunktion, obwohl f nicht das Nullpolynom ist.

Das folgende Lemma besagt, dass man zu Nullstellen der *Polynomfunktion* $\tilde{f}$ den entsprechenden Linearfaktor des *Polynoms* f abspalten kann.

Lemma 6.19. *Sei K ein Körper und sei $f \in K[x]$. Ist $\lambda \in K$ eine Nullstelle von $\tilde{f}$, so existiert genau ein Polynom $g \in K[x]$ mit $f = (x - \lambda) \cdot g$.*
Ferner gilt $\deg(g) = \deg(f) - 1$.

Beweis. Polynomdivision mit Rest von f durch $(x - \lambda)$ ergibt Polynome $g, r \in K[x]$, so dass

$$f = (x - \lambda) \cdot g + r \quad \text{und}$$
$$\deg(r) < \deg(x - \lambda) = 1.$$

Also $\deg(r) = 0$ oder $\deg(r) = -\infty$. In jedem Fall ist der Rest r eine Konstante, $r \in K$, und wir haben $\tilde{f} = \widetilde{(x - \lambda)} \cdot \tilde{g} + \tilde{r}$. Da λ eine Nullstelle von $\tilde{f}$ ist, folgt direkt

$$0 = \widetilde{f(\lambda)} = \widetilde{(\lambda - \lambda)} \cdot \widetilde{g(\lambda)} + \tilde{r}(\lambda) = r$$

und somit $f = (x - \lambda) \cdot g$. Ferner ist

$$\deg(f) = \deg(x - \lambda) + \deg(g) = 1 + \deg(g).$$

Die Eindeutigkeit von g folgt aus der Eindeutigkeit in der Polynomdivision. $\qquad\square$

Wenn wir künftig von Nullstellen eines Polynoms f sprechen, so sind damit die Nullstellen der zugehörigen Polynomfunktion $\tilde{f}$ gemeint.

Korollar 6.20. *Sei K ein Körper und sei $f \in K[x]$, $f \neq 0$. Hat f wenigstens k paarweise verschiedene Nullstellen, so ist*
$$\deg(f) \geq k.$$

Beweis. Seien $\lambda_1, \ldots, \lambda_k$ paarweise verschiedene Nullstellen von $\tilde{f}$. Indem wir Lemma 6.19 k-mal anwenden, erhalten wir

$$f = (x - \lambda_1) \cdots (x - \lambda_k) \cdot g$$

für ein $g \in K[x]$. Es muss $g \neq 0$ sein, weil sonst $f = 0$ wäre. Also ist $\deg(g) \geq 0$ und somit

$$\deg(f) = \deg(x - \lambda_1) + \ldots + \deg(x - \lambda_k) + \deg(g) \geq k. \qquad \square$$

Korollar 6.21. *Ist K ein Körper mit unendlich vielen Elementen, so ist der Auswertehomomorphimus $K[x] \to \mathrm{Abb}(K, K)$ injektiv.*

Beweis. Sei $f \in K[x]$, so dass $\tilde{f}$ die Nullfunktion ist. Wir müssen zeigen, dass f das Nullpolynom ist. Jedes Element von K ist Nullstelle von $\tilde{f}$. Also hat $\tilde{f}$ unendlich viele Nullstellen. Wäre $f \neq 0$, dann erhielten wir einen Widerspruch zu Korollar 6.20. $\qquad \square$

Würden wir nur Körper mit unendlich vielen Elementen betrachten, wie $\mathbb{Q}$, $\mathbb{R}$ oder $\mathbb{C}$, dann bräuchten wir also nicht so strikt zwischen Polynomen und Polynomfunktionen zu unterscheiden, da wir nach diesem Korollar das Polynom f aus der Polynomfunktion $\tilde{f}$ zurückgewinnen können. Bei endlichen Körpern ist das aber nicht so, wie wir gesehen haben.

Definition 6.22. Sei K ein Körper und $f \in K[x]$, $f \neq 0$. Für $\lambda \in K$ heißt

$$\mu(\lambda, f) := \sup\{r \in \mathbb{N}_0 \mid \exists g \in K[x] \text{ mit } f = (x - \lambda)^r \cdot g\}$$

Vielfachheit der Nullstelle λ in f.

Im Fall komplexer Polynome haben wir den Begriff der Vielfachheit von Nullstellen bereits kennengelernt, vgl. Definition 2.118.

Lemma 6.23. *Sei K ein Körper, $f \in K[x]$, $f \neq 0$, und $\lambda \in K$. Dann gilt:*

(i) $0 \leq \mu(\lambda, f) \leq \deg(f)$.

(ii) Die Vielfachheit $\mu(\lambda, f)$ ist die eindeutige Zahl aus $\mathbb{N}_0$, für die es ein $g \in K[x]$ gibt, so dass $f = (x - \lambda)^{\mu(\lambda,f)} \cdot g$ und so dass λ keine Nullstelle von $\tilde{g}$ ist.

(iii) $\mu(\lambda, f) = 0 \Leftrightarrow \lambda$ *ist nicht Nullstelle von $\tilde{f}$.*

(iv) Sind $\lambda_1, \ldots, \lambda_k$ die paarweise verschiedenen Nullstellen von $\tilde{f}$ mit Vielfachheiten $r_1, \ldots, r_k$, so schreibt sich $f = (x - \lambda_1)^{r_1} \cdot \ldots \cdot (x - \lambda_k)^{r_k} \cdot g$, wobei $g \in K[x]$ ein Polynom ohne Nullstellen ist.

Dabei sind $\lambda_1, \ldots, \lambda_k, r_1, \ldots, r_k$ und g bis auf Reihenfolge eindeutig bestimmt.

Beweis. Zu (i):

Ist $f = (x - \lambda)^r \cdot g$, so gilt nach Lemma 6.14 $\deg(f) = r + \deg(g)$, also $r \leq \deg(f)$.

Zu (ii):

Wäre λ eine Nullstelle von $\tilde{g}$, wobei $f = (x - \lambda)^{\mu(\lambda,f)} \cdot g$ ist, dann könnten wir Lemma 6.19 auf g anwenden und g in der Form $g = (x - \lambda) \cdot h$ schreiben, $h \in K[x]$. Damit wäre $f = (x - \lambda)^{\mu(\lambda,f)+1} \cdot h$ im Widerspruch zur Maximalität von $\mu(\lambda, f)$.

Sei umgekehrt $r \in \mathbb{N}_0$ so, dass es ein $g \in K[x]$ gibt mit $f = (x - \lambda)^r \cdot g$. Dann ist $r \leq \mu(\lambda, f)$. Wir schreiben $f = (x - \lambda)^{\mu(\lambda,f)} \cdot g_1$, wobei $g_1 \in K[x]$ so ist, dass λ keine Nullstelle von $\tilde{g}_1$ ist. Also gilt

$$(x - \lambda)^{\mu(\lambda,f)} \cdot g_1 = (x - \lambda)^r \cdot g,$$

und daher

$$(x - \lambda)^r \cdot (g - (x - \lambda)^{\mu(\lambda,f)-r} \cdot g_1) = 0.$$

Da $(x - \lambda)^r$ nicht das Nullpolynom ist, folgt wegen der Nullteilerfreiheit von $K[x]$, dass

$$g - (x - \lambda)^{\mu(\lambda,f)-r} \cdot g_1 = 0.$$

Da λ keine Nullstelle von $\tilde{g}_1$ ist, ist λ genau dann keine Nullstelle von $\tilde{g}$, wenn $\mu(\lambda, f) = r$ ist.

Aussage (iii) folgt direkt aus (ii).

Zu (iv):

Wir wenden (ii) k-mal an: Wir schreiben $f = (x - \lambda_1)^{r_1} \cdot g_1$, wobei $\tilde{g}_1$ nur noch die Nullstellen $\lambda_2, \ldots, \lambda_k$ hat. Dann schreiben wir $g_1 = (x - \lambda_1)^{r_2} \cdot g_2$, wobei $\tilde{g}_2$ nur noch die Nullstellen $\lambda_3, \ldots, \lambda_k$ hat, usw. Schließlich erhalten wir $g_{k-1} = (x - \lambda_1)^{r_k} \cdot g_k$, wobei $\tilde{g}_k$ keine Nullstellen mehr hat. Setzen wir $g := g_k$, so ergibt sich

$$f = (x - \lambda_1)^{r_1} \cdot \ldots \cdot (x - \lambda_k)^{r_k} \cdot g.$$

Wegen der Nullteilerfreiheit von $K[x]$ ist g durch diese Gleichung eindeutig bestimmt. $\qquad\square$

Beispiel 6.24. Sei $K = \mathbb{R}$ und $f = x^5 - x^4 + x^3 - x^2 \in \mathbb{R}[x]$. Dann gilt:

$$f = (x - 0)^2 \cdot (x - 1) \cdot (x^2 + 1).$$

Hier ist $\lambda_1 = 0, r_1 = 2, \lambda_2 = 1, r_2 = 1$ und $g = x^2 + 1$.

Beispiel 6.25. Sei $K = \mathbb{C}$ und $f = x^5 - x^4 + x^3 - x^2 \in \mathbb{C}[x]$. Dann gilt:

$$f = (x - 0)^2 \cdot (x - 1) \cdot (x + i) \cdot (x - i).$$

Hier ist $\lambda_1 = 0, r_1 = 2, \lambda_2 = 1, r_2 = 1, \lambda_3 = -i, r_3 = 1, \lambda_4 = i, r_4 = 1$ und $g = 1$.

Definition 6.26. Sei K ein Körper. Man sagt, ein Polynom $f \in K[x]$ **zerfällt in Linearfaktoren**, falls es sich in der Form

$$f = a \cdot (x - \lambda_1)^{r_1} \cdot \ldots \cdot (x - \lambda_n)^{r_n}$$

mit $a, \lambda_1, \ldots, \lambda_n \in K$ schreiben lässt. Eine solche Darstellung heißt dann **Linearfaktorzerlegung** von f.

Bemerkung 6.27. Wir haben also genau dann eine Linearfaktorzerlegung von f vorliegen, wenn in der Darstellung $f = (x - \lambda_1)^{r_1} \cdot \ldots \cdot (x - \lambda_k)^{r_k} \cdot g$ aus Lemma 6.23 (iv) das Polynom g vom Grad 0 ist. Somit zerfällt f genau dann in Linerfaktoren, wenn sich die Vielfachheiten der Nullstellen zum Grad von f aufaddieren, $r_1 + \ldots + r_k = \deg(f)$.

Eine Zerlegung von f in Linearfaktoren ist, falls sie existiert, eindeutig bis auf die Reihenfolge der Faktoren.

6.2. Eigenwerte und Eigenvektoren

Meistens kann man einer Matrix nicht so ohne Weiteres ansehen, was sie geometrisch beschreibt. So sahen z.B. die Spiegelungsmatrizen S_θ auf den ersten Blick recht kompliziert aus, obwohl die Achsenspiegelungen, die sie beschreiben, geometrisch einfache Abbildungen sind. Es ist also wünschenswert, ein Verfahren zu entwickeln, das es uns erlaubt, gegebene Matrizen besser zu „verstehen". Dazu dienen Eigenwerte und Eigenvektoren.

Diese Konzepte gehören zu den bedeutendsten der linearen Algebra, da sie in zahlreichen Anwendungsproblemen auftreten. In Anhang A.4 wird gezeigt, wie die Aufgabe Webseiten in den Trefferlisten von Suchmaschinen nach Wichtigkeit anzuordnen, auf ein Eigenwertproblem führt.

Definition 6.28. Sei K ein Körper, V ein K-Vektorraum und $\varphi \in \text{End}(V)$. Eine Zahl $\lambda \in K$ heißt genau dann **Eigenwert** von φ, wenn ein $v \in V \setminus \{0\}$ existiert, so dass

$$\varphi(v) = \lambda \cdot v \qquad (6.2)$$

ist. Der Vektor v heißt dann **Eigenvektor** von φ zum Eigenwert λ.

Ließe man $v = 0$ zu, so würde die Eigenwert-Gleichung (6.2) mit $v = 0$ für jedes λ gelten. Somit wäre jede Zahl λ Eigenwert und die Definition wäre unsinnig.

Die Gleichung (6.2) sagt aus, dass die lineare Abbildung φ den Vektor v um den Faktor λ streckt.

Für Matrizen A sind Eigenwerte und Eigenvektoren ganz analog definiert, nämlich als die Eigenwerte und Eigenvektoren der linearen Abbildung $x \mapsto A \cdot x$. In anderen Worten:

> **Definition 6.29.** Sei K ein Körper und sei $A \in \mathrm{Mat}(n, K)$. Eine Zahl $\lambda \in K$ heißt genau dann **Eigenwert** von A, wenn ein $v \in K^n \setminus \{\mathbf{0}\}$ existiert, so dass
>
> $$A \cdot v = \lambda \cdot v \tag{6.3}$$
>
> ist. Der Vektor v heißt dann **Eigenvektor** von A zum Eigenwert λ.

Beispiel 6.30. Für die uns aus Beispiel 4.47 bekannte Spiegelungsmatrix $A = S_\theta$ und den Vektor $v = v_\theta$ gilt

$$
\begin{aligned}
A \cdot v = S_\theta \cdot v_\theta \\
= v_\theta \\
= 1 \cdot v_\theta.
\end{aligned}
$$

Abb. 102

Folglich ist v_θ Eigenvektor von S_θ zum Eigenwert 1. Für $v = w_\theta$ erhalten wir

$$A \cdot v = S_\theta \cdot w_\theta = -w_\theta = (-1) \cdot w_\theta.$$

Also ist w_θ Eigenvektor von S_θ zum Eigenwert -1.

Beispiel 6.31. Denken wir für $K = \mathbb{R}$ einen Moment über die Drehmatrix $A = R_\theta$ mit $0 < \theta < \pi$ nach. Offenbar bleibt die Länge eines beliebigen Vektors bei der Drehung unverändert, und der Bildvektor ist gerade um den Winkel θ vom Original weggedreht, zeigt also in eine andere Richtung. Damit kann er insbesondere kein Vielfaches des Originals sein. Wir erwarten also aufgrund dieser geometrischen Überlegung, dass R_θ keine Eigenvektoren und Eigenwerte hat.

Beispiel 6.32. Für eine Diagonalmatrix

$$
A = \Delta(\lambda_1, \dots, \lambda_n) := \begin{pmatrix} \lambda_1 & 0 & \cdots & 0 \\ 0 & \ddots & \ddots & \vdots \\ \vdots & \ddots & \ddots & 0 \\ 0 & \cdots & 0 & \lambda_n \end{pmatrix}
$$

beobachten wir

$$\Delta(\lambda_1, \ldots, \lambda_n) \cdot e_k = \begin{pmatrix} 0 \\ \vdots \\ 0 \\ \lambda_k \\ 0 \\ \vdots \\ 0 \end{pmatrix} = \lambda_k \cdot e_k.$$

Somit ist e_k Eigenvektor von $\Delta(\lambda_1, \ldots, \lambda_n)$ zum Eigenwert λ_k für $k \in \{1, \ldots, n\}$.

Beispiel 6.33. Sei $K = \mathbb{R}$ und $V = C^\infty(\mathbb{R}, \mathbb{R})$ der Vektorraum aller unendlich oft differenzierbaren reellen Funktionen. Zu $\lambda \in \mathbb{R}$ setzen wir $v_\lambda(t) := e^{\lambda t}$. Dann ist $v_\lambda \in V$ und $v_\lambda \neq 0$. Der „Ableitungsoperator" $\frac{d}{dt} : V \to V$ ist ein Endomorphismus. Wegen $v'_\lambda(t) = \lambda e^{\lambda t} = \lambda v_\lambda(t)$ für alle $t \in \mathbb{R}$ ist

$$\frac{d}{dt}(v_\lambda) = \lambda v_\lambda.$$

Also ist jedes $\lambda \in \mathbb{R}$ Eigenwert von $\frac{d}{dt}$.

Es kann also passieren, dass ein Endomorphismus überhaupt keine Eigenwerte hat, oder endlich viele oder auch unendlich viele. Das wollen wir nun systematisch untersuchen und beginnen mit folgendem

Satz 6.34. *Sei K ein Körper, V ein K-Vektorraum und $\varphi \in \mathrm{End}(V)$. Sind $v_1, \ldots, v_k$ Eigenvektoren von φ zu paarweise verschiedenen Eigenwerten $\lambda_1, \ldots, \lambda_k \in K$, dann sind $v_1, \ldots, v_k$ linear unabhängig.*

Beweis. Wir führen eine vollständige Induktion nach der Anzahl k durch.
Induktionsanfang: Ist $k = 1$ und damit v_1 Eigenvektor zu λ_1, so ist $v_1 \neq 0$ nach Definition, also linear unabhängig.
Induktionsschritt: Gelte die Aussage wie oben für ein $k \in \mathbb{N}$. Wir zeigen, dass die Aussage dann auch für $k + 1$ gültig ist. Hierzu seien $v_1, \ldots, v_{k+1}$ Eigenvektoren zu paarweise verschiedenen Eigenwerten $\lambda_1, \ldots, \lambda_{k+1}$. Wir überprüfen, dass nun $v_1, \ldots, v_{k+1}$ linear unabhängig sind, also dass aus

$$\alpha_1 v_1 + \ldots + \alpha_{k+1} v_{k+1} = 0 \tag{6.4}$$

dann

$$\alpha_1 = \ldots = \alpha_{k+1} = 0$$

folgt. Es gilt

$$0 = \varphi(0) \overset{(6.4)}{=} \varphi(\alpha_1 v_1 + \ldots \alpha_{k+1} v_{k+1})$$

$$= \alpha_1 \cdot \varphi(v_1) + \ldots + \alpha_{k+1} \cdot \varphi(v_{k+1})$$

$$\overset{(6.2)}{=} \alpha_1 \cdot \lambda_1 v_1 + \ldots + \alpha_{k+1} \cdot \lambda_{k+1} v_{k+1}. \tag{6.5}$$

Ferner erhalten wir aus Gleichung (6.4) durch Multiplikation mit λ_{k+1}, dass

$$\lambda_{k+1} \cdot \alpha_1 v_1 + \ldots + \lambda_{k+1} \cdot \alpha_{k+1} v_{k+1} = \mathbf{0}. \tag{6.6}$$

Nun liefert Subtraktion der Gleichung (6.6) von (6.5)

$$\mathbf{0} = \alpha_1 \cdot (\lambda_1 - \lambda_{k+1}) \cdot v_1 + \ldots + \alpha_k \cdot (\lambda_k - \lambda_{k+1}) \cdot v_k, \tag{6.7}$$

wobei der letzte Summand $\alpha_{k+1} \cdot (\lambda_{k+1} - \lambda_{k+1}) \cdot v_{k+1}$ gerade weggefallen ist.

Da nach Induktionsvoraussetzung $v_1, \ldots, v_k$ linear unabhängig sind, verschwinden in der Linearkombination der Gleichung (6.7) alle Koeffizienten $\alpha_i \cdot (\lambda_i - \lambda_{k+1})$, d.h. es folgt

$$\alpha_1 \cdot \underbrace{(\lambda_1 - \lambda_{k+1})}_{\neq 0} = \ldots = \alpha_k \cdot \underbrace{(\lambda_k - \lambda_{k+1})}_{\neq 0} = 0,$$

also $\alpha_1 = \ldots = \alpha_k = 0$. Setzen wir diese Ergebnisse in (6.4) ein, so verbleibt $\alpha_{k+1} v_{k+1} = \mathbf{0}$, also ist $\alpha_{k+1} = 0$, da der Eigenvektor v_{k+1} nach Definition nicht der Nullvektor ist. $\square$

Da ein Vektorraum nicht mehr linear unabhängige Vektoren enthalten kann als seine Dimension angibt, folgt sofort:

Korollar 6.35. *Sei K ein Körper, V ein K-Vektorraum und $\varphi \in \mathrm{End}(V)$. Hat φ mindestens k paarweise verschiedene Eigenwerte, $k \in \mathbb{N} \cup \{\infty\}$, dann ist*

$$\dim(V) \geq k. \qquad \square$$

Somit kann die Spiegelungsmatrix $S_\theta \in \mathrm{Mat}(2, \mathbb{R})$ neben 1 und -1 keine weiteren Eigenwerte haben.

Da es auf dem reellen Vektorraum $V = C^\infty(\mathbb{R}, \mathbb{R})$ einen Endomorphismus mit unendlich vielen paarweise verschiedenen Eigenwerten gibt (nämlich $\frac{d}{dt}$), muss $\dim(C^\infty(\mathbb{R}, \mathbb{R})) = \infty$ gelten.

Definition 6.36. Sei K ein Körper, V ein K-Vektorraum, $\varphi \in \mathrm{End}(V)$ und $\lambda \in K$. Dann heißt

$$\mathrm{Eig}(\varphi, \lambda) := \{v \in V \mid \varphi(v) = \lambda v\}$$

der **Eigenraum** von φ zum Eigenwert λ.

Analog definiert man für $A \in \mathrm{Mat}(n, K)$ und $\lambda \in K$ den **Eigenraum** von A zum Eigenwert λ durch

$$\mathrm{Eig}(A, \lambda) := \{v \in K^n \mid Av = \lambda v\}.$$

Wir halten folgende Beobachtungen fest:

Proposition 6.37. *Sei K ein Körper, V ein K-Vektorraum, $\lambda, \mu \in K$ und $\varphi \in \mathrm{End}(V)$. Dann gilt:*

(i) $\mathrm{Eig}(\varphi, \lambda) \setminus \{\mathbf{0}\} = \{$*Eigenvektoren von φ zum Eigenwert λ*$\}$.*

(ii) $\mathrm{Eig}(\varphi, \lambda) = \{v \in V \mid \underbrace{(\varphi - \lambda \cdot \mathrm{id}_V)}_{\in \mathrm{End}(V)}(v) = \mathbf{0}\} = \ker(\varphi - \lambda \cdot \mathrm{id}_V).$

(iii) $\mathrm{Eig}(\varphi, \lambda) \subset V$ *ist ein Untervektorraum.*

(iv) Für $\lambda \neq \mu$ ist $\mathrm{Eig}(\varphi, \lambda) \cap \mathrm{Eig}(\varphi, \mu) = \{\mathbf{0}\}$.

Beweis. Aussagen (i) und (ii) sind klar aufgrund der Definition. Aussage (iii) folgt direkt aus (ii), da der Kern einer linearen Abbildung stets ein Untervektorraum ist.

Zu (iv):
Wäre $\mathbf{0} \neq v \in \mathrm{Eig}(\varphi, \lambda) \cap \mathrm{Eig}(\varphi, \mu)$, so müssten v, v wegen Satz 6.34 linear unabhängig sein, was natürlich Unsinn ist. $\qquad\square$

Wenden wir uns zwei konkreten Beispielen zu:

Beispiel 6.38. Wir betrachten die Spiegelungsmatrix $A = S_\theta$ und benutzen die Notationen aus Beispiel 4.47. Da v_θ ein Eigenvektor von A zum Eigenwert 1 ist, muss $\mathrm{Eig}(S_\theta, 1)$ den eindimensionalen Untervektorraum $\mathbb{R} \cdot v_\theta$ enthalten. Der Eigenraum kann nicht 2-dimensional sein, da dann $\mathrm{Eig}(S_\theta, 1) = \mathbb{R}^2$ wäre, aber $w_\theta \in \mathbb{R}^2$ ist nicht Eigenvektor zum Eigenwert 1 (sondern zum Eigenwert -1). Also gilt

$$\mathrm{Eig}(S_\theta, 1) = \mathbb{R} \cdot v_\theta.$$

Analog sehen wir

$$\mathrm{Eig}(S_\theta, -1) = \mathbb{R} \cdot w_\theta.$$

Wegen Korollar 6.35 hat A keine weiteren Eigenwerte. In anderen Worten, für $\lambda \notin \{1, -1\}$, gilt:

$$\mathrm{Eig}(S_\theta, \lambda) = \{\mathbf{0}\}\,.$$

Deuten wir die beiden nichttrivialen Eigenräume einmal geometrisch: Der Eigenraum $\mathrm{Eig}(S_\theta, 1) = \mathbb{R} \cdot v_\theta$ ist die Spiegelungsachse, der Eigenraum $\mathrm{Eig}(S_\theta, -1) = \mathbb{R} \cdot w_\theta$ die dazu senkrechte Ursprungsgerade. Alle Vektoren, die nicht auf einer der beiden Geraden liegen, sind keine Eigenvektoren von A.

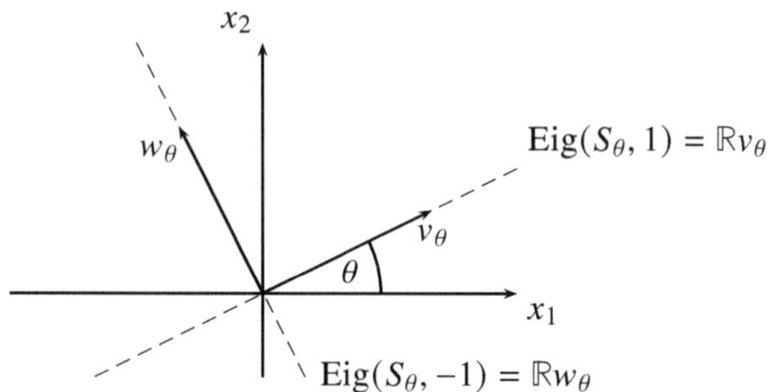

Abb. 103 *Eigenräume von S_θ*

Beispiel 6.39. Die Matrix

$$A = \begin{pmatrix} 1 & 0 & 0 \\ 0 & 1 & 0 \\ 0 & 0 & 3 \end{pmatrix}$$

könnte theoretisch bis zu drei verschiedene Eigenwerte besitzen. Sofort sehen wir, dass $\lambda_1 = 1$ und $\lambda_2 = 3$ Eigenwerte sind. Sollten das schon alle Eigenwerte sein? Wir bekommen

$$\mathrm{Eig}(A, 1) = \ker(A - 1 \cdot \mathbb{1}_3) = \ker \begin{pmatrix} 0 & 0 & 0 \\ 0 & 0 & 0 \\ 0 & 0 & 2 \end{pmatrix} = \{\alpha \cdot e_1 + \beta \cdot e_2 \mid \alpha, \beta \in \mathbb{R}\},$$

also einen 2-dimensionalen Eigenraum. Genauso sehen wir, dass

$$\mathrm{Eig}(A, 3) = \ker(A - 3 \cdot \mathbb{1}_3) = \ker \begin{pmatrix} -2 & 0 & 0 \\ 0 & -2 & 0 \\ 0 & 0 & 0 \end{pmatrix} = \{\alpha \cdot e_3 \mid \alpha \in \mathbb{R}\}.$$

Andere Eigenwerte besitzt A nicht, denn für $\lambda \notin \{1, 3\}$ ist

$$A - \lambda \cdot \mathbb{1}_3 = \begin{pmatrix} 1 - \lambda & 0 & 0 \\ 0 & 1 - \lambda & 0 \\ 0 & 0 & 3 - \lambda \end{pmatrix}$$

eine Diagonalmatrix, deren Diagonaleinträge alle $\neq 0$ sind, also invertierbar. Daher gilt dann

$$\mathrm{Eig}(A, \lambda) = \ker(A - \lambda \cdot \mathbb{1}_3) = \{\mathbf{0}\}.$$

Die Matrix A hat tatsächlich nur die beiden Eigenwerte 1 und 3. Allerdings muss der Eigenwert 1 hier doppelt gezählt werden. Was bedeutet das genau?

> **Definition 6.40.** Sei K ein Körper, V ein K-Vektorraum, $\lambda \in K$ und $\varphi \in \mathrm{End}(V)$. Dann heißt
>
> $$\mu_{\mathrm{geo}}(\lambda) := \dim\left(\mathrm{Eig}(\varphi, \lambda)\right)$$
>
> die **geometrische Vielfachheit** oder **geometrische Multiplizität** des Eigenwerts λ von φ.

In Beispiel 6.39 hat der Eigenwert 1 die geometrische Vielfachheit 2, der Eigenwert 3 dagegen die geometrische Vielfachheit 1. Dieses Beispiel lässt sich leicht folgendermaßen verallgemeinern:

Beispiel 6.41. Sei K ein Körper und sei

$$A = \Delta(\mu_1, \ldots, \mu_n) := \begin{pmatrix} \mu_1 & & \\ & \ddots & \\ & & \mu_n \end{pmatrix}$$

eine Diagonalmatrix mit Diagonaleinträgen $\mu_1, \ldots, \mu_n \in K$. Für beliebiges $\lambda \in K$ ist dann $\Delta(\mu_1, \ldots, \mu_n) - \lambda \cdot \mathbb{1}_n = \Delta(\mu_1 - \lambda, \ldots, \mu_n - \lambda)$ und somit invertierbar genau dann, wenn $\lambda \neq \mu_i$ für alle $i = 1, \ldots, n$. Also sind die Diagonaleinträge $\mu_1, \ldots, \mu_n$ genau die Eigenwerte von $\Delta(\mu_1, \ldots, \mu_n)$.

Was sind die geometrischen Vielfachheiten? Der Eigenraum zu λ, also der Kern von $\Delta(\mu_1 - \lambda, \ldots, \mu_n - \lambda)$ wird aufgespannt durch die Standardbasisvektoren e_i, für die $\mu_i - \lambda = 0$ gilt, d.h. durch die e_i mit $\mu_i = \lambda$. Die geometrische Vielfachheit ist daher genau die Anzahl der Male, in denen λ auf der Diagonale von A vorkommt.

Beispiel 6.42. Greifen wir Beispiel 6.33 nochmals auf. Hier war der Körper $K = \mathbb{R}$, der Vektorraum $V = C^\infty(\mathbb{R}, \mathbb{R})$ und der Endomorphismus $\varphi = \frac{d}{dt}$. Wir hatten schon gesehen, dass jedes $\lambda \in \mathbb{R}$ Eigenwert ist. Was sind die geometrischen Vielfachheiten der λ?

Dazu sind zu gegebenem $\lambda \in \mathbb{R}$ alle Funktionen $v \in C^\infty(\mathbb{R}, \mathbb{R})$ zu bestimmen, die $\varphi(v) = \lambda \cdot v$, d.h.

$$\frac{dv}{dt}(t) = \lambda \cdot v(t) \tag{6.8}$$

für alle $t \in \mathbb{R}$ erfüllen. Eine solche Gleichung nennt man eine Differentialgleichung, da in ihr die unbekannte Funktion v als auch ihre Ableitung auftritt. In der Analysis lernt man, dass die Lösungen von (6.8) alle von der Form $v(t) = c \cdot e^{\lambda t}$ sind. In anderen Worten, $\mathrm{Eig}(\lambda, \frac{d}{dt}) = \mathbb{R} \cdot v_\lambda$. Die geometrischen Vielfachheiten sind somit gleich 1.

Um ein konkretes Verfahren zur Berechnung von Eigenwerten zu finden, machen wir folgende Überlegung. Ist $A \in \mathrm{Mat}(n, K)$, so gilt:

$$\lambda \text{ ist Eigenwert von } A \iff \ker(A - \lambda \cdot \mathbb{1}_n) = \mathrm{Eig}(A, \lambda) \neq \{\mathbf{0}\}$$

$$\iff A - \lambda \cdot \mathbb{1}_n \text{ ist nicht invertierbar}$$

$$\Leftrightarrow \quad \det\left(A - \lambda \cdot \mathbb{1}_n\right) = 0.$$

Definition 6.43. Das Polynom $\chi_A(\lambda) := \det\left(A - \lambda \cdot \mathbb{1}_n\right)$ heißt **charakteristisches Polynom** von A.

Da die Determinante ein Polynom in den Einträgen der Matrix ist (vgl. Satz 4.82), ist das charakteristische Polynom tatsächlich ein Polynom in λ, und zwar vom Grad n.
Die obige Überlegung zeigt:

$$\lambda \text{ ist Eigenwert von } A \Leftrightarrow \tilde{\chi}_A(\lambda) = 0.$$

Um die Eigenwerte von A zu finden, müssen wir also die Nullstellen des charakteristischen Polynoms χ_A berechnen.

Beispiel 6.44. Überprüfen wir unsere Eigenwerte für $A = S_\theta$:

$$
\begin{aligned}
\chi_{S_\theta}(\lambda) &= \det\left(S_\theta - \lambda \cdot \mathbb{1}_n\right) \\
&= \det\left(\begin{pmatrix} \cos(2\theta) & \sin(2\theta) \\ \sin(2\theta) & -\cos(2\theta) \end{pmatrix} - \lambda \cdot \begin{pmatrix} 1 & 0 \\ 0 & 1 \end{pmatrix}\right) \\
&= \det\begin{pmatrix} \cos(2\theta) - \lambda & \sin(2\theta) \\ \sin(2\theta) & -\cos(2\theta) - \lambda \end{pmatrix} \\
&= (\cos(2\theta) - \lambda)(-\cos(2\theta) - \lambda) - \sin^2(2\theta) \\
&= \lambda^2 - \cos^2(2\theta) - \sin^2(2\theta) \\
&= \lambda^2 - 1 \\
&= (\lambda - 1)(\lambda + 1).
\end{aligned}
$$

Tatsächlich sind die Nullstellen von χ_{S_θ} die bekannten Eigenwerte $\lambda_1 = 1$ und $\lambda_2 = -1$.

Beispiel 6.45. Für die Diagonalmatrix $A = \Delta(\mu_1, \ldots, \mu_n)$ bekommen wir

$$
\begin{aligned}
\chi_{\Delta(\mu_1,\ldots,\mu_n)}(\lambda) &= \det\left(\begin{pmatrix} \mu_1 & 0 & \cdots & 0 \\ 0 & \ddots & \ddots & \vdots \\ \vdots & \ddots & \ddots & 0 \\ 0 & \cdots & 0 & \mu_n \end{pmatrix} - \lambda \cdot \begin{pmatrix} 1 & 0 & \cdots & 0 \\ 0 & \ddots & \ddots & \vdots \\ \vdots & \ddots & \ddots & 0 \\ 0 & \cdots & 0 & 1 \end{pmatrix}\right) \\
&= \det\begin{pmatrix} \mu_1 - \lambda & 0 & \cdots & & 0 \\ 0 & \ddots & \ddots & & \vdots \\ \vdots & & \ddots & \ddots & 0 \\ 0 & & \cdots & 0 & \mu_n - \lambda \end{pmatrix}
\end{aligned}
$$

$$= (\mu_1 - \lambda) \cdot \ldots \cdot (\mu_n - \lambda).$$

Also ist $\chi_{\Delta(\mu_1,\ldots,\mu_n)}(\lambda) = 0$ genau dann, wenn $\lambda = \mu_k$ für ein $k \in \{1, \ldots, n\}$ ist. Somit hat $\Delta(\mu_1, \ldots, \mu_n)$ genau die Eigenwerte $\mu_1, \ldots, \mu_n$.

Beispiel 6.46. Greifen wir noch einmal die in Beispiel 6.31 diskutierten Drehungen auf. Für $A = R_\theta$ ist zunächst

$$\begin{aligned}
\chi_{R_\theta}(\lambda) &= \det\left(\begin{pmatrix} \cos(\theta) & -\sin(\theta) \\ \sin(\theta) & \cos(\theta) \end{pmatrix} - \lambda \cdot \begin{pmatrix} 1 & 0 \\ 0 & 1 \end{pmatrix}\right) \\
&= \det\begin{pmatrix} \cos(\theta) - \lambda & -\sin(\theta) \\ \sin(\theta) & \cos(\theta) - \lambda \end{pmatrix} \\
&= (\cos(\theta) - \lambda)^2 + \sin^2(\theta) \\
&= \lambda^2 - 2\cos(\theta) \cdot \lambda + \cos^2(\theta) + \sin^2(\theta) \\
&= \lambda^2 - 2\cos(\theta) \cdot \lambda + 1.
\end{aligned}$$

Die Nullstellen von $\tilde{\chi}_{R_\theta}$ sind gegeben durch

$$\lambda_{1,2} = \cos(\theta) \pm \sqrt{\cos^2(\theta) - 1} = \cos(\theta) \pm \sqrt{-\sin^2(\theta)} = \cos(\theta) \pm i \cdot \sin(\theta).$$

Ist nun θ kein ganzzahliges Vielfaches von π, so ist der Ausdruck $\sin(\theta) \neq 0$ und somit sind λ_1 und λ_2 nicht reell. Drehmatrizen haben dann also keine reellen (wohl aber komplexe) Eigenwerte und Eigenvektoren.

Falls dagegen θ ein ganzzahliges Vielfaches von π ist, so ist $R_\theta = \pm\mathbb{1}_2$ und R_θ hat den Eigenwert ± 1 mit geometrischer Vielfachheit 2.

Berechnen Sie nun hier Beispiele von charakteristischen Polynomen so lange bis Sie es sicher beherrschen: `https://ueben.cbaer.eu/02.html`

Bemerkung 6.47. Es ist wichtig festzuhalten, dass das charakteristische Polynom einer Matrix ein *Polynom* definiert, nicht nur eine *Polynomfunktion*. Sei nämlich $A \in \mathrm{Mat}(n, K)$ und x ein abstraktes Symbol. Dann berechnet man $\chi_A(x) = \det(A - x \cdot \mathbb{1}_n)$ z.B. mittels der Formel aus Satz 4.82 und sortiert nach Potenzen von x.

Damit sind dann die algebraischen Vielfachheiten der Eigenwerte auch über beliebigen Körpern definiert, nicht nur über $K = \mathbb{C}$, nämlich als Nullstellenvielfachheiten des charakteristischen Polynoms.

Beispiel 6.48. Betrachten wir den Körper $K = \mathbb{F}_2$ und die beiden Matrizen $A, B \in \mathrm{Mat}(3, \mathbb{F}_2)$, gegeben durch

$$A = \begin{pmatrix} 1 & 0 & 0 \\ 0 & 1 & 0 \\ 0 & 0 & 0 \end{pmatrix} \quad \text{und} \quad B = \begin{pmatrix} 1 & 0 & 0 \\ 0 & 0 & 0 \\ 0 & 0 & 0 \end{pmatrix}.$$

Die charakteristischen Polynome ergeben sich zu

$$\chi_A(x) = \det\begin{pmatrix} 1-x & 0 & 0 \\ 0 & 1-x & 0 \\ 0 & 0 & -x \end{pmatrix} = (1-x)^2(-x) = x^3 + x,$$

$$\chi_B(x) = \det\begin{pmatrix} 1-x & 0 & 0 \\ 0 & -x & 0 \\ 0 & 0 & -x \end{pmatrix} = (1-x)(-x)^2 = x^3 + x^2.$$

Die charakteristischen *Polynome* von A und B sind also verschieden, obwohl die zugehörigen *Polynomfunktionen* übereinstimmen,

$$\chi_A \neq \chi_B, \quad \text{aber} \quad \tilde{\chi}_A = \tilde{\chi}_B = 0.$$

Bemerkung 6.49. Nach dem Fundamentalsatz 2.117 der Algebra besitzt jedes komplexe Polynom vom Grad ≥ 1 Nullstellen und damit jede komplexe Matrix $A \in \mathrm{Mat}(n, \mathbb{C})$ Eigenwerte. Wie die Drehmatrizen zeigen, gilt dies nicht für reelle Matrizen, es sei denn, wir fassen sie als komplexe Matrizen auf (schließlich gilt ja $\mathbb{R} \subset \mathbb{C}$) und erlauben den Eigenwerten komplex zu sein.
Die Wahl des Körpers K spielt also eine wichtige Rolle für Eigenwertprobleme.

Hier können Sie die Eigenwerte von Beispielmatrizen zur Übung berechnen: 
`https://ueben.cbaer.eu/05.html`

Bemerkung 6.50. Die Transponierte einer Matrix A hat dasselbe charakteristische Polynom wie A selbst, denn

$$\chi_{A^\top}(\lambda) = \det(A^\top - \lambda\mathbb{1}) = \det((A - \lambda\mathbb{1})^\top) = \det(A - \lambda\mathbb{1}) = \chi_A(\lambda).$$

Damit haben A und $A^\top$ auch dieselben Eigenwerte.

Bemerkung 6.51. Aus Aufgabe 6.10 folgt, dass ähnliche Matrizen dasselbe charakteristische Polynom und damit dieselben Eigenwerte haben müssen, denn ähnliche Matrizen stellen denselben Endomorphismus bzgl. verschiedener Basen dar. Wir können dies aber auch noch einmal direkt nachrechnen:
Seien $A, B \in \mathrm{Mat}(n, K)$ ähnlich, d.h. es gibt ein $T \in \mathrm{GL}(n, K)$, so dass

$$B = T \cdot A \cdot T^{-1}.$$

Dann gilt für alle $\lambda \in K$:

$$\chi_B(\lambda) = \det(B - \lambda \cdot \mathbb{1}_n)$$

$$= \det(TAT^{-1} - \lambda \cdot T\mathbb{1}_n T^{-1})$$
$$= \det(T(A - \lambda \cdot \mathbb{1}_n)T^{-1})$$
$$= \det(T) \cdot \chi_A(\lambda) \cdot \det(T^{-1})$$
$$= \chi_A(\lambda).$$

6.3. Direkte Summe von Untervektorräumen

Wir erinnern uns an die Summe von Untervektorräumen, siehe Definition 3.90. Ist V ein K-Vektorraum und sind $W_1, \ldots, W_k \subset V$ Untervektorräume, dann ist $W_1 + \ldots + W_k \subset V$ der Untervektorraum von V, der aus allen Elementen von V besteht, die sich als Summe von Elementen der W_j schreiben lassen,

$$W_1 + \ldots + W_k = \{v \in V \mid \exists w_j \in W_j : v = w_1 + \ldots + w_k\}.$$

Lemma 6.52. *Sei V ein K-Vektorraum und seien $W_1, \ldots, W_k \subset V$ Untervektorräume. Dann sind äquivalent:*

(1) Sind $w_j \in W_j$ so, dass $w_1 + \ldots + w_k = 0$, dann gilt $w_j = 0$ für alle $j = 1, \ldots, k$.

(2) Jedes Element aus $W_1 + \ldots + W_k$ lässt sich auf eindeutige Weise als Summe von Elementen der W_j schreiben,

$$W_1 + \ldots + W_k = \{v \in V \mid \exists! w_j \in W_j : v = w_1 + \ldots + w_k\}.$$

Beweis. Zu „(1)$\Rightarrow$(2)“:
Ist $v = w_1 + \ldots + w_k = w_1' + \ldots + w_k'$, dann ist

$$\underbrace{(w_1 - w_1')}_{\in W_1} + \ldots + \underbrace{(w_k - w_k')}_{\in W_k} = 0.$$

Aus (1) folgt nun $w_j - w_j' = 0$, d.h. $w_j = w_j'$.

Zu „(2)$\Rightarrow$(1)“:
Sei $w_1 + \ldots + w_k = 0$ mit $w_j \in W_j$. Da $0 + \ldots + 0 = 0$ ebenfalls eine Darstellung von 0 als Summe von Elementen der W_j ist, folgt aus der Eindeutigkeit $w_j = 0$ für alle j. $\qquad \square$

Definition 6.53. Gelten die Bedingungen (1) und (2) aus Lemma 6.52, dann nennt man den Untervektorraum $W_1 + \ldots + W_k \subset V$ die **direkte Summe** von $W_1, \ldots, W_k$.

In diesem Fall schreibt man statt $W_1 + \ldots + W_k$ meist

$$W_1 \oplus \ldots \oplus W_k.$$

Lemma 6.54. *Sei V ein K-Vektorraum und seien $W_1, \ldots, W_k \subset V$ nichttriviale Untervektorräume, d.h. alle $W_j \neq \{0\}$. Dann sind äquivalent:*

(1) Die Summe $W_1 + \ldots + W_k$ ist direkt.

(2) Sind $w_j \in W_j \setminus \{0\}$, so sind die Vektoren $w_1, \ldots, w_k$ linear unabhängig.

Beweis. Zu „(1)$\Rightarrow$(2)":
Seien $w_j \in W_j \setminus \{0\}$ und sei $\alpha_1 w_1 + \ldots + \alpha_k w_k = 0$ mit $\alpha_j \in K$. Wegen Charakterisierung (1) aus Lemma 6.52 ist dann $\alpha_j w_j = 0$ für jedes j. Wegen $w_j \neq 0$ folgt $\alpha_j = 0$ und damit die lineare Unabhängigkeit.

Zu „(2)$\Rightarrow$(1)":
Wir zeigen Charakterisierung (1) aus Lemma 6.52. Seien $w_j \in W_j$ mit $w_1 + \ldots + w_k = 0$. Falls $w_j \neq 0$, so setzen wir $w_j' := w_j$ und $\alpha_j := 1$. Falls $w_j = 0$, so wählen wir ein $w_j' \in W_j \setminus \{0\}$ (dies ist möglich, da $W_j \neq \{0\}$) und setzen $\alpha_j := 0$. In jedem Fall gilt $w_j = \alpha_j w_j'$. Da alle $w_j' \neq 0$ sind, sind die Vektoren $w_1', \ldots, w_k'$ nach Annahme linear unabhängig. Aus

$$\alpha_1 w_1' + \ldots + \alpha_k w_k' = w_1 + \ldots + w_k = 0$$

folgt $\alpha_1 = \ldots = \alpha_k = 0$. Also gilt $w_1 = \ldots = w_k = 0$. $\qquad\square$

Beispiel 6.55. Sei $\varphi \in \mathrm{End}(V)$ ein Endomorphismus und seien $\lambda_1, \ldots, \lambda_k$ paarweise verschiedene Eigenwerte von φ. Nach Satz 6.34 sind Eigenvektoren zu verschiedenen Eigenwerten linear unabhängig. Also ist die Summe

$$\mathrm{Eig}(\varphi, \lambda_1) + \ldots + \mathrm{Eig}(\varphi, \lambda_k) \subset V$$

nach Lemma 6.54 direkt. Wir können also für die Summe

$$\mathrm{Eig}(\varphi, \lambda_1) \oplus \ldots \oplus \mathrm{Eig}(\varphi, \lambda_k) \subset V$$

schreiben.

> **Lemma 6.56.** *Seien $W_1, \ldots, W_k$ Untervektorräume von V, so dass die Summe $W_1 + \ldots + W_k$ direkt ist. Dann setzen sich Basen der W_j zu einer Basis von $W_1 \oplus \ldots \oplus W_k$ zusammen. Insbesondere gilt*
>
> $$\dim(W_1 \oplus \ldots \oplus W_k) = \dim(W_1) + \ldots + \dim(W_k).$$

Beweis. Zur Abkürzung setzen wir $n_j := \dim(W_j)$. Sei $(b_{1,1}, \ldots, b_{1,n_1})$ eine geordnete Basis von W_1, usw. $(b_{k,1}, \ldots, b_{k,n_k})$ eine geordnete Basis von W_k. Wir haben zu zeigen, dass $B := (b_{1,1}, \ldots, b_{1,n_1}, \ldots, b_{k,1}, \ldots, b_{k,n_k})$ eine geordnete Basis der Summe ist.

Zur *Erzeugendeneigenschaft*: Jedes Element der W_j lässt sich aus den Basisvektoren $b_{j,1}, \ldots, b_{j,n_j}$ linearkombinieren und jedes Element der Summe lässt sich aus Elementen der W_j linearkombinieren. Daher lässt sich jedes Element der Summe aus den Vektoren von B linearkombinieren. Dieser Teil hat nicht benötigt, dass die Summe direkt ist.

Zur *linearen Unabhängigkeit*: Sei

$$\sum_{j=1}^{k} \sum_{i=1}^{n_j} \alpha_{j,i} \cdot b_{j,i} = 0.$$

Wir müssen zeigen, dass die Koeffizienten $\alpha_{j,i}$ alle $= 0$ sind.
Da die Summe direkt ist, folgt

$$\sum_{i=1}^{n_j} \alpha_{j,i} \cdot b_{j,i} = 0$$

für alle $j = 1, \ldots, k$. Da $(b_{j,1}, \ldots, b_{j,n_j})$ eine Basis von W_j und damit linear unabhängig ist, folgt $\alpha_{j,i} = 0$ für alle i und alle j. $\qquad\square$

6.4. Diagonalisierbarkeit

Diagonalmatrizen sind besonders angenehm für Berechnungen. Alle zugeordneten Größen wie die Determinante, das charakteristische Polynom, die Eigenwerte und die inverse Matrix (falls sie exisiert) lassen sich sofort angeben. Für einen gegebenen Endomorphismus wäre es daher sehr günstig, eine Basis aus Eigenvektoren zu finden und den Endomorphismus dann in dieser Basis durch eine Diagonalmatrix darzustellen. Wann ist das möglich?

> **Satz 6.57.** *Sei V ein n-dimensionaler K-Vektorraum und $\varphi \in \text{End}(V)$. Sei $B = (b_1, \ldots, b_n)$ eine geordnete Basis von V. Dann sind äquivalent:*
>
> *(1) Die Basisvektoren sind Eigenvektoren von φ zu den Eigenwerten $\mu_1, \ldots, \mu_n$.*

> *(2) Die darstellende Matrix von φ bzgl. B ist die Diagonalmatrix*
>
> $$M_B(\varphi) = \Delta(\mu_1, \ldots, \mu_n).$$

Beweis. Die Aussage ist klar aufgrund der Definitionen, denn dass die darstellende Matrix $M_B(\varphi) = \Delta(\mu_1, \ldots, \mu_n)$ ist, heißt ja nichts anderes als $\varphi(b_j) = \mu_j b_j$. $\square$

Als direkte Folgerung erhalten wir:

> **Korollar 6.58.** *Sei $A \in \mathrm{Mat}(n, K)$. Dann sind äquivalent:*
>
> *(1) A ist ähnlich zu einer Diagonalmatrix.*
>
> *(2) Es gibt eine Basis von K^n bestehend aus Eigenvektoren von A.* $\square$

> **Definition 6.59.** Sei V ein K-Vektorraum, $\varphi \in \mathrm{End}(V)$ und $A \in \mathrm{Mat}(n, K)$. Falls eine Basis von V bzw. K^n aus Eigenvektoren von φ bzw. A existiert, dann heißt φ bzw. A **diagonalisierbar**.

Nehmen wir an, eine Matrix $A \in \mathrm{Mat}(n, K)$ ist diagonalisierbar, d.h. ähnlich zu einer Diagonalmatrix $\Delta(\mu_1, \ldots, \mu_n)$. Da ähnliche Matrizen dieselben Eigenwerte haben, müssen die Diagonalterme $\mu_1, \ldots, \mu_n$ der Diagonalmatrix genau die Eigenwerte von A sein, wobei jeder Eigenwert so oft vorkommt, wie die geometrische Vielfachheit angibt.
Wie finden wir nun die Transformationsmatrix $T \in \mathrm{GL}(n, K)$, für die dann

$$TAT^{-1} = \Delta(\mu_1, \ldots, \mu_n)$$

gilt? Nun, sei $v_j = T^{-1} e_j$ der j-te Spaltenvektor von T^{-1}. Dann berechnen wir:

$$\begin{aligned}
Av_j &= T^{-1} \Delta(\mu_1, \ldots, \mu_n) T v_j \\
&= T^{-1} \Delta(\mu_1, \ldots, \mu_n) e_j \\
&= T^{-1} \mu_j e_j \\
&= \mu_j T^{-1} e_j \\
&= \mu_j v_j.
\end{aligned}$$

Wir sehen, dass die Spaltenvektoren von T^{-1} genau die Eigenvektoren von A sind. Zusammengefasst haben wir gesehen: Ist $\{v_1, \ldots, v_n\}$ eine Basis aus Eigenvevektoren von A, $Av_j = \mu_j v_j$, dann wird A durch

$$(v_1, \ldots, v_n)^{-1} \cdot A \cdot (v_1, \ldots, v_n) = \Delta(\mu_1, \ldots, \mu_n)$$

diagonalisiert.

Die Frage ist also, wie wir zu einer Basis aus Eigenvektoren kommen.

Satz 6.60. *Sei V ein n-dimensionaler K-Vektorraum und $\varphi \in \mathrm{End}(V)$. Seien $\lambda_1, \ldots, \lambda_k$ die paarweise verschiedenen Eigenwerte von φ. Dann gilt*

$$\mu_{\mathrm{geo}}(\lambda_1) + \ldots + \mu_{\mathrm{geo}}(\lambda_k) \leq n. \tag{6.9}$$

Der Endomorphismus φ ist genau dann diagonalisierbar, wenn

$$\mu_{\mathrm{geo}}(\lambda_1) + \ldots + \mu_{\mathrm{geo}}(\lambda_k) = n. \tag{6.10}$$

Beweis. a) Lemma 6.56 angewandt auf $\mathrm{Eig}(\varphi, \lambda_1) \oplus \cdots \oplus \mathrm{Eig}(\varphi, \lambda_k) \subset V$ liefert

$$\begin{aligned}
\mu_{\mathrm{geo}}(\lambda_1) + \ldots + \mu_{\mathrm{geo}}(\lambda_k) &= \dim(\mathrm{Eig}(\varphi, \lambda_1)) + \ldots + \dim(\mathrm{Eig}(\varphi, \lambda_k)) \\
&= \dim(\mathrm{Eig}(\varphi, \lambda_1) \oplus \cdots \oplus \mathrm{Eig}(\varphi, \lambda_k)) \\
&\leq \dim(V) = n.
\end{aligned}$$

b) Gleichheit in dieser Ungleichung ist äquivalent zu $\mathrm{Eig}(\varphi, \lambda_1) \oplus \cdots \oplus \mathrm{Eig}(\varphi, \lambda_k) = V$. Nach Lemma 6.56 setzen sich Basen der Eigenräume dann zu einer Basis von V zusammen. Dies liefert eine Basis von V aus Eigenvektoren, also ist φ diagonalisierbar.

Ist umgekehrt φ diagonalisierbar, dann gibt es eine Basis von V aus Eigenvektoren und somit gilt $\mathrm{Eig}(\varphi, \lambda_1) \oplus \cdots \oplus \mathrm{Eig}(\varphi, \lambda_k) = V$ und damit auch (6.10). $\qquad\square$

Nun wissen wir, wie wir einen Endomorphismus oder eine Matrix diagonalisieren, sofern er denn diagonalisierbar ist. Die Prozedur ist wie folgt:

1. Berechne das charakteristische Polynom.

2. Berechne die Nullstellen des charakteristischen Polynoms, also die Eigenwerte.

3. Bestimme zu jedem Eigenwert eine Basis des zugehörigen Eigenraums.

4. Im diagonalisierbaren Fall setzen sich diese Basen zu einer Basis des gesamten Vektorraums zusammen.

Der erste Schritt ist im Wesentlichen die Berechnung einer Determinante. Das kann in hohen Dimensionen mühsam sein, ist im Prinzip aber immer machbar.

Der zweite Schritt kann schon problematisch werden. Im Fall $K = \mathbb{C}$ haben wir Formeln kennengelernt, die bis zum Grad 3 die Nullstellenberechnung erlauben. In hohen Dimensionen kann die explizite Nullstellenberechnung scheitern.

Die Eigenraumbestimmung zum Eigenwert μ_j ist die Berechnung des Kerns von $\varphi - \mu_j \cdot \mathrm{id}$. Das läuft auf das Lösen eines linearen Gleichungssystems hinaus. Das können wir mittlerweile gut.

Doch nun zu Beispielen:

Beispiel 6.61. Für $K = \mathbb{R}$ und $A = S_\theta$ gilt wegen Lemma 5.24 $R_\theta S_0 R_{-\theta} = S_\theta$. Umstellen nach der Spiegelung S_0 an der e_1-Achse liefert dann

$$\Delta(1, -1) = \begin{pmatrix} 1 & 0 \\ 0 & -1 \end{pmatrix} = S_0 = R_{-\theta} S_\theta R_{-\theta}^{-1},$$

d.h. S_θ ist diagonalisierbar mit der Transformationsmatrix $T = R_{-\theta}$.

Beispiel 6.62. Für reelle Drehmatrizen R_θ wissen wir, dass diese keine reellen Eigenwerte bzw. Eigenvektoren besitzen (jedenfalls wenn $\theta \notin \mathbb{Z} \cdot \pi$). Somit ist R_θ auch nicht (reell) diagonalisierbar.
Die Situation ändert sich jedoch, wenn wir R_θ als komplexe Matrix betrachten, also $K = \mathbb{C}$ nehmen. Aufgrund des Fundamentalsatzes der Algebra muss R_θ Eigenwerte haben. In der Tat, in Beispiel 6.46 haben wir die Eigenwerte berechnet und

$$\mu_{1,2} = \cos(\theta) \pm i \cdot \sin(\theta)$$

erhalten. Da wir zwei verschiedene Eigenwerte erhalten und jeder geometrische Vielfachheit wenigstens 1 haben muss, addieren sich die geometrischen Vielfachheiten zu 2 auf. Gemäß Satz 6.60 ist R_θ (komplex) diagonalisierbar.
Bestimmen wir eine Basis aus Eigenvektoren: Für den Eigenwert $\mu_1 = \cos(\theta) + i \cdot \sin(\theta)$ ist

$$\mathrm{Eig}(R_\theta, \mu_1) = \ker(R_\theta - \mu_1 \mathbb{1}_2) = \ker \begin{pmatrix} -i\sin(\theta) & -\sin(\theta) \\ \sin(\theta) & -i\sin(\theta) \end{pmatrix} = \mathbb{C} \cdot \begin{pmatrix} 1 \\ -i \end{pmatrix}$$

und für $\mu_2 = \cos(\theta) - i \cdot \sin(\theta)$ ist

$$\mathrm{Eig}(R_\theta, \mu_2) = \ker(R_\theta - \mu_2 \mathbb{1}_2) = \ker \begin{pmatrix} i\sin(\theta) & -\sin(\theta) \\ \sin(\theta) & i\sin(\theta) \end{pmatrix} = \mathbb{C} \cdot \begin{pmatrix} 1 \\ i \end{pmatrix}.$$

Wir haben eine Basis von $\mathbb{C}^2$ aus Eigenvektoren von R_θ gefunden, nämlich

$$\left\{ \begin{pmatrix} 1 \\ -i \end{pmatrix}, \begin{pmatrix} 1 \\ i \end{pmatrix} \right\}.$$

Für die Transformationsmatrix T gilt somit

$$T^{-1} = \begin{pmatrix} 1 & 1 \\ -i & i \end{pmatrix}.$$

Glücklicherweise sind 2×2-Matrizen leicht zu invertieren und wir berechnen sofort

$$T = \frac{1}{2} \begin{pmatrix} 1 & i \\ 1 & -i \end{pmatrix}.$$

Wir können nun noch die Probe machen und direkt nachrechnen, dass

$$TR_\theta T^{-1} = \frac{1}{2}\begin{pmatrix} 1 & i \\ 1 & -i \end{pmatrix}\begin{pmatrix} \cos(\theta) & -\sin(\theta) \\ \sin(\theta) & \cos(\theta) \end{pmatrix}\begin{pmatrix} 1 & 1 \\ -i & i \end{pmatrix} = \begin{pmatrix} \cos(\theta) + i\sin(\theta) & 0 \\ 0 & \cos(\theta) - i\sin(\theta) \end{pmatrix}$$

gilt.

Hier können und sollten Sie das Diagonalisieren von Matrizen nun selbst üben: `https://ueben.cbaer.eu/04.html`

Komplexe Matrizen haben zwar immer Eigenwerte, sind deshalb aber noch lange nicht immer diagonalisierbar wie folgendes Beispiel zeigt:

Beispiel 6.63. Die Matrix

$$A = \begin{pmatrix} 1 & 1 \\ 0 & 1 \end{pmatrix}$$

hat das charakteristische Polynom

$$\chi_A(\lambda) = \det\begin{pmatrix} 1-\lambda & 1 \\ 0 & 1-\lambda \end{pmatrix} = (1-\lambda)^2$$

und damit nur den Eigenwert $\mu = 1$ (auch keine weiteren komplexen Eigenwerte). Da die Matrix

$$A - 1 \cdot \mathbb{1}_2 = \begin{pmatrix} 0 & 1 \\ 0 & 0 \end{pmatrix}$$

den Rang 1 hat, ist der Kern eindimensional. In anderen Worten, es gilt $\mu_{\text{geo}}(1) = 1$. Nach Satz 6.60 ist A nicht diagonalisierbar, auch nicht wenn wir sie als komplexe Matrix auffassen.

Die folgende Matrix sieht auf den ersten Blick ganz ähnlich ist, verhält sich aber ganz anders:

Beispiel 6.64. Für $A = \begin{pmatrix} 1 & 1 \\ 1 & 0 \end{pmatrix} \in \text{Mat}(2, \mathbb{R})$ ermitteln wir zunächst die Eigenwerte als Nullstellen des charakteristischen Polynoms:

$$\chi_A(\lambda) = \det(A - \lambda \cdot \mathbb{1}_n)$$

$$= \det\left(\begin{pmatrix} 1 & 1 \\ 1 & 0 \end{pmatrix} - \lambda \cdot \begin{pmatrix} 1 & 0 \\ 0 & 1 \end{pmatrix}\right)$$

$$= \det\begin{pmatrix} 1-\lambda & 1 \\ 1 & 0-\lambda \end{pmatrix}$$

$$= (1 - \lambda) \cdot (-\lambda) - 1$$
$$= \lambda^2 - \lambda - 1.$$

Die Eigenwerte von A sind also gegeben durch

$$\lambda_{1,2} = \frac{1}{2} \pm \sqrt{\frac{1}{4} + 1},$$

d.h.

$$\lambda_1 = \frac{1 + \sqrt{5}}{2} \qquad \text{und} \qquad \lambda_2 = \frac{1 - \sqrt{5}}{2}.$$

Die Zahl $\frac{1+\sqrt{5}}{2} \approx 1,618$ heißt **goldener Schnitt**. Da A eine 2×2-Matrix ist und genau 2 verschiedene Eigenwerte hat, ist A diagonalisierbar. Die geometrischen Vielfachheiten sind $\dim\left(\mathrm{Eig}(A, \lambda_1)\right) = \dim\left(\mathrm{Eig}(A, \lambda_2)\right) = 1$. Ist nun $x \in \mathrm{Eig}(A, \lambda_1)$, so gilt

$$\begin{pmatrix} 0 \\ 0 \end{pmatrix} = (A - \lambda_1 \cdot \mathbb{1}_2) \cdot x = \begin{pmatrix} 1 - \lambda_1 & 1 \\ 1 & -\lambda_1 \end{pmatrix} \cdot \begin{pmatrix} x_1 \\ x_2 \end{pmatrix} = \begin{pmatrix} (1 - \lambda_1)x_1 + x_2 \\ x_1 - \lambda_1 x_2 \end{pmatrix},$$

womit wir insbesondere $x_1 - \lambda_1 x_2 = 0$ erhalten, d.h. $x_1 = \lambda_1 x_2$. Also ist x von der Gestalt

$$x = \begin{pmatrix} \lambda_1 x_2 \\ x_2 \end{pmatrix} = x_2 \cdot \begin{pmatrix} \lambda_1 \\ 1 \end{pmatrix}$$

und damit muss der zu λ_1 gehörige Eigenraum

$$\mathrm{Eig}(A, \lambda_1) \subset \left\{ x_2 \cdot \begin{pmatrix} \lambda_1 \\ 1 \end{pmatrix} \mid x_2 \in \mathbb{R} \right\}$$

erfüllen. Wegen $\dim\left(\mathrm{Eig}(A, \lambda_1)\right) = 1 = \dim\left\{ t \cdot \begin{pmatrix} \lambda_1 \\ 1 \end{pmatrix} \mid t \in \mathbb{R} \right\}$ folgt

$$\mathrm{Eig}(A, \lambda_1) = \left\{ t \cdot \begin{pmatrix} \lambda_1 \\ 1 \end{pmatrix} \mid t \in \mathbb{R} \right\}.$$

Analog bekommen wir

$$\mathrm{Eig}(A, \lambda_2) = \left\{ t \cdot \begin{pmatrix} \lambda_2 \\ 1 \end{pmatrix} \mid t \in \mathbb{R} \right\}.$$

Damit bilden $\begin{pmatrix} \lambda_1 \\ 1 \end{pmatrix}$ und $\begin{pmatrix} \lambda_2 \\ 1 \end{pmatrix}$ eine Basis von $\mathbb{R}^2$ aus Eigenvektoren. Wir setzen

$$T^{-1} = \begin{pmatrix} \lambda_1 & \lambda_2 \\ 1 & 1 \end{pmatrix}$$

und ermitteln

$$T = \frac{1}{\lambda_1 - \lambda_2} \begin{pmatrix} 1 & -\lambda_2 \\ -1 & \lambda_1 \end{pmatrix} = \frac{1}{\frac{1+\sqrt{5}}{2} - \frac{1-\sqrt{5}}{2}} \begin{pmatrix} 1 & -\lambda_2 \\ -1 & \lambda_1 \end{pmatrix} = \frac{1}{\sqrt{5}} \begin{pmatrix} 1 & -\lambda_2 \\ -1 & \lambda_1 \end{pmatrix}.$$

Bemerkung 6.65 (Potenzieren diagonalisierbarer Matrizen). Welche Dienste kann uns die Diagonalisierung einer Matrix A erweisen? Man kann damit z.B. effizient hohe Matrixpotenzen A^k berechnen. Dazu schreiben wir

$$A = T^{-1} \cdot \Delta \cdot T,$$

wobei $\Delta = \Delta(\lambda_1, \ldots, \lambda_n)$ ist, mit den Eigenwerten λ_k von A. Dann ist

$$A^k = \underbrace{\left(T^{-1}\Delta T\right) \cdot \left(T^{-1}\Delta T\right) \cdot \ldots \cdot \left(T^{-1}\Delta T\right) \cdot \left(T^{-1}\Delta T\right)}_{k \text{ Faktoren}}$$

$$= T^{-1}\Delta T \cdot \underbrace{T^{-1}\Delta T}_{=\mathbb{1}_n} \cdot \ldots \cdot T^{-1}\Delta T \cdot \underbrace{T^{-1}}_{=\mathbb{1}_n}\Delta T$$

$$= T^{-1} \cdot \Delta^k \cdot T$$

$$= T^{-1} \cdot (\Delta(\lambda_1, \ldots, \lambda_n))^k \cdot T$$

$$= T^{-1} \cdot \Delta(\lambda_1^k, \ldots, \lambda_n^k) \cdot T.$$

Beispiel 6.66. Im Beispiel 6.64 fanden wir für $A = \begin{pmatrix} 1 & 1 \\ 1 & 0 \end{pmatrix} = T^{-1} \cdot \Delta \cdot T$ die Matrizen

$$T = \frac{1}{\sqrt{5}} \begin{pmatrix} 1 & -\lambda_2 \\ -1 & \lambda_1 \end{pmatrix}, \qquad T^{-1} = \begin{pmatrix} \lambda_1 & \lambda_2 \\ 1 & 1 \end{pmatrix}, \qquad \Delta = \begin{pmatrix} \lambda_1 & 0 \\ 0 & \lambda_2 \end{pmatrix}.$$

Demnach gilt

$$A^k = T^{-1} \cdot \Delta^k \cdot T$$

$$= \begin{pmatrix} \lambda_1 & \lambda_2 \\ 1 & 1 \end{pmatrix} \cdot \begin{pmatrix} \lambda_1 & 0 \\ 0 & \lambda_2 \end{pmatrix}^k \cdot \frac{1}{\sqrt{5}} \begin{pmatrix} 1 & -\lambda_2 \\ -1 & \lambda_1 \end{pmatrix}$$

$$= \frac{1}{\sqrt{5}} \begin{pmatrix} \lambda_1 & \lambda_2 \\ 1 & 1 \end{pmatrix} \begin{pmatrix} \lambda_1^k & 0 \\ 0 & \lambda_2^k \end{pmatrix} \begin{pmatrix} 1 & -\lambda_2 \\ -1 & \lambda_1 \end{pmatrix}$$

$$= \frac{1}{\sqrt{5}} \begin{pmatrix} \lambda_1 & \lambda_2 \\ 1 & 1 \end{pmatrix} \begin{pmatrix} \lambda_1^k & -\lambda_1^k \lambda_2 \\ -\lambda_2^k & \lambda_1 \lambda_2^k \end{pmatrix}$$

$$= \frac{1}{\sqrt{5}} \begin{pmatrix} \lambda_1^{k+1} - \lambda_2^{k+1} & -\lambda_1^{k+1}\lambda_2 + \lambda_1\lambda_2^{k+1} \\ \lambda_1^k - \lambda_2^k & \lambda_1\lambda_2^k - \lambda_1^k\lambda_2 \end{pmatrix}.$$

In diesem Zusammenhang gibt es ein berühmtes Kaninchen-Populationsmodell, das auf Leonardo da Pisa zurückgeht, bekannter unter dem Namen Fibonacci, einem der berühmtesten Mathematiker des Mittelalters. In seinem Modell gelten folgende Regeln:

○ Im ersten Monat gibt es genau ein Paar geschlechtsreifer Kaninchen.

- Jedes geschlechtsreife Paar wirft pro Monat ein weiteres Paar.

- Jedes neugeborene Paar wird zwei Monate später geschlechtsreif.

- Es gibt keine Todesfälle.

Die Mathematisierung dieser Regeln liefert die **Fibonacci-Zahlen** f_k, d.h. die Anzahl der geschlechtsreifen Paare im k-ten Monat, z.B. $f_1 = 1$, $f_2 = 1$, $f_3 = 2$, $f_4 = 3, \ldots, f_{24} = 46.368$, $\ldots, f_{60} = 1.548.008.755.920, \ldots$ Das rekursive Bildungsgesetz lautet

$$f_{k+2} = f_{k+1} + f_k,$$

denn im $(k + 2)$-ten Monat kommen zu den bereits im Vormonat vorhandenen geschlechtsreifen Paaren (f_{k+1} viele) noch die neu geschlechtsreif gewordenen hinzu. Dies sind gerade so viele, wie zwei Monate vorher geschlechtsreif waren (f_k viele). Die so definierte Folge heißt dann **Fibonacci-Folge**. Um nun jedoch etwa die 24-te Fibonacci-Zahl f_{24} zu erhalten, rechnen wir eine ganze Weile.
Wir leiten jetzt eine geschlossene Formel für die rekursiv definierten Fibonacci-Zahlen her. Dabei ist die Matrixpotenz aus Beispiel 6.66 außerordentlich praktisch.
Sei $(f_k)_k$ die Fibonacci-Folge mit $f_0 = 0$ und $f_1 = f_2 = 1$ sowie $f_{k+2} = f_{k+1} + f_k$.

Abb. 104 *Kaninchen*

Wir definieren die Vektoren $w_k := \begin{pmatrix} f_{k+1} \\ f_k \end{pmatrix} \in \mathbb{R}^2$ an und finden durch Einsetzen

$$w_0 = \begin{pmatrix} f_1 \\ f_0 \end{pmatrix} = \begin{pmatrix} 1 \\ 0 \end{pmatrix} = e_1$$

sowie

$$w_{k+1} = \begin{pmatrix} f_{k+2} \\ f_{k+1} \end{pmatrix} = \begin{pmatrix} f_k + f_{k+1} \\ f_{k+1} \end{pmatrix} = \begin{pmatrix} 1 & 1 \\ 1 & 0 \end{pmatrix} \begin{pmatrix} f_{k+1} \\ f_k \end{pmatrix} = \begin{pmatrix} 1 & 1 \\ 1 & 0 \end{pmatrix} w_k = A w_k.$$

Damit folgt

$$\begin{pmatrix} f_{k+1} \\ f_k \end{pmatrix} = w_k$$

$$= A \cdot w_{k-1} = A \cdot A \cdot w_{k-2} = \ldots = A^k \cdot w_0$$

$$= A^k \cdot e_1$$

$$= \frac{1}{\sqrt{5}} \begin{pmatrix} \lambda_1^{k+1} - \lambda_2^{k+1} & -\lambda_1^{k+1}\lambda_2 + \lambda_1\lambda_2^{k+1} \\ \lambda_1^k - \lambda_2^k & \lambda_1\lambda_2^k - \lambda_1^k\lambda_2 \end{pmatrix} \cdot e_1$$

$$= \frac{1}{\sqrt{5}} \begin{pmatrix} \lambda_1^{k+1} - \lambda_2^{k+1} \\ \lambda_1^k - \lambda_2^k \end{pmatrix}.$$

Die zweite Komponente liefert nun

$$f_k = \frac{\lambda_1^k - \lambda_2^k}{\sqrt{5}},$$

also

$$\boxed{f_k = \frac{1}{\sqrt{5}}\left(\left(\frac{1+\sqrt{5}}{2}\right)^k - \left(\frac{1-\sqrt{5}}{2}\right)^k\right)}$$

Dies ist bekannt als die Formel von Moivre-Binet. Bemerkenswert ist die Tatsache, dass f_k für jedes $k \in \mathbb{N}$ ganzzahlig ist, obwohl λ_1 und λ_2 irrational sind.

Zurück zur allgemeinen Theorie. Die Eigenwerte einer Matrix $A \in \mathrm{Mat}(n, K)$ sind genau die Nullstellen des charakteristischen Polynoms χ_A. Die Dimension des zugehörigen Eigenraums ist die geometrische Vielfachheit des Eigenwerts. In Definition 6.22 haben wir den Begriff der Vielfachheit der Nullstellen eines Polynoms kennengelernt.

Definition 6.67. Sei $A \in \mathrm{Mat}(n, K)$. Die Nullstellenvielfachheit von $\lambda \in K$ als Nullstelle des Polynoms χ_A heißt **algebraische Vielfachheit** oder auch **algebraische Multiplizität** von λ. Abkürzend schreiben wir für sie $\mu_{\mathrm{alg}}(\lambda)$.

Dieselbe Definition können wir auch für Endomorphismen $\varphi \in \mathrm{End}(V)$ machen, wenn V ein endlich-dimensionaler Vektorraum ist.

Beispiel 6.68. In Beispiel 6.63 haben wir gesehen, dass die Matrix

$$A = \begin{pmatrix} 1 & 1 \\ 0 & 1 \end{pmatrix}$$

das charakteristische Polynom $\chi_A(\lambda) = (1 - \lambda)^2$ hat und damit nur den Eigenwert $\lambda = 1$. Offenbar ist die algebraische Vielfachheit der Nullstelle $\lambda = 1$ in $(1 - \lambda)^2$ gleich 2, also ist

$$\mu_{\mathrm{alg}}(1) = 2.$$

Für die geometrische Vielfachheit hatten wir $\mu_{\mathrm{geo}}(1) = 1$ berechnet. Algebraische und geometrische Vielfachheit brauchen also nicht übereinzustimmen.

Satz 6.69. *Sei V ein n-dimensionaler K-Vektorraum und $\varphi \in \mathrm{End}(V)$.*

(i) Für alle Eigenwerte $\lambda \in K$ von φ gilt

$$\mu_{\mathrm{geo}}(\lambda) \leq \mu_{\mathrm{alg}}(\lambda). \tag{6.11}$$

> *(ii) Seien $\lambda_1, \ldots, \lambda_k$ die paarweise verschiedenen Eigenwerte von φ. Das charakteristische Polynom von φ zerfällt in Linearfaktoren genau dann, wenn*
>
> $$\mu_{\mathrm{alg}}(\lambda_1) + \ldots + \mu_{\mathrm{alg}}(\lambda_k) = n. \qquad (6.12)$$
>
> *(iii) Es ist φ genau dann diagonalisierbar, wenn das charakteristische Polynom in Linearfaktoren zerfällt und für alle Eigenwerte $\lambda \in K$ von φ gilt*
>
> $$\mu_{\mathrm{geo}}(\lambda) = \mu_{\mathrm{alg}}(\lambda). \qquad (6.13)$$

Beweis. Zu (i):

Sei $\lambda \in K$ ein Eigenwert. Zur Abkürzung setzen wir $k := \mu_{\mathrm{geo}}(\lambda)$. Wir wählen eine Basis $(b_1, \ldots, b_k)$ von $\mathrm{Eig}(\varphi, \lambda)$. Wir ergänzen zur einer Basis von V, $B := (b_1, \ldots, b_k, b_{k+1}, \ldots, b_n)$. Da für die ersten k Basisvektoren gilt $\varphi(b_j) = \lambda \cdot b_j$, hat die darstellende Matrix von φ bzgl. B die Form

$$M_B(\varphi) = \left(\begin{array}{c|c} \lambda \cdot \mathbb{1}_k & C \\ \hline 0 & D \end{array} \right),$$

wobei $C \in \mathrm{Mat}(k \times (n-k), K)$ und $D \in \mathrm{Mat}((n-k) \times (n-k), K)$ Matrizen sind, deren Einträge uns nicht weiter interessieren. Wir berechnen für das charakteristische Polynom von φ mittels Entwicklung nach den ersten k Spalten:

$$\begin{aligned}
\chi_\varphi(\mu) &= \chi_{M_B(\varphi)}(\mu) \\
&= \det \left(\begin{array}{c|c} (\lambda - \mu) \cdot \mathbb{1}_k & C \\ \hline 0 & D - \mu \mathbb{1}_{n-k} \end{array} \right) \\
&= (\lambda - \mu)^k \cdot \det(D - \mu \mathbb{1}_{n-k}) \\
&= (\lambda - \mu)^k \cdot \chi_D(\mu).
\end{aligned}$$

Also kommt die Nullstelle λ mindestens k Mal in χ_φ vor, d.h.

$$\mu_{\mathrm{alg}}(\lambda) \geq k = \mu_{\mathrm{geo}}(\lambda).$$

Aussage (ii) folgt daraus, dass sich die algebraischen Vielfachheiten, d.h. die Nullstellenvielfachheiten, genau dann zum Grad des Polynoms aufaddieren, wenn das Polynom in Linearfaktoren zerfällt.

Zu (iii):

Ist φ diagonalisierbar, dann gilt nach Satz 6.60 $\mu_{\mathrm{geo}}(\lambda_1) + \ldots + \mu_{\mathrm{geo}}(\lambda_k) = n$. Wegen (6.11) gilt dann $\mu_{\mathrm{alg}}(\lambda_1) + \ldots + \mu_{\mathrm{alg}}(\lambda_k) \geq n$. Weil die Summe der Nullstellenvielfachheiten niemals größer als der Grad des Polynoms sein kann, folgt (6.12). Damit gilt (6.13) und das charakteristische Polynom zerfällt in Linearfaktoren.

Zerfällt umgekehrt das charakteristische Polynom und gilt (6.13), dann folgt

$$\mu_{\text{geo}}(\lambda_1) + \ldots + \mu_{\text{geo}}(\lambda_k) = \mu_{\text{alg}}(\lambda_1) + \ldots + \mu_{\text{alg}}(\lambda_k) = n.$$

Nach Satz 6.60 ist φ dann diagonalisierbar. $\square$

Beispiel 6.70. Für die Matrix

$$A = \begin{pmatrix} 1 & 1 \\ 0 & 1 \end{pmatrix}$$

aus Beispiel 6.63 hatten wir für den Eigenwert 1 die algebraische Vielfachheit $\mu_{\text{alg}}(1) = 2$ und die geometrische Vielfachheit $\mu_{\text{geo}}(1) = 1$ erhalten. Wegen $\mu_{\text{geo}}(1) < \mu_{\text{alg}}(1)$ kann A also nicht diagonalisierbar sein.

Wir fassen nun noch zusammen, was wir über die Diagonalisierbarkeit von Endomorphismen wissen.

Satz 6.71. *Sei V ein n-dimensionaler K-Vektorraum und $\varphi \in \text{End}(V)$. Seien $\lambda_1, \ldots, \lambda_k$ die paarweise verschiedenen Eigenwerte von φ. Dann sind äquivalent:*

(1) φ ist diagonalisierbar.

(2) Es gibt eine Basis von V aus Eigenvektoren von φ.

(3) Es gibt eine Basis von V, bzgl. derer die darstellende Matrix von φ eine Diagonalmatrix ist.

(4) $\mu_{\text{geo}}(\lambda_1) + \ldots + \mu_{\text{geo}}(\lambda_k) = n$.

(5) $\text{Eig}(\varphi, \lambda_1) \oplus \ldots \oplus \text{Eig}(\varphi, \lambda_k) = V$.

Im Fall $K = \mathbb{C}$ ist ferner äquivalent:

(6) $\mu_{\text{geo}}(\lambda_j) = \mu_{\text{alg}}(\lambda_j)$ für alle $j = 1, \ldots, k$.

Beweis. Die Äquivalenz „(1)$\Leftrightarrow$(2)$\Leftrightarrow$(3)" ist die Aussage von Satz 6.57.
Die Äquivalenz „(4)$\Leftrightarrow$(5)" folgt aus Lemma 6.56, denn $\dim(\text{Eig}(\varphi, \lambda_1) \oplus \ldots \oplus \text{Eig}(\varphi, \lambda_k)) = \dim(\text{Eig}(\varphi, \lambda_1)) + \ldots + \dim(\text{Eig}(\varphi, \lambda_k)) = \mu_{\text{geo}}(\lambda_1) + \ldots + \mu_{\text{geo}}(\lambda_k)$. Der Untervektorraum $\text{Eig}(\varphi, \lambda_1) \oplus \ldots \oplus \text{Eig}(\varphi, \lambda_k)$ ist gleich dem ganzen Vektorraum V genau dann, wenn seine Dimension gleich der von V ist.
Die Äquivalenz „(1)$\Leftrightarrow$(4)" findet sich in Satz 6.60.
Im komplexen Fall zerfällt das charakteristische Polynom aufgrund des Fundamentalsatzes der Algebra in Linearfaktoren. Dass die Diagonalisierbarkeit dann zu (6) äquivalent ist, steht in Satz 6.69. $\square$

6.5. Invariante Untervektorräume und Trigonalisierbarkeit

Diagonalmatrizen sind sicherlich die am einfachsten zu handhabenden Matrizen. Daher ist es sehr angenehm, wenn ein Endomorphismus durch eine Diagonalmatrix dargestellt werden kann. Nur ist das leider nicht immer möglich. Daher werden wir das Konzept der Diagonalisierbarkeit zu einem neuen, immer noch nützlichen abschwächen, das immer zum Einsatz kommen kann, zumindest wenn wir mit komplexen Matrizen arbeiten.

Dazu führen wir zunächst folgendes Konzept ein:

Definition 6.72. Sei V ein K-Vektorraum und $\varphi \in \text{End}(V)$. Ein Untervektorraum $W \subset V$ mit $\varphi(W) \subset W$ heißt **invarianter Untervektorraum** für φ.

Ist $W \subset V$ ein invarianter Untervektorraum für φ, dann können wir φ zu einem Endomorphismus auf W einschränken, $\varphi|_W \in \text{End}(W)$.

Beispiel 6.73. Es gibt stets zwei nicht sonderlich interessante invariante Untervektorräume für φ, nämlich $W = \{0\}$ und $W = V$. Auch jeder Untervektorraum W eines Eigenraums $\text{Eig}(\varphi, \lambda)$ ist invariant, denn $\varphi|_W = \lambda \cdot \text{id}_W$.

Lemma 6.74. *Sei V ein endlich-dimensionaler K-Vektorraum und $\varphi \in \text{End}(V)$. Ist φ diagonalisierbar und ist $W \subset V$ ein invarianter Untervektorraum für φ, dann ist auch $\varphi|_W \in \text{End}(W)$ diagonalisierbar.*

Beweis. a) Zur Vorbereitung zeigen wir zunächst mittels vollständiger Induktion nach k:
Behauptung: Ist $w \in W$ und $w = v_1 + \ldots + v_k$, wobei $v_1, \ldots, v_k \in V$ Eigenvektoren von φ zu k paarweise verschiedenen Eigenwerten sind, dann sind alle $v_j \in W$.
Beweis: Für $k = 1$ ist die Aussage trivial und damit ist der Induktionsanfang vollzogen.
Sei nun $k \geq 2$. Da W invariant ist, ist auch $\varphi(w) \in W$. Wir berechnen

$$\varphi(w) = \varphi(v_1) + \ldots + \varphi(v_k) = \lambda_1 v_1 + \ldots + \lambda_k v_k$$

und somit

$$W \ni \varphi(w) - \lambda_k \cdot w = (\lambda_1 - \lambda_k)v_1 + \ldots + (\lambda_{k-1} - \lambda_k)v_{k-1}.$$

Nach Induktionsannahme sind alle Summanden $(\lambda_j - \lambda_k)v_j$ aus W. Da die Eigenwerte paarweise verschieden sind, ist der Koeffizient $\lambda_j - \lambda_k \neq 0$ für $j = 1, \ldots, k - 1$. Also können wir durch die Koeffizienten dividieren und sehen, dass auch $v_1, \ldots, v_{k-1} \in W$. Damit ist dann auch $v_k = w - (v_1 + \ldots + v_{k-1}) \in W$. ✓
b) Um die Diagonalisierbarkeit von $\varphi|_W$ zu zeigen, überprüfen wir Kriterium (5) aus Satz 6.71. Es besagt, dass sich jedes Element von W als Summe von Eigenvektoren schreiben lässt.

Sei also $w \in W$. Da φ auf V diagonalisierbar ist, können wir $w = v_1 + \ldots + v_k$ schreiben, wobei $v_1, \ldots, v_k \in V$ Eigenvektoren von φ zu k paarweise verschiedenen Eigenwerten sind. Nach Beweisteil a) sind die $v_j \in W$. Damit haben wir w als Summe von Eigenvektoren von $\varphi|_W$ geschrieben und das Kriterium überprüft. $\qquad\square$

Haben wir zwei Endomorphismen eines Vektorraums, die beide diagonalisierbar sind, dann können wir zwar Basen finden, bzgl. derer jeweils einer der beiden Endomorphismen durch eine Diagonalmatrix dargestellt wird, aber die Matrixdarstellung des jeweils anderen Endomorphismus kann beliebig kompliziert sein. Wünschenswert wäre also eine Basis, bzgl. derer beide Endomorphismen gleichzeitig durch eine Diagonalmatrix dargestellt werden. Falls es eine solche Basis gibt, dann nennt man die beiden Endomorphismen **simultan diagonalisierbar**. Die Frage ist nun, wann das der Fall ist.

Satz 6.75. *Sei V ein endlich-dimensionaler K-Vektorraum und $\varphi, \psi \in \mathrm{End}(V)$ diagonalisierbare Endomorphismen. Dann sind äquivalent:*

(1) φ und ψ sind simultan diagonalisierbar.

(2) φ und ψ kommutieren, d.h. $\varphi \circ \psi = \psi \circ \varphi$.

Bevor wir den Satz beweisen, zeigen wir, dass die Eigenräume von φ nicht nur für φ invariante Untervektorräume sind, sondern auch für ψ, vorausgesetzt, dass φ und ψ kommutieren. Wir beachten, dass im folgenden Lemma nicht vorausgesetzt wird, dass φ und ψ diagonalisierbar sind.

Lemma 6.76. *Sei V ein K-Vektorraum und $\varphi, \psi \in \mathrm{End}(V)$ mit $\varphi \circ \psi = \psi \circ \varphi$. Dann sind die Eigenräume von φ auch invariante Untervektorräume für ψ.*

Beweis des Lemmas. Sei $W = \mathrm{Eig}(\varphi, \lambda)$ für einen Eigenwert λ von φ. Sei $w \in W$. Wir müssen zeigen, dass dann auch $\psi(w) \in W$ ist. Es gilt:

$$\varphi(\psi(w)) = \psi(\varphi(w)) = \psi(\lambda w) = \lambda \psi(w).$$

Also ist $\psi(w) \in \mathrm{Eig}(\varphi, \lambda) = W$. $\qquad\square$

Beweis von Satz 6.75. Zu „(1)$\Rightarrow$(2)“:
Seien φ und ψ simultan diagonalisierbar. Dann gibt es eine Basis B von V, so dass $M_B(\varphi)$ und $M_B(\psi)$ Diagonalmatrizen sind. Da Diagonalmatrizen stets kommutieren, gilt $M_B(\varphi) \cdot M_B(\psi) = M_B(\psi) \cdot M_B(\varphi)$ und damit $\varphi \circ \psi = \psi \circ \varphi$.

Zu „(2)$\Rightarrow$(1)":
Es gelte $\varphi \circ \psi = \psi \circ \varphi$. Da φ diagonalisierbar ist, gilt nach Satz 6.71 (5)

$$V = \operatorname{Eig}(\varphi, \lambda_1) \oplus \ldots \oplus \operatorname{Eig}(\varphi, \lambda_k). \tag{6.14}$$

Zur Abkürzung setzen wir $W_j := \operatorname{Eig}(\varphi, \lambda_j)$, $j = 1, \ldots, k$. Nach Lemma 6.76 ist jedes W_j ein invarianter Untervektorraum für ψ. Wegen Lemma 6.74 ist $\psi|_{W_j}$ diagonalisierbar. Wir können somit eine Basis von W_j aus Eigenvektoren von ψ finden. Natürlich sind diese auch Eigenvektoren von φ. Wegen (6.14) setzen sich die Basen gemäß Lemma 6.56 zu einer Basis von V zusammen. Damit haben wir eine Basis von V gefunden, die zugleich aus Eigenvektoren von φ und ψ besteht. $\qquad\square$

Beispiel 6.77. Sei $A \in \operatorname{Mat}(n, \mathbb{R})$ die Matrix

$$A = \begin{pmatrix} 1 & & 0 \\ & \ddots & \\ 0 & & n \end{pmatrix}.$$

Welche Matrizen kommutieren mit A?
Da Diagonalmatrizen stets miteinander kommutieren, kommutieren diese sicherlich mit A. Gibt es weitere Matrizen, die mit A kommutieren, aber selbst nicht Diagonalmatrizen sind? Wir überlegen uns jetzt, dass das nicht der Fall ist.
Es gelte $A \cdot B = B \cdot A$. Da B mit A kommutiert, ist jeder Eigenraum von A ein invarianter Untervektorraum von B. Die Standardbasis $\{e_1, \ldots, e_n\}$ ist Basis aus Eigenvektoren von A. Die Eigenräume von A sind von der Form $\mathbb{R} \cdot e_i$ und somit eindimensional. Da diese Eigenräume nach Lemma 6.76 auch invariante Untervektorräume von B sind, muss B jeden Standardbasisvektor auf ein Vielfaches von sich abbilden. Also sind die Standardbasisvektoren auch Eigenvektoren für B, d.h. B ist eine Diagonalmatrix.

Die Argumentation in diesem Beispiel funktioniert für jede Diagonalmatrix A, deren Eigenwerte alle paarweise verschieden sind, so dass die Eigenräume eindimensional sind. Das andere Extrem wäre, dass alle Eigenwerte gleich sind, wie im folgenden Beispiel:

Beispiel 6.78. Sei $A = \mathbb{1}_n \in \operatorname{Mat}(n, \mathbb{R})$. Dann kommutiert jede Matrix $B \in \operatorname{Mat}(n, \mathbb{R})$ mit A, denn $B \cdot \mathbb{1}_n = B = \mathbb{1}_n \cdot B$.
Ist B diagonalisierbar, dann ist jede Basis aus Eigenvektoren von B auch eine Basis aus Eigenvektoren von A, da *jeder* Vektor in $\mathbb{R}^n \setminus \{0\}$ Eigenvektor von $A = \mathbb{1}_n$ ist.

Definition 6.79. Sei V ein n-dimensionaler K-Vektorraum. Eine **Fahne** in V ist eine Kette von Untervektorräumen

$$\{0\} = V_0 \subset V_1 \subset \ldots \subset V_n = V$$

mit $\dim(V_j) = j$ für alle $j = 0, \ldots, n$.

Sei $\varphi \in \mathrm{End}(V)$. Eine Fahne von V heißt φ-**invariant**, wenn jeder Untervektorraum V_j der Fahne invariant für φ ist, d.h. $\varphi(V_j) \subset V_j$.

Bemerkung 6.80. Jede geordnete Basis von V liefert eine Fahne von V. Ist nämlich $(b_1, \ldots, b_n)$ eine geordnete Basis von V, so setzen wir $V_j := \mathrm{L}(b_1, \ldots, b_j)$. Es gilt $\dim(V_j) = j$ und $V_j \subset V_{j+1}$ für alle j. Also haben wir eine Fahne in V gefunden.

Besteht die Basis aus Eigenvektoren eines Endomorphismus φ, dann ist die so konstruierte Fahne φ-invariant, denn jede Linearkombination der ersten j-Eigenvektoren wird von φ wieder auf eine Linearkombination dieser ersten j-Eigenvektoren abgebildet.

Definition 6.81. Sei V ein endlich-dimensionaler K-Vektorraum und $\varphi\colon V \to V$ ein Endomorphismus. Dann heißt φ **trigonalisierbar**, falls es eine geordnete Basis B von V gibt, so dass $M_B(\varphi)$ eine obere Dreiecksmatrix ist. Entsprechend heißt eine Matrix $A \in \mathrm{Mat}(n, K)$ **trigonalisierbar**, falls sie zu einer oberen Dreiecksmatrix ähnlich ist.

Satz 6.82. *Sei V ein endlich-dimensionaler K-Vektorraum und $\varphi \in \mathrm{End}(V)$. Dann sind äquivalent:*

(1) Der Endomorphismus φ ist trigonalisierbar.

(2) Es existiert eine φ-invariante Fahne in V.

(3) Das charakteristische Polynom χ_φ zerfällt in Linearfaktoren.

Beweis. Zu „(2)$\Rightarrow$(1)":

Sei $V_0 = \{0\} \subset V_1 \subset \cdots \subset V_n = V$ eine φ-invariante Fahne in V. Wir wählen einen Basisvektor b_1 von V_1, ergänzen zu einer geordneten Basis (b_1, b_2) von V_2, ergänzen wiederum zu einer geordneten Basis (b_1, b_2, b_3) von V_3, usw. bis wir schließlich eine geordnete Basis $B := (b_1, \ldots, b_n)$ von $V_n = V$ erhalten haben. Jeder Untervektorraum V_j hat dann die ersten j Basisvektoren $b_1, \ldots, b_j$ als Basis.

Da V_1 φ-invariant ist, gilt $\varphi(b_1) \in V_1$, also $\varphi(b_1) = \alpha_{11} \cdot b_1$ für eine Konstante $\alpha_{11} \in K$. Somit ist die erste Spalte der darstellenden Matrix $M_B(\varphi)$ gegeben durch

$$\begin{pmatrix} \alpha_{11} \\ 0 \\ \vdots \\ 0 \end{pmatrix}.$$

Da V_2 φ-invariant ist, ist $\varphi(b_2) \in V_2$ und somit eine Linearkombination von b_1 und b_2, d.h. $\varphi(b_2) = \alpha_{12} \cdot b_1 + \alpha_{22} \cdot b_2$. Also ist die zweite Spalte der darstellenden Matrix $M_B(\varphi)$ gegeben durch

$$\begin{pmatrix} \alpha_{12} \\ \alpha_{22} \\ 0 \\ \vdots \\ 0 \end{pmatrix}.$$

Allgemein ist V_j φ-invariant und daher $\varphi(b_j)$ eine Linearkombination der ersten j Basisvektoren. Daher steht in der j-ten Spalte unterhalb des j-ten Eintrags nur Nullen. Insgesamt zeigt dies, dass die darstellende Matrix eine obere Dreiecksmatrix ist.

Zu „(1)$\Rightarrow$(3)":
Sei φ trigonalisierbar. Dann wird φ durch eine obere Dreiecksmatrix A dargestellt. Das charakteristische Polynom der oberen Dreiecksmatrix A zerfällt in Linearfaktoren, denn $A - \lambda \cdot \mathbb{1}_n$ ist ebenfalls eine obere Dreiecksmatrix, so dass ihre Determinante durch das Produkt der Diagonaleinträge $A_{jj} - \lambda$ gegeben ist,

$$\chi_\varphi(\lambda) = \chi_A(\lambda) = \det(A - \lambda \cdot \mathbb{1}_n) = (A_{11} - \lambda) \cdots (A_{nn} - \lambda).$$

Zu „(3)$\Rightarrow$(2)":
Wir zeigen diese Implikation durch vollständige Induktion nach der Dimension $n = \dim(V)$.
Induktionsanfang: Für $n = 1$ ist $\{0\} \subset V$ eine φ-invariante Fahne.
Induktionsschritt: Sei nun $n \geq 2$. Das charakteristische Polynom von φ zerfalle in Linearfaktoren,

$$\chi_\varphi(\lambda) = (\lambda_1 - \lambda) \cdots (\lambda_n - \lambda). \tag{6.15}$$

Wir wählen einen Eigenvektor b_1 zum Eigenwert λ_1 von φ. Wir ergänzen zu einer geordneten Basis $B = (b_1, b_2, \ldots, b_n)$ von V und setzen $W := \mathrm{L}(b_2, \ldots, b_n)$. Dann gilt $V = K \cdot b_1 \oplus W$. Sei $w \in W$. Dann lässt sich $\varphi(w)$, wie jedes Element von V, auf eindeutige Weise als Summe eines Vielfachen von b_1 und einem Element aus W schreiben,

$$\varphi(w) = \alpha(w)b_1 + \psi(w).$$

Aus der Linearität von φ folgt, dass auch $\alpha \colon W \to K$ und $\psi \colon W \to W$ linear sind. Sei $A \in \mathrm{Mat}(n - 1, K)$ die darstellende Matrix von ψ bzgl. der Basis $(b_2, \ldots, b_n)$. Dann gilt

$$M_B(\varphi) = \left(\begin{array}{c|c} \lambda_1 & \alpha(b_2) \cdots \alpha(b_n) \\ \hline 0 & A \end{array} \right).$$

Entwicklung nach der ersten Spalte liefert

$$\chi_\varphi(\lambda) = \det \left(\begin{array}{c|c} \lambda_1 - \lambda & \alpha(b_2) \cdots \alpha(b_n) \\ \hline 0 & A - \lambda \cdot \mathbb{1}_{n-1} \end{array} \right)$$

$$= (\lambda_1 - \lambda) \cdot \det(A - \lambda \cdot \mathbb{1}_{n-1})$$
$$= (\lambda_1 - \lambda) \cdot \chi_A(\lambda)$$
$$= (\lambda_1 - \lambda) \cdot \chi_\psi(\lambda). \tag{6.16}$$

Vergleichen wir (6.16) mit (6.15), so sehen wir

$$\chi_\psi(\lambda) = (\lambda_2 - \lambda) \cdots (\lambda_n - \lambda),$$

d.h. das charakteristische Polynom von ψ zerfällt ebenfalls in Linearfaktoren. Nach Induktionsannahme gibt es eine ψ-invariante Fahne in W,

$$\{0\} = W_0 \subset W_1 \subset \cdots \subset W_{n-1} = W.$$

Wir setzen $V_j := K \cdot b_1 \oplus W_{j-1}$ und erhalten eine φ-invariante Fahne in V. $\qquad\square$

Korollar 6.83. *Jede Matrix $A \in \mathrm{Mat}(n, \mathbb{C})$ ist trigonalisierbar.*

Beweis. Nach dem Fundamentalsatz der Algebra zerfällt das charakteristische Polynom von A in Linearfaktoren. Daher ist A nach Satz 6.82 trigonalisierbar. $\qquad\square$

Wie führen wir die Trigonalisierung nun konkret durch?

Rechenverfahren zur Trigonalisierung gegebener Matrizen. Sei $A \in \mathrm{Mat}(n, K)$ eine Matrix mit charakteristischem Polynom, das in Linearfaktoren zerfällt,

$$\chi_A(\lambda) = (\lambda_1 - \lambda) \cdots (\lambda_n - \lambda).$$

1. Schritt: Berechne einen Eigenvektor $v_1 := \begin{pmatrix} v_{11} \\ \vdots \\ v_{1n} \end{pmatrix} \in K^n$ von A zum Eigenwert λ_1. Wähle ein i mit $v_{1i} \neq 0$. Wir betrachten die Matrix $(v_1, e_1, \ldots, \hat{e}_i, \ldots, e_n)$, wobei der Hut $\hat{}$ bedeutet, dass diese Spalte wegzulassen ist. Die Matrix hat die Determinante $\det(v_1, e_1, \ldots, \hat{e}_i, \ldots, e_n) = \pm \det(e_1, \ldots, v_1, \ldots, e_n) = \pm v_{1i} \neq 0$ und ist daher invertierbar. Berechne

$$S_1 := (v_1, e_1, \ldots, \hat{e}_i, \ldots, e_n)^{-1} \in \mathrm{GL}(n, K).$$

Dann gilt

$$S_1 A S_1^{-1} e_1 = S_1 A v_1 = S_1 \lambda_1 v_1 = \lambda_1 S_1 v_1 = \lambda_1 e_1$$

und somit

$$S_1 A S_1^{-1} = \left(\begin{array}{c|c} \lambda_1 & * \ldots * \\ \hline 0 & \\ \vdots & A_2 \\ 0 & \end{array} \right).$$

2. Schritt: Berechne einen Eigenvektor $\tilde{v}_2 = \begin{pmatrix} v_{22} \\ \vdots \\ v_{2n} \end{pmatrix} \in K^{n-1}$ von A_2 zum Eigenwert λ_2. Setze

$$v_2 := \begin{pmatrix} 0 \\ v_{22} \\ \vdots \\ v_{2n} \end{pmatrix} \in K^n. \text{ Wähle ein } j \text{ mit } v_{2j} \neq 0 \text{ und berechne}$$

$$S_2 := (e_1, v_2, e_2, \ldots, \hat{e}_j, \ldots, e_n)^{-1} \in \mathrm{GL}(n, K).$$

Dann gilt

$$S_2 S_1 A S_1^{-1} S_2^{-1} e_1 = S_2 S_1 A S_1^{-1} e_1 = S_2 \lambda_1 e_1 = \lambda_1 S_2 e_1 = \lambda_1 e_1,$$

$$S_2 S_1 A S_1^{-1} S_2^{-1} e_2 = S_2 S_1 A S_1^{-1} v_2 = S_2 \begin{pmatrix} * \\ \lambda_2 \tilde{v}_2 \end{pmatrix} = \begin{pmatrix} * \\ \lambda_2 \\ 0 \\ \vdots \\ 0 \end{pmatrix}$$

und somit

$$S_2 S_1 A S_1^{-1} S_2^{-1} = \left(\begin{array}{cc|ccc} \lambda_1 & * & * & \ldots & * \\ 0 & \lambda_2 & * & \ldots & * \\ \hline 0 & 0 & & & \\ \vdots & \vdots & & A_3 & \\ 0 & 0 & & & \end{array} \right).$$

So fahren wir fort. Insgesamt $(n-1)$ Schritte liefern $S_1, \ldots, S_{n-1} \in \mathrm{GL}(n, K)$, so dass für $S := S_{n-1} \cdot \ldots \cdot S_2 \cdot S_1 \in \mathrm{GL}(n, K)$ die Matrix SAS^{-1} eine obere Dreiecksmatrix ist.

Beispiel 6.84. Sei $K = \mathbb{Q}$, $n = 3$ und $A \in \mathrm{Mat}(3, \mathbb{Q})$ gegeben durch

$$A = \begin{pmatrix} 3 & 4 & 3 \\ -1 & 0 & -1 \\ 1 & 2 & 3 \end{pmatrix}.$$

Das charakteristische Polynom lautet

$$\chi_A(\lambda) = \det \begin{pmatrix} 3-\lambda & 4 & 3 \\ -1 & -\lambda & -1 \\ 1 & 2 & 3-\lambda \end{pmatrix}$$

$$= (3 - \lambda)^2(-\lambda) - 4 - 6 + 3\lambda + 2(3 - \lambda) + 4(3 - \lambda)$$
$$= (2 - \lambda)^3.$$

1. Schritt: Berechnung eines Eigenvektors v_1 von A zum Eigenwert 2. Durch elementare Zeilenumformungen bringen wir das homogene Gleichungssystem in Zeilenstufenform. Dabei können wir die dritte Zeile weglassen, da sie das negative der zweiten ist.

$$\begin{pmatrix} 0 \\ 0 \\ 0 \end{pmatrix} = \begin{pmatrix} 1 & 4 & 3 \\ -1 & -2 & -1 \\ 1 & 2 & 1 \end{pmatrix} \cdot \begin{pmatrix} v_{11} \\ v_{12} \\ v_{13} \end{pmatrix}$$

$$\Leftrightarrow \quad \begin{pmatrix} 0 \\ 0 \end{pmatrix} = \begin{pmatrix} 1 & 4 & 3 \\ -1 & -2 & -1 \end{pmatrix} \cdot \begin{pmatrix} v_{11} \\ v_{12} \\ v_{13} \end{pmatrix}$$

$$\Leftrightarrow \quad \begin{pmatrix} 0 \\ 0 \end{pmatrix} = \begin{pmatrix} 1 & 4 & 3 \\ 0 & 2 & 2 \end{pmatrix} \cdot \begin{pmatrix} v_{11} \\ v_{12} \\ v_{13} \end{pmatrix}$$

Wir wählen nun $v_{13} = 1$ und lösen das Gleichungssystem von unten nach oben und erhalten als Lösung

$$v_1 = \begin{pmatrix} 1 \\ -1 \\ 1 \end{pmatrix}.$$

Da $v_{11} \neq 0$ ist, können wir S_1 durch

$$S_1 = \begin{pmatrix} 1 & 0 & 0 \\ -1 & 1 & 0 \\ 1 & 0 & 1 \end{pmatrix}^{-1} = \begin{pmatrix} 1 & 0 & 0 \\ 1 & 1 & 0 \\ -1 & 0 & 1 \end{pmatrix}$$

wählen. Nun rechnen wir schnell nach, dass

$$S_1 A S_1^{-1} = \begin{pmatrix} 2 & 4 & 3 \\ 0 & 4 & 2 \\ 0 & -2 & 0 \end{pmatrix}.$$

2. Schritt: Berechnung eines Eigenvektors $\tilde{v}_2$ von $\begin{pmatrix} 4 & 2 \\ -2 & 0 \end{pmatrix}$ zum Eigenwert 2:

$$\begin{pmatrix} 0 \\ 0 \end{pmatrix} = \begin{pmatrix} 2 & 2 \\ -2 & -2 \end{pmatrix} \begin{pmatrix} v_{22} \\ v_{23} \end{pmatrix} \Leftrightarrow v_{22} = -v_{23}.$$

Somit ist $\tilde{v}_2 = \begin{pmatrix} 1 \\ -1 \end{pmatrix}$ ein Eigenvektor. Wir setzen daher $v_2 := \begin{pmatrix} 0 \\ 1 \\ -1 \end{pmatrix}$. Da $v_{22} \neq 0$ ist, können wir

$$S_2 := \begin{pmatrix} 1 & 0 & 0 \\ 0 & 1 & 0 \\ 0 & -1 & 1 \end{pmatrix}^{-1} = \begin{pmatrix} 1 & 0 & 0 \\ 0 & 1 & 0 \\ 0 & 1 & 1 \end{pmatrix}$$

wählen. Die Transformationsmatrix ist gegeben durch

$$S = S_2 \cdot S_1 = \begin{pmatrix} 1 & 0 & 0 \\ 0 & 1 & 0 \\ 0 & 1 & 1 \end{pmatrix} \begin{pmatrix} 1 & 0 & 0 \\ 1 & 1 & 0 \\ -1 & 0 & 1 \end{pmatrix} = \begin{pmatrix} 1 & 0 & 0 \\ 1 & 1 & 0 \\ 0 & 1 & 1 \end{pmatrix}$$

und ihr Inverses durch

$$S^{-1} = S_1^{-1} \cdot S_2^{-1} = \begin{pmatrix} 1 & 0 & 0 \\ -1 & 1 & 0 \\ 1 & 0 & 1 \end{pmatrix} \begin{pmatrix} 1 & 0 & 0 \\ 0 & 1 & 0 \\ 0 & -1 & 1 \end{pmatrix} = \begin{pmatrix} 1 & 0 & 0 \\ -1 & 1 & 0 \\ 1 & -1 & 1 \end{pmatrix}.$$

Die auf Dreiecksgestalt transformierte Matrix sieht also so aus:

$$SAS^{-1} = \begin{pmatrix} 1 & 0 & 0 \\ 1 & 1 & 0 \\ 0 & 1 & 1 \end{pmatrix} \begin{pmatrix} 3 & 4 & 3 \\ -1 & 0 & -1 \\ 1 & 2 & 3 \end{pmatrix} \begin{pmatrix} 1 & 0 & 0 \\ -1 & 1 & 0 \\ 1 & -1 & 1 \end{pmatrix} = \begin{pmatrix} 1 & 0 & 0 \\ 1 & 1 & 0 \\ 0 & 1 & 1 \end{pmatrix} \begin{pmatrix} 2 & 1 & 3 \\ -2 & 1 & -1 \\ 2 & -1 & 3 \end{pmatrix} = \begin{pmatrix} 2 & 1 & 3 \\ 0 & 2 & 2 \\ 0 & 0 & 2 \end{pmatrix}.$$

In Anhang A.5 wird erläutert, wie die Trigonalisierung komplexer Matrizen dabei hilft, sogenannte Differentialgleichungssysteme aus der Analysis zu lösen.

6.6. Algebren und das Minimalpolynom

Sei K ein Körper. Wir haben gesehen, dass sowohl die Menge der formalen Potenzreihen als auch die Teilmenge der Polynome gleichzeitig K-Vektorräume als auch Ringe sind. Dies führt auf folgende allgemeine Definition.

Definition 6.85. Sei K Körper und $\mathcal{A}$ eine Menge. Seien

$$+: \mathcal{A} \times \mathcal{A} \to \mathcal{A},$$
$$\bullet: \mathcal{A} \times \mathcal{A} \to \mathcal{A},$$
$$\cdot: K \times \mathcal{A} \to \mathcal{A},$$

Abbildungen. Das Quadrupel $(\mathcal{A}, +, \bullet, \cdot)$ heißt K-**Algebra** oder **Algebra über** K, falls gilt:

(A1) $(\mathcal{A}, +, \cdot)$ ist ein K-Vektorraum.

(A2) $(\mathcal{A}, +, \bullet)$ ist ein Ring.

(A3) Für alle $x, y \in \mathcal{A}$ und alle $\alpha, \beta \in K$ ist

$$(\alpha \cdot x) \bullet (\beta \cdot y) = (\alpha\beta) \cdot (x \bullet y).$$

Die dritte Bedingung drückt die Verträglichkeit der Multiplikation $\bullet$ zweier Elemente aus $\mathcal{A}$ mit der Multiplikation $\cdot$ eines Elements aus K und eines aus $\mathcal{A}$ aus. Man überprüft leicht, dass (A3) für $\mathcal{A} = K[x]$ und $\mathcal{A} = K[\![x]\!]$ erfüllt ist. Die Menge der Polynome bzw. formalen Potenzreihen bilden also Algebren.

Definition 6.86. Sei $(\mathcal{A}, +, \bullet, \cdot)$ eine K-Algebra. Hat der Ring $(\mathcal{A}, +, \bullet)$ eine Eins, so nennen wir $(\mathcal{A}, +, \bullet, \cdot)$ eine **Algebra mit Einselement**. Ist der Ring $(\mathcal{A}, +, \bullet)$ kommutativ, so nennen wir $(\mathcal{A}, +, \bullet, \cdot)$ eine **kommutative Algebra**.

Bemerkung 6.87. Da $(\mathcal{A}, +, \bullet)$ ein Ring ist, ist die Multiplikation $\bullet$ assoziativ. Darauf wird manchmal verzichtet; unsere Definition ist die einer „assoziativen K-Algebra".

Ähnlich wie bei Ringen, Körpern und Vektorräumen spricht man oft auch etwas ungenau von der Algebra $\mathcal{A}$ statt $(\mathcal{A}, +, \bullet, \cdot)$.

Beispiele 6.88. 1. Sei K ein Körper und $\mathcal{A} = K$. Sowohl $\bullet$ als auch $\cdot$ seien die Multiplikation in K. Dann ist $(K, +, \bullet, \cdot)$ eine kommutative K-Algebra mit Einselement 1.

2. Sei K ein Körper und x ein formales Symbol. Die Algebren $\mathcal{A} = K[x]$ und $\mathcal{A} = K[\![x]\!]$ der Polynome bzw. formalen Potenzreihen sind kommutativ. Sie haben als Einselement das Polynom 1.

3. Sei K ein Körper und $n \in \mathbb{N}$. Sei $\mathcal{A} = \mathrm{Mat}(n, K)$, sei $+$ die komponentenweise Addition, $\bullet$ die Matrixmultiplikation und $\cdot$ die komponentenweise Multiplikation mit Elementen aus K. Dann ist $(\mathrm{Mat}(n, K), +, \bullet, \cdot)$ eine K-Algebra mit Einselement $\mathbb{1}_n$. Sie ist nicht kommutativ, falls $n \geq 2$.

4. Sei V ein (möglicherweise ∞-dimensionaler) K-Vektorraum und $\mathcal{A} = \mathrm{End}(V)$. Die Addition zweier Endomorphismen $\varphi, \psi \in \mathrm{End}(V)$ ist definiert durch $(\varphi + \psi)(v) := \varphi(v) + \psi(v)$ für alle $v \in V$. Für $\alpha \in K$ ist $\alpha \cdot \varphi$ definiert durch $(\alpha \cdot \varphi)(v) := \alpha \cdot \varphi(v)$. Die Multiplikation $\bullet$ schließlich ist die Verkettung, $\bullet = \circ$.

   Dann ist $(\mathrm{End}(V), +, \circ, \cdot)$ eine K-Algebra mit Einselement id_V. Sie ist nicht kommutativ, wenn $\dim(V) \geq 2$.

5. Sei X eine Menge und $(\mathcal{A}_0, +, \bullet, \cdot)$ eine K-Algebra. Dann wird $\mathcal{A} = \mathrm{Abb}(X, \mathcal{A}_0)$ ebenfalls zu einer K-Algebra, wenn wir die Rechenoperationen $+$, $\bullet$ und $\cdot$ punktweise definieren.

Da aus dem Kontext im Einzelfall meist klar ist, welche der beiden Multiplikation gemeint ist, unterscheidet man sie in der Notation in der Regel nicht und schreibt statt $\bullet$ auch wieder $\cdot$.

Definition 6.89. Sei $\mathcal{A}$ eine K-Algebra. Ein Untervektorraum $\mathcal{B} \subset \mathcal{A}$, der gleichzeitig ein Unterring ist, heißt **Unteralgebra** von $\mathcal{A}$.

Wir können es auch so ausdrücken: Eine Teilmenge $\mathcal{B} \subset \mathcal{A}$ ist genau dann eine Unteralgebra, wenn für alle $x, y \in \mathcal{A}$ und alle $\alpha \in K$ gilt:
1. $0 \in \mathcal{B}$;

2. Sind $x, y, \in \mathcal{B}$, so ist auch $x + y \in \mathcal{B}$;

3. Sind $x, y, \in \mathcal{B}$, so ist auch $x \bullet y \in \mathcal{B}$;

4. Ist $x \in \mathcal{B}$ und $\alpha \in K$, so ist auch $\alpha \cdot x \in \mathcal{B}$.

Beispiele 6.90. Die Polynomalgebra $K[x]$ ist eine Unteralgebra der Algebra $K[\![x]\!]$ der formalen Potenzreihen.
Die Menge der Polynome vom Grad ≤ 3, $V = \{f \in K[x] \mid \deg(f) \leq 3\}$, ist ein Untervektorraum von $K[x]$, aber kein Unterring, also auch keine Unteralgebra.

Definition 6.91. Seien $\mathcal{A}$ und $\mathcal{B}$ zwei K-Algebren. Ein K-Vektorraumhomomorphismus $\varphi \colon \mathcal{A} \to \mathcal{B}$, der zugleich ein Ringhomomorphismus ist, heißt K-**Algebrenhomomorphismus**. Haben $\mathcal{A}$ und $\mathcal{B}$ beide eine Eins und gilt $\varphi(1_{\mathcal{A}}) = 1_{\mathcal{B}}$, dann nennt man φ **einserhaltend** oder **unitär**.

Ein weiterer Grund für die penible Unterscheidung zwischen Polynomen und Polynomfunktionen besteht darin, dass man in ein Polynom $f = a_n x^n + \ldots + a_1 x + a_0 \in K[x]$ nicht nur Zahlen aus K einsetzen kann, sondern auch Elemente A aus einer beliebigen K-Algebra $\mathcal{A}$ mit Eins. Der Ausdruck

$$\tilde{f}(A) := a_n \cdot A^n + \ldots + a_1 \cdot A + a_0 \cdot 1 \in \mathcal{A}$$

ergibt Sinn. Hierbei steht A^n für das n-fache Produkt von A mit sich selbst in der Algebra $\mathcal{A}$.

Bemerkung 6.92. Sei $\mathcal{A}$ eine K-Algebra mit Eins, $A \in \mathcal{A}$ und x ein abstraktes Symbol. Dann kann man leicht überprüfen, dass die Abbildung

$$K[x] \to \mathcal{A}, \quad f \mapsto \tilde{f}(A),$$

ein einserhaltender Algebrenhomomorphismus ist, vergleiche Aufgabe 6.3.

Definition 6.93. Sei K ein Körper und $\mathcal{A}$ eine K-Algebra mit Einselement. Sei $A \in \mathcal{A}$. Dann heißt
$$\mathrm{Ann}(A) := \{f \in K[x] \mid \tilde{f}(A) = 0\}$$
der **Annihilator** von A.

Beispiele 6.94. Sei $\mathcal{A} = \mathrm{Mat}(n, K)$ und $f = a_m x^m + \ldots + a_1 x + a_0 \in K[x]$.

1. Ist $A = 0_n$ die Nullmatrix, dann ist
$$\tilde{f}(A) = a_m \cdot 0_n \cdot \ldots \cdot 0_n + \ldots + a_1 \cdot 0_n + a_0 \cdot \mathbb{1}_n = a_0 \cdot \mathbb{1}_n.$$

Also ist $f \in \mathrm{Ann}(0_n)$ genau dann, wenn $a_0 = 0$. Anders ausgedrückt, das Polynom f lässt sich ohne Rest durch das Monom x teilen,
$$\mathrm{Ann}(0_n) = \{f \in K[x] \mid \exists g \in K[x] \text{ mit } f = g \cdot x\}.$$

2. Sei nun $A = \mathbb{1}_n$. Dann ist
$$\tilde{f}(A) = a_m \cdot \mathbb{1}_n \cdot \ldots \cdot \mathbb{1}_n + \ldots + a_1 \mathbb{1}_n + a_0 \cdot \mathbb{1}_n$$
$$= (a_m + \ldots + a_1 + a_0) \cdot \mathbb{1}_n.$$

Also gilt
$$\mathrm{Ann}(\mathbb{1}_n) = \left\{f = a_m x^m + \ldots + a_0 \in K[x] \;\middle|\; \sum_{j=0}^m a_j = 0\right\}.$$

Teilen wir das Polynom f durch $x - 1$, so erhalten wir
$$f = g \cdot (x - 1) + r \tag{6.17}$$

für Polynome $g, r \in K[x]$ mit $\deg(r) \leq 0$. Daher ist der Rest r eine Konstante. Diese Konstante bestimmen wir indem wir 1 in (6.17) einsetzen:
$$a_m + \cdots + a_0 = \tilde{f}(1) = \tilde{g}(1) \cdot (1 - 1) + r = r.$$

Also ist f genau dann ohne Rest durch $x - 1$ teilbar, wenn $a_m + \cdots + a_0 = 0$ ist. Es folgt
$$\mathrm{Ann}(\mathbb{1}_n) = \{f \in K[x] \mid \exists g \in K[x] \text{ mit } f = g \cdot (x - 1)\}.$$

3. Sei $n = 2$ und $A = \begin{pmatrix} 0 & 1 \\ 0 & 0 \end{pmatrix}$. Dann gilt $A^2 = A \cdot A = 0_2$ und damit $A^m = 0_2$ für alle $m \geq 2$. Also ist
$$\tilde{f}(A) = a_m A^m + \ldots + a_2 A^2 + a_1 A + a_0 \mathbb{1}_2 = a_1 A + a_0 \mathbb{1}_n = \begin{pmatrix} a_0 & a_1 \\ 0 & a_0 \end{pmatrix}.$$

Somit ist $\tilde{f}(A) = 0$ genau dann, wenn $a_0 = a_1 = 0$. Es folgt

$$\mathrm{Ann}(A) = \{f \in K[x] \mid \exists g \in K[x] \text{ mit } f = g \cdot x^2\}.$$

In den drei Beispielen sind die Annihilatoren gegeben als eine Menge von Polynomen, die durch ein bestimmtes Polynom ohne Rest teilbar sind. Im Fall $A = 0_n$ war dies das Polynom x, im Fall $A = \mathbb{1}_n$ das Polynom $x - 1$ und im dritten Beispiel das Polynom x^2. Tatsächlich ist dies ein allgemeiner Sachverhalt.

> **Definition 6.95.** Ein Polynom $f \in K[x]$ heißt **normiert**, falls der führende Koeffizient $= 1$ ist, d.h. falls f von der Form $f = x^n + a_{n-1}x^{n-1} + \ldots + a_1 x + a_0$ ist.

> **Proposition 6.96.** *Sei $\mathcal{A}$ eine K-Algebra mit Eins und $A \in \mathcal{A}$ ein Element. Dann ist entweder $\mathrm{Ann}(A) = \{0\}$ oder es gibt genau ein normiertes Polynom $h \in K[x]$, so dass*
>
> $$\mathrm{Ann}(A) = \{f \in K[x] \mid \exists g \in K[x] \text{ mit } f = g \cdot h\}.$$

Beweis. a) *Eindeutigkeit:* Seien h_1 und h_2 zwei solche Polynome. Dann gibt es insbesondere ein $g \in K[x]$ mit

$$h_1 = g \cdot h_2$$

und somit $\deg(h_1) \geq \deg(h_2)$. Analog sieht man $\deg(h_2) \geq \deg(h_1)$ und somit $\deg(h_1) = \deg(h_2)$. Daraus folgt $\deg(g) = 0$, d.h. g ist eine Konstante. Da h_1 und h_2 normiert sind, muss diese Konstante $= 1$ sein. Also ist $h_1 = h_2$.

b) *Existenz:* Wir können annehmen, dass $\mathrm{Ann}(A) \neq \{0\}$. Sei h ein Polynom minimalen Grades in $\mathrm{Ann}(A) \setminus \{0\}$. Mit h ist auch jedes Vielfache von h in $\mathrm{Ann}(A)$. Also können wir o.B.d.A. annehmen, dass h normiert ist. Bleibt zu zeigen:

$$\mathrm{Ann}(A) = \{g \cdot h \mid g \in K[x]\}.$$

Die Inklusion „$\supset$" ist einfach: Für jedes Polynom der Form $f = g \cdot h$ gilt

$$\tilde{f}(A) = \tilde{g}(A) \cdot \tilde{h}(A) = \tilde{g}(A) \cdot 0 = 0$$

und somit $g \cdot h \in \mathrm{Ann}(A)$.

Zu „$\subset$" haben wir zu zeigen, dass h jedes Polynom in $\mathrm{Ann}(A)$ ohne Rest teilt. Sei $f \in \mathrm{Ann}(A)$, $f \neq 0$. Wegen $\deg(f) \geq \deg(h)$ können wir Polynomdivision von f durch h vornehmen und erhalten $g, r \in K[x]$, so dass $\deg(r) < \deg(h)$ und

$$f = g \cdot h + r.$$

Wir setzen A ein und erhalten

$$0 = \tilde{f}(A) = \tilde{g}(A) \cdot \tilde{h}(A) + \tilde{r}(A) = \tilde{g}(A) \cdot 0 + \tilde{r}(A) = \tilde{r}(A).$$

Also ist $r \in \mathrm{Ann}(A)$. Da r kleineren Grad als h hat und h minimalen Grad in $\mathrm{Ann}(A) \setminus \{0\}$ hat, muss $r = 0$ sein. Also ist $f = g \cdot h$ wie gewünscht. $\qquad\square$

Lemma 6.97. *Ist $\mathcal{A}$ eine endlich-dimensionale K-Algebra und $A \in \mathcal{A}$, dann ist $\mathrm{Ann}(A) \neq \{0\}$.*

Beweis. Der Annihilator $\mathrm{Ann}(A)$ ist der Kern des Homomorphismus $K[x] \to \mathcal{A},\, f \mapsto \tilde{f}(A)$. Da $\dim(K[x]) = \infty$ und $\dim(\mathcal{A}) < \infty$, kann kein Homomorphismus $K[x] \to \mathcal{A}$ injektiv sein. Also ist $\mathrm{Ann}(A) \neq \{0\}$. $\qquad\square$

Ein Beispiel mit $\mathrm{Ann}(A) = \{0\}$ findet sich in Aufgabe 6.6.

Definition 6.98. Sei $\mathcal{A}$ eine endlich-dimensionale K-Algebra mit Eins und $A \in \mathcal{A}$. Dann heißt das eindeutige normierte Polynom $h \in K[x]$ mit $\mathrm{Ann}(A) = h \cdot K[x]$ wie in Proposition 6.96 das **Minimalpolynom** von A.
Wir schreiben dann statt h für das Minimalpolynom $M_A \in K[x]$.

Beispiel 6.99. Aus Beispiel 6.94 und Aufgabe 6.5 wissen wir, dass für $\mathcal{A} = \mathrm{Mat}(n, K)$ gilt:

$$M_{0_n} = x,$$
$$M_{\mathbb{1}_n} = x - 1,$$
$$M_{\begin{pmatrix} 0 & 1 \\ 0 & 0 \end{pmatrix}} = x^2.$$

Vergleichen wir die Minimalpolynome dieser Matrizen mit ihren charakteristischen Polynomen

$$\chi_{0_n} = (-x)^n,$$
$$\chi_{\mathbb{1}_n} = (1 - x)^n,$$
$$\chi_{\begin{pmatrix} 0 & 1 \\ 0 & 0 \end{pmatrix}} = x^2,$$

so stellen wir fest, dass das Minimalpolynom in allen Fällen das charakteristische Polynom teilt. In anderen Worten, in diesen Fällen ist $\chi_A \in \mathrm{Ann}(A)$. Tatsächlich gilt das für alle (quadratischen) Matrizen, wie der folgende Satz uns sagt.

> **Satz 6.100 (Cayley-Hamilton).** *Sei V ein endlich-dimensionaler K-Vektorraum und $\varphi \in$ End(V). Dann ist $\tilde{\chi}_\varphi(\varphi) = 0$, in anderen Worten $\chi_\varphi \in \mathrm{Ann}(\varphi)$ und M_φ teilt χ_φ ohne Rest.*

Bemerkung 6.101. Machen wir uns zunächst an einem Beispiel klar, was der Satz von Cayley-Hamilton besagt. Betrachten wir die Matrix $A = \begin{pmatrix} 1 & 5 \\ 0 & 1 \end{pmatrix} \in \mathrm{Mat}(2, \mathbb{Q})$. Das charakteristische Polynom ergibt sich zu

$$\chi_A(\lambda) = \det \begin{pmatrix} 1 - \lambda & 5 \\ 0 & 1 - \lambda \end{pmatrix} = (1 - \lambda)^2 = \lambda^2 - 2\lambda + 1.$$

Nun überprüfen wir den Satz von Cayley-Hamilton:

$$\begin{aligned}
\tilde{\chi}_A(A) &= A^2 - 2A + \mathbb{1}_2 \\
&= \begin{pmatrix} 1 & 5 \\ 0 & 1 \end{pmatrix} \cdot \begin{pmatrix} 1 & 5 \\ 0 & 1 \end{pmatrix} - 2 \cdot \begin{pmatrix} 1 & 5 \\ 0 & 1 \end{pmatrix} + \begin{pmatrix} 1 & 0 \\ 0 & 1 \end{pmatrix} \\
&= \begin{pmatrix} 1 & 10 \\ 0 & 1 \end{pmatrix} - \begin{pmatrix} 2 & 10 \\ 0 & 2 \end{pmatrix} + \begin{pmatrix} 1 & 0 \\ 0 & 1 \end{pmatrix} \\
&= \begin{pmatrix} 0 & 0 \\ 0 & 0 \end{pmatrix}.
\end{aligned}$$

Bemerkung 6.102. Für Diagonalmatrizen kann man den Satz von Cayley-Hamilton sehr leicht einsehen. Sei nämlich $A = \begin{pmatrix} \lambda_1 & & \mathbf{0} \\ & \ddots & \\ \mathbf{0} & & \lambda_n \end{pmatrix}$ eine Diagonalmatrix. Für beliebige Polynome $f \in K[x]$ gilt

$$\tilde{f}(A) = \begin{pmatrix} \tilde{f}(\lambda_1) & & \mathbf{0} \\ & \ddots & \\ \mathbf{0} & & \tilde{f}(\lambda_n) \end{pmatrix}.$$

Das liegt daran, dass man Matrixpotenzen von Diagonalmatrizen dadurch bekommt, dass man die Diagonaleinträge potenziert. Insbesondere für $f = \chi_A$ gilt nun

$$\tilde{\chi}_A(A) = \begin{pmatrix} \tilde{\chi}_A(\lambda_1) & & \mathbf{0} \\ & \ddots & \\ \mathbf{0} & & \tilde{\chi}_A(\lambda_n) \end{pmatrix} = \mathbf{0}_n.$$

Auch für Matrizen, die zwar nicht Diagonalmatrizen, wohl aber *diagonalisierbar* sind, lässt sich der Satz von Cayley-Hamilton leicht beweisen, vergleiche Aufgabe 6.24.

Nun zum allgemeinen Fall:

Beweis von Satz 6.100. a) Wir müssen zeigen, dass für beliebiges $v \in V$ gilt $\tilde{\chi}_\varphi(\varphi)(v) = 0$. Sei also $v \in V$. Ohne Einschränkung sei $v \neq 0$. Wir setzen

$$v_1 := v, \quad v_2 := \varphi(v), \quad \ldots \quad, \quad v_{i+1} := \varphi(v_i) = \underbrace{\varphi \circ \ldots \circ \varphi}_{i}(v).$$

Sei m der größte Index, für den $v_1, \ldots, v_m$ noch linear unabhängig sind, d.h. $v_1, \ldots, v_{m+1}$ sind linear abhängig. Dann ist $1 \leq m \leq \dim(V)$. Wir können dann v_{m+1} als Linearkombination der vorhergehenden v_i schreiben,

$$v_{m+1} = \alpha_1 v_1 + \ldots + \alpha_m v_m, \quad \alpha_i \in K.$$

Sei $W \subset V$ der Untervektorraum, der von $v_1, \ldots, v_m$ aufgespannt wird. Dann ist $B := (v_1, \ldots, v_m)$ eine geordnete Basis von W.

b) *Behauptung:* W ist ein φ-invarianter Untervektorraum und $\varphi|_W$ hat in der Basis B die darstellende Matrix

$$\begin{pmatrix} 0 & & & & \bigm| & \alpha_1 \\ 1 & \ddots & & \mathbf{0} & \bigm| & \vdots \\ & \ddots & \ddots & & \bigm| & \vdots \\ & & \ddots & \ddots & \bigm| & \vdots \\ \mathbf{0} & & \ddots & 0 & \bigm| & \vdots \\ & & & 1 & \bigm| & \alpha_m \end{pmatrix}.$$

Beweis der Behauptung: Da die Basisvektoren $v_1, \ldots, v_m$ von φ wieder auf Linearkombinationen dieser Vektoren abgebildet werden, ist W ein φ-invarianter Untervektorraum. Wegen $\varphi(v_1) = v_2$ muss die erste Spalte der darstellenden Matrix der Vektor e_2 sein. Analog gilt $\varphi(v_i) = v_{i+1}$ für $i \leq m - 1$ und damit ist die i-te Spalte der $(i + 1)$-te Standardvektor e_{i+1}. Die letzte Spalte hat die angegebene Form, da

$$\varphi(v_m) = v_{m+1} = \alpha_1 v_1 + \ldots + \alpha_m v_m. \qquad \checkmark$$

c) *Behauptung:* $\chi_{\varphi|_W}(x) = (-1)^{m+1} \cdot (-x^m + \alpha_m x^{m-1} + \alpha_{m-1} x^{m-2} + \ldots + \alpha_1)$.

Beweis der Behauptung: Wir führen eine vollständige Induktion nach m durch. Für $m = 1$ ist die darstellende Matrix (α_1) und daher das charakteristische Polynom $\chi_{\varphi|_W}(x) = \alpha_1 - x$ wie behauptet.

Für den Induktionsschritt nehmen wir an, dass die Behauptung für $m - 1$ bewiesen sei. Zur Berechnung von

$$\chi_{\varphi|_W}(x) = \det \begin{pmatrix} -x & & & & \bigm| & \alpha_1 \\ 1 & -x & & \mathbf{0} & \bigm| & \alpha_2 \\ & \ddots & \ddots & & \bigm| & \vdots \\ & & \ddots & \ddots & \bigm| & \vdots \\ \mathbf{0} & & \ddots & -x & \bigm| & \alpha_{m-1} \\ & & & 1 & \bigm| & \alpha_m - x \end{pmatrix}$$

entwickeln wir nach der ersten Zeile. Dabei treten nur zwei nichttriviale Terme auf. Der erste ist nach Induktionsannahme

$$(-x) \cdot \det \begin{pmatrix} -x & & & \Big| & \alpha_2 \\ 1 & \ddots & \mathbf{0} & \Big| & \vdots \\ & \ddots & \ddots & \Big| & \vdots \\ \mathbf{0} & \ddots & -x & \Big| & \alpha_{m-1} \\ & & 1 & \Big| & \alpha_m - x \end{pmatrix} = (-x) \cdot (-1)^m \cdot (-x^{m-1} + \alpha_m x^{m-2} + \ldots + \alpha_2)$$

$$= (-1)^{m+1} \cdot (-x^m + \alpha_m x^{m-1} + \ldots + \alpha_2 x). \quad (6.18)$$

Der andere nichttriviale Term in der Zeilenentwicklung ist

$$(-1)^{m+1} \cdot \alpha_1 \cdot \det \begin{pmatrix} 1 & -x & & & \\ & \ddots & \ddots & & \mathbf{0} \\ & & \ddots & \ddots & \\ & \mathbf{0} & & \ddots & -x \\ & & & & 1 \end{pmatrix} = (-1)^{m+1} \cdot \alpha_1. \quad (6.19)$$

Addition von (6.18) und (6.19) liefert

$$\chi_{\varphi|_W}(x) = (-1)^{m+1} \cdot (-x^m + \alpha_m x^{m-1} + \ldots + \alpha_2 x) + (-1)^{m+1} \cdot \alpha_1$$
$$= (-1)^{m+1} \cdot (-x^m + \alpha_m x^{m-1} + \ldots + \alpha_2 x + \alpha_1)$$

wie behauptet. $\checkmark$

d) Nach Lemma 6.103 unten existiert ein $g \in K[x]$ mit

$$\chi_\varphi(x) = g(x) \cdot \chi_{\varphi|_W}(x).$$

Daher ist

$$\tilde{\chi}_\varphi(\varphi) = \tilde{g}(\varphi) \circ \tilde{\chi}_{\varphi|_W}(\varphi)$$

und somit

$$\begin{aligned} \tilde{\chi}_\varphi(\varphi)(v) &= \tilde{g}(\varphi) \circ \tilde{\chi}_{\varphi|_W}(\varphi)(v) \\ &= (-1)^{m+1} \tilde{g}(\varphi)(-\varphi^m + \alpha_m \varphi^{m-1} + \ldots + \alpha_2 \varphi + \alpha_1 \mathrm{id})(v) \\ &= (-1)^{m+1} \tilde{g}(\varphi)(-v_{m+1} + \alpha_m v_m + \ldots + \alpha_1 v_1) \\ &= (-1)^{m+1} \tilde{g}(\varphi)(0) \\ &= 0. \end{aligned}$$

$\square$

Lemma 6.103. *Sei V ein endlich-dimensionaler K-Vektorraum und $\varphi \in \mathrm{End}(V)$. Ist W ein φ-invarianter Untervektorraum von V, dann wird $\chi_\varphi \in K[x]$ von $\chi_{\varphi|_W}$ ohne Rest geteilt.*

Beweis. Sei $(v_1, \ldots, v_m)$ eine geordnete Basis von W. Sei C die darstellende Matrix von $\varphi|_W$ bzgl. dieser Basis. Wir ergänzen zu einer geordneten Basis $B = (v_1, \ldots, v_m, \ldots, v_n)$ von V, wobei $n = \dim(V)$. In dieser Basis hat φ die darstellende Matrix

$$A = \left(\begin{array}{c|c} C & D \\ \hline 0 & E \end{array} \right).$$

Dann ist

$$\chi_\varphi(x) = \det \left(\begin{array}{c|c} C - x\mathbb{1}_m & D \\ \hline 0 & E - x\mathbb{1}_{n-m} \end{array} \right)$$
$$= \det(C - x\mathbb{1}_m) \cdot \det(E - x\mathbb{1}_{n-m})$$
$$= \chi_{\varphi|_W}(x) \cdot \chi_E(x). \qquad \square$$

Satz 6.104. *Sei V ein endlich-dimensionaler K-Vektorraum und $\varphi \in \mathrm{End}(V)$. Dann haben χ_φ und M_φ dieselben Nullstellen.*

Die Vielfachheiten der Nullstellen können beim Minimalpolynom kleiner sein, wie wir in Beispiel 6.99 gesehen haben.

Beweis. a) Der Satz von Cayley-Hamilton liefert $\chi_\varphi = g \cdot M_\varphi$ für ein Polynom $g \in K[x]$. Also ist jede Nullstelle von M_φ auch eine Nullstelle von χ_φ.
b) Sei umgekehrt λ eine Nullstelle von χ_φ. Wir haben $\tilde{M}_\varphi(\lambda) = 0$ zu zeigen. Wir schreiben

$$M_\varphi(x) = x^m + \alpha_{m-1} \cdot x^{m-1} + \ldots + \alpha_0.$$

Wir wählen einen Eigenvektor $v \neq 0$ von φ zum Eigenwert λ. Nun gilt

$$\tilde{M}_\varphi(\lambda) \cdot v = \lambda^m \cdot v + \alpha_{m-1} \cdot \lambda^{m-1} \cdot v + \ldots + \alpha_0 \cdot v$$
$$= (\varphi^m + \alpha_{m-1} \cdot \varphi^{m-1} + \ldots + \alpha_0 \cdot \mathrm{id})(v)$$
$$= \tilde{M}_\varphi(\varphi)(v)$$
$$= 0.$$

Also ist $\tilde{M}_\varphi(\lambda) = 0$, d.h. λ ist eine Nullstelle von M_φ. $\qquad \square$

 Üben Sie die Berechnung des Minimalpolynoms von gegebenen Matrizen 
selbst: `https://ueben.cbaer.eu/22.html`

Satz 6.105. *Sei V ein endlich-dimensionaler K-Vektorraum und $\varphi \in \mathrm{End}(V)$. Dann sind äquivalent:*

(1) φ ist diagonalisierbar.

(2) M_φ zerfällt in paarweise verschiedene Linearfaktoren.

Beweis. Zu „(1)$\Rightarrow$(2)":

Sei φ diagonalisierbar und seien $\lambda_1, \ldots, \lambda_k$ die paarweise verschiedenen Eigenwerte von φ. Setze $f := (x - \lambda_1) \cdot \ldots \cdot (x - \lambda_k) \in K[x]$. Wir zeigen $M_\varphi = f$, woraus insbesondere (2) folgt. Die $\lambda_1, \ldots, \lambda_k$ sind die Nullstellen von χ_φ, also nach Satz 6.104 auch die von M_φ. Daher teilt f das Polynom M_φ ohne Rest. Sei $v \in V$. Da φ diagonalisierbar ist, haben wir die Zerlegung $V = \mathrm{Eig}(\varphi, \lambda_1) \oplus \ldots \oplus \mathrm{Eig}(\varphi, \lambda_k)$. Wir können daher $v = v_1 + \ldots + v_k$ mit $v_j \in \mathrm{Eig}(\varphi, \lambda_j) = \ker(\varphi - \lambda_j \mathrm{id})$ schreiben. Dann gilt

$$\tilde{f}(\varphi)(v) = \tilde{f}(\varphi)(v_1) + \ldots + \tilde{f}(\varphi)(v_k).$$

Wegen

$$f = (x - \lambda_1) \cdots (x - \lambda_{i-1})(x - \lambda_{i+1}) \cdots (x - \lambda_n)(x - \lambda_i) =: g_i(x) \cdot (x - \lambda_i)$$

ist nun

$$\tilde{f}(\varphi)(v_i) = \tilde{g}_i(\varphi) \circ (\varphi - \lambda_i \cdot \mathrm{id})(v_i) = \tilde{g}_i(\varphi)(0) = 0.$$

Also ist $\tilde{f}(\varphi)(v) = 0$ für jedes $v \in V$ und damit $\tilde{f}(\varphi) = 0$. In anderen Worten, $f \in \mathrm{Ann}(\varphi)$ und daher wird f vom Minimalpolynom M_φ ohne Rest geteilt.

Wir wissen nun, dass das Minimalpolynom M_φ das Polynom f ohne Rest teilt und umgekehrt genauso. Also gibt es ein $\alpha \in K \setminus \{0\}$ mit $M_\varphi = \alpha f$. Da M_φ und f normiert sind, ist $\alpha = 1$ und somit $M_\varphi = f$.

Zu „(2)$\Rightarrow$(1)":

Diese Implikation müssen wir für den Moment vertagen. Wir werden sie im nächsten Abschnitt beweisen, siehe Korollar 6.116 auf Seite 339. $\square$

Wir können also folgendermaßen überprüfen, ob eine Matrix $A \in \mathrm{Mat}(n, K)$ (oder ein Endomorphismus auf einem n-dimensionalen Vektorraum) diagonalisierbar ist:

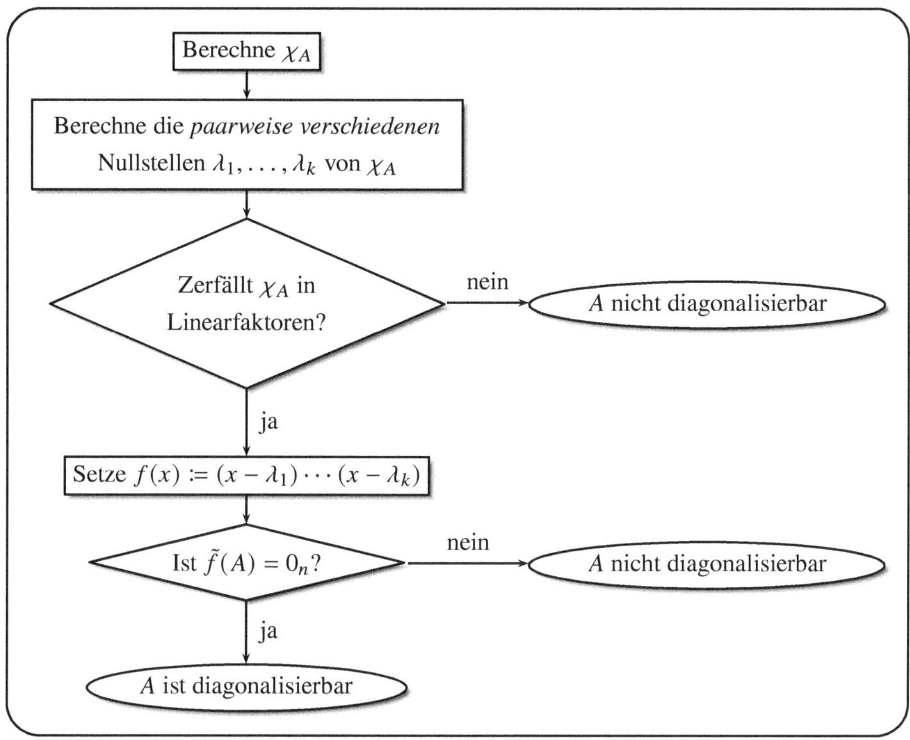

Abb. 105 *Prüfung auf Diagonalisierbarkeit*

Beispiel 6.106. Sei $A = \begin{pmatrix} 2 & 1 \\ 0 & 2 \end{pmatrix}$. Dann zerfällt das charakteristische Polynom $\chi_A(x) = \det \begin{pmatrix} 2 - x & 1 \\ 0 & 2 - x \end{pmatrix} = (2 - x)^2$ in Linearfaktoren. Es gibt nur den Eigenwert $\lambda_1 = 2$. Wir setzen $f(x) := x - 2$. Dann ist

$$\tilde{f}(A) = A - 2 \cdot \mathbb{1}_2 = \begin{pmatrix} 2 & 1 \\ 0 & 2 \end{pmatrix} - \begin{pmatrix} 2 & 0 \\ 0 & 2 \end{pmatrix} = \begin{pmatrix} 0 & 1 \\ 0 & 0 \end{pmatrix} \neq 0_2$$

Also ist A nicht diagonalisierbar.

6.7. Die Jordan'sche Normalform

Die Frage nach der Diagonalisierbarkeit einer Matrix ist aufgetreten, weil wir Endomorphismen durch möglichst einfache Matrizen darstellen wollten. Leider hat sich herausgestellt, dass nicht alle Endomorphismen diagonalisierbar sind. Über dem Körper der komplexen Zahlen konnten wir aber immerhin jede Matrix trigonalisieren. Die Frage ist nun, ob man, zumindest über

$\mathbb{C}$, noch eine einfachere Form der darstellenden Matrix eines Endomorphismus finden kann. Diese müsste im Allgemeinen einfacher als eine obere Dreiecksmatrix, aber komplizierter als eine Diagonalmatrix sein. Dies ist tatsächlich möglich und heißt die Jordan'sche Normalform des Endomorphismus.

Zunächst wieder zwei Vorbereitungen zu Polynomen.

Lemma 6.107. *Sei K ein Körper, seien $\lambda_1, \ldots, \lambda_k \in K$ paarweise verschieden, $\alpha \in K \setminus \{0\}$ und $\gamma_1, \ldots, \gamma_k \in \mathbb{N}$. Sei*

$$f(x) = \alpha \cdot (x - \lambda_1)^{\gamma_1} \cdots (x - \lambda_k)^{\gamma_k} \in K[x].$$

Dann ist jedes Polynom $g \in K[x]$, das das Polynom f teilt, von der Form

$$g(x) = \beta \cdot (x - \lambda_1)^{\mu_1} \cdots (x - \lambda_k)^{\mu_k}$$

mit $\beta \in K \setminus \{0\}$ und $\mu_j \in \{0, 1, \ldots, \gamma_j\}$.

Beweis. Sei g ein Polynom, das f teilt. Dann existiert ein $h \in K[x]$, so dass $f = g \cdot h$. Da λ_1 eine Nullstelle von f ist, ist es auch eine von g oder von h. Also gibt es nach Lemma 6.19 ein $g_1 \in K[x]$ mit $g(x) = (x - \lambda_1) \cdot g_1(x)$ oder ein $h_1 \in K[x]$ mit $h(x) = (x - \lambda_1) \cdot h_1(x)$. Wir dividieren beide Seiten der Gleichung $f = g \cdot h$ durch das Polynom $x - \lambda_1$ und erhalten wegen der Eindeutigkeit in der Polynomdivision (siehe Satz 6.15):

$$\alpha \cdot (x - \lambda_1)^{\gamma_1 - 1} \cdot (x - \lambda_2)^{\gamma_2} \cdots (x - \lambda_k)^{\gamma_k} = g_1(x) \cdot h(x)$$

bzw.

$$\alpha \cdot (x - \lambda_1)^{\gamma_1 - 1} \cdot (x - \lambda_2)^{\gamma_2} \cdots (x - \lambda_k)^{\gamma_k} = g(x) \cdot h_1(x).$$

Wir wiederholen diese Prozedur insgesamt $\gamma_1 + \gamma_2 + \ldots + \gamma_k = \deg(f)$ Male und erhalten

$$\alpha = \alpha \cdot (x - \lambda_1)^0 \cdots (x - \lambda_k)^0 = \hat{g}(x) \cdot \hat{h}(x),$$

wobei $g(x) = \hat{g}(x) \cdot (x - \lambda_1)^{\mu_1} \cdots (x - \lambda_k)^{\mu_k}$ und $h(x) = \hat{h}(x) \cdot (x - \lambda_1)^{\gamma_1 - \mu_1} \cdots (x - \lambda_k)^{\gamma_k - \mu_k}$. Insbesondere gilt $\deg(\hat{g}) = \deg(\hat{h}) = 0$ und daher $\beta := \hat{g} \in K \setminus \{0\}$. Also ist $g(x) = \beta \cdot (x - \lambda_1)^{\mu_1} \cdots (x - \lambda_k)^{\mu_k}$, was zu beweisen war. $\qquad\square$

Bemerkung 6.108. Aus Lemma 6.107 folgt, dass jedes Polynom, das ein Polynom teilt, welches in Linearfaktoren zerfällt, selbst auch in Linearfaktoren zerfällt. Insbesondere, wenn das charakteristische Polynom eines Endomorphismus in Linearfaktoren zerfällt, so muss dies auch für das Minimalpolynom gelten.

Bemerkung 6.109. Nehmen wir einmal an, dass das charakteristische Polynom χ_φ eines Endomorphismus φ in Linearfaktoren zerfällt, also von der Form

$$\chi_\varphi(x) = (-1)^n \cdot (x - \lambda_1)^{\mu_{\mathrm{alg}}(\lambda_1)} \cdots (x - \lambda_k)^{\mu_{\mathrm{alg}}(\lambda_k)}$$

ist, wobei $\lambda_1, \ldots, \lambda_k$ die paarweise verschiedenen Eigenwerte sind. Dann muss das Minimalpolynom von der Form

$$M_\varphi(x) = (x - \lambda_1)^{\mu_1} \cdots (x - \lambda_k)^{\mu_k}$$

sein, wobei $\mu_j \leq \mu_{\mathrm{alg}}(\lambda_j)$. Da jede Nullstelle von χ_φ auch eine von M_φ ist, muss $1 \leq \mu_j \leq \mu_{\mathrm{alg}}(\lambda_j)$ für alle $j = 1, \ldots, k$ gelten. Der Koeffizient β aus Lemma 6.107 muss $= 1$ sein, da das Minimalpolynom normiert ist.

Satz 6.105 besagt, dass φ genau dann diagonalisierbar ist, wenn $\mu_1 = \ldots = \mu_k = 1$ ist. Das ist genau dann der Fall, wenn $(x - \lambda_1) \cdots (x - \lambda_k) \in \mathrm{Ann}(\varphi)$, d.h. wenn $(\varphi - \lambda_1 \cdot \mathrm{id}) \cdots (\varphi - \lambda_k \cdot \mathrm{id}) = 0$.

Die zweite Vorbereitung über Polynome ist ein Spezialfall des sogenannten erweiterten euklidischen Algorithmus.

Lemma 6.110. *Sei K ein Körper, seien $\lambda_1, \ldots, \lambda_k \in K$ paarweise verschieden, $k \geq 2$ und $\gamma_1, \ldots, \gamma_k \in \mathbb{N}$.*
Dann gibt es Polynome $h_1, h_2 \in K[x]$, so dass

$$1 = h_1(x) \cdot (x - \lambda_1)^{\gamma_1} + h_2(x) \cdot (x - \lambda_2)^{\gamma_2} \cdots (x - \lambda_k)^{\gamma_k}.$$

Beweis. Wir setzen

$$f_1 := (x - \lambda_1)^{\gamma_1},$$
$$f_2 := (x - \lambda_2)^{\gamma_2} \cdots (x - \lambda_k)^{\gamma_k}.$$

Wir nehmen nun an, dass $\deg(f_2) \leq \deg(f_1)$. Ansonsten vertauschen wir die Rollen von f_1 und f_2 im folgenden Beweis.

Sukzessive Polynomdivision mit Rest (Satz 6.15) liefert:

$$
\begin{aligned}
f_1 &= q_1 \cdot f_2 + f_3, & \deg(f_3) &< \deg(f_2), \\
f_2 &= q_2 \cdot f_3 + f_4, & \deg(f_4) &< \deg(f_3), \\
&\ \ \vdots \\
f_{j-1} &= q_{j-1} \cdot f_j + f_{j+1}, & \deg(f_{j+1}) &< \deg(f_j), \\
&\ \ \vdots
\end{aligned}
$$

Irgendwann muss $\deg(f_{n+2}) < 0$ sein, d.h. $f_{n+2} = 0$ und damit $f_n = q_n \cdot f_{n+1}$. Daraus ergibt sich:

$$f_{n+1} \text{ teilt } f_n$$
$$\Rightarrow \quad f_{n+1} \text{ teilt } f_n \text{ und } f_{n-1}$$

$$\Rightarrow \quad f_{n+1} \text{ teilt } f_n, f_{n-1} \text{ und } f_{n-2}$$

$$\vdots$$

$$\Rightarrow \quad f_{n+1} \text{ teilt alle } f_j.$$

Insbesondere teilt f_{n+1} die Polynome f_1 und f_2. Nach Lemma 6.107 muss f_{n+1} einerseits von der Form $f_{n+1} = \beta \cdot (x - \lambda_1)^{\mu_1}$ sein und andererseits auch von der Form $f_{n+1} = \beta' \cdot (x - \lambda_2)^{\mu_2} \cdots (x - \lambda_k)^{\mu_k}$. Das ist nur möglich, wenn f_{n+1} eine Konstante $\alpha \in K$ ist. Da erst f_{n+2} das Nullpolynom ist, f_{n+1} aber noch nicht, gilt $\alpha \neq 0$.

Induktiv sehen wir, dass jedes f_j von der Form $f_j = h_{1,j} \cdot f_1 + h_{2,j} \cdot f_2$ ist. Insbesondere gilt:

$$\alpha = f_{n+1} = h_{1,n+1} \cdot f_1 + h_{2,n+1} \cdot f_2.$$

Also ist

$$1 = \frac{1}{\alpha} h_{1,n+1} \cdot f_1 + \frac{1}{\alpha} h_{2,n+1} \cdot f_2.$$

Mit $h_1 := \frac{1}{\alpha} h_{1,n+1}$ und $h_2 := \frac{1}{\alpha} h_{2,n+1}$ folgt die Behauptung. $\qquad\square$

Proposition 6.111. *Sei K ein Körper, seien $\lambda_1, \ldots, \lambda_k \in K$ paarweise verschieden, $\alpha \in K \setminus \{0\}$ und $\gamma_1, \ldots, \gamma_k \in \mathbb{N}$. Sei $f = \alpha \cdot (x - \lambda_1)^{\gamma_1} \cdots (x - \lambda_k)^{\gamma_k} \in K[x]$. Sei V ein endlich-dimensionaler K-Vektorraum und $\varphi \in \mathrm{End}(V)$. Dann ist*

$$\ker(\tilde{f}(\varphi)) = \ker((\varphi - \lambda_1 \cdot \mathrm{id}_V)^{\gamma_1}) \oplus \cdots \oplus \ker((\varphi - \lambda_k \cdot \mathrm{id}_V)^{\gamma_k}).$$

Beweis. a) Ohne Beschränkung der Allgemeinheit können wir annehmen, dass $\alpha = 1$ ist, denn der Faktor α hat keinen Einfluss auf $\ker(\tilde{f}(\varphi))$. Wir zeigen die Aussage nun durch vollständige Induktion nach k.

b) Für $k = 1$ ist die Aussage offensichtlich. Damit ist der Induktionsanfang vollzogen.

c) Für den Induktionsschritt sei $k \geq 2$. Wir setzen $f_1(x) := (x - \lambda_1)^{\gamma_1}$ und $f_2(x) := (x - \lambda_2)^{\gamma_2} \cdots (x - \lambda_k)^{\gamma_k}$. Wir zeigen:

$$\ker(\tilde{f}(\varphi)) = \ker(\widetilde{f_1}(\varphi)) \oplus \ker(\widetilde{f_2}(\varphi)).$$

Dann folgt die Aussage nach Induktionsannahme für $\ker(\widetilde{f_2}(\varphi))$.

d) *Behauptung*: Es gilt

$$\ker(\widetilde{f_1}(\varphi)) \subset \ker(\tilde{f}(\varphi)).$$

Beweis der Behauptung: Ist $v \in \ker(\widetilde{f_1}(\varphi))$, so ist

$$\tilde{f}(\varphi)(v) = (\widetilde{f_2 f_1})(\varphi)(v) = \big(\widetilde{f_2}(\varphi) \circ \underbrace{\widetilde{f_1}(\varphi)}_{=0}\big)(v) = 0.$$

Daraus folgt $\ker(\widetilde{f_1}(\varphi)) \subset \ker(\tilde{f}(\varphi))$. $\qquad\checkmark$

e) Analog sieht man $\ker(\widetilde{f_2}(\varphi)) \subset \ker(\tilde{f}(\varphi))$. Es folgt:

$$\ker(\widetilde{f_1}(\varphi)) + \ker(\widetilde{f_2}(\varphi)) \subset \ker(\tilde{f}(\varphi)).$$

f) *Behauptung*: Es gilt umgekehrt auch

$$\ker(\tilde{f}(\varphi)) \subset \ker(\widetilde{f_1}(\varphi)) + \ker(\widetilde{f_2}(\varphi)).$$

Beweis der Behauptung: Nach Lemma 6.110 gibt es Polynome $h_1, h_2 \in K[x]$, so dass $f_1 \cdot h_1 + f_2 \cdot h_2 = 1$. Hieraus folgt $\mathrm{id} = \widetilde{f_1}(\varphi) \circ \widetilde{h_1}(\varphi) + \widetilde{f_2}(\varphi) \circ \widetilde{h_2}(\varphi)$.
Sei nun $v \in \ker(\tilde{f}(\varphi))$. Wir zerlegen v durch

$$v = \mathrm{id}(v) = \underbrace{\widetilde{f_1}(\varphi) \circ \widetilde{h_1}(\varphi)(v)}_{=:v_2} + \underbrace{\widetilde{f_2}(\varphi) \circ \widetilde{h_2}(\varphi)(v)}_{=:v_1} = v_2 + v_1.$$

Nun folgt

$$\widetilde{f_2}(\varphi)(v_2) = \widetilde{f_2}(\varphi) \circ \widetilde{f_1}(\varphi) \circ \widetilde{h_1}(\varphi)(v) = \tilde{f}(\varphi) \circ \widetilde{h_1}(\varphi)(v) = \widetilde{h_1}(\varphi) \circ \tilde{f}(\varphi)(v) = 0.$$

Also ist $v_2 \in \ker(\widetilde{f_2}(\varphi))$. Analog sieht man $v_1 \in \ker(\widetilde{f_1}(\varphi))$.   ✓
g) Bleibt noch zu zeigen, dass die Summe direkt ist, d.h.

$$\ker(\widetilde{f_1}(\varphi)) \cap \ker(\widetilde{f_2}(\varphi)) = \{0\}.$$

Sei dazu $v \in \ker(\widetilde{f_1}(\varphi)) \cap \ker(\widetilde{f_2}(\varphi))$. Dann ist

$$v = \mathrm{id}(v) = \underbrace{\widetilde{h_1}(\varphi) \circ \widetilde{f_1}(\varphi)(v)}_{=0} + \underbrace{\widetilde{h_2}(\varphi) \circ \widetilde{f_2}(\varphi)(v)}_{=0} = 0. \qquad \square$$

Wir erinnern uns daran, dass für diagonalisierbare Endomorphismen $\varphi \in \mathrm{End}(V)$ das Minimalpolynom die Form $M_\varphi(x) = (x - \lambda_1) \cdots (x - \lambda_k)$ hat (Satz 6.105) und der Vektorraum V wie folgt zerlegt werden kann (Satz 6.71 (5)):

$$V = \ker(\varphi - \lambda_1 \cdot \mathrm{id}_V) \oplus \ldots \oplus \ker(\varphi - \lambda_k \cdot \mathrm{id}_V).$$

Dabei sind wieder $\lambda_1, \ldots, \lambda_k$ die paarweise verschiedenen Eigenwerte von φ. Der folgende Satz ist die Verallgemeinerung hiervon für Endomorphismen, die nicht notwendig diagonalisierbar sind.

Satz 6.112 (Zerlegung in verallgemeinerte Eigenräume). *Sei V ein endlich-dimensionaler K-Vektorraum. Sei $\varphi \in \mathrm{End}(V)$ ein Endomorphismus, dessen Minimalpolynom in Linearfaktoren zerfällt, $M_\varphi(x) = (x - \lambda_1)^{\gamma_1} \cdots (x - \lambda_k)^{\gamma_k}$. Hierbei seien $\lambda_1, \ldots, \lambda_k$ die paarweise verschiedenen Eigenwerte. Dann gilt:*

$$V = \ker\big((\varphi - \lambda_1 \cdot \mathrm{id}_V)^{\gamma_1}\big) \oplus \ldots \oplus \ker\big((\varphi - \lambda_k \cdot \mathrm{id}_V)^{\gamma_k}\big).$$

Beweis. Wir wenden Proposition 6.111 mit $f = M_\varphi$ an. Wegen $\tilde{M}_\varphi(\varphi) = 0$ gilt

$$V = \ker(\tilde{M}_\varphi(\varphi)) = \ker((\varphi - \lambda_1 \cdot \mathrm{id}_V)^{\gamma_1}) \oplus \cdots \oplus \ker((\varphi - \lambda_k \cdot \mathrm{id}_V)^{\gamma_k}). \qquad \square$$

Definition 6.113. Sei V ein endlich-dimensionaler K-Vektorraum. Sei $\varphi \in \mathrm{End}(V)$ ein Endomorphismus, dessen Minimalpolynom in Linearfaktoren zerfällt. Sei λ ein Eigenwert von φ und γ die algebraische Vielfachheit der Nullstelle λ im Minimalpolynom. Dann heißt der Untervektorraum $\ker((\varphi - \lambda \cdot \mathrm{id}_V)^\gamma)$ **verallgemeinerter Eigenraum** oder auch **Hauptraum** von φ zum Eigenwert λ.

Beispiel 6.114. Betrachten wir die Matrix

$$A = \begin{pmatrix} 2 & 1 & 0 \\ 0 & 2 & 0 \\ 0 & 0 & 3 \end{pmatrix} \in \mathrm{Mat}(3, \mathbb{R}).$$

Das charakteristische Polynom berechnen wir flugs als

$$\chi_A(x) = (2 - x)^2 \cdot (3 - x).$$

Für das Minimalpolynom gibt es nun gemäß Bemerkung 6.109 nur zwei Möglichkeiten; es kann gleich $(x - 2)^2 \cdot (x - 3)$ oder gleich $(x - 2) \cdot (x - 3)$ sein. Das können wir dadurch entscheiden, indem wir überprüfen, ob $f := (x - 2) \cdot (x - 3) \in \mathrm{Ann}(A)$ ist:

$$\tilde{f}(A) = (A - 2 \cdot \mathbb{1}_3) \cdot (A - 3 \cdot \mathbb{1}_3) = \begin{pmatrix} 0 & 1 & 0 \\ 0 & 0 & 0 \\ 0 & 0 & 1 \end{pmatrix} \cdot \begin{pmatrix} -1 & 1 & 0 \\ 0 & -1 & 0 \\ 0 & 0 & 0 \end{pmatrix} = \begin{pmatrix} 0 & -1 & 0 \\ 0 & 0 & 0 \\ 0 & 0 & 0 \end{pmatrix} \neq 0_3.$$

Also ist $f \notin \mathrm{Ann}(A)$ und das Minimalpolynom muss $M_A = (x - 2)^2 \cdot (x - 3)$ sein. Nun stellen wir fest:

$$\ker(A - 2 \cdot \mathbb{1}_3) = \ker \begin{pmatrix} 0 & 1 & 0 \\ 0 & 0 & 0 \\ 0 & 0 & 1 \end{pmatrix} = \mathbb{R} \cdot e_1,$$

$$\ker\left((A - 2 \cdot \mathbb{1}_3)^2\right) = \ker \begin{pmatrix} 0 & 0 & 0 \\ 0 & 0 & 0 \\ 0 & 0 & 1 \end{pmatrix} = \mathbb{R} \cdot e_1 \oplus \mathbb{R} \cdot e_2,$$

$$\ker(A - 3 \cdot \mathbb{1}_3) = \ker \begin{pmatrix} -1 & 1 & 0 \\ 0 & -1 & 0 \\ 0 & 0 & 0 \end{pmatrix} = \mathbb{R} \cdot e_3.$$

In der Tat gilt

$$\mathbb{R}^3 = \ker\left((A - 2 \cdot \mathbb{1}_3)^2\right) \oplus \ker(A - 3 \cdot \mathbb{1}_3) = \mathbb{R} \cdot e_1 \oplus \mathbb{R} \cdot e_2 \oplus \mathbb{R} \cdot e_3,$$

nicht aber

$$\mathbb{R}^3 = \ker(A - 2 \cdot \mathbb{1}_3) \oplus \ker(A - 3 \cdot \mathbb{1}_3) = \mathbb{R} \cdot e_1 \oplus \mathbb{R} \cdot e_3.$$

In diesem Beispiel stimmen Eigenraum und Hauptraum für den Eigenwert 3 überein, nicht aber für den Eigenwert 2. Im letzteren Fall ist der Hauptraum echt größer als der Eigenraum.

Bemerkung 6.115. Verallgemeinerte Eigenräume von φ sind stets φ-invariant. Ist nämlich $v \in \ker\left((\varphi - \lambda \cdot \mathrm{id})^\gamma\right)$, dann ist auch $\varphi(v) \in \ker\left((\varphi - \lambda \cdot \mathrm{id})^\gamma\right)$, da

$$(\varphi - \lambda \cdot \mathrm{id})^\gamma(\varphi(v)) = ((\varphi - \lambda \cdot \mathrm{id})^\gamma \circ \varphi)(v) = (\varphi \circ (\varphi - \lambda \cdot \mathrm{id})^\gamma)(v) = \varphi(0) = 0.$$

Nun können wir auch den Beweis von Satz 6.105 zu Ende bringen; die Beweisrichtung „(2)$\Rightarrow$(1)" stand ja noch aus.

Korollar 6.116. *Wenn das Minimalpolynom M_φ eines Endomorphismus in paarweise verschiedene Linearfaktoren zerfällt, dann ist φ diagonalisierbar.*

Beweis. In diesem Fall können wir Satz 6.112 mit $\gamma_1 = \ldots = \gamma_k = 1$ anwenden und erhalten $V = \ker(\varphi - \lambda_1 \cdot \mathrm{id}_V) \oplus \ldots \oplus \ker(\varphi - \lambda_k \cdot \mathrm{id}_V)$. Die Behauptung folgt nun aus Satz 6.71. $\quad\square$

Definition 6.117. Sei K ein Körper. Eine Matrix der Form

$$\begin{pmatrix} \lambda & 1 & & 0 \\ & \ddots & \ddots & \\ & & \ddots & 1 \\ 0 & & & \lambda \end{pmatrix}$$

nennt man einen **Jordanblock**, wobei $\lambda \in K$.

Satz 6.118 (Jordan'sche Normalform). *Sei K ein Körper, sei V ein endlich-dimensionaler K-Vektorraum und sei $\varphi \in \mathrm{End}(V)$ ein Endomorphismus, dessen Minimalpolynom in Linearfaktoren zerfällt. Dann existiert eine geordnete Basis B von V, bzgl. derer die darstellende*

Matrix von φ die Blockdiagonalform

$$M_B(\varphi) = \begin{pmatrix} \boxed{J_1} & & & \\ & \boxed{J_2} & & \\ & & \ddots & \\ & & & \boxed{J_\ell} \end{pmatrix}$$

hat. Dabei sind die J_i Jordanblöcke.

Diese **Jordan'sche Normalform** ist die einfachste Form, in die wir die darstellende Matrix eines nicht diagonalisierbaren Endomorphismus bringen können. Der diagonalisierbare Fall ist genau der Spezialfall der Jordan'schen Normalform, bei dem alle Jordanblöcke nur 1×1-Matrizen sind, denn genau dann treten keine Einsen auf der Nebendiagonale auf. Ein Beweis von Satz 6.118 findet sich in Anhang B.4.

Beispiel 6.119. Die Matrix

$$A = \begin{pmatrix} 2 & 1 & 0 & 0 \\ 0 & 2 & 0 & 0 \\ 0 & 0 & 3 & 0 \\ 0 & 0 & 0 & 3 \end{pmatrix}$$

ist in Jordan'scher Normalform mit den drei Jordanblöcken

$$J_1 = \begin{pmatrix} 2 & 1 \\ 0 & 2 \end{pmatrix}, \quad J_2 = J_3 = (3).$$

Aus Satz 6.118 und dem Fundamentalsatz der Algebra folgt:

Korollar 6.120. *Jede quadratische komplexe Matrix besitzt eine Jordan'sche Normalform, d.h. ist ähnlich zu einer Matrix wie in Satz 6.118.* □

Wie hängt die Jordan'sche Normalform eines Endomorphismus $\varphi \in \text{End}(V)$ mit den verschiedenen Größen zusammen, die wir Endomorphismen zugeordnet haben, also charakteristisches Polynom, Minimalpolynom, algebraische und geometrische Vielfachheiten der Eigenwerte? Nehmen wir an, das charakteristische Polynom zerfällt in Linearfaktoren mit den paarweise verschiedenen Eigenwerten $\lambda_1, \ldots, \lambda_k$. Wir betrachten die Darstellung von φ in Jordan'scher Normalform:

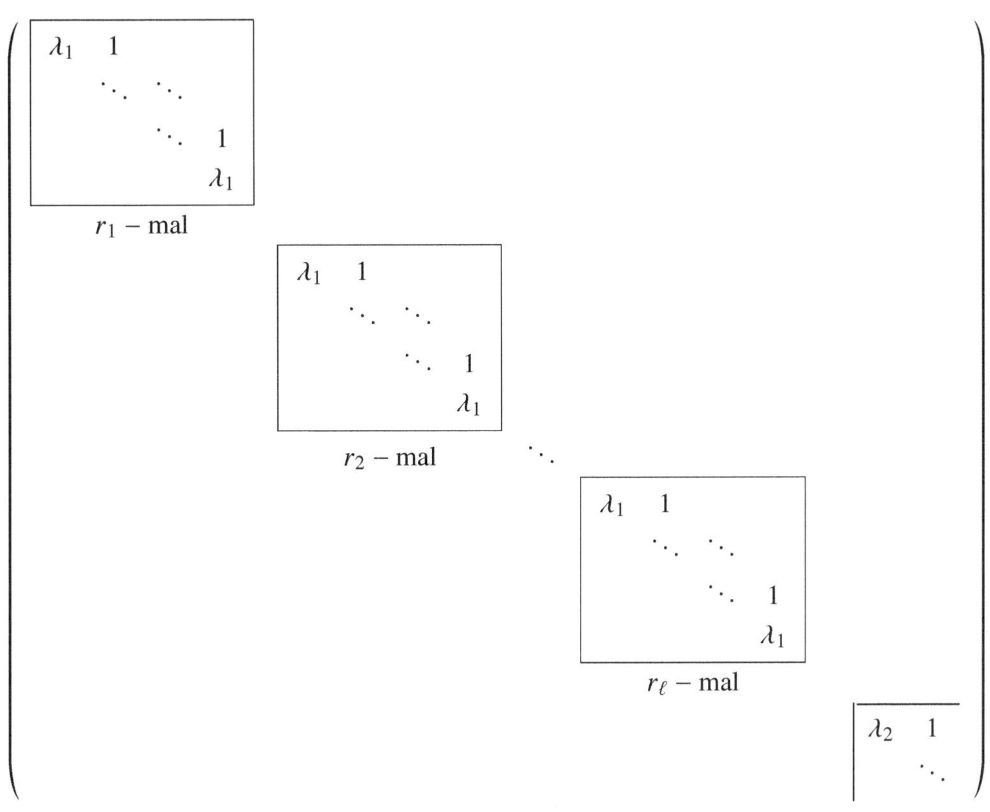

Wir konzentrieren uns dabei auf die Jordanblöcke, die λ_1 auf der Diagonale stehen haben, hier die ersten ℓ Blöcke. Bilden wir das charakteristische Polynom, so erhalten wir $\chi_\varphi(x) = (\lambda_1 - x)^{r_1} \cdot (\lambda_1 - x)^{r_2} \cdots (\lambda_1 - x)^{r_\ell} \times$ Linearfaktoren zu den anderen Eigenwerten. Also ist die algebraische Vielfachheit von λ_1 gegeben durch

$$\mu_{\text{alg}}(\lambda_1) = r_1 + r_2 + \ldots + r_\ell.$$

In der darstellenden Matrix von $\varphi - \lambda_1 \cdot \text{id}$ haben die ersten ℓ Diagonalblöcke die Form

$$\begin{pmatrix} 0 & 1 & & \\ & \ddots & \ddots & \\ & & \ddots & 1 \\ & & & 0 \end{pmatrix}. \tag{6.20}$$

Diese Matrizen haben einen eindimensionalen Kern, der dem ersten Spaltenvektor entspricht. Jeder der ℓ ersten Blöcke liefert einen Basisvektor für den Kern von $\varphi - \lambda_1 \cdot \text{id}$, also ist er insgesamt ℓ-dimensional. In anderen Worten, die geometrische Vielfachheit von λ_1 ist gegeben durch

$$\mu_{\text{geo}}(\lambda_1) = \ell.$$

In Satz 6.69 (iii) haben wir gelernt, dass φ genau dann diagonalisierbar ist, wenn die geometrischen und die algebraischen Vielfachheiten der Eigenwerte übereinstimmen. In der Tat, $r_1 + r_2 + \ldots + r_\ell = \ell$ ist gleichbedeutend mit $r_1 = r_2 = \ldots = r_\ell = 1$, d.h. damit dass die Jordanblöcke 1×1-Blöcke sind. Wenn das für alle Eigenwerte gilt, heißt es genau, dass die Jordan'sche Normalform eine Diagonalmatrix ist.

Mit den algebraischen Vielfachheiten der Eigenwerte kennen wir auch das charakteristische Polynom. Wie können wir nun das Minimalpolynom aus der Jordan'schen Normalform ablesen? Wir suchen die niedrigsten Exponenten $\gamma_1, \ldots, \gamma_k$, für die $(x - \lambda_1)^{\gamma_1} \cdots (x - \lambda_k)^{\gamma_k}$ im Annihilator von φ ist.

Für jedes Polynom $f \in K[x]$ und jede Matrix in Blockdiagonalform,

$$
A = \begin{pmatrix} \boxed{A_1} & & \\ & \ddots & \\ & & \boxed{A_m} \end{pmatrix}
$$

gilt

$$
\tilde{f}(A) = \begin{pmatrix} \boxed{\tilde{f}(A_1)} & & \\ & \ddots & \\ & & \boxed{\tilde{f}(A_m)} \end{pmatrix}.
$$

Wir müssen also nur überprüfen, für welche γ_j das Polynom $f(x) = (x - \lambda_1)^{\gamma_1} \cdots (x - \lambda_k)^{\gamma_k}$ die Jordanblöcke zu Null macht. Setzen wir einen Jordanblock zu λ_1 in einen Linearfaktor $(x - \lambda_j)$ zu einem anderen Eigenwert λ_j ein, so erhalten wir

$$
\begin{pmatrix} \lambda_1 - \lambda_j & 1 & & 0 \\ & \ddots & \ddots & \\ & & \ddots & 1 \\ 0 & & & \lambda_1 - \lambda_j \end{pmatrix}.
$$

Dies ist eine invertierbare Matrix, da sie obere Dreiecksgestalt hat und die Diagonalterme ungleich Null sind. Die Multiplikation mit invertierbaren Matrizen hat keine Auswirkung darauf, ob eine Matrix die Nullmatrix ist. Also müssen wir lediglich das kleinste γ_1 suchen, für das alle Jordanblöcke zu λ_1 eingesetzt in $(x - \lambda_1)^{\gamma_1}$ die Nullmatrix ergibt.

Setzen wir einen Jordanblock zu λ_1 in $x - \lambda_1$ ein, so erhalten wir eine Matrix wie in (6.20). Man kann nun leicht sehen, dass bei jedem Multiplizieren mit dieser Matrix die Einsernebendiagonale um eins nach rechts oben rutscht,

$$
\begin{pmatrix} 0 & 1 & & \\ & \ddots & \ddots & \\ & & \ddots & 1 \\ & & & 0 \end{pmatrix}^k = \begin{pmatrix} 0 & \cdots & 0 & 1 & & \\ & \ddots & & & \ddots & \ddots \\ & & \ddots & & & \ddots & 1 \\ & & & \ddots & & & 0 \\ & & & & \ddots & & \vdots \\ & & & & & & 0 \end{pmatrix}.
$$

Das kleinste k, für das wir die Nullmatrix erhalten, ist somit gerade durch die Größe der Matrix gegeben. Es folgt für den Exponenten im Minimalpolynom $M_\varphi = (x - \lambda_1)^{\gamma_1} \ldots (x - \lambda_k)^{\gamma_k}$:

$$\gamma_1 = \max\{r_1, \ldots, r_\ell\}.$$

Analog erhält man die Exponenten γ_j im Minimalpolynom für die Linearfaktoren zu den anderen Eigenwerten λ_j.

Bemerkung 6.121. Die Jordan'sche Normalform ist im Allgemeinen nicht eindeutig. Hat man eine Basis bezüglich derer die darstellende Matrix Jordan'sche Normalform hat, dann kann man durch geeignetes Vertauschen der Basisvektoren auch die Jordanblöcke in der darstellenden Matrix vertauschen.

Man kann allerdings beweisen, dass die Jordan'sche Normalform *bis auf Vertauschung der Jordanblöcke* eindeutig ist. Mit anderen Worten, zwei Matrizen in Jordanform sind genau dann ähnlich, wenn sie bis auf die Reihenfolge aus denselben Jordanblöcken zusammengesetzt sind. Teilweise können wir das mit den bisherigen Überlegungen einsehen. Sind nämlich zwei Matrizen ähnlich, dann haben sie dasselbe charakteristische Polynom und damit dieselben Eigenwerte. Das sind die λ_j auf der Diagonale in der Jordan'schen Normalform. Fixieren wir einen Eigenwert λ und bezeichnen wie eben die Größen der Jordanblöcke zum Eigenwert λ mit $r_1, \ldots, r_\ell$, dann müssen für ähnliche Jordanmatrizen ℓ, $r_1 + \ldots + r_\ell$ und $\max\{r_1, \ldots, r_\ell\}$ übereinstimmen. Ähnliche Jordanmatrizen haben also zu jeden Eigenwert dieselbe Anzahl von Jordanblöcken, dieselbe Gesamtgröße und dieselbe Maximalgröße der Jordanblöcke.

Für einen Beweis der vollen Eindeutigkeitsaussage siehe z.B. [2, Abschnitt 6.5], [14, Satz 16.12] oder [17, Abschnitt 6.7].

 Üben Sie die Berechnung der Jordan'schen Normalform von gegebenen Matrizen selbst: `https://ueben.cbaer.eu/21.html` 

6.8. Aufgaben

6.1. Sei K ein Körper und x ein abstraktes Symbol. Zeigen Sie:
a) $(K[\![x]\!], +, \cdot)$ ist ein kommutativer Ring mit Eins $1 = 1 \cdot x^0 + 0 \cdot x^1 + 0 \cdot x^2 + 0 \cdot x^3 + \ldots$.
b) $(K[x], +, \cdot)$ ist ein Unterring von $(K[\![x]\!], +, \cdot)$, der die Eins enthält.

6.2. Sei K ein Körper und x ein abstraktes Symbol.
a) Zeigen Sie, dass die Einheiten im Ring $K[x]$ genau die Polynome vom Grad 0 sind.
b) Gilt das auch im Ring $K[\![x]\!]$?

6.3. Sei $\mathcal{A}$ eine K-Algebra mit Eins, $A \in \mathcal{A}$ und x ein abstraktes Symbol. Zeigen Sie, dass der Auswertehomomorphimus $K[x] \to \mathcal{A}$, $f \mapsto \tilde{f}(A)$, ein einserhaltender Algebrenhomomorphismus ist.

6.4. Sei $\mathcal{A}$ eine K-Algebra mit Eins und $A \in \mathcal{A}$. Zeigen Sie, dass $\mathrm{Ann}(A)$ folgende beiden Eigenschaften hat:

a) $\mathrm{Ann}(A)$ ist ein Untervektorraum von $K[x]$;

b) Für alle $p \in K[x]$ und $a \in \mathrm{Ann}(A)$ gilt $p \cdot a \in \mathrm{Ann}(A)$.

Eine Teilmenge von $K[x]$ mit diesen beiden Eigenschaften nennt man ein **Ideal**.

6.5. Sei $\mathcal{A}$ eine K-Algebra mit Eins. Zeigen Sie:

a) $\mathrm{Ann}(1) = \{g \cdot (x - 1) \mid g \in K[x]\}$;

b) $\mathrm{Ann}(0) = \{g \cdot x \mid g \in K[x]\}$.

6.6. Sei $\mathcal{A} = K[x]$ die Algebra der Polynome und sei $f \in \mathcal{A}$ mit $\deg(f) \geq 1$. Zeigen Sie:

a) $\{f^k \mid k \in \mathbb{N}_0\} = \{1, f, f^2, f^3, \ldots\}$ ist linear unabhängig;

b) $\mathrm{Ann}(f) = \{0\}$.

6.7. Wir fixieren reelle Zahlen $x_1 < x_2 < \cdots < x_n$. Zeigen Sie, dass es zu $y_1, \ldots, y_n \in \mathbb{R}$ genau eine reelle Polynomfunktion f vom Grad höchstens $n - 1$ gibt mit $f(x_j) = y_j$.
Hinweis: Hier ist die Vandermonde-Determinante aus Aufgabe 4.20 nützlich.

6.8. Bestimmen Sie das charakteristische Polynom, die Eigenwerte und deren geometrische Vielfachheit sowie die Eigenräume der Matrix

$$A := \begin{pmatrix} 1 & 1 \\ 1 & 1 \end{pmatrix} \in \mathrm{Mat}(2, K),$$

und zwar für

a) $K = \mathbb{R}$;

b) $K = \mathbb{F}_2$.

6.9. Bestimmen Sie eine Matrix $A \in \mathrm{Mat}(3, \mathbb{R})$, so dass A den Eigenwert 1 zum Eigenvektor $(1, 2, 1)^\mathsf{T}$, den Eigenwert -1 zum Eigenvektor $(1, 0, 1)^\mathsf{T}$ und den Eigenwert 2 zum Eigenvektor $(-1, 1, 0)^\mathsf{T}$ hat.

6.10. Sei K ein Körper, V ein n-dimensionaler K-Vektorraum, $\lambda \in K$ und $\varphi \in \mathrm{End}(V)$. Sei B eine geordnete Basis von V und $A = M_B(\varphi)$ die darstellende Matrix von φ bzgl. B. Zeigen Sie:

a) λ ist Eigenwert von φ genau dann, wenn λ Eigenwert von A ist.

b) $\dim(\text{Eig}(\varphi, \lambda)) = \dim(\text{Eig}(A, \lambda))$, d.h. die geometrische Vielfachheit von λ als Eigenwert von φ ist dieselbe wie die als Eigenwert von A.

c) φ und A haben dasselbe charakteristische Polynom.

6.11. Entscheiden Sie, welche der folgenden Matrizen über $\mathbb{R}$ diagonalisierbar sind. Geben Sie für die Matrizen jeweils Basen für die Eigenräume an. Geben Sie für die diagonalisierbaren Matrizen ferner eine Matrix $T \in \text{Gl}(3, \mathbb{R})$ an, s.d. $T \cdot A_i \cdot T^{-1}$ eine Diagonalmatrix ist. All das für

a) $A_1 = \begin{pmatrix} 2 & 6 & -1 \\ -1 & -2 & 1 \\ 2 & 6 & -1 \end{pmatrix}$;

b) $A_2 = \begin{pmatrix} 3 & 0 & 0 \\ 2 & 3 & 0 \\ 1 & 2 & 3 \end{pmatrix}$;

c) $A_3 = \begin{pmatrix} \cos(\frac{\pi}{7}) & 0 & -\sin(\frac{\pi}{7}) \\ 0 & \frac{\pi}{7} & 0 \\ \sin(\frac{\pi}{7}) & 0 & \cos(\frac{\pi}{7}) \end{pmatrix}$.

6.12. Bestimmen Sie für die Matrix

$$A = \begin{pmatrix} 1 & 2 \\ -1 & -1 \end{pmatrix}$$

alle Potenzen A^k mit $k \in \mathbb{N}$.

6.13. Sei K ein Körper, $n \in \mathbb{N}$ und $M \in \text{Mat}(n, K)$. Wir sagen, dass $W \in \text{Mat}(n, K)$ eine *Wurzel* von M ist, falls $W \cdot W = M$ gilt.
Zeigen Sie, dass jede diagonalisierbare Matrix $M \in \text{Mat}(n, \mathbb{C})$ eine Wurzel hat.

6.14. Gegeben seien die beiden Matrizen

$$A = \begin{pmatrix} 3 & -3 & 2 \\ 0 & 4 & 0 \\ -1 & 3 & 0 \end{pmatrix} \quad \text{und} \quad B = \begin{pmatrix} 0 & 0 & -2 \\ 0 & 2 & 0 \\ 1 & 0 & 3 \end{pmatrix}.$$

Zeigen Sie, dass A und B simultan diagonalisierbar sind. Geben Sie eine gemeinsame Basis aus Eigenvektoren für A und B an und geben zu jedem Basisvektor außerdem den Eigenwert bzgl. A und bzgl. B an.

6.15. Sei V ein K-Vektorraum und seien $W_1, \ldots, W_k \subset V$ Untervektorräume. Beweisen Sie oder widerlegen Sie durch Gegenbeispiel folgende Behauptung:
Gilt $W_i \cap W_j = \{0\}$ für alle $i \neq j$, dann ist die Summe $W_1 + \ldots + W_k$ direkt,
a) für $k = 2$;
b) für $k = 3$.

6.16. a) Sei V ein endlich-dimensionaler K-Vektorraum und $W \subset V$ ein Untervektorraum. Zeigen Sie, dass ein Untervektorraum $U \subset V$ existiert, so dass $V = W \oplus U$ gilt.

b) Ist der Untervektorraum U in a) eindeutig bestimmt? (Beweis bzw. Gegenbeispiel)

c) Sei nun $V = \mathbb{R}^n$. Wir setzen $W^\perp := \{v \in V \mid \langle v, w \rangle = 0 \text{ für alle } w \in W\}$. Zeigen Sie, dass $W^\perp$ ein Untervektorraum von V mit $V = W \oplus W^\perp$ ist.

6.17. Sei V ein K-Vektorraum und $\varphi \in \operatorname{End}(V)$. Seien $W_1, \ldots, W_k \subset V$ invariante Untervektorräume für φ. Zeigen Sie, dass dann auch $W_1 \cap \ldots \cap W_k$ und $W_1 + \ldots + W_k$ invariante Untervektorräume für φ sind.

6.18. Trigonalisieren Sie die Matrix

$$A = \begin{pmatrix} -7 & 5 & 8 \\ -5 & 4 & 5 \\ -7 & 5 & 8 \end{pmatrix}$$

über dem Körper $K = \mathbb{R}$. Bestimmen Sie dabei sowohl die resultierende obere Dreiecksmatrix als auch die Transformationsmatrix.

6.19. Zeigen Sie, dass die Matrix

$$A = \begin{pmatrix} 1 & 1 \\ 1 & 0 \end{pmatrix}$$

über dem Körper $K = \mathbb{F}_2$ nicht trigonalisierbar ist.

6.20. Wir betrachten die folgende Matrix:

$$A = \begin{pmatrix} 2 & 1 & 0 & 0 & 0 \\ 0 & 2 & 1 & 0 & 0 \\ 0 & 0 & 2 & 0 & 0 \\ 0 & 0 & 0 & 2 & 0 \\ 0 & 0 & 0 & 0 & 3 \end{pmatrix}.$$

a) Bestimmen Sie das charakteristische Polynom und das Minimalpolynom von A.

b) Untersuchen Sie, ob A diagonalisierbar ist.

6.21. Sei K ein Körper, V ein endlich-dimensionaler K-Vektorraum und $\varphi \in \mathrm{Aut}_K(V)$. Zeigen Sie: Es existiert ein Polynom $p \in K[x]$ vom Grad $\leq \dim(V) - 1$, so dass gilt: $\varphi^{-1} = \tilde{p}(\varphi)$.

6.22. Sei $A \in \mathrm{Mat}(n, K)$ eine **nilpotente** Matrix, d.h. es gibt ein $k \in \mathbb{N}$, so dass $A^k = 0_n$ gilt. Zeigen Sie:

a) 0 ist Eigenwert von A und A hat keine andere Eigenwerte.

b) Das Minimalpolynom ist gegeben durch $M_A = x^{k_0}$, wobei k_0 die kleinste natürliche Zahl ist, für die $A^{k_0} = 0_n$ gilt.

6.23. Wo liegt der Fehler in folgendem kurzen „Beweis" des Satzes von Cayley-Hamilton:

$$\tilde{\chi}_A(A) = \det(A - A \cdot \mathbb{1}_n) = \det(A - A) = \det(0_n) = 0.$$

6.24. Benutzen Sie Bemerkung 6.102, um einen einfachen Beweis des Satzes von Cayley-Hamilton für diagonalisierbare Matrizen zu geben.

6.25. Sei $A = \begin{pmatrix} 0 & 1 \\ 1 & 1 \end{pmatrix}$ und $f = x^{20} - 10\,x^{19} + 35\,x^{18} - 30\,x^{17} - 105\,x^{16} + 228\,x^{15} + 90\,x^{14} - 540\,x^{13} + 45\,x^{12} + 770\,x^{11} - 131\,x^{10} - 770\,x^9 + 45\,x^8 + 540\,x^7 + 90\,x^6 - 228\,x^5 - 105\,x^4 + 30\,x^3 + 35\,x^2 + 10\,x + 2$. Berechnen Sie $\tilde{f}(A)$.

Hinweis: Nicht stupide losrechnen! Der Satz von Cayley-Hamilton in Verbindung mit einer geeigneten Polynomdivision vereinfacht die Aufgabe stark.

6.26. Sei V ein 6-dimensionaler $\mathbb{R}$-Vektorraum und $\varphi \in \mathrm{Aut}_K(V)$. Sei

$$\chi_\varphi(x) = (x - 1)(x + 3)^5 \quad \text{und} \quad M_\chi(x) = (x - 1)(x + 3)^3.$$

Bestimmen Sie alle Jordan'schen Normalformen, die für φ möglich sind.

6.27. Seien $A, B \in \mathrm{Mat}(n, K)$.

a) Beweisen Sie: Gilt $AB = BA$, so gilt für alle $m \in \mathbb{N}$:

$$(A + B)^m = \sum_{j=0}^{m} \binom{m}{j} \cdot A^j \cdot B^{m-j}.$$

b) Benutzen Sie dies, um allgemeine Formeln für die Potenzen von Jordanblöcken herzuleiten.

c) Zeigen Sie durch Gegenbeispiel, dass die Formel aus a) im Allgemeinen nicht gilt, falls $AB \neq BA$.

6.28. a) Seien $A, B \in \mathrm{Mat}(3, \mathbb{C})$. Zeigen Sie, dass A und B genau dann ähnlich sind, wenn $M_A = M_B$ und $\chi_A = \chi_B$ gilt.

b) Stimmt die Behauptung aus Teil a) auch für $A, B \in \mathrm{Mat}(4, \mathbb{C})$? (Beweis bzw. Gegenbeispiel)

7. Bilineare Algebra

Rettet die Kegelschnitte!

(Hans-Georg Weigand)

Wir untersuchen jetzt bilineare Abbildungen. Diese haben, im Gegensatz zu linearen, nicht einen, sondern zwei Vektoren als Argument und sind in jedem einzeln linear. Von besonderer Bedeutung ist der Spezialfall, dass das Ergebnis nicht ein Vektor, sondern eine Zahl ist, also ein Element des zugrundeliegenden Körpers. Wir sprechen dann von einer Bilinearform. Symmetrische Bilinearformen sind geometrisch besonders wichtig. Wir klassifizieren mit ihrer Hilfe die Quadriken und die Kegelschnitte. Wir führen ein abstraktes Konzept von Skalarprodukt ein, was zu euklidischen bzw. unitären Vektorräumen führt. Dann kann man von selbstadjungierten, orthogonalen und unitären Endomorphismen sprechen. Die orthogonalen verallgemeinern die Drehungen und Spiegelungen, die uns schon aus dem zweidimensionalen Fall vertraut sind. Zum Schluss studieren wir noch die schiefsymmetrischen Bilinearformen und Endomorphismen.

7.1. Bilineare Abbildungen

Beginnen wir gleich mit der zentralen Definition:

Definition 7.1. Seien V, W und Z Vektorräume über dem Körper K. Eine Abbildung $\beta : V \times W \to Z$ heißt **bilinear**, wenn für alle $\alpha, \alpha' \in K$, alle $v, v' \in V$ und alle $w, w' \in W$ gilt:

$$\beta(\alpha \cdot v + \alpha' \cdot v', w) = \alpha \cdot \beta(v, w) + \alpha' \cdot \beta(v', w),$$
$$\beta(v, \alpha \cdot w + \alpha' \cdot w') = \alpha \cdot \beta(v, w) + \alpha' \cdot \beta(v, w').$$

Im Fall $Z = K$ spricht man dann auch von einer **Bilinearform**.

Eine bilineare Abbildung bildet also je zwei Vektoren auf einen Vektor ab (bzw. auf eine Zahl im Falle einer Bilinearform) und zwar so, dass wenn man einen Vektor festhält, die Abbildung als Funktion des anderen Vektors linear ist.

© Der/die Autor(en), exklusiv lizenziert an
Springer Fachmedien Wiesbaden GmbH, ein Teil von Springer Nature 2026
C. Bär, *Lineare Algebra und analytische Geometrie*,
https://doi.org/10.1007/978-3-658-51055-8_7

Beispiel 7.2. Sei $K = \mathbb{R}$ und $V = W = Z = \mathbb{R}^3$. Dann ist das Vektorprodukt

$$\beta(v, w) = v \times w$$

eine bilineare Abbildung.

Beispiel 7.3. Sei $K = \mathbb{R}$ und $V = \mathbb{R}^n$. Dann ist das euklidische Skalarprodukt eine Bilinearform:

$$\beta(v, w) = \langle v, w \rangle = v_1 w_1 + \ldots + v_n w_n.$$

Beispiel 7.4. Sei K beliebig und $V = K^2$. Wir wissen, dass die Determinante von $n \times n$-Matrizen linear in jedem Spaltenvektor ist. Also ist

$$\beta(v, w) = \det(v, w)$$

eine Bilinearform.

Beispiel 7.5. $K = \mathbb{R}$ und sei $V = C^0([a, b], \mathbb{R})$ der Vektorraum der stetigen Funktionen auf dem Intervall $[a, b]$. Dann ist durch

$$\beta(f, g) = \int_a^b f(t) g(t) dt$$

eine Bilinearform auf V definiert. Wir rechnen die Linearität im ersten Argument nach:

$$
\begin{aligned}
\beta(\alpha_1 \cdot f_1 + \alpha_2 \cdot f_2, g) &= \int_a^b (\alpha_1 \cdot f_1 + \alpha_2 \cdot f_2)(t) \cdot g(t) \, dt \\
&= \int_a^b (\alpha_1 \cdot f_1(t) \cdot g(t) + \alpha_2 \cdot f_2(t) \cdot g(t)) \, dt \\
&= \alpha_1 \cdot \int_a^b f_1(t) \cdot g(t) \, dt + \alpha_2 \cdot \int_a^b f_2(t) \cdot g(t) \, dt \\
&= \alpha_1 \cdot \beta(f_1, g) + \alpha_2 \cdot \beta(f_2, g).
\end{aligned}
$$

Die Linearität im zweiten Argument kann man genauso verifizieren; sie folgt jetzt aber auch aus $\beta(f, g) = \beta(g, f)$.

Bemerkung 7.6. Sei V ein endlich-dimensionaler K-Vektorraum und $B = (b_1, \ldots, b_n)$ eine geordnete Basis von V. Jede Bilinearform $\beta \colon V \times V \to K$ ist durch ihre Werte auf den Basisvektoren eindeutig bestimmt. Um das zu sehen, setzen wir

$$\beta_{ij} := \beta(b_i, b_j).$$

Beliebige Vektoren $v, w \in V$ schreiben wir als Linearkombinationen dieser Basisvektoren,

$$v = \sum_{i=1}^{n} v_i \cdot b_i \quad \text{und} \quad w = \sum_{j=1}^{n} w_j \cdot b_j,$$

mit $v_i, w_i \in K$ und erhalten

$$\begin{aligned}
\beta(v, w) &= \beta\left(\sum_{i=1}^{n} v_i \cdot b_i, \sum_{j=1}^{n} w_j \cdot b_j \right) \\
&= \sum_{i=1}^{n} v_i \cdot \beta\left(b_i, \sum_{j=1}^{n} w_j \cdot b_j \right) \\
&= \sum_{i=1}^{n} v_i \cdot \sum_{j=1}^{n} w_j \cdot \beta(b_i, b_j) \\
&= \sum_{i,j=1}^{n} v_i \cdot w_j \cdot \beta_{ij} .
\end{aligned}$$

Sind umgekehrt eine geordnete Basis B von V und Zahlen $\beta_{ij} \in K$ vorgegeben, dann definiert

$$\beta(v, w) := \sum_{i,j=1}^{n} v_i w_j \beta_{ij}$$

eine Bilinearform auf V.

Definition 7.7. Sei V ein endlich-dimensionaler K-Vektorraum, $B = (b_1, \ldots, b_n)$ eine geordnete Basis von V, und $\beta \colon V \times V \to K$ eine Bilinearform. Dann heißt die Matrix

$$M_B(\beta) := (\beta_{ij})_{i,j=1,\ldots,n} = (\beta(b_i, b_j))_{i,j=1,\ldots,n} \in \mathrm{Mat}(n, K)$$

darstellende Matrix von β bzgl. B.

Ähnlich, wie wir lineare Abbildungen nach Basiswahl durch Matrizen darstellen können, können wir das also auch für Bilinearformen tun. Sehen wir uns dazu unsere Beispiele an:

Beispiel 7.8. Wie in Beispiel 7.3 betrachten wir das euklidische Skalarprodukt und stellen es bzgl. der Standardbasis $B = (e_1, \ldots, e_n)$ durch eine Matrix dar. Nun gilt

$$\beta(e_i, e_j) = \langle e_i, e_j \rangle = \begin{cases} 1, & \text{falls } i = j, \\ 0, & \text{sonst.} \end{cases}$$

Also ist die darstellende Matrix in diesem Fall die Einheitsmatrix,

$$M_B(\beta) = \mathbb{1}_n.$$

Beispiel 7.9. Stellen wir nun die durch die Determinante gegebene Bilinearform aus Beispiel 7.4 bzgl. der Standardbasis $B = (e_1, e_2)$ von K^2 durch eine Matrix dar. Es gilt:

$$\det(e_1, e_1) = \det(e_2, e_2) = 0,$$
$$\det(e_1, e_2) = \det(\mathbb{1}_2) = 1, \text{ und}$$
$$\det(e_2, e_1) = -\det(e_1, e_2) = -1.$$

Also ist die darstellende Matrix gegeben durch

$$M_B(\det) = \begin{pmatrix} 0 & 1 \\ -1 & 0 \end{pmatrix}.$$

Beispiel 7.10. Der Vektorraum $C^0([a, b], \mathbb{R})$ aus Beispiel 7.5 ist unendlich-dimensional. Daher kann die durch das Integral definierte Bilinearform nicht durch eine Matrix dargestellt werden.[1] Wir schränken daher die Bilinearform auf den 4-dimensionalen Untervektorraum $V = \mathbb{R}_3[x] \subset C^0([0, 1], \mathbb{R})$ ein, der als Elemente alle Polynomfunktionen vom Grad ≤ 3 enthält. Der Einfachheit halber betrachten wir nur den Fall $a = 0$ und $b = 1$. Eine geordnete Basis ist durch $B = (f_0, f_1, f_2, f_3)$ gegeben, wobei $f_k(x) = x^k$. Wir berechnen:

$$\beta(f_i, f_j) = \int_0^1 x^i \cdot x^j \, dx = \int_0^1 x^{i+j} \, dx = \left. \frac{x^{i+j+1}}{i+j+1} \right|_{x=0}^1 = \frac{1}{i+j+1}.$$

Somit ist die darstellende Matrix

$$M_B(\beta) = \begin{pmatrix} 1 & 1/2 & 1/3 & 1/4 \\ 1/2 & 1/3 & 1/4 & 1/5 \\ 1/3 & 1/4 & 1/5 & 1/6 \\ 1/4 & 1/5 & 1/6 & 1/7 \end{pmatrix}.$$

Ähnlich wie die darstellende Matrix einer linearen Abbildung hängt auch die darstellende Matrix einer Bilinearform von der Wahl der Basis ab. Allerdings transformiert sich die Matrix bei Basiswechsel bei Bilinearformen anders als bei linearen Abbildungen.

Um das zu sehen seien $B = (b_1, \ldots, b_n)$ und $B' = (b'_1, \ldots, b'_n)$ zwei geordnete Basen des K-Vektorraums V. Die Transformationsmatrix, die den Basiswechsel beschreibt, ist gegeben durch

$$T_{B'}^B = \begin{pmatrix} c_{11} & \cdots & c_{1n} \\ \vdots & \ddots & \vdots \\ c_{n1} & \cdots & c_{nn} \end{pmatrix},$$

wobei $b_i = \sum_{k=1}^n c_{ki} b'_k$, vgl. Bemerkung 4.36. Wir berechnen

---

[1] Es sei denn, man würde unendlich große Matrizen erlauben.

$$\beta_{ij} = \beta(b_i, b_j)$$

$$= \beta\left(\sum_{k=1}^{n} c_{ki} \cdot b'_k, \sum_{l=1}^{n} c_{lj} \cdot b'_l \right)$$

$$= \sum_{k,l=1}^{n} c_{ki} \cdot c_{lj} \cdot \beta(b'_k, b'_l)$$

$$= \sum_{k,l=1}^{n} c_{ki} \cdot \beta'_{kl} \cdot c_{lj}.$$

Also ist

$$M_B(\beta) = (T_{B'}^B)^\top \cdot M_{B'}(\beta) \cdot T_{B'}^B.$$

Wir halten fest:

Proposition 7.11 (Transformationsformel für Bilinearformen). *Ist $\beta\colon V \times V \to K$ eine Bilinearform und sind B und B' geordnete Basen des endlich-dimensionalen K-Vektorraums V, so gilt*

$$M_B(\beta) = (T_{B'}^B)^\top \cdot M_{B'}(\beta) \cdot T_{B'}^B. \qquad \square$$

Proposition 4.37 sagt uns, dass die Transformation der darstellenden Matrix eines Endomorphismus φ gegeben ist durch:

$$M_{B'}(\varphi) = T_{B'}^B \cdot M_B(\varphi) \cdot (T_{B'}^B)^{-1},$$

d.h., wenn wir nach $M_B(\varphi)$ auflösen, durch

$$M_B(\varphi) = (T_{B'}^B)^{-1} \cdot M_{B'}(\varphi) \cdot T_{B'}^B.$$

Bei Bilinearformen tritt statt der Inversen der Transformationsmatrix ihre Transponierte auf.

Bemerkung 7.12. Im Fall $V = K^n$ kann man jede Bilinearform mittels ihrer darstellenden Matrix bzgl. der Standardbasis $B = (e_1, \ldots, e_n)$ besonders leicht ausdrücken:

$$\beta(v, w) = \sum_{i,j=1}^{n} v_i \cdot w_j \cdot \beta(e_i, e_j) = v^\top \cdot M_B(\beta) \cdot w.$$

Definition 7.13. Eine bilineare Abbildung $\beta\colon V \times V \to Z$ heißt **symmetrisch**, falls

$$\beta(v, w) = \beta(w, v)$$

für alle $v, w \in V$ gilt. Dagegen heißt β **schiefsymmmetrisch**, falls für alle $v, w \in V$ gilt:

$$\beta(v, w) = -\beta(w, v).$$

Die Bilinearformen in Beispiel 7.3 und 7.5 sind symmetrisch, die bilinearen Abbildungen in Beispiel 7.2 und 7.4 sind hingegen schiefsymmetrisch.

Definition 7.14. Eine Matrix $A \in \mathrm{Mat}(n, K)$ heißt **symmetrisch**, falls $A^\top = A$, und **schiefsymmetrisch**, falls $A^\top = -A$.

Lemma 7.15. *Sei V ein endlich-dimensionaler K-Vektorraum und $\beta: V \times V \to K$ eine Bilinearform. Dann sind äquivalent:*

(1) Die Bilinearform β ist symmetrisch.

(2) Es gibt eine geordnete Basis B von V bzgl. derer die darstellende Matrix $M_B(\beta)$ von β symmetrisch ist.

(3) Für alle geordneten Basen B von V ist die darstellende Matrix $M_B(\beta)$ von β symmetrisch.

Beweis. Die Implikationen „(3)$\Rightarrow$(2)" und „(1)$\Rightarrow$(3)" sind trivial. Die fehlende Implikation „(2)$\Rightarrow$(1)" ist allerdings auch nicht schwer. Sei nämlich $B = (b_1, \ldots, b_n)$ eine geordnete Basis von V bzgl. derer $M_B(\beta)$ symmetrisch ist, d.h. $\beta(b_i, b_j) = \beta(b_j, b_i)$ für alle $i, j = 1, \ldots, n$. Seien $v, w \in V$. Wir schreiben $v = \sum_{i=1}^{n} v_i \cdot b_i$ und $w = \sum_{j=1}^{n} w_j \cdot b_j$. Nun gilt:

$$
\begin{aligned}
\beta(v, w) &= \beta\left(\sum_{i=1}^{n} v_i \cdot b_i, \sum_{j=1}^{n} w_j \cdot b_j \right) \\
&= \sum_{i,j=1}^{n} v_i \cdot w_j \cdot \beta(b_i, b_j) \\
&= \sum_{i,j=1}^{n} v_i \cdot w_j \cdot \beta(b_j, b_i) \\
&= \sum_{i,j=1}^{n} w_j \cdot v_i \cdot \beta(b_j, b_i)
\end{aligned}
$$

$$= \beta\left(\sum_{i=1}^{n} w_j \cdot b_j, \sum_{j=1}^{n} v_i \cdot b_i\right)$$

$$= \beta(w, v).$$

Damit ist gezeigt, dass β symmetrisch ist. $\qquad\square$

Die entsprechende Aussage für schiefsymmetrische Bilinearformen bzw. Matrizen zeigt man ganz genauso.

Lemma 7.16. *Sei V ein endlich-dimensionaler K-Vektorraum und $\beta\colon V \times V \to K$ eine Bilinearform. Dann sind äquivalent:*

(1) Die Bilinearform β ist schiefsymmetrisch.

(2) Es gibt eine geordnete Basis B von V bzgl. derer die darstellende Matrix $M_B(\beta)$ von β schiefsymmetrisch ist.

(3) Für alle geordneten Basen B von V ist die darstellende Matrix $M_B(\beta)$ von β schiefsymmetrisch. $\qquad\square$

Zumindest für die allermeisten Körper genügt es, symmetrische und schiefsymmetrische Bilinearformen zu verstehen, denn es gilt:

Lemma 7.17. *Sei K ein Körper, in dem $1 + 1 \neq 0$ gilt, und V ein K-Vektorraum. Dann gibt es zu jeder Bilinearform $\beta\colon V \times V \to K$ eine eindeutige symmetrische Bilinearform $\beta_s\colon V \times V \to K$ und eine eindeutige schiefsymmetrische Bilinearform $\beta_a\colon V \times V \to K$, so dass*

$$\beta = \beta_s + \beta_a.$$

Beweis. a) *Existenz:* Da $2 = 1 + 1 \neq 0$ vorausgesetzt ist, können wir durch 2 dividieren und setzen:

$$\beta_s(v, w) := \tfrac{1}{2}\beta(v, w) + \tfrac{1}{2}\beta(w, v), \quad \beta_a(v, w) := \tfrac{1}{2}\beta(v, w) - \tfrac{1}{2}\beta(w, v).$$

Dann ist β_s offensichtlich symmetrisch und β_a schiefsymmetrisch und es gilt $\beta_s + \beta_a = \beta$.

b) *Eindeutigkeit:* Nehmen wir an, wir haben eine Zerlegungen von β in einen symmetrischen und einen schiefsymmetrischen Anteil,

$$\beta = \beta_s + \beta_a.$$

Dann gilt für alle $v, w \in V$:

$$\begin{aligned}
\beta_s(v, w) &= \tfrac{1}{2}\beta_s(v, w) + \tfrac{1}{2}\beta_s(w, v) \\
&= \tfrac{1}{2}\beta(v, w) - \tfrac{1}{2}\beta_a(v, w) + \tfrac{1}{2}\beta(w, v) - \tfrac{1}{2}\beta_a(w, v) \\
&= \tfrac{1}{2}\beta(v, w) - \tfrac{1}{2}\beta_a(v, w) + \tfrac{1}{2}\beta(w, v) + \tfrac{1}{2}\beta_a(v, w) \\
&= \tfrac{1}{2}\beta(v, w) + \tfrac{1}{2}\beta(w, v).
\end{aligned}$$

Der symmetrische Anteil muss daher die Form $\beta_s(v, w) = \tfrac{1}{2}\beta(v, w) + \tfrac{1}{2}\beta(w, v)$ haben, was seine Eindeutigkeit zeigt. Genauso sieht man, dass der schiefsymmetrische Anteil durch $\beta_a(v, w) = \tfrac{1}{2}\beta(v, w) - \tfrac{1}{2}\beta(w, v)$ gegeben sein muss. $\qquad\square$

In einem Körper K, in dem $1 + 1 = 0$ gilt, wie z.B. $K = \mathbb{F}_2$, ist Lemma 7.17 falsch. Wegen $1 = -1$ sind dann symmetrische und schiefsymmetrische Bilinearformen dasselbe! Jede nichtsymmetrische Matrix $M \in \mathrm{Mat}(n, \mathbb{F}_2)$ führt mittels

$$\beta(v, w) = v^\mathsf{T} \cdot M \cdot w$$

auf eine Bilinearform β auf $V = \mathbb{F}_2^n$, die keine Zerlegung wie in Lemma 7.17 zulässt. Neben $\mathbb{F}_2$ gibt es weitere Körper, in denen $1 + 1 = 0$ ist. In Aufgabe 3.18 findet sich ein Beispiel mit 4 Elementen.

Wir werden uns von nun an auf symmetrische Bilinearformen konzentrieren.

Definition 7.18. Sei $\beta: V \times V \to K$ eine symmetrische Bilinearform. Dann heißt die Abbildung $q_\beta: V \to K$, $q_\beta(v) = \beta(v, v)$, die **quadratische Form** zu β.

Beispiel 7.19. Die quadratische Form zum euklidischen Skalarprodukt auf $V = \mathbb{R}^n$ ist gegeben durch

$$q(v) = v_1^2 + \ldots + v_n^2 = \|v\|^2.$$

Aus der quadratischen Form können wir die Bilinearform zurückgewinnen:

Proposition 7.20 (Polarisierung). *Sei K ein Körper, in dem $1 + 1 \neq 0$ gilt. Dann gilt für jede symmetrische Bilinearform β auf einem K-Vektorraum V und alle $v, w \in V$:*

$$\beta(v, w) = \tfrac{1}{2}\big(q_\beta(v + w) - q_\beta(v) - q_\beta(w)\big).$$

Insbesondere bestimmen sich β und q_β gegenseitig.

Beweis. Wir rechnen die Formel einfach nach:

$$q_\beta(v + w) - q_\beta(v) - q_\beta(w) = \beta(v + w, v + w) - \beta(v, v) - \beta(w, w)$$

$$= \beta(v, v) + \beta(v, w) + \beta(w, v) + \beta(w, w) - \beta(v, v) - \beta(w, w)$$
$$= \beta(v, w) + \beta(w, v)$$
$$= 2\beta(v, w)$$

Die letzte Umformung hat benutzt, dass β symmetrsich ist. Da $2 \neq 0$ ist, können wir durch 2 dividieren und erhalten die Aussage. $\qquad\square$

Beispiel 7.21. Im Fall $K = \mathbb{F}_2$ haben wir erwartungsgemäß auch bei der Polarisierung Probleme. Sei etwa $V = \mathbb{F}_2^2$. Wir betrachten die symmetrische Bilinearform

$$\beta \colon V \times V \to K, \quad \beta(v, w) = v_1 \cdot w_2 + v_2 \cdot w_1.$$

Die Bilinearform β ist nicht identisch 0, denn $\beta(e_1, e_2) = 1 \neq 0$. Für die zugehörige quadratische Form erhalten wir dagegen

$$q_\beta(v) = \beta(v, v) = v_1 v_2 + v_2 v_1 = 2 v_1 v_2 = 0$$

für alle $v \in V$.

Satz 7.22 (Normalform für symmetrische Bilinearformen). *Sei K ein Körper, in dem $1 + 1 \neq 0$ gilt. Sei V ein endlich-dimensionaler K-Vektorraum und β eine symmetrische Bilinearform auf V.*
Dann existiert eine geordnete Basis $B = (b_1, \ldots, b_n)$ von V, so dass die darstellende Matrix $M_B(\beta)$ von β eine Diagonalmatrix ist. In anderen Worten, es gilt $\beta(b_i, b_j) = 0$ für alle $i \neq j$.

Beweis. Wir zeigen die Aussage durch vollständige Induktion nach der Dimension $n = \dim(V)$ von V.
Induktionsanfang: Für $n = 1$ ist nichts zu zeigen.
Induktionsschritt: Sei $n \geq 2$. Wir haben zwei Fälle zu unterscheiden.
1. Fall: $q_\beta(v) = 0$ für alle $v \in V$.
Dann ist nach Proposition 7.20 die Bilinearform β identisch 0 und somit die darstellende Matrix $M_B(\beta) = 0_n$ bzgl. jeder Basis. In diesem Fall ist die Aussage somit klar.
2. Fall: Es gibt ein $b_1 \in V$ mit $q_\beta(b_1) \neq 0$.
Wir betrachten die lineare Abbildung $\varphi \colon V \to K$ gegeben durch $\varphi(v) = \beta(b_1, v)$. Wegen $\varphi(b_1) = \beta(b_1, b_1) = q_\beta(b_1) \neq 0$ ist φ nicht der Nullhomomorphismus. Also ist $\mathrm{rg}(\varphi) \geq 1$. Da $\dim(K) = 1$ ist, gilt aber auch $\mathrm{rg}(\varphi) \leq 1$. Also ist $\mathrm{rg}(\varphi) = 1$. Aus der Dimensionsformel (Satz 4.19) folgt

$$\dim(\ker(\varphi)) = \dim V - \mathrm{rg}(\varphi) = n - 1.$$

Nach Induktionsannahme gibt es eine geordnete Basis $(b_2, \ldots, b_n)$ von $\ker(\varphi)$, so dass

$$\beta(b_i, b_j) = 0$$

für alle $i, j = 2, \ldots n$ mit $i \neq j$. Wegen $b_1 \notin \ker(\varphi)$ ist $B := (b_1, b_2, \ldots, b_n)$ eine geordnete Basis von V. Für alle $j = 2, \ldots, n$ gilt

$$\beta(b_1, b_j) = \varphi(b_j) = 0.$$

Damit hat B die geforderten Eigenschaften. $\qquad\square$

> **Definition 7.23.** Sei V ein endlich-dimensionaler K-Vektorraum und $\beta \colon V \times V \to K$ eine symmetrische Bilinearform. Eine geordnete Basis B von V bzgl. derer die darstellende Matrix von β eine Diagonalmatrix ist, heißt eine **diagonalisierende Basis** oder, im Fall, dass β das euklidische Skalarprodukt ist, eine **Orthogonalbasis**.

Konkret kann man eine diagonalisierende Basis wie folgt finden:

1. Schritt:
Wähle $b_1 \in V$ mit $\beta(b_1, b_1) \neq 0$.
(Falls das nicht möglich ist, so ist $\beta = 0$. Dann tut es jede Basis.)

2. Schritt:
Berechne $U_1 := \ker(\varphi_1)$, wobei $\varphi_1 \colon V \to K$ mit $\varphi_1(v) = \beta(b_1, v)$.

3. Schritt:
Wähle $b_2 \in U_1$ mit $\beta(b_2, b_2) \neq 0$.
(Falls das nicht möglich ist, so ist $\beta|_{U_1 \times U_1} = 0$. Dann tut es jede Basis von U_1, ergänzt durch b_1 zu einer Basis von V.)

4. Schritt:
Berechne $U_2 := \ker(\varphi_2)$, wobei $\varphi_2 \colon U_1 \to K$ mit $\varphi_2(v) = \beta(b_2, v)$.

5. Schritt:
Wähle $b_3 \in U_2$ mit $\beta(b_3, b_3) \neq 0$.
(Falls das nicht möglich ist, so ist $\beta|_{U_2 \times U_2} = 0$. Dann tut es jede Basis von U_2, ergänzt durch b_1, b_2 zu einer Basis von V.)
$\ldots$ usw.

Beispiel 7.24. Betrachten wir $K = \mathbb{Q}$, $V = \mathbb{Q}^3$ und die Bilinearform gegeben durch

$$\beta(v, w) = v^{\mathsf{T}} \cdot \begin{pmatrix} 2 & 2 & 0 \\ 2 & 1 & 0 \\ 0 & 0 & 0 \end{pmatrix} \cdot w.$$

Schritt 1: Wir setzen $b_1 := e_1 = \begin{pmatrix} 1 \\ 0 \\ 0 \end{pmatrix}$. In der Tat gilt dann $\beta(b_1, b_1) = 2 \neq 0$.

Schritt 2: Wir berechnen

$$\varphi_1(v) = \beta(b_1, v) = \begin{pmatrix} 1 & 0 & 0 \end{pmatrix} \cdot \begin{pmatrix} 2 & 2 & 0 \\ 2 & 1 & 0 \\ 0 & 0 & 0 \end{pmatrix} \cdot \begin{pmatrix} v_1 \\ v_2 \\ v_3 \end{pmatrix} = 2v_1 + 2v_2.$$

Also ist $U_1 = \ker(\varphi_1) = \{v \in \mathbb{Q}^3 \mid v_1 = -v_2\}$.

Schritt 3: Wir setzen $b_2 := \begin{pmatrix} 1 \\ -1 \\ 0 \end{pmatrix} \in U_1$. In der Tat gilt dann $\beta(b_2, b_2) = -1 \neq 0$.

Schritt 4: Wir berechnen

$$\varphi_2(v) = \beta(b_2, v) = \begin{pmatrix} 1 & -1 & 0 \end{pmatrix} \cdot \begin{pmatrix} 2 & 2 & 0 \\ 2 & 1 & 0 \\ 0 & 0 & 0 \end{pmatrix} \cdot \begin{pmatrix} v_1 \\ v_2 \\ v_3 \end{pmatrix} = v_2.$$

Also ist

$$U_2 = \ker(\varphi_2) = \{v \in U_1 \mid v_2 = 0\} = \{v \in \mathbb{Q}^3 \mid v_1 = v_2 = 0\} = \mathbb{Q} \cdot e_3.$$

Schritt 5: Nun ist β identisch 0 auf $U_2 \times U_2$. Wir ergänzen die Basis durch $b_3 := e_3$ und sind fertig.

Die Basis $B = (b_1, b_2, b_3) = \left(\begin{pmatrix} 1 \\ 0 \\ 0 \end{pmatrix}, \begin{pmatrix} 1 \\ -1 \\ 0 \end{pmatrix}, \begin{pmatrix} 0 \\ 0 \\ 1 \end{pmatrix} \right)$ diagonalisiert β. Es gilt:

$$M_B(\beta) = \begin{pmatrix} 2 & 0 & 0 \\ 0 & -1 & 0 \\ 0 & 0 & 0 \end{pmatrix}.$$

Spaßeshalber überprüfen wir die Transformationsformel in diesem Beispiel. Die Bilinearform β war uns ja gegeben durch ihre darstellende Matrix bzgl. der Standardbasis $B' = (e_1, e_2, e_3)$:

$$M_{B'}(\beta) = \begin{pmatrix} 2 & 2 & 0 \\ 2 & 1 & 0 \\ 0 & 0 & 0 \end{pmatrix}.$$

Die Transformationsmatrix $T_{B'}^B$ enthält als Spaltenvektoren gerade die Vektoren der Basis B, also

$$T_{B'}^B = \begin{pmatrix} 1 & 1 & 0 \\ 0 & -1 & 0 \\ 0 & 0 & 1 \end{pmatrix}.$$

Nun gilt in der Tat:

$$(T_{B'}^B)^\top \cdot M_{B'}(\beta) \cdot T_{B'}^B = \begin{pmatrix} 1 & 0 & 0 \\ 1 & -1 & 0 \\ 0 & 0 & 1 \end{pmatrix} \cdot \begin{pmatrix} 2 & 2 & 0 \\ 2 & 1 & 0 \\ 0 & 0 & 0 \end{pmatrix} \cdot \begin{pmatrix} 1 & 1 & 0 \\ 0 & -1 & 0 \\ 0 & 0 & 1 \end{pmatrix}$$

$$= \begin{pmatrix} 1 & 0 & 0 \\ 1 & -1 & 0 \\ 0 & 0 & 1 \end{pmatrix} \cdot \begin{pmatrix} 2 & 0 & 0 \\ 2 & 1 & 0 \\ 0 & 0 & 0 \end{pmatrix}$$

$$= \begin{pmatrix} 2 & 0 & 0 \\ 0 & -1 & 0 \\ 0 & 0 & 0 \end{pmatrix}$$

$$= M_B(\beta).$$

Aufgabe 7.6 zeigt, dass die Bedingung $1+1 \neq 0$ an den Körper K in Satz 7.22 nicht weggelassen werden kann.

Bemerkung 7.25. Zurück zum Fall $1 + 1 \neq 0$. Hier gibt es im Allgemeinen viele diagonalisierende Basen zu einer symmetrischen Bilinearform β. Die Diagonalmatrix ist durch β nicht festgelegt, auch nicht nur bis auf Reihenfolge der Diagonaleinträge.
Allerdings gilt wegen der Transformationsformel $M_B(\beta) = (T_{B'}^B)^\top \cdot M_{B'}(\beta) \cdot T_{B'}^B$, dass

$$\mathrm{rg}(M_B(\beta)) = \mathrm{rg}(M_{B'}(\beta)).$$

Sind insbesondere B und B' beides diagonalisierende Basen, so haben $M_B(\beta)$ und $M_{B'}(\beta)$ gleich viele Nullen auf der Diagonale.

Definition 7.26. Zu einer symmetrischen Bilinearform $\beta \colon V \times V \to K$ heißt

$$N(\beta) := \{v \in V \mid \beta(v,w) = 0 \ \forall w \in V\}$$

der **Nullraum** von β.

Beispiele werden wir uns gleich noch ansehen. Vorher folgende Beobachtung:

Lemma 7.27. *Der Nullraum einer symmetrischen Bilinearform $\beta \colon V \times V \to K$ ist ein Untervektorraum von V.*

Beweis. a) Wegen $\beta(0,w) = 0$ für alle $w \in V$ ist $0 \in N(\beta)$.

b) Seien $\alpha, \alpha' \in K$ und $v, v' \in N(\beta)$. Dann gilt für alle $w \in V$:

$$\beta(\alpha \cdot v + \alpha' \cdot v', w) = \alpha \cdot \underbrace{\beta(v, w)}_{=0} + \alpha' \underbrace{\beta(v', w)}_{=0} = 0.$$

Also ist auch $\alpha \cdot v + \alpha' \cdot v' \in N(\beta)$. $\qquad\qquad\square$

Lemma 7.28. *Sei $B = (b_1, \ldots, b_n)$ eine diagonalisierende Basis für die symmetrische Bilinearform β. Dann wird der Nullraum $N(\beta)$ aufgespannt durch die Basisvektoren aus B mit $\beta(b_i, b_i) = 0$.*

Beweis. a) Sei $\beta(b_i, b_i) = 0$. Dann gilt für jedes $w \in V$, $w = \sum_{j=1}^{n} w_j b_j$:

$$\beta(b_i, w) = \beta\left(b_i, \sum_{j=1}^{n} w_j b_j\right) = \sum_{j=1}^{n} w_j \beta(b_i, b_j) = 0.$$

Also ist $b_i \in N(\beta)$. Da $N(\beta)$ ein Untervektorraum ist, ist dann auch die lineare Hülle der Basisvektoren b_i mit $\beta(b_i, b_i) = 0$ in $N(\beta)$ enthalten.

b) Sei umgekehrt $v \in N(\beta)$, $v = \sum_{i=1}^{n} v_i b_i$. Ist nun $\beta(b_k, b_k) \neq 0$, dann ist

$$0 = \beta(v, b_k) = \beta\left(\sum_{i=1}^{n} v_i b_i, b_k\right) = \sum_{i=1}^{n} v_i \underbrace{\beta(b_i, b_k)}_{=0 \text{ für } i \neq k} = v_k \beta(b_k, b_k).$$

Wegen $\beta(b_k, b_k) \neq 0$ folgt $v_k = 0$. Also liegt v in der linearen Hülle der Basisvektoren aus B mit $\beta(b_i, b_i) = 0$. $\qquad\square$

Insbesondere ist die Dimension des Nullraums $N(\beta)$ genau die Anzahl der Basisvektoren aus B mit $\beta(b_i, b_i) = 0$, d.h. genau die Anzahl der Nullen auf der Diagonalen der darstellenden Diagonalmatrix $M_B(\beta)$. Gemäß der Dimensionsformel können wir das auch ausdrücken durch

$$\dim(N(\beta)) = \dim(V) - \mathrm{rg}(M_B(\beta)). \tag{7.1}$$

Formel (7.1) ist auch richtig, wenn B nicht diagonalisierende Basis ist, da der Rang der darstellenden Matrix $M_B(\beta)$ für alle Basen derselbe ist.

Definition 7.29. Eine symmetrische Bilinearform heißt **ausgeartet** (oder auch **degeneriert** oder **entartet**), falls $N(\beta) \neq \{0\}$.

Entsprechend Gleichung (7.1) ist β genau dann ausgeartet, wenn $\dim(V) > \mathrm{rg}(M_B(\beta))$. In anderen Worten: β ist genau dann nicht ausgeartet, wenn die darstellende Matrix bzgl. einer (und damit bzgl. aller) geordneten Basis invertierbar ist.

Beispiel 7.30. Das euklidische Skalarprodukt auf $V = \mathbb{R}^n$ hat bzgl. der Standardbasis die Einheitsmatrix als darstellende Matrix. Also ist $\dim(N(\beta)) = n - n = 0$. Das euklidische Skalarprodukt ist daher nicht ausgeartet.
Der Nullraum besteht in diesem Fall ja auch genau aus den Vektoren, die auf allen Vektoren senkrecht stehen. Das tut nur der Nullvektor.

Beispiel 7.31. In Beispiel 7.10 haben wir den Vektorraum der Polynomfunktionen vom Grad ≤ 3 auf dem Einheitsintervall $[0, 1]$ zusammen mit einer durch ein Integral definierten symmetrischen Bilinearform betrachtet. Wegen

$$\det\begin{pmatrix} 1 & 1/2 & 1/3 & 1/4 \\ 1/2 & 1/3 & 1/4 & 1/5 \\ 1/3 & 1/4 & 1/5 & 1/6 \\ 1/4 & 1/5 & 1/6 & 1/7 \end{pmatrix} = \frac{1}{6.048.000} \neq 0$$

ist die darstellende Matrix invertierbar und die Bilinearform somit nicht ausgeartet.

Beispiel 7.32. In Beispiel 7.24 haben wir die diagonalisierende Basis $B = (b_1, b_2, b_3) = \left(\begin{pmatrix} 1 \\ 0 \\ 0 \end{pmatrix}, \begin{pmatrix} 1 \\ -1 \\ 0 \end{pmatrix}, \begin{pmatrix} 0 \\ 0 \\ 1 \end{pmatrix}\right)$ gefunden. Wir hatten auch gesehen, dass $\beta(b_1, b_1) \neq 0$, $\beta(b_2, b_2) \neq 0$ und $\beta(b_3, b_3) = 0$. Also wird der Nullraum durch $b_3 = e_3$ aufgespannt, $N(\beta) = \mathbb{Q} \cdot e_3$.

Bemerkung 7.33. Ist $B = (b_1, \ldots, b_n)$ eine diagonalisierende Basis für β auf V, d.h.

$$M_B(\beta) = \begin{pmatrix} \alpha_1 & & 0 \\ & \ddots & \\ 0 & & \alpha_n \end{pmatrix},$$

so ist β genau dann nicht ausgeartet, wenn alle $\alpha_j \neq 0$ sind.
Allgemein können wir definieren $W := L(\{b_j \mid \alpha_j \neq 0\})$. Da $N(\beta)$ von den anderen Basisvektoren aufgespannt wird, gilt nun $V = W \oplus N(\beta)$. Schränken wir β auf den Untervektorraum W ein, so erhalten wir eine nicht ausgeartete Bilinearform, da die darstellende Matrix von $\beta|_{W \times W} \colon W \times W \to K$ die Diagonalmatrix ist, auf der nur die Diagonaleinträge $\alpha_j \neq 0$ vorkommen.
Fazit: Wir können für eine beliebige symmetrische Bilinearform β den zugrundeliegenden endlich-dimensionalen Vektorraum V in eine Summe $V = W \oplus N(\beta)$ zerlegen, so dass die Einschränkung von β auf W nicht ausgeartet ist.

Satz 7.34 (Sylvester). *Sei V ein endlich-dimensionaler $\mathbb{R}$-Vektorraum und $\beta\colon V \times V \to \mathbb{R}$ eine symmetrische Bilinearform. Dann existiert eine geordnete Basis B von V, so dass*

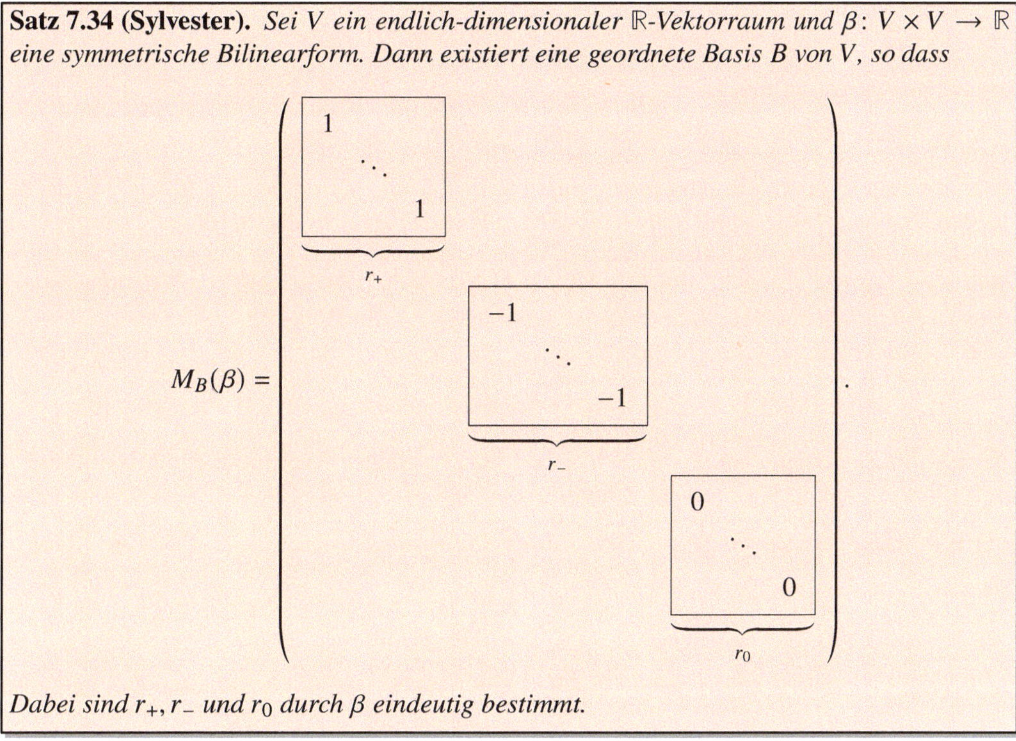

Dabei sind r_+, r_- und r_0 durch β eindeutig bestimmt.

Beweis. a) Sei $B' = (b'_1, \ldots, b'_n)$ eine diagonalisierende Basis für β von V, d.h.

$$M_{B'}(\beta) = \begin{pmatrix} \alpha_1 & & 0 \\ & \ddots & \\ 0 & & \alpha_n \end{pmatrix}.$$

Durch Umsortieren der Basisvektoren können wir erreichen, dass zunächst die positiven Diagonaleinträge kommen, dann die negativen und schließlich die Nullen, d.h. $\alpha_1, \ldots, \alpha_{r_+} > 0$, $\alpha_{r_++1}, \ldots, \alpha_{r_++r_-} < 0$ und $\alpha_{r_++r_-+1} = \ldots = \alpha_n = 0$. Wir setzen

$$b_j := \begin{cases} \frac{1}{\sqrt{\alpha_j}} \cdot b'_j & \text{für } 1 \leq j \leq r_+, \\ \frac{1}{\sqrt{-\alpha_j}} \cdot b'_j & \text{für } r_+ + 1 \leq j \leq r_+ + r_-, \\ b'_j & \text{für } r_+ r_- + 1 \leq j \leq n. \end{cases}$$

Damit erhalten wir eine neue geordnete Basis $B = (b_1, \ldots, b_n)$ von V. Für $i \neq j$ folgt aus $\beta(b'_i, b'_j) = 0$ sofort, dass $\beta(b_i, b_j) = 0$. Außerdem ist

$$\beta(b_j, b_j) = \begin{cases} \frac{1}{\alpha_j}\beta(b'_j, b'_j) & \text{für } 1 \leq j \leq r_+, \\ \frac{-1}{\alpha_j}\beta(b'_j, b'_j) & \text{für } r_+ + 1 \leq j \leq r_+ + r_-, \\ \beta(b'_j, b'_j) & \text{für } r_+ r_- + 1 \leq j \leq n, \end{cases}$$

$$= \begin{cases} 1 & \text{für } 1 \le j \le r_+, \\ -1 & \text{für } r_+ + 1 \le j \le r_+ + r_-, \\ 0 & \text{für } r_+ + r_- + 1 \le j \le n. \end{cases}$$

Damit haben wir die gewünschte Matrixdarstellung erreicht.

b) Nun könnte es noch sein, dass es verschiedene Basen wie im Beweisteil a) gibt, die zu darstellenden Diagonalmatrizen mit unterschiedlichen Werten für r_+, r_- und r_0 führen. Daher müssen wir diese drei Zahlen noch allein durch β, ohne Bezugnahme auf eine Basis charakterisieren. Wir wissen bereits, dass $r_0 = \dim(N(\beta))$. Also ist r_0 durch β allein festgelegt. Bleibt zu zeigen, dass r_+ durch β festgelegt ist, denn dann ist es auch $r_- = \dim(V) - r_+ - r_0$.

c) *Zwischenbehauptung:*

$$r_+ = \max\bigl\{\dim(W) \mid W \subset V \text{ Untervektorraum, so dass } q_\beta(v) > 0 \;\; \forall v \in W \setminus \{0\}\bigr\}.$$

Beweis der Zwischenbehauptung: Wir geben dem fraglichen Maximum einen Namen, $m :=$ $\max\bigl\{\dim(W) \mid W \subset V \text{ Untervektorraum, so dass } q_\beta(v) > 0 \;\; \forall v \in W \setminus \{0\}\bigr\}$.

c1) Wir zeigen zunächst $m \ge r_+$. Dazu setzen wir $W_0 := L(b_1, \ldots, b_{r_+})$. Für $v = \sum\limits_{j=1}^{r_+} v_j b_j \in$ $W_0 \setminus \{0\}$ gilt nun

$$q_\beta(v) = \beta(v,v) = \beta\Bigl(\sum_{j=1}^{r_+} v_j b_j, \sum_{k=1}^{r_+} v_k b_k\Bigr) = \sum_{j,k=1}^{r_+} v_j v_k \underbrace{\beta(b_j, b_k)}_{= \begin{cases} 0, j \ne k \\ 1, j = k \end{cases}} = \sum_{j=1}^{r_+} v_j^2 > 0.$$

Also ist $m \ge \dim(W_0) = r_+$.

c2) Bleibt noch zu zeigen, dass $m \le r_+$. Sei $W \subset V$ ein Untervektorraum mit $\dim(W) > r_+$. Wir haben zu zeigen, dass ein $v \in W \setminus \{0\}$ existiert mit $q_\beta(v) \le 0$. Wegen

$$\dim(W) + \dim(L(b_{r_+ + 1}, \ldots, b_n)) > r_+ + r_- + r_0 = \dim(V)$$

muss $\dim(W \cap L(b_{r_+ + 1}, \ldots, b_n)) \ge 1$ sein. Also gibt es ein $v \in W \cap L(b_{r_+ + 1}, \ldots, b_n)$ mit $v \ne 0$. Wir schreiben $v = \sum\limits_{j=r_+ + 1}^{n} v_j b_j$. Dann sehen wir $q_\beta(v) = \sum\limits_{j=r_+ + 1}^{n} v_j^2 \underbrace{\beta(b_j, b_j)}_{\le 0} \le 0$.

Die Zwischenbehauptung und damit auch der Satz sind bewiesen. $\square$

Bemerkung 7.35. Analog wie im Beweis kann man auch r_- charakterisieren. Es gilt:

$$r_- = \max\bigl\{\dim(W) \mid W \subset V \text{ Untervektorraum, so dass } q_\beta(v) < 0 \;\; \forall v \in W \setminus \{0\}\bigr\}.$$

Korollar 7.36. *Sei $A \in \mathrm{Mat}(n, \mathbb{R})$ symmetrisch. Dann gibt es eine invertierbare Matrix $T \in \mathrm{GL}(n, \mathbb{R})$, so dass $T^\top \cdot A \cdot T$ eine Diagonalmatrix ist, deren Diagonaleinträge nur die Werte 1, -1 und 0 annimmt.*

Beweis. Die Matrix A ist darstellende Matrix einer symmetrischen Bilinearform auf $\mathbb{R}^n$ bzgl. der Standardbasis von $\mathbb{R}^n$. Nach Satz 7.34 gibt es eine Basis von $\mathbb{R}^n$ bzgl. derer die darstellende Matrix die gewünschte Diagonalform hat. Ist nun T die Transformationsmatrix für diese beiden Basen, dann folgt die Behauptung aus Proposition 7.11. $\qquad\square$

 Bestimmen Sie die Größen r_+, r_- und r_0 für beispielhaft gegebene reelle  symmetrische Bilinearformen zur Übung selbst:
`https://ueben.cbaer.eu/23.html`

Definition 7.37. Sei V ein reeller Vektorraum. Eine symmetrische Bilinearform $\beta\colon V \times V \to \mathbb{R}$ heißt

- **positiv definit**, falls $q_\beta > 0$ ist auf $V \setminus \{0\}$,

- **negativ definit**, falls $q_\beta < 0$ ist auf $V \setminus \{0\}$,

- **indefinit**, falls es $v_1, v_2 \in V$ gibt mit $q_\beta(v_1) > 0$ und $q_\beta(v_2) < 0$,

- **positiv semidefinit**, falls $q_\beta \geq 0$ ist auf V und

- **negativ semidefinit**, falls $q_\beta \leq 0$ ist auf V.

Bemerkung 7.38. Sei V ein endlich-dimensionaler reeller Vektorraum und β eine symmetrische Bilinearform auf V. Wählen wir eine Basis $B = (b_1, \ldots, b_n)$ wie in Satz 7.34. Wenn wir die Vektoren $v \in V$ in dieser Basis ausdrücken, $v = \sum_{j=1}^n v_j b_j$, dann erhalten wir für die zugehörige quadratische Form

$$q_\beta(v) = v_1^2 + \ldots + v_{r_+}^2 - v_{r_+ + 1}^2 - \ldots - v_{r_+ + r_-}^2.$$

Daher können wir die Bedingungen an β aus obiger Definition folgendermaßen an den Größen r_+, r_- und r_0 ablesen:

ausgeartet	$r_0 > 0$
positiv definit	$r_- = r_0 = 0$
negativ definit	$r_+ = r_0 = 0$
indefinit	$r_+ > 0$ und $r_- > 0$
positiv semidefinit	$r_- = 0$
negativ semidefinit	$r_+ = 0$

Tab. 25 *Typen symmetrischer Bilinearformen*

Beispiel 7.39. Für das euklidische Skalarprodukt auf $\mathbb{R}^n$ ist $r_+ = n$ und $r_- = r_0 = 0$. Es ist daher positiv definit. Das bedeutet ja nichts anderes als die Tatsache, dass die Norm (oder genauer, ihr Quadrat) eines Vektors $v \neq 0$ stets positiv ist.

Beispiel 7.40. Das **Minkowski-Produkt** auf dem $\mathbb{R}^n$ ist definiert durch

$$\langle\langle v, w \rangle\rangle := v_1 w_1 + \ldots + v_{n-1} w_{n-1} - v_n w_n.$$

Es wird uns noch im Zusammenhang mit der Geometrie von Kegelschnitten von Nutzen sein. Es spielt aber auch eine zentrale Rolle in Einsteins spezieller Relativitätstheorie. Wir lesen sofort ab, dass $r_+ = n - 1$, $r_- = 1$ und $r_0 = 0$. Also ist das Minkowski-Produkt indefinit und nicht ausgeartet.

 Hier können Sie die Berechnung von Skalar- und Minkowskiprodukten üben.  Achtung: In der Übung wird eine andere Konvention verwendet. Dort befindet sich das Minuszeichen vor der ersten Komponente, nicht vor der letzten.
`https://ueben.cbaer.eu/12.html`

Zum Schluss dieses Abschnitts ein Kriterium, wie man einer symmetrischen Bilinearform mittels Determinanten ansehen kann, ob sie positiv definit ist. Unter den **Hauptminoren** einer quadratischen Matrix A versteht man dabei die Determinanten der quadratischen Teilmatrizen von A, die „links oben" in A sitzen. Genauer, ist

$$A = \begin{pmatrix} a_{11} & \cdots & a_{1n} \\ \vdots & \ddots & \vdots \\ a_{n1} & \cdots & a_{nn} \end{pmatrix},$$

dann sind die Hauptminoren die Determinanten der Matrizen

$$A_j := \begin{pmatrix} a_{11} & \cdots & a_{1j} \\ \vdots & \ddots & \vdots \\ a_{j1} & \cdots & a_{jj} \end{pmatrix},$$

mit $j = 1, \ldots, n$.

Beispiel 7.41. Die Matrix

$$A = \begin{pmatrix} 1 & 2 & 3 \\ 4 & 5 & 6 \\ 7 & 8 & 9 \end{pmatrix}$$

hat die Hauptminoren

$$\det(1) = 1, \quad \det\begin{pmatrix} 1 & 2 \\ 4 & 5 \end{pmatrix} = -3 \quad \text{und} \quad \det\begin{pmatrix} 1 & 2 & 3 \\ 4 & 5 & 6 \\ 7 & 8 & 9 \end{pmatrix} = 0.$$

Satz 7.42 (Hauptminorenkriterium für Definitheit). *Sei V ein endlich-dimensionaler reeller Vektorraum und $B = (b_1, \ldots, b_n)$ eine geordnete Basis von V. Sei $\beta \colon V \times V \to \mathbb{R}$ eine symmetrische Bilinearform. Sei $A = M_B(\beta)$ die darstellende Matrix von β bzgl. B. Dann sind äquivalent:*

(1) Die Bilinearform β ist positiv definit.

(2) Die Hauptminoren von A sind alle positiv.

Natürlich kann man mit diesem Kriterium auch auf negative Definitheit testen, indem man es auf $-\beta$ anwendet. In anderen Worten, β ist negativ definit genau dann, wenn alle Hauptminoren von $-A$ positiv sind. *Vorsicht:* Das ist nicht dasselbe wie zu verlangen, dass die Hauptminoren von A negativ sind!

Beweis von Satz 7.42. Zu „(1)$\Rightarrow$(2)":
Sei β positiv definit. Nach dem Satz 7.34 von Sylvester können wir eine Basis B' von V finden, so dass

$$M_{B'}(\beta) = \mathbb{1}_n$$

gilt. Ist $T = T_{B'}^B \in \mathrm{GL}(n, \mathbb{R})$ die Transformationsmatrix für die Basen B und B', dann gilt wegen Proposition 7.11

$$A = M_B(\beta) = T^\top \cdot M_{B'}(\beta) \cdot T = T^\top \cdot \mathbb{1}_n \cdot T = T^\top \cdot T$$

und daher

$$\det(A) = \det(T^\top \cdot T) = \det(T^\top) \det(T) = \det(T)^2 > 0.$$

Die darstellende Matrix A selbst hat also schon mal positive Determinante. Sei nun $j \in \{1, \ldots, n\}$ und $W \subset V$ der Untervektorraum, der von $b_1, \ldots, b_j$ aufgespannt wird. Dann ist A_j die darstellende Matrix der Einschränkung von β auf $W \times W$. Da Einschränkungen positiv definiter Bilinearformen stets wieder positiv definit sind, muss nach dem eben Bewiesenen auch A_j positive Determinante haben.

Zu „(2)$\Rightarrow$(1)":
Die Hauptminoren von A seien positiv. Wir zeigen, dass β positiv definit ist, durch vollständige Induktion nach der Dimension n von V.
Induktionsanfang: $n = 1$.
In diesem Fall ist $V = \mathbb{R} \cdot b_1$ und $A = (a_{11})$. Es gilt $a_{11} = \det(A) > 0$. Für jeden Vektor $v = t b_1$ ist dann

$$\beta(v, v) = t^2 \beta(b_1, b_1) = t^2 a_{11} \geq 0$$

und „$= 0$" nur dann, wenn $t = 0$, d.h. wenn $v = 0$. Also ist β positiv definit.
Induktionsschritt: Sei $n > 1$.
Sei W der $(n-1)$-dimensionale Untervektorraum von V, der von $b_1, \ldots, b_{n-1}$ aufgespannt wird. Dann hat die Einschränkung von β auf W die darstellende Matrix A_{n-1} und somit positive

Hauptminoren. Nach Induktionsvoraussetzung ist $\beta|_{W\times W}$ positiv definit. Nach dem Satz 7.34 von Sylvester gibt es eine Basis $(b'_1, \ldots, b'_{n-1})$ von W, so dass $M_{(b'_1,\ldots,b'_{n-1})}(\beta|_{W\times W}) = \mathbb{1}_{n-1}$. Wir setzen $b'_n := b_n - \sum_{k=1}^{n-1}\beta(b_n, b'_k)b'_k$. Da die Summe $\sum_{k=1}^{n-1}\beta(b_n, b'_k)b'_k$ in W liegt, b_n aber nicht, ist auch $b'_n \notin W$. Damit ist $B' := (b'_1, \ldots, b'_n)$ eine Basis von V. Für $j = 1, \ldots, n-1$ gilt

$$
\begin{aligned}
\beta(b'_j, b'_n) &= \beta\Big(b'_j, b_n - \sum_{k=1}^{n-1}\beta(b_n, b'_k)b'_k\Big)\\
&= \beta(b'_j, b_n) - \sum_{k=1}^{n-1}\beta(b_n, b'_k)\underbrace{\beta(b'_j, b'_k)}_{=0 \text{ für } j\neq k}\\
&= \beta(b'_j, b_n) - \beta(b'_j, b_n)\\
&= 0.
\end{aligned}
$$

Also ist

$$
M_{B'}(\beta) = \begin{pmatrix} 1 & & & \\ & \ddots & & \\ & & 1 & \\ & & & c \end{pmatrix} \quad \text{mit} \quad c = \beta(b'_n, b'_n).
$$

Mit der Transformationsmatrix $T = T_B^{B'}$ ist

$$
c = \det(M_{B'}(\beta)) = \det(T^{\mathsf{T}} \cdot M_B(\beta) \cdot T) = \det(T)^2 \cdot \det(A) > 0.
$$

Bzgl. der Basis $B'' := (b'_1, \ldots, b'_{n-1}, \frac{1}{\sqrt{c}}b'_n)$ hat β die darstellende Matrix $\mathbb{1}_n$. Also ist β positiv definit. $\qquad\square$

Beispiel 7.43. In der Analysis lernt man, dass eine zweimal stetig differenzierbare Funktion $f\colon \mathbb{R}^n \to \mathbb{R}$ in einem Punkt ein isoliertes lokales Minimum hat, wenn der Gradient der Funktion dort verschwindet und die Hessematrix in diesem Punkt positiv definit ist. Wenden wir dies auf die Funktion $f\colon \mathbb{R}^2 \to \mathbb{R}$, $f(x, y) = 3x^2 - 2xy + 3y^2$, im Ursprung $(0, 0)$ an. Für den Gradienten erhalten wir

$$
\nabla f(x, y) = \left(\frac{\partial f}{\partial x}(x, y), \frac{\partial f}{\partial y}(x, y)\right) = (6x - 2y, -2x + 6y).
$$

Der Gradient verschwindet für $(x, y) = (0, 0)$. Für die Hessematrix der zweiten Ableitungen erhalten wir

$$
\text{Hesse} f(x, y) = \begin{pmatrix} \frac{\partial^2 f}{\partial x^2}(x, y) & \frac{\partial^2 f}{\partial x\partial y}(x, y) \\ \frac{\partial^2 f}{\partial y\partial x}(x, y) & \frac{\partial^2 f}{\partial x^2}(x, y) \end{pmatrix} = \begin{pmatrix} 6 & -2 \\ -2 & 6 \end{pmatrix}.
$$

Um zu sehen, dass diese Matrix positiv definit ist, müssen wir nach Satz 7.42 lediglich überprüfen, dass der Eintrag links oben, also 6, positiv ist, und dass die Determinante positiv ist. In der Tat ist $\det\begin{pmatrix} 6 & -2 \\ -2 & 6 \end{pmatrix} = 32 > 0$. Also hat f in $(0, 0)$ ein isoliertes lokales Minimum.

7.2. Quadriken und Kegelschnitte

Wir werden symmetrische Bilinearformen einsetzen, um die Geometrie bestimmter Kurven in der Ebene zu untersuchen. Sei dazu β eine symmetrische Bilinearform auf $\mathbb{R}^2$. Wie sieht dann die Menge $q_\beta^{-1}(\varrho) = \{v \in \mathbb{R}^2 \mid q_\beta(v) = \varrho\}$ aus? Kurven dieser Form nennt man **Quadriken**. Wir werden dabei verschiedene Fälle unterscheiden, je nachdem welche Werte die Zahlen r_+, r_- und r_0 aus Satz 7.34 annehmen. Da $r_+ + r_- + r_0 = 2$ ist, gibt es nicht allzu viele Möglichkeiten.

Fall 1: $r_+ = 2$ *und* $r_- = r_0 = 0$, *d.h.* β *ist positiv definit.* Ist ϱ negativ, so ist $q_\beta^{-1}(\varrho)$ leer und für $\varrho = 0$ ist $q_\beta^{-1}(0) = \{0\}$. Dies liegt daran, dass β positiv definit ist und daher $q_\beta \geq 0$ und $q_\beta(v) = 0$ nur für $v = 0$.
Interessant ist also nur der Fall, dass $\varrho > 0$. Dann nennt man $q_\beta^{-1}(\varrho)$ eine **Ellipse**.

 Hier können Sie sich $q_\beta^{-1}(\varrho)$ für positiv definites β und für die verschiedenen Werte von ϱ in einer interaktiven 3D-Grafik ansehen: 
`https://ueben.cbaer.eu/Q01.html`

Beispiel 7.44. Sei β das euklidische Skalarprodukt auf $\mathbb{R}^2$. Dann ist

$$q_\beta^{-1}(\varrho) = \{v \in \mathbb{R}^2 \mid \langle v, v \rangle = \varrho\}$$
$$= \{v \in \mathbb{R}^2 \mid \|v\|^2 = \varrho\}$$
$$= \{v \in \mathbb{R}^2 \mid \|v\| = \sqrt{\varrho}\},$$

also ein Kreis vom Radius $\sqrt{\varrho}$.

Kreise sind also Beispiele für Ellipsen. Tatsächlich sind die Ellipsen gerade die Kurven, die man durch Anwenden einer linearen Abbildung auf einen Kreis bekommt:

> **Proposition 7.45.** *Sei* $K = \{v \in \mathbb{R}^2 \mid \|v\| = 1\}$ *der Einheitskreis mit Mittelpunkt* 0. *Dann ist* $E \subset \mathbb{R}^2$ *genau dann eine Ellipse, wenn es ein* $T \in \mathrm{GL}(2, \mathbb{R})$ *gibt mit* $E = T(K)$.

Beweis. Zu „$\Leftarrow$":
Sei $E = T(K)$ für ein $T \in \mathrm{GL}(2, \mathbb{R})$. Wir definieren

$$\beta(v, w) := \langle T^{-1}v, T^{-1}w \rangle.$$

Dann ist β eine symmetrische Bilinearform auf $\mathbb{R}^2$. Wegen $\beta(v, v) = \langle T^{-1}v, T^{-1}v \rangle = \|T^{-1}v\|^2 \geq 0$ ist β positiv semidefinit. Ist $\beta(v, v) = 0$, so ist $\|T^{-1}v\| = 0$, also $T^{-1}v = 0$ und damit $v = 0$. Also ist β sogar positiv definit.
Nun ist

$$q_\beta(v) = \beta(v, v) = 1 \Leftrightarrow \langle T^{-1}v, T^{-1}v \rangle = 1 \Leftrightarrow \|T^{-1}v\| = 1 \Leftrightarrow T^{-1}v \in K \Leftrightarrow v \in T(K).$$

Dies zeigt $T(K) = q_\beta^{-1}(1)$ und damit ist $T(K)$ eine Ellipse.

Zu „$\Rightarrow$":

Sei nun β eine positiv definite symmetrische Bilinearform und $E = q_\beta^{-1}(\varrho)$ mit $\varrho > 0$ eine Ellipse. Gemäß Satz 7.34 finden wir eine geordnete Basis $B' = (b_1', b_2')$ von $\mathbb{R}^2$, so dass die darstellende Matrix von β gegeben ist durch

$$M_{B'}(\beta) = \begin{pmatrix} 1 & 0 \\ 0 & 1 \end{pmatrix}.$$

Bezüglich der Standardbasis $B = (e_1, e_2)$ ergibt sich die darstellende Matrix gemäß der Transformationsformel Proposition 7.11 als

$$M_B(\beta) = (T_{B'}^B)^\mathsf{T} \cdot M_{B'}(\beta) \cdot T_{B'}^B = (T_{B'}^B)^\mathsf{T} \cdot T_{B'}^B.$$

Nun ist

$$
\begin{aligned}
v \in E = q_\beta^{-1}(\varrho) &\Leftrightarrow \beta(v, v) = \varrho \\
&\Leftrightarrow v^\mathsf{T} \cdot M_B(\beta) \cdot v = \varrho \\
&\Leftrightarrow v^\mathsf{T} \cdot (T_{B'}^B)^\mathsf{T} \cdot T_{B'}^B \cdot v = \varrho \\
&\Leftrightarrow (T_{B'}^B \cdot v)^\mathsf{T} \cdot (T_{B'}^B \cdot v) = \varrho \\
&\Leftrightarrow \langle T_{B'}^B v, T_{B'}^B v \rangle = \varrho \\
&\Leftrightarrow \| T_{B'}^B v \| = \sqrt{\varrho} \\
&\Leftrightarrow \| \tfrac{1}{\sqrt{\varrho}} T_{B'}^B \cdot v \| = 1 \\
&\Leftrightarrow \tfrac{1}{\sqrt{\varrho}} T_{B'}^B \cdot v \in K.
\end{aligned}
$$

Also ist $E = T(K)$ mit $T = \left(\tfrac{1}{\sqrt{\varrho}} T_{B'}^B \right)^{-1} \in \mathrm{GL}(2, \mathbb{R})$. $\qquad\square$

Beispiel 7.46. Sei $T = \begin{pmatrix} a & 0 \\ 0 & b \end{pmatrix} \in \mathrm{GL}(2, \mathbb{R})$ mit $a, b > 0$ Dann ist also $E = T(K)$ eine Ellipse. Es gilt

$$v \in E \Leftrightarrow T^{-1} v \in K \Leftrightarrow \left(\frac{v_1}{a} \right)^2 + \left(\frac{v_2}{b} \right)^2 = 1.$$

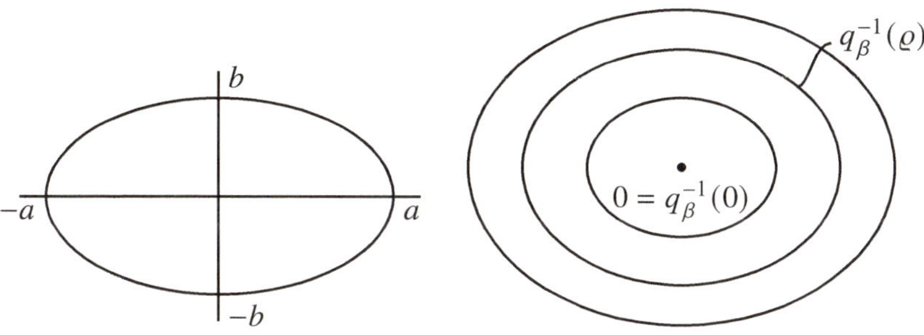

Abb. 106 *Ellipsen*

Man nennt dann a und b die **Halbachsen** der Ellipse. Der Spezialfall $a = b$ entspricht gerade dem, dass die Ellipse ein Kreis ist. Dann spricht man statt von Halbachsen vom Radius.

Bemerkung 7.47. Wir erinnern uns, dass der Einheitskreis K durch Kosinus und Sinus parametrisiert werden kann:

$$K = \left\{ \begin{pmatrix} \cos\varphi \\ \sin\varphi \end{pmatrix} \,\middle|\, \varphi \in \mathbb{R} \right\}.$$

Also kann jede Ellipse $E = T(K)$ parametrisiert werden durch

$$E = \left\{ T \cdot \begin{pmatrix} \cos\varphi \\ \sin\varphi \end{pmatrix} \,\middle|\, \varphi \in \mathbb{R} \right\}.$$

Fall 2: $r_- = 2$ *und* $r_+ = r_0 = 0$, *d.h.* β *ist negativ definit.* Dies liefert geometrisch nichts Neues, denn dann ist $-\beta$ ist eine positiv definite symmetrische Bilinearform. Daher ist dann $q_\beta^{-1}(\varrho) = \emptyset$, wenn $\varrho > 0$, es ist $q_\beta^{-1}(0) = \{0\}$ und $q_\beta^{-1}(\varrho)$ ist eine Ellipse, falls $\varrho < 0$.

 Hier können Sie sich $q_\beta^{-1}(\varrho)$ für negativ definites β und für die verschiedenen  Werte von ϱ in einer interaktiven 3D-Grafik ansehen:
`https://ueben.cbaer.eu/Q02.html`

Fall 3: $r_+ = r_- = 1$ *und* $r_0 = 0$, *d.h.* β *ist indefinit.* Gemäß Satz 7.34 wählen wir eine Basis $B = (b_1, b_2)$ von $\mathbb{R}^2$ mit

$$M_B(\beta) = \begin{pmatrix} 1 & 0 \\ 0 & -1 \end{pmatrix}.$$

Wir berechnen für $\varrho = 0$:

$$\begin{aligned}
q_\beta^{-1}(0) &= \{v \in \mathbb{R}^2 \mid v = v_1 b_1 + v_2 b_2,\ v_1^2 - v_2^2 = q_\beta(v) = 0\} \\
&= \{v \in \mathbb{R}^2 \mid v = v_1 b_1 + v_2 b_2,\ (v_1 + v_2)(v_1 - v_2) = 0\} \\
&= \{v \in \mathbb{R}^2 \mid v = v_1 b_1 + v_2 b_2,\ v_1 = v_2\} \cup \{v \in \mathbb{R}^2 \mid v = v_1 b_1 + v_2 b_2,\ v_1 = -v_2\}.
\end{aligned}$$

Wir erhalten also zwei sich im Ursprung schneidende Geraden, ein **Geradenkreuz.**

Für $\varrho > 0$ erhalten wir

$$q_\beta^{-1}(\varrho) = \{v \in \mathbb{R}^2 \mid v = v_1 b_1 + v_2 b_2,\ v_1^2 - v_2^2 = \varrho\}$$
$$= \left\{v \in \mathbb{R}^2 \mid v = v_1 b_1 + v_2 b_2,\ v_1 = \pm\sqrt{v_2^2 + \varrho}\right\}$$

und für $\varrho < 0$ entsprechend

$$q_\beta^{-1}(\varrho) = \left\{v \in \mathbb{R}^2 \mid v = v_1 b_1 + v_2 b_2,\ v_2 = \pm\sqrt{v_1^2 - \varrho}\right\}.$$

Für $\varrho \neq 0$ nennt man $q_\beta^{-1}(\varrho)$ eine **Hyperbel**. Jede Hyperbel hat zwei **Zweige**. In obiger Beschreibung sind die Zweige für $\varrho > 0$ gegeben durch

$$\left\{v \in \mathbb{R}^2 \mid v_1 = +\sqrt{\varrho + v_2^2}\right\} \quad \text{und} \quad \left\{v \in \mathbb{R}^2 \mid v_1 = -\sqrt{\varrho + v_2^2}\right\}.$$

Der Fall $\varrho < 0$ ist analog.

 Hier können Sie sich $q_\beta^{-1}(\varrho)$ für indefinites β und für die verschiedenen Werte von ϱ in einer interaktiven 3D-Grafik ansehen: 
`https://ueben.cbaer.eu/Q03.html`

Definition 7.48. Für $\beta\colon \mathbb{R}^2 \times \mathbb{R}^2 \to \mathbb{R},\ \beta(v, w) = v^\mathsf{T} \cdot \begin{pmatrix} 1 & 0 \\ 0 & -1 \end{pmatrix} \cdot w = v_1 w_1 - v_2 w_2$, heißt

$$H := q_\beta^{-1}(1) = \left\{ \begin{pmatrix} v_1 \\ v_2 \end{pmatrix} \in \mathbb{R}^2 \,\middle|\, v_1^2 - v_2^2 = 1 \right\}$$

die **Standardhyperbel**.

Kann man Hyperbeln ähnlich wie Ellipsen parametrisieren? Man kann. Dazu muss man die trigonometrischen Kosinus- und Sinusfunktionen durch ihre hyperbolischen Vettern ersetzen. In Anhang B.5 findet man alles, was wir über diese Funktionen wissen müssen.

Bemerkung 7.49. Die beiden Zweige der Standardhyperbel werden wie folgt parametrisiert:

$$H = \left\{ \begin{pmatrix} \cosh\varphi \\ \sinh\varphi \end{pmatrix} \,\middle|\, \varphi \in \mathbb{R} \right\} \cup \left\{ \begin{pmatrix} -\cosh\varphi \\ \sinh\varphi \end{pmatrix} \,\middle|\, \varphi \in \mathbb{R} \right\}.$$

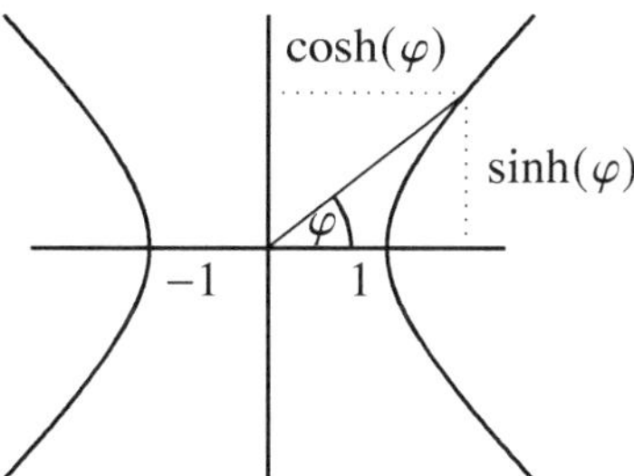

Abb. 107 *Parametrisierung der Standardhyperbel*

Beweis der Bemerkung. Wegen Proposition B.11 (i) liegt tatsächlich jeder Punkt der Form $\left(\begin{smallmatrix} \pm\cosh(\varphi) \\ \sinh(\varphi) \end{smallmatrix}\right)$ auf H. Sei umgekehrt $v \in H$, d.h. $v_1^2 - v_2^2 = 1$. Nach Proposition B.11 (v) existiert ein $\varphi \in \mathbb{R}$ mit $\sinh(\varphi) = v_2$. Dann gilt für $\cosh(\varphi) = \sqrt{1 + \sinh(\varphi)^2} = \sqrt{1 + v_2^2} = \pm v_1$ und somit

$$v = \begin{pmatrix} \pm\cosh(\varphi) \\ \sinh(\varphi) \end{pmatrix}. \qquad \qquad \square$$

In Aufgabe 7.9 wird gezeigt, dass eine Menge $H_1 \subset \mathbb{R}^2$ genau dann eine Hyperbel ist, wenn es ein $T \in \mathrm{GL}(2, \mathbb{R})$ gibt mit $H_1 = T(H)$. Dabei ist H die Standardhyperbel. Insbesondere werden die beiden Zweige von H_1 also wie folgt parametrisiert:

$$H_1 = \left\{ T \cdot \begin{pmatrix} \cosh\varphi \\ \sinh\varphi \end{pmatrix} \,\middle|\, \varphi \in \mathbb{R} \right\} \cup \left\{ T \cdot \begin{pmatrix} -\cosh\varphi \\ \sinh\varphi \end{pmatrix} \,\middle|\, \varphi \in \mathbb{R} \right\}.$$

Fall 4: $r_+ = r_0 = 1$ *und* $r_- = 0$, *d.h.* β *ist positiv semidefinit, aber nicht positiv definit und* $\beta \neq 0$. Dann können wir eine Basis $b = (b_1, b_2)$ von $\mathbb{R}^2$ so wählen, dass

$$M_B(\beta) = \begin{pmatrix} 1 & 0 \\ 0 & 0 \end{pmatrix}.$$

Also ist

$$q_\beta^{-1}(\varrho) = \{v \in \mathbb{R}^2 \mid v = v_1 b_1 + v_2 b_2, \, 1 \cdot v_1^2 + 0 \cdot v_2^2 = \varrho\}$$
$$= \{v \in \mathbb{R}^2 \mid v = v_1 b_1 + v_2 b_2, \, v_1^2 = \varrho\}$$

Ist nun $\varrho < 0$, so ist $q_\beta^{-1}(\varrho) = \emptyset$. Für $\varrho = 0$ erhalten wir

$$q_\beta^{-1}(\varrho) = \{v \in \mathbb{R}^2 \mid v = v_1 b_1 + v_2 b_2, \, v_1^2 = 0\}$$
$$= \{v_2 \cdot b_2 \mid v_2 \in \mathbb{R}\}.$$

Dies ist die Ursprungsgerade mit Richtungsvektor b_2. Ist $\varrho > 0$, so ist

$$q_\beta^{-1}(\varrho) = \{v \in \mathbb{R}^2 \mid v = v_1 b_1 + v_2 b_2,\ v_1 = \pm\sqrt{\varrho}\}$$
$$= \{\sqrt{\varrho} \cdot b_1 + v_2 \cdot b_2 \mid v_2 \in \mathbb{R}\} \cup \{-\sqrt{\varrho} \cdot b_1 + v_2 \cdot b_2 \mid v_2 \in \mathbb{R}\}.$$

Dies ist die Vereinigung zweier paralleler Geraden.

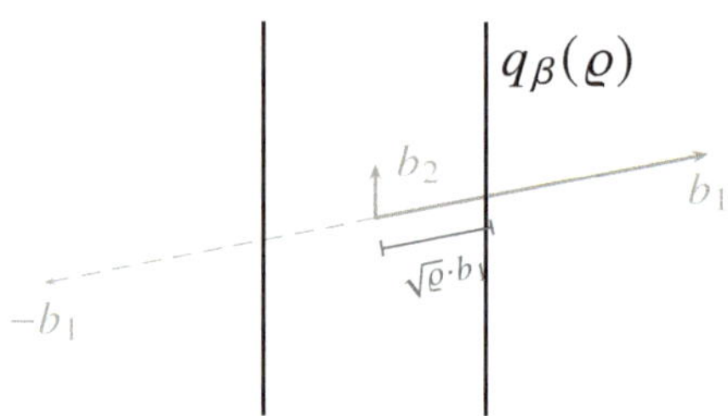

Abb. 108 *Paar paralleler Geraden*

 Hier können Sie sich $q_\beta^{-1}(\varrho)$ für positiv semidefinites β und für die verschie- 
denen Werte von ϱ in einer interaktiven 3D-Grafik ansehen:
`https://ueben.cbaer.eu/Q04.html`

Fall 5: $r_- = r_0 = 1$ *und* $r_+ = 0$, *d.h.* β *ist negativ semidefinit, aber nicht negativ definit und* $\beta \neq 0$. Dieser Fall liefert geometrisch nichts Neues, da er auf Fall 4 zurückgeführt werden kann, indem man β durch $-\beta$ ersetzt. Wir erhalten wieder die leere Menge, eine Ursprungsgerade oder zwei parallele Geraden.

 Hier können Sie sich $q_\beta^{-1}(\varrho)$ für negativ semidefinites β und für die verschie- 
denen Werte von ϱ in einer interaktiven 3D-Grafik ansehen:
`https://ueben.cbaer.eu/Q05.html`

Fall 6: $r_0 = 2$ *und* $r_+ = r_- = 0$, *d.h.* $\beta = 0$. Dieser Fall ist uninteressant, weil $q_\beta^{-1}(\varrho)$ entweder leer ist (für $\varrho \neq 0$) oder ganz $\mathbb{R}^2$ (für $\varrho = 0$).

Damit haben wir alle Möglichkeiten für die Werte von r_+, r_- und r_0 abgehandelt. Wir fassen die Ergebnisse in einer Tabelle zusammen.

r_+	r_-	r_0	β	ϱ	$q_\beta^{-1}(\varrho)$
2	0	0	positiv definit	> 0	Ellipse
				$= 0$	$\{0\}$
				< 0	$\emptyset$
1	1	0	indefinit	$\neq 0$	Hyperbel
				$= 0$	Geradenkreuz
1	0	1	positiv semidefinit	> 0	zwei parallele Geraden
				$= 0$	Gerade
				< 0	$\emptyset$
0	0	2	$= 0$	$\neq 0$	$\emptyset$
				$= 0$	$\mathbb{R}^2$

Tab. 26 *Klassifikation der Quadriken*

Die Fälle von negativ definitem β $((r_+, r_-, r_0) = (0, 2, 0))$ und von negativ semidefinitem $((r_+, r_-, r_0) = (0, 1, 1))$ haben wir in der Tabelle weggelassen, da sie auf dieselben Ergebnisse führen wie positiv definites bzw. positiv semidefinites β. Dabei wechselt lediglich ϱ das Vorzeichen.

Von einer Quadrik spricht man nur, wenn $q_\beta^{-1}(\varrho)$ tatsächlich eine Kurve ist, d.h. im Fall einer Ellipse, einer Hyperbel, eines Geradenkreuzes, zweier paralleler Geraden oder einer Geraden. Dabei werden die Ellipsen und die Hyperbeln auch als nichtausgeartete Quadriken bezeichnet. Eine Kurvenart, die meist auch den Quadriken zugeordnet wird, fehlt hier noch, nämlich die Parabeln. Auf die kommen wir gleich zu sprechen.

Den Rest dieses Abschnitts widmen wir den Kegelschnitten. Zur Vorbereitung zeigen wir einen Satz, der einen Zusammenhang zwischen Bilinearformen und linearen Abbildungen herstellt.

> **Satz 7.50.** *Sei V ein endlich-dimensionaler K-Vektorraum, sei $\beta\colon V \times V \to K$ eine nicht ausgeartete symmetrische Bilinearform. Sei $l\colon V \to K$ linear. Dann gibt es genau ein $v \in V$, so dass*
> $$l(w) = \beta(v, w)$$
> *für alle $w \in V$ gilt.*

Beweis. Zu jedem $v \in V$ ist $l_v\colon V \to K$ mit $l_v(w) := \beta(v, w)$ linear, da β im zweiten Argument linear ist. Wir haben also eine Abbildung

$$L\colon V \to \operatorname{Hom}(V, K) \text{ mit } L(v) := l_v.$$

Die Abbildung L ist linear, da β im ersten Argument linear ist. Für den Kern von L berechnen wir:

$$\ker(L) = \{v \in V \mid L(v) = 0\}$$

$$\begin{aligned}
&= \{v \in V \mid l_v(w) = 0 \ \forall w \in V\} \\
&= \{v \in V \mid \beta(v, w) = 0 \ \forall w \in V\} \\
&= N(\beta) \\
&= \{0\},
\end{aligned}$$

da β nicht ausgeartet ist. Also ist L injektiv. Nun ist

$$\dim \mathrm{Hom}(V, K) = \dim \mathrm{Mat}(1 \times n, K) = n = \dim V .$$

Nach Korollar 4.20 ist L ein Isomorphismus. Also gibt es zu $l \in \mathrm{Hom}(V, K)$ genau ein $v \in V$ mit $L(v) = l$. $\qquad\qquad\square$

Nun betrachten wir für $V = \mathbb{R}^3$ das Minkowski-Produkt $\langle\!\langle \cdot, \cdot \rangle\!\rangle$ aus Beispiel 7.40 und definieren den **Doppelkegel** durch

$$C := \{x \in \mathbb{R}^3 \mid \langle\!\langle x, x \rangle\!\rangle = 0\} = \{x \in \mathbb{R}^3 \mid x_3^2 = x_1^2 + x_2^2\}.$$

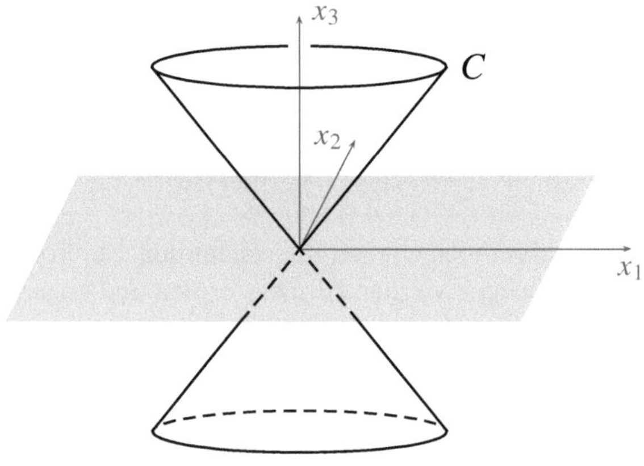

Abb. 109 *Doppelkegel*

Die Frage ist nun: Wie sehen die Schnittmengen von C mit affinen Ebenen aus? Sei hierzu $E_0 \subset \mathbb{R}^3$ ein 2-dimensionaler Untervektorraum und $E = E_0 + p$ eine entsprechende affine Ebene, wobei $p \in \mathbb{R}^3$. Um $C \cap E$ zu verstehen, müssen wir verschiedene Fälle unterscheiden, je nachdem von welchem Typus die symmetrische Bilinearform β ist, die wir durch Einschränkung des Minkowski-Produkts auf $E_0 \times E_0$ bekommen. Sei also $\beta := \langle\!\langle \cdot, \cdot \rangle\!\rangle|_{E_0 \times E_0}$.
Fall I: β *ist nicht ausgeartet, d.h.* $r_0 = 0$.
Wir zeigen zunächst folgende Behauptung:
Behauptung: Man kann $p \in E$ so wählen, dass $\langle\!\langle x, p \rangle\!\rangle = 0$ für alle $x \in E_0$.

Beweis. Sei $p_0 \in E$ zunächst beliebig gewählt. Dann ist die Abbildung

$$l \colon E_0 \to \mathbb{R} \text{ mit } l(x) = \langle\!\langle x, p_0 \rangle\!\rangle$$

linear. Da β nicht ausgeartet ist, gibt es nach Satz 7.50 ein $y \in E_0$, so dass

$$l(x) = \beta(x, y)$$

für alle $x \in E_0$ ist. Daher gilt $\langle\!\langle x, p_0 \rangle\!\rangle = \langle\!\langle x, y \rangle\!\rangle$ und somit $\langle\!\langle x, p_0 - y \rangle\!\rangle = 0$ für alle $x \in E_0$. Wegen $p_0 \in E$ und $y \in E_0$ ist auch $p := p_0 - y \in E$. $\qquad\square$

Sei nun $p \in E$ so gewählt, dass $\langle\!\langle x, p \rangle\!\rangle = 0$ für alle $x \in E_0$ ist. Die Punkte aus E schreiben wir in der Form $x + p$ mit $x \in E_0$. Nun ist $x + p \in C$ genau dann, wenn

$$0 = \langle\!\langle x + p, x + p \rangle\!\rangle = \langle\!\langle x, x \rangle\!\rangle + 2 \underbrace{\langle\!\langle x, p \rangle\!\rangle}_{=0} + \langle\!\langle p, p \rangle\!\rangle = q_\beta(x) + \langle\!\langle p, p \rangle\!\rangle,$$

d.h. genau dann, wenn $x \in q_\beta^{-1}(-\langle\!\langle p, p \rangle\!\rangle)$. Wir haben also gezeigt:

$$C \cap E = q_\beta^{-1}(-\langle\!\langle p, p \rangle\!\rangle) + p.$$

Behauptung: Es sind äquivalent:

(1) $E = E_0$;

(2) $p = 0$;

(3) $\langle\!\langle p, p \rangle\!\rangle = 0$.

Beweis. Zu „$(1) \Rightarrow (2)$":
Wegen $E = E_0$ ist $p \in E_0$. Da $\beta(p, x) = 0$ für alle $x \in E_0$ und β nicht ausgeartet ist, folgt $p = 0$.
Die Implikation „$(2) \Rightarrow (3)$" ist trivial.
Zu „$(3) \Rightarrow (1)$":
Sei $\langle\!\langle p, p \rangle\!\rangle = 0$. Wäre $E \neq E_0$, so wäre $p \notin E_0$. Dann würden E_0 und p ganz $\mathbb{R}^3$ aufspannen. Also wäre $\langle\!\langle v, p \rangle\!\rangle = 0$ für alle $v \in \mathbb{R}^3$. Somit wäre p im Nullraum von $\langle\!\langle \cdot, \cdot \rangle\!\rangle$. Da das Minkowski-Produkt nicht ausgeartet ist, wäre $p = 0$ und damit doch $E = E_0$. $\qquad\square$

Fall IA: β *ist positiv definit, d.h.* $r_+ = 2$, $r_- = 0$ *und* $r_0 = 0$.
Wäre $\langle\!\langle p, p \rangle\!\rangle > 0$, so wäre $p \neq 0$ und damit $p \notin E_0$. Ein beliebiges $v \in \mathbb{R}^3$ ließe sich schreiben als $v = t \cdot p + x$ mit $t \in \mathbb{R}$ und $x \in E_0$. Es gälte

$$\langle\!\langle v, v \rangle\!\rangle = t^2 \langle\!\langle p, p \rangle\!\rangle + 2t \langle\!\langle p, x \rangle\!\rangle + \langle\!\langle x, x \rangle\!\rangle = \underbrace{t^2}_{\geq 0} \underbrace{\langle\!\langle p, p \rangle\!\rangle}_{>0} + \underbrace{\beta(x, x)}_{\geq 0} \geq 0.$$

Dann wäre das Minkowski-Produkt positiv semidefinit, ist es aber nicht. Somit muss $\langle\!\langle p, p \rangle\!\rangle \leq 0$ gelten.
Fall IA/1: $E = E_0$.
Dann ist $p = 0$ und $C \cap E = q_\beta^{-1}(0) + 0 = q_\beta^{-1}(0) = \{0\}$, also ein Punkt.

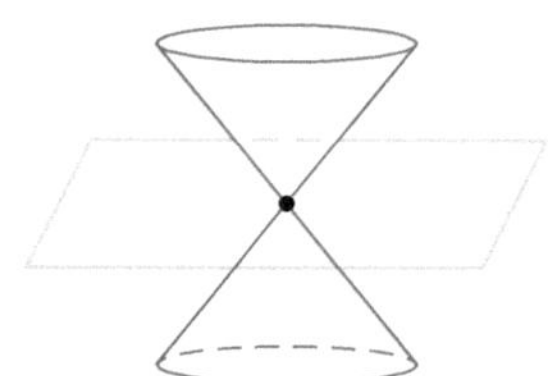

Abb. 110 *Kegelschnitt ist ein Punkt*

Fall IA/2: $E \neq E_0$.
Dann ist $\langle\!\langle p, p \rangle\!\rangle < 0$ und somit $q_\beta^{-1}(\underbrace{-\langle\!\langle p, p \rangle\!\rangle}_{>0})$ eine Ellipse.

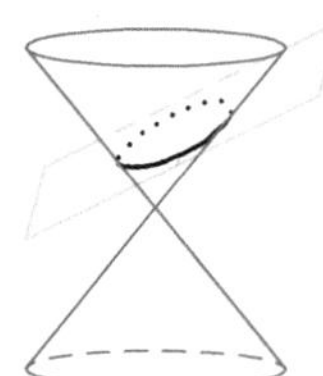

Abb. 111 *Kegelschnitt ist eine Ellipse*

Fall IB: *β ist indefinit, d.h. $r_+ = r_- = 1$ und $r_0 = 0$.*
Fall IB/1: $E = E_0$.
Dann ist $p = 0$ und $C \cap E = q_\beta^{-1}(0)$ ein Geradenkreuz.

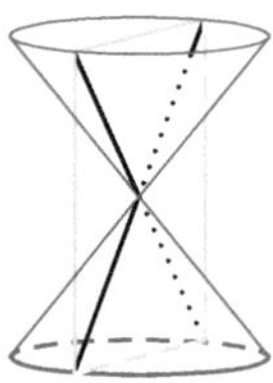

Abb. 112 *Kegelschnitt ist ein Geradenkreuz*

Fall IB/2: $E \neq E_0$.
Dann ist $\langle\!\langle p, p \rangle\!\rangle \neq 0$ und somit $q_\beta^{-1}(-\langle\!\langle p, p \rangle\!\rangle)$ eine Hyperbel.

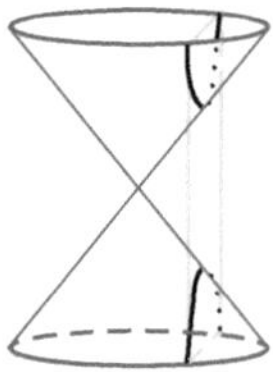

Abb. 113 *Kegelschnitt ist eine Hyperbel*

Fall IC: *β ist negativ definit, d.h. $r_- = 2$ und $r_+ = r_0 = 0$.*

Dieser Fall tritt nicht auf, denn sonst könnte man in Bemerkung 7.35 $W = E_0$ nehmen und würde erhalten, dass für das Minkowski-Produkt $r_- \geq 2$ gilt. Für das Minkowski-Produkt ist aber $r_- = 1$.

Fall II: *β ist ausgeartet, d.h. $r_0 \geq 1$.*

Fall IIA: *β ist negativ semidefinit, d.h. $r_+ = 0$ und $r_- = r_0 = 1$ oder $r_+ = r_- = 0$ und $r_0 = 2$.*

Dieser Fall tritt ebenfalls nicht auf, denn sonst wäre $q_{\langle\!\langle \cdot,\cdot \rangle\!\rangle}|_{E_0} \leq 0$, andererseits ist jedoch $q_{\langle\!\langle \cdot,\cdot \rangle\!\rangle}|_{E_1 \setminus \{0\}} > 0$, wobei $E_1 = \{(x_1, x_2, 0)^\top \mid x_1, x_2 \in \mathbb{R}\}$. Nun ist

$$\dim(E_0 \cap E_1) = \underbrace{\dim(E_0)}_{=2} + \underbrace{\dim(E_1)}_{=2} - \underbrace{\dim(E_0 + E_1)}_{\leq 3} \geq 1,$$

also gäbe es ein $v \in E_0 \cap E_1$ mit $v \neq 0$. Dann wäre einerseits $q_{\langle\!\langle \cdot,\cdot \rangle\!\rangle}(v) \leq 0$ und andererseits $q_{\langle\!\langle \cdot,\cdot \rangle\!\rangle}(v) > 0$, Widerspruch!

Fall IIB: *β ist positiv semidefinit und $\beta \neq 0$, d.h. $r_+ = r_0 = 1$ und $r_- = 0$.*

Nun kann p leider im Allgemeinen nicht mehr so gewählt werden, dass $\langle\!\langle x, p \rangle\!\rangle = 0$ für alle $x \in E_0$ gilt, denn Satz 7.50 kann ja nicht mehr angewandt werden. Wir können aber dennoch die Schnittmenge von $p + E_0$ mit C wie gehabt durch

$$x + p \in C \Leftrightarrow 0 = \langle\!\langle x + p, x + p \rangle\!\rangle = q_\beta(x) + l(x) + c$$

beschreiben, wobei $l(x) = 2\langle\!\langle x, p \rangle\!\rangle$ und $c = \langle\!\langle p, p \rangle\!\rangle$ ist.

Fall IIB/1: $E = E_0$.

Hier können wir $p = 0$ wählen. Dann ist $l = 0$ und $c = 0$ und damit $C \cap E = \{x \in E_0 \mid q_\beta(x) = 0\}$. Das ist eine Gerade.

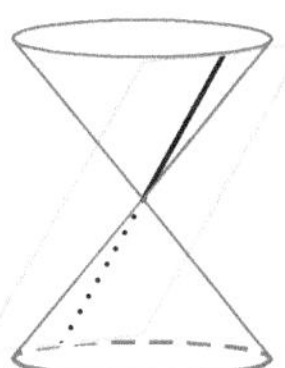

Abb. 114 *Kegelschnitt ist eine Gerade*

Fall IIB/2: $E \neq E_0$.

Dann ist $p \notin E_0$.

Behauptung: $\ker(l) \cap N(\beta) = \{0\}$.

Beweis. Sei $x \in \ker(l) \cap N(\beta)$. Dann ist $\langle\!\langle x, p \rangle\!\rangle = 0$ und $\langle\!\langle x, y \rangle\!\rangle = 0$ für alle $y \in E_0$. Nun spannen E_0 und p ganz $\mathbb{R}^3$ auf, also ist $\langle\!\langle x, z \rangle\!\rangle = 0$ für alle $z \in \mathbb{R}^3$. Da das Minkowski-Produkt nicht ausgeartet ist, folgt $x = 0$. $\qquad\square$

Definition 7.51. Sei V ein 2-dimensionaler $\mathbb{R}$-Vektorraum. Sei β eine symmetrische Biline-arform auf V mit $r_+ = r_0 = 1$ und $r_- = 0$. Sei $l \colon V \to \mathbb{R}$ linear mit $\ker(l) \cap N(\beta) = \{0\}$. Sei $c \in \mathbb{R}$. Dann nennt man die Menge

$$\{x \in V \mid q_\beta(x) + l(x) + c = 0\}$$

eine **Parabel**.

Also ist im Fall IIB/2 der Kegelschnitt $C \cap E$ nach Definition eine Parabel.

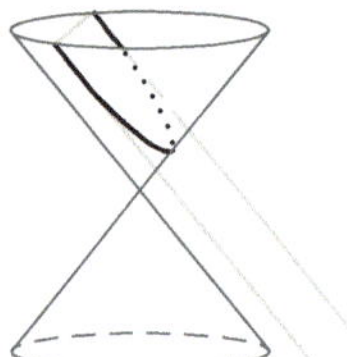

Abb. 115 *Kegelschnitt ist eine Parabel*

Das folgende Lemma besagt, dass man eine Parabel in einer geeigneten Basis durch die bekannte Parabelgleichung beschreiben kann. Dies rechtfertigt Definition 7.51.

Lemma 7.52. *Sei V ein 2-dimensionaler $\mathbb{R}$-Vektorraum und $P \subset V$ eine Parabel. Dann gibt es eine Basis $B = (b_1, b_2)$ und Konstanten $a, b, d \in \mathbb{R}$ mit $a \neq 0$, so dass*

$$P = \{x_1 b_1 + x_2 b_2 \mid x_2 = a(x_1 + b)^2 + d\}.$$

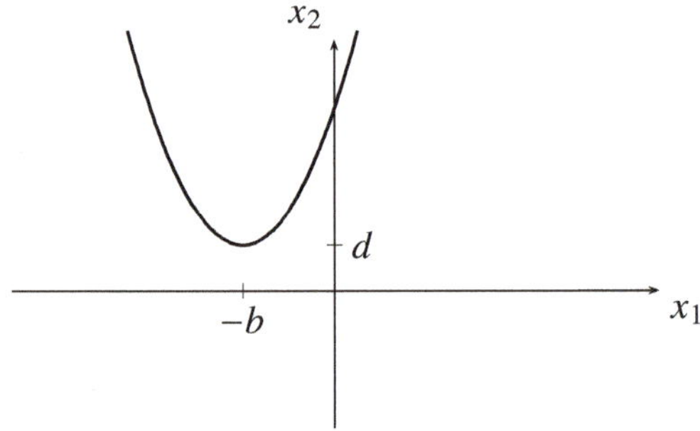

Abb. 116 *Parabel*

Beweis. Wähle gemäß Satz 7.34 eine Basis $B = (b_1, b_2)$ so, dass

$$M_B(\beta) = \begin{pmatrix} 1 & 0 \\ 0 & 0 \end{pmatrix}.$$

Für $v := l(b_1)$ und $\mu := l(b_2)$ gilt dann $l(x_1 b_1 + x_2 b_2) = vx_1 + \mu x_2$ für alle $x_1, x_2 \in \mathbb{R}$. Da $N(\beta) = \mathbb{R} \cdot b_2$, bedeutet $\ker(l) \cap N(\beta) = \{0\}$ nichts anderes als $\mu \neq 0$. Sei nun $x = x_1 b_1 + x_2 b_2$. Dann ist $x \in P$ genau dann, wenn

$$0 = q_\beta(x) + l(x) + c = x_1^2 + vx_1 + \mu x_2 + c = \left(x_1 + \tfrac{v}{2}\right)^2 - \tfrac{v^2}{4} + \mu x_2 + c \,,$$

also genau dann, wenn

$$x_2 = -\tfrac{1}{\mu}\left(x_1 + \tfrac{v}{2}\right)^2 + \tfrac{1}{\mu}\left(\tfrac{v^2}{4} - c\right).$$

Mit $a := -\tfrac{1}{\mu}$, $b := \tfrac{v}{2}$ und $d := \tfrac{1}{\mu}\left(\tfrac{v^2}{4} - c\right)$ folgt die Behauptung. $\qquad\square$

Wir fassen zusammen:

Satz 7.53 (Kegelschnitte). *Sei $C \subset \mathbb{R}^3$ der Doppelkegel und $E \subset \mathbb{R}^3$ eine affine Ebene und E_0 der zugehörige 2-dimensionale Untervektorraum. Dann gibt es genau die folgenden Möglichkeiten:*

r_+	r_-	r_0	β	E	$C \cap E$
2	0	0	*positiv definit*	$= E_0$	*Punkt*
				$\neq E_0$	*Ellipse*
1	1	0	*indefinit*	$= E_0$	*Geradenkreuz*
				$\neq E_0$	*Hyperbel*
1	0	1	*positiv semidefinit*	$= E_0$	*Gerade*
				$\neq E_0$	*Parabel*

Tab. 27 Kegelschnitte

Hierbei ist $\beta = \langle\!\langle \cdot, \cdot \rangle\!\rangle|_{E_0 \times E_0}$. $\qquad\square$

 Hier können Sie die verschiedenen Typen von Kegelschnitten in einer interaktiven 3D-Grafik erkunden: 
`https://ueben.cbaer.eu/Q06.html`

7.3. Euklidische Vektorräume

Wir kennen bereits das Skalarprodukt $\langle \cdot, \cdot \rangle$ auf dem $\mathbb{R}^n$. Es ist eine positiv definite symmetrische Bilinearform. Wir abstrahieren nun wie folgt:

Definition 7.54. Sei V ein $\mathbb{R}$-Vektorraum. Eine positiv definite symmetrische Bilinearform $\langle \cdot, \cdot \rangle$ nennt man ein **euklidisches Skalarprodukt** oder auch einfach ein **Skalarprodukt** auf V. Das Paar $(V, \langle \cdot, \cdot \rangle)$ heißt dann **euklidischer Vektorraum**.

Beispiel 7.55. Neben dem (Standard-)Skalarprodukt auf dem $\mathbb{R}^n$ kennen wir bereits auch ein Skalarprodukt auf einem unendlich-dimensionalen Vektorraum. Wir betrachten $V = C^0([a, b], \mathbb{R})$ mit der durch Integration gegebenen symmetrischen Bilinearform

$$\langle f, g \rangle = \int_a^b f(x) g(x) \, dx.$$

Bleibt zu überlegen, dass diese Bilinearform positiv definit ist. Für jedes $f \in V$ gilt

$$\langle f, f \rangle = \int_a^b f(x)^2 \, dx \geq 0.$$

Also ist die Bilinearform $\langle \cdot, \cdot \rangle$ schon mal positiv semidefinit. Wenn $\langle f, f \rangle = 0$ ist, dann ist f^2 eine stetige, nichtnegative Funktion, die Integral 0 hat. Also muss f^2 identisch 0 sein und damit auch f. Für alle $f \neq 0$ gilt daher $\langle f, f \rangle > 0$, d.h. $\langle \cdot, \cdot \rangle$ ist positiv definit.

Ganz analog zum Standardskalarprodukt auf $\mathbb{R}^n$ definieren wir die Norm:

Definition 7.56. Sei $(V, \langle \cdot, \cdot \rangle)$ ein euklidischer Vektorraum. Für $x \in V$ heißt dann

$$\|x\| := \sqrt{\langle x, x \rangle} = \sqrt{q_{\langle \cdot, \cdot \rangle}(x)}$$

die **Norm** von x.

Proposition 7.57 (Eigenschaften der Norm). *Sei $(V, \langle \cdot, \cdot \rangle)$ ein euklidischer Vektorraum mit zugehöriger Norm $\| \cdot \|$. Dann gilt für alle $x \in V$ und alle $\alpha \in \mathbb{R}$:*

  (i) $\|x\| \geq 0$.

  (ii) $\|x\| = 0 \Leftrightarrow x = 0$.

  (iii) $\|\alpha \cdot x\| = |\alpha| \cdot \|x\|$.

Beweis. Aussage (i) ist trivial. Zu (ii):
Ist $x = 0$, so ist $\langle x, x \rangle = 0$ und somit $\|x\| = 0$. Gilt umgekehrt $\|x\| = 0$, so ist $\langle x, x \rangle = 0$. Wegen der positiven Definitheit folgt $x = 0$.
Gleichung (iii) ist eine simple Rechnung:

$$\|\alpha x\| = \sqrt{\langle \alpha x, \alpha x \rangle} = \sqrt{\alpha^2 \cdot \|x\|^2} = |\alpha| \cdot \|x\|. \qquad \square$$

Satz 7.58 (Cauchy-Schwarz-Ungleichung). *Sei* $(V, \langle \cdot, \cdot \rangle)$ *ein euklidischer Vektorraum. Dann gilt für alle* $x, y \in V$:
$$|\langle x, y \rangle| \leq \|x\| \cdot \|y\|.$$
Die Gleichheit gilt genau dann, wenn x *und* y *linear abhängig sind.*

In Satz 2.76 hatten wir die Cauchy-Schwarz-Ungleichung schon im Spezialfall des Standardskalarprodukts auf $\mathbb{R}^2$ bewiesen. Dabei hatten wir allerdings von der konkreten Definition Gebrauch gemacht und mit den Komponenten der beteiligten Vektoren gerechnet. Das ist jetzt nicht mehr möglich. Wir müssen nun einen Beweis finden, der lediglich benutzt, dass $\langle \cdot, \cdot \rangle$ eine positiv definite symmetrische Bilinearform ist.

Beweis von Satz 7.58. a) Ist $x = 0$ oder $y = 0$, so gilt die Aussage trivialerweise. Daher nehmen wir von nun ab an, dass $x \neq 0$ und $y \neq 0$.
b) Ist $\|x\| = \|y\| = 1$, so gilt

$$\begin{aligned}
0 &\leq \langle x + y, x + y \rangle \\
&= \langle x, x \rangle + \langle x, y \rangle + \langle y, x \rangle + \langle y, y \rangle \\
&= \|x\|^2 + 2\langle x, y \rangle + \|y\|^2 \\
&= 2 + 2\langle x, y \rangle
\end{aligned}$$

und somit

$$-\langle x, y \rangle \leq 1.$$

Genauso sieht man

$$0 \leq \langle x - y, x - y \rangle = 2 - 2\langle x, y \rangle$$

und daher

$$\langle x, y \rangle \leq 1.$$

Also ist

$$|\langle x, y \rangle| \leq 1 = \|x\| \cdot \|y\|.$$

c) Seien nun x und y mit $\|x\| \neq 0, \|y\| \neq 0$ beliebig. Dann ist

$$\left\| \frac{x}{\|x\|} \right\| = 1 \quad \text{und} \quad \left\| \frac{y}{\|y\|} \right\| = 1,$$

so dass wir Beweisteil b) auf $\frac{x}{\|x\|}$ und $\frac{y}{\|y\|}$ anwenden können. Es folgt

$$1 \geq \left| \left\langle \frac{x}{\|x\|}, \frac{y}{\|y\|} \right\rangle \right| = \frac{1}{\|x\|} \cdot \frac{1}{\|y\|} \cdot |\langle x, y \rangle|$$

und daher

$$|\langle x, y \rangle| \leq \|x\| \cdot \|y\|.$$

d) Die Cauchy-Schwarz-Ungleichung ist damit bewiesen. Bleibt der Gleichheitsfall zu diskutieren.
Betrachten wir den Fall, dass x und y linear abhängig sind. Dann ist einer der Vektoren ein Vielfaches des anderen, also o.B.d.A. $x = \alpha y$ für ein $\alpha \in \mathbb{R}$. Insbesondere ist $\|x\| = |\alpha| \cdot \|y\|$ und

$$|\langle x, y \rangle| = |\langle \alpha y, y \rangle| = |\alpha| \cdot \|y\|^2 = \|x\| \cdot \|y\|.$$

Es gilt also Gleichheit in der Cauchy-Schwarz-Ungleichung.
e) Umgekehrt gelte $|\langle x, y \rangle| = \|x\| \cdot \|y\|$. Wir müssen zeigen, dass dann x und y linear abhängig sind. Ist $x = 0$ oder $y = 0$, so sind x und y sowieso linear abhängig und es ist nichts zu zeigen. Daher können wir annehmen, dass $\|x\| \neq 0$ und $\|y\| \neq 0$.
1. Fall: Es gilt $\langle x, y \rangle = \|x\| \cdot \|y\|$.
Wir berechnen

$$\left\| \frac{x}{\|x\|} - \frac{y}{\|y\|} \right\|^2 = \left\langle \frac{x}{\|x\|} - \frac{y}{\|y\|}, \frac{x}{\|x\|} - \frac{y}{\|y\|} \right\rangle$$

$$= \left\| \frac{x}{\|x\|} \right\|^2 - 2 \left\langle \frac{x}{\|x\|}, \frac{y}{\|y\|} \right\rangle + \left\| \frac{y}{\|y\|} \right\|^2$$

$$= 1 - 2 + 1 = 0.$$

Also ist $\frac{x}{\|x\|} - \frac{y}{\|y\|} = 0$ und daher $x = \frac{\|x\|}{\|y\|} \cdot y$. Also sind x und y linear abhängig.
2. Fall: Es gilt $-\langle x, y \rangle = \|x\| \cdot \|y\|$.
Dann gilt $\langle -x, y \rangle = \| -x \| \cdot \|y\|$. Nach dem ersten Fall sind also $-x$ und y linear abhängig und somit auch x und y. $\qquad \square$

Korollar 7.59 (Dreiecksungleichung). *Sei $(V, \langle \cdot, \cdot \rangle)$ ein euklidischer Vektorraum mit zugehöriger Norm $\| \cdot \|$. Dann gilt für alle $x \in V$ und alle $\alpha \in \mathbb{R}$:*

$$\|x + y\| \leq \|x\| + \|y\|.$$

Beweis. Der Beweis ist derselbe wie der von Korollar 2.77, aber der Bequemlichkeit halber führen wir ihn an dieser Stelle nochmal an. Für alle $x, y \in V$ gilt wegen der Cauchy-Schwarz-Ungleichung:

$$\|x + y\|^2 = \|x\|^2 + 2 \langle x, y \rangle + \|y\|^2 \leq \|x\|^2 + 2\|x\|\|y\| + \|y\|^2 = (\|x\| + \|y\|)^2.$$

Wurzelziehen liefert die Behauptung. $\qquad \square$

Genau wie in Definition 2.95 können wir nun Innenwinkel definieren.

Definition 7.60. Sei $(V, \langle \cdot, \cdot \rangle)$ ein euklidischer Vektorraum. Für alle $x, y \in V \setminus \{0\}$ heißt die Zahl

$$\sphericalangle(x, y) := \arccos\left(\frac{\langle x, y \rangle}{\|x\| \cdot \|y\|}\right) \in [0, \pi]$$

der **Innenwinkel** von x und y.

Wir beachten, dass die Definition nur sinnvoll ist, weil die Cauchy-Schwarz-Ungleichung gilt, denn dadurch ist sichergestellt, dass das Argument des Arkuskosinus in $[-1, 1]$ liegt.
Wie in $\mathbb{R}^2$ sagen wir im Fall $\sphericalangle(x, y) = \frac{\pi}{2}$, d.h. im Fall $\langle x, y \rangle = 0$, dass x und y aufeinander senkrecht stehen. In diesem Fall schreiben wir $x \perp y$.

Beispiel 7.61. Sei $V = C^0([0, \pi], \mathbb{R})$ und $\langle f, g \rangle = \int_0^\pi f(x) g(x)\, dx$. Wir berechnen

$$\langle \sin, \cos \rangle = \int_0^\pi \sin(x) \cos(x)\, dx = \tfrac{1}{2} \sin(x)^2 \big|_{x=0}^\pi = 0 - 0 = 0.$$

Also stehen Sinus und Kosinus aufeinander senkrecht.

Mitunter ist folgende Abkürzung bequem:

Definition 7.62. Ist I eine Menge, so schreibt man für $i, j \in I$:

$$\delta_{ij} := \begin{cases} 1, & i = j \\ 0, & i \neq j \end{cases}$$

Man nennt dann δ_{ij} das **Kronecker'sche δ-Symbol**.

Beispiel 7.63. Die Einheitsmatrix $\mathbb{1}_n$ hat die Einträge δ_{ij}. Hierbei ist $I = \{1, \ldots, n\}$.

Bemerkung 7.64. Der Satz von Sylvester besagt für endlich-dimensionale euklidische Vektorräume V: Es gibt eine geordnete Basis $B = (b_1, \ldots, b_n)$ von V, so dass

$$M_B(\langle \cdot, \cdot \rangle) = \mathbb{1}_n,$$

d.h. $\langle b_i, b_j \rangle = \delta_{ij}$ für alle $i, j = 1, \ldots n$. Die Basisvektoren stehen also alle aufeinander senkrecht und haben Norm 1.

Definition 7.65. Eine solche Basis heißt **Orthonormalbasis** von V. Allgemeiner heißt ein Tupel $(v_1, \ldots, v_k)$ von Vektoren aus V ein **Orthonormalsystem**, wenn für alle i und j gilt: $\langle v_i, v_j \rangle = \delta_{ij}$.

Beispiel 7.66. Die Standardbasis $(e_1, \ldots, e_n)$ von $\mathbb{R}^n$ ist eine Orthonormalbasis bzgl. des euklidischen Standardskalarprodukts $\langle \cdot, \cdot \rangle$, gegeben durch $\langle x, y \rangle = \sum_{j=1}^n x_j y_j$.

Lemma 7.67. *Jedes Orthonormalsystem ist linear unabhängig.*

Beweis. Sei $(v_1, \ldots, v_k)$ ein Orthonormalsystem. Seien $\alpha_1, \ldots, \alpha_k \in \mathbb{R}$, so dass

$$\alpha_1 v_1 + \cdots + \alpha_k v_k = 0.$$

Für jedes i folgt dann:

$$0 = \langle 0, v_i \rangle = \langle \alpha_1 v_1 + \cdots + \alpha_k v_k, v_i \rangle = \alpha_1 \langle v_1, v_i \rangle + \cdots + \alpha_k \langle v_k, v_i \rangle = \alpha_i \cdot 1,$$

also $\alpha_i = 0$. $\qquad\square$

Wann immer wir eine Basis haben, können wir jeden Vektor des Vektorraumes eindeutig als Linearkombination der Basisvektoren schreiben. Im Falle einer Orthonormalbasis lassen sich die dabei auftretenden Koeffizienten leicht mit Hilfe des Skalarprodukts angeben.

Lemma 7.68. *Sei V ein euklidischer Vektorraum und $B = (b_1, \ldots, b_n)$ eine Orthonormalbasis von V. Dann gilt für alle $v \in V$:*

$$v = \sum_{i=1}^n \langle v, b_i \rangle \cdot b_i.$$

Beweis. Seien $\alpha_i \in \mathbb{R}$ die Koeffizienten, für die $v = \sum_{i=1}^n \alpha_i b_i$ gilt. Dann folgt für jedes j:

$$\langle v, b_j \rangle = \left\langle \sum_{i=1}^n \alpha_i b_i, b_j \right\rangle = \sum_{i=1}^n \alpha_i \langle b_i, b_j \rangle = \alpha_j.$$

Also gilt:

$$v = \sum_{i=1}^n \langle v, b_i \rangle b_i. \qquad\square$$

In beliebigen Basen gibt es eine ähnliche Formel, die statt eines Skalarprodukts die duale Basis benutzt, siehe Aufgabe 4.7.

Definition 7.69. Sei V ein euklidischer Vektorraum und $U \subset V$ ein Untervektorraum. Dann heißt
$$U^{\perp} := \{v \in V \mid v \perp u \ \forall\, u \in U\}$$
orthogonales Komplement von U.

Lemma 7.70. *Sei V ein endlich-dimensionaler euklidischer Vektorraum und $U \subset V$ ein Untervektorraum. Dann gilt:*

(i) $U^{\perp}$ ist ebenfalls ein Untervektorraum von V.

(ii) $V = U \oplus U^{\perp}$.

Beweis. Zu (i):
Sicherlich ist $0 \in U^{\perp}$, da 0 auf alle Vektoren senkrecht steht. Seien $v_1, v_2 \in U^{\perp}$ und $\alpha_1, \alpha_2 \in \mathbb{R}$. Dann gilt für alle $u \in U$:
$$\langle \alpha_1 v_1 + \alpha_2 v_2, u \rangle = \alpha_1 \langle v_1, u \rangle + \alpha_2 \langle v_2, u \rangle = \alpha_1 \cdot 0 + \alpha_2 \cdot 0 = 0.$$
Also ist $\alpha_1 v_1 + \alpha_2 v_2 \in U^{\perp}$.

Zu (ii):
Zunächst zeigen wir $V = U + U^{\perp}$. Sei $B = (b_1, \ldots, b_r)$ eine Orthonormalbasis von U. Sei $v \in V$. Wir setzen $u := \sum_{i=1}^{r} \langle v, b_i \rangle b_i \in U$ und $w := v - u$. Dann gilt $v = u + w$ und es bleibt $w \in U^{\perp}$ zu zeigen, d.h. $\langle w, x \rangle = 0$ für alle $x \in U$.
Sei also $x \in U$ beliebig. Wir schreiben $x = \sum_{i=1}^{r} \alpha_i b_i$. Dann ist

$$\begin{aligned}
\langle w, x \rangle &= \left\langle v - u, \sum_{i=1}^{r} \alpha_i b_i \right\rangle \\
&= \left\langle v - \sum_{j=1}^{r} \langle v, b_j \rangle b_j, \sum_{i=1}^{r} \alpha_i b_i \right\rangle \\
&= \left\langle v, \sum_{i=1}^{r} \alpha_i b_i \right\rangle - \left\langle \sum_{j=1}^{r} \langle v, b_j \rangle b_j, \sum_{i=1}^{r} \alpha_i b_i \right\rangle \\
&= \sum_{i=1}^{r} \alpha_i \langle v, b_i \rangle - \sum_{i,j=1}^{r} \alpha_i \langle v, b_j \rangle \underbrace{\langle b_j, b_i \rangle}_{=\delta_{ij}}
\end{aligned}$$

$$= \sum_{i=1}^{r} \alpha_i \langle v, b_i \rangle - \sum_{i=1}^{r} \alpha_i \langle v, b_i \rangle$$
$$= 0.$$

Nun bleibt noch $U \cap U^\perp = \{0\}$ zu zeigen:

Sei $u \in U \cap U^\perp$. Dann ist $\|u\|^2 = \langle u, u \rangle = 0$, also $u = 0$.   □

Beispiel 7.71. Sei $V = \mathbb{R}^3$ und $U = \mathbb{R}^2 \times \{0\}$. In beiden skizzierten Fällen gilt $V = U \oplus W$.

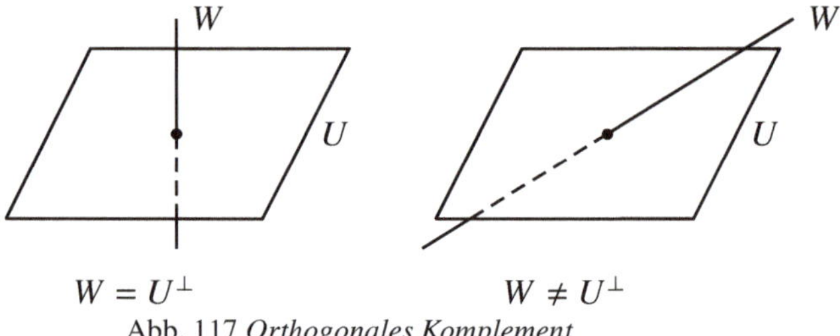

Abb. 117 *Orthogonales Komplement*

Definition 7.72. Sei V ein endlich-dimensionaler euklidischer Vektorraum und $U \subset V$ ein Untervektorraum. Dann heißt die lineare Abbildung $P_U \colon V \to V$ mit $P_U|_U = \mathrm{id}_U$ und $P_U|_{U^\perp} = 0$ **Orthogonalprojektion** auf U.

Bemerkung 7.73. Sei V ein endlich-dimensionaler euklidischer Vektorraum und $U \subset V$ ein Untervektorraum. Ist $B_1 = (b_1, \ldots, b_r)$ eine Orthonormalbasis von U und $B_2 = (b_{r+1}, \ldots, b_n)$ eine Orthonormalbasis von $U^\perp$, dann ist $B = (b_1, \ldots, b_n)$ eine Orthonormalbasis von V.

Für jedes $v \in V$ ist die Aufspaltung gemäß $V = U \oplus U^\perp$ gegeben durch

$$v = \sum_{j=1}^{n} \langle v, b_j \rangle b_j = \underbrace{\sum_{j=1}^{r} \langle v, b_j \rangle b_j}_{\in U} + \underbrace{\sum_{j=r+1}^{n} \langle v, b_j \rangle b_j}_{\in U^\perp}.$$

Also ist

$$P_U(v) = \sum_{j=1}^{r} \langle v, b_j \rangle b_j.$$

Wie bestimmt man eine Orthonormalbasis eines endlich-dimensionalen euklidischen Vektorraums? Das **Schmidt'sche Orthonormalisierungsverfahren** oder **Gram-Schmidt-Verfahren** macht aus einer beliebigen gegebenen geordneten Basis von V eine Orthonormalbasis und zwar so, dass für jedes k die ersten k Vektoren beider Basen dieselbe lineare Hülle haben. Das Verfahren geht so:

Sei $(v_1, \ldots, v_n)$ eine beliebige Basis von V.

1. Schritt: Setze $b_1 := \frac{v_1}{\|v_1\|}$.

$(k+1)$-*ter Schritt:* Nehmen wir induktiv an, dass wir ein Orthonormalsystem $(b_1, \ldots, b_k)$ mit $L(b_1, \ldots, b_k) = L(v_1, \ldots, v_k)$ gefunden haben. Wir setzen nun

$$b_{k+1} := \frac{v_{k+1} - P_{L(b_1,\ldots,b_k)}(v_{k+1})}{\|v_{k+1} - P_{L(b_1,\ldots,b_k)}(v_{k+1})\|} = \frac{v_{k+1} - \sum_{j=1}^{k} \langle v_{k+1}, b_j \rangle b_j}{\left\| v_{k+1} - \sum_{j=1}^{k} \langle v_{k+1}, b_j \rangle b_j \right\|}.$$

Zunächst einmal bemerken wir, dass wir getrost durch die Norm teilen dürfen. Wegen der linearen Unabhängigkeit von $(v_1, \ldots, v_n)$ ist nämlich $v_{k+1} \notin L(v_1, \ldots, v_k) = L(b_1, \ldots, b_k)$ und daher $v_{k+1} - P_{L(b_1,\ldots,b_k)}(v_{k+1}) \neq 0$.

Da wir durch die Norm geteilt haben, hat b_{k+1} die Norm 1. Außerdem ist $v_{k+1} - P_{L(b_1,\ldots,b_k)}(v_{k+1})$ nach Definition der Orthogonalprojektion aus $L(b_1, \ldots, b_k)^\perp$. Daher bildet $(b_1, \ldots, b_{k+1})$ ebenfalls ein Orthonormalsystem.

Ferner ist nach Definition $b_{k+1} \in L(b_1, \ldots, b_k, v_{k+1}) = L(v_1, \ldots, v_k, v_{k+1})$ und somit $L(b_1, \ldots, b_{k+1}) \subset L(v_1, \ldots, v_{k+1})$. Wegen Lemma 7.67 ist $(b_1, \ldots, b_{k+1})$ linear unabhängig. Also haben sowohl $L(b_1, \ldots, b_{k+1})$ als auch $L(v_1, \ldots, v_{k+1})$ die Dimension $k+1$ und stimmen daher überein,

$$L(b_1, \ldots, b_{k+1}) = L(v_1, \ldots, v_{k+1}).$$

Beispiel 7.74. Sei $V = \mathbb{R}_2[x] = \{f \in \mathbb{R}[x] \mid \deg(f) \leq 2\}$. Dann ist $\dim(V) = 3$ und (v_1, v_2, v_3) ist eine Basis von V, wobei $v_1 = 1$, $v_2 = x$ und $v_3 = x^2$. Als euklidisches Skalarprodukt nehmen wir $\langle f, g \rangle = \int_0^1 f(x)g(x)\, dx$.

1. Schritt: $b_1 := \frac{v_1}{\|v_1\|} = \frac{1}{\|1\|} = 1$, denn $\|1\|^2 = \langle 1, 1 \rangle = \int_0^1 1^2\, dx = 1$.

2. Schritt:

$$b_2 := \frac{v_2 - \langle v_2, b_1 \rangle b_1}{\|v_2 - \langle v_2, b_1 \rangle b_1\|} = \frac{x - \frac{1}{2}}{\|x - \frac{1}{2}\|} = 2\sqrt{3}\left(x - \tfrac{1}{2}\right) = \sqrt{3}(2x - 1),$$

denn $\langle v_2, b_1 \rangle = \int_0^1 x \cdot 1\, dx = \tfrac{1}{2}$ und

$$\left\|x - \tfrac{1}{2}\right\|^2 = \int_0^1 \left(x - \tfrac{1}{2}\right)^2 dx = \int_0^1 \left(x^2 - x + \tfrac{1}{4}\right) dx$$

$$= \left. \frac{x^3}{3} - \frac{x^2}{2} + \frac{x}{4} \right|_{x=0}^{1} = \frac{1}{3} - \frac{1}{2} + \frac{1}{4} = \frac{1}{12}$$

und daher $\|x - \tfrac{1}{2}\| = \frac{1}{2\sqrt{3}}$.

3. Schritt: $b_3 := \frac{v_3 - \langle v_3, b_1 \rangle b_1 - \langle v_3, b_2 \rangle b_2}{\|v_3 - \langle v_3, b_1 \rangle b_1 - \langle v_3, b_2 \rangle b_2\|}$. Wir berechnen

$$\langle v_3, b_1 \rangle = \int_0^1 x^2 \cdot 1 \, dx = \frac{1}{3},$$

$$\langle v_3, b_2 \rangle = \int_0^1 x^2 \cdot \sqrt{3}(2x - 1) \, dx = \sqrt{3} \cdot \int_0^1 (2x^3 - x^2) \, dx = \sqrt{3}\left(\frac{x^4}{2} - \frac{x^3}{3}\right)\Big|_{x=0}^1 = \frac{\sqrt{3}}{6}.$$

Also ist

$$v_3 - \langle v_3, b_1 \rangle b_1 - \langle v_3, b_2 \rangle b_2 = x^2 - \tfrac{1}{3} \cdot 1 - \tfrac{\sqrt{3}}{6}\sqrt{3}(2x - 1) = x^2 - \tfrac{1}{3} - x + \tfrac{1}{2} = x^2 - x + \tfrac{1}{6}.$$

Ferner gilt

$$\left\|x^2 - x + \tfrac{1}{6}\right\|^2 = \int_0^1 \left(x^2 - x + \tfrac{1}{6}\right)^2 dx$$

$$= \int_0^1 \left(x^4 - 2x^3 + \tfrac{x^2}{3} - \tfrac{1}{3}x + x^2 + \tfrac{1}{36}\right) dx$$

$$= \frac{1}{5} - \frac{1}{2} + \frac{1}{9} - \frac{1}{6} + \frac{1}{3} + \frac{1}{36}$$

$$= \frac{1}{180}$$

und somit

$$b_3 = \frac{x^2 - x + \tfrac{1}{6}}{\sqrt{\tfrac{1}{180}}} = \sqrt{180}\left(x^2 - x + \tfrac{1}{6}\right).$$

Die orthonormalisierte Basis lautet also

$$\left(1, \sqrt{3}(2x - 1), \sqrt{180}\left(x^2 - x + \tfrac{1}{6}\right)\right).$$

 Hier können Sie das Gram-Schmidt-Verfahren selbst an Beispielen üben.
https://ueben.cbaer.eu/24.html

7.4. Adjungierte Abbildungen und selbstadjungierte Endomorphismen

Lemma 7.75. *Seien $(V, \langle \cdot, \cdot \rangle_V)$ und $(W, \langle \cdot, \cdot \rangle_W)$ endlich-dimensionale euklidische Vektorräume und sei $\varphi \colon V \to W$ linear. Dann gibt es genau eine Abbildung $\psi \colon W \to V$, so dass*

$$\langle \varphi(v), w \rangle_W = \langle v, \psi(w) \rangle_V \tag{7.2}$$

für alle $v \in V$ und $w \in W$. Diese Abbildung ist linear.

Beweis. a) Zur Existenz und Eindeutigkeit: Sei $w \in W$ fest. Die Abbildung $l \colon V \to \mathbb{R}$, $l(v) = \langle \varphi(v), w \rangle_W$ ist linear, da φ linear ist und das Skalarprodukt im ersten Argument linear ist. Nach Satz 7.50 gibt es genau ein Element $z \in V$ mit $l(v) = \langle v, z \rangle_V$ für alle $v \in V$. Also ist $\psi(w) := z$ die eindeutige Möglichkeit, ψ so zu definieren, dass (7.2) gilt.

b) Zur Linearität: Seien $w_1, w_2 \in W$ und $\alpha_1, \alpha_2 \in \mathbb{R}$. Dann gilt für alle $v \in V$:

$$\begin{aligned}
\langle v, \psi(\alpha_1 w_1 + \alpha_2 w_2) \rangle_V &= \langle \varphi(v), \alpha_1 w_1 + \alpha_2 w_2 \rangle_W \\
&= \alpha_1 \langle \varphi(v), w_1 \rangle_W + \alpha_2 \langle \varphi(v), w_2 \rangle_W \\
&= \alpha_1 \langle v, \psi(w_1) \rangle_V + \alpha_2 \langle v, \psi(w_2) \rangle_V \\
&= \langle v, \alpha_1 \psi(w_1) + \alpha_2 \psi(w_2) \rangle_V \,.
\end{aligned}$$

Da $\langle \cdot, \cdot \rangle_V$ nicht ausgeartet ist, folgt $\psi(\alpha_1 w_1 + \alpha_2 w_2) = \alpha_1 \psi(w_1) + \alpha_2 \psi(w_2)$. $\qquad\square$

Definition 7.76. Man schreibt für die Abbildung aus Lemma 7.75

$$\varphi^\mathsf{T} \colon W \to V$$

(statt ψ) und nennt sie die zu φ **adjungierte Abbildung**.

Die zu $\varphi \colon V \to W$ adjungierte Abbildung $\varphi^\mathsf{T} \colon W \to V$ ist also dadurch charakterisiert, dass

$$\langle \varphi(v), w \rangle_W = \langle v, \varphi^\mathsf{T}(w) \rangle_V$$

für alle $v \in V$ und alle $w \in W$ gilt.

Können wir die darstellenden Matrizen von φ^T leicht aus denen von φ berechnen? Ja, das können wir, jedenfalls bezüglich Orthonormalbasen. Wir müssen lediglich die darstellende Matrix transponieren.

Proposition 7.77. *Seien* $(V, \langle \cdot, \cdot \rangle_V)$ *und* $(W, \langle \cdot, \cdot \rangle_W)$ *endlich-dimensionale euklidische Vektorräume mit Orthonormalbasen* B *bzw.* B'. *Sei* $\varphi \colon V \to W$ *linear. Dann gilt:*

$$M_B^{B'}(\varphi^\mathsf{T}) = M_{B'}^{B}(\varphi)^\mathsf{T}.$$

Beweis. Sei $B = (b_1, \ldots, b_n)$ und $B' = (b'_1, \ldots, b'_m)$. Einerseits gilt für die darstellende Matrix $M_{B'}^{B}(\varphi)$ immer

$$\varphi(b_j) = \sum_{i=1}^{m} M_{B'}^{B}(\varphi)_{ij} \cdot b'_i.$$

Für Orthonormalbasen gilt wegen Lemma 7.68 andererseits

$$\varphi(b_j) = \sum_{i=1}^{m} \big\langle \varphi(b_j), b'_i \big\rangle_W \cdot b'_i.$$

Also ist

$$M_{B'}^{B}(\varphi)_{ij} = \big\langle \varphi(b_j), b'_i \big\rangle_W.$$

Analog ist

$$M_B^{B'}(\varphi^\mathsf{T})_{ji} = \big\langle \varphi^\mathsf{T}(b'_i), b_j \big\rangle_V.$$

Es folgt

$$M_B^{B'}(\varphi^\mathsf{T})_{ji} = \big\langle \varphi^\mathsf{T}(b'_i), b_j \big\rangle_V = \big\langle b_j, \varphi^\mathsf{T}(b'_i) \big\rangle_V = \big\langle \varphi(b_j), b'_i \big\rangle_W = M_{B'}^{B}(\varphi)_{ij}. \qquad \square$$

Definition 7.78. Sei V ein euklidischer Vektorraum. Ein Endomorphismus $\varphi \in \mathrm{End}(V)$ heißt **selbstadjungiert**, wenn $\varphi^\mathsf{T} = \varphi$, d.h. falls für alle $v, w \in V$ gilt:

$$\langle \varphi(v), w \rangle = \langle v, \varphi(w) \rangle.$$

Wir erinnern uns daran, dass eine Matrix $A \in \mathrm{Mat}(n, \mathbb{R})$ symmetrisch heißt, falls $A^\mathsf{T} = A$.

Korollar 7.79. *Sei* V *ein endlich-dimensionaler euklidischer Vektorraum mit Orthonormalbasis* B. *Ein Endomorphismus* $\varphi \in \mathrm{End}(V)$ *ist genau dann selbstadjungiert, wenn die darstellende Matrix* $M_B(\varphi)$ *symmetrisch ist.*

Beweis. Nach Proposition 7.77 ist $M_B(\varphi^\mathsf{T}) = M_B(\varphi)^\mathsf{T}$. Also ist $\varphi^\mathsf{T} = \varphi$ genau dann, wenn $M_B(\varphi)^\mathsf{T} = M_B(\varphi)$. $\qquad \square$

> **Satz 7.80.** *Sei V ein endlich-dimensionaler euklidischer Vektorraum. Ist $\varphi \in \mathrm{End}(V)$ selbstadjungiert, so besitzt V eine Orthonormalbasis bzgl. derer die darstellende Matrix von φ eine Diagonalmatrix (mit reellen Diagonaleinträgen) ist.*
> *Insbesondere ist φ diagonalisierbar.*

Beweis. Wir führen eine vollständige Induktion nach der Dimension n von V. Für $n = 1$ ist nichts zu zeigen. Damit ist der Induktionsanfang vollzogen.

Induktionsschritt: Sei $n \geq 2$.

Zwischenbehauptung: φ hat einen reellen Eigenwert.

Beweis der Zwischenbehauptung: Wählen wir zunächst irgendeine Orthonormalbasis B von V, dann ist die darstellende Matrix $A := M_B(\varphi)$ nach Korollar 7.79 symmetrisch. Da φ und A dieselben Eigenwerte haben, müssen wir nun zeigen, dass die Matrix A einen reellen Eigenwert hat. Jede komplexe Matrix, und damit auch A, hat wenigstens einen komplexen Eigenwert λ. Wir zeigen, dass λ in unserem Fall, bei einer symmetrischen reellen Matrix, reell sein muss. Sei $z \in \mathbb{C}^n \setminus \{0\}$ ein Eigenvektor von A zum Eigenwert λ. Wir schreiben $z = v + iw$ mit $v, w \in \mathbb{R}^n$. Es gilt also

$$(v - iw)^\mathsf{T} \cdot A \cdot (v + iw) = (v - iw)^\mathsf{T} \cdot \lambda \cdot (v + iw) = \lambda \cdot (v - iw)^\mathsf{T} \cdot (v + iw)$$

$$= \lambda(\|v\|^2 + i\langle v, w\rangle - i\langle w, v\rangle + \|w\|^2) = \lambda(\|v\|^2 + \|w\|^2). \quad (7.3)$$

Wenn wir die Gleichung $A \cdot (v + iw) = \lambda \cdot (v + iw)$ komplex konjugieren, erhalten wir, da A reell ist, $A \cdot (v - iw) = \bar{\lambda} \cdot (v - iw)$. Es folgt, da A symmetrisch ist,

$$(v - iw)^\mathsf{T} \cdot A \cdot (v + iw) = (v - iw)^\mathsf{T} \cdot A^\mathsf{T} \cdot (v + iw) = (A \cdot (v - iw))^\mathsf{T} \cdot (v + iw)$$

$$= (\bar{\lambda}(v - iw))^\mathsf{T} \cdot (v + iw) = \bar{\lambda}(v - iw)^\mathsf{T} \cdot (v + iw) = \bar{\lambda}(\|v\|^2 + \|w\|^2).$$
$$(7.4)$$

Vergleichen wir (7.3) und (7.4), so erhalten wir $\lambda = \bar{\lambda}$, d.h. $\lambda \in \mathbb{R}$. $\checkmark$

Nun können wir die Induktion zu Ende führen. Sei v_1 ein Eigenvektor zum reellen Eigenwert λ von φ mit $\|v_1\| = 1$. Dann ist das orthogonale Komplement von v_1 ein φ-invarianter Untervektorraum, denn ist $v \perp v_1$, so gilt

$$\langle \varphi(v), v_1\rangle = \langle v, \varphi(v_1)\rangle = \langle v, \lambda v_1\rangle = \lambda\langle v, v_1\rangle = 0,$$

also $\varphi(v) \perp v_1$. Nach Induktionsannahme können wir daher eine Orthonormalbasis $(v_2, \ldots, v_n)$ von $(\mathbb{R} \cdot v_1)^\perp$ finden, die aus Eigenvektoren von $\varphi|_{(\mathbb{R} \cdot v_1)^\perp}$ besteht. Dann ist $(v_1, v_2, \ldots, v_n)$ eine solche Orthonormalbasis aus Eigenvektoren für φ. $\square$

In Aufgabe 7.24 wird ein alternativer, analytischer Beweis der Zwischenbehauptung im obigen Beweis vorgestellt.

7.5. Orthogonale Endomorphismen

In diesem Abschnitt sei V stets ein endlich-dimensionaler euklidischer Vektorraum.

Definition 7.81. Ein Endomorphismus $\varphi \in \mathrm{End}(V)$ heißt **orthogonal**, falls für alle $v, w \in V$ gilt:

$$\langle \varphi(v), \varphi(w) \rangle = \langle v, w \rangle.$$

Lemma 7.82. *Seien $\varphi, \psi \in \mathrm{End}(V)$ orthogonale Endomorphismen. Dann gilt für alle $v, w \in V$:*

(i) $\|\varphi(v)\| = \|v\|$.

(ii) $v \perp w \Rightarrow \varphi(v) \perp \varphi(w)$.

(iii) Falls $v \neq 0, w \neq 0$ ist, so gilt $\sphericalangle(\varphi(v), \varphi(w)) = \sphericalangle(v, w)$ (orthogonale Endomorphismen sind winkeltreu).

(iv) φ ist ein Isomorphismus und φ^{-1} ist ebenfalls orthogonal.

(v) $\varphi \circ \psi$ ist orthogonal.

(vi) Ist $\lambda \in \mathbb{R}$ ein Eigenwert von φ, so ist $\lambda = \pm 1$.

Da $\varphi = \mathrm{id}$ offenbar orthogonal ist, sagen uns (iv) und (v), dass die Menge der orthogonalen Endomorphismen eine Untergruppe von $\mathrm{Aut}(V)$ ist.

Definition 7.83. Die Menge der orthogonalen Endomorphismen

$$\mathrm{O}(V) := \{\varphi \in \mathrm{End}(V) \mid \varphi \text{ ist orthogonal}\}$$

heißt **orthogonale Gruppe** von V.
Die Menge der orientierungserhaltenden orthogonalen Endomorphismen

$$\mathrm{SO}(V) := \{\varphi \in \mathrm{O}(V) \mid \det(\varphi) > 0\}$$

heißt **speziell-orthogonale Gruppe** von V.

Beweis von Lemma 7.82. Aussage (i) folgt direkt aus der Definition mit $v = w$.

Aussage (ii) ist klar, denn $v \perp w$ bedeutet $\langle v, w \rangle = 0$. Also ist dann $\langle \varphi(v), \varphi(w) \rangle = 0$, d.h.

$\varphi(v) \perp \varphi(w)$.

Aussage (iii) folgt aus der Definition und aus (i):

$$\sphericalangle(\varphi(v), \varphi(w)) = \arccos\left(\frac{\langle \varphi(v), \varphi(w)\rangle}{\|\varphi(v)\| \cdot \|\varphi(w)\|}\right)$$

$$\overset{\text{(i)}}{=} \arccos\left(\frac{\langle v, w\rangle}{\|v\| \cdot \|w\|}\right)$$

$$= \sphericalangle(v, w).$$

Zu (iv):

φ ist injektiv, denn für $v \in \ker(\varphi)$ gilt $\|v\| \overset{\text{(i)}}{=} \|\varphi(v)\| = \|0\| = 0$ und somit $v = 0$. Da V endlich-dimensional ist, ist φ ein Isomorphismus.

Seien $v, w \in V$. Es gilt

$$\langle \varphi^{-1}(v), \varphi^{-1}(w)\rangle = \langle \varphi(\varphi^{-1}(v)), \varphi(\varphi^{-1}(w))\rangle = \langle v, w\rangle.$$

Also ist φ^{-1} ebenfalls orthogonal.

Zu (v):

Es gilt für alle $v, w \in V$:

$$\big\langle (\varphi \circ \psi)(v), (\varphi \circ \psi)(w)\big\rangle = \big\langle \varphi(\psi(v)), \varphi(\psi(w))\big\rangle = \langle \psi(v), \psi(w)\rangle = \langle v, w\rangle.$$

Also ist $\varphi \circ \psi$ ebenfalls orthogonal.

Zu (vi):

Sei λ ein Eigenwert von φ und $v \neq 0$ ein zugehöriger Eigenvektor. Dann gilt:

$$\|v\| = \|\varphi(v)\| = \|\lambda v\| = |\lambda| \cdot \|v\|.$$

Also ist $|\lambda| = 1$. $\qquad\qquad\square$

Eine kleine Warnung: Die Orthogonalprojektion P_U zu einem Untervektorraum $U \subset V$ ist kein orthogonaler Endomorphismus, denn $\ker(P_U) = U^\perp$, es sei denn $U = V$, denn dann ist $U^\perp = \{0\}$ und $P_U = \mathrm{id}_V$.

Lemma 7.84. *Sei $\varphi \in \mathrm{End}(V)$. Es ist φ genau dann orthogonal, wenn*

$$\varphi^\mathsf{T} \circ \varphi = \mathrm{id}.$$

Beweis. Nach Definition ist φ genau dann orthogonal, wenn für alle $v, w \in V$ gilt:

$$\langle v, w\rangle = \langle \varphi(v), \varphi(w)\rangle = \langle \varphi^\mathsf{T}(\varphi(v)), w\rangle.$$

Da das Skalarprodukt nicht ausgeartet ist, ist das äquivalent zu $\varphi^\mathsf{T}(\varphi(v)) = v$ für alle $v \in V$, d.h. zu $\varphi^\mathsf{T} \circ \varphi = \mathrm{id}$. $\qquad\qquad\square$

> **Korollar 7.85.** *Sei $\varphi \in O(V)$. Dann gilt $\det(\varphi) = \pm 1$.*

Beweis. Wir berechnen:

$$1 = \det(\mathrm{id}) = \det(\varphi^\top \circ \varphi) = \det(\varphi^\top) \cdot \det(\varphi) = \det(\varphi)^2.$$

Dabei folgt $\det(\varphi^\top) = \det(\varphi)$ aus Proposition 7.77 und der Tatsache, dass sich die Determinante einer Matrix durch Transponieren nicht ändert. $\qquad\square$

Lemma 7.84 sagt uns auch, wie man der darstellenden Matrix eines Endomorphismus ansieht, ob er orthogonal ist. Ein Endomorphismus φ von V ist genau dann orthogonal, wenn für die darstellende Matrix A bzgl. einer (oder äquivalent, jeder) Orthonormalbasis gilt:

$$A^\top \cdot A = \mathbb{1}_n.$$

> **Definition 7.86.** Eine Matrix $A \in \mathrm{Mat}(n, \mathbb{R})$ heißt **orthogonal**, falls $A^\top \cdot A = \mathbb{1}_n$. Hat die Matrix A zusätzlich positive Determinante, so heißt sie **speziell-orthogonal**. Wir schreiben:
>
> $$O(n) := \{A \in \mathrm{Mat}(n, \mathbb{R}) \mid A^\top \cdot A = \mathbb{1}_n\} \text{ und}$$
> $$SO(n) := \{A \in O(n) \mid \det(A) > 0\}.$$

Wir haben gesehen: Ist B eine Orthonormalbasis, so ist $\varphi \in O(V)$ genau dann, wenn $M_B(\varphi) \in O(n)$ ist. Analoges gilt, wenn wir O durch SO ersetzen.

> **Lemma 7.87.** *Ist $A \in \mathrm{Mat}(n, \mathbb{R})$, so sind äquivalent:*
>
> *(1) A ist orthogonal.*
>
> *(2) $A^\top$ ist orthogonal.*
>
> *(3) Die Spalten von A bilden eine Orthonormalbasis von $\mathbb{R}^n$ bezüglich des Standardskalarproduktes.*
>
> *(4) Die Transponierten der Zeilen von A bilden eine Orthonormalbasis von $\mathbb{R}^n$ bezüglich des Standardskalarproduktes.*

Beweis. Zu „(1) $\Leftrightarrow$ (3)“:

Wir schreiben $A = (b_1, \ldots, b_n)$. Der i-j-te Eintrag von $A^\top \cdot A$ ist dann $b_i^\top \cdot b_j$. Also ist $A^\top \cdot A = \mathbb{1}_n$ genau dann, wenn für alle i und j gilt $\langle b_i, b_j \rangle = b_i^\top \cdot b_j = \delta_{ij}$. Das heißt gerade, dass $(b_1, \ldots, b_n)$ eine Orthonormalbasis ist.

Zu „(1) $\Leftrightarrow$ (2)“:

Sei A orthogonal. Dann gilt $A^\top \cdot A = \mathbb{1}_n$. Also ist $A^{-1} = A^\top$. Wir schließen $(A^\top)^\top \cdot A^\top = A \cdot A^\top = A \cdot A^{-1} = \mathbb{1}_n$. Also ist auch $A^\top$ orthogonal.

Ist umgekehrt $A^\top$ orthogonal, dann folgt nach dem eben bewiesenen, dass auch $A = (A^\top)^\top$ orthogonal ist.

Zu „(1) $\Leftrightarrow$ (4)“:

Wir haben folgende Äquivalenzen: A ist orthogonal $\Leftrightarrow$ $A^\top$ ist orthogonal $\overset{(1) \Leftrightarrow (3)}{\Longleftrightarrow}$ Die Spaltenvektoren von $A^\top$ bilden eine Orthonormalbasis von $\mathbb{R}^n$ $\Leftrightarrow$ Die Transponierten der Zeilenvektoren von A bilden eine Orthonormalbasis von $\mathbb{R}^n$. $\qquad\square$

Beispiel 7.88. In Dimension $n = 1$ sind die orthogonalen Endomorphismen nicht sonderlich interessant. Es gilt nämlich:

$$A = (a) \text{ ist orthogonal } \Leftrightarrow (a^2) = A^\top \cdot A = \mathbb{1}_1 = (1) \Leftrightarrow a^2 = 1 \Leftrightarrow a = \pm 1.$$

Also ist $O(1) = \{(1), (-1)\}$ und $SO(1) = \{(1)\}$ die triviale Gruppe.

Beispiel 7.89. In Dimension $n = 2$ haben wir die orthogonalen Matrizen bereits ausführlich untersucht. Nach den Ergebnissen aus Abschnitt 5.3 sind die speziell-orthogonalen Endomorphismen genau die Drehungen (um den Ursprung) und bei den orthogonalen kommen noch Spiegelungen (an Achsen, die durch den Ursprung gehen) hinzu:

$$SO(2) = \{R_\theta \mid \theta \in \mathbb{R}\} \text{ und } O(2) = SO(2) \cup \{S_\theta \mid \theta \in \mathbb{R}\}.$$

Frage: Wie sehen die orthogonalen Matrizen in Dimension $n \geq 3$ aus?
Zunächst einige allgemeine Überlegungen.

Lemma 7.90. *Ist $\varphi \in O(V)$ und ist $W \subset V$ ein φ-invarianter Untervektorraum, dann ist $W^\perp$ ebenfalls ein φ-invarianter Untervektorraum.*

Beweis. Sei W ein φ-invarianter Untervektorraum. Dann ist $\varphi(W) \subset W$. Da φ ein Isomorphismus ist und W endliche Dimension hat, gilt $\varphi(W) = W$.

Sei nun $v \in W^\perp$. Zu zeigen ist, dass $\varphi(v) \in W^\perp$. Das bedeutet, $\langle \varphi(v), w \rangle = 0$ für alle $w \in W$. Sei also $w \in W$ beliebig. Setze $w' := \varphi^{-1}(w)$. Wegen $\varphi(W) = W$ ist $w' \in W$. Nun ist

$$\langle \varphi(v), w \rangle = \langle \varphi(v), \varphi(w') \rangle = \langle \underbrace{v}_{\in W^\perp}, \underbrace{w'}_{\in W} \rangle = 0. \qquad\square$$

> **Lemma 7.91.** *Ist $\varphi \in O(V)$, so besitzt V einen φ-invarianten Untervektorraum W der Dimension 1 oder 2.*

Beweis. a) Setze $\psi := \varphi + \varphi^{-1} \in \mathrm{End}(V)$. Dann gilt für alle $v, w \in V$:

$$
\begin{aligned}
\langle \psi(v), w \rangle &= \langle \varphi(v), w \rangle + \langle \varphi^{-1}(v), w \rangle \\
&= \langle \varphi^{-1}(\varphi(v)), \varphi^{-1}(w) \rangle + \langle \varphi(\varphi^{-1}(v)), \varphi(w) \rangle \\
&= \langle v, \varphi^{-1}(w) \rangle + \langle v, \varphi(w) \rangle \\
&= \langle v, \psi(w) \rangle.
\end{aligned}
$$

Also ist ψ selbstadjungiert. Nach Satz 7.80 gibt es dann eine Orthonormalbasis $B = (b_1, \ldots, b_n)$ von V mit $\psi(b_j) = \lambda_j b_j$ mit $\lambda_j \in \mathbb{R}$.
b) Setze $W := \mathrm{span}\{b_1, \varphi(b_1)\}$. Dann ist W eindimensional oder zweidimensional, je nachdem ob $\varphi(b_1)$ ein Vielfaches von b_1 ist oder nicht. Bleibt noch zu zeigen, dass W φ-invariant ist. Wegen

$$
\varphi(\mu b_1 + \nu \varphi(b_1)) = \underbrace{\mu \varphi(b_1) + \nu \varphi^2(b_1)}_{\in W}
$$

ist nur zu zeigen, dass $\varphi^2(b_1) \in W$. Nun gilt

$$
\varphi^2(b_1) = \varphi\big(\psi(b_1) - \varphi^{-1}(b_1)\big) = \varphi(\lambda_1 b_1) - b_1 = \lambda_1 \varphi(b_1) - b_1 \in W. \qquad \square
$$

> **Korollar 7.92.** *Ist $\varphi \in O(V)$, so besitzt V eine Zerlegung $V = W_1 \oplus \ldots \oplus W_m$, wobei alle W_i φ-invariant sind und $\dim(W_i) \in \{1, 2\}$ gilt. Alle W_i stehen aufeinander senkrecht.*

Beweis. Wir führen den Beweis durch vollständige Induktion nach $n = \dim(V)$. Für $n = 1$ oder $n = 2$ ist nichts zu zeigen. Sei $n \geq 3$.
Nach Lemma 7.91 besitzt V einen φ-invarianten Untervektorraum W_1 der Dimension 1 oder 2. Wegen Lemma 7.90 ist $W_1^\perp$ ebenfalls φ-invariant. Die Induktionsannahme für $\varphi|_{W_1^\perp} : W_1^\perp \to W_1^\perp$ liefert eine orthogonale Zerlegung $W_1^\perp = W_2 \oplus \ldots \oplus W_m$ in ein- oder zweidimensionale φ-invariante Untervektorräume. Dann haben wir mit $V = W_1 \oplus W_1^\perp = W_1 \oplus W_2 \oplus \ldots \oplus W_m$ die gewünschte Zerlegung gefunden. $\qquad \square$

> **Satz 7.93.** *Sei V ein endlich-dimensionaler euklidischer Vektorraum. Ist $\varphi \in O(V)$, so gibt es eine Orthonormalbasis B von V bzgl. derer die darstellende Matrix von φ die Blockdiagonalform*
>
> $$M_B(\varphi) = \begin{pmatrix} 1 & & & & & & & & \\ & \ddots & & & & & & & \\ & & 1 & & & & & & \\ & & & -1 & & & & & \\ & & & & \ddots & & & & \\ & & & & & -1 & & & \\ & & & & & & R_{\theta_1} & & \\ & & & & & & & \ddots & \\ & & & & & & & & R_{\theta_k} \end{pmatrix}$$
>
> *hat, wobei $\theta_j \in \mathbb{R}$.*

Beweis. Gemäß Korollar 7.92 zerlegen wir V in φ-invariante Untervektorräume der Dimension 1 oder 2, $V = W_1 \oplus \ldots \oplus W_m$. Für jede Basis von V, die aus Basen dieser Untervektorräume zusammengesetzt ist, hat dann die darstellende Matrix dann Blockdiagonalform mit 1×1- und 2×2-Blöcken auf der Diagonale.

Wie wir in Beispiel 7.88 gesehen haben, müssen die 1×1-Blöcke eine 1 oder eine -1 enthalten. Die 2×2-Blöcke enthalten nach Beispiel 7.89 entweder Drehmatrizen der Form R_θ oder Spiegelungsmatrizen der Form S_θ.

Spiegelungsmatrizen sind nach Beispiel 4.47 diagonalisierbar mit einem Eigenwert 1 und einem Eigenwert -1. Der zugehörige Untervektorraum W_j lässt sich also in zwei eindimensionale φ-invariante Untervektorräume zerlegen, die zu einer 1 und einer -1 auf der Diagonale führen.

Indem man die Reihenfolge der Summanden in der Zerlegung von V notfalls ändert, kann man erreichen, dass die Blöcke in der angegebenen Reihenfolge auftreten, also zunächst die Einsen, dann die $-$Einsen und schließlich die Drehblöcke. $\qquad\square$

Umgekehrt erfüllen natürlich alle Matrizen der Form wie in Satz 7.93 die Bedingung $A^\mathsf{T} A = \mathbb{1}_n$, sind also Elemente von $O(n)$.

Beispiel 7.94. In Dimension $n = 3$ haben wir:

$$\begin{pmatrix} 1 & 0 & 0 \\ 0 & 1 & 0 \\ 0 & 0 & 1 \end{pmatrix} = \begin{pmatrix} 1 & 0 \\ 0 & R_0 \end{pmatrix}, \quad \begin{pmatrix} 1 & 0 & 0 \\ 0 & -1 & 0 \\ 0 & 0 & -1 \end{pmatrix} = \begin{pmatrix} 1 & 0 \\ 0 & R_\pi \end{pmatrix} \quad \text{und} \quad \begin{pmatrix} -1 & 0 & 0 \\ 0 & -1 & 0 \\ 0 & 0 & -1 \end{pmatrix} = \begin{pmatrix} -1 & 0 \\ 0 & R_\pi \end{pmatrix}.$$

Ferner ist $\begin{pmatrix} 1 & 0 & 0 \\ 0 & 1 & 0 \\ 0 & 0 & -1 \end{pmatrix}$ ähnlich zu $\begin{pmatrix} -1 & 0 & 0 \\ 0 & 1 & 0 \\ 0 & 0 & 1 \end{pmatrix} = \begin{pmatrix} -1 & 0 \\ 0 & R_0 \end{pmatrix}.$

Im Wesentlichen treten also nur die beiden Fälle auf:

$$M_B(\varphi) = \begin{pmatrix} 1 & 0 \\ 0 & R_\theta \end{pmatrix} \text{ oder } M_B(\varphi) = \begin{pmatrix} -1 & 0 \\ 0 & R_\theta \end{pmatrix}.$$

Der erste Fall liegt dann vor, wenn $\det(\varphi) = 1$ ist, d.h. wenn φ orientierungserhaltend ist, der zweite, wenn $\det(\varphi) = -1$ ist, d.h. wenn φ orientierungsumkehrend ist.

Ist φ orientierungserhaltend und ist $B = (b_1, b_2, b_3)$ diejenige Orthonormalbasis von V, für die $M_B(\varphi) = \begin{pmatrix} 1 & 0 \\ 0 & R_\theta \end{pmatrix}$ gilt, so heißt die Gerade $\mathbb{R} \cdot b_1 = \mathrm{Eig}(\varphi, 1)$ **Drehachse** von φ. Der Winkel θ heißt **Drehwinkel** von φ.

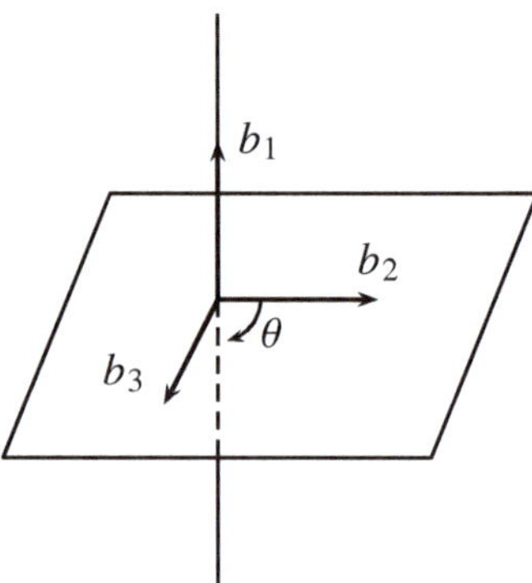

Abb. 118 *Orientierungserhaltende orthogonale Abbildung in 3 Dimensionen*

Wir setzen

$$R_1(\theta) := \begin{pmatrix} 1 & 0 & 0 \\ 0 & \cos(\theta) & -\sin(\theta) \\ 0 & \sin(\theta) & \cos(\theta) \end{pmatrix} \quad \text{und} \quad R_2(\theta) := \begin{pmatrix} \cos(\theta) & 0 & -\sin(\theta) \\ 0 & 1 & 0 \\ \sin(\theta) & 0 & \cos(\theta) \end{pmatrix}.$$

Der folgende Satz besagt, dass jede orientierungserhaltende orthogonale Abbildung im $\mathbb{R}^3$ aus diesen Drehungen um die e_1-Achse und um die e_2-Achse zusammengesetzt werden kann.

> **Satz 7.95.** *Es gilt:*
>
> $$SO(3) = \{R_1(\alpha) \cdot R_2(\beta) \cdot R_1(\gamma) \mid \alpha, \beta, \gamma \in \mathbb{R}\}.$$

Beweis. Die Inklusion „$\supset$" ist klar, denn $R_1(\alpha), R_2(\beta), R_1(\gamma) \in \mathrm{SO}(3)$.
Zur Inklusion „$\subset$": Sei $A \in \mathrm{SO}(3)$. Wir schreiben $A = (a_1, a_2, a_3)$. Wir drehen den ersten Spaltenvektor a_1 um die e_1-Achse so, dass er in der e_1-e_3-Ebene zu liegen kommt. In anderen Worten, wir wählen den Drehwinkel $\alpha \in \mathbb{R}$ so, dass $R_1(-\alpha)\cdot a_1$ von der Form $R_1(-\alpha)\cdot a_1 = \begin{pmatrix} * \\ 0 \\ * \end{pmatrix}$

ist. Dann ist also $R_1(-\alpha) \cdot A = \begin{pmatrix} * & * & * \\ 0 & * & * \\ * & * & * \end{pmatrix}$ und somit

$$\begin{pmatrix} * & 0 & * \\ * & * & * \\ * & * & * \end{pmatrix} = \left(R_1(-\alpha) \cdot A\right)^\mathsf{T} = A^\mathsf{T} \cdot R_1(-\alpha)^\mathsf{T} = A^\mathsf{T} \cdot R_1(\alpha) =: (b_1, b_2, b_3).$$

Der zweite neue Spaltenvektor b_2 ist ein Einheitsvektor (da die Spalten der Matrix eine Orthonormalbasis bilden) und liegt in der e_2-e_3-Ebene. Er kann daher so um die e_1-Achse gedreht werden, dass er auf e_2 abgebildet wird. In anderen Worten, wir können den Drehwinkel γ so wählen, dass $R_1(\gamma)b_2 = e_2$. Dann ist

$$R_1(\gamma) \cdot A^\mathsf{T} \cdot R_1(\alpha) = \begin{pmatrix} * & 0 & * \\ * & 1 & * \\ * & 0 & * \end{pmatrix} =: (c_1, c_2, c_3).$$

Da $c_1 \perp c_2 = e_2$ gilt, muss c_1 von der Form $c_1 = \begin{pmatrix} * \\ 0 \\ * \end{pmatrix}$ sein; Gleiches gilt für c_3. Somit ergibt

sich

$$R_1(\gamma) \cdot A^\mathsf{T} \cdot R_1(\alpha) = \begin{pmatrix} * & 0 & * \\ 0 & 1 & 0 \\ * & 0 & * \end{pmatrix}.$$

Nun bildet (c_1, c_3) eine Orthonormalbasis der e_1-e_3-Ebene. Wir wählen $\beta \in \mathbb{R}$ so, dass $R_2(\beta)c_1 = e_1$. Dann muss $R_2(\beta)c_3 = \pm e_3$ sein. Damit ist schon mal

$$R_2(\beta) \cdot R_1(\gamma) \cdot A^\mathsf{T} \cdot R_1(\alpha) = \begin{pmatrix} 1 & 0 & 0 \\ 0 & 1 & 0 \\ 0 & 0 & \pm 1 \end{pmatrix}.$$

Da diese Matrix aus $\mathrm{SO}(3)$ ist und daher positive Determinante haben muss, gilt tatsächlich

$$R_2(\beta) \cdot R_1(\gamma) \cdot A^\mathsf{T} \cdot R_1(\alpha) = \begin{pmatrix} 1 & 0 & 0 \\ 0 & 1 & 0 \\ 0 & 0 & 1 \end{pmatrix}.$$

Es folgt

$$A^{-1} = A^\mathsf{T} = R_1(\gamma)^{-1} \cdot R_2(\beta)^{-1} \cdot R_1(\alpha)^{-1}$$

und somit

$$A = R_1(\alpha) \cdot R_2(\beta) \cdot R_1(\gamma). \qquad \square$$

Definition 7.96. Die Zahlen α, β, γ heißen **Euler'sche Winkel** von $A = R_1(\alpha)R_2(\beta)R_1(\gamma)$.

Bemerkung 7.97. Im Allgemeinen sind die Euler'schen Winkel nicht eindeutig durch A bestimmt. Im Fall $\beta = 0$ zum Beispiel können wir α und γ folgendermaßen abändern ohne die Matrix zu ändern:

$$\begin{aligned}
A &= R_1(\alpha)R_2(0)R_1(\gamma) \\
&= R_1(\alpha)R_1(\gamma) \\
&= R_1(\alpha + \gamma) \\
&= R_1(\alpha + \delta - \delta + \gamma) \\
&= R_1(\alpha + \delta)R_1(\gamma - \delta) \\
&= R_1(\alpha + \delta)R_2(0)R_1(\gamma - \delta).
\end{aligned}$$

Korollar 7.98. *Sei $A \in \mathrm{O}(n)$. Dann existiert ein $T \in \mathrm{O}(n)$, so dass $T^{-1} \cdot A \cdot T$ die Blockdiagonalform wie in Satz 7.93 hat.*

Beweis. Die Matrix A ist darstellende Matrix eines orthogonalen Endomorphismus bzgl. der Standardbasis. Nach Satz 7.93 gibt es eine Orthonormalbasis von $\mathbb{R}^n$, bzgl. derer die darstellende die gewünschte Form hat. Die Transformationsmatrix T liegt wegen Lemma 7.87 in $\mathrm{O}(n)$. $\qquad \square$

Analog folgt aus Satz 7.80:

Korollar 7.99. *Sei $A \in \mathrm{Mat}(n, \mathbb{R})$ symmetrisch. Dann existiert ein $T \in \mathrm{O}(n)$, so dass $T^{-1} \cdot A \cdot T$ eine Diagonalmatrix ist. Insbesondere ist A diagonalisierbar.* $\qquad \square$

Schließlich können wir jetzt noch recht einfach die **QR-Zerlegung** einsehen:

> **Satz 7.100.** *Sei $A \in \mathrm{GL}(n, \mathbb{R})$. Dann existiert ein $Q \in \mathrm{O}(n)$ und eine obere Dreiecksmatrix $R \in \mathrm{Mat}(n, \mathbb{R})$, so dass*
>
> $$A = Q \cdot R.$$
>
> *Die Diagonaleinträge von R sind positiv.*

Beweis. Da A invertierbar ist, bilden die Spaltenvektoren $a_1, \ldots, a_n$ eine Basis von $\mathbb{R}^n$. Wir wenden das Gram-Schmidt-Verfahren aus Abschnitt 7.3 auf diese Basis an und erhalten eine Orthonormalbasis $q_1, \ldots, q_n$. Die Matrix $Q := (q_1, \ldots, q_n)$ ist also orthogonal.

Nun erinnern wir uns, dass beim Gram-Schmidt-Verfahren stets $\mathrm{L}(a_1, \ldots, a_k) = \mathrm{L}(q_1, \ldots, q_k)$ gilt, $k = 1, \ldots, n$. Insbesondere ist $a_k = q_1 \cdot r_{1,k} + \ldots + q_k \cdot r_{k,k}$ für geeignete $r_{ij} \in \mathbb{R}$. Das heißt aber gerade $A = QR$, wenn wir für R die obere Dreiecksmatrix nehmen mit den Einträgen r_{ij} für $i \leq j$.

Die Diagonaleinträge r_{kk} sind positiv, denn sie sind im Gram-Schmidt-Verfahren gegeben als die Norm geeigneter nicht verschwindender Vektoren. $\qquad\square$

7.6. Unitäre Vektorräume und Endomorphismen

Euklidische Vektorräume und selbstadjungierte sowie orthogonale Abbildungen haben stets $\mathbb{R}$ als zugrundeliegenden Körper erfordert. In diesem Abschnitt behandeln wir die analogen Konzepte für komplexe Vektorräume. Widmen wir uns zunächst dem Skalarprodukt. Wir können jetzt nicht mehr mit Bilinearformen arbeiten, weil wir dann nicht zu einer vernünftigen Norm kämen. Der Grund ist im Wesentlichen der, dass für komplexe Zahlen z das Quadrat z^2 nicht reell, geschweige denn positiv zu sein braucht. Statt dessen ist aber $\bar{z}z = |z|^2$ positiv für alle $z \in \mathbb{C} \setminus \{0\}$. Daher machen wir folgende Definition:

> **Definition 7.101.** Sei V ein komplexer Vektorraum. Eine Abbildung
>
> $$h \colon V \times V \to \mathbb{C}$$
>
> heißt **Sesquilinearform**, falls für alle $\alpha, \beta \in \mathbb{C}$ und für alle $v, v_1, v_2, w, w_1, w_2 \in V$ gilt:
>
> $$h(\alpha v_1 + \beta v_2, w) = \bar{\alpha} h(v_1, w) + \bar{\beta} h(v_2, w),$$
> $$h(v, \alpha w_1 + \beta w_2) = \alpha h(v, w_1) + \beta h(v, w_2).$$
>
> Eine Sesquilinearform heißt **hermitesch**, falls für alle $v, w \in V$ gilt:
>
> $$h(v, w) = \overline{h(w, v)}.$$
>
> Eine hermitesche Sequilinearform heißt **positiv definit**, falls für alle $v \in V \setminus \{0\}$ gilt:
>
> $$h(v, v) > 0.$$

Insbesondere muss $h(v, v)$ stets reell sein. Eine Sesquilinearform h ist zwar $\mathbb{C}$-linear im zweiten Argument, nicht aber im ersten, da hier Skalare konjugiert komplex vorgezogen werden. Man sagt dann auch, dass h $\mathbb{C}$-**antilinear** im ersten Argument ist.

Beispiel 7.102. Auf $V = \mathbb{C}^n$ definiert

$$h(v, w) = \sum_{i=1}^{n} \bar{v}_i \cdot w_i$$

eine hermitesche Sesquilinearform. Es gilt für alle $v \neq 0$:

$$h(v, v) = \sum_{i=1}^{n} \bar{v}_i \cdot v_i = \sum_{i=1}^{n} |v_i|^2 > 0 \,.$$

Somit ist h positiv definit. Man bezeichnet dieses h als die **Standard-Sesquilinearform** auf $\mathbb{C}^n$.

Wie im euklidischen Fall können wir wegen der positiven Definitheit durch

$$\|v\| := \sqrt{h(v, v)}$$

die **Norm** von v definieren.

Beispiel 7.103. Auf $V = C^0([0, 2\pi], \mathbb{C})$ definieren wir

$$h(f, g) = \int_0^{2\pi} \overline{f(t)} \cdot g(t)\, dt \,.$$

Wie in Beispiel 7.55 sieht man, dass hierdurch ein hermitesches Skalarprodukt auf dem unendlich-dimensionalen komplexen Vektorraum $C^0([0, 2\pi], \mathbb{C})$ gegeben ist.

> **Definition 7.104.** Eine positiv definite, hermitesche Sesquilinearform h auf einem $\mathbb{C}$-Vektorraum V heißt **hermitesches Skalarprodukt**. Ein Paar (V, h) bestehend aus einem $\mathbb{C}$-Vektorraum V und einem hermiteschen Skalarprodukt h auf V heißt **unitärer Vektorraum**.

Unitäre Vektorräume haben ganz analoge Eigenschaften wie die euklidischen Vektorräume. In der Tat brauchen wir das nicht nochmals neu zu beweisen, sondern werden den unitären Fall auf den euklidischen zurückführen.

Jeden komplexen Vektorraum V können wir auch als reellen Vektorraum auffassen, indem wir die Multiplikation von Skalaren mit Vektoren $\mathbb{C} \times V \to V$ einfach auf $\mathbb{R} \times V \to V$ einschränken. Wollen wir verdeutlichen, dass wir V als reellen Vektorraum betrachten, d.h. nur noch reelle Skalare zulassen, dann schreiben wir statt V auch $V_\mathbb{R}$. Man nennt dann $V_\mathbb{R}$ auch die **Reellifizierung** von V. Man beachte, dass V und $V_\mathbb{R}$ als Mengen übereinstimmen.

Lemma 7.105. *Sei (V, h) ein unitärer Vektorraum. Dann wird durch*

$$\langle v, w \rangle := \mathrm{Re}(h(v, w))$$

ein euklidisches Skalarprodukt auf $V_{\mathbb{R}}$ definiert.

Beweis. Für $v_1, v_2, w \in V$ und reelle(!) Skalare α, β gilt

$$
\begin{aligned}
\langle \alpha v_1 + \beta v_2, w \rangle &= \mathrm{Re}(h(\alpha v_1 + \beta v_2, w)) \\
&= \mathrm{Re}(\bar{\alpha} h(v_1, w) + \bar{\beta} h(v_2, w)) \\
&= \mathrm{Re}(\underbrace{\alpha}_{\in \mathbb{R}} h(v_1, w)) + \mathrm{Re}(\underbrace{\beta}_{\in \mathbb{R}} h(v_2, w)) \\
&= \alpha \mathrm{Re}(h(v_1, w)) + \beta \mathrm{Re}(h(v_2, w)) \\
&= \alpha \langle v_1, w \rangle + \beta \langle h(v_2, w) \rangle \ .
\end{aligned}
$$

Die $\mathbb{R}$-Lineariät im zweiten Argument sieht man ähnlich. Die Symmetrie folgt aus

$$\langle v, w \rangle = \mathrm{Re}(h(v, w)) = \mathrm{Re}(\overline{h(w, v)}) = \langle w, v \rangle$$

und die positive Definitheit aus

$$\langle v, v \rangle = \mathrm{Re}(h(v, v)) = h(v, v) > 0$$

für $v \neq 0$. $\qquad\square$

Wir nennen $\langle \cdot, \cdot \rangle$ das von dem hermiteschen Skalarprodukt h **induzierte euklidische Skalarprodukt** von $V_{\mathbb{R}}$.

Nun können wir die Eigenschaften euklidischer Vektorräume auf unitäre Vektorräume übertragen.

Proposition 7.106. *Sei (V, h) ein unitärer Vektorraum. Dann gilt für alle $v, w \in V$ und $\alpha \in \mathbb{C}$:*

(i) $\|v\| \geq 0$ und $\|v\| = 0$ genau dann, wenn $v = 0$.

(ii) $\|\alpha \cdot v\| = |\alpha| \cdot \|v\|$.

(iii) (Cauchy-Schwarz-Ungleichung)

$$|h(v, w)| \leq \|v\| \cdot \|w\|$$

und Gleichheit gilt genau dann, wenn v und w komplex-linear abhängig sind.

(iv) (Dreiecksungleichung)

$$\|v + w\| \leq \|v\| + \|w\|.$$

Beweis. Da die Norm $\|\cdot\|$ von h dieselbe ist wie die des induzierten euklidischen Skalarprodukts $\langle\cdot,\cdot\rangle$, folgen (i) und (iv) direkt aus Proposition 7.57 (i) und (ii) bzw. aus Korollar 7.59.

Aussage (ii) rechnen wir wieder direkt nach:

$$\|\alpha \cdot v\|^2 = h(\alpha \cdot v, \alpha \cdot v) = \bar{\alpha}\alpha h(v,v) = |\alpha|^2 \cdot \|v\|^2.$$

Bleibt (iii) zu zeigen. Wir schreiben die komplexe Zahl $h(v,w)$ in Euler'scher Darstellung, $h(v,w) = |h(v,w)| \cdot e^{i\varphi}$, wobei $\varphi \in \mathbb{R}$ das Argument ist. Also ist $|h(v,w)| = e^{-i\varphi}h(v,w) = h(e^{i\varphi}v, w)$ reell und somit $h(e^{i\varphi}v, w) = \langle e^{i\varphi}v, w\rangle$. Es folgt unter Benutzung von Satz 7.58 und Teilaussage (ii):

$$|h(v,w)| = \langle e^{i\varphi}v, w\rangle \le \|e^{i\varphi}v\| \cdot \|w\| = |e^{i\varphi}| \cdot \|v\| \cdot \|w\| = \|v\| \cdot \|w\|.$$

Gilt Gleichheit, so muss w nach Satz 7.58 ein reelles Vielfaches von $e^{i\varphi}v$ sein (oder umgekehrt). Dann ist w ein komplexes Vielfaches von v (oder umgekehrt). Also sind v und w komplex-linear abhängig.
Sind umgekehrt v und w komplex-linear abhängig, so rechnet man genau wie im reellen Fall direkt nach, dass Gleichheit gilt. $\qquad\square$

Definition 7.107. Sei (V, h) ein endlich-dimensionaler unitärer Vektorraum. Eine Basis $B = (b_1, \ldots, b_n)$ von V (als komplexer Vektorraum) heißt **Orthonormalbasis**, falls für alle $j, k = 1, \ldots, n$ gilt

$$h(b_j, b_k) = \delta_{jk}.$$

Allgemeiner heißt ein Tupel $(v_1, \ldots, v_m)$ von Vektoren aus V ein **Orthonormalsystem**, wenn für alle j und k gilt: $h(v_j, v_k) = \delta_{jk}$.

Beispiel 7.108. Sei $V = C^0([0, 2\pi], \mathbb{C})$ und $h(f, g) = \int_0^{2\pi} \bar{f}(t)g(t)dt$ wie in Beispiel 7.103. Für $j \in \mathbb{Z}$ definieren wir

$$f_j(t) := \frac{1}{\sqrt{2\pi}}e^{ijt}.$$

Dann gilt für $j \ne k$

$$h(f_j, f_k) = \frac{1}{2\pi} \int_0^{2\pi} e^{-ijt} e^{ikt} dt = \frac{1}{2\pi} \int_0^{2\pi} e^{i(k-j)t} dt = \frac{1}{2\pi}\left(\frac{e^{i(k-j)t}}{i(k-j)}\right)\Bigg|_{t=0}^{2\pi} = 0$$

und

$$h(f_j, f_j) = \frac{1}{2\pi} \int_0^{2\pi} e^{i \cdot 0 \cdot t} dt = 1.$$

Also bildet $\{f_j \mid j \in \mathbb{Z}\}$ sogar ein unendliches Orthonormalsystem. In Definition 7.107 hatten wir nur endlich-dimensionale Vektorräume und endliche Orthonormalsysteme zugelassen. Ist

V ein endlich-dimensionaler komplexer Untervektorraum von $C^0([0, 2\pi], \mathbb{C})$, dann ist jedes Tupel, das f_j's enthält, die in V liegen, ein Orthonormalsystem im Sinne von Definition 7.107. Dieses Beispiel ist in der Analysis im Zusammenhang mit Fourier-Reihen wichtig.

Bemerkung 7.109. Orthogonalprojektionen sind für komplexe Untervektorräume von unitären Vektorräumen V genauso definiert wie im euklidischen Fall in Definition 7.72. Das Gram-Schmidt-Verfahren funktioniert ebenfalls genauso: Ist $(v_1, \ldots, v_n)$ eine komplexe Basis von V, dann erhalten wir durch

$$b_1 := \frac{v_1}{\|v_1\|}, \quad b_{k+1} := \frac{v_{k+1} - \sum\limits_{j=1}^{k} h(b_j, v_{k+1})b_j}{\left\| v_{k+1} - \sum\limits_{j=1}^{k} h(b_j, v_{k+1})b_j \right\|}$$

sukzessive eine Orthonormalbasis.

Das Analogon zu den orthogonalen Endomorphismen sind die unitären Endomorphismen.

Definition 7.110. Sei (V, h) ein endlich-dimensionaler unitärer Vektorraum. Ein Endomorphismus $\varphi \in \text{End}(V)$ heißt **unitär**, falls für alle $v, w \in V$ gilt:

$$h(\varphi(v), \varphi(w)) = h(v, w) \,. \tag{7.5}$$

Lemma 7.111. *Sei (V, h) ein endlich-dimensionaler unitärer Vektorraum. Seien $\varphi, \psi \in \text{End}(V)$ unitäre Endomorphismen. Dann gilt für alle $v, w \in V$:*

(i) φ ist als Endomorphismus von $(V_\mathbb{R}, \langle \cdot, \cdot \rangle)$ orthogonal.

(ii) $\|\varphi(v)\| = \|v\|$.

(iii) Falls $v \neq 0, w \neq 0$ ist, so gilt $\sphericalangle(\varphi(v), \varphi(w)) = \sphericalangle(v, w)$ (unitäre Endomorphismen sind winkeltreu).

(iv) φ ist ein Isomorphismus und φ^{-1} ist ebenfalls unitär.

(v) $\varphi \circ \psi$ ist unitär.

(vi) Ist $\lambda \in \mathbb{C}$ ein Eigenwert von φ, so ist $|\lambda| = 1$.

(vii) $|\det(\varphi)| = 1$.

Beweis. Aussage (i) erhält man, indem man in (7.5) Realteile nimmt und beachtet, dass $\mathbb{C}$-lineare Abbildungen insbesondere auch $\mathbb{R}$-linear sind. Damit folgen (ii) und (iii) sofort aus Lemma 7.82. Aus Lemma 7.82 wissen wir außerdem, dass φ bijektiv, d.h. ein Isomorphismus ist. Dass φ^{-1} wieder unitär ist, folgt indem man (7.5) auf $v = \varphi^{-1}(v')$ und $w = \varphi^{-1}(w')$ für beliebige $v', w' \in V$ anwendet. Damit ist (iv) gezeigt. Aussage (v) folgt analog zum orthogonalen Fall durch zweimaliges Anwenden von (7.5).

Sei schließlich $\lambda \in \mathbb{C}$ ein Eigenwert von φ und $v \in V \setminus \{0\}$ ein zugehöriger Eigenvektor. Dann gilt:

$$h(v, v) = h(\varphi(v), \varphi(v)) = h(\lambda v, \lambda v) = \bar{\lambda}\lambda h(v, v) = |\lambda|^2 h(v, v).$$

Wir dividieren durch die positive Zahl $h(v, v)$ und erhalten $|\lambda| = 1$. Dies beweist (vi).

Da über $\mathbb{C}$ das charakteristische Polynom stets in Linearfaktoren zerfällt, ist die Determinante von φ das Produkt der Eigenwerte. Also folgt (vii) aus (vi). $\square$

Da $\varphi = \mathrm{id}$ offenbar unitär ist, sagen uns (iv) und (v), dass die Menge der unitären Endomorphismen eine Untergruppe von $\mathrm{Aut}(V)$ ist.

> **Definition 7.112.** Die Menge der unitären Endomorphismen
>
> $$\mathrm{U}(V) := \{\varphi \in \mathrm{End}(V) \mid \varphi \text{ ist unitär}\}$$
>
> heißt **unitäre Gruppe** von V. Die Menge
>
> $$\mathrm{SU}(V) := \{\varphi \in \mathrm{U}(V) \mid \det(\varphi) = 1\}$$
>
> heißt **speziell-unitäre Gruppe** von V.

Aufgrund des Determinantenmultiplikationssatzes 4.75 ist klar, dass $\mathrm{SU}(V)$ eine Untergruppe von $\mathrm{U}(V)$ ist.

Wie sieht man einer darstellenden Matrix $M_B(\varphi)$ von φ an, ob φ unitär ist?

Wieder müssen wir φ bzgl. einer Orthonormalbasis B von V darstellen. Dieselbe Überlegung wie für orthogonale Abbildungen zeigt:

Ist $A = M_B(\varphi)$ die darstellende Matrix von φ bzgl. B, so ist φ genau dann unitär, wenn $\bar{x}^{\mathsf{T}} \cdot \bar{A}^{\mathsf{T}} \cdot A \cdot y = \bar{x}^{\mathsf{T}} \cdot y$ für alle $x, y \in \mathbb{C}^n$ gilt. Mit $\bar{x}$ bzw. $\bar{A}$ ist gemeint, dass alle Einträge konjugiert-komplex zu nehmen sind. Die Konjugation kommt daher, dass in einem hermiteschen Skalarprodukt Skalare im ersten Argument konjugiert-komplex vorgezogen werden können.

Das ist äquivalent zu $\bar{A}^{\mathsf{T}} \cdot A = \mathbb{1}_n$.

Fazit: Ein Endomorphismus φ von V ist genau dann unitär, wenn für die darstellende Matrix A bzgl. einer (oder äquivalent, jeder) Orthonormalbasis gilt:

$$\bar{A}^{\mathsf{T}} \cdot A = \mathbb{1}_n.$$

Definition 7.113. Eine Matrix $A \in \mathrm{Mat}(n, \mathbb{C})$ heißt **unitär**, falls $\bar{A}^\mathsf{T} \cdot A = \mathbb{1}_n$. Hat die Matrix A zusätzlich Determinante $= 1$, so heißt sie **speziell-unitär**. Wir schreiben:

$$\mathrm{U}(n) := \{A \in \mathrm{Mat}(n, \mathbb{C}) \mid \bar{A}^\mathsf{T} \cdot A = \mathbb{1}_n\} \text{ und}$$
$$\mathrm{SU}(n) := \{A \in \mathrm{U}(n) \mid \det(A) = 1\}.$$

Es gilt also: Ist B eine Orthonormalbasis, so ist $\varphi \in \mathrm{U}(V)$ genau dann, wenn $M_B(\varphi) \in \mathrm{U}(n)$ ist. Analoges gilt, wenn wir U durch SU ersetzen.

Beispiel 7.114. Für $n = 1$ gilt:

$$\mathrm{U}(1) = \{A \in \mathrm{Mat}(1, \mathbb{C}) \mid \bar{A}^\mathsf{T} A = \mathbb{1}_1\} = \{(a) \mid a \in \mathbb{C}, \bar{a}a = 1\} = \{(a) \mid a \in \mathbb{C}, |a| = 1\}$$

und

$$\mathrm{SU}(1) = \{\mathbb{1}_1\} \text{ ist die triviale Gruppe.}$$

Satz 7.115. *Sei (V, h) ein endlich-dimensionaler unitärer Vektorraum und $\varphi \in \mathrm{U}(V)$. Dann existiert eine Orthonormalbasis von V bestehend aus Eigenvektoren von φ. Insbesondere ist φ diagonalisierbar.*

Beweis. Wir zeigen die Aussage durch vollständige Induktion nach der Dimension n von V. Für $n = 1$ sei $b_1 \in V$ ein beliebiger Vektor in V mit $\|b_1\| = 1$. Dann ist $B = (b_1)$ eine Orthonormalbasis von V und da φ den Vektor b_1 wieder nach V abbildet, also auf ein Vielfaches von b_1, ist b_1 auch ein Eigenvektor von φ. Damit ist der Induktionsanfang vollzogen.

Für den Induktionsschritt sei $n > 1$. Nach dem Fundamentalsatz der Algebra hat das charakteristische Polynom von φ Nullstellen, d.h. φ besitzt Eigenwerte. Sei b_1 ein Eigenvektor von φ. Indem wir notfalls durch $\|b_1\|$ teilen können wir o.B.d.A. annehmen, dass $\|b_1\| = 1$. Wir definieren $W := (\mathbb{C} \cdot b_1)^\perp$. Dann ist $V = \mathbb{C} \cdot b_1 \oplus W$ und man überprüft leicht, dass W ein φ-invarianter $\mathbb{C}$-Untervektorraum von V ist. Mit φ ist auch $\varphi|_W$ unitär. Nach Induktionsannahme können wir eine Orthonormalbasis $(b_2, \ldots, b_n)$ von W bestehend aus Eigenvektoren von $\varphi|_W$ finden. Dann ist $(b_1, b_2, \ldots, b_n)$ eine Orthonormalbasis von V aus Eigenvektoren von $\varphi.\square$

Dieser Satz zusammen mit Lemma 7.111 (vi) besagt also, dass ein unitärer Endomorphismus bzgl. einer geeigneten Orthonormalbasis durch eine Diagonalmatrix dargestellt wird, deren Diagonaleinträge lauter komplexe Zahlen vom Betrag 1 sind. Umgekehrt erfüllen alle solchen Matrizen natürlich $\bar{A}^\mathsf{T} A = \mathbb{1}_n$, sind also Elemente von $\mathrm{U}(n)$.

Befassen wir uns noch kurz mit selbstadjungierten Endomorphismen eines unitären Vektorraums.

> **Lemma 7.116.** *Sei (V, h) ein unitärer Vektorraum und $\varphi \in \mathrm{End}(V)$. Sei $\langle \cdot, \cdot \rangle$ das induzierte euklidische Skalarprodukt auf $V_{\mathbb{R}}$. Dann sind äquivalent:*
>
> *(1) $h(\varphi(v), w) = h(v, \varphi(w))$ für alle $v, w \in V$.*
>
> *(2) $\langle \varphi(v), w \rangle = \langle v, \varphi(w) \rangle$ für alle $v, w \in V$.*

Es spielt für die Selbstadjungiertheitsbedingung also keine Rolle, ob wir sie bzgl. des hermiteschen Skalarprodukts h oder des euklidischen Skalarprodukts $\langle \cdot, \cdot \rangle$ verlangen. Man beachte allerdings, dass φ hier als Endomorphismus des komplexen Vektorraums V vorausgesetzt wurde, also als komplex-linear.

Beweis. Die Implikation „(1)$\Rightarrow$(2)“ ist klar; wir nehmen einfach die Realteile in (1). Wir zeigen „(2)$\Rightarrow$(1)“. Seien $v, w \in V$. Wir müssen noch $\mathrm{Im}(h(\varphi(v), w)) = \mathrm{Im}(h(v, \varphi(w)))$ überprüfen. Wir rechnen dies folgendermaßen nach:

$$
\begin{aligned}
\mathrm{Im}(h(\varphi(v), w)) &= \mathrm{Re}((-i) \cdot h(\varphi(v), w)) \\
&= \mathrm{Re}(h(i\varphi(v), w)) \\
&= \mathrm{Re}(h(\varphi(iv), w)) \\
&= \langle \varphi(iv), w \rangle \\
&= \langle iv, \varphi(w) \rangle \\
&= \mathrm{Re}(h(iv, \varphi(w))) \\
&= \mathrm{Re}((-i) \cdot h(v, \varphi(w))) \\
&= \mathrm{Im}(h(v, \varphi(w))) \,. \qquad \square
\end{aligned}
$$

Sei nun $A = M_B(\varphi)$ die darstellende Matrix eines (komplexen) Endomorphismus von V bzgl. einer (komplexen) Orthonormalbasis B. Setze $n := \dim(V)$. Dann ist φ genau dann selbstadjungiert, wenn für alle $x, y \in \mathbb{C}^n$ gilt $\bar{x}^\mathsf{T} \cdot \bar{A}^\mathsf{T} \cdot y = \bar{x}^\mathsf{T} \cdot A \cdot y$, d.h. genau dann, wenn

$$
A = \bar{A}^\mathsf{T} \,.
$$

> **Proposition 7.117.** *Sei (V, h) ein endlich-dimensionaler unitärer Vektorraum und $\varphi \in \mathrm{End}(V)$ selbstadjungiert. Dann sind alle Eigenwerte von φ reell. Eigenvektoren zu verschiedenen Eigenwerten stehen stets aufeinander senkrecht.*

Beweis. Sei $\lambda \in \mathbb{C}$ ein Eigenwert von φ und $v \in V \setminus \{0\}$ ein zugehöriger Eigenvektor. Dann gilt

$$
\bar{\lambda} h(v, v) = h(\lambda v, v) = h(\varphi(v), v) = h(v, \varphi(v)) = h(v, \lambda v) = \lambda h(v, v) \,.
$$

Wir dividieren durch die positive Zahl $h(v, v)$ und erhalten $\bar{\lambda} = \lambda$, d.h. λ ist reell. Seien nun v und w Eigenvektoren zu den Eigenwerten λ bzw. μ mit $\lambda \neq \mu$. Dann gilt

$$\lambda h(v, w) = h(\lambda v, w) = h(\varphi(v), w) = h(v, \varphi(w)) = h(v, \mu w) = \mu h(v, w).$$

Wegen $\lambda \neq \mu$ folgt $h(v, w) = 0$. $\square$

Genau derselbe Beweis wie der von Satz 7.115 zeigt den folgenden Satz:

Satz 7.118. *Sei (V, h) ein endlich-dimensionaler unitärer Vektorraum und $\varphi \in \text{End}(V)$ selbstadjungiert. Dann gibt es eine Orthonormalbasis von V bestehend aus Eigenvektoren von φ. Insbesondere ist φ diagonalisierbar.* $\square$

7.7. Schiefsymmetrische Endomorphismen

Definition 7.119. Sei $(V, \langle \cdot, \cdot \rangle)$ ein euklidischer Vektorraum und $\varphi \in \text{End}(V)$. Wir nennen φ **schiefsymmetrisch** oder auch **antisymmetrisch**, falls für alle $v, w \in V$ gilt:

$$\langle \varphi(v), w \rangle = - \langle v, \varphi(w) \rangle.$$

Die Menge aller schiefsymmetrischen Endomorphismen von V bezeichnen wir mit $\mathfrak{o}(V)$.

Beispiel 7.120. Sei $V = \mathbb{R}^3$ versehen mit dem Standardskalarprodukt. Wir fixieren einen Vektor $b \in \mathbb{R}^3$. Den Endomorphismus $\varphi \in \text{End}(\mathbb{R}^3)$ definieren wir mit Hilfe des Vektorprodukts:

$$\varphi(v) := b \times v.$$

Wegen der Linearität des Vektorprodukts im zweiten Argument (Satz 5.47 (iii)) ist φ linear, also ein Endomorphismus von $\mathbb{R}^3$. Zweimalige Anwendung von Satz 5.47 (i) liefert für alle $v, w \in \mathbb{R}^3$:

$$\begin{aligned}
\langle \varphi(v), w \rangle &= \langle b \times v, w \rangle = \det(b, v, w) = - \det(b, w, v) \\
&= - \langle b \times w, v \rangle = - \langle v, b \times w \rangle = - \langle v, \varphi(w) \rangle.
\end{aligned}$$

Also ist φ schiefsymmetrisch.

Bemerkung 7.121. Man sieht sofort, dass $\mathfrak{o}(V)$ stets ein Untervektorraum von $\text{End}(V)$ ist. So ist nämlich der Nullendomorphismus sicherlich schiefsymmetrisch und die Bilinearität des Skalarprodukts stellt sicher, dass mit φ_1 und φ_2 auch jede Linearkombination von φ_1 und φ_2 wieder schiefsymmetrisch ist.

Es gilt aber noch mehr: Mit $\varphi, \psi \in \mathfrak{o}(V)$ ist auch der **Kommutator**

$$[\varphi, \psi] := \varphi \circ \psi - \psi \circ \varphi$$

wieder in $\mathfrak{o}(V)$. Wir rechnen dies nach:

$$\begin{aligned}
\langle [\varphi, \psi](v), w \rangle &= \langle \varphi(\psi(v)), w \rangle - \langle \psi(\varphi(v), w \rangle \\
&= -\langle \psi(v), \varphi(w) \rangle + \langle \varphi(v), \psi(w) \rangle \\
&= \langle v, \psi(\varphi(w)) \rangle - \langle v, \varphi(\psi(w)) \rangle \\
&= -\langle v, [\varphi, \psi](w) \rangle .
\end{aligned}$$

Untervektorräume von $\mathrm{End}(V)$, die zusätzlich auch den Kommutator von je zwei ihrer Element wieder enthalten, sind in der Mathematik als **Liealgebren** bekannt. Genauer sind sie Lieunteralgebren von $\mathrm{End}(V)$. Die Menge $\mathfrak{o}(V)$ der schiefsymmetrischen Endomorphismen eines euklidischen Vektorraums ist also eine Liealgebra. Für den Kommutator gilt die **Jacobi-Identität**, siehe Aufgabe 7.31.

Bemerkung 7.122. Dieselben Überlegungen wie für selbstadjungierte, orthogonale und unitäre Endomorphismen zeigen uns auch, wie man der darstellenden Matrix von φ ansieht, ob φ schiefsymmetrisch ist. Sei B eine Orthonormalbasis des endlich-dimensionalen euklidischen Vektorraums V und $A = M_B(\varphi)$ die darstellende Matrix des Endomorphismus $\varphi \in \mathrm{End}(V)$ bzgl. B, dann ist φ genau dann schiefsymmetrisch, wenn

$$A = -A^\mathsf{T},$$

d.h. wenn A schiefsymmetrisch ist. Daher verwendet man für die Menge der schiefsymmetrischen Endomorphismen auch die Notation

$$\mathfrak{o}(n) = \{ A \in \mathrm{Mat}(n, \mathbb{R}) \mid A = -A^\mathsf{T} \} .$$

Satz 7.123. *Sei V ein endlich-dimensionaler euklidischer Vektorraum. Ist $\varphi \in \mathfrak{o}(V)$, so gibt es eine Orthonormalbasis B von V bzgl. derer die darstellende Matrix von φ die Blockdiagonalform*

$$M_B(\varphi) = \begin{pmatrix} 0 & & & & & \\ & \ddots & & & & \\ & & 0 & & & \\ & & & \boxed{A_1} & & \\ & & & & \ddots & \\ & & & & & \boxed{A_k} \end{pmatrix}$$

hat, wobei

$$A_j = \begin{pmatrix} 0 & \lambda_j \\ -\lambda_j & 0 \end{pmatrix}$$

mit $\lambda_j \in \mathbb{R} \setminus \{0\}$.

Beweis. Den Beweis führen wir wieder per vollständiger Induktion nach der Dimension $n :=$ $\dim(V)$.

a) Für den *Induktionsanfang* sei $n = 1$. Wir wählen $b_1 \in V$ mit $\|b_1\| = 1$. Dann ist $B = (b_1)$ eine Orthonormalbasis von V. Wir berechnen

$$\langle \varphi(b_1), b_1 \rangle = - \langle b_1, \varphi(b_1) \rangle = - \langle \varphi(b_1), b_1 \rangle .$$

Also ist $\langle \varphi(b_1), b_1 \rangle = 0$, d.h. $\varphi(b_1)$ steht senkrecht auf dem Basisvektor b_1. Da V eindimensional ist, folgt $\varphi(b_1) = 0$. Jeder Vektor in $v \in V$ ist Vielfaches von b_1, also ist $\varphi(v) = 0$. Der Endomorphismus φ ist also der Nullendomorphismus und hat somit die darstellende Matrix

$$M_B(\varphi) = (0).$$

b) Bevor wir zum Induktionsschritt kommen, zeigen wir folgende *Zwischenbehauptung*:
Ist $W \subset V$ ein φ-invarianter Untervektorraum, dann ist auch $W^\perp$ ein φ-invarianter Untervektorraum von V.
Sei dazu $v \in W^\perp$. Dann gilt für alle $w \in W$:

$$\langle \varphi(v), w \rangle = - \langle v, \varphi(w) \rangle = 0,$$

da $v \in W^\perp$ und $\varphi(w) \in W$. Also ist $\varphi(v) \in W^\perp$. $\checkmark$

c) Für den *Induktionsschritt* sei $n > 1$. Zunächst stellen wir fest, dass $\varphi^2 = \varphi \circ \varphi$ symmetrisch ist. Es gilt nämlich für alle $v, w \in V$:

$$\left\langle \varphi^2(v), w \right\rangle = - \langle \varphi(v), \varphi(w) \rangle = \left\langle v, \varphi^2(w) \right\rangle .$$

Nach Satz 7.80 ist φ^2 diagonalisierbar (über $\mathbb{R}$), hat also insbesondere reelle Eigenwerte. Sei b ein Eigenvektor von φ^2 zum Eigenwert $\mu \in \mathbb{R}$. O.B.d.A. sei $\|b\| = 1$. Wir unterscheiden zwei Fälle.

Fall 1: $\varphi(b) = 0$.
Wir setzen $b_1 := b$. Dann ist insbesondere $W := \mathbb{R} \cdot b_1$ ein φ-invarianter Untervektorraum und somit auch $W^\perp$. Nach Induktionsvoraussetzung können wir eine Orthonormalbasis $(b_2, \ldots, b_n)$ von $W^\perp$ finden bzgl. derer der schiefsymmetrische Endomorphismus $\varphi|_{W^\perp}$ eine darstellende Matrix A der gewünschten Form hat. Nun ist $B := (b_1, b_2, \ldots, b_n)$ eine Orthonormalbasis von V und die darstellende Matrix von φ bzgl. B ist gegeben durch

$$M_B(\varphi) = \begin{pmatrix} 0 & 0 \\ 0 & A \end{pmatrix},$$

was auch wieder von der gewünschten Form ist.

Fall 2: $\varphi(b) \neq 0$.
Wir setzen $b_{n-1} := b$ und $b_n := \frac{\varphi(b)}{\|\varphi(b)\|}$. Wie in Teil a) sehen wir, dass $\varphi(b_{n-1})$ und damit auch b_n auf b_{n-1} senkrecht steht. Also ist (b_{n-1}, b_n) eine Orthonormalbasis von $W := L(b_{n-1}, b_n)$. Die Ebene W ist φ-invariant, denn $\varphi(b_{n-1}) = \|\varphi(b)\| b_n \in W$ und $\varphi(b_n) = \frac{1}{\|\varphi(b)\|} \varphi^2(b_{n-1}) = \frac{\mu}{\|\varphi(b)\|} b_{n-1} \in W$. Außerdem beobachten wir für die hier auftretenden Koeffizienten

$$\|\varphi(b)\| = \langle \|\varphi(b)\| b_n, b_n \rangle = \langle \varphi(b_{n-1}), b_n \rangle = - \langle b_{n-1}, \varphi(b_n) \rangle$$

$$= -\left\langle b_{n-1}, \frac{\mu}{\|\varphi(b)\|} b_{n-1} \right\rangle = -\frac{\mu}{\|\varphi(b)\|}.$$

Wenn wir also $\lambda := \frac{\mu}{\|\varphi(b)\|}$ definieren, dann gilt $\varphi(b_{n-1}) = -\lambda b_n$ und $\varphi(b_n) = \lambda b_{n-1}$. Somit hat der Endomorphismus $\varphi|_W \in \mathrm{End}(W)$ die darstellende Matrix

$$M_{(b_{n-1},b_n)}(\varphi|_W) = \begin{pmatrix} 0 & \lambda \\ -\lambda & 0 \end{pmatrix}.$$

Ist $n = 2$, so ist $V = W$ und wir sind fertig. Ist $n > 2$, so ist $W^\perp$ ein $(n-2)$-dimensionaler φ-invarianter Untervektorraum. Nach Induktionsvoraussetzung finden wir eine Orthonormalbasis $(b_1, \ldots, b_{n-2})$ von $W^\perp$ bzgl. derer der schiefsymmetrische Endomorphismus $\varphi|_{W^\perp}$ eine darstellende Matrix A der gewünschten Form hat. Nun ist $B := (b_1, b_2, \ldots, b_n)$ eine Orthonormalbasis von V und die darstellende Matrix von φ bzgl. B ist gegeben durch

$$M_B(\varphi) = \begin{pmatrix} A & 0 & 0 \\ 0 & 0 & \lambda \\ 0 & -\lambda & 0 \end{pmatrix},$$

was auch wieder von der gewünschten Form ist. $\square$

Beispiel 7.124. Wie bekommen wir eine solche Orthonormalbasis im Falle des Beispiels 7.120? Ist $b = 0$, dann ist $\varphi = 0$ und wir erhalten die Nullmatrix.
Sei also $b \neq 0$. Wir setzen $\lambda := \|b\|$ und $b_1 := \frac{1}{\lambda} b$. Dann gilt $\|b_1\| = 1$ und $\varphi(b_1) = b \times b_1 = \lambda b \times b = 0$. Nun wählen wir einen beliebigen Einheitsvektor b_2 aus dem orthogonalen Komplement von $\mathbb{R} \cdot b$. Mit $b_3 := b_1 \times b_2$ bildet $B := (b_1, b_2, b_3)$ eine positiv orientierte Orthonormalbasis von $\mathbb{R}^3$. Nach Konstruktion gilt $\varphi(b_2) = \lambda b_1 \times b_2 = \lambda b_3$. Weil auch $(b_1, b_3, -b_2)$ eine positiv orientierte Orthonormalbasis ist, gilt $\varphi(b_3) = \lambda b_1 \times b_3 = -\lambda b_2$. Somit gilt für die darstellende Matrix

$$M_B(\varphi) = \begin{pmatrix} 0 & 0 & 0 \\ 0 & 0 & -\lambda \\ 0 & \lambda & 0 \end{pmatrix}.$$

Dies ist von der Form wie in Satz 7.123. Wir könnten auch $B' := (b_1, b_2, -b_3)$ nehmen. Dann erhalten wir

$$M_{B'}(\varphi) = \begin{pmatrix} 0 & 0 & 0 \\ 0 & 0 & \lambda \\ 0 & -\lambda & 0 \end{pmatrix}.$$

7.8. Schiefsymmetrische Bilinearformen

Zum Abschluss dieses Kapitels wollen wir noch schiefsymmetrische Bilinearformen auf reellen Vektorräumen etwas genauer unter die Lupe nehmen. Dabei wollen wir die Kenntnisse über schiefsymmetrische Endomorphismen aus dem vorangegangenen Abschnitt benutzen. Aus diesem Grund überlegen wir zunächst, wie man auf euklidischen Vektorräumen Bilinearformen schiefsymmetrische Endomorphismen zuordnen kann und umgekehrt.

Sei also $(V, \langle \cdot, \cdot \rangle)$ ein euklidischer Vektorraum. Ist $\varphi \in \mathfrak{o}(V)$ ein schiefsymmetrischer Endomorphismus, so definiert

$$\omega_\varphi \colon V \times V \to \mathbb{R}, \quad \omega_\varphi(v, w) := \langle \varphi(v), w \rangle, \tag{7.6}$$

eine schiefsymmetrische Bilinearform, denn für alle $v, w \in V$ gilt

$$\omega_\varphi(v, w) = \langle \varphi(v), w \rangle = - \langle v, \varphi(w) \rangle = - \langle \varphi(w), v \rangle = -\omega_\varphi(w, v).$$

Das folgende Lemma sagt uns, dass es umgekehrt auch zu jeder schiefsymmetrischen Bilinearform ω genau ein $\varphi \in \mathfrak{o}(V)$ gibt, so dass die Beziehung (7.6) mit $\omega = \omega_\varphi$ gilt. Auf diese Weise können wir zwischen schiefsymmetrischen Bilinearformen und Endomorphismen wechseln.

> **Lemma 7.125.** *Sei $(V, \langle \cdot, \cdot \rangle)$ ein endlich-dimensionaler euklidischer Vektorraum. Dann ist die Abbildung $\mathfrak{o}(V) \to \{\text{schiefsymmetrische Bilinearformen auf } V\}$, $\varphi \mapsto \omega_\varphi$, bijektiv.*

Beweis. Sei $B = (b_1, \ldots, b_n)$ eine Orthonormalbasis von V. Die darstellende Matrix der Bilinearform ω_φ bzgl. B hat die Einträge

$$\omega_\varphi(b_i, b_j) = \langle \varphi(b_i), b_j \rangle.$$

Die darstellende Matrix des Endomorphismus φ bzgl. B hat die Einträge $\langle \varphi(b_j), b_i \rangle$, denn nach Lemma 7.68 gilt

$$\varphi(b_j) = \sum_{i=1}^{n} \langle \varphi(b_j), b_i \rangle \, b_i.$$

Also kommutiert das Diagramm

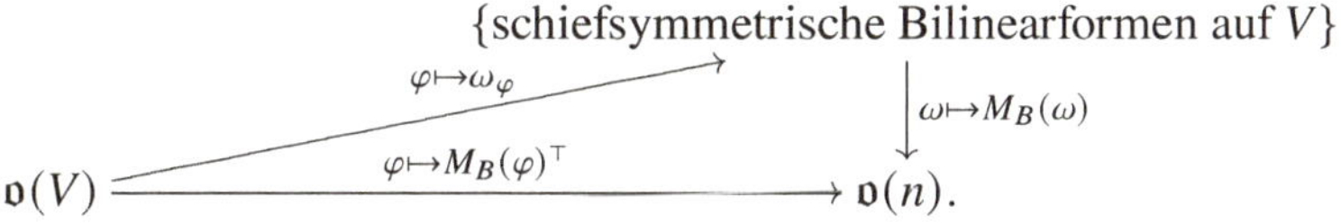

Da der horizontale und der vertikale Pfeil bijektiv sind, ist die Abbildung $\varphi \mapsto \omega_\varphi$ Verkettung bijektiver Abbildungen und damit selbst bijektiv. $\square$

Bemerkung 7.126. Tatsächlich zeigt der Beweis, dass die Abbildung $\varphi \mapsto \omega_\varphi$ sogar ein Vektorraumisomorphismus ist.

Satz 7.127. *Sei V ein endlich-dimensionaler reeller Vektorraum. Sei ω eine schiefsymmetrische Bilinearform auf V. Dann gibt es eine Basis B von V, so dass die darstellende Matrix von ω bzgl. B folgendermaßen aussieht:*

$$
M_B(\varphi) = \begin{pmatrix}
0 & & & & & \\
& \ddots & & & & \\
& & 0 & & & \\
& & & \boxed{J} & & \\
& & & & \ddots & \\
& & & & & \boxed{J}
\end{pmatrix}
$$

hat, wobei

$$
J = \begin{pmatrix} 0 & -1 \\ 1 & 0 \end{pmatrix}.
$$

Beweis. Wir wählen ein euklidisches Skalarprodukt $\langle \cdot, \cdot \rangle$ auf V. Das können wir z.B. dadurch tun, dass wir gemäß Korollar 4.30 einen Isomorphismus $\Psi \colon V \to \mathbb{R}^n$ wählen und $\langle v, w \rangle :=$ $(\Psi(v))^\mathsf{T} \cdot \Psi(w)$ setzen. Sei $\varphi \in \mathfrak{o}(V)$ gemäß Lemma 7.125 der Endomorphismus mit $\omega = \omega_\varphi$. Dann gibt es eine Orthonormalbasis $\tilde{B} = (\tilde{b}_1, \ldots, \tilde{b}_n)$ bzgl. derer die darstellende Matrix von φ die Form wie in Satz 7.123 hat. Sei $0 \le \ell \le n$ die Anzahl der Nullen vor den Zweierblöcken in dieser darstellenden Matrix. Dann ist $\varphi(\tilde{b}_j) = 0$ für $j = 1, \ldots, \ell$. Dem j-ten Zweierblock entspricht das Paar von Basisvektoren $\tilde{b}_{\ell+2j-1}, \tilde{b}_{\ell+2j}$ mit $\varphi(\tilde{b}_{\ell+2j-1}) = -\lambda_j \tilde{b}_{\ell+2j}$ und $\varphi(\tilde{b}_{\ell+2j}) = \lambda_j \tilde{b}_{\ell+2j-1}$. Wir setzen

$$
b_k := \begin{cases}
\tilde{b}_k, & \text{falls } k \in \{1, \ldots, \ell\}; \\
\frac{1}{-\lambda_j} \tilde{b}_k, & \text{falls } k = \ell + 2j - 1; \\
\tilde{b}_k, & \text{falls } k = \ell + 2j.
\end{cases}
$$

In anderen Worten, wir strecken den jeweils ersten Basisvektor zu jedem Zweierblock mit dem Faktor $\frac{1}{-\lambda_j}$. Ansonsten bleiben die Basisvektoren unverändert.

Nun bestimmen wir die darstellende Matrix von ω bzgl. $B := (b_1, \ldots, b_n)$. Für $j = 1, \ldots, \ell$ und beliebiges $k = 1, \ldots, n$ gilt

$$
\omega(b_j, b_k) = \langle \varphi(\tilde{b}_j), b_k \rangle = \langle 0, b_k \rangle = 0.
$$

Die ersten ℓ Spalten der darstellenden Matrix sind also Nullspalten. Desweiteren gilt

$$
\begin{aligned}
\omega(b_{2\ell+2j-1}, b_k) &= \left\langle \varphi\left(\tfrac{1}{-\lambda_j} \tilde{b}_{2\ell+2j-1} \right), b_k \right\rangle \\
&= \tfrac{1}{-\lambda_j} \left\langle \varphi(\tilde{b}_{2\ell+2j-1}), b_k \right\rangle \\
&= \tfrac{1}{-\lambda_j} \left\langle -\lambda_j \tilde{b}_{2\ell+2j}, b_k \right\rangle
\end{aligned}
$$

$$= \langle b_{2\ell+2j}, b_k \rangle$$

$$= \begin{cases} 1, & \text{falls } k = 2\ell + 2j, \\ 0, & \text{sonst.} \end{cases}$$

Dies zeigt, dass die jeweils erste Spalte, die zu jedem Zweierblock gehört, so ist, wie im Satz behauptet. Für die jeweils zweite Spalte zu den Zweierblöcken überprüft man die Aussage genauso. $\square$

Bemerkung 7.128. Im Beweis haben wir die Basis so gewonnen, dass wir mit einer Orthonormalbasis begonnen haben und dann manche Basisvektoren reskaliert haben. Die daraus entstehende Basis ist dann immer noch eine Orthogonalbasis. Wir können also festhalten: für jede schiefsymmetrische Bilinearform ω auf einem endlich-dimensionalen euklidischen Vektorraum können wir eine Orthogonalbasis finden, bzgl. derer die darstellende Matrix die Form wie in Satz 7.127 aussieht.

Eine Bilinearform auf einem endlich-dimensionalen $\mathbb{R}$-Vektorraum ist genau dann nicht ausgeartet, wenn ihre darstellende Matrix bzgl. einer beliebigen Basis invertierbar ist. In der Form der darstellenden Matrix aus Satz 7.127 heißt das, dass keine Nullen, sondern nur Zweierblöcke auftreten. Das kann aber nur dann der Fall sein, wenn die Größe der darstellenden Matrix gerade ist. Halten wir dies fest:

> **Korollar 7.129.** *Sei V ein ungerade-dimensionaler reeller Vektorraum. Dann ist jede schiefsymmetrische Bilinearform auf V ausgeartet.* $\square$

7.9. Aufgaben

7.1. Sei $\beta \colon \mathbb{R}^3 \times \mathbb{R}^3 \to \mathbb{R}$ gegeben durch

$$\beta(v, w) = \langle v \times w, (1, 1, 1)^\top \rangle.$$

a) Zeigen Sie, dass β eine schiefsymmetrische Bilinearform auf $\mathbb{R}^3$ ist.

b) Bestimmen Sie die darstellende Matrix von β bzgl. der Standardbasis von $\mathbb{R}^3$.

c) Bestimmen Sie die darstellende Matrix von β bzgl. der Basis $B = (b_1, b_2, b_2)$, wobei

$$b_1 = \begin{pmatrix} 0 \\ 2 \\ 0 \end{pmatrix}, \quad b_2 = \begin{pmatrix} 0 \\ 0 \\ -1 \end{pmatrix}, \quad b_3 = \begin{pmatrix} \frac{1}{2} \\ 0 \\ 0 \end{pmatrix}.$$

7.2. Finden Sie die symmetrische Bilinearform $\beta\colon \mathbb{R}^2 \times \mathbb{R}^2 \to \mathbb{R}$ mit quadratischer Form

$$q_\beta(x) = x_1^2 + 4x_1x_2 + x_2^2.$$

7.3. Sei $A \in \mathrm{Mat}(n, \mathbb{R})$ und $q\colon \mathbb{R}^n \to \mathbb{R}$ gegeben durch $q(x) = x^\mathsf{T} \cdot A \cdot x$. Zeigen Sie, dass es genau eine symmetrische Matrix $B \in \mathrm{Mat}(n, \mathbb{R})$ und genau eine obere Dreiecksmatrix $C \in \mathrm{Mat}(n, \mathbb{R})$ gibt mit

$$q(x) = x^\mathsf{T} \cdot B \cdot x = x^\mathsf{T} \cdot C \cdot x$$

für alle $x \in \mathbb{R}^n$. Drücken Sie die Einträge von B und C durch die von A aus.

7.4. Sei β eine symmetrische Bilinearform auf einem endlich-dimensionalen Vektorraum V. Zeigen Sie: Ist W ein Untervektorraum von V mit $V = W \oplus N(\beta)$, dann ist die Einschränkung von β auf $W \times W$ nicht ausgeartet.

7.5. Sei K ein Körper mit $1 + 1 \neq 0$. Sei V ein n-dimensionaler K-Vektorraum. Zeigen Sie:

a) Ist $A \in \mathrm{Mat}(n, K)$ schiefsymmetrisch und invertierbar, dann muss n gerade sein.

b) Ist $\beta\colon V \times V \to K$ eine nicht ausgeartete, schiefsymmetrische Bilinearform, so muss n gerade sein.

7.6. Sei $K = \mathbb{F}_2$ und $V = \mathbb{F}_2^2$. Zeigen Sie, dass es zur symmetrischen Bilinearform $\beta(v, w) = v_1 w_2 + v_2 w_1$ keine diagonalisierende Basis gibt.

7.7. Sei $S \in \mathrm{Mat}(2, \mathbb{R})$ eine symmetrische Matrix und $\beta(x, y) = x^\mathsf{T} \cdot S \cdot y$ die zugehörige symmetrische Bilinearform auf $\mathbb{R}^2$. Zeigen Sie:

a) β ist genau dann positiv oder negativ definit, wenn $\det(S) > 0$.

b) β ist genau dann indefinit, wenn $\det(S) < 0$.

c) β ist genau dann ausgeartet, wenn $\det(S) = 0$.

7.8. Sei $V \subset C^0([0, 1], \mathbb{R})$ der Untervektorraum der Polynomfunktionen vom Grad ≤ 2. Auf V betrachten wir die symmetrische Bilinearform

$$\beta(f, g) = \int_0^1 f(t)g(t)\,dt.$$

a) Bestimmen Sie r_+, r_- und r_0 für dieses β.

b) Bestimmen Sie eine diagonalisierende Basis von V für dieses β.

7.9. Zeigen Sie: $H_1 \subset \mathbb{R}^2$ ist eine Hyperbel genau dann, wenn es ein $T \in \mathrm{GL}(2, \mathbb{R})$ gibt mit $H_1 = T(H)$. Dabei ist H die Standardhyperbel.

7.10. Sei $A \in \mathrm{Mat}(n, \mathbb{R})$ und $\langle \cdot, \cdot \rangle$ das Standardskalarprodukt auf $\mathbb{R}^n$. Wir definieren $\beta \colon \mathbb{R}^n \times \mathbb{R}^n \to \mathbb{R}$ durch

$$\beta(x, y) := \langle Ax, Ay \rangle.$$

Zeigen Sie:

a) β ist eine positiv semidefinite symmetrische Bilinearform auf $\mathbb{R}^n$.

b) β ist genau dann positiv definit, wenn $\det(A) \neq 0$.

7.11. Sei V ein endlich-dimensionaler euklidischer Vektorraum, sei $U \subset V$ ein Untervektorraum und sei $P \colon V \to U$ die Orthogonalprojektion. Zeigen Sie:

a) Für jedes $v \in V$ hat $P(v)$ kleinsten Abstand von v unter allen Elementen von U.

b) $P(v)$ ist das einzige Element von U mit minimalem Abstand von v.

c) Erstellen Sie eine erläuternde Skizze.

7.12. Sei U ein Untervektorraum eines endlich-dimensionalen euklidischen Vektorraums V. Zeigen Sie:

$$(U^\perp)^\perp = U.$$

7.13. Sei $(V, \langle \cdot, \cdot \rangle)$ ein euklidischer Vektorraum und $V^* = \mathrm{Hom}(V, \mathbb{R})$ sein Dualraum, vergleiche Aufgabe 4.6. Zu $v \in V$ ist die Abbildung $\ell_v \colon V \to \mathbb{R}$ gegeben durch $\ell_v(w) := \langle w, v \rangle$ linear, d.h. $\ell_v \in V^*$. Zeigen Sie:

a) Die Abbildung $\ell \colon V \to V^*$, $v \mapsto \ell_v$, ist linear und injektiv.

b) Ist V endlich-dimensional, so ist $\ell \colon V \to V^*$ auch surjektiv, also ein Isomorphismus.

7.14. Für eine quadratische Matrix $A \in \mathrm{Mat}(n, K)$ nennt man die Summe der Diagonaleinträge die **Spur** der Matrix,

$$\mathrm{Spur}(A) := \sum_{j=1}^{n} A_{jj}.$$

Zeigen Sie, dass für alle $A, B \in \mathrm{Mat}(n, K)$ gilt:

$$\mathrm{Spur}(AB) = \mathrm{Spur}(BA).$$

7.15. Sei $A \in \mathrm{Mat}(n, \mathbb{C})$ und seien $\lambda_1, \ldots, \lambda_n$ die Eigenwerte von A, wobei jeder Eigenwert entsprechend seiner algebraischen Vielfachheit wiederholt wird. Zeigen Sie:

$$\mathrm{Spur}(A) = \lambda_1 + \ldots + \lambda_n.$$

7.16. Zeigen Sie, dass durch

$$\beta(A, B) := \mathrm{Spur}(A^\top \cdot B)$$

ein euklidisches Skalarprodukt auf $\mathrm{Mat}(n, \mathbb{R})$ definiert wird.

7.17. Wenden Sie bzgl. des Skalarprodukts aus Aufgabe 7.16 das Gram-Schmidt-Verfahren auf die Basis (b_1, b_2, b_3, b_4) von $\mathrm{Mat}(2, \mathbb{R})$ an, wobei

$$b_1 = \begin{pmatrix} 1 & 0 \\ 0 & 0 \end{pmatrix}, \quad b_2 = \begin{pmatrix} 1 & 0 \\ 0 & 1 \end{pmatrix}, \quad b_3 = \begin{pmatrix} 1 & 0 \\ 1 & 1 \end{pmatrix}, \quad b_4 = \begin{pmatrix} 1 & 1 \\ 1 & 1 \end{pmatrix}.$$

7.18. Sei $U \subset \mathbb{R}^3$ ein 2-dimensionaler Untervektorraum und sei $B = (b_1, b_2)$ eine Basis von U. Zeigen Sie, dass $b_1 \times b_2$ ein Basisvektor für $U^\perp$ ist (bzgl. des Standardskalarprodukts auf $\mathbb{R}^3$).

7.19. Sei V ein euklidischer Vektorraum mit zugehöriger Norm $\| \cdot \|$.

a) Zeigen Sie, dass für alle $v, w \in V$ die **Parallelogrammgleichung** gilt:

$$\|v + w\|^2 + \|v - w\|^2 = 2(\|v\|^2 + \|w\|^2).$$

b) Erklären Sie die Bezeichnung „Parallelogrammgleichung" anhand einer Skizze.

c) Zeigen Sie, dass es für $n \geq 2$ kein Skalarprodukt auf $\mathbb{R}^n$ gibt, so dass die zugehörige Norm die **Maximumsnorm** ist:
$$\|x\|_{\max} = \max_{i=1,\ldots,n} |x_i| \, .$$

7.20. Für $v \in \mathbb{R}^n$ mit $\|v\| = 1$ sei $H(v) \in \mathrm{Mat}(n, \mathbb{R})$ die Matrix mit den Einträgen

$$H(v)_{ij} = \delta_{ij} - 2v_i v_j.$$

Zeigen Sie, dass die Spaltenvektoren von $H(v)$ eine Orthonormalbasis von $\mathbb{R}^n$ bilden (bzgl. des Standardskalarprodukts). Eine Matrix der Form $H(v)$ wird als **Householdermatrix** bezeichnet.

7.21. Für $v = (v_1, v_2, v_3, v_4)^\top \in \mathbb{R}^4$ betrachten wir die Matrix

$$A(v) = \begin{pmatrix} v_1 & v_2 & v_3 & v_4 \\ -v_2 & v_1 & -v_4 & v_3 \\ -v_3 & v_4 & v_1 & -v_2 \\ -v_4 & -v_3 & v_2 & v_1 \end{pmatrix}.$$

a) Für welche v ist $A(v)$ orthogonal?

b) Für welche v ist $A(v)$ invertierbar?

7.22. Seien V, W, Z euklidische Vektorräume und $\varphi\colon V \to W$ und $\psi\colon W \to Z$ lineare Abbildungen. Zeigen Sie:

$$(\psi \circ \varphi)^{\mathsf{T}} = \varphi^{\mathsf{T}} \circ \psi^{\mathsf{T}}\,.$$

7.23. Sei V ein euklidischer Vektorraum und seien $\varphi, \psi \in \mathrm{End}(V)$ selbstadjungiert. Zeigen Sie, dass $\varphi \circ \psi$ genau dann selbstadjungiert ist, wenn φ und ψ kommutieren, d.h. wenn $\varphi \circ \psi = \psi \circ \varphi$.

7.24. In dieser Aufgabe wird ein alternativer, analytischer Beweis der Zwischenbehauptung im Beweis von Satz 7.80 gegeben. Sei A eine symmetrische reelle Matrix. Wir betrachten die Funktion $q\colon \mathbb{R}^n \to \mathbb{R}$, gegeben durch $q(x) = \langle A \cdot x, x \rangle$. Diese Funktion ist ein quadratisches Polynom und daher beliebig oft differenzierbar. Da die Einheitssphäre $S^{n-1} = \{x \in \mathbb{R}^n \mid \|x\| = 1\}$ abgeschlossen und beschränkt, also kompakt ist, nimmt q auf S^{n-1} in einem Punkt $x_0 \in S^{n-1}$ das Maximum an.

a) Zeigen Sie: Für alle $y \in \mathbb{R}^n \setminus \{0\}$ mit $y \perp x_0$ ist $\cos(t)x_0 + \frac{\sin(t)}{\|y\|}y \in S^{n-1}$ für alle $t \in \mathbb{R}$.

b) Zeigen Sie: Ist $y \perp x_0$, dann ist auch $y \perp Ax_0$.

   Hinweis: Leiten Sie die Funktion $t \mapsto q\!\left(\cos(t)x_0 + \frac{\sin(t)}{\|y\|}y\right)$ bei $t = 0$ ab.

c) Schließen Sie daraus, dass x_0 ein Eigenvektor von A zu einem reellen Eigenwert ist.

7.25. Seien $A, B \in \mathrm{Mat}(2, \mathbb{R})$ symmetrisch und positiv definit. Sei ferner $\det(A) = \det(B)$. Zeigen Sie:

a) $\det(A - B) \leq 0$.

b) Gleichheit gilt in a) genau dann, wenn $A = B$ ist.

Hinweis: Es kann helfen, Satz 7.80 zu verwenden, um eine der beiden Matrizen in Diagonalform zu bringen.

7.26. Zeigen Sie: Jedes Orthonormalsystem eines unitären Vektorraums ist linear unabhängig (über $\mathbb{C}$).

7.27. Sei (V, h) ein unitärer Vektorraum und $B = (b_1, \ldots, b_n)$ eine Orthonormalbasis von V. Dann gilt für alle $v \in V$:

$$v = \sum_{j=1}^{n} h(b_j, v) \cdot b_j\,.$$

7.28. Sei $A \in \mathrm{Mat}(n, \mathbb{C})$. Zeigen Sie, dass folgende Aussagen äquivalent sind:

(1) A ist unitär.

(2) Die Spalten von A bilden eine Orthonormalbasis von $\mathbb{C}^n$ bzgl. der Standard-Sesquilinearform.

7.29. Sei $B = (b_1, \ldots, b_n)$ eine Orthonormalbasis des unitären Vektorraums (V, h). Zeigen Sie, dass dann $B' = (b_1, ib_1, \ldots, b_n, ib_n)$ eine Orthonormalbasis des euklidischen Vektorraums $(V_{\mathbb{R}}, \langle \cdot, \cdot \rangle)$ ist. Hierbei ist $\langle \cdot, \cdot \rangle$ das von h induzierte euklidische Skalarprodukt.

7.30. Sei (V, h) ein unitärer Vektorraum und $U \subset V$ ein komplexer Untervektorraum. Sei $\langle \cdot, \cdot \rangle$ das von h induzierte euklidische Skalarprodukt. Sei $v \in V$.

a) Zeigen Sie: $h(v, u) = 0$ für alle $u \in U$ genau dann, wenn $\langle v, u \rangle = 0$ für alle $u \in U$. Für die Definition des orthogonalen Komplements $U^\perp$ spielt es also keine Rolle, ob man h oder $\langle \cdot, \cdot \rangle$ verwendet.

b) Zeigen Sie: $U^\perp$ ist ein komplexer Untervektorraum von V.

c) Zeigen Sie: $V = U \oplus U^\perp$.

d) Zeigen Sie durch ein Beispiel, dass a) falsch wird, wenn U nur ein reeller Untervektorraum ist.

7.31. Sei V ein Vektorraum und seien $A, B, C \in \mathrm{End}(V)$. Zeigen Sie die **Jacobi-Identität** für den Kommutator:
$$[[A, B], C] + [[B, C], A] + [[C, A], B] = 0.$$

7.32. Sei $A \in \mathrm{U}(n)$. Zeigen Sie, dass es ein $T \in \mathrm{U}(n)$ gibt, so dass $T^{-1} \cdot A \cdot T$ eine Diagonalmatrix ist, deren Diagonaleinträge alle Betrag 1 haben.

7.33. Sei $A \in \mathrm{Mat}(n, \mathbb{C})$ mit $\bar{A}^\top = A$. Zeigen Sie, dass es ein $T \in \mathrm{U}(n)$ gibt, so dass $T^{-1} \cdot A \cdot T$ eine Diagonalmatrix ist.

7.34. Sei $A \in \mathfrak{o}(n)$. Zeigen Sie, dass

a) es ein $T \in \mathrm{O}(n)$ gibt, so dass $T^{-1} \cdot A \cdot T$ eine Blockdiagonalform wie in Satz 7.123 hat.

b) es ein $T \in \mathrm{GL}(n)$ gibt, so dass $T^\top \cdot A \cdot T$ eine Blockdiagonalform wie in Satz 7.127 hat.

8. Multilineare Algebra

The tensor calculus that cost
Einstein an effort to master is
now a regular part of an
undergraduate course in the
better technical schools. The
subject has been so thoroughly
emulsified that even an
eighteen-year-old can swallow it
without regurgitating. But this
does not prove that wither his
brain or his stomach is stronger
than Einstein's was.

(Eric Temple Bell
Mathematics: Queen & Servant
of Science*)*

Haben lineare Abbildungen ein Argument und bilineare zwei, so sind multilineare Abbildungen solche mit beliebig vielen Argumenten. Das wird uns zum Konzept der Tensoren führen. Tensorprodukte erlauben es zu einem gewissen Grad, die Theorie der multilinearen Abbildungen auf die der linearen zurückzuführen, die wir inzwischen ja gut verstehen. Für die Konstruktion der Tensorprodukte benötigen wir noch das Konzept der Quotientenvektorräume, das auch in vielen anderen Zusammenhängen von Nutzen ist.

8.1. Quotientenvektorräume

Quotientenvektorräume dienen der Konzentration auf das Wesentliche. Nehmen wir an, wir haben einen Vektorraum V und einen Untervektorraum $U \subset V$. Nehmen wir ferner an, die Elemente von U sind für uns nicht von Interesse, wir wollen sie eigentlich ignorieren. Dann bilden wir den Quotientenraum V/U, dessen Elemente „Vereinfachungen" der Elemente von V sind, und zwar so, dass die Elemente von U gerade zu 0 werden. Die formale Definition lautet wie folgt.

Definition 8.1. Sei V ein Vektorraum und $U \subset V$ ein Untervektorraum. Die Menge aller affinen Unterräume von V mit zugehörigem Untervektorraum U wird **Quotientenvektorraum** von V nach U genannt und mit V/U bezeichnet.

Das wirft die Frage auf, wieso V/U überhaupt ein Vektorraum sein soll. Dazu erinnern wir uns daran, dass die Elemente von V/U, also die affinen Unterräume mit zugehörigem Untervektorraum U, stets von der Form $A = v + U$ sind, wobei $v \in V$ ein belieber Vektor sein kann. Wir definieren nun die Summe zweier solcher affiner Unterräume $A_1 = v_1 + U$ und $A_2 = v_2 + U$ durch

$$A_1 + A_2 := (v_1 + v_2) + U \,.$$

Es stellt sich die Frage nach der Wohldefiniertheit, denn die Vektoren v_i sind durch die affinen Unterräume A_i nicht eindeutig festgelegt. Gemäß Lemma 5.4 gilt $A_1 = v_1 + U = v_1' + U$ genau dann, wenn $v_1 - v_1' \in U$ gilt. Dann ist aber $(v_1' + v_2) - (v_1 + v_2) = v_1' - v_1 \in U$ und damit $(v_1 + v_2) + U = (v_1' + v_2) + U$. Die Wahl des Aufpunktes von A_1 spielt also keine Rolle für die Definition von $A_1 + A_2$. Genauso ist die Wahl des Aufpunktes von A_2 unerheblich.

Auf ähnliche Weise definieren wir die Multiplikation eines affinen Unterraumes $A = v + U$ mit einem Skalar $\lambda \in K$ aus dem zugrunde liegenden Körper durch

$$\lambda A := (\lambda v) + U \,.$$

Auch hier ist die Wohldefiniertheit gegeben, denn wenn $A = v + U = v' + U$ gilt, dann ist $v - v' \in U$ und damit $\lambda v - \lambda v' = \lambda(v - v') \in U$, also $(\lambda v) + U = (\lambda v') + U$.

Die so definierte Addition in V/U is kommutativ, einfach weil das für die Addition in V gilt. In der Tat haben wir

$$(v_1 + U) + (v_2 + U) = (v_1 + v_2) + U = (v_2 + v_1) + U = (v_2 + U) + (v_1 + U) \,.$$

Genauso übertragen sich alle anderen Rechenregeln aus Defintion 3.72 von V auf V/U. Daher ist V/U ein Vektorraum mit dem Nullvektor $0 + U = U$.

> **Definition 8.2.** Sei V ein Vektorraum und $U \subset V$ ein Untervektorraum. Dann nennen wir die Abbildung $\pi \colon V \to V/U$ gegeben durch $\pi(v) = v + U$ die **Quotientenabbildung**.

> **Lemma 8.3.** *Die Quotientenabbildung* $\pi \colon V \to V/U$ *ist linear und surjektiv. Ferner gilt* $\ker(\pi) = U$.

Beweis. Die Linearität der Quotientenabbildung π folgt direkt aus der Definition der Addition und der Multiplikation mit einem Skalar in V/U.

Für die Surjektivität sei $A \in V/U$. Wir wählen einen Aufpunkt $v \in A$ und sehen $\pi(v) = v + U = A$.

Ferner ist $\pi(v) = U$ genau dann, wenn $v + U = 0 + U$ gilt, also genau dann, wenn $v = v - 0 \in U$. Daher ist $\ker(\pi) = U$. $\qquad\qquad\square$

Sei $\dim V < \infty$. Wir wenden die Dimensionsformel Satz 4.19 auf die Quotientenabbildung π

an und erhalten

$$\dim V = \dim \ker(\pi) + \dim \mathrm{im}(\pi) = \dim U + \dim(V/U).$$

Der Quotientenvektorraum hat folgende sogenannte *universelle Eigenschaft*.

Proposition 8.4 (Universelle Eigenschaft des Quotientenvektorraums). *Seien V und W zwei K-Vektorräume und sei $U \subset V$ ein Untervektorraum.*
Dann gibt es für jede lineare Abbildung $\phi\colon V \to W$ mit $\ker(\phi) \supset U$ genau eine lineare Abbildung $\bar{\phi}\colon V/U \to W$, so dass folgendes Diagramm kommutiert:

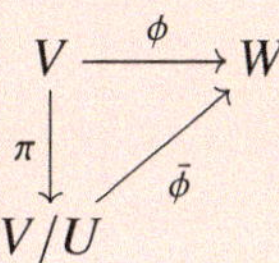

Beweis. Eindeutigkeit: Da π surjektiv ist, ist jedes Element von V/U von der Form $\pi(v)$ für ein $v \in V$. Dann gilt $\bar{\phi}(\pi(v)) = \phi(v)$. Daher ist $\bar{\phi}$ eindeutig durch ϕ festgelegt.

Existenz: Wir definieren $\bar{\phi}\colon V/U \to W$ durch $\bar{\phi}(\pi(v)) = \phi(v)$ für alle $v \in V$. Dann stellt sich wieder die Frage nach der Wohldefiniertheit. Wir müssen prüfen, dass aus $\pi(v_1) = \pi(v_2)$ folgt, dass $\bar{\phi}(\pi(v_1)) = \bar{\phi}(\pi(v_2))$ gilt.
In der Tat, falls $\pi(v_1) = \pi(v_2)$ gilt, so ist $v_1 - v_2 \in \ker(\pi) = U \subset \ker(\phi)$ und damit $\phi(v_1) = \phi(v_2)$. Also ist $\bar{\phi}(\pi(v_1)) = \phi(v_1) = \phi(v_2) = \bar{\phi}(\pi(v_2))$.
Die Linearität von $\bar{\phi}$ folgt aus

$$\bar{\phi}(\lambda_1 \pi(v_1) + \lambda_2 \pi(v_2)) = \bar{\phi}(\pi(\lambda_1 v_1 + \lambda_2 v_2)) = \phi(\lambda_1 v_1 + \lambda_2 v_2)$$
$$= \lambda_1 \phi(v_1) + \lambda_2 \phi(v_2) = \lambda_1 \bar{\phi}(\pi(v_1)) + \lambda_2 \bar{\phi}(\pi(v_2)). \qquad \Box$$

Man nennt dann $\bar{\phi}$ die durch ϕ **induzierte Abbildung**.

Proposition 8.5. *Unter den Voraussetzungen von Proposition 8.4 gilt:*

(i) Die Abbildungen ϕ und $\bar{\phi}$ haben dasselbe Bild. Insbesondere ist $\bar{\phi}$ genau dann surjektiv, wenn ϕ surjektiv ist.

(ii) Die Abbildung $\bar{\phi}$ ist injektiv genau dann, wenn $\ker(\phi) = U$.

Beweis. Zu (i):
Wegen $\phi = \bar{\phi} \circ \pi$ ist jedes Element im Bild von ϕ auch im Bild von $\bar{\phi}$. Also ist $\mathrm{im}(\phi) \subset \mathrm{im}(\bar{\phi})$.
Sei umgekehrt $y \in \mathrm{im}(\bar{\phi})$. Dann gibt es ein $x \in V/U$ mit $\bar{\phi}(x) = y$. Da π surjektiv ist, gibt es
ein $v \in V$ mit $\pi(v) = x$. Dann ist $\phi(v) = \bar{\phi}(\pi(v)) = \bar{\phi}(x) = y$. Somit ist $y \in \mathrm{im}(\phi)$. Dies zeigt
$\mathrm{im}(\bar{\phi}) \subset \mathrm{im}(\phi)$.
Also ist $\mathrm{im}(\bar{\phi}) = \mathrm{im}(\phi)$. Insbesondere ist $\bar{\phi}$ surjektiv genau dann, wenn ϕ surjektiv ist.

Zu (ii):
Sei $x = \pi(v) \in V/U$. Dann gilt $\bar{\phi}(x) = 0$ genau dann, wenn $v \in \ker(\phi)$ liegt, d.h. wenn
$x \in \pi(\ker(\phi))$ ist. Aus $\ker(\bar{\phi}) = \pi(\ker(\phi))$ folgt, dass $\bar{\phi}$ genau dann injektiv ist, wenn
$\pi(\ker(\phi))$ der Nullvektorraum ist, d.h. wenn $\ker(\phi) \subset \ker(\pi) = U$ gilt. Da $\ker(\phi) \supset U$
vorausgesetzt ist, ist dies äquivalent zu $\ker(\phi) = U$. $\square$

Beispiel 8.6. Sei V ein endlich-dimensionaler euklidischer Vektorraum und $U \subset V$ ein Untervektorraum. Sei $\phi = P_{U^\perp} \colon V \to U^\perp$ die Orthogonalprojektion auf das orthogonale Komplement $U^\perp$ von U. Dann ist ϕ surjektiv und $\ker(\phi) = U$.
Gemäß Proposition 8.5 ist die induzierte Abbildung

$$\bar{\phi} \colon V/U \to U^\perp$$

surjektiv und injektiv, also ein Isomorphismus. Wir können uns also V/U als Komplement von
U in V vorstellen. Der Raum V/U hat gegenüber $U^\perp$ den Vorteil, dass man zu seiner Definition
kein Skalarprodukt benötigt. Andererseits hat er den Nachteil, dass er kein Untervektorraum
von V ist.

Beispiel 8.7. Wir erinnern uns an den $\mathbb{Q}$-Vektorraum $\mathrm{Abb}(\mathbb{N}, \mathbb{Q})$ der rationalen Zahlenfolgen.
Eine solche Folge $(a_n)_{n \in \mathbb{N}}$ nennt man **Cauchyfolge**, wenn es zu jedem $k \in \mathbb{N}$ ein $N \in \mathbb{N}$ gibt,
so dass für alle $m, n \geq N$ gilt:

$$|a_n - a_m| < \tfrac{1}{k}.$$

Das bedeutet, dass die Folgenglieder immer näher aneinander rücken. Man kann leicht prüfen,
dass die Menge $\mathrm{Cauchy}(\mathbb{N}, \mathbb{Q})$ aller Cauchyfolgen ein Untervektorraum von $\mathrm{Abb}(\mathbb{N}, \mathbb{Q})$ ist. In
der Analysis lernt man, dass jede Cauchyfolge gegen einen (reellen!) Grenzwert konvergiert.
Wir erhalten eine $\mathbb{Q}$-lineare Abbildung

$$\phi = \lim_{n \to \infty} \colon \mathrm{Cauchy}(\mathbb{N}, \mathbb{Q}) \to \mathbb{R}.$$

Ferner ist jede reelle Zahl r der Grenzwert einer rationalen Cauchyfolge. Man kann z.B.
die Dezimalbruchentwicklung von r nehmen und als a_n die rationale Zahl, die man durch
Abschneiden der Dezimalbruchentwicklung hinter der n-ten Nachkommastelle erhält. Also ist
ϕ eine surjektive lineare Abbildung von $\mathbb{Q}$-Vektorräumen.
Sei $\mathrm{Null}(\mathbb{N}, \mathbb{Q}) := \ker(\phi)$ der Untervektorraum aller Nullfolgen. Proposition 8.5 sagt nun, dass
die Limesabbildung ϕ einen $\mathbb{Q}$-linearen Isomorphismus

$$\bar{\phi} \colon \mathrm{Cauchy}(\mathbb{N}, \mathbb{Q})/\mathrm{Null}(\mathbb{N}, \mathbb{Q}) \to \mathbb{R}$$

induziert. Insbesondere ist $\mathrm{Cauchy}(\mathbb{N}, \mathbb{Q})/\mathrm{Null}(\mathbb{N}, \mathbb{Q})$ als $\mathbb{Q}$-Vektorraum isomorph zu $\mathbb{R}$. Wenn man noch nicht weiß, was reelle Zahlen eigentlich sind, kann man sie als den Quotienten $\mathrm{Cauchy}(\mathbb{N}, \mathbb{Q})/\mathrm{Null}(\mathbb{N}, \mathbb{Q})$ *definieren*. Dies ist eine von mehreren Möglichkeiten, die reellen Zahlen einzuführen.

Bemerkung 8.8. Wir wollen kurz überlegen, wann der Quotientenvektorraum V/U der Nullvektorraum ist. Sei dazu $\phi\colon V \to \{0\}$ die Nullabbildung. Offensichtlich ist $\ker(\phi) = V$. Ferner ist die induzierte Abbildung $\bar{\phi}\colon V/U \to \{0\}$ ebenfalls die Nullabbildung. Unter Benutzung von Proposition 8.5 (ii) erhalten wir folgende Kette von Äquivalenzen:

$$V/U = \{0\} \iff \bar{\phi}\colon V/U \to \{0\} \text{ ist injektiv} \iff V = \ker(\phi) = U.$$

Das heißt, der Quotientenvektorraum V/U ist genau dann der Nullvektorraum, wenn $U = V$ ist.

8.2. Multilineare Abbildungen und das Tensorprodukt

Wir verallgemeinern die Konzepte von linearen und bilinearen Abbildungen in naheliegender Weise zu dem der multilinearen Abbildungen.

Definition 8.9. Sei K ein Körper und seien $V_1, \ldots, V_n$ und W Vektorräume über K. Eine Abbildung $\varphi\colon V_1 \times \ldots \times V_n \to W$ heißt **multilinear**, wenn sie in jeder Variablen linear ist, d.h. wenn für alle $v_j \in V_j$ und für jedes $i = 1, \ldots, n$ die Abbildung

$$V_i \to W, \quad v \mapsto \varphi(v_1, \ldots, v_{i-1}, v, v_{i+1}, \ldots, v_n)$$

linear ist.

Für $n = 1$ erhalten wir die Definition einer linearen Abbildung, für $n = 2$ die einer bilinearen Abbildung.

Beispiel 8.10. Sei $V = K^n$ der n-dimensionale Standardvektorraum über dem Körper K. Für $v_1, \ldots, v_n \in K^n$ erhalten wir die quadratische Matrix $(v_1, \ldots, v_n)$. Nun sagt Korollar 4.70, dass die Determinante

$$K^n \times \cdots \times K^n \to K, \quad (v_1, \ldots, v_n) \mapsto \det(v_1, \ldots, v_n)$$

eine multilineare Abbildung liefert.

Wir bezeichnen die Menge aller multilinearen Abbildungen von $V_1 \times \cdots \times V_n$ nach W mit $\mathrm{Mult}(V_1, \ldots, V_n; W)$. Man sieht leicht, dass $\mathrm{Mult}(V_1, \ldots, V_n; W)$ ein Untervektorraum von $\mathrm{Abb}(V_1 \times \ldots \times V_n; W)$ ist.

Wir werden jetzt einen Vektorraum einführen, der es erlaubt, multilineare Abbildungen auf lineare zurückzuführen, damit wir unser mittlerweile erworbenes geballtes Wissen über letztere einsetzen können. Bei diesem Vektorraum handelt es sich um das Tensorprodukt der Vektorräume $V_1, \ldots, V_n$, wobei $n \geq 2$.

Dazu führen wir zunächst folgende Notation ein: Zu einem Tupel $(v_1, \ldots, v_n) \in V_1 \times \ldots \times V_n$ schreiben wir $\delta_{(v_1,\ldots,v_n)}$ für die endlich getragene Abbildung

$$\delta_{(v_1,\ldots,v_n)} \colon V_1 \times \cdots \times V_n \to K,$$

$$\delta_{(v_1,\ldots,v_n)}(v_1', \ldots, v_n') = \begin{cases} 1, & \text{wenn } (v_1', \ldots, v_n') = (v_1, \ldots, v_n), \\ 0, & \text{sonst.} \end{cases}$$

Es gilt also $\delta_{(v_1,\ldots,v_n)} \in K^{V_1 \times \cdots \times V_n}$. Die Abbildung $\delta \colon V_1 \times \cdots \times V_n \to K^{V_1 \times \cdots \times V_n}$ gegeben durch $(v_1, \ldots, v_n) \mapsto \delta_{(v_1,\ldots,v_n)}$ ist injektiv.

Wir erinnern uns daran, dass $\mathcal{V} := K^{V_1 \times \cdots \times V_n}$ ein K-Vektorraum ist, siehe Beispiel 3.85. Betrachten wir den Untervektorraum

$$\mathcal{U} := \mathrm{L}\Big(\big\{\delta_{(v_1,\ldots,\lambda v_i + \lambda' v_i',\ldots,v_n)} - \lambda \delta_{(v_1,\ldots,v_i,\ldots,v_n)} - \lambda' \delta_{(v_1,\ldots,v_i',\ldots,v_n)} \;\big|$$
$$v_j, v_j' \in V_j, \; \lambda, \lambda' \in K, \; 1 \leq i, j \leq n \big\}\Big). \tag{8.1}$$

Definition 8.11. Der Vektorraum

$$V_1 \otimes \cdots \otimes V_n := \mathcal{V}/\mathcal{U}$$

heißt **Tensorprodukt** der Vektorräume $V_1, \ldots, V_n$.

Diese Definition ist zunächst noch etwas schwer verdaulich, aber wir werden sie noch besser verstehen. Sei $\pi \colon \mathcal{V} \to \mathcal{V}/\mathcal{U} = V_1 \otimes \cdots \otimes V_n$ die Quotientenabbildung.

Lemma 8.12. *Die Abbildung*

$$\tau := \pi \circ \delta \colon V_1 \times \cdots \times V_n \to V_1 \otimes \cdots \otimes V_n.$$

ist multilinear. Das Bild von τ ist ein Erzeugendensystem von $V_1 \otimes \cdots \otimes V_n$.

Beweis. Seien $v_j, v_j' \in V_j$ und $\lambda, \lambda' \in K$. Wir prüfen die Linearität im i-ten Argument:

$$\tau(v_1, \ldots, v_{i-1}, \lambda v_i + \lambda' v_i', v_{i+1}, \ldots, v_n) = \pi\big(\delta_{(v_1,\ldots,v_{i-1},\lambda v_i + \lambda' v_i',v_{i+1},\ldots,v_n)}\big)$$
$$= \pi\big(\lambda \delta_{(v_1,\ldots,v_i,\ldots,v_n)} + \lambda' \delta_{(v_1,\ldots,v_i',\ldots,v_n)}\big)$$
$$= \lambda \pi\big(\delta_{(v_1,\ldots,v_i,\ldots,v_n)}\big) + \lambda' \pi\big(\delta_{(v_1,\ldots,v_i',\ldots,v_n)}\big)$$
$$= \lambda \tau(v_1, \ldots, v_{i-1}, v_i, v_{i+1}, \ldots, v_n) + \lambda' \tau(v_1, \ldots, v_{i-1}, v_i', v_{i+1}, \ldots, v_n).$$

Beim zweiten Gleichheitszeichen haben wir benutzt, dass

$$\pi\big(\delta_{(v_1,\dots,\lambda v_i+\lambda' v_i',\dots,v_n)} - \lambda\delta_{(v_1,\dots,v_i,\dots,v_n)} - \lambda'\delta_{(v_1,\dots,v_i',\dots,v_n)}\big) = 0$$

ist, weil $\delta_{(v_1,\dots,\lambda v_i+\lambda' v_i',\dots,v_n)} - \lambda\delta_{(v_1,\dots,v_i,\dots,v_n)} - \lambda'\delta_{(v_1,\dots,v_i',\dots,v_n)} \in \mathcal{U}$. Damit ist die Multilinearität von τ gezeigt.

Für die Erzeugendeneigenschaft des Bildes von τ sei $w \in V_1 \otimes \cdots \otimes V_n$. Wir müssen zeigen, dass w sich aus Elementen des Bildes von τ linearkombinieren lässt. Da π surjektiv ist, gibt es ein $f \in K^{V_1 \times \cdots \times V_n}$ mit $\pi(f) = w$. Nun gilt

$$f = \sum_{\substack{x \in V_1 \times \cdots \times V_n \\ f(x) \neq 0}} f(x)\, \delta_x.$$

Da f endlich getragen ist, ist die Summe endlich. Es folgt

$$w = \pi(f) = \pi\bigg(\sum_{\substack{x \in V_1 \times \cdots \times V_n \\ f(x) \neq 0}} f(x)\, \delta_x\bigg) = \sum_{\substack{x \in V_1 \times \cdots \times V_n \\ f(x) \neq 0}} f(x)\, \pi(\delta_x) = \sum_{\substack{x \in V_1 \times \cdots \times V_n \\ f(x) \neq 0}} f(x)\, \tau(x).$$

Damit haben wir w als Linearkombination von Elementen des Bildes von τ dargestellt. $\qquad\square$

Definition 8.13. Wir nennen $\tau\colon V_1 \times \cdots \times V_n \to V_1 \otimes \cdots \otimes V_n$ die zum Tensorprodukt $V_1 \otimes \cdots \otimes V_n$ gehörige **Tensorabbildung**.

Die folgende universelle Eigenschaft des Tensorprodukts erlaubt es uns, multilineare Abbildungen auf lineare Abbildungen zurückzuführen.

Proposition 8.14 (Universelle Eigenschaft des Tensorprodukts). *Seien $V_1, \dots, V_n$ und W Vektorräume über einem Körper K. Sei τ die zum Tensorprodukt $V_1 \otimes \cdots \otimes V_n$ gehörige Tensorabbildung.*

Dann gibt es für jede multilineare Abbildung $\varphi\colon V_1 \times \cdots \times V_n \to W$ genau eine lineare Abbildung $\bar\varphi\colon V_1 \otimes \cdots \otimes V_n \to W$, so dass folgendes Diagramm kommutiert:

$$\begin{array}{ccc} V_1 \times \cdots \times V_n & \xrightarrow{\ \varphi\ } & W \\ {\scriptstyle\tau}\big\downarrow & \nearrow{\scriptstyle\bar\varphi} & \\ V_1 \otimes \cdots \otimes V_n & & \end{array}$$

Wir nennen wieder $\bar\varphi$ die durch φ **induzierte Abbildung**. Man beachte, dass die Abbildung φ multilinear ist, die induzierte Abbildung $\bar\varphi$ dagegen linear.

Beweis von Proposition 8.14. *Eindeutigkeit:* Sei $w \in V_1 \otimes \cdots \otimes V_n$. Wir linearkombinieren w aus Elementen des Bildes von τ, also $w = \sum_{i=1}^{k} \lambda_i \tau(x_i)$ mit $\lambda_i \in K$ und $x_i \in V_1 \times \cdots \times V_n$. Dann gilt

$$\bar{\varphi}(w) = \bar{\varphi}\left(\sum_{i=1}^{k} \lambda_i \tau(x_i) \right) = \sum_{i=1}^{k} \lambda_i \bar{\varphi}(\tau(x_i)) = \sum_{i=1}^{k} \lambda_i \varphi(x_i) \, .$$

Also ist $\bar{\varphi}$ eindeutig durch φ festgelegt.

Existenz: Um $\bar{\varphi}$ zu definieren, sei $w \in V_1 \otimes \cdots \otimes V_n$ gegeben. Da die Quotientenabbildung $\pi \colon \mathcal{V} = K^{V_1 \times \cdots \times V_n} \to V_1 \otimes \cdots \otimes V_n$ surjektiv ist, können wir ein $z \in K^{V_1 \times \cdots \times V_n}$ wählen mit $\pi(z) = w$. Wir setzen

$$\bar{\varphi}(w) := \sum_{x \in V_1 \times \cdots \times V_n} z(x)\, \varphi(x) \, .$$

Wir beachten, dass die Summe nur endlich viele nicht verschwindende Terme enthält, weil z endlich getragen ist.

Da z nicht eindeutig durch w bestimmt ist, stellt sich die Frage nach der Wohldefiniertheit von $\bar{\varphi}$. Sei also ein weiteres $z' \in \mathcal{V}$ gegeben mit $w = \pi(z')$. Wir müssen zeigen, dass $\sum_{x \in V_1 \times \cdots \times V_n} z(x)\, \varphi(x) = \sum_{x \in V_1 \times \cdots \times V_n} z'(x)\, \varphi(x)$ gilt, d.h. dass

$$\sum_{x \in V_1 \times \cdots \times V_n} (z - z')(x)\, \varphi(x) = 0 \, .$$

Nun gilt $z - z' \in \ker(\pi) = \mathcal{U}$. Daher können wir $z - z'$ durch Elemente wie in der Definition (8.1) linearkombinieren, d.h.

$$z - z' = \sum_{k} \alpha_{1,k} \left(\delta_{(\lambda_{1,k} v_{1,k} + \lambda'_{1,k} v'_{1,k},\, v_{2,k},\ldots,v_{n,k})} - \lambda_{1,k} \delta_{(v_{1,k},v_{2,k},\ldots,v_{n,k})} - \lambda'_{1,k} \delta_{(v'_{1,k},v_{2,k},\ldots,v_{n,k})} \right) + \cdots,$$

wobei wir nur die Terme aufgeführt haben, die in der Notation von (8.1) dem Index $i = 1$ entsprechen, d.h. diejenigen, die sich im ersten Eintrag in V_1 unterscheiden. Die drei Punkte $\cdots$ deuten an, dass für $i = 2$ bis $i = n$ analoge Summen hinzukommen, die wir nicht hinschreiben, damit die Rechnung nicht total unübersichtlich wird. Es folgt:

$$\sum_{x \in V_1 \times \cdots \times V_n} (z - z')(x)\, \varphi(x) = \sum_{k} \alpha_{1,k} \Big(\varphi(\lambda_{1,k} v_{1,k} + \lambda'_{1,k} v'_{1,k},\, v_{2,k},\ldots,v_{n,k})$$
$$- \lambda_{1,k} \varphi(v_{1,k}, v_{2,k},\ldots,v_{n,k}) - \lambda'_{1,k} \varphi(v'_{1,k}, v_{2,k},\ldots,v_{n,k}) \Big) + \cdots$$

Jeder der Terme in der Summe auf der rechten Seite ist Null, weil φ multilinear ist. Also ist $\bar{\varphi}$ wohldefiniert.

Nach Definition gilt für jedes $y \in V_1 \times \cdots \times V_n$:

$$\bar{\varphi}(\tau(y)) = \bar{\varphi}(\pi(\delta_y)) = \sum_{x} \delta_y(x)\, \varphi(x) = \varphi(y) \, ,$$

d.h. $\bar{\varphi} \circ \tau = \varphi$.

Außerdem ist $\bar{\varphi}$ linear, denn für $w, w' \in V_1 \otimes \cdots \otimes V_n$ und $\lambda, \lambda' \in K$ wählen wir $z, z' \in K^{V_1 \times \cdots \times V_n}$ mit $\pi(z) = w$ und $\pi(z') = w'$. Dann gilt $\pi(\lambda z + \lambda' z') = \lambda w + \lambda' w'$ und somit

$$\bar{\varphi}(\lambda w + \lambda' w') = \sum_x (\lambda z + \lambda' z')(x)\, \varphi(x)$$
$$= \lambda \sum_x z(x)\, \varphi(x) + \lambda' \sum_x z'(x)\, \varphi(x)$$
$$= \lambda \bar{\varphi}(w) + \lambda' \bar{\varphi}(w')\,. \qquad \square$$

Von nun an werden wir für die Tensorabbildung auch die Notation

$$\tau(v_1, \ldots, v_n) =: v_1 \otimes \cdots \otimes v_n \tag{8.2}$$

verwenden. Wir können Lemma 8.12 damit so formulieren, dass die Abbildung $(v_1, \ldots, v_n) \mapsto v_1 \otimes \cdots \otimes v_n$ multilinear ist und dass alle Elemente von $V_1 \otimes \cdots \otimes V_n$ sich als Linearkombinationen von Elementen der Form $v_1 \otimes \cdots \otimes v_n$ schreiben lassen. Elemente von $V_1 \otimes \cdots \otimes V_n$ nennen wir **Tensoren**. Tensoren der Form $v_1 \otimes \cdots \otimes v_n$, also solche aus dem Bild der Tensorabbildung, heißen **zerlegbar**. Die Menge der zerlegbaren Tensoren bildet i. Allg. keinen Untervektorraum von $V_1 \otimes \cdots \otimes V_n$, wohl aber ein Erzeugendensystem.

Die Multilinearität von τ übersetzt sich dann in folgende Rechenregeln:

$$v_1 \otimes \cdots \otimes (v_i + v_i') \otimes \cdots \otimes v_n = \tau(v_1, \ldots, v_i + v_i', \ldots, v_n)$$
$$= \tau(v_1, \ldots, v_i, \ldots, v_n) + \tau(v_1, \ldots, v_i', \ldots, v_n)$$
$$= v_1 \otimes \cdots \otimes v_i \otimes \cdots \otimes v_n + v_1 \otimes \cdots \otimes v_i' \otimes \cdots \otimes v_n$$

und

$$v_1 \otimes \cdots \otimes (\lambda v_i) \otimes \cdots \otimes v_n = \tau(v_1, \ldots, \lambda v_i, \ldots, v_n)$$
$$= \lambda \tau(v_1, \ldots, v_i, \ldots, v_n)$$
$$= \lambda \cdot v_1 \otimes \cdots \otimes v_i \otimes \cdots \otimes v_n.$$

Die universelle Eigenschaft können wir so formulieren, dass es für jede multilineare Abbildung $\varphi \colon V_1 \times \cdots \times V_n \to W$ eine eindeutige lineare Abbildung $\bar{\varphi} \colon V_1 \otimes \cdots \otimes V_n \to W$ gibt mit $\bar{\varphi}(v_1 \otimes \cdots \otimes v_n) = \varphi(v_1, \ldots, v_n)$.

Durch Jonglieren mit der universellen Eigenschaft lassen sich viele Eigenschaften des Tensorprodukts recht einfach herleiten. Tatsächlich ist das Tensorprodukt durch seine universelle Eigenschaft bis auf Isomorphie eindeutig festgelegt. Um das zu präzisieren sei $V_1 \tilde{\otimes} \cdots \tilde{\otimes} V_n$ ein Vektorraum mit einer multilinearen Abbildung $\tilde{\tau} \colon V_1 \times \cdots \times V_n \to V_1 \tilde{\otimes} \cdots \tilde{\otimes} V_n$, für die die universelle Eigenschaft aus Proposition 8.14 ebenfalls gilt. Wir wenden die universelle Eigenschaft von $V_1 \otimes \cdots \otimes V_n$ mit $W = V_1 \tilde{\otimes} \cdots \tilde{\otimes} V_n$ und $\varphi = \tilde{\tau}$ an und erhalten eine lineare Abbildung $\bar{\tilde{\tau}} \colon V_1 \otimes \cdots \otimes V_n \to V_1 \tilde{\otimes} \cdots \tilde{\otimes} V_n$, so dass $\bar{\tilde{\tau}} \circ \tau = \tilde{\tau}$. Vertauschen wir die Rollen von $V_1 \otimes \cdots \otimes V_n$ und $V_1 \tilde{\otimes} \cdots \tilde{\otimes} V_n$, so erhalten wir eine lineare Abbildung $\bar{\tau} \colon V_1 \tilde{\otimes} \cdots \tilde{\otimes} V_n \to V_1 \otimes \cdots \otimes V_n$, so dass $\bar{\tau} \circ \tilde{\tau} = \tau$. Die Abbildung $\bar{\tau} \circ \bar{\tilde{\tau}} \colon V_1 \otimes \cdots \otimes V_n \to V_1 \otimes \cdots \otimes V_n$ erfüllt

$$(\bar{\tau} \circ \bar{\tilde{\tau}}) \circ \tau = \bar{\tau} \circ (\bar{\tilde{\tau}} \circ \tau) = \bar{\tau} \circ \tilde{\tau} = \tau = \mathrm{id}_{V_1 \otimes \cdots \otimes V_n} \circ \tau\,.$$

Aus der Eindeutigkeitsaussage der universellen Eigenschaft von $V_1 \otimes \cdots \otimes V_n$, angewandt auf $\varphi = \mathrm{id}_{V_1 \otimes \cdots \otimes V_n}$, folgt $\bar{\tau} \circ \bar{\bar{\tau}} = \mathrm{id}_{V_1 \otimes \cdots \otimes V_n}$.

Analog sieht man, dass $\bar{\bar{\tau}} \circ \bar{\tau} = \mathrm{id}_{V_1 \tilde{\otimes} \cdots \tilde{\otimes} V_n}$ gilt. Daher sind $\bar{\bar{\tau}} \colon V_1 \otimes \cdots \otimes V_n \to V_1 \tilde{\otimes} \cdots \tilde{\otimes} V_n$ und $\bar{\tau} \colon V_1 \tilde{\otimes} \cdots \tilde{\otimes} V_n \to V_1 \otimes \cdots \otimes V_n$ zu einander inverse Isomorphismen. Die beiden Tensorprodukte $V_1 \otimes \cdots \otimes V_n$ und $V_1 \tilde{\otimes} \cdots \tilde{\otimes} V_n$ sind also isomorph und zwar so, dass Elemente der Form $v_1 \otimes \cdots \otimes v_n$ unter dem Isomorphismus auf $v_1 \tilde{\otimes} \cdots \tilde{\otimes} v_n$ abgebildet werden.

Man spricht dann von $\bar{\bar{\tau}} \colon V_1 \otimes \cdots \otimes V_n \to V_1 \tilde{\otimes} \cdots \tilde{\otimes} V_n$ und $\bar{\tau} \colon V_1 \tilde{\otimes} \cdots \tilde{\otimes} V_n \to V_1 \otimes \cdots \otimes V_n$ als den **natürlichen Isomorphismen**. Es gibt eine ganze Reihe weiterer natürlicher Isomorphismen:

Satz 8.15. *Seien V_1, V_2 und V_3 Vektorräume über einem Körper K.*

(i) (Kommutativität des Tensorprodukts) *Es gibt einen eindeutigen Isomorphismus*

$$V_1 \otimes V_2 \to V_2 \otimes V_1,$$

der Elemente der Form $v_1 \otimes v_2$ auf $v_2 \otimes v_1$ abbildet.

(ii) (Assoziativität des Tensorprodukts) *Es gibt eindeutige Isomorphismen*

$$(V_1 \otimes V_2) \otimes V_3 \leftarrow V_1 \otimes V_2 \otimes V_3 \to V_1 \otimes (V_2 \otimes V_3),$$

die Elemente der Form $v_1 \otimes v_2 \otimes v_3$ auf $(v_1 \otimes v_2) \otimes v_3$ bzw. $v_1 \otimes (v_2 \otimes v_3)$ abbilden.

(iii) (Distributivität des Tensorprodukts) *Es gibt einen eindeutigen Isomorphismus*

$$V_1 \otimes (V_2 \oplus V_3) \to V_1 \otimes V_2 \oplus V_1 \otimes V_3,$$

der Elemente der Form $v_1 \otimes (v_2 + v_3)$ auf $v_1 \otimes v_2 + v_1 \otimes v_3$ abbildet.

(iv) (Neutrales Element für das Tensorprodukt) *Es gibt einen eindeutigen Isomorphismus*

$$K \otimes V_1 \to V_1,$$

der Elemente der Form $\lambda \otimes v$ auf $\lambda \cdot v$ abbildet, wobei $\lambda \in K$ und $v \in V_1$.

Beweis. Zu (i):

Wir wenden die universelle Eigenschaft von $V_1 \otimes V_2$ an auf $W = V_2 \otimes V_1$ und die bilineare Abbildung $\varphi(v_1, v_2) = v_2 \otimes v_1$. Wir erhalten eine eindeutige lineare Abbildung $\bar{\varphi} \colon V_1 \otimes V_2 \to V_2 \otimes V_1$ mit $\bar{\varphi}(v_1 \otimes v_2) = v_2 \otimes v_1$. Vertauschen wir die Rollen von V_1 und V_2, so erhalten wir eine eindeutige lineare Abbildung $\bar{\psi} \colon V_2 \otimes V_1 \to V_1 \otimes V_2$ mit $\bar{\psi}(v_2 \otimes v_1) = v_1 \otimes v_2$. Die Verkettung $\bar{\psi} \circ \bar{\varphi} \colon V_1 \otimes V_2 \to V_1 \otimes V_2$ erfüllt dann $\bar{\psi} \circ \bar{\varphi}(v_1 \otimes v_2) = v_1 \otimes v_2$. Die Identitätsabbildung $\mathrm{id}_{V_1 \otimes V_2}$ erfüllt dies ebenfalls. Wegen der Eindeutigkeit der universellen Eigenschaft von $V_1 \otimes V_2$ angewandt auf $W = V_1 \otimes V_2$ und die Abbildung $\mathrm{id}_{V_1 \otimes V_2}$ folgt, dass $\bar{\psi} \circ \bar{\varphi} = \mathrm{id}_{V_1 \otimes V_2}$ ist. Analog sieht man, dass $\bar{\varphi} \circ \bar{\psi} = \mathrm{id}_{V_2 \otimes V_1}$ gilt. Damit ist $\bar{\varphi}$ der gewünschte Isomorphismus (mit dem

Inversen $\bar{\psi}$).

Zu (ii):
Wir wenden die universelle Eigenschaft von $V_1 \otimes V_2 \otimes V_3$ an auf $W = V_1 \otimes (V_2 \otimes V_3)$ und die multilineare Abbildung $\varphi(v_1, v_2, v_3) = v_1 \otimes (v_2 \otimes v_3)$. Wir erhalten eine eindeutige lineare Abbildung $\bar{\varphi}: V_1 \otimes V_2 \otimes V_3 \to V_1 \otimes (V_2 \otimes V_3)$ mit $\bar{\varphi}(v_1 \otimes v_2 \otimes v_3) = v_1 \otimes (v_2 \otimes v_3)$.
Um die Umkehrabbildung zu finden, halten wir zunächst einen Vektor $v_1 \in V_1$ fest und definieren die bilineare Abbildung $\psi_{v_1}: V_2 \times V_3 \to V_1 \otimes V_2 \otimes V_3$ durch $\psi_{v_1}(v_2, v_3) = v_1 \otimes v_2 \otimes v_3$. Die universelle Eigenschaft von $V_2 \otimes V_3$ angewandt auf $W = V_1 \otimes V_2 \otimes V_3$ und die Abbildung ψ_{v_1} liefert eine eindeutige lineare Abbildung $\bar{\psi}_{v_1}: V_2 \otimes V_3 \to V_1 \otimes V_2 \otimes V_3$ mit $\bar{\psi}_{v_1}(v_2 \otimes v_3) = v_1 \otimes v_2 \otimes v_3$. Nun betrachten wir die bilineare Abbildung $\psi: V_1 \times (V_2 \otimes V_3) \to V_1 \otimes V_2 \otimes V_3$ gegeben durch $\psi(v_1, v_2 \otimes v_3) = \bar{\psi}_{v_1}(v_2 \otimes v_3)$. Die universelle Eigenschaft liefert eine eindeutige lineare Abbildung $\bar{\psi}: V_1 \otimes (V_2 \otimes V_3) \to V_1 \otimes V_2 \otimes V_3$ mit

$$\bar{\psi}(v_1 \otimes (v_2 \otimes v_3)) = \psi(v_1, v_2 \otimes v_3) = \bar{\psi}_{v_1}(v_2 \otimes v_3) = v_1 \otimes v_2 \otimes v_3.$$

Die linearen Abbildungen $\bar{\varphi}: V_1 \otimes V_2 \otimes V_3 \to V_1 \otimes (V_2 \otimes V_3)$ und $\bar{\psi}: V_1 \otimes (V_2 \otimes V_3) \to V_1 \otimes V_2 \otimes V_3$ sind invers zueinander auf zerlegbaren Tensoren und, da diese die Tensorprodukte erzeugen, auf den ganzen Tensorprodukten.
Den Isomorphismus $V_1 \otimes V_2 \otimes V_3 \cong (V_1 \otimes V_2) \otimes V_3$ erhalten analog.

Zu (iii):
Seien $\pi_2: V_2 \oplus V_3 \to V_2$ und $\pi_3: V_2 \oplus V_3 \to V_3$ die Projektionen auf die jeweiligen Summanden. Wir wenden die universelle Eigenschaft von $V_1 \otimes (V_2 \oplus V_3)$ an auf $W = V_1 \otimes V_2 \oplus V_1 \otimes V_3$ und die bilineare Abbildung $\varphi(v_1, w) = v_1 \otimes \pi_2(w) + v_1 \otimes \pi_3(w)$. Wir erhalten eine eindeutige lineare Abbildung $\bar{\varphi}: V_1 \otimes (V_2 \oplus V_3) \to V_1 \otimes V_2 \oplus V_1 \otimes V_3$ mit $\bar{\varphi}(v_1 \otimes (v_2 + v_3)) = v_1 \otimes v_2 + v_1 \otimes v_3$.
Um die Umkehrabbildung zu erhalten, betrachten wir die Einbettungen $\iota_2: V_2 \to V_2 \oplus V_3$, $\iota_2(v_2) = v_2 + 0$ und $\iota_3: V_3 \to V_2 \oplus V_3$, $\iota_3(v_3) = 0 + v_3$. Die bilineare Abbildung $\psi_2: V_1 \times V_2 \to V_1 \otimes (V_2 \oplus V_3)$ gegeben durch $\psi_2(v_1, v_2) = v_1 \otimes \iota_2(v_2)$ liefert gemäß der universellen Eigenschaft eine eindeutige lineare Abbildung $\bar{\psi}_2: V_1 \otimes V_2 \to V_1 \otimes (V_2 \oplus V_3)$ mit $\bar{\psi}_2(v_1 \otimes v_2) = v_1 \otimes (v_2 + 0)$. Analog liefert die bilineare Abbildung $\psi_3: V_1 \times V_3 \to V_1 \otimes (V_2 \oplus V_3)$ gegeben durch $\psi_3(v_1, v_3) = v_1 \otimes \iota_3(v_3)$ eine eindeutige lineare Abbildung $\bar{\psi}_3: V_1 \otimes V_3 \to V_1 \otimes (V_2 \oplus V_3)$ mit $\bar{\psi}_3(v_1 \otimes v_3) = v_1 \otimes (0 + v_3)$. Wir definieren nun die lineare Abbildung

$$\Psi: V_1 \otimes V_2 \oplus V_1 \otimes V_3 \to V_1 \otimes (V_2 \oplus V_3) \quad \text{durch} \quad \Psi(w + w') = \bar{\psi}_2(w) + \bar{\psi}_3(w').$$

Dann gilt $\Psi(v_1 \otimes v_2 + v_1 \otimes v_3) = \bar{\psi}_2(v_1 \otimes v_2) + \bar{\psi}_3(v_1 \otimes v_3) = v_1 \otimes (v_2 + 0) + v_1 \otimes (0 + v_3) = v_1 \otimes (v_2 + v_3)$. Die linearen Abbildungen $\bar{\varphi}: V_1 \otimes (V_2 \oplus V_3) \to V_1 \otimes V_2 \oplus V_1 \otimes V_3$ und $\Psi: V_1 \otimes V_2 \oplus V_1 \otimes V_3 \to V_1 \otimes (V_2 \oplus V_3)$ sind invers zueinander auf zerlegbaren Tensoren und, da diese die Tensorprodukte erzeugen, auf den ganzen Räumen.

Zu (iv):
Die bilineare Abbildung $\varphi: K \times V_1 \to V_1$ gegeben durch $\varphi(\lambda, v) = \lambda \cdot v$ induziert gemäß der universellen Eigenschaft eine eindeutige lineare Abbildung $\bar{\varphi}: K \otimes V_1 \to V_1$ mit $\bar{\varphi}(\lambda \otimes v) = \lambda \cdot v$. Die Abbildung $\Psi: V_1 \to K \otimes V_1$ gegeben durch $\Psi(v) = 1 \otimes v$ ist invers zu $\bar{\varphi}$, denn $\bar{\varphi}(\Psi(v)) = \bar{\varphi}(1 \otimes v) = 1 \cdot v = v$ und $\Psi(\bar{\varphi}(\lambda \otimes v)) = \Psi(\lambda v) = 1 \otimes (\lambda v) = \lambda(1 \otimes v) = (\lambda \cdot 1) \otimes v = \lambda \otimes v.\square$

Beispiel 8.16. Für die Standardvektorräume haben wir die folgenden Isomorphismen:

$$K^n \otimes K^m = \underbrace{(K \oplus \cdots \oplus K)}_{n \text{ Summanden}} \otimes K^m \cong \underbrace{K \otimes K^m \oplus \cdots \oplus K \otimes K^m}_{n \text{ Summanden}} \cong \underbrace{K^m \oplus \cdots \oplus K^m}_{n \text{ Summanden}} \cong K^{nm}.$$

Lemma 8.17. *Seien $V_1, \ldots, V_n$ endlich-dimensionale Vektorräume über einem Körper K und $B_j \subset V_j$ Teilmengen. Wir setzen $B := \{b_1 \otimes \cdots \otimes b_n \mid b_j \in B_j\}$. Dann gilt:*

(i) Sind die B_j Erzeugendensysteme von V_j, so ist B ein Erzeugendensystem von $V_1 \otimes \cdots \otimes V_n$.

(ii) Sind die B_j linear unabhängig, so ist B linear unabhängig.

(iii) Sind die B_j Basen von V_j, so ist B eine Basis von $V_1 \otimes \cdots \otimes V_n$.

Beweis. Zu (i):

Seien $B_1, \ldots, B_n$ Erzeugendensysteme. Sei $w \in V_1 \otimes \cdots \otimes V_n$. Wir müssen zeigen, dass w als Linearkombination von Elementen aus B geschrieben werden kann.

Nach Lemma 8.12 können wir w als Linearkombination von zerlegbaren Tensoren schreiben:

$$w = \sum_{i=1}^{k} \lambda_i v_{1,i} \otimes \cdots \otimes v_{n,i} \,.$$

Da die B_j Erzeugendensysteme sind, können wir jedes $v_{j,i}$ als Linearkombination von Elementen aus B_j schreiben:

$$v_{j,i} = \sum_{b \in B_j} \alpha_{b,i} \cdot b \,.$$

Setzen wir dies in die Gleichung für w ein, so erhalten wir:

$$w = \sum_{i=1}^{k} \sum_{b_1 \in B_1} \cdots \sum_{b_n \in B_n} \lambda_i \alpha_{b_1,i} \cdots \alpha_{b_n,i} \cdot (b_1 \otimes \cdots \otimes b_n) \,.$$

Damit ist w eine Linearkombination von Elementen aus B geschrieben.

Zu (ii):

Wir zeigen die Aussage durch vollständige Induktion nach n. Für $n = 1$ ist nichts zu zeigen. Sei also $n \geq 2$. Gemäß Satz 3.131 können wir die B_n zu einer Basis $\tilde{B}_n$ von V_n ergänzen. Für festes $b \in B_n$ sei $\chi_b : V_n \to K$ die eindeutige lineare Abbildung mit $\chi_b(b) = 1$ und $\chi_b(b') = 0$ für alle $b' \in \tilde{B}_n \setminus \{b\}$.

Um die lineare Unabhängigkeit von B zu zeigen, sei

$$\sum_{b_1 \in B_1} \cdots \sum_{b_n \in B_n} \lambda_{b_1,\ldots,b_n} \cdot b_1 \otimes \cdots \otimes b_n = 0. \tag{8.3}$$

Wir haben zu zeigen, dass alle Koeffizienten $\lambda_{b_1,\ldots,b_n} = 0$ sind.

Die multilineare Abbildung $\varphi\colon V_1 \times \cdots \times V_n \to V_1 \otimes \cdots \otimes V_{n-1}$ gegeben durch $\varphi(v_1, \ldots, v_n) = \chi_b(v_n) \cdot v_1 \otimes \cdots \otimes v_{n-1}$ induziert eine lineare Abbildung $\bar{\varphi}\colon V_1 \otimes \cdots \otimes V_n \to V_1 \otimes \cdots \otimes V_{n-1}$ mit $\bar{\varphi}(v_1 \otimes \cdots \otimes v_n) = \chi_b(v_n) \cdot v_1 \otimes \cdots \otimes v_{n-1}$. Wir wenden diese lineare Abbildung auf die Gleichung (8.3) an und erhalten:

$$
\begin{aligned}
0 &= \sum_{b_1 \in B_1} \cdots \sum_{b_n \in B_n} \lambda_{b_1,\ldots,b_n} \bar{\varphi}(b_1 \otimes \cdots \otimes b_n) \\
&= \sum_{b_1 \in B_1} \cdots \sum_{b_n \in B_n} \lambda_{b_1,\ldots,b_n} \cdot \chi_b(b_n) \cdot b_1 \otimes \cdots \otimes b_{n-1} \\
&= \sum_{b_1 \in B_1} \cdots \sum_{b_{n-1} \in B_{n-1}} \lambda_{b_1,\ldots,b_{n-1},b} \cdot b_1 \otimes \cdots \otimes b_{n-1} \,.
\end{aligned}
$$

Nach Induktionsannahme verschwinden alle Koeffizienten $\lambda_{b_1,\ldots,b_{n-1},b}$. Da $b \in B_n$ beliebig ist, ist die Behauptung gezeigt.

Aussage (iii) folgt direkt aus den Aussagen (i) und (ii). $\qquad\qquad\square$

Bemerkung 8.18. Lemma 8.17 ist nicht nur für endlich-dimensionale Vektorräume gültig, sondern auch für beliebige. In der Tat haben wir im Beweis von Teil (i) überhaupt nicht benutzt, dass die V_j endlich-dimensional sind. Diese Voraussetzung ist nur dadurch eingegangen, dass wir im Beweis von (ii) den Satz 3.131 verwendet haben. Tatsächlich gilt Satz 3.131 aber auch für unendlich-dimensionale Vektorräume.

Ziehen wir einige Schlussfolgerungen.

Korollar 8.19. *Sind $V_1, \ldots, V_n$ endlich-dimensionale Vektorräume, so ist auch $V_1 \otimes \cdots \otimes V_n$ endlich-dimensional und es gilt:*

$$
\dim(V_1 \otimes \cdots \otimes V_n) = \dim(V_1) \cdots \dim(V_n) \,.
$$

Beweis. In der Notation von Lemma 8.17 gilt $\sharp B = \sharp B_1 \cdots \sharp B_n$. Lemma 8.17 (iii) liefert das Korollar. $\qquad\qquad\square$

Dieses Korollar bestätigt nochmal das Beispiel 8.16. Für zerlegbare Tensoren gilt folgende Nullteilerfreiheit:

Korollar 8.20. *Seien $V_1, \ldots, V_n$ endlich-dimensionale Vektorräume über einem Körper K. Für $v_j \in V_j$ gilt:*

$$
v_1 \otimes \cdots \otimes v_n \neq 0 \quad \Longleftrightarrow \quad v_j \neq 0 \text{ für alle } j = 1, \ldots, n \,.
$$

Beweis. Die Richtung „$\Rightarrow$" folgt aus der Multilinearität des Tensorprodukts. Die Schlussfolgerung „$\Leftarrow$" ist Lemma 8.17 (ii) mit $B_j = \{v_j\}$. $\qquad\qquad\qquad\qquad\qquad\qquad\qquad\qquad\quad\square$

Ob ein Tensor zerlegbar ist, ist oft gar so einfach zu entscheiden. Betrachten wir beispielsweise das Tensorprodukt $\mathbb{R}^2 \otimes \mathbb{R}^2$. Sei (e_1, e_2) die Standardbasis von $\mathbb{R}^2$. Dann ist der Tensor $e_1 \otimes e_2$ offensichtlich zerlegbar. Aber auch der Tensor $e_1 \otimes e_1 - e_1 \otimes e_2 + e_2 \otimes e_1 - e_2 \otimes e_2$ ist zerlegbar, denn

$$e_1 \otimes e_1 - e_1 \otimes e_2 + e_2 \otimes e_1 - e_2 \otimes e_2 = (e_1 + e_2) \otimes (e_1 - e_2)\,.$$

Im nächsten Beispiel werden wir verstehen, welche Tensoren zerlegbar sind.

Beispiel 8.21. Sei K ein Körper und seien V und W endlich-dimensionale K-Vektorräume. Wir erinnern uns an den Dualraum $V^* = \text{Hom}(V, K)$, siehe Aufgabe 4.6. Betrachten wir folgende bilineare Abbildung:

$$\varphi\colon V^* \times W \to \text{Hom}(V, W), \quad \varphi(\ell, w) = (v \mapsto \ell(v)w)\,.$$

Die induzierte lineare Abbildung $\bar{\varphi}\colon V^* \otimes W \to \text{Hom}(V, W)$ ist ein Isomorphismus. Um das einzusehen, prüfen wir zunächst die Dimensionen der beteiligten Vektorräume. Es gilt:

$$\dim(V^* \otimes W) = \dim(V^*) \cdot \dim(W) = \dim(V) \cdot \dim(W) = \dim(\text{Hom}(V, W))\,.$$

Daher reicht es, die Injektivität von $\bar{\varphi}$ zu zeigen.
Sei $(v_1, \ldots, v_n)$ eine Basis von V und $\mu_1, \ldots, \mu_n$ die duale Basis von V^*. Sei $(w_1, \ldots, w_m)$ eine Basis von W. Dann bilden die Elemente $\mu_i \otimes w_j$ für $i = 1, \ldots, n$ und $j = 1, \ldots, m$ eine Basis von $V^* \otimes W$. Sei $x \in V^* \otimes W$ ein Element aus dem Kern von $\bar{\varphi}$. Wir schreiben $x = \sum_{ij} \lambda_{ij} \cdot \mu_i \otimes w_j$ und berechnen

$$0 = \bar{\varphi}(x) = \left(v \mapsto \sum_{ij} \lambda_{ij} \cdot \mu_i(v)w_j\right).$$

Fixieren wir für den Moment $k \in \{1, \ldots, n\}$ und setzen wir $v = v_k$ ein, so erhalten wir

$$0 = \sum_{ij} \lambda_{ij} \cdot \mu_i(v_k)w_j = \sum_j \lambda_{kj} \cdot w_j\,.$$

Wegen der linearen Unabhängigkeit von $(w_1, \ldots, w_m)$ müssen die Koeffizienten λ_{kj} verschwinden, $j = 1, \ldots, m$. Da dies für alle k gilt, verschwinden alle λ_{ij}, also ist $x = 0$.
Damit haben wir gesehen, dass $\bar{\varphi}\colon V^* \otimes W \to \text{Hom}(V, W)$ ein Isomorphismus ist. Eine Verallgemeinerung auf multilineare Abbildungen findet sich in Aufgabe 8.8.
Die zerlegbaren Tensoren in $V^* \otimes W$ entsprechen unter dem Isomorphismus $\bar{\varphi}$ genau den linearen Abbildungen von V nach W der Form $(v \mapsto \ell(v))w$ mit $\ell \in V^*$ und $w \in W$. Das Bild solcher Homomorphismen ist der eindimensionale Untervektorraum $\text{L}(w) \subset W$ (oder $\{0\}$, falls $\ell = 0$). Zerlegbare Tensoren werden von $\bar{\varphi}$ also auf Homomorphismen vom Rang ≤ 1 abgebildet. Alle anderen Homomorphismen entsprechen daher nicht zerlegbaren Tensoren.

Beispiel 8.22. Kehren wir zum Tensorprodukt $\mathbb{R}^2 \otimes \mathbb{R}^2$ zurück. Sei (e_1, e_2) wieder die Standardbasis von $\mathbb{R}^2$ und $(\varepsilon_1, \varepsilon_2)$ die duale Basis von $(\mathbb{R}^2)^*$. Sei $\psi \colon \mathbb{R}^2 \to (\mathbb{R}^2)^*$ der Isomorphismus mit $\psi(e_j) = \varepsilon_j$. Wir erhalten eine bilineare Abbildung

$$\Phi \colon \mathbb{R}^2 \times \mathbb{R}^2 \xrightarrow{\psi \times \mathrm{id}} (\mathbb{R}^2)^* \times \mathbb{R}^2 \xrightarrow{\tau} (\mathbb{R}^2)^* \otimes \mathbb{R}^2 \xrightarrow{\bar{\varphi}} \mathrm{Hom}(\mathbb{R}^2, \mathbb{R}^2) \xrightarrow{\cong} \mathrm{Mat}(2, \mathbb{R}) \,.$$

Diese bilineare Abbildung bildet das Paar (e_i, e_j) wie folgt ab:

$$(e_i, e_j) \xrightarrow{\psi \times \mathrm{id}} (\varepsilon_i, e_j) \xrightarrow{\tau} \varepsilon_i \otimes e_j \xrightarrow{\bar{\varphi}} (v \mapsto \varepsilon_i(v)e_j) \xrightarrow{\cong} (\varepsilon_i(e_1)e_j, \varepsilon_i(e_2)e_j) \,.$$

Bei der letzten Abbildung haben wir benutzt, dass die Spalten einer Matrix die Bilder der Basisvektoren e_1 und e_2 sind. Die induzierte lineare Abbildung $\bar{\Phi} \colon \mathbb{R}^2 \otimes \mathbb{R}^2 \to \mathrm{Mat}(2, \mathbb{R})$ ist also ein Isomorphismus, der das Element $e_i \otimes e_j$ auf die Matrix abbildet, die in der j-ten Zeile und i-ten Spalte eine 1 und sonst 0 hat. Die zerlegbaren Tensoren $e_1 \otimes e_2$ und $e_1 \otimes e_1 - e_1 \otimes e_2 + e_2 \otimes e_1 - e_2 \otimes e_2$ entsprechen den Matrizen

$$\begin{pmatrix} 0 & 1 \\ 0 & 0 \end{pmatrix} \quad \text{bzw.} \quad \begin{pmatrix} 1 & -1 \\ 1 & -1 \end{pmatrix} \,.$$

In der Tat haben beide Matrizen den Rang 1. Eine invertierbare Matrix dagegen entspricht einem nicht zerlegbaren Tensor. Beispielsweise kann der der Einheitsmatrix entsprechende Tensor $e_1 \otimes e_1 + e_2 \otimes e_2$ nicht zerlegbar sein.

Bemerkung 8.23. Ist V ein K-Vektorraum und $n \geq 2$, so schreiben wir kurz

$$V^{\otimes n} := \underbrace{V \otimes \cdots \otimes V}_{n \text{ Faktoren}} \,.$$

Satz 8.15 (ii) liefert einen natürlichen Isomorphismus

$$V^{\otimes n} \otimes V^{\otimes m} \cong V^{\otimes (n+m)} \,.$$

Angesichts dieses „Potenzgesetzes" und wegen Satz 8.15 (iv) ist es naheliegend, die Konvention

$$V^{\otimes 0} := K \quad \text{und} \quad V^{\otimes 1} := V$$

zu verwenden, was wir von nun an tun wollen. Vergleiche dazu auch Aufgabe 8.2.

Beispiel 8.24. Wir treffen uns zum Spieleabend und würfeln mit einem handelsüblichen Würfel, der die Augenzahlen ⚀ bis ⚅ ergeben kann. Sei $p \in \mathbb{R}^6$ der **Wahrscheinlichkeitsvektor** dieses Würfels. Das bedeutet, dass der Eintrag p_i die Wahrscheinlichkeit angibt, dass bei einem Wurf die Zahl i gewürfelt wird. Insbesondere ist $p_i \geq 0$ und $p_1 + \cdots + p_6 = 1$. Bei einem perfekten Würfel wäre $p_1 = \cdots = p_6 = \frac{1}{6}$, bei einem gezinkten vielleicht

Abb. 119 *Spielwürfel*

$p_1 = \cdots = p_5 = 0$ und $p_6 = 1$. Reale Würfel liegen irgendwo zwischen diesen Extremen und hoffentlich näher beim perfekten Würfel. Nehmen wir nun einen zweiten Würfel hinzu und bezeichnen dessen Wahrscheinlichkeitsvektor mit $q \in \mathbb{R}^6$. Wie wahrscheinlich ist es nun, eine bestimmte Kombination zu würfeln, z.B. einen Sechserpasch? Wir berechnen:

$$p \otimes q = \left(\sum_{i=1}^{6} p_i e_i \right) \otimes \left(\sum_{j=1}^{6} q_j e_j \right) = \sum_{i,j=1}^{6} p_i q_j (e_i \otimes e_j) \,.$$

In der Tat ist $p_i q_j$ die Wahrscheinlichkeit, dass der erste Würfel die Augenzahl i und der zweite die Augenzahl j zeigt. Somit ist $p \otimes q$ der Wahrscheinlichkeitsvektor des Würfelpaars. Die Wahrscheinlichkeit einen Sechserpasch zu würfeln, ist dann durch den Koeffizienten von $p \otimes q$ vor dem Basisvektor $e_6 \otimes e_6$ gegeben.

Ganz ähnlich enthält z.B. der Tensor $p \otimes p \otimes p \otimes p \in (\mathbb{R}^6)^{\otimes 4}$ die Wahrscheinlichkeiten für die Augenzahlfolgen bei vier Würfen mit dem ersten Würfel.

8.3. Tensorprodukt von linearen Abbildungen

Nicht nur von Vektorräumen und ihren Elementen kann man Tensorprodukte bilden, sondern auch von linearen Abbildungen. Das funktioniert wie folgt: Seien $V_1, \ldots, V_n$ und $W_1, \ldots, W_n$ Vektorräume über einem Körper K und $\psi_j \colon V_j \to W_j$ lineare Abbildungen. Dann ist

$$\varphi \colon V_1 \times \cdots \times V_n \to W_1 \otimes \cdots \otimes W_n, \quad \varphi(v_1, \ldots, v_n) = \psi_1(v_1) \otimes \cdots \otimes \psi_n(v_n),$$

multilinear. Dies liefert eine induzierte lineare Abbildung $\bar{\varphi} \colon V_1 \otimes \cdots \otimes V_n \to W_1 \otimes \cdots \otimes W_n$, für die wir ab jetzt

$$\bar{\varphi} =: \psi_1 \otimes \cdots \otimes \psi_n \colon V_1 \otimes \cdots \otimes V_n \to W_1 \otimes \cdots \otimes W_n$$

schreiben. Es gilt also

$$(\psi_1 \otimes \cdots \otimes \psi_n)(v_1 \otimes \cdots \otimes v_n) = \psi_1(v_1) \otimes \cdots \otimes \psi_n(v_n) \,.$$

Lemma 8.25. *Seien V_j, W_j und Z_j Vektorräume über einem Körper K und seien $\psi_j \colon V_j \to W_j$ und $\chi_j \colon W_j \to Z_j$ lineare Abbildungen, $j = 1, \ldots, n$. Dann gilt:*

(i) $(\chi_1 \otimes \cdots \otimes \chi_n) \circ (\psi_1 \otimes \cdots \otimes \psi_n) = (\chi_1 \circ \psi_1) \otimes \cdots \otimes (\chi_n \circ \psi_n)$.

(ii) $\mathrm{id}_{V_1} \otimes \cdots \otimes \mathrm{id}_{V_n} = \mathrm{id}_{V_1 \otimes \cdots \otimes V_n}$.

(iii) Sind alle ψ_j Isomorphismen, so ist auch $\psi_1 \otimes \cdots \otimes \psi_n$ ein Isomorphismus und es gilt:

$$(\psi_1 \otimes \cdots \otimes \psi_n)^{-1} = \psi_1^{-1} \otimes \cdots \otimes \psi_n^{-1} \,.$$

Beweis. Alle Identitäten gelten offensichtlich, wenn wir zerlegbare Tensoren einsetzen. Da die zerlegbaren Tensoren alle Elemente der Tensorprodukte erzeugen, gelten die Identitäten auf den ganzen Tensorprodukten. $\qquad\square$

Beispiel 8.26. Wir spinnen Beispiel 8.24 weiter und erinnern uns, dass für zwei Würfel mit den Wahrscheinlichkeitsvektoren $p, q \in \mathbb{R}^6$ der Wahrscheinlichkeitsvektor des Würfelpaars durch $t = p \otimes q \in (\mathbb{R}^6)^{\otimes 2}$ gegeben ist. Wir würfeln nun mit dem Paar in einem Becher und decken den Wurf zunächst noch nicht auf. Dann kennen wir das Ergebnis des Wurfs noch nicht, sondern wissen nur, dass die Wahrscheinlichkeit, (i, j) gewürfelt zu haben, gegeben ist durch den Koeffizienten von t vor dem Basisvektor $e_i \otimes e_j$.

Nun decken wir den Wurf teilweise auf, so dass wir zwar das Ergebnis des ersten Würfels, nicht aber das des zweiten Würfels sehen können. Gewinnen wir dadurch Information über das Ergebnis des zweiten Würfels?

Sagen wir, der erste Würfel zeigt die Augenzahl 3. Dann sind alle Ergebnisse (i, j) mit $i \neq 3$ unmöglich geworden und wir müssen in t die Koeffizienten vor den Basisvektoren $e_i \otimes e_j$ mit $i \neq 3$ durch 0 ersetzen. Mathematisch können wir das so beschreiben: Sei $\pi \colon \mathbb{R}^6 \to \mathbb{R}^6$ die Orthogonalprojektion auf den Untervektorraum $U = \mathrm{L}(e_3) \subset \mathbb{R}^6$. Der neue Tensor, in dem wir alle Koeffizienten vor den Basisvektoren $e_i \otimes e_j$ mit $i \neq 3$ durch 0 ersetzt haben und die vor den $e_3 \otimes e_j$ unverändert belassen haben, ist gegeben durch $(\pi \otimes \mathrm{id})(t)$. Die Koeffizienten in diesem neuen Tensor sind wieder alle ≥ 0, aber sie addieren sich nicht mehr zu 1 auf. Um wieder einen Wahrscheinlichkeitsvektor zu erhalten, müssen wir den neuen Tensor normieren, indem wir durch die Wahrscheinlichkeit teilen, mit dem ersten Würfel 3 geworfen zu haben. Der neue Wahrscheinlichkeitsvektor ist also gegeben durch

$$\frac{1}{p_3}(\pi \otimes \mathrm{id})(t) = \frac{1}{p_3} \sum_{j=1}^{6} p_3 q_j (e_3 \otimes e_j) = \sum_{j=1}^{6} q_j e_3 \otimes e_j = e_3 \otimes q$$

Es hat sich also nichts an den Wahrscheinlichkeiten des zweiten Würfels geändert. Das ist plausibel, denn die beiden Würfel beeinflussen sich gegenseitig nicht. Eine analoge Rechnung funktioniert immer, wenn der Wahrscheinlichkeitstensor t von der Form $t = p \otimes q$ ist, d.h. wenn er zerlegbar ist.

Nun sind uns Würfelspiele an unserem Spieleabend langweilig geworden und wir gehen zu Kartenspielen über. Der Einfachheit halber spielen wir nur mit 4 Karten, die alle ein Ass sind, aber in den vier verschiedenen Farben ♣, ♠, ♡ und ◇. Wir nehmen an, dass die Karten abgesehen von der Farbe identisch sind, so dass die Wahrscheinlichkeit, eine bestimmte Farbe zu ziehen, immer $\frac{1}{4}$ beträgt. Bezeichnen wir die Standardbasis von $\mathbb{R}^4$ ausnahmsweise mit $e_\clubsuit, e_\spadesuit, e_\heartsuit, e_\diamondsuit$, dann ist der Wahrscheinlichkeitsvektor des Kartendecks gegeben durch

Abb. 120 *Spielkarten*

$$v = \tfrac{1}{4} \sum_{i \in F} e_i, \tag{8.4}$$

wobei $F = \{\clubsuit, \spadesuit, \heartsuit, \diamondsuit\}$ die Menge der Farben ist. Nun ziehen wir nacheinander zwei Karten aus dem Deck, ohne sie aufzudecken. Wie sieht der Wahrscheinlichkeitstensor $s \in (\mathbb{R}^4)^{\otimes 2}$ dafür aus?

Da wir dieselbe Karte nicht zweimal ziehen können, müssen die Koeffizienten vor den Basisvektoren $e_i \otimes e_i$ Null sein. Alle anderen Kombinationen sind gleich wahrscheinlich. Also ist

$$s = \tfrac{1}{12} \sum_{\substack{(i,j) \in F \times F \\ i \neq j}} e_i \otimes e_j \,.$$

Die Wahrscheinlichkeit, dass die erste Karte die Farbe $i \in F$ hat, ist dann gegeben durch

$$s_{i1} + s_{i2} + s_{i3} + s_{i4} = 0 + \tfrac{1}{12} + \tfrac{1}{12} + \tfrac{1}{12} = \tfrac{1}{4}$$

in Übereinstimmung mit (8.4). Genauso sieht man, dass die Wahrscheinlichkeit, dass die zweite Karte die Farbe $i \in F$ hat, ebenfalls $s_{1i} + s_{2i} + s_{3i} + s_{4i} = \tfrac{1}{4}$ ist.

Nun decken wir die erste Karte auf und lassen die zweite noch verdeckt. Sagen wir, die erste Karte hat $\heartsuit$ ergeben. Um die Wahrscheinlichkeiten für die Farbe der zweiten Karte zu berechnen, sei $\pi\colon \mathbb{R}^4 \to \mathbb{R}^4$ die Orthogonalprojektion auf den Untervektorraum $U = \mathrm{L}(e_\heartsuit) \subset \mathbb{R}^4$. Dann stehen die Wahrscheinlichkeiten im Tensor

$$\frac{1}{1/4}(\pi \otimes \mathrm{id}_{\mathbb{R}^4})(s) = \frac{1}{1/4}\frac{1}{12} \sum_{j \in F \setminus \{\heartsuit\}} e_\heartsuit \otimes e_j = \frac{1}{3} \sum_{j \in F \setminus \{\heartsuit\}} e_\heartsuit \otimes e_j \,.$$

Die Wahrscheinlichkeiten für die Farbe der zweiten Karte waren vor dem Aufdecken der ersten Karte jeweils $\tfrac{1}{4}$, nach dem Aufdecken werden sie zu 0 für $\heartsuit$ und zu jeweils $\tfrac{1}{3}$ für die anderen Farben. Im Gegensatz zu unserem Würfelspiel hat also die Information über die erste Karte zu neuer Information auch über die zweite Karte geführt. Mathematisch ist dieses Phänomen dadurch möglich, dass der Wahrscheinlichkeitstensor s nicht zerlegbar ist, siehe auch Aufgabe 8.7.

Unser nächstes Ziel ist es, Skalarprodukte auf Tensorprodukten zu erhalten. Seien zunächst noch $V_1, \ldots, V_n$ und $W_1, \ldots, W_n$ beliebige Vektorräume über einem Körper K. Seien $\beta_j\colon V_j \times W_j \to K$ Bilinearformen. Später werden dies Skalarprodukte sein, aber für den Moment bleiben wir noch bei dieser Allgemeinheit. Wir erhalten die induzierten linearen Abbildungen $\bar\beta_j\colon V_j \otimes W_j \to K$. Unter wiederholter Anwendung von Satz 8.15 erhalten wir die natürlichen Isomorphismen, die in folgendem Diagramm mit dem Symbol „$\cong$" bezeichnet werden:

$$
\begin{array}{c}
(V_1 \otimes \cdots \otimes V_n) \times (W_1 \otimes \cdots \otimes W_n) \\[2pt]
\tau \downarrow \\[2pt]
(V_1 \otimes \cdots \otimes V_n) \otimes (W_1 \otimes \cdots \otimes W_n) \\[2pt]
\cong \downarrow \\[2pt]
(V_1 \otimes W_1) \otimes \cdots \otimes (V_n \otimes W_n) \\[2pt]
\bar\beta_1 \otimes \cdots \otimes \bar\beta_n \downarrow \\[2pt]
K \otimes \cdots \otimes K \\[2pt]
\cong \downarrow \\[2pt]
K
\end{array}
\qquad (8.5)
$$

mit der Abbildung β rechts.

Dies liefert uns eine bilineare Abbildung $\beta \colon (V_1 \otimes \cdots \otimes V_n) \times (W_1 \otimes \cdots \otimes W_n) \to K$. Auf zerlegbaren Tensoren ist sie gegeben durch

$$
\begin{array}{c}
(v_1 \otimes \cdots \otimes v_n, w_1 \otimes \cdots \otimes w_n) \\[4pt]
\tau \downarrow \\[4pt]
(v_1 \otimes \cdots \otimes v_n) \otimes (w_1 \otimes \cdots \otimes w_n) \\[4pt]
\cong \downarrow \\[4pt]
(v_1 \otimes w_1) \otimes \cdots \otimes (v_n \otimes w_n) \qquad \beta \\[4pt]
\bar\beta_1 \otimes \cdots \otimes \bar\beta_n \downarrow \\[4pt]
\bar\beta_1(v_1 \otimes w_1) \otimes \cdots \otimes \bar\beta_n(v_n \otimes w_n) \\[4pt]
\cong \downarrow \\[4pt]
\bar\beta_1(v_1 \otimes w_1) \cdots \bar\beta_n(v_n \otimes w_n)
\end{array}
\quad,
$$

also durch

$$
\beta(v_1 \otimes \cdots \otimes v_n, w_1 \otimes \cdots \otimes w_n) = \bar\beta_1(v_1 \otimes w_1) \cdots \bar\beta_n(v_n \otimes w_n) = \beta_1(v_1, w_1) \cdots \beta_n(v_n, w_n). \tag{8.6}
$$

Gilt $V_j = W_j$ und sind die β_j symmetrisch, so folgt aus (8.6) die Symmetrie von β auf zerlegbaren Tensoren und damit auf allen Tensoren.

Seien von nun an die V_j endlich-dimensionale reelle Vektorräume und $\beta_j \colon V_j \times V_j \to \mathbb{R}$ symmetrische Bilinearformen. Dann können wir gemäß dem Satz 7.34 von Sylvester Basen $B_1 = (b_{1,1}, \ldots, b_{1,m_1})$ bis $B_n = (b_{n,1}, \ldots, b_{n,m_n})$ von V_1 bis V_n wählen, die β_1 bis β_n diagonalisieren. Genauer gilt dann $\beta_j(b_{j,k}, b_{j,l}) = c_{jkl}\delta_{kl}$ mit $c_{jkl} \in \{-1, 0, 1\}$. Für Basisvektoren von $V_1 \otimes \cdots \otimes V_n$ aus der zugehörigen Tensorbasis wie in Lemma 8.17 gilt dann:

$$
\begin{aligned}
\beta(b_{1,i_1} \otimes \cdots \otimes b_{n,i_n}, b_{1,j_1} \otimes \cdots \otimes b_{n,j_n}) &= \beta_1(b_{1,i_1}, b_{1,j_1}) \cdots \beta_n(b_{n,i_n}, b_{n,j_n}) \\
&= c_{1i_1j_1}\delta_{i_1j_1} \cdots c_{ni_nj_n}\delta_{i_nj_n} \\
&= c_{1i_1j_1} \cdots c_{ni_nj_n}\delta_{(i_1,\ldots,i_n),(j_1,\ldots,j_n)}.
\end{aligned}
$$

Da nun auch $c_{1i_1j_1} \cdots c_{ni_nj_n} \in \{-1, 0, 1\}$ gilt, wird β durch die Tensorbasis ebenfalls in Sylvesterform gebracht.

Sind alle β_j nicht degeneriert, so gilt stets $c_{jkl} \in \{-1, 1\}$ und damit auch $c_{1i_1j_1} \cdots c_{ni_nj_n} \in \{-1, 1\}$. Also ist dann β ebenfalls nicht degeneriert.

Sind alle β_j positiv definit, so gilt stets $c_{jkl} = 1$ und damit auch $c_{1i_1j_1} \cdots c_{ni_nj_n} = 1$. Also ist dann β ebenfalls positiv definit. Wir sehen daher, dass euklidische Skalarprodukte auf den Vektorräumen V_1 bis V_n auf diese Weise ein Skalarprodukt auf dem Tensorprodukt $V_1 \otimes \cdots \otimes V_n$ liefern. Bezüglich dieses Skalarprodukts gilt für die Länge von zerlegbaren Tensoren:

$$
\|v_1 \otimes \cdots \otimes v_n\|^2 = \beta(v_1 \otimes \cdots \otimes v_n, v_1 \otimes \cdots \otimes v_n) = \beta_1(v_1, v_1) \cdots \beta_n(v_n, v_n) = \|v_1\|^2 \cdots \|v_n\|^2,
$$

also

$$
\|v_1 \otimes \cdots \otimes v_n\| = \|v_1\| \cdots \|v_n\|.
$$

> **Lemma 8.27.** *Seien V_1 bis V_n endlich-dimensionale euklidische Vektorräume. Sind $\psi_j \in \mathrm{O}(V_j)$, dann ist $\psi_1 \otimes \cdots \otimes \psi_n \in \mathrm{O}(V_1 \otimes \cdots \otimes V_n)$.*

Beweis. Wir bezeichnen alle Skalarprodukte mit $\langle \cdot, \cdot \rangle$. Für zerlegbare Tensoren gilt:

$$\langle (\psi_1 \otimes \cdots \otimes \psi_n)(v_1 \otimes \cdots \otimes v_n), (\psi_1 \otimes \cdots \otimes \psi_n)(w_1 \otimes \cdots \otimes w_n) \rangle$$
$$= \langle \psi_1(v_1) \otimes \cdots \otimes \psi_n(v_n), \psi_1(w_1) \otimes \cdots \otimes \psi_n(w_n) \rangle$$
$$= \langle \psi_1(v_1), \psi_1(w_1) \rangle \cdots \langle \psi_n(v_n), \psi_n(w_n) \rangle$$
$$= \langle v_1, w_1 \rangle \cdots \langle v_n, w_n \rangle$$
$$= \langle v_1 \otimes \cdots \otimes v_n, w_1 \otimes \cdots \otimes w_n \rangle \ .$$

Da alle Tensoren aus zerlegbaren linearkomibiniert werden können, folgt die Behauptung. $\qquad\square$

Dasselbe Spiel möchten wir nun mit unitären Vektorräumen und Endomorphismen spielen. Dabei stoßen wir auf das Problem, dass hermitesche Skalarprodukte nicht bilinear, sondern sesquilinear sind, so dass wir nicht unmittelbar mit Tensorprodukten arbeiten können. Um das Problem zu beheben, greifen wir zu einem Trick.

> **Definition 8.28.** Sei $(V, +, \cdot)$ ein komplexer Vektorraum. Dann ist der **konjugierte Vektorraum** gegeben durch das Tripel $(V, +, \bar{\cdot})$, wobei $\bar{\cdot} \colon \mathbb{C} \times V \to V$ definiert ist durch $z \bar{\cdot} v = \bar{z} \cdot v$ für alle $z \in \mathbb{C}$ und $v \in V$.

Hier bezeichnet $\bar{z}$ wie üblich das komplex Konjugierte von z. Der konjugierte Vektorraum ist also als Menge dieselbe wie V und auch die Vektoraddition ist dieselbe. Wir haben lediglich die Multiplikation von Vektoren mit Skalaren umdefiniert. Da die komplexe Konjugation ein Körperautomorphismus ist, d.h. mit Addition und Multiplikation komplexer Zahlen verträglich ist, sieht man leicht, dass der konjugierte Vektorraum tatsächlich wieder ein komplexer Vektorraum ist. Wir schreiben den konjugierten Vektorraum meist kurz als $\bar{V}$.

Seien nun V und W komplexe Vektorräume und $h \colon V \times W \to \mathbb{C}$ eine Sesquilinearform. Dann ist h als Abbildung $h \colon \bar{V} \times W \to \mathbb{C}$ bilinear, denn

$$h(\alpha \bar{\cdot} v_1 + \beta \bar{\cdot} v_2, w) = h(\bar{\alpha} \cdot v_1 + \bar{\beta} \cdot v_2, w) = \bar{\bar{\alpha}} h(v_1, w) + \bar{\bar{\beta}} h(v_2, w) = \alpha h(v_1, w) + \beta h(v_2, w) \ .$$

Damit erhalten wir eine induzierte lineare Abbildung $\bar{h} \colon \bar{V} \otimes W \to \mathbb{C}$. Um nun analog zum reellen Fall vorgehen zu können, müssen wir noch überlegen, wie sich das Tensorprodukt mit Konjugation verhält.

> **Lemma 8.29.** *Seien $V_1, \ldots, V_n$ komplexe Vektorräume. Dann ist die Identität ein Isomorphismus*
> $$\bar{V}_1 \otimes \cdots \otimes \bar{V}_n \to \overline{V_1 \otimes \cdots \otimes V_n} \, .$$

Beweis. Die Tensorabbildung

$$\tau \colon V_1 \times \cdots \times V_n \to V_1 \otimes \cdots \otimes V_n, \quad (v_1, \ldots, v_n) \mapsto v_1 \otimes \cdots \otimes v_n$$

ist, wie wir wissen, multilinear. Da sich beim Konjugieren von Vektorräumen an den Mengen nichts ändert, können wir τ auch als Abbildung

$$\tau \colon \bar{V}_1 \times \cdots \times \bar{V}_n \to \overline{V_1 \otimes \cdots \otimes V_n} \tag{8.7}$$

auffassen. Diese Abbildung ist additiv in jedem Argument, da sich die Addition von Vektoren beim Konjugieren nicht ändert. Um zu prüfen, dass τ als Abbildung in (8.7) multilinear ist, berechnen wir:

$$\begin{aligned}
\tau(v_1, \ldots, \bar{\alpha} \cdot v_i, \ldots, v_n) &= \tau(v_1, \ldots, \bar{\alpha} \cdot v_i, \ldots, v_n) \\
&= \bar{\alpha} \cdot \tau(v_1, \ldots, v_i, \ldots, v_n) \\
&= \bar{\alpha} \cdot \tau(v_1, \ldots, v_i, \ldots, v_n) \, .
\end{aligned}$$

Also induziert τ eine lineare Abbildung $\bar{\tau} \colon \bar{V}_1 \otimes \cdots \otimes \bar{V}_n \to \overline{V_1 \otimes \cdots \otimes V_n}$. Diese Abbildung erfüllt

$$\bar{\tau}(v_1 \otimes \cdots \otimes v_n) = \tau(v_1, \ldots, v_n) = v_1 \otimes \cdots \otimes v_n.$$

Daher ist $\bar{\tau}$ die Identität und damit ist die Identität linear als Abbildung $\bar{V}_1 \otimes \cdots \otimes \bar{V}_n \to \overline{V_1 \otimes \cdots \otimes V_n}$. Sie ist also ein Isomorphismus. $\qquad \square$

Wir können also mit Fug und Recht

$$\bar{V}_1 \otimes \cdots \otimes \bar{V}_n = \overline{V_1 \otimes \cdots \otimes V_n}$$

schreiben.

Nach dieser Exkursion betrachten wir Sesquilinearformen $h_j \colon V_j \times V_j \to \mathbb{C}$ und erhalten ein ähnliches Diagramm wie in (8.5):

$$
\begin{array}{c}
\overline{V_1 \otimes \cdots \otimes V_n} \times (V_1 \otimes \cdots \otimes V_n) \\
\Big\downarrow{\scriptstyle \mathrm{id}} \\
(\bar{V}_1 \otimes \cdots \otimes \bar{V}_n) \times (V_1 \otimes \cdots \otimes V_n) \\
\Big\downarrow{\scriptstyle \tau} \\
(\bar{V}_1 \otimes \cdots \otimes \bar{V}_n) \otimes (V_1 \otimes \cdots \otimes V_n) \\
\Big\downarrow{\scriptstyle \cong} \\
(\bar{V}_1 \otimes V_1) \otimes \cdots \otimes (\bar{V}_n \otimes V_n) \\
\Big\downarrow{\scriptstyle \bar{h}_1 \otimes \cdots \otimes \bar{h}_n} \\
\mathbb{C} \otimes \cdots \otimes \mathbb{C} \\
\Big\downarrow{\scriptstyle \cong} \\
\mathbb{C}
\end{array}
\qquad h
$$

Die so definierte Abbildung h ist als Abbildung $h \colon \overline{V_1 \otimes \cdots \otimes V_n} \times (V_1 \otimes \cdots \otimes V_n) \to \mathbb{C}$ bilinear und damit als Abbildung $h \colon (V_1 \otimes \cdots \otimes V_n) \times (V_1 \otimes \cdots \otimes V_n) \to \mathbb{C}$ sesquilinear. Außerdem gilt wieder für zerlegbare Tensoren:

$$
h(v_1 \otimes \cdots \otimes v_n, w_1 \otimes \cdots \otimes w_n) = h_1(v_1, w_1) \cdots h_n(v_n, w_n) . \tag{8.8}
$$

Sind die h_j symmetrisch als Sesquilinearformen, so gilt:

$$
\begin{aligned}
h(w_1 \otimes \cdots \otimes w_n, v_1 \otimes \cdots \otimes v_n) &= h_1(w_1, v_1) \cdots h_n(w_n, v_n) \\
&= \overline{h_1(v_1, w_1)} \cdots \overline{h_n(v_n, w_n)} \\
&= \overline{h_1(v_1, w_1) \cdots h_n(v_n, w_n)} \\
&= \overline{h(v_1 \otimes \cdots \otimes v_n, w_1 \otimes \cdots \otimes w_n)} .
\end{aligned}
$$

Daher ist h symmetrisch als Sesquilinearform auf den zerlegbaren Tensoren und damit auf allen Tensoren.

Nehmen wir nun noch an, dass die h_j positiv definit sind und die Vektorräume V_j endlich-dimensional. Dann können wir in jedem V_j eine Orthonormalbasis $B_j = (b_{j,1}, \ldots, b_{j,m_j})$ für h_j wählen. Es gilt dann $h_j(b_{j,k}, b_{j,l}) = \delta_{kl}$. Für die Basisvektoren aus der Tensorbasis von $V_1 \otimes \cdots \otimes V_n$ gemäß Lemma 8.17 berechnen wir:

$$
\begin{aligned}
h(b_{1,i_1} \otimes \cdots \otimes b_{n,i_n}, b_{1,j_1} \otimes \cdots \otimes b_{n,j_n}) &= h_1(b_{1,i_1}, b_{1,j_1}) \cdots h_n(b_{n,i_n}, b_{n,j_n}) \\
&= \delta_{i_1 j_1} \cdots \delta_{i_n j_n} \\
&= \delta_{(i_1,\ldots,i_n),(j_1,\ldots,j_n)} .
\end{aligned}
$$

Damit bildet die Tensorbasis eine Orthonormalbasis von $V_1 \otimes \cdots \otimes V_n$ bezüglich h. Insbesondere ist h positiv definit, denn ein beliebiges $u \in V_1 \otimes \cdots \otimes V_n$ können wir als

$$
u = \sum_{i_1 \ldots i_n} \lambda_{i_1,\ldots,i_n} b_{1,i_1} \otimes \cdots \otimes b_{n,i_n}
$$

schreiben und erhalten

$$
\begin{aligned}
h(u,u) &= h\left(\sum_{i_1\dots i_n} \lambda_{i_1,\dots,i_n} b_{1,i_1} \otimes \cdots \otimes b_{n,i_n},\ \sum_{j_1\dots j_n} \lambda_{j_1,\dots,j_n} b_{1,j_1} \otimes \cdots \otimes b_{n,j_n} \right) \\
&= \sum_{\substack{i_1\dots i_n \\ j_1\dots j_n}} \bar{\lambda}_{i_1,\dots,i_n} \cdot \lambda_{j_1,\dots,j_n} \cdot h(b_{1,i_1} \otimes \cdots \otimes b_{n,i_n}, b_{1,j_1} \otimes \cdots \otimes b_{n,j_n}) \\
&= \sum_{\substack{i_1\dots i_n \\ j_1\dots j_n}} \bar{\lambda}_{i_1,\dots,i_n} \cdot \lambda_{j_1,\dots,j_n} \cdot \delta_{(i_1,\dots,i_n),(j_1,\dots,j_n)} \\
&= \sum_{i_1\dots i_n} |\lambda_{i_1,\dots,i_n}|^2 \\
&\geq 0
\end{aligned}
$$

und $h(u,u) = 0$ genau dann, wenn alle $\lambda_{i_1,\dots,i_n} = 0$ sind, d.h. wenn $u = 0$. Also ist h positiv definit.

Wir fassen zusammen: Sind $(V_1, h_1), \dots, (V_n, h_n)$ endlich-dimensionale unitäre Vektorräume, so ist $V_1 \otimes \cdots \otimes V_n$ ein unitärer Vektorraum mit dem Skalarprodukt h, das durch (8.8) charakterisiert ist.

Derselbe Beweis wie für Lemma 8.27 liefert

Lemma 8.30. *Seien V_1 bis V_n endlich-dimensionale unitäre Vektorräume. Sind $\psi_j \in \mathrm{U}(V_j)$, dann ist $\psi_1 \otimes \cdots \otimes \psi_n \in \mathrm{U}(V_1 \otimes \cdots \otimes V_n)$.* $\qquad\square$

8.4. Symmetrische und antisymmetrische Tensoren

Wir wollen zum Abschluss noch Tensoren mit besonderen Symmetrieeigenschaften betrachten. Sei V ein K-Vektorraum und $n \in \mathbb{N}$. Mit der universellen Eigenschaft des Tensorprodukts kann man sehen, dass es zu jeder Permutation $\sigma \in S_n$ einen eindeutigen Isomorphismus $I_\sigma : V^{\otimes n} \to V^{\otimes n}$ gibt, der auf zerlegbaren Tensoren durch

$$
I_\sigma(v_1 \otimes \cdots \otimes v_n) = v_{\sigma(1)} \otimes \cdots \otimes v_{\sigma(n)} ,
$$

gegeben ist, vergleiche Aufgabe 8.5.

Definition 8.31. Wir nennen einen Tensor $t \in V^{\otimes n}$ **symmetrisch**, wenn für alle $\sigma \in S_n$ gilt:

$$
I_\sigma(t) = t .
$$

Wir nennen $t \in V^{\otimes n}$ **antisymmetrisch**, wenn für alle $\sigma \in S_n$ gilt:

$$
I_\sigma(t) = \mathrm{sgn}(\sigma)t .
$$

Notation 8.32. Wir schreiben

$$\mathrm{Sym}^n V := \{t \in V^{\otimes n} \mid t \text{ ist symmetrisch}\}$$

für die Menge der symmetrischen Tensoren und

$$\Lambda^n V := \{t \in V^{\otimes n} \mid t \text{ ist antisymmetrisch}\}$$

für die Menge der antisymmetrischen Tensoren.

Sowohl $\mathrm{Sym}^n V$ als auch $\Lambda^n V$ sind Durchschnitte gewisser Eigenräume der I_σ, also Durchschnitte von Untervektorräumen und damit selbst Untervektorräume von $V^{\otimes n}$.

Sei nun V endlich-dimensional. Wir schreiben $m = \dim V$. Wir wissen bereits, dass $V^{\otimes n}$ dann die Dimension mn hat. Wir wollen nun die Dimensionen von $\mathrm{Sym}^n V$ und $\Lambda^n V$ bestimmen. Dazu wählen wir eine Basis $B = (b_1, \ldots, b_m)$ von V. Wir entwickeln einen Tensor $t \in V^{\otimes n}$ in der Tensorbasis,

$$t = \sum_{i_1,\ldots,i_n=1}^{m} t_{i_1 \ldots i_n} b_{i_1} \otimes \cdots \otimes b_{i_n},$$

und berechnen:

$$I_\sigma(t) = \sum_{i_1,\ldots,i_n=1}^{m} t_{i_1 \ldots i_n} I_\sigma(b_{i_1} \otimes \cdots \otimes b_{i_n})$$

$$= \sum_{i_1,\ldots,i_n=1}^{m} t_{i_1 \ldots i_n} b_{\sigma(i_1)} \otimes \cdots \otimes b_{\sigma(i_n)}$$

$$= \sum_{j_1,\ldots,j_n=1}^{m} t_{\sigma^{-1}(j_1) \ldots \sigma^{-1}(j_n)} b_{j_1} \otimes \cdots \otimes b_{j_n}.$$

In der letzten Umformung haben wir die Substitution $j_\nu = \sigma(i_\nu)$ vorgenommen. Die Bedingung $I_\sigma(t) = t$ ist also äquivalent zu

$$t_{i_1 \ldots i_n} = t_{\sigma^{-1}(i_1) \ldots \sigma^{-1}(i_n)} \tag{8.9}$$

für alle $i_1, \ldots, i_n \in \{1, \ldots, m\}$. In Worten heißt das, dass die Koeffizienten der Basisvektoren $b_{i_1} \otimes \cdots \otimes b_{i_n}$ übereinstimmen, die durch Vertauschen der Tensorfaktoren aus einander hervorgehen. Zum Beispiel gibt es für $n = 2$ nur eine Permutation, die nicht die Identität ist, nämlich die Transpositionen $\sigma = \tau$. Also ist die Bedingung für Symmetrie in diesem Fall $t_{kl} = t_{lk}$. Relevant ist diese Einschränkung natürlich nur, wenn $k \neq l$.

Zwei Multiindizes $I = (i_1, \ldots, i_n)$ und $J = (j_1, \ldots, j_n)$ sind genau dann durch eine Permutation ineinander überführbar, wenn in ihnen dieselben Zahlen aus $\{1, \ldots, m\}$ genauso oft vorkommen. Zum Beispiel sind die Multiindizes $(1, 2, 3, 1)$ und $(2, 1, 1, 3)$ ineinander überführbar, $(1, 2, 3, 1)$ und $(1, 2, 2, 3)$ aber nicht. Jeder Multiindex $I = (i_1, \ldots, i_n)$ kann in einen monotonen Multiindex $J = (j_1, \ldots, j_n)$ überführt werden, für den dann $j_1 \leq \cdots \leq j_n$ gilt. Dieser monotone Multiindex ist durch I eindeutig bestimmt und wird mit $\mathrm{mon}(I)$ bezeichnet. Die Permutation, die I in $\mathrm{mon}(I)$ überführt, braucht aber nicht eindeutig zu sein. Ist z.B. $\sigma \in S_4$ eine Permutation, die $I = (3, 2, 1, 2)$ in $J = (1, 2, 2, 3)$ überführt, dann überführt auch $\tau \circ \sigma$ den Multiindex I in J, wobei τ die Transposition ist, die den zweiten und dritten Eintrag vertauscht.

Die Bedingung (8.9) für die Symmetrie eines Tensors t besagt, dass die Koeffizienten $t_{i_1 \ldots i_n}$ und $t_{j_1 \ldots j_n}$ übereinstimmen müssen, wenn die Multiindizes $I = (i_1, \ldots, i_n)$ und $J = (j_1, \ldots, j_n)$ ineinander überführbar sind, d.h. wenn $\mathrm{mon}(I) = \mathrm{mon}(J)$ gilt. Für einen symmetrischen Tensor t gilt also:

$$
\begin{aligned}
t &= \sum_{i_1, \ldots, i_n = 1}^{m} t_{i_1 \ldots i_n} b_{i_1} \otimes \cdots \otimes b_{i_n} \\
&= \sum_{1 \leq j_1 \leq \cdots \leq j_n \leq m} \ \sum_{\substack{I \text{ mit} \\ \mathrm{mon}(I) = (j_1, \ldots, j_n)}} t_{i_1 \ldots i_n} b_{i_1} \otimes \cdots \otimes b_{i_n} \\
&= \sum_{1 \leq j_1 \leq \cdots \leq j_n \leq m} t_{j_1 \ldots j_n} \sum_{\substack{I \text{ mit} \\ \mathrm{mon}(I) = (j_1, \ldots, j_n)}} b_{i_1} \otimes \cdots \otimes b_{i_n} .
\end{aligned}
$$

Bei der letzten Umformung haben wir die Bedingung (8.9) benutzt. Die Koeffizienten $t_{j_1 \ldots j_n}$ zu verschiedenen monotonen Multiindizes können frei vorgegeben werden, da solche Multiindizes nicht durch Permutation ineinander überführt werden können. Also bilden die Tensoren

$$
\sum_{\substack{I \text{ mit} \\ \mathrm{mon}(I) = (j_1, \ldots, j_n)}} b_{i_1} \otimes \cdots \otimes b_{i_n}
$$

eine Basis von $\mathrm{Sym}^n V$, wobei $(j_1, \ldots, j_n)$ alle monotonen Multiindizes durchläuft.

Lemma 8.33. *Sei V ein m-dimensionaler Vektorraum. Dann gilt:*

$$
\dim(\mathrm{Sym}^n V) = \frac{(n + m - 1)!}{n!(m - 1)!} .
$$

Beweis. Die Dimension von $\mathrm{Sym}^n V$ ist die Anzahl der monotonen Multiindizes $(j_1, \ldots, j_n)$ mit $1 \leq j_1 \leq \cdots \leq j_n \leq m$. Bezeichnen wir diese Anzahl für den Moment mit $A(n, m)$, dann wollen wir

$$
A(n, m) = \frac{(n + m - 1)!}{n!(m - 1)!}
$$

zeigen. Wir verwenden dazu vollständige Induktion über m.

Ist $m = 1$, so gibt es nur den Multiindex $(1, \ldots, 1)$ und damit ist $A(n, 1) = 1$. In der Tat ist $\frac{(n+1-1)!}{n!0!} = 1$ und der Induktionsanfang ist vollzogen.

Nehmen wir nun die Aussage für m an und folgern sie dann für $m+1$. Wir unterteilen die Menge aller monotonen Multiindizes mit $1 \leq j_1 \leq \cdots \leq j_n \leq m+1$ danach, wann die größtmögliche Zahl $m+1$ erstmals auftritt. Geschieht dies an der $(k+1)$-ten Stelle, so kommt danach wegen der Monotonie nur noch die Zahl $m+1$ vor. Bis zur k-ten Stelle kann beliebiger monotoner Multiindex der Länge k stehen, der Zahlen aus $\{1, \ldots, m\}$ enthält. Also gilt:

$$A(n, m+1) = \sum_{k=0}^{n} A(k, m) = \sum_{k=0}^{n} \frac{(k+m-1)!}{k!(m-1)!} = \frac{(n+m)!}{n!m!} \,.$$

Die letzte Gleichung kann man sich leicht mit vollständiger Induktion über n überlegen, vergleiche Aufgabe 1.12. Damit ist der Induktionsschritt vollzogen und die Aussage bewiesen.$\square$

Nun zu den antisymmetrischen Tensoren. Wir nehmen von jetzt ab an, dass im Körper K die Bedingung $1 + 1 \neq 0$ gilt. Ansonsten wären symmetrische und antisymmetrische Tensoren ohnehin dasselbe.

Für antisymmetrische Tensoren lautet die Bedingung an die Koeffizienten

$$t_{i_1 \ldots i_n} = \operatorname{sgn}(\sigma)\, t_{\sigma^{-1}(i_1) \ldots \sigma^{-1}(i_n)} \,. \tag{8.10}$$

Kommt in dem Multiindex $I = (i_1, \ldots, i_n)$ eine Zahl mehrfach vor, etwa $i_k = i_l$ mit $k \neq l$, dann betrachten wir die Permutation $\sigma \in S_n$, die k und l vertauscht und alle anderen Zahlen auf sich selbst abbildet. Diese Permutation ist eine Transposition und erfüllt daher $\operatorname{sgn}(\sigma) = -1$. Außerdem verändert sie den Multiindex I nicht. Nun gilt:

$$t_{i_1 \ldots i_n} = \operatorname{sgn}(\sigma)\, t_{\sigma^{-1}(i_1) \ldots \sigma^{-1}(i_n)} = -t_{i_1 \ldots i_n} \,.$$

Also ist $(1+1)t_{i_1 \ldots i_n} = 0$ und damit $t_{i_1 \ldots i_n} = 0$, da $1 + 1 \neq 0$. In der Basisentwicklung von t kommen also nur Multiindizes I vor, deren Einträge alle paarweise verschieden sind. Dann ist $\operatorname{mon}(I)$ streng monoton wachsend. In diesem Fall ist die Permutation, die I in $\operatorname{mon}(I)$ überführt eindeutig, denn es gibt keine nichttriviale Permutation, die $\operatorname{mon}(I)$ in sich überführt. Bezeichnen wir das Signum der Permutation, die I in $\operatorname{mon}(I)$ überführt, mit $\operatorname{sgn}(I)$, dann erhalten wir, unter Benutzung von (8.10):

$$\begin{aligned}
t &= \sum_{i_1, \ldots, i_n = 1}^{m} t_{i_1 \ldots i_n} b_{i_1} \otimes \cdots \otimes b_{i_n} \\
&= \sum_{1 \leq j_1 < \cdots < j_n \leq m} \; \sum_{\substack{I \text{ mit} \\ \operatorname{mon}(I) = (j_1, \ldots, j_n)}} t_{i_1 \ldots i_n} b_{i_1} \otimes \cdots \otimes b_{i_n} \\
&= \sum_{1 \leq j_1 < \cdots < j_n \leq m} t_{j_1 \ldots j_n} \sum_{\substack{I \text{ mit} \\ \operatorname{mon}(I) = (j_1, \ldots, j_n)}} \operatorname{sgn}(I)\, b_{i_1} \otimes \cdots \otimes b_{i_n} \,.
\end{aligned}$$

Die Koeffizienten $t_{j_1 \ldots j_n}$ zu verschiedenen streng monotonen Multiindizes können wieder frei vorgegeben werden, da solche Multiindizes nicht durch Permutation ineinander überführt werden können. Also bilden die Tensoren

$$\sum_{\substack{I \text{ mit} \\ \operatorname{mon}(I) = (j_1, \ldots, j_n)}} \operatorname{sgn}(I)\, b_{i_1} \otimes \cdots \otimes b_{i_n}$$

eine Basis von $\Lambda^n V$, wobei $(j_1, \ldots, j_n)$ alle streng monotonen Multiindizes durchläuft. Etwas anders ausgedrückt: Definieren wir für jeden Multiindex $J = (j_1, \ldots, j_n)$ mit paarweise verschiedenen j_k und beliebige Vektoren $v_1, \ldots, v_n \in V$ den Tensor

$$v_1 \wedge \cdots \wedge v_n := \sum_{\sigma \in S_n} \mathrm{sgn}(\sigma) v_{\sigma(1)} \otimes \cdots \otimes v_{\sigma(n)},$$

dann bilden die Tensoren $b_{j_1} \wedge \cdots \wedge b_{j_n}$ eine Basis von $\Lambda^n V$, wobei $(j_1, \ldots, j_n)$ alle streng monotonen Multiindizes durchläuft. Wir nennen dann $v_1 \wedge \cdots \wedge v_n$ das **äußere Produkt** der Vektoren $v_1, \ldots, v_n$.

Lemma 8.34. *Sei V ein m-dimensionaler Vektorraum über einem Körper K mit $1 + 1 \neq 0$. Dann gilt:*

$$\dim(\Lambda^n V) = \begin{cases} \frac{m!}{n!(m-n)!}, & \text{falls } n \leq m, \\ 0, & \text{falls } n > m. \end{cases}$$

Beweis. Die Dimension von $\Lambda^n V$ ist die Anzahl der streng monotonen Multiindizes $(j_1, \ldots, j_n)$ mit $1 \leq j_1 < \cdots < j_n \leq m$. Falls $n > m$ ist, dann gibt es keine solchen Multiindizes. Nehmen wir also $n \leq m$ an und bezeichnen wir die Anzahl dieser streng monotonen Multiindizes wieder mit $A(n, m)$. Wir wollen

$$A(n, m) = \frac{m!}{n!(m - n)!}$$

zeigen. Wir verwenden dazu vollständige Induktion über m.

Für den Induktionsanfang sei $m = n$. Dann gibt es nur den einen streng monotonen Multiindex $(1, \ldots, n)$ und damit ist $A(n, n) = 1 = \frac{n!}{n!0!}$.

Für den Induktionsschritt sei $m > n$ und wir nehmen die Aussage für $m - 1$ an. Die größtmögliche Zahl m kann in einem streng monotonen Multiindex $(j_1, \ldots, j_n)$ nur an der letzten Stelle auftreten. Hat die letzte Stelle einen Wert kleiner als m, dann haben wir einen Multiindex mit Werten in $\{1, \ldots, m-1\}$ vorliegen. Davon gibt es $A(n, m-1)$ viele. Hat die letzte Stelle dagegen den Wert m, dann ist der Multiindex davor von Länge $n - 1$ und nimmt Werte in $\{1, \ldots, m - 1\}$ an. Davon gibt es $A(n - 1, m - 1)$ viele. Also gilt nach Induktionsannahme:

$$A(n, m) = A(n, m - 1) + A(n - 1, m - 1) = \frac{(m - 1)!}{n!(m - 1 - n)!} + \frac{(m - 1)!}{(n - 1)!(m - n)!}$$

$$= \frac{(m - n + n)(m - 1)!}{n!(m - n)!} = \frac{m!}{n!(m - n)!}.$$

Damit ist die Aussage bewiesen. $\square$

Beispiel 8.35. Betrachten wir den Fall $n = m$. Habe also V die Dimenson n. Dann gilt

$$\dim(\Lambda^n V) = \frac{n!}{n!0!} = 1.$$

Ist $(b_1, \ldots, b_n)$ eine geordnete Basis von V, dann spannt der Tensor $b_1 \wedge \cdots \wedge b_n$ den Vektorraum $\Lambda^n V$ auf.

Lemma 8.36. *Sei V ein Vektorraum über einem Körper K mit $1 + 1 \neq 0$. Dann ist die Abbildung*

$$V \times \cdots \times V \to \Lambda^n V, \quad (v_1, \ldots, v_n) \mapsto v_1 \wedge \cdots \wedge v_n,$$

multilinear und alternierend.

Dabei bedeutet **alternierend**, dass $v_1 \wedge \cdots \wedge v_n = 0$ gilt, wenn zwei der Vektoren v_i gleich sind.

Beweis. Da die Abbildung eine Linearkombination von multilinearen Abbildungen der Form $(v_1, \ldots, v_n) \mapsto v_{\sigma(1)} \otimes \cdots \otimes v_{\sigma(n)}$ ist, ist sie multilinear. Ihr Bild liegt auch tatsächlich in $\Lambda^n V$, denn für $\sigma_0 \in S_n$ gilt

$$I_{\sigma_0}(v_1 \wedge \cdots \wedge v_n) = I_{\sigma_0}\left(\sum_{\sigma \in S_n} \mathrm{sgn}(\sigma)\, v_{\sigma(1)} \otimes \cdots \otimes v_{\sigma(n)} \right)$$

$$= \sum_{\sigma \in S_n} \mathrm{sgn}(\sigma)\, v_{\sigma_0 \circ \sigma(1)} \otimes \cdots \otimes v_{\sigma_0 \circ \sigma(n)}$$

$$= \sum_{\sigma' \in S_n} \mathrm{sgn}(\sigma_0^{-1} \circ \sigma')\, v_{\sigma'(1)} \otimes \cdots \otimes v_{\sigma'(n)}$$

$$= \mathrm{sgn}(\sigma_0) v_1 \wedge \cdots \wedge v_n .$$

Stimmen zwei Vektoren überein, $v_i = v_j$ mit $i \neq j$, dann hat die Transposition $\tau \in S_n$, die i und j vertauscht, das Vorzeichen $\mathrm{sgn}(\tau) = -1$. Es gilt dann

$$v_1 \wedge \cdots \wedge v_n = I_\tau(v_1 \wedge \cdots \wedge v_n) = \mathrm{sgn}(\tau)\, v_1 \wedge \cdots \wedge v_n = -v_1 \wedge \cdots \wedge v_n .$$

Wegen $1 + 1 \neq 0$ folgt $v_1 \wedge \cdots \wedge v_n = 0$. Damit ist die Abbildung alternierend. $\qquad\square$

Lemma 8.37. *Seien V und W Vektorräume über einem Körper K. Sei $\varphi \colon V \to W$ linear und sei $n \in \mathbb{N}$. Dann gilt für $\varphi^{\otimes n} := \varphi \otimes \cdots \otimes \varphi \colon V^{\otimes n} \to W^{\otimes n}$:*

$$\varphi^{\otimes n}(\mathrm{Sym}^n(V)) \subset \mathrm{Sym}^n(W) \quad und \quad \varphi^{\otimes n}(\Lambda^n(V)) \subset \Lambda^n(W) .$$

Beweis. Für jede Permutation $\sigma \in S_n$ gilt:

$$I_\sigma \circ \varphi^{\otimes n} = \varphi^{\otimes n} \circ I_\sigma .$$

Wie üblich genügt es, das auf zerlegbaren Tensoren nachzuweisen. Wir berechnen:

$$I_\sigma \circ \varphi^{\otimes n}(v_1 \otimes \cdots \otimes v_n) = I_\sigma(\varphi(v_1) \otimes \cdots \otimes \varphi(v_n))$$

$$= \varphi(v_{\sigma(1)}) \otimes \cdots \otimes \varphi(v_{\sigma(n)})$$
$$= \varphi^{\otimes n}(v_{\sigma(1)} \otimes \cdots \otimes v_{\sigma(n)})$$
$$= \varphi^{\otimes n}(I_\sigma(v_1 \otimes \cdots \otimes v_n)).$$

Ist nun $t \in \mathrm{Sym}^n(V)$, so gilt $I_\sigma(t) = t$ für alle $\sigma \in S_n$. Also ist

$$I_\sigma(\varphi^{\otimes n}(t)) = \varphi^{\otimes n}(I_\sigma(t)) = \varphi^{\otimes n}(t)$$

für alle $\sigma \in S_n$ und damit $\varphi^{\otimes n}(t) \in \mathrm{Sym}^n(W)$. Das Argument für $\Lambda^n(V)$ geht analog. $\square$

Notation 8.38. Wir schreiben für die Einschränkungen:

$$\mathrm{Sym}^n\varphi := \varphi^{\otimes n}|_{\mathrm{Sym}^n V} \colon \mathrm{Sym}^n V \to \mathrm{Sym}^n W$$

und

$$\Lambda^n\varphi := \varphi^{\otimes n}|_{\Lambda^n V} \colon \Lambda^n V \to \Lambda^n W.$$

Lemma 8.39. *Es seien V und W Vektorräume über einem Körper K mit $1 + 1 \neq 0$. Sei $\varphi\colon V \to W$ linear und sei $n \in \mathbb{N}$. Dann gilt für $v_1, \ldots, v_n \in V$:*

$$(\Lambda^n\varphi)(v_1 \wedge \cdots \wedge v_n) = \varphi(v_1) \wedge \cdots \wedge \varphi(v_n).$$

Beweis. In der Tat gilt:

$$(\Lambda^n\varphi)(v_1 \wedge \cdots \wedge v_n) = \varphi^{\otimes n}\left(\sum_{\sigma \in S_n} \mathrm{sgn}(\sigma) v_{\sigma(1)} \otimes \cdots \otimes v_{\sigma(n)} \right)$$
$$= \sum_{\sigma \in S_n} \mathrm{sgn}(\sigma) \varphi(v_{\sigma(1)}) \otimes \cdots \otimes \varphi(v_{\sigma(n)})$$
$$= \varphi(v_1) \wedge \cdots \wedge \varphi(v_n). \qquad \square$$

Für $\varphi \in \mathrm{Hom}(V, W)$ und $\psi \in \mathrm{Hom}(W, Z)$ folgt aus Lemma 8.25 durch Einschränkung auf $\mathrm{Sym}^n V$ bzw. $\Lambda^n V$:

$$\mathrm{Sym}^n(\psi \circ \varphi) = \mathrm{Sym}^n\psi \circ \mathrm{Sym}^n\varphi \quad \text{und} \quad \Lambda^n(\psi \circ \varphi) = \Lambda^n\psi \circ \Lambda^n\varphi. \tag{8.11}$$

$$\mathrm{Sym}^n(\mathrm{id}_V) = \mathrm{id}_{\mathrm{Sym}^n V} \quad \text{und} \quad \Lambda^n(\mathrm{id}_V) = \mathrm{id}_{\Lambda^n V}. \tag{8.12}$$

Ist φ ein Isomorphismus, so sind auch $\mathrm{Sym}^n\varphi$ und $\Lambda^n\varphi$ Isomorphismen und es gilt

$$\mathrm{Sym}^n(\varphi^{-1}) = (\mathrm{Sym}^n\varphi)^{-1} \quad \text{und} \quad \Lambda^n(\varphi^{-1}) = (\Lambda^n\varphi)^{-1}. \tag{8.13}$$

Betrachten wir nochmals den Fall $n = \dim(V)$. Ist $\varphi \in \mathrm{End}(V)$, dann ist $\Lambda^n\varphi \in \mathrm{End}(\Lambda^n V)$. Da $\Lambda^n V$ eindimensional ist, ist $\Lambda^n\varphi$ ein Vielfaches der Identität, wirkt also durch Multiplikation mit einer Zahl $c(\varphi) \in K$. Welche Zahl ist das?

Falls $\varphi = \mathrm{id}_V$, dann ist nach (8.12) $\Lambda^n\varphi = \mathrm{id}_{\Lambda^n V}$ und damit $c(\varphi) = 1$.

Um die Zahl $c(\varphi)$ für einen allgemeinen Endomorphismus zu bestimmen, wählen wir eine geordnete Basis $B = (b_1, \ldots, b_n)$ von V. Wir erhalten den Isomorphismus $\Psi\colon K^n \to V$, der die Standardbasis $(e_1, \ldots, e_n)$ von K^n auf die Basis B abbildet. Wir erinnern uns an das kommutative Diagramm

$$
\begin{array}{ccc}
V & \xrightarrow{\ \ \varphi\ \ } & V \\[2pt]
\Psi \big\uparrow \cong & & \cong \big\uparrow \Psi \\[2pt]
K^n & \xrightarrow[\Phi := \Psi^{-1}\circ\varphi\circ\Psi]{} & K^m
\end{array}
$$

aus Definition 4.31. Die darstellende Matrix von φ bezüglich der Basis B ist gegeben durch $A = M_B(\varphi) = (\Phi(e_1), \ldots, \Phi(e_n))$.

Wegen (8.13) ist $\Lambda^n\Psi\colon \Lambda^n K^n \to \Lambda^n V$ ein Isomorphismus und wegen (8.11) erhalten wir folgendes kommutative Diagramm:

$$
\begin{array}{ccc}
\Lambda^n V & \xrightarrow{\Lambda^n\varphi = c(\varphi)\mathrm{id}_{\Lambda^n V}} & \Lambda^n V \\[2pt]
\Lambda^n\Psi \big\uparrow \cong & & \cong \big\uparrow \Lambda^n\Psi \\[2pt]
\Lambda^n K^n & \xrightarrow[\Lambda^n\Phi]{} & \Lambda^n K^m
\end{array}
$$

Es folgt $\Lambda^n\Phi(t) = \Lambda^n\Psi^{-1}(c(\varphi)\Lambda^n\Psi(t) = c(\varphi)\Lambda^n\Psi^{-1}(\Lambda^n\Psi(t) = c(\varphi)t$, also

$$\Lambda^n\Phi = c(\varphi)\mathrm{id}_{\Lambda^n K^n}\,.$$

Wir wenden dies an auf den Tensor $e_1 \wedge \cdots \wedge e_n \in \Lambda^n K^n$ und erhalten:

$$c(\varphi)e_1 \wedge \cdots \wedge e_n = \Lambda^n\Phi(e_1 \wedge \cdots \wedge e_n) = \Phi(e_1) \wedge \cdots \wedge \Phi(e_n)\,.$$

Die rechte Seite in dieser Gleichung ist gemäß Lemma 8.36 multilinear und alternierend in den Spalten der darstellenden Matrix A von φ. Außerdem ist die Konstante $c(\varphi) = 1$ für die Einheitsmatrix $A = I_n$. Somit muss gelten:

$$c(\varphi) = \det(A) = \det(\varphi)\,.$$

Also haben wir für $n = \dim(V)$ gezeigt:

$$\boxed{\Lambda^n\varphi = \det(\varphi)\,\mathrm{id}_{\Lambda^n V}}$$

8.5. Aufgaben

8.1. Sei V ein endlich-dimensionaler Vektorraum und $U \subset V$ ein Untervektorraum. Sei $\{b_1, \ldots, b_m\}$ eine Basis von U. Wir ergänzen sie zu einer Basis $\{b_1, \ldots, b_m, b_{m+1}, \ldots, b_n\}$ von V.

Zeigen Sie, dass $\{\pi(b_{m+1}), \ldots, \pi(b_n)\}$ eine Basis von V/U ist, wobei $\pi\colon V \to V/U$ die Quotientenabbildung ist.

8.2. Überlegen wir, was passiert, wenn man die Konstruktion des Tensorprodukts auf einen einzigen Faktor V anwendet. Zeigen Sie, dass die Abbildung $\tau = \pi \circ \delta \colon V \to K^V/\mathcal{U}$ dann ein Isomorphismus ist.

8.3. Sei K ein Körper. Betrachten wir die bilineare Abbildung $\varphi \colon K^n \times K^m \to \mathrm{Mat}(n \times m, K)$ geben durch

$$\varphi(x, y) = \begin{pmatrix} x_1 y_1 & x_1 y_2 & \cdots & x_1 y_m \\ \vdots & \vdots & \ddots & \vdots \\ x_n y_1 & x_n y_2 & \cdots & x_n y_m \end{pmatrix}.$$

Zeigen Sie, dass die induzierte lineare Abbildung $\bar{\varphi} \colon K^n \otimes K^m \to \mathrm{Mat}(n \times m, K)$ ein Isomorphismus ist.

8.4. Sei $\varphi \colon V_1 \times \cdots \times V_n \to W$ multilinear und $\bar{\varphi} \colon V_1 \otimes \cdots \otimes V_n \to W$ die durch φ induzierte Abbildung. Zeigen Sie:

$$\mathrm{L}(\mathrm{im}(\varphi)) = \mathrm{im}(\bar{\varphi}) .$$

8.5. Seien $V_1, \ldots, V_n$ Vektorräume über einem Körper K. Zeigen Sie folgende Verallgemeinerung von Aussage (i) in Theorem 8.15:
Für jede Permutation $\sigma \in S_n$ gibt es einen eindeutigen Isomorphismus

$$V_1 \otimes \cdots \otimes V_n \to V_{\sigma(1)} \otimes \cdots \otimes V_{\sigma(n)},$$

der Elemente der Form $v_1 \otimes \cdots \otimes v_n$ auf $v_{\sigma(1)} \otimes \cdots \otimes v_{\sigma(n)}$ abbildet.

8.6. Welche der folgenden Tensoren $w \in \mathbb{R}^2 \otimes \mathbb{R}^3$ sind zerlegbar? Hierbei bezeichnet (e_1, e_2) bzw. (e_1, e_2, e_3) wie üblich die Standardbasis von $\mathbb{R}^2$ bzw. $\mathbb{R}^3$.

a) $w = 2e_1 \otimes e_1 + e_2 \otimes e_1 - 4e_1 \otimes e_3 - 2e_2 \otimes e_3$,

b) $w = e_1 \otimes e_2 + e_2 \otimes e_3$,

c) $w = \sum_{i=1}^2 \sum_{j=1}^3 e_i \otimes e_j$,

d) $w = \sum_{i=1}^2 \sum_{j=1}^3 (i + j) e_i \otimes e_j$.

8.7. Zeigen Sie, dass der Wahrscheinlichkeitstensor s aus Beispiel 8.26 nicht zerlegbar ist.

8.8. Seien $V_1, \ldots, V_n$ und W endlich-dimensionale K-Vektorräume. Wir betrachten die multilineare Abbildung $\varphi \colon V_1^* \times \cdots \times V_n^* \times W \to \mathrm{Mult}(V_1, \ldots, V_n; W)$ gegeben durch $(\ell_1, \ldots, \ell_n, w) \mapsto ((v_1, \ldots, v_n) \mapsto \ell_1(v_1) \cdots \ell_n(v_n) \cdot w)$.
Zeigen Sie, dass die induzierte lineare Abbildung $\bar{\varphi} \colon V_1^* \otimes \cdots \otimes V_n^* \otimes W \to \mathrm{Mult}(V_1, \ldots, V_n; W)$ ein Isomorphismus ist.

8.9. Seien $V_1, \ldots, V_n$ endlich-dimensionale K-Vektorräume. Konstruieren Sie einen natürlichen Isomorphismus

$$V_1^* \otimes \cdots \otimes V_n^* \to (V_1 \otimes \cdots \otimes V_n)^* \,.$$

8.10. Seien $V_1, \ldots, V_n$ und $W_1, \ldots, W_n$ endlich-dimensionale K-Vektorräume und seien $\psi_j \in \mathrm{Hom}(V_j, W_j)$. Der Ausdruck $\psi_1 \otimes \cdots \otimes \psi_n$ hat nun zwei mögliche Interpretationen: einmal als Element in $\mathrm{Hom}(V_1, W_1) \otimes \cdots \otimes \mathrm{Hom}(V_n, W_n)$ wie in Abschnitt 8.2 und einmal als Element in $\mathrm{Hom}(V_1 \otimes \cdots \otimes V_n, W_1 \otimes \cdots \otimes W_n)$ wie in Abschnitt 8.3.

Zeigen Sie, dass diese beiden Interpretationen unter folgenden natürlichen Isomorphismen übereinstimmen:

$$\begin{aligned}
\mathrm{Hom}(V_1, W_1) \otimes \cdots \otimes \mathrm{Hom}(V_n, W_n) &\cong (V_1^* \otimes W_1) \otimes \cdots \otimes (V_n^* \otimes W_n) \\
&\cong V_1^* \otimes W_1 \otimes \cdots \otimes V_n^* \otimes W_n \\
&\cong V_1^* \otimes \cdots \otimes V_n^* \otimes W_1 \otimes \cdots \otimes W_n \\
&\cong (V_1 \otimes \cdots \otimes V_n)^* \otimes W_1 \otimes \cdots \otimes W_n \\
&\cong \mathrm{Hom}(V_1 \otimes \cdots \otimes V_n, W_1 \otimes \cdots \otimes W_n) \,.
\end{aligned}$$

A. Anwendungen

Die lineare Algebra hat zahllose Anwendungen innerhalb und außerhalb der Mathematik. Im Folgenden wollen wir durch einige Beispiele einen ersten Eindruck davon bekommen.

A.1. Graphentheorie - etwas Kombinatorik

Wir betrachten folgende Landkarte Deutschlands mit seinen alphabetisch durchnummerierten Bundesländern:

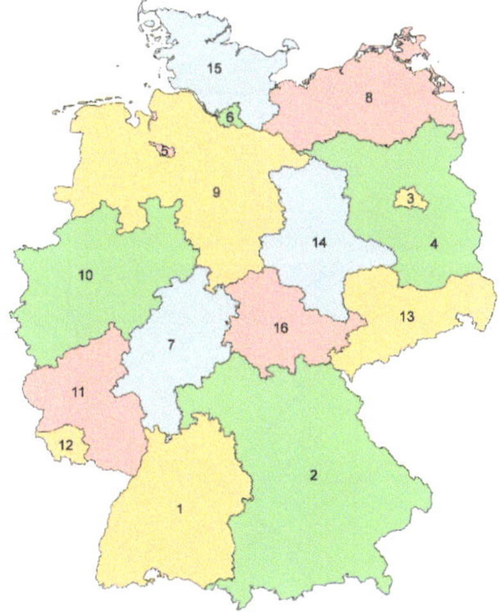

Abb. 121 *Bundesländer[1]*

Wir wollen jetzt Fragen wie die folgende untersuchen:

> Wie viele Möglichkeiten gibt es, von Brandenburg nach Rheinland-Pfalz zu
> reisen und dabei genau 10-mal eine Landesgrenze zu überschreiten? (A.1)

Man kann Matrixrechnung verwenden und dies systematisch zu untersuchen. Wir kodieren zunächst die wesentlichen Informationen in einem sogenannten **Graph**. Ein Graph besteht aus zwei Mengen, einer Menge von Knoten (Ecken) und einer Menge von Kanten. Eine Kante ist dabei eine Verbindung zweier Knoten. Eine genaue Definition von Graphen benötigen wir hier nicht und verzichten daher darauf.

---

[1]Bild basiert auf einer Grafik erstellt mit mapchart.net, Quelle: `https://mapchart.net`

© Der/die Autor(en), exklusiv lizenziert an
Springer Fachmedien Wiesbaden GmbH, ein Teil von Springer Nature 2026
C. Bär, *Lineare Algebra und analytische Geometrie*,
https://doi.org/10.1007/978-3-658-51055-8_9

Im Bundesländer-Beispiel haben wir für den Bundesländer-Graph die Menge {Knoten} = {Bundesländer} und folgende Kanten: Zwei Länder werden genau dann durch eine Kante verbunden, wenn sie aneinander grenzen. Dies liefert folgenden Graphen:

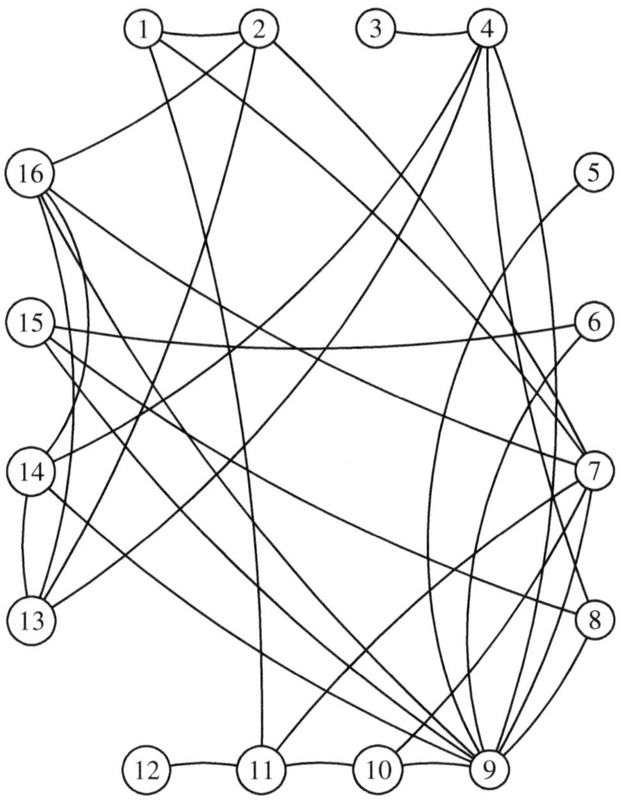

Abb. 122 *Bundesländergraph*

Offenbar kann ein Graph mit vielen Knoten sehr unübersichtlich werden. Mathematisch beschreiben wir daher einen Graph mit endlich vielen Knoten durch seine sogenannte **Adjazenz-matrix** A. Hierzu nummmerieren wir die Knoten durch und setzen

$$A_{ij} := \begin{cases} 1, & \text{falls der } i\text{-te und der } j\text{-te Knoten durch eine Kante verbunden sind,} \\ 0, & \text{sonst.} \end{cases}$$

Im Bundesländer-Beispiel erhalten wir folgende 16×16-Matrix:

$$A = \begin{pmatrix}
0 & 1 & 0 & 0 & 0 & 0 & 1 & 0 & 0 & 0 & 1 & 0 & 0 & 0 & 0 & 0 \\
1 & 0 & 0 & 0 & 0 & 0 & 1 & 0 & 0 & 0 & 0 & 0 & 1 & 0 & 0 & 1 \\
0 & 0 & 0 & 1 & 0 & 0 & 0 & 0 & 0 & 0 & 0 & 0 & 0 & 0 & 0 & 0 \\
0 & 0 & 1 & 0 & 0 & 0 & 0 & 1 & 1 & 0 & 0 & 0 & 1 & 1 & 0 & 0 \\
0 & 0 & 0 & 0 & 0 & 0 & 0 & 0 & 1 & 0 & 0 & 0 & 0 & 0 & 0 & 0 \\
0 & 0 & 0 & 0 & 0 & 0 & 0 & 0 & 1 & 0 & 0 & 0 & 0 & 0 & 1 & 0 \\
1 & 1 & 0 & 0 & 0 & 0 & 0 & 0 & 1 & 1 & 1 & 0 & 0 & 0 & 0 & 1 \\
0 & 0 & 0 & 1 & 0 & 0 & 0 & 0 & 1 & 0 & 0 & 0 & 0 & 0 & 1 & 0 \\
0 & 0 & 0 & 1 & 1 & 1 & 1 & 1 & 0 & 1 & 0 & 0 & 0 & 1 & 1 & 1 \\
0 & 0 & 0 & 0 & 0 & 0 & 1 & 0 & 1 & 0 & 1 & 0 & 0 & 0 & 0 & 0 \\
1 & 0 & 0 & 0 & 0 & 0 & 1 & 0 & 0 & 1 & 0 & 1 & 0 & 0 & 0 & 0 \\
0 & 0 & 0 & 0 & 0 & 0 & 0 & 0 & 0 & 0 & 1 & 0 & 0 & 0 & 0 & 0 \\
0 & 1 & 0 & 1 & 0 & 0 & 0 & 0 & 0 & 0 & 0 & 0 & 0 & 1 & 0 & 1 \\
0 & 0 & 0 & 1 & 0 & 0 & 0 & 0 & 1 & 0 & 0 & 0 & 1 & 0 & 0 & 1 \\
0 & 0 & 0 & 0 & 0 & 1 & 0 & 1 & 1 & 0 & 0 & 0 & 0 & 0 & 0 & 0 \\
0 & 1 & 0 & 0 & 0 & 0 & 1 & 0 & 1 & 0 & 0 & 0 & 1 & 1 & 0 & 0
\end{pmatrix}$$

Stets ist A symmetrisch, d.h. für alle i, j gilt $A_{ij} = A_{ji}$.

Definition A.1. Ein **Weg der Länge** m in einem Graphen ist ein $(m + 1)$-Tupel von Knoten $(k_0, \ldots, k_m)$, so dass für alle $i \in \{0, \ldots, m - 1\}$ gilt:

$$k_i \text{ und } k_{i+1} \text{ sind durch eine Kante verbunden.}$$

Im Bundesländer-Beispiel sind z.B. $(1, 2, 7)$ und $(5, 9, 5, 9, 6)$ Wege der Länge 2 bzw. 4, $(1, 2, 3)$ hingegen ist kein Weg, da 2 und 3 nicht miteinander verbunden sind (Bayern und Berlin haben keine gemeinsame Landesgrenze).

Die Lösung der Fragestellung (A.1) ist somit durch die Anzahl der Wege der Länge $m = 10$ von Knoten 4 nach Knoten 11 bestimmt. Allgemein gilt folgender

---

Satz A.2. *Ist A die Adjazenzmatrix eines endlichen Graphen (mit nummerierten Knoten), so ist die Anzahl der Wege der Länge m vom i-ten zum j-ten Knoten genau der (i, j)-te Eintrag der Matrix*

$$A^m := \underbrace{A \cdot \ldots \cdot A}_{m\text{-mal}}.$$

Beweis. Sei $\alpha(i, j, m)$ die Anzahl der Wege der Länge m vom i-ten zum j-ten Knoten. Wir zeigen:

$$(A^m)_{ij} = \alpha(i, j, m) \tag{A.2}$$

mittels vollständiger Induktion nach der Weglänge m.
Im Induktionsanfang erhalten wir für $m = 1$ per Definition

$$A_{ij} = \left(A^1\right)_{ij} = \alpha(i, j, 1) = \begin{cases} 1, & \text{falls die Knoten } i \text{ und } j \text{ verbunden sind,} \\ 0, & \text{falls die Knoten } i \text{ und } j \text{ nicht verbunden sind.} \end{cases}$$

Sei für den Induktionsschritt die Aussage (A.2) für ein $m \in \mathbb{N}$ gültig. Wir zeigen, dass dann auch

$$\left(A^{m+1}\right)_{ij} = \alpha(i, j, m + 1)$$

gilt. Wir fixieren den Startknoten i und den Zielknoten j. Um in $m + 1$ Schritten nach von i nach j zu gelangen, müssen wir zunächst in m Schritten von i zu irgendeinem Knoten k gelangen und dann in einem Schritt von k nach j. Letzteres ist nur dann möglich, wenn k und j verbunden sind, d.h. wenn $A_{kj} = 1$. Es gilt also

$$\alpha(i, j, m + 1) = \sum_k \alpha(i, k, m) \cdot A_{kj}.$$

Mittels der Induktionsvoraussetzung (IV) folgern wir nun:

$$\begin{aligned} \alpha(i, j, m + 1) &= \sum_k \alpha(i, k, m) \cdot A_{kj} \\ &\overset{\text{IV}}{=} \sum_k (A^m)_{ik} \cdot A_{kj} \\ &= (A^m \cdot A)_{ij} \\ &= \left(A^{m+1}\right)_{ij}. \end{aligned} \qquad \square$$

Im Bundesländer-Beispiel multipliziert man die Matrix A mit sich selbst und erhält

$$A^2 = \begin{pmatrix}
3 & 1 & 0 & 0 & 0 & 0 & 2 & 0 & 1 & 2 & 1 & 1 & 1 & 0 & 0 & 2 \\
1 & 4 & 0 & 1 & 0 & 0 & 2 & 0 & 2 & 1 & 2 & 0 & 1 & 2 & 0 & 2 \\
0 & 0 & 1 & 0 & 0 & 0 & 0 & 1 & 1 & 0 & 0 & 0 & 1 & 1 & 0 & 0 \\
0 & 1 & 0 & 5 & 1 & 1 & 1 & 1 & 2 & 1 & 0 & 0 & 1 & 2 & 2 & 3 \\
0 & 0 & 0 & 1 & 1 & 1 & 1 & 1 & 0 & 1 & 0 & 0 & 0 & 1 & 1 & 1 \\
0 & 0 & 0 & 1 & 1 & 2 & 1 & 2 & 1 & 1 & 0 & 0 & 0 & 1 & 1 & 1 \\
2 & 2 & 0 & 1 & 1 & 1 & 6 & 1 & 2 & 2 & 2 & 1 & 2 & 2 & 1 & 2 \\
0 & 0 & 1 & 1 & 1 & 2 & 1 & 3 & 2 & 1 & 0 & 0 & 1 & 2 & 1 & 1 \\
1 & 2 & 1 & 2 & 0 & 1 & 2 & 2 & 9 & 1 & 2 & 0 & 3 & 2 & 2 & 2 \\
2 & 1 & 0 & 1 & 1 & 1 & 2 & 1 & 1 & 3 & 1 & 1 & 0 & 1 & 1 & 2 \\
1 & 2 & 0 & 0 & 0 & 0 & 2 & 0 & 2 & 1 & 4 & 0 & 0 & 0 & 0 & 1 \\
1 & 0 & 0 & 0 & 0 & 0 & 1 & 0 & 0 & 1 & 0 & 1 & 0 & 0 & 0 & 0 \\
1 & 1 & 1 & 1 & 0 & 0 & 2 & 1 & 3 & 0 & 0 & 0 & 4 & 2 & 0 & 2 \\
0 & 2 & 1 & 2 & 1 & 1 & 2 & 2 & 2 & 1 & 0 & 0 & 2 & 4 & 1 & 2 \\
0 & 0 & 0 & 2 & 1 & 1 & 1 & 1 & 2 & 1 & 0 & 0 & 0 & 1 & 3 & 1 \\
2 & 2 & 0 & 3 & 1 & 1 & 2 & 1 & 2 & 2 & 1 & 0 & 2 & 2 & 1 & 5
\end{pmatrix}$$

So ist zum Beispiel der 1-1-Eintrag gleich 3, was bedeutet, dass man auf genau 3 Weisen in zwei Schritten von Land 1 zu sich selbst reisen kann. In der Tat hat Baden-Württemberg genau 3 Nachbarländer. Der 3-14-Eintrag ist gleich 1, denn man kann auf genau eine Weise in zwei Schritten von Berlin nach Sachsen-Anhalt reisen (nämlich über Brandenburg). Schließlich ist der 2-5-Eintrag gleich 0, da man nicht in zwei Schritten von Bayern nach Bremen kommt.

Um die Ausgangsfrage zu beantworten, müssen wir die 10-te Potenz von A berechnen. Wenn man kühlen Kopf bewahrt und dies tut (oder einen Computer tun lässt), so erhält man

$$A^{10} = \begin{pmatrix}
122133 & 175608 & 41206 & 191539 & 69876 & 95617 & 251161 & 136823 & \dots \\
175608 & 256948 & 61837 & 283567 & 102476 & 141044 & 365281 & 202881 & \dots \\
41206 & 61837 & 16181 & 70772 & 25306 & 35425 & 87950 & 51606 & \dots \\
191539 & 283567 & 70772 & 327963 & 118896 & 163586 & 405312 & 234358 & \dots \\
69876 & 102476 & 25306 & 118896 & 43734 & 59813 & 147740 & 85119 & \dots \\
95617 & 141044 & 35425 & 163586 & 59813 & 82359 & 202852 & 117784 & \dots \\
251161 & 365281 & 87950 & 405312 & 147740 & 202852 & 522812 & 290802 & \dots \\
136823 & 202881 & 51606 & 234358 & 85119 & 117784 & 290802 & 169390 & \dots \\
319249 & 473106 & 118896 & 532707 & 190956 & 265744 & 672308 & 384640 & \dots \\
152981 & 221828 & 53153 & 248598 & 91066 & 124615 & 318354 & 177768 & \dots \\
122267 & 177363 & 41752 & \boxed{191066} & 69033 & 95186 & 251872 & 136938 & \dots \\
27621 & 38805 & 8757 & 41752 & 15557 & 21055 & 56168 & 29812 & \dots \\
178571 & 263718 & 65943 & 296414 & 106589 & 147676 & 375339 & 213619 & \dots \\
204096 & 301686 & 75337 & 344079 & 124737 & 172005 & 431041 & 247342 & \dots \\
119833 & 177465 & 44690 & 205927 & 74788 & 103242 & 254324 & 147932 & \dots \\
247727 & 362837 & 88468 & 409963 & 148901 & 204426 & 518378 & 292894 & \dots
\end{pmatrix}$$

Also ergibt sich die Anzahl der Wege der Länge 10 von Brandenburg (4) nach Rheinland-Pfalz (11) zu

$$\left(A^{10}\right)_{4,11} = \left(A^{10}\right)_{11,4} = 191066.$$

Aufgabe:

A.1. Wie viele Möglichkeiten gibt es, in der Wohnung aus Abbildung 123 aus der Küche in das Mathe-Lern-Zimmer zu kommen und dabei nicht mehr als 8 Türen zu passieren?

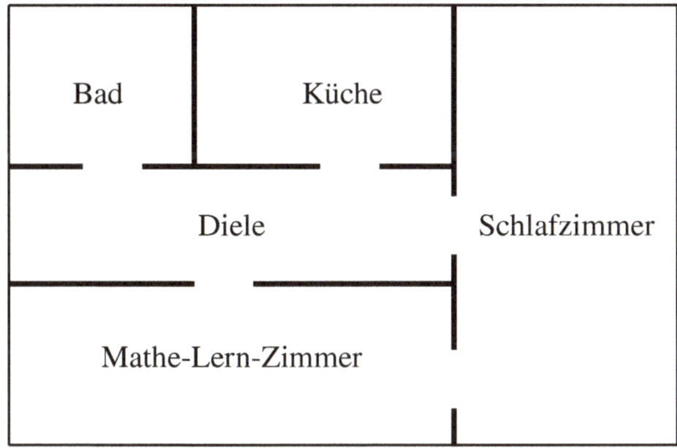

Abb. 123 *Grundriss*

A.2. Codierungstheorie

Bei der Übertragung von Daten treten Übermittlungsfehler auf. Wir werden jetzt sehen, wie man Daten so codieren kann, dass die Fehler bis zu einem gewissen Grad korrigiert werden können. Solche Fehlerkorrekturen sind z.B. bei CD-Playern wichtig, da die auf CD gebrannten Daten nie völlig fehlerfrei sind. Wir werden, wie im digitalen Zeitalter üblich, unsere Daten im Binärformat vorliegen haben, d.h. als eine Folge von Nullen und Einsen.

Es liegt also nahe, den Primkörper $K = \mathbb{F}_2$ zu betrachten und darüber den n-dimensionalen Vektorraum $V = (\mathbb{F}_2)^n$. Die Elemente von V sind Folgen der Länge n von Nullen und Einsen. Das sind unsere zu übermittelnden Nachrichten.

Definition A.3. Die Abbildung $d_H \colon V \times V \to \mathbb{N}$ definiert durch

$$d_H(v, w) := \#\{j \in \{1, 2, \ldots, n\} \mid v_j \neq w_j\}$$

heißt **Hamming-Abstand**[1].

Ist v die gesendete und w die empfangene Nachricht, dann gibt der Hamming-Abstand an, wie viele Übertragungsfehler aufgetreten sind.

Lemma A.4. *Der Hamming-Abstand erfüllt für alle* $u, v, w \in V$:

(i) $d_H(v, w) \geq 0$ *und* $d_H(v, w) = 0 \Leftrightarrow v = w$.

---

[1]Benannt nach dem amerikanischen Mathematiker Richard Wesley Hamming (1915–1998)

(ii) $d_H(v, w) = d_H(w, v)$.

(iii) $d_H(u, w) \leq d_H(u, v) + d_H(v, w)$.

(iv) $d_H(v, w) = d_H(v + u, w + u)$.

Beweis. Aussage (iii) folgt aus der Beobachtung: Ist $u_j \neq w_j$, so ist $u_j \neq v_j$ oder $w_j \neq v_j$. Die anderen Aussagen sind trivial. $\qquad\square$

Die ersten drei Aussagen sind gerade die Axiome eines metrischen Raumes. Der Hamming-Abstand ist also eine Metrik auf der Menge V.

Definition A.5. Sei $\Lambda \in \mathbb{N}$. Eine Teilmenge $C \subset (\mathbb{F}_2)^n$ heißt Λ**-fehlerkorrigierender Code**, falls für alle $u, v \in C$ mit $u \neq v$ gilt:

$$d_H(u, v) \geq 2\Lambda + 1.$$

Beispiel A.6. Sei $n = 3$ und

$$C = \left\{ \begin{pmatrix} 0 \\ 0 \\ 0 \end{pmatrix}, \begin{pmatrix} 1 \\ 1 \\ 1 \end{pmatrix} \right\}.$$

Dann ist

$$d_H\left(\begin{pmatrix} 0 \\ 0 \\ 0 \end{pmatrix}, \begin{pmatrix} 1 \\ 1 \\ 1 \end{pmatrix} \right) = 3.$$

Also ist C ein 1-fehlerkorrigierender Code.

Der Code C ist die Menge der zugelassenen Wörter, aus denen die Nachrichten bestehen, die übertragen werden sollen. Ist der Code nun Λ-fehlerkorrigierend für möglichst großes Λ, so können kleine Fehler bei der Übertragung erkannt und korrigiert werden.

Lemma A.7. *Sei $C \subset V$ ein Λ-fehlerkorrigierender Code. Dann gibt es zu jedem $v \in V$ höchstens ein $w \in C$ mit $d_H(v, w) \leq \Lambda$.*

Beweis. Seien $w_1, w_2 \in C$ mit $d_H(v, w_i) \leq \Lambda$. Dann gilt

$$d_H(w_1, w_2) \leq d_H(w_1, v) + d_H(v, w_2) \leq 2\Lambda.$$

Da C nach Voraussetzung Λ-fehlerkorrigierend ist, folgt $w_1 = w_2$. $\qquad\square$

Es ist also gut, einen Λ-fehlerkorrigierenden Code mit möglichst großem Λ zu haben. Treten bei der Übermittlung einer Nachricht höchstens Λ viele Fehler auf, dann kann die gesendete Nachricht rekonstruiert werden.

Es gibt aber zwei Probleme: Zum einen muss der Code festgelegt und abgespeichert werden. Große Codes brauchen viel Speicherplatz. Zum anderen erfordert die Decodierung viele Vergleiche der empfangenen Nachricht mit den Elementen aus C und ist daher rechenaufwändig. Um die Situation zu verbessern benutzen wir lineare Algebra.

> **Definition A.8.** Ein Λ-fehlerkorrigierender Code $C \subset (\mathbb{F}_2)^n$ heißt **linear**, falls C zusätzlich ein Untervektorraum ist.

Warum ist es vorteilhaft, wenn C linear ist? Dann können wir C durch Angabe einer Basis festlegen und brauchen nicht alle Elemente abzuspeichern. Hat C die Dimension k, dann besteht jede Basis aus genau k Vektoren, aber C ist gemäß Korollar 4.30 isomorph zu $(\mathbb{F}_2)^k$ und hat somit genau 2^k Elemente. So macht es z.B. für $k = 100$ einen gewaltigen Unterschied, ob man nur die 100 Basisvektoren abspeichern muss oder alle $2^{100} = 1.267.650.600.228.229.401.496.703.205.376$ Elemente.

Nun brauchen wir noch eine effiziente Decodierungsmethode. Dabei ist folgende allgemeine Beobachtung nützlich:

> **Lemma A.9.** *Sei K ein Körper, V ein n-dimensionaler K-Vektorraum, W ein $(n-k)$-dimensionaler K-Vektorraum und $C \subset V$ ein k-dimensionaler Untervektorraum. Dann gibt es eine surjektive lineare Abbildung $\varphi \colon V \to W$ mit $\ker(\varphi) = C$.*

Beweis. Ergänze eine geordnete Basis $(b_1, \ldots, b_k)$ von C zu einer geordneten Basis $(b_1, \ldots, b_k, b_{k+1}, \ldots, b_n)$ von V. Sei $(w_1, \ldots, w_{n-k})$ eine geordnete Basis von W. Wir legen φ durch Vorgabe der Werte auf den Basisvektoren b_j eindeutig fest, indem wir setzen

$$\varphi(b_j) := \begin{cases} 0, & \text{falls } 1 \leq j \leq k, \\ w_{j-k}, & \text{falls } k+1 \leq j \leq n. \end{cases}$$

Die hierdurch definierte lineare Abbildung $\varphi \colon V \to W$ hat als Kern die lineare Hülle von $b_1, \ldots, b_k$, also C. Jeder Basisvektor w_j von W liegt im Bild von φ, damit auch alle Linearkombinationen dieser Basisvektoren, d.h. alle Vektoren in W. Somit ist φ surjektiv. $\qquad\square$

Sei von jetzt an $C \subset (\mathbb{F}_2)^n$ stets ein linearer Λ-fehlerkorrigierender Code mit $\dim C = k$. Gemäß Lemma A.9 wählen wir eine surjektive lineare Abbildung $\varphi\colon (\mathbb{F}_2)^n \to (\mathbb{F}_2)^{n-k}$ mit $\ker(\varphi) = C$. Die darstellende Matrix $M(\varphi) \in M((n-k) \times n, \mathbb{F}_2)$ heißt **Kontrollmatrix** des Codes.

Beispiel A.10. Sei $n = 7$. Betrachte die Matrix

$$A := \begin{pmatrix} 1 & 0 & 0 & 1 & 1 & 0 & 1 \\ 0 & 1 & 0 & 1 & 0 & 1 & 1 \\ 0 & 0 & 1 & 0 & 1 & 1 & 1 \end{pmatrix}.$$

Da die ersten drei Spaltenvektoren linear unabhängig sind, muss der Rang von A gleich 3 sein. Nach der Dimensionsformel 4.19 hat der Kern C von A die Dimension $k = 7 - 3 = 4$. Da die Matrix bereits in Zeilenstufenform vorliegt, können wir den Kern leicht bestimmen. Für $x = (x_1, \ldots, x_7)^\top \in (\mathbb{F}_2)^7$ gilt

$$A \cdot x = 0 \iff \begin{cases} x_3 = x_5 + x_6 + x_7 \\ x_2 = x_4 + x_6 + x_7 \\ x_1 = x_4 + x_5 + x_7 \end{cases} \iff x = \begin{pmatrix} x_4 + x_5 + x_7 \\ x_4 + x_6 + x_7 \\ x_5 + x_6 + x_7 \\ x_4 \\ x_5 \\ x_6 \\ x_7 \end{pmatrix}.$$

Wir wollen uns überlegen, dass dieser lineare Code C 1-fehlerkorrigierend ist. Das bedeutet, dass wenn $A \cdot x = A \cdot x' = 0$ und $x \neq x'$ gilt, dann müssen sich x und x' in wenigstens 3 Komponenten unterscheiden.

Nennen wir die drei ersten Komponenten die „oberen" Komponenten und die vierte bis letzte die „unteren" Komponenten. Unterscheiden sich x und x' in wenigstens drei unteren Komponenten, so ist nichts zu zeigen. Es verbleiben folgende drei Fälle:

a) Die unteren Komponenten von x und x' stimmen überein. Dann stimmen auch die oberen überein, im Widerspruch zu $x \neq x'$. Dieser Fall kann also nicht auftreten.

b) Die Vektoren x und x' unterscheiden sich in genau einer unteren Komponente. Diese tritt in wenigstens zweien der oberen Komponenten auf, die sich dann ebenfalls unterscheiden müssen. Daher unterscheiden sich x und x' in mindestens drei Komponenten.

c) Die Vektoren x und x' unterscheiden sich in genau zwei unteren Komponenten. Dann gibt es eine obere Komponente, in der die beiden unteren Komponenten auftreten, die für x und x' gleich sind. In dieser oberen Komponente unterscheiden sich x und x' dann ebenfalls.

In jedem Fall unterscheiden sich x und x' in wenigstens drei Komponenten. Also ist A die Kontrollmatrix eines vierdimensionalen 1-fehlerkorrigierenden Codes.

Nun zurück zum allgemeinen Fall. Nenne $y \in (\mathbb{F}_2)^{n-k}$ **zulässig**, falls ein $x \in \varphi^{-1}(y)$ existiert mit $d_H(x,0) \le \Lambda$. Es kann höchstens ein solches x geben, denn sind $x, x' \in \varphi^{-1}(y)$ mit $d_H(x,0) \le \Lambda$ und $d_H(x',0) \le \Lambda$, dann ist $x - x' \in \ker(\varphi) = C$ und

$$d_H(x - x', 0) = d_H(x, x') \le d_H(x,0) + d_H(0, x') \le 2\Lambda.$$

Da C aber Λ-fehlerkorrigierend ist, folgt $x - x' = 0$, d.h. $x = x'$.

Der Empfänger speichert in einer Liste alle zulässigen $y \in (\mathbb{F}_2)^{n-k}$ zusammen mit den zugehörigen $x \in \varphi^{-1}(y)$, für die $d_H(x,0) \le \Lambda$ gilt. Eine empfangene Nachricht $v \in (\mathbb{F}_2)^n$, die möglicherweise verfälscht worden ist, kann nun wie folgt decodiert werden:

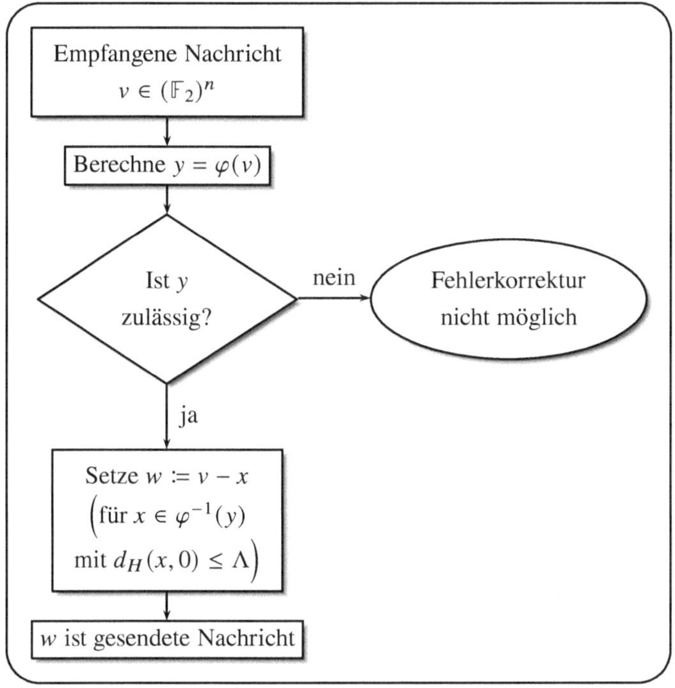

Abb. 124 *Decodierungsalgorithmus*

Wegen $\varphi(w) = \varphi(v) - \varphi(x) = y - y = 0$ ist $w \in \ker(\varphi) = C$. Außerdem ist $d_H(w,v) = d_H(x,0) \le \Lambda$. Nach Lemma A.7 ist w das eindeutige Element in C, das von v den Hamming-Abstand $\le \Lambda$ hat. Der Empfänger hat also guten Grund anzunehmen, dass w gesendete Nachricht ist.

Man kann $x = v - w$ als den Fehlervektor ansehen, um den die empfangene Nachricht v von der gesendeten w abweicht. Der Hamming-Abstand $d_H(x,0)$ ist die Anzahl der Abweichungen in den einzelnen Komponenten von v und w, also die Anzahl der bei der Übertragung entstandenen Fehler. Ist diese Zahl kleiner als Λ, so kann man w aus v zurückgewinnen, was die Bezeichnung „Λ-fehlerkorrigierender Code" erklärt. Die Kontrollabbildung φ projiziert den fehlerhaften

Anteil x von $v \in (\mathbb{F}_2)^n$ auf $y \in (\mathbb{F}_2)^{n-k}$. Ist dieser fehlerhafte Anteil zu groß, so ist seine Projektion kein zulässiger Wert. In diesem Fall ist eine Fehlerkorrektur nicht möglich.

A.3. Weitere Volumenberechnungen

Dieser Anhang schließt sich an Abschnitt 5.2 an. Wir berechnen die Volumina einiger wichtiger geometrischer Körper.

Verallgemeinerte Zylinder. Wir betrachten nun Zylinder, wobei wir allerdings gleich allgemeine Dimensionen zulassen und auch nicht verlangen, dass die „Basisfläche" eine bestimmte Gestalt hat, z.B. dass sie eine Kreisscheibe ist.

Definition A.11. Sei $X \subset \mathbb{R}^{n-1}$, und sei $h \geq 0$. Dann heißt die Menge

$$\mathcal{Z}_h(X) := X \times [0, h] \subset \mathbb{R}^{n-1} \times \mathbb{R} = \mathbb{R}^n$$

der **verallgemeinerte Zylinder über X der Höhe h**.

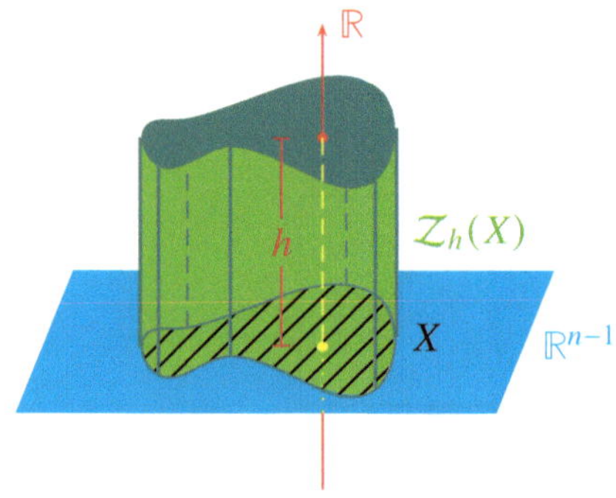

Abb. 125 *Verallgemeinerter Zylinder*

Satz A.12. *Sei* $\mathrm{vol}_n : \mathcal{K}_n \to \mathbb{R}$ *ein n-dimensionales Volumen. Dann erfüllt die Abbildung*

$$\mathcal{K}_{n-1} \to \mathbb{R},$$
$$X \mapsto \mathrm{vol}_n(\mathcal{Z}_1(X)),$$

die für das $(n-1)$-dimensionale Volumen geforderten Eigenschaften 1–4 aus Definition 5.16.

Beweis. Zu Eigenschaft 1:

Für den $(n-1)$-dimensionalen Einheitswürfel W^{n-1} finden wir:

$$\operatorname{vol}_n(\underbrace{\mathcal{Z}_1(W^{n-1})}_{=W^n}) = \operatorname{vol}_n(W^n) = 1 \, .$$

Zu Eigenschaft 2:

Seien $X, Y \in \mathcal{K}_{n-1}$ mit $X \subset Y$. Dann ist offensichtlich $\mathcal{Z}_1(X) \subset \mathcal{Z}_1(Y)$, so dass gilt:

$$\operatorname{vol}_n(\mathcal{Z}_1(X)) \leq \operatorname{vol}_n(\mathcal{Z}_1(Y)) \, .$$

Zu Eigenschaft 3:

Seien $X, Y \in \mathcal{K}_{n-1}$. Offensichtlich gilt für die verallgemeinerten Zylinder:

$$\mathcal{Z}_1(X \cup Y) = \mathcal{Z}_1(X) \cup \mathcal{Z}_1(Y) \quad \text{und} \quad \mathcal{Z}_1(X \cap Y) = \mathcal{Z}_1(X) \cap \mathcal{Z}_1(Y) \, .$$

Für die Volumina finden wir also:

$$\begin{aligned}
\operatorname{vol}_n(\mathcal{Z}_1(X \cup Y)) &= \operatorname{vol}_n(\mathcal{Z}_1(X) \cup \mathcal{Z}_1(Y)) \\
&= \operatorname{vol}_n(\mathcal{Z}_1(X)) + \operatorname{vol}_n(\mathcal{Z}_1(Y)) - \operatorname{vol}_n(\mathcal{Z}_1(X) \cap \mathcal{Z}_1(Y)) \\
&= \operatorname{vol}_n(\mathcal{Z}_1(X)) + \operatorname{vol}_n(\mathcal{Z}_1(Y)) - \operatorname{vol}_n(\mathcal{Z}_1(X \cap Y)) \, .
\end{aligned}$$

Zu Eigenschaft 4:

Sei $A \in \operatorname{Mat}(n-1, \mathbb{R})$, sei $b \in \mathbb{R}^{n-1}$, und sei $F \colon \mathbb{R}^{n-1} \to \mathbb{R}^{n-1}$ die affine Abbildung, gegeben durch $F(x) := A \cdot x + b$. Definiere $\hat{A} \in \operatorname{Mat}(n, \mathbb{R})$ und $\hat{b} \in \mathbb{R}^n$ durch

$$\hat{A} := \left(\begin{array}{c|c} A & 0 \\ \hline 0 & 1 \end{array} \right) , \quad \hat{b} := \begin{pmatrix} b \\ 0 \end{pmatrix} .$$

Sei nun $\hat{F} \colon \mathbb{R} \to \mathbb{R}$ die affine Abbildung, gegeben durch $\hat{F}(x) := \hat{A} \cdot x + \hat{b}$. Entwicklung nach der letzten Spalte oder Zeile zeigt $\det \hat{A} = \pm \det A$. Außerdem ist $\mathcal{Z}_1(F(X)) = \hat{F}(\mathcal{Z}_1(X))$ und somit gilt:

$$\operatorname{vol}_n(\mathcal{Z}_1(F(X))) = \operatorname{vol}_n(\hat{F}(\mathcal{Z}_1(X))) = |\det \hat{A}| \cdot \operatorname{vol}_n(\mathcal{Z}_1(X)) = |\det A| \cdot \operatorname{vol}_n(\mathcal{Z}_1(X)) \, . \quad \square$$

Korollar A.13. *In allen Beispielen, für die wir das $(n-1)$-dimensionale Volumen einer Menge $X \in \mathcal{K}_{n-1}$ aus den Eigenschaften 1–4 berechnen konnten, erhalten wir*

$$\operatorname{vol}_n(\mathcal{Z}_1(X)) = \operatorname{vol}_{n-1}(X) \tag{A.3}$$

für das n-dimensionale Volumen des Zylinders $\mathcal{Z}_1(X)$. $\square$

Beispiel A.14. Insbesondere erhalten wir für das dreidimensionale Volumen des Zylinders $\mathcal{Z}_1(D(r))$ der Höhe 1 über der Kreisscheibe $D(r)$ die Formel:

$$\mathrm{vol}_3(\mathcal{Z}_1(D(r))) = \mathrm{vol}_2(D(r)) = \pi \cdot r^2\,. \tag{A.4}$$

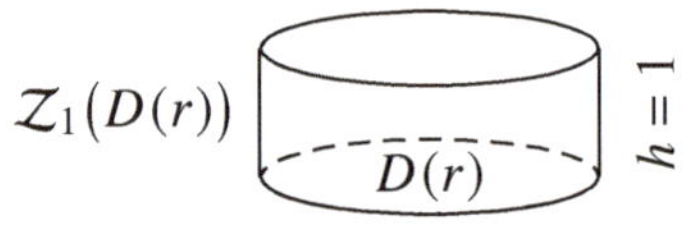

Abb. 126 *Zylinder über der Kreisscheibe*

Bemerkung A.15. Es gibt eine lineare Abbildung $\varphi\colon \mathbb{R}^n \to \mathbb{R}^n$ mit $\mathcal{Z}_h(X) = \varphi(\mathcal{Z}_1(X))$, nämlich diejenige mit darstellender Matrix $M(\varphi) = \begin{pmatrix} \mathbb{1}_{n-1} & 0 \\ 0 & h \end{pmatrix}$. Somit erhalten wir für das Volumen des Zylinders über X der Höhe h:

$$\mathrm{vol}_n(\mathcal{Z}_h(X)) = \mathrm{vol}_n(\varphi(\mathcal{Z}_1(X))) = |\det(\varphi)| \cdot \mathrm{vol}_n(\mathcal{Z}_1(X)) = h \cdot \mathrm{vol}_n(\mathcal{Z}_1(X))\,. \tag{A.5}$$

Ist das $(n-1)$-dimensionale Volumen von $X \in \mathcal{K}_{n-1}$ durch die Bedingungen in Definition 5.16 bestimmt, so erhalten wir aus (A.5) und aus der Formel (A.4):

$$\boxed{\mathrm{vol}_n(\mathcal{Z}_h(X)) = h \cdot \mathrm{vol}_{n-1}(X)} \tag{A.6}$$

Schiefe Zylinder.   Ein Turm ist in der Regel ein verallgemeinerter Zylinder, z.B. über einer Kreisscheibe oder über einem Rechteck. In Pisa kann man allerdings sehen, dass so ein Turm auch schon mal schief in die Höhe wächst. Daher folgende Definition:

Abb. 127
*Schiefer Turm
von Pisa*

Definition A.16. Sei $X \subset \mathbb{R}^{n-1}$, und sei $b = \begin{pmatrix} b_1 \\ \vdots \\ b_{n-1} \\ h \end{pmatrix} \in \mathbb{R}^n$. Setze $\hat{b} := \begin{pmatrix} b_1 \\ \vdots \\ b_{n-1} \end{pmatrix} \in \mathbb{R}^{n-1}$. Dann

heißt die Menge

$$\mathcal{Z}(X,b) := \bigcup_{t\in[0,1]} \left((X + t \cdot \hat{b}) \times \{t \cdot h\}\right) \subset \mathbb{R}^{n-1} \times \mathbb{R} = \mathbb{R}^n$$

der **schiefe Zylinder über X in Richtung b der Höhe h**. Die Zahl $h \in \mathbb{R}$ heißt die **Höhe von $\mathcal{Z}(X,b)$**.

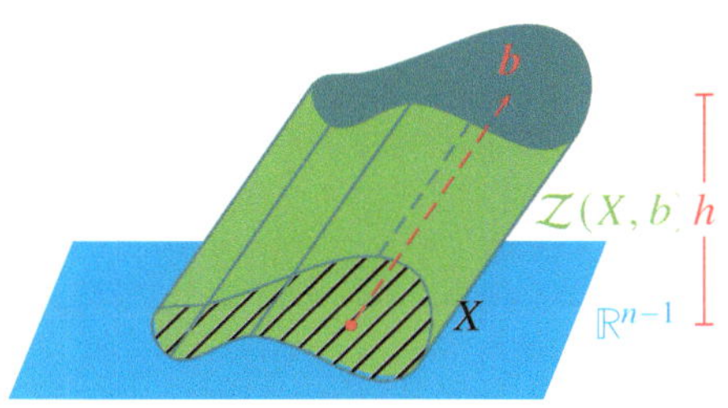

Abb. 128 *Schiefer Zylinder*

Ein verallgemeinerter Zylinder ist also ein schiefer Zylinder mit Richtungsvektor $b = 0 \in \mathbb{R}^{n-1}$.

Bemerkung A.17. Es gibt eine lineare Abbildung $\varphi\colon \mathbb{R}^n \to \mathbb{R}^n$ mit $\mathcal{Z}(X,b) = \varphi(\mathcal{Z}_h(X))$, nämlich diejenige mit darstellender Matrix

$$
M(\varphi) = \left(
\begin{array}{c|c}
\mathbb{1}_{n-1} & \begin{array}{c} \frac{b_1}{h} \\ \vdots \\ \frac{b_{n-1}}{h} \end{array} \\
\hline
0 \cdots 0 & 1
\end{array}
\right).
$$

Denn damit finden wir:

$$
M(\varphi) \cdot \begin{pmatrix} x_1 \\ \vdots \\ x_{n-1} \\ s \end{pmatrix} = \begin{pmatrix} x_1 + \frac{s}{h} \cdot b_1 \\ \vdots \\ x_{n-1} + \frac{s}{h} \cdot b_{n-1} \\ s \end{pmatrix}.
$$

Nach der Substitution $t = s/h$ liefert dies genau die Punkte aus $\mathcal{Z}(X,b)$ wie in Definition A.16. Für das Volumen des schiefen Zylinders $\mathcal{Z}(X,b)$ erhalten wir daher:

$$
\begin{aligned}
\mathrm{vol}_n(\mathcal{Z}(X,b)) &= \mathrm{vol}_n(\varphi(\mathcal{Z}_h(X))) \\
&= |\det(\varphi)| \cdot \mathrm{vol}_n(\mathcal{Z}_h(X)) \\
&= \mathrm{vol}_n(\mathcal{Z}_h(X)).
\end{aligned}
\tag{A.7}
$$

Schiefe Zylinder haben also dasselbe Volumen wie gerade. Für $X \in \mathcal{K}_{n-1}$, dessen $(n-1)$-dimensionales Volumen durch die Bedingungen in Definition 5.16 bestimmt ist, so erhalten wir daher wieder:

$$
\boxed{\mathrm{vol}_n(\mathcal{Z}(X,b)) = h \cdot \mathrm{vol}_{n-1}(X)}
\tag{A.8}
$$

Kegel. Den verallgemeinerten Kegel über einer Basismenge $X \subset \mathbb{R}^{n-1}$ und der Spitze $b \in \mathbb{R}^n$ erhalten wir, indem wir alle Punkte aus der Basis mit der Spitze verbinden.

Definition A.18. Sei $X \subset \mathbb{R}^{n-1}$ und $b \in \mathbb{R}^n$. Dann heißt die Menge

$$C(X, b) := \{t \cdot x + (1 - t) \cdot b \mid 0 \le t \le 1,\, x \in X\}$$

der **verallgemeinerte Kegel über X mit Spitze b**.

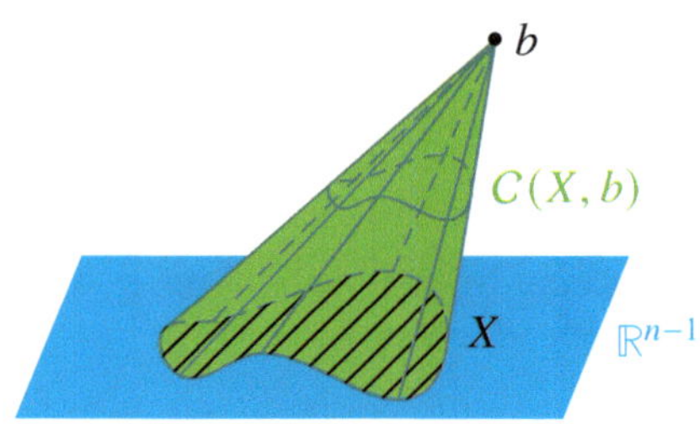

Abb. 129 *Verallgemeinerter Kegel*

Bemerkung A.19. Ähnlich wie bei schiefen Zylindern ändert sich auch bei verallgemeinerten Kegeln das Volumen nicht, wenn man die Spitze verschiebt, solange man die Höhe über der Basis dabei nicht verändert. Schreiben wir nämlich $b = \begin{pmatrix} b_1 \\ \vdots \\ b_{n-1} \\ h \end{pmatrix}$ und betrachten wieder die lineare Abbildung $\varphi \colon \mathbb{R}^n \to \mathbb{R}^n$ mit darstellender Matrix

$$M(\varphi) = \left(\begin{array}{c|c} \mathbb{1}_{n-1} & \begin{matrix} \frac{b_1}{h} \\ \vdots \\ \frac{b_{n-1}}{h} \end{matrix} \\ \hline 0 \cdots 0 & 1 \end{array} \right),$$

dann gilt

$$\varphi|_{\mathbb{R}^{n-1} \times \{0\}} = \mathrm{id}_{\mathbb{R}^{n-1} \times \{0\}} \quad \text{und} \quad \varphi(e_n) = \tfrac{1}{h} \cdot b\,.$$

Da $\det(M(\varphi)) = 1$, ist φ invertierbar mit $\varphi^{-1}(b) = h \cdot e_n$. Für den Kegel $C(X, b)$ über X mit Spitze b ist daher $\varphi^{-1}(C(X, b)) = C(X, h \cdot e_n)$. Wir erhalten damit für das Volumen von $C(X, b)$ die Formel:

$$\mathrm{vol}_n(C(X, b)) = \mathrm{vol}_n(C(X, h \cdot e_n))\,. \tag{A.9}$$

Das Volumen von $C(X, b)$ hängt also nur von der letzten Komponente h der Spitze b ab. Wir bezeichnen h als die **Höhe** des Kegels $C(X, b)$.

Beispiel A.20. Wir wollen das dreidimensionale Volumen eines Kegels über der Kreisscheibe $D(r)$ mit Höhe h berechnen. Nach Bemerkung A.19 können wir ohne Beschränkung der Allgemeinheit $b := h \cdot e_3$ setzen.

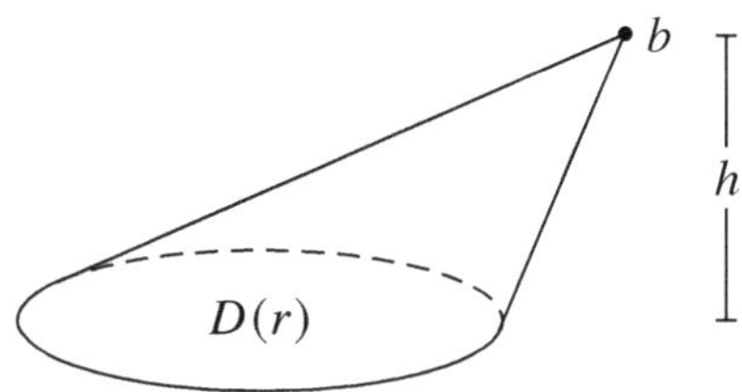

Abb. 130

Um das Volumen von $C(D(r), h \cdot e_3)$ zu berechnen, approximieren wir den Kegel zunächst durch m einbeschriebene Zylinder wie in folgender Skizze (für $m = 4$):

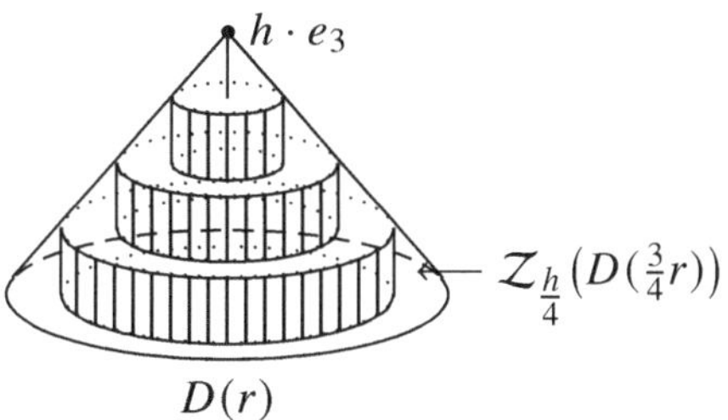

Abb. 131 *Einbeschriebener Zylinder*

Die m einbeschriebenen Zylinder haben jeweils die Höhe $\frac{h}{m}$ und haben die Radien $\left(1 - \frac{j}{m}\right) \cdot r$ mit $j = 1, \ldots m$. Da die Vereinigung aller dieser Zylinder in dem Kegel $C(X, b)$ enthalten ist, und da die einzelnen Zylinder

$$\mathcal{Z}_{\frac{h}{m}}\left(D\left(\left(1 - \tfrac{j}{m}\right) \cdot r\right) + (j - 1) \cdot \tfrac{h}{m} \cdot e_3\right), \quad j = 1 \ldots, m,$$

einander nur in Ebenen schneiden, so erhalten wir für das dreidimensionale Volumen des Kegels $C(D(r), h \cdot e_3)$ die folgende untere Abschätzung:

$$\mathrm{vol}_3(C(D(r), h \cdot e_3)) \;\geq\; \mathrm{vol}_3\left(\bigcup_{j=1}^{m}\left(\mathcal{Z}_{\frac{h}{m}}\left(D\left(\left(1 - \tfrac{j}{m}\right) \cdot r\right) + (j - 1) \cdot \tfrac{h}{m} \cdot e_3\right)\right)\right)$$

$$
= \sum_{j=1}^{m} \mathrm{vol}_3\!\left(\mathcal{Z}_{\frac{h}{m}}\!\left(D\!\left((1 - \tfrac{j}{m}) \cdot r \right) + (j-1) \cdot \tfrac{h}{m} \cdot e_3 \right) \right)
$$

$$
= \sum_{j=1}^{m} \mathrm{vol}_3\!\left(\mathcal{Z}_{\frac{h}{m}}\!\left(D\!\left((1 - \tfrac{j}{m}) \cdot r \right) \right) \right)
$$

$$
\overset{(A.5)}{=} \sum_{j=1}^{m} \tfrac{h}{m} \cdot \pi \cdot \left(1 - \tfrac{j}{m} \right)^2 \cdot r^2
$$

$$
= \tfrac{h}{m} \cdot \pi r^2 \cdot \sum_{j=1}^{m} \left(\tfrac{m-j}{m} \right)^2
$$

$$
= \tfrac{h}{m^3} \cdot \pi \cdot r^2 \cdot \sum_{j=1}^{m} (m - j)^2
$$

$$
= \tfrac{h}{m^3} \cdot \pi \cdot r^2 \cdot \sum_{k=0}^{m-1} k^2 \qquad (\text{mit } k = m - j)
$$

$$
= \tfrac{h}{m^3} \cdot \pi \cdot r^2 \cdot \frac{(m - 1) \cdot m \cdot 2m - 1}{6}
$$

$$
= \pi \cdot r^2 \cdot h \cdot \frac{(1 - \tfrac{1}{m}) \cdot (2 - \tfrac{1}{m})}{6} .
$$

Im Grenzwert $m \to \infty$ erhalten wir daraus die folgende untere Abschätzung für das dreidimensionale Volumen des Kegels $C(X, b)$:

$$
\mathrm{vol}_3(C(D(r), h \cdot e_3)) \geq \lim_{m \to \infty} \pi \cdot r^2 \cdot h \cdot \frac{(1 - \tfrac{1}{m}) \cdot (2 - \tfrac{1}{m})}{6} = \frac{\pi \cdot r^2 \cdot h}{3} . \tag{A.10}
$$

Nun, da wir eine untere Abschätzung für das dreidimensionale Volumen des Kegels $C(X, b)$ bereits gewonnen haben, wollen wir auf analoge Weise das Volumen auch nach oben abschätzen. Dazu approximieren wir den Kegel $C(X, b)$ durch m umbeschriebene Zylinder wie in folgender Skizze (für $m = 4$):

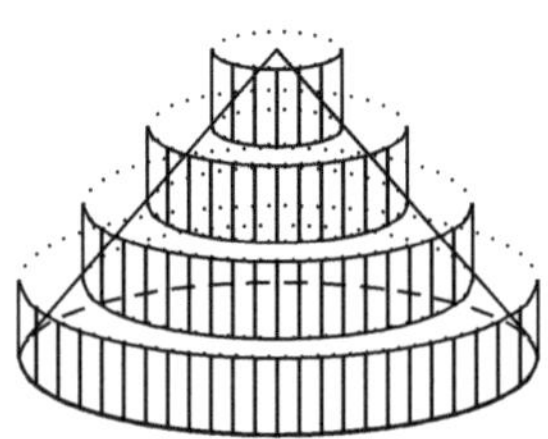

Abb. 132 *Umschriebener Zylinder*

Die m umbeschriebenen Zylinder haben jeweils die Höhe $\frac{h}{m}$ und haben die Radien $\left(1 - \tfrac{j-1}{m} \right) \cdot r$

mit $j = 1, \ldots m$. Da die Vereinigung aller dieser Zylinder in dem Kegel $C(X, b)$ enthalten ist, und da die einzelnen Zylinder

$$\mathcal{Z}_{\frac{h}{m}}\big(D\big(\big(1 - \tfrac{j-1}{m}\big) \cdot r\big) + (j-1) \cdot \tfrac{h}{m} \cdot e_3, \quad j = 1 \ldots, m,$$

einander nur in Ebenen schneiden, so erhalten wir für das dreidimensionale Volumen des Kegels $C(X, b)$ durch die analoge Rechnung wie oben die folgende obere Abschätzung:

$$\text{vol}_3(C(X, b)) \le \text{vol}_3\left(\bigcup_{j=1}^{m}\left(\mathcal{Z}_{\frac{h}{m}}\big(D\big(\big(1 - \tfrac{j-1}{m}\big) \cdot r\big) + (j-1) \cdot \tfrac{h}{m} \cdot e_3\right)\right)$$

$$= \sum_{j=1}^{m} \text{vol}_3\left(\mathcal{Z}_{\frac{h}{m}}\big(D\big(\big(1 - \tfrac{j-1}{m}\big) \cdot r\big)\right)$$

$$= \tfrac{h}{m^3} \cdot \pi \cdot r^2 \cdot \sum_{k=1}^{m} k^2 \qquad (\text{mit } k = m - j + 1)$$

$$= \tfrac{h}{m^3} \cdot \pi \cdot r^2 \cdot \frac{m \cdot (m+1) \cdot 2m + 1}{6}$$

$$= \pi \cdot r^2 \cdot h \cdot \frac{\big(1 + \tfrac{1}{m}\big) \cdot \big(2 + \tfrac{1}{m}\big)}{6}.$$

Im Grenzwert $m \to \infty$ erhalten wir daraus die folgende obere Abschätzung für das dreidimensionale Volumen des Kegels $C(X, b)$:

$$\text{vol}_3(C(D(r), h \cdot e_3)) \le \lim_{m \to \infty} \pi \cdot r^2 \cdot h \cdot \frac{\big(1 + \tfrac{1}{m}\big) \cdot \big(2 + \tfrac{1}{m}\big)}{6} = \frac{\pi \cdot r^2 \cdot h}{3}. \tag{A.11}$$

Damit ergibt sich insgesamt

$$\boxed{\text{vol}_3(C(D(r), b)) = \frac{\pi \cdot r^2 \cdot h}{3}} \tag{A.12}$$

Bemerkung A.21. In der Approximation des Kegels durch Zylinder haben wir (im Wesentlichen) nur die Formel für das dreidimensionale Volumen des Zylinders über einer Kreisscheibe $D(r)$ benutzt. Für eine beliebige Menge $X \in \mathcal{K}_2$, deren Flächeninhalt durch die Bedingungen aus Definition 5.16 bestimmt ist, können wir ganz analog den Kegel $C(X, h \cdot e_3)$ durch verallgemeinerte Zylinder von innen und von außen approximieren. Wir erhalten daher auf dieselbe Weise die folgende Formel für das dreidimensionale Volumen des Kegels $C(X, h \cdot e_3)$ über X:

$$\boxed{\text{vol}_3(C(X, h \cdot e_3)) = \frac{h \cdot \text{vol}_2(X)}{3}} \tag{A.13}$$

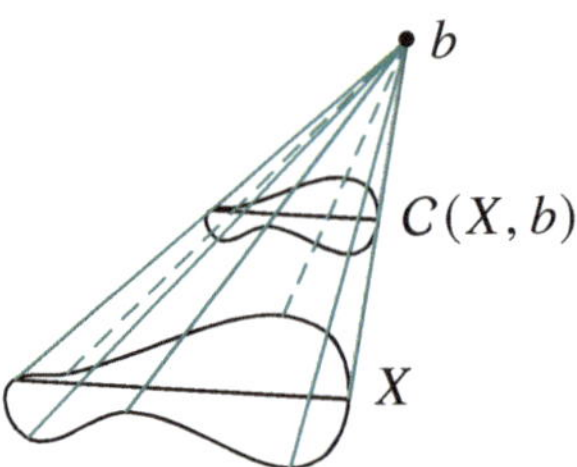

Abb. 133 *Kegel über allgemeinem $X \in \mathcal{K}_2$*

Tetraeder und Oktaeder. Die **platonischen Körper** sind berühmte Objekte der Geometrie. Bei ihnen handelt es sich um kompakte konvexe Teilmengen von $\mathbb{R}^3$, die durch regelmäßige n-Ecke begrenzt werden. Alle Kanten haben dieselbe Länge. Ein platonischer Körper ist uns schon begegnet, nämlich der Würfel. Er wird durch 6 Quadrate begrenzt. Ein Würfel ist ein spezielles Parallelepiped; sein dreidimensionales Volumen ist einfach die dritte Potenz der Seitenlänge.

Wir berechnen nun die Volumina für zwei weitere platonische Körper, nämlich das Tetraeder und das Oktaeder.

> **Definition A.22.** Das **Tetraeder** (zu deutsch: Vierflach) ist ein platonischer Körper, der vier Seiten hat, die jeweils gleichseitige Dreiecke sind.

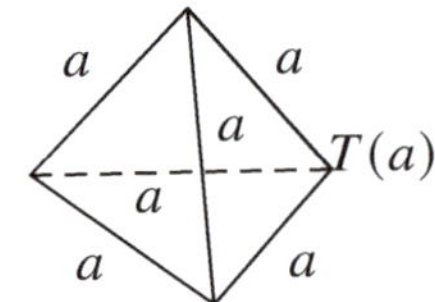

Abb. 134 *Tetraeder*

Wir bezeichnen mit $T(a) \subset \mathbb{R}^3$ das Tetraeder der Kantenlänge a. Wir wollen das dreidimensionale Volumen von $T(a)$ berechnen. Sei $\Delta \subset \mathbb{R}^2$ die Grundfläche und h die Höhe von $T(a)$. Dann ist $T(a) = C(\Delta, h \cdot e_3)$, sofern wir $T(a)$ so verschieben, dass der Schwerpunkt des Dreiecks Δ im Nullpunkt $0 \in \mathbb{R}^3$ liegt. Aus der Formel (A.13) wissen wir nun, dass das dreidimensionale Volumen von $T(a)$ gegeben ist durch:

$$\mathrm{vol}_3(T(a)) = \frac{h \cdot \mathrm{vol}_2(\Delta)}{3} . \tag{A.14}$$

Es bleibt also noch die Höhe h und der Flächeninhalt der Grundfläche Δ zu berechnen. Die Grundfläche Δ ist ein gleichseitiges Dreieck der Seitenlänge a.

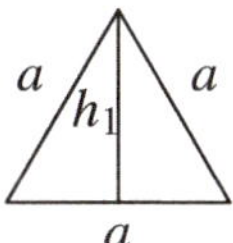

Abb. 135 *Höhe h_1 des Basisdreiecks*

Die Höhe h_1 von Δ ist nach dem Satz des Pythagoras:

$$h_1 = \sqrt{a^2 - \left(\tfrac{a}{2}\right)^2} = \tfrac{\sqrt{3}}{2} \cdot a \,. \tag{A.15}$$

Aus der Formel (5.8) erhalten wir also für den Flächeninhalt von Δ:

$$\mathrm{vol}_2(\Delta) = \tfrac{1}{2} \cdot a \cdot \tfrac{\sqrt{3}}{2} \cdot a = \tfrac{\sqrt{3}}{4} \cdot a^2 \,. \tag{A.16}$$

Es bleibt die Höhe h zu berechnen:

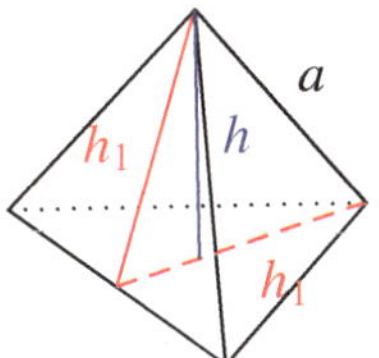

Abb. 136 *Höhe h des Tetraeders*

Dazu zeichnen wir das Dreieck Δ' mit der Höhe h über der Höhe h_1 als Grundseite noch einmal:

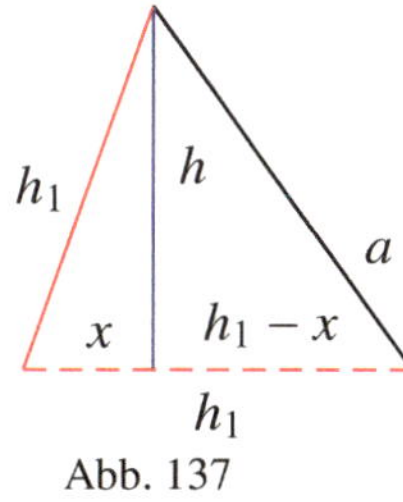

Abb. 137

Für das linke Teildreieck liefert der Satz von Pythagoras

$$h_1^2 = x^2 + h^2 \tag{A.17}$$

und für das rechte

$$a^2 = (h_1 - x)^2 + h^2 = h_1^2 - 2xh_1 + x^2 + h^2 \overset{(A.17)}{=} 2h_1^2 - 2xh_1,$$

also

$$x = h_1 - \frac{a^2}{2h_1} \overset{(A.15)}{=} \frac{\sqrt{3}}{2}a - \frac{a^2}{\sqrt{3}a} = \frac{a}{2\sqrt{3}}.$$

Setzen wir dies und (A.15) in (A.17) ein, so erhalten wir

$$h^2 = h_1^2 - x^2 = \frac{3a^2}{4} - \frac{a^2}{12} = \frac{2a^2}{3},$$

und somit

$$h = \frac{\sqrt{2}}{\sqrt{3}} \cdot a . \tag{A.18}$$

Für das dreidimensionale Volumen des Tetraeders $T(a)$ der Seitenlänge a erhalten wir schließlich die Formel:

$$\mathrm{vol}_3(T(a)) \overset{(A.14)}{=} \frac{h \cdot \mathrm{vol}_2(\Delta)}{3} \overset{(A.16),(A.18)}{=} \frac{a \cdot \sqrt{2}/\sqrt{3} \cdot a^2 \cdot \sqrt{3}/4}{3} = \frac{\sqrt{2}}{12} \cdot a^3 ,$$

also

$$\boxed{\mathrm{vol}_3(T(a)) = \frac{\sqrt{2}}{12} \cdot a^3} \tag{A.19}$$

Definition A.23. Das **Oktaeder** (zu deutsch: Achtflach) ist ein platonischer Körper, der durch acht gleichseitige Dreiecke begrenzt wird.

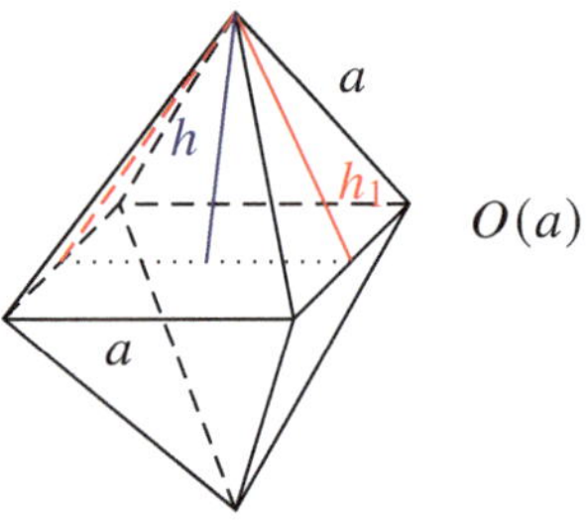

Abb. 138 *Oktaeder*

Wir bezeichnen mit $O(a)$ das Oktaeder der Kantenlänge a. Die obige Skizze zeigt, dass $O(a)$ sich in zwei Kegel über einem Quadrat Q mit Seitenlänge a zerlegen läßt. Der Flächeninhalt von Q ist gegeben durch $\mathrm{vol}_2(Q) = a^2$. Das dreidimensionale Volumen von $O(a)$ ist dann nach der Formel (A.13) gegeben durch:

$$\mathrm{vol}_3(O(a)) = \tfrac{2}{3} \cdot h \cdot a^2 \, .$$

Es bleibt also noch die Höhe h zu berechnen.

Die Seitenflächen des Oktaeders $O(a)$ sind gleichseitige Dreiecke der Kantenlänge a; wir bezeichnen deren Höhe mit h_1. Um die Höhe h zu berechnen, zeichnen wir das Dreieck Δ noch einmal, das den oberen Kegel des Oktaeders $O(a)$ halbiert. Dieses Dreieck ist gleichschenklig mit Schenkeln der Länge h_1, Höhe h und dritter Seite der Länge a:

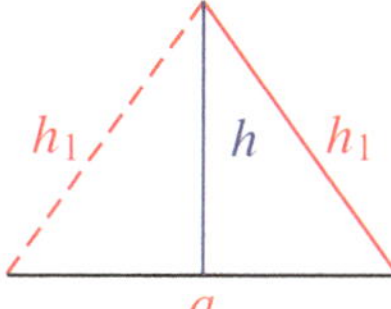

Abb. 139 *Hilfsdreieck im Oktaeder*

Die Höhe h_1 der Seitenflächen von $O(a)$ ist nach der Formel (A.18) gegeben durch $h_1 = \frac{\sqrt{3}}{2} \cdot a$. Die Höhe h des Kegels über Q berechnen wir mittels des Satzes von Pythagoras:

$$h = \sqrt{h_1^2 - \left(\tfrac{a}{2}\right)^2} = \sqrt{\tfrac{3}{4} \cdot a^2 - \tfrac{1}{4} \cdot a^2} = \tfrac{1}{\sqrt{2}} \cdot a \, . \tag{A.20}$$

Somit erhalten wir für das dreidimensionale Volumen des Oktaeders schließlich die Formel:

$$\mathrm{vol}_3(O(a)) = \tfrac{2}{3} \cdot h \cdot a^2 = \tfrac{\sqrt{2}}{3} \cdot a^3 \, ,$$

also

$$\boxed{\mathrm{vol}_3(O(a)) = \tfrac{\sqrt{2}}{3} \cdot a^3} \tag{A.21}$$

A.4. Ranking von Webseiten

Die Qualität einer Suchmaschine wie der von Google hängt nicht zuletzt von ihrer Fähigkeit ab, unter zahllosen Webseiten, die einen Suchbegriff enthalten, diejenigen mit der höchsten Relevanz zu finden, um sie ganz am Anfang der Trefferliste zu platzieren. Wie eine solche Sortierung nach Wichtigkeit funktioniert, wollen wir in den Grundzügen hier beschreiben. Dabei haben wir uns an [6] orientiert.

Ausgangspunkt ist die Überlegung, dass eine Webseite umso wichtiger ist, je mehr andere Webseiten auf sie verweisen. Also könnte man einfach die Anzahl der Webseiten, von denen eine gegebene Seite verlinkt wurde, als ihre Wichtigkeit definieren und die Suchergebnisse danach sortieren. Besteht unser Internet also aus n Webseiten, dann wäre die Wichtigkeit der j-ten Webseite gegeben durch

$$w_j = \sum_{i=1}^{n} \eta_{ji}, \tag{A.22}$$

wobei $\eta_{ji} = 1$ ist, wenn die i-te Webseite auf die j-te verweist, und $= 0$ falls nicht. Selbstverweise wollen wir Selbstreferenzen dabei nicht mitzählen und setzen stets $\eta_{jj} = 0$.

Diese Vorgehensweise berücksichtigt allerdings nicht, dass Verweise von wichtigen Webseiten ein höheres Gewicht haben sollten als die von unwichtigen. Daher ersetzen wir (A.22) durch die Forderung

$$w_j = \sum_{i=1}^{n} \eta_{ji} w_i. \tag{A.23}$$

Jetzt wird jeder Link von einer anderen Webseite mit der Wichtigkeit dieser verlinkenden Seite gewichtet. Allerdings können sich auch unwichtige Seiten jetzt immer noch einen großen Einfluss auf das Ranking dadurch verschaffen, dass sie viele Links auf andere Seiten setzen. Der Einfluss auf die Anordnung jeder einzelnen Seite ist dann zwar immer noch gering, aber der Gesamteinfluss auf die Ranking-Prozedur, wenn wir alle Seiten zusammennehmen, ist ungebührlich groß.

Um das zu verhindern, normieren wir die Koeffizienten η_{ji} so, dass ihre Gesamtsumme stets 1 ergibt. Wir ersetzen also η_{ji} durch

$$a_{ji} = \frac{\eta_{ji}}{\sum_{k=1}^{n} \eta_{ki}}.$$

Hier müssen wir aufpassen, dass wir nicht durch 0 dividieren. Das würde dann passieren, wenn für ein i gelten würde, dass $\eta_{ki} = 0$ ist für alle k. Das bedeutet, dass die i-te Webseite auf gar keine andere Webseite verweist. Um diese Komplikation zu vermeiden, wollen wir der Einfachheit halber annehmen, dass unser Internet keine solchen „stummen" Webseiten enthält. Nun können wir (A.23) ersetzen durch die Forderung

$$w_j = \sum_{i=1}^{n} a_{ji} w_i. \tag{A.24}$$

Wollen wir dies zur Berechnung der Wichtigkeit der Webseiten verwenden, scheint sich die Katze in den Schwanz zu beißen, da in (A.24) die zu bestimmenden w_j auf der rechten Seite wieder vorkommen. Aber das ist kein Problem. Definieren wir nämlich die Matrix $A \in \mathrm{Mat}(n, \mathbb{R})$ durch die Einträge a_{ji} und den Vektor $w \in \mathbb{R}^n$ mit den Komponenten w_j, dann wird (A.24) zu

$$w = A \cdot w. \tag{A.25}$$

In anderen Worten, der gesuchte Vektor w ist ein Eigenvektor von A zum Eigenwert 1. Damit können wir arbeiten.

Unsere Matrix A ist **spalten-stochastisch**, d.h. alle Einträge liegen im Intervall $[0, 1]$ und die Summe aller Einträge einer Spalte ergibt stets 1, $\sum_{j=1}^{n} a_{ji} = 1$ für jedes i. Solche Matrizen haben tatsächlich den Eigenwert 1.

Lemma A.24. *Jede spalten-stochastische Matrix hat* 1 *als Eigenwert.*

Erster Beweis. Da A spalten-stochastisch ist, liefert die Summe aller Einträge einer Zeile der transponierten Matrix A^{T} stets den Wert 1. Daher gilt für den Vektor $v = (1, \ldots, 1)^{\mathsf{T}}$ offensichtlich $A^{\mathsf{T}} v = v$. Somit hat A^{T} den Eigenwert 1 und damit nach Bemerkung 6.50 auch A selbst. $\qquad\square$

Zweiter Beweis. Da A spalten-stochastisch ist, liefert die Summe aller Einträge einer Spalte von $A - \mathbb{1}$ stets den Wert 0. Also summieren sich die Zeilenvektoren von $A - \mathbb{1}$ zum Nullvektor und sind daher linear abhängig. Somit hat $A - \mathbb{1}$ nicht vollen Rang und es ist $\dim \mathrm{Eig}(A, 1) = \dim \ker(A\text{-}\mathbb{1}) \geq 1$. $\qquad\square$

Dies zeigt, dass (A.24) tatsächlich eine Lösung $w \neq 0$ besitzt. Es gibt allerdings immer noch ein Problem. Betrachten wir als Beispiel ein Internet mit 4 Webseiten, in dem die ersten beiden Seiten aufeinander verweisen und die dritte und vierte sollen ebenfalls aufeinander verweisen.

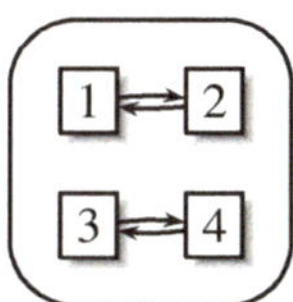

Abb. 140 *Einfaches Internet mit* 4 *Webseiten*

Die Matrix A ist dann gegen durch

$$A = \begin{pmatrix} 0 & 1 & 0 & 0 \\ 1 & 0 & 0 & 0 \\ 0 & 0 & 0 & 1 \\ 0 & 0 & 1 & 0 \end{pmatrix}. \qquad\qquad (A.26)$$

In der Matrix

$$A - \mathbb{1}_4 = \begin{pmatrix} -1 & 1 & 0 & 0 \\ 1 & -1 & 0 & 0 \\ 0 & 0 & -1 & 1 \\ 0 & 0 & 1 & -1 \end{pmatrix} \qquad\qquad (A.27)$$

sind die ersten beiden Spalten Negative von einander als auch die beiden letzten. Daher hat die Matrix $A - \mathbb{1}_4$ Rang 2 und somit gemäß der Dimensionsformel (Satz 4.19) einen zweidimensionalen Kern. In anderen Worten, die geometrische Vielfachheit des Eigenwertes 1 von A ist 2. Es gibt also 2 linear unabhängige Eigenvektoren in (A.24) und damit grundsätzlich verschiedene Rankings. Es ist nicht klar, welchen Eigenvektor w man nun zur Sortierung der Suchmaschinentreffer nehmen sollte.

Um dieses Problem zu vermeiden, nehmen wir eine letzte Modifikation vor. Ein völlig „demokratisches" Internet, in dem jede Seite auf jede andere verweist, würde durch die Matrix

$$D = \begin{pmatrix} 1/n & \cdots & 1/n \\ \vdots & & \vdots \\ 1/n & \cdots & 1/n \end{pmatrix}$$

beschrieben, wobei wir ausnahmsweise Selbstverlinkungen erlaubt haben. Wir wählen nun einen „Demokratiekoeffizienten" $\varepsilon \in (0, 1)$ und machen unsere Verlinkungsmatrix etwas demokratischer, in dem wir setzen

$$B := (1 - \varepsilon)A + \varepsilon D. \tag{A.28}$$

Auch diese Matrix B ist spalten-stochastisch, wobei nun alle Einträge strikt positiv sind. Das entscheidende Resultat ist der folgende Satz:

Satz A.25. *Sei $B \in \mathrm{Mat}(n, \mathbb{R})$ eine spalten-stochastische Matrix, deren Einträge positiv sind. Dann ist* $\mathrm{Eig}(B, 1)$ *eindimensional und jeder Eigenvektor von B zum Eigenwert 1 hat entweder lauter positive oder lauter negative Komponenten.*

Beweis. a) Wir zeigen zunächst, dass jeder Eigenvektor w von B zum Eigenwert 1 lauter nichtnegative oder lauter nichtpositive Komponenten hat. Dazu machen wir zunächst die allgemeine Beobachtung, dass die Dreiecksungleichung für Summen reeller Zahlen

$$\left| \sum_{i=1}^{n} x_i \right| \le \sum_{i=1}^{n} |x_i|$$

strikt ist, falls in der Summe sowohl positive als auch negative Summanden vorkommen. Die Eigenvektorgleichung $w = Bw$ besagt, ausgedrückt in Komponenten,

$$w_j = \sum_{i=1}^{n} b_{ji} w_i. \tag{A.29}$$

Falls nun sowohl positive als auch negative w_i vorkommen, so gilt das auch für die Summanden in (A.29), da alle b_{ji} positiv sind. Also ist

$$|w_j| = \left| \sum_{i=1}^{n} b_{ji} w_i \right| < \sum_{i=1}^{n} |b_{ji} w_i| = \sum_{i=1}^{n} b_{ji} |w_i|. \tag{A.30}$$

Wir summieren (A.30) über j und erhalten

$$\sum_{j=1}^{n} |w_j| < \sum_{j=1}^{n} \sum_{i=1}^{n} b_{ji}|w_i| = \sum_{i=1}^{n} \sum_{j=1}^{n} b_{ji}|w_i| = \sum_{i=1}^{n} |w_i|,$$

wobei wir bei der letzten Umformung benutzt haben, dass B spalten-stochastisch ist. Wir haben einen Widerspruch erhalten; es können nicht sowohl positive als auch negative w_j vorkommen.

b) Nun zeigen wir, dass die Komponenten eines Eigenvektors w von B zum Eigenwert 1 alle strikt positiv oder alle strikt negativ sind. Nach a) können wir, indem wir w notfalls durch $-w$ ersetzen, annehmen, dass alle $w_i \geq 0$. Die Summanden auf der rechten Seite von (A.29) sind dann ebenfalls alle ≥ 0. Da alle $b_{ji} > 0$ und nicht alle $w_i = 0$ sind, sind unter den Summanden auch strikt positive. Also ist die Summe positiv, d.h. $w_j > 0$.

c) Dass spalten-stochastische Matrizen den Eigenwert 1 haben, haben wir in Lemma A.24 schon gesehen. Bleibt nur noch zu zeigen, dass die geometrische Vielfachheit nicht größer als 1 ist.

Wir betrachten die Hyperebene $H = \{x \in \mathbb{R}^n \mid x_1 + \ldots + x_n = 0\} \subset \mathbb{R}^n$. Wäre $\dim \mathrm{Eig}(B, 1) \geq 2$, dann wäre $\dim(\mathrm{Eig}(B, 1) \cap H) \geq 1$. Es gäbe also Eigenvektoren w von B zum Eigenwert 1 mit $w_1 + \ldots + w_n = 0$. Das aber widerspricht der schon bewiesenen Tatsache, dass alle $w_j > 0$ oder alle $w_j < 0$ sind. $\qquad\qquad\qquad\qquad\qquad\qquad\qquad\qquad\qquad\qquad\qquad\qquad\qquad\qquad\quad\square$

Es gibt eine Verallgemeinerung von Satz A.25, die als Frobenius-Perron-Theorem bekannt ist, hier aber nicht benötigt wird. Satz A.25 liefert genau, was wir brauchen. Wir erhalten einen Eigenvektor w von B zum Eigenwert 1. Indem wir gegebenenfalls w durch $-w$ ersetzen, stellen wir sicher, dass alle $w_j > 0$ sind. Dann interpretieren wir w_j als die Wichtigkeit der j-ten Webseite und ordnen unsere Suchtrefferlisten danach. Dieses w ist zwar nur bis auf Multiplikation mit einer positiven Zahl $t > 0$ eindeutig festgelegt, aber wenn wir w durch tw ersetzen, d.h. alle w_j durch tw_j ersetzen, dann ändert das nichts an der Wichtigkeitsreihenfolge.

Beispiel A.26. In dem Beispiel aus (A.26) ist

$$B = (1 - \varepsilon) \begin{pmatrix} 0 & 1 & 0 & 0 \\ 1 & 0 & 0 & 0 \\ 0 & 0 & 0 & 1 \\ 0 & 0 & 1 & 0 \end{pmatrix} + \varepsilon \begin{pmatrix} 1/4 & 1/4 & 1/4 & 1/4 \\ 1/4 & 1/4 & 1/4 & 1/4 \\ 1/4 & 1/4 & 1/4 & 1/4 \\ 1/4 & 1/4 & 1/4 & 1/4 \end{pmatrix} = \begin{pmatrix} \varepsilon/4 & 1 - 3\varepsilon/4 & \varepsilon/4 & \varepsilon/4 \\ 1 - 3\varepsilon/4 & \varepsilon/4 & \varepsilon/4 & \varepsilon/4 \\ \varepsilon/4 & \varepsilon/4 & \varepsilon/4 & 1 - 3\varepsilon/4 \\ \varepsilon/4 & \varepsilon/4 & 1 - 3\varepsilon/4 & \varepsilon/4 \end{pmatrix}.$$

Hier können wir sofort einen Eigenvektor zum Eigenwert 1 erraten, nämlich $w = (1, 1, 1, 1)^\top$. Alle Webseiten sind also gleich wichtig.

Beispiel A.27. Betrachten wir ein Internet bestehend aus 4 Webseiten, die wie folgt verlinkt sind:

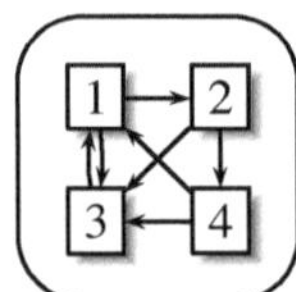

Abb. 141 Komplexeres Internet mit 4 Webseiten

Dann ist

$$
A = \begin{pmatrix} 0 & 0 & 1 & 1/2 \\ 1/2 & 0 & 0 & 0 \\ 1/2 & 1/2 & 0 & 1/2 \\ 0 & 1/2 & 0 & 0 \end{pmatrix}
$$

und

$$
B = (1-\varepsilon)\begin{pmatrix} 0 & 0 & 1 & 1/2 \\ 1/2 & 0 & 0 & 0 \\ 1/2 & 1/2 & 0 & 1/2 \\ 0 & 1/2 & 0 & 0 \end{pmatrix} + \varepsilon \begin{pmatrix} 1/4 & 1/4 & 1/4 & 1/4 \\ 1/4 & 1/4 & 1/4 & 1/4 \\ 1/4 & 1/4 & 1/4 & 1/4 \\ 1/4 & 1/4 & 1/4 & 1/4 \end{pmatrix} = \begin{pmatrix} \varepsilon/4 & \varepsilon/4 & 1 - 3\varepsilon/4 & 1/2 - \varepsilon/4 \\ 1/2 - \varepsilon/4 & \varepsilon/4 & \varepsilon/4 & \varepsilon/4 \\ 1/2 - \varepsilon/4 & 1/2 - \varepsilon/4 & \varepsilon/4 & 1/2 - \varepsilon/4 \\ \varepsilon/4 & 1/2 - \varepsilon/4 & \varepsilon/4 & \varepsilon/4 \end{pmatrix}.
$$

Man rechnet leicht nach, dass

$$
w = \begin{pmatrix} -\varepsilon^3 + 8\,\varepsilon^2 - 19\,\varepsilon + 16 \\ -\varepsilon^3 + 4\,\varepsilon^2 - 7\,\varepsilon + 8 \\ -\varepsilon^3 + 6\,\varepsilon^2 - 15\,\varepsilon + 14 \\ \varepsilon^3 - 4\,\varepsilon^2 + 3\,\varepsilon + 4 \end{pmatrix}
$$

Eigenvektor von B zum Eigenwert 1 ist. Es gilt für alle $\varepsilon \in [0, 1)$, dass $w_1 > w_3 > w_2 > w_4 > 0$ ist. Die erste Webseite ist also die wichtigste, gefolgt von den Seiten 3, 2 und 4, und das obwohl mehr Links auf Seite 3 verweisen als auf die erste.

In diesen Beispielen ist das Ranking-Ergebnis unabhängig davon, wie wir den Koeffizienten ε gewählt haben. Das braucht im Allgemeinen nicht so zu sein. Eine Suchmaschine wird daher einen Wert für ε festlegen. Dieser wird viel näher bei 0 als bei 1 liegen, da die gleichmacherische Matrix D das Ergebnis nicht dominieren soll. Google hat in der Anfangszeit, [6] zufolge, mit einem Wert von $\varepsilon = 0.15$ gearbeitet.

A.5. Differentialgleichungssysteme mit konstanten Koeffizienten

In diesem Abschnitt illustrieren wir die Nützlichkeit der Triagonalisierbarkeit von Matrizen für eine Anwendung in der Analysis, nämlich das Lösen von Differentialgleichungssystemen mit konstanten Koeffizienten. Seien zunächst eine Konstante $a \in \mathbb{C}$ und eine stetige Funktion $f \colon \mathbb{R} \to \mathbb{C}$ gegeben. Wir suchen alle stetig differenzierbaren Funktionen $y \colon \mathbb{R} \to \mathbb{C}$, die

$$\dot{y}(t) = a \cdot y(t) + f(t) \tag{A.31}$$

erfüllen. Man nennt (A.31) eine *Differentialgleichung*, da in ihr sowohl die gesuchte Funktion als auch ihre Ableitung vorkommt. Genauer handelt es sich bei (A.31) um eine gewöhnliche Differentialgleichung erster Ordnung mit konstanten Koeffizienten. Man kann nun leicht nachrechnen, dass für jede Konstante $c \in \mathbb{C}$ die Funktion $y \colon \mathbb{R} \to \mathbb{C}$ gegeben durch

$$y(t) = e^{at} \cdot \left(\int_0^t e^{-as} f(s)\,ds + c \right) \tag{A.32}$$

eine Lösung von (A.31) ist. In der Analysis lernt man, dass tatsächlich alle Lösungen von (A.31) von der Form (A.32) sind. So weit, so gut.

Nun möchten wir *Systeme von Differentialgleichungen* lösen. Gegeben seien Konstanten $a_{ij} \in \mathbb{C}$ und stetige Funktionen $f_i \colon \mathbb{R} \to \mathbb{C}$ und wir suchen alle stetig differenzierbaren Funktionen $y_i \colon \mathbb{R} \to \mathbb{C}$, so dass

$$\dot{y}_1(t) = \sum_{j=1}^n a_{1j} \cdot y_j(t) + f_1(t)$$

$$\vdots$$

$$\dot{y}_n(t) = \sum_{j=1}^n a_{nj} \cdot y_j(t) + f_n(t) \tag{A.33}$$

erfüllt ist. Wir schreiben dies kompakter, indem wir die Matrix $A \in \mathrm{Mat}(n, \mathbb{C})$ einführen, deren Einträge die a_{ij} sind, sowie die vektorwertigen Funktionen $y \colon \mathbb{R} \to \mathbb{C}^n$, $y(t) := (y_1(t), \dots, y_n(t))^\mathsf{T}$, und $f \colon \mathbb{R} \to \mathbb{C}^n$, $f(t) := (f_1(t), \dots, f_n(t))^\mathsf{T}$. Dann schreibt sich (A.33) einfach als

$$\dot{y}(t) = A \cdot y(t) + f(t). \tag{A.34}$$

Dies sieht fast wieder so aus wie (A.31), nur dass nun die Funktionen y und f vektorwertig sind und wir eine Koeffizientenmatrix A haben statt eines skalaren Koeffizienten.

Wenn wir Glück haben und A eine obere Dreiecksmatrix ist, dann können wir das Differentialgleichungssystem (A.34) von unten nach oben lösen. Die unterste Gleichung lautet dann nämlich

$$\dot{y}_n = a_{nn} y_n(t) + f_n(t).$$

Also ist

$$y_n(t) = e^{a_{nn}t} \cdot \left(\int_0^t e^{-a_{nn}s} f_n(s)\,ds + c_n \right)$$

für eine Konstante $c_n \in \mathbb{C}$. Nun schauen wir uns die zweitunterste Gleichung an. Sie lautet

$$\dot{y}_{n-1}(t) = a_{n-1,n-1} \cdot y_{n-1}(t) + a_{n-1,n} \cdot y_n(t) + f_{n-1}(t).$$

Aber y_n haben wir bereits berechnet. Setzen wir $\tilde{f}_{n-1}(t) := a_{n-1,n} \cdot y_n(t) + f_{n-1}(t)$, dann lautet die zweitunterste Gleichung

$$\dot{y}_{n-1}(t) = a_{n-1,n-1} \cdot y_{n-1}(t) + \tilde{f}_{n-1}(t).$$

Also ist

$$y_{n-1}(t) = e^{a_{n-1,n-1}t} \cdot \left(\int_0^t e^{-a_{n-1,n-1}s} \tilde{f}_{n-1}(s)\,ds + c_{n-1} \right)$$

für eine Konstante $c_{n-1} \in \mathbb{C}$. So fahren wir von unten nach oben fort. Allgemein lautet die k-te Gleichung

$$\dot{y}_k(t) = a_{kk} \cdot y_k(t) + a_{k,k+1} \cdot y_{k+1}(t) + \ldots + a_{kn} \cdot y_n(t) + f_k(t). \tag{A.35}$$

Die Funktionen $y_{k+1}, \ldots, y_n$ kennen wir dann schon und setzen daher $\tilde{f}_k(t) := a_{k,k+1} \cdot y_{k+1}(t) + \ldots + a_{kn} \cdot y_n(t) + f_k(t)$. Aus (A.35) wird

$$\dot{y}_k(t) = a_{kk} \cdot y_k(t) + \tilde{f}_k(t).$$

Also ist

$$y_k(t) = e^{a_{k,k}t} \cdot \left(\int_0^t e^{-a_{k,k}s} \tilde{f}_k(s)\,ds + c_k \right) \tag{A.36}$$

für eine Konstante $c_k \in \mathbb{C}$.

Bei jedem Schritt ist eine Konstante c_k zu wählen. Was hat es damit auf sich? Setzen wir $t = 0$ in (A.36) ein, so erhalten wir

$$y_k(0) = c_k.$$

Durch Vorgabe der Funktionswerte von y_k bei $t = 0$ wird die Lösung des Differentialgleichungssystems (A.33) also eindeutig festgelegt.

Was aber tun wir, wenn A keine obere Dreiecksmatrix ist? Da kommt uns die lineare Algebra zur Hilfe. Gemäß Korollar 6.83 kann jede komplexe $n \times n$-Matrix trigonalisiert werden, d.h. es gibt eine invertierbare Matrix $S \in \mathrm{GL}(n, \mathbb{C})$, so dass

$$B := SAS^{-1}$$

eine obere Dreiecksmatrix ist. Wir multiplizieren nun (A.34) von links mit S und erhalten

$$S\dot{y}(t) = SAy(t) + Sf(t) = BSy(t) + Sf(t).$$

Wenn wir also $z(t) := Sy(t)$ und $g(t) := Sf(t)$ setzen, dann erhalten wir das Differentialgleichungssystem

$$\dot{z}(t) = Bz(t) + g(t),$$

das wir wie oben beschrieben lösen können. Anschließend lösen wir wieder mittels $y(t) = S^{-1}z(t)$ nach y auf und haben die Lösung des ursprünglichen Differentialgleichungssystems (A.34).

Beispiel A.28. Wir bestimmen die Lösungen des Differentialgleichungssystems

$$\dot{y}_1(t) = 3y_1(t) + 4y_2(t) + 3y_3(t),$$
$$\dot{y}_2(t) = -y_1(t) - y_3(t),$$
$$\dot{y}_3(t) = y_1(t) + 2y_2(t) + 3y_3(t).$$

In Matrixschreibweise heißt das:

$$\dot{y}(t) = \begin{pmatrix} 3 & 4 & 3 \\ -1 & 0 & -1 \\ 1 & 2 & 3 \end{pmatrix} y(t). \tag{A.37}$$

In Beispiel 6.84 haben wir berechnet, dass

$$B = SAS^{-1} = \begin{pmatrix} 2 & 1 & 3 \\ 0 & 2 & 2 \\ 0 & 0 & 2 \end{pmatrix} \text{ gilt, wobei } S = \begin{pmatrix} 1 & 0 & 0 \\ 1 & 1 & 0 \\ 0 & 1 & 0 \end{pmatrix} \text{ und } S^{-1} = \begin{pmatrix} 1 & 0 & 0 \\ -1 & 1 & 0 \\ 1 & -1 & 1 \end{pmatrix}.$$

Die Substitution $z(t) = Sy(t)$ liefert das Differentialgleichungssystem

$$\dot{z}_1(t) = 2z_1(t) + z_2(t) + 3z_3(t),$$
$$\dot{z}_2(t) = 2z_2(t) + 2z_3(t),$$
$$\dot{z}_3(t) = 2z_3(t).$$

Dieses System lösen wir von unten nach oben. Die Gleichung $\dot{z}_3(t) = 2z_3(t)$ liefert

$$z_3(t) = c_3 e^{2t}.$$

Die Gleichung $\dot{z}_2(t) = 2z_2(t) + 2z_3(t) = 2z_2(t) + 2c_3 e^{2t}$ liefert

$$z_2(t) = e^{2t} \cdot \left(\int_0^t e^{-2s} \cdot 2c_3 e^{2s} ds + c_2 \right) = e^{2t} \cdot (2c_3 t + c_2).$$

Die Gleichung $\dot{z}_1(t) = 2z_1(t) + z_2(t) + 3z_3(t) = 2z_1(t) + e^{2t} \cdot (2c_3 t + c_2 + 3c_3)$ schließlich liefert

$$z_1(t) = e^{2t} \cdot \left(\int_0^t e^{-2s} e^{2s} (2c_3 s + c_2 + 3c_3) ds + c_1 \right) = e^{2t} \left(c_3 t^2 + (c_2 + 3c_3)t + c_1 \right).$$

Nun machen wir die Substitution rückgängig und lösen nach y auf:

$$y(t) = S^{-1} z(t) = \begin{pmatrix} 1 & 0 & 0 \\ -1 & 1 & 0 \\ 1 & -1 & 1 \end{pmatrix} e^{2t} \begin{pmatrix} c_3 t^2 + (c_2 + 3c_3)t + c_1 \\ 2c_3 t + c_2 \\ c_3 \end{pmatrix}$$

$$= e^{2t} \begin{pmatrix} c_3 t^2 + (c_2 + 3c_3)t + c_1 \\ -c_3 t^2 - (c_2 + c_3)t - c_1 + c_2 \\ c_3 t^2 + (c_2 + c_3)t + c_1 - c_2 + c_3 \end{pmatrix}.$$

Damit haben wir die allgemeine Lösung des Differentialgleichungssystems (A.37) bestimmt.

A.6. Quantencomputer

Ziel dieses Abschnitts ist es, die Funktionsweise eines Quanten-
computers zu skizzieren. Wir werden sehen, dass Tensorprodukte
dabei eine essentielle Rolle spielen. Doch bevor wir damit beginnen,
einige Worte zu klassischen Computern. Daten werden in einem
klassischen Computer in **Bits** gespeichert, die die Werte $0, 1 \in \mathbb{F}_2$
annehmen können. Ein **Register** besteht aus n Bits und kann daher Werte aus $\mathbb{F}_2^n$ annehmen. Rechnungen führt der Computer dann
in **Schaltkreisen** aus, die aus **logischen Gattern** zusammengesetzt

Abb. 142 *Prozessor*

sind. Diese Gatter bilden einen Eingangswert aus $\mathbb{F}_2^n$ auf einen Ausgangswert aus $\mathbb{F}_2^m$ ab. In
modernen Prozessoren sind Milliarden von logischen Gattern verbaut.

Im Folgenden verwenden wir die Addition + und die Multiplikation · im Körper $\mathbb{F}_2$. Wichtige
Beispiele für logische Gatter sind:

1. Das **AND-Gatter** $\mathbb{F}_2^2 \to \mathbb{F}_2$ ist gegeben durch $(x_1, x_2) \mapsto x_1 \cdot x_2$. Um zu verstehen,
    wieso dieses Gatter etwas mit dem logischen AND zu tun hat, identifizieren wir die Zahl
    $0 \in \mathbb{F}_2$ mit dem logischen „falsch" und die Zahl $1 \in \mathbb{F}_2$ mit dem logischen „wahr". Da
    $x_1 \cdot x_2 = 1$ genau dann gilt, wenn sowohl $x_1 = 1$ als auch $x_2 = 1$ ist, entspricht das dem
    logischen AND, auf Deutsch UND.

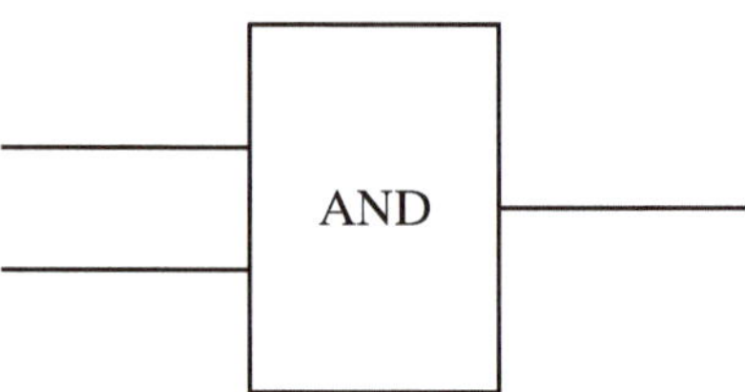

Abb. 143 *AND-Gatter*

2. Das **XOR-Gatter** $\mathbb{F}_2^2 \to \mathbb{F}_2$ ist gegeben durch $(x_1, x_2) \mapsto x_1 + x_2$. Dabei steht „XOR" für
    exclusive or, also exklusives Oder. Es ergibt den Wert „wahr" genau dann, wenn einer
    der beiden Eingabewerte „wahr" ist, nicht aber beide.

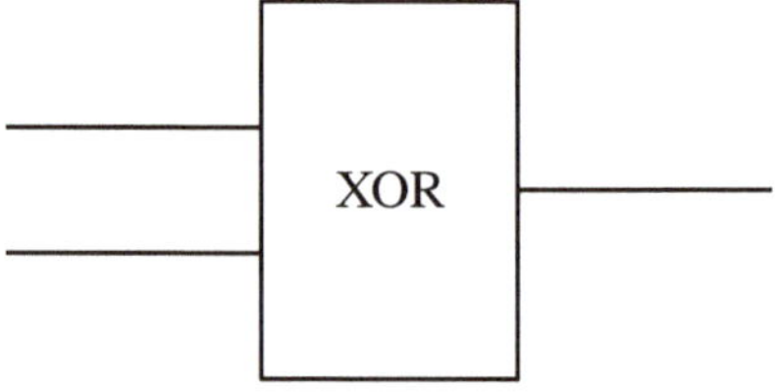

Abb. 144 *XOR-Gatter*

3. Das **NOT-Gatter** $\mathbb{F}_2 \to \mathbb{F}_2$ ist gegeben durch $x \mapsto x + 1$. Es vertauscht die Werte 0
    und 1. Es realisiert die logische Negation.

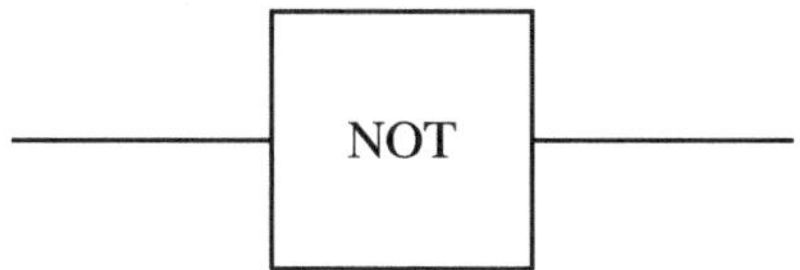

Abb. 145 *NOT-Gatter*

4. Das **OR-Gatter** $\mathbb{F}_2^2 \to \mathbb{F}_2$ ist gegeben durch $(x_1, x_2) \mapsto x_1 + x_2 + x_1 \cdot x_2$. Es realisiert das logische Oder, das den Wert „falsch" nur dann annimmt, wenn beide Eingabewerte „falsch" sind.

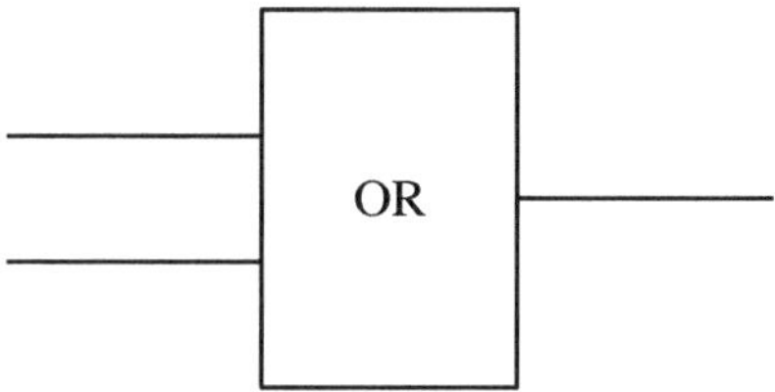

Abb. 146 *OR-Gatter*

5. Das **Verzweigungsgatter** $\mathbb{F}_2 \to \mathbb{F}_2^2$ ist gegeben durch $x \mapsto (x, x)$.

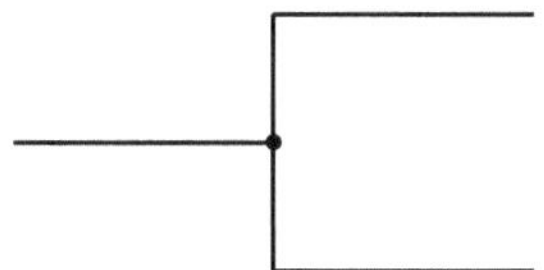

Abb. 147 *Verzweigungsgatter*

Wir können das OR-Gatter durch einen Schaltkreis realisieren, der aus einem AND-Gatter und drei NOT-Gattern besteht:

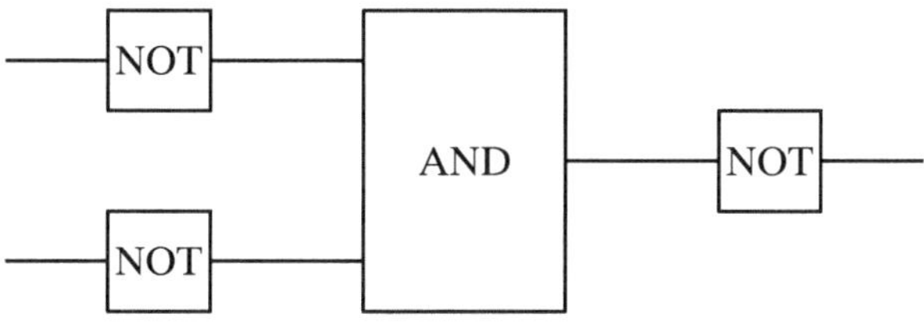

Abb. 148 *OR-Schaltkreis*

Wir rechnen nach, dass dieser Schaltkreis dasselbe tut wie ein OR-Gatter:

$$(x_1, x_2) \xmapsto{\text{NOT}\times\text{NOT}} (x_1 + 1, x_2 + 1)$$

$$\xmapsto{\text{AND}} (x_1 + 1)(x_2 + 1) = x_1 + x_2 + x_1 \cdot x_2 + 1$$

$$\xmapsto{\text{NOT}} x_1 + x_2 + x_1 \cdot x_2 + 1 + 1 = x_1 + x_2 + x_1 \cdot x_2.$$

Das Verzweigungsgatter kann benutzt werden, um eine Kopie eines Bits zu erzeugen, so dass man einerseits damit weiterrechnen kann, sich andererseits aber auch den Wert des Bits für anderweitige Weiterverwendung merken kann.

Klassische Computer sind deterministisch, d.h. dieselbe Eingabe führt beim Durchlaufen desselben Schaltkreises stets zum selben Ergebnis. Das hat auch Nachteile. So können klassische Computer keine echten Zufallszahlen erzeugen.

Nun zu den Quantencomputern. Ein **Quantenbit** (kurz: **Qubit**) ist ein Quantensystem, dessen Zustände nicht durch Werte aus $\mathbb{F}_2$ beschrieben werden, sondern durch einen Vektor in $\mathbb{C}^2$, der Länge 1 hat. Dabei benutzen wir das hermitesche Standard-Skalarprodukt auf $\mathbb{C}^2$ gegeben durch $\langle v, w \rangle = \bar{v}_0 w_0 + \bar{v}_1 w_1$. Wir bezeichnen die Standardbasisvektoren von $\mathbb{C}^2$ mit

$$e_0 = \begin{pmatrix} 1 \\ 0 \end{pmatrix} \quad \text{und} \quad e_1 = \begin{pmatrix} 0 \\ 1 \end{pmatrix}.$$

Die Zustände eines Qubits sind also Vektoren der Form $v = v_0 e_0 + v_1 e_1$ mit $|v_0|^2 + |v_1|^2 = 1$. Ein **Quantenregister** besteht aus n Qubits. Seine Zustände sind Tensoren aus $(\mathbb{C}^2)^{\otimes n}$ der Länge 1. Dabei benutzen wir auf dem Tensorprodukt $(\mathbb{C}^2)^{\otimes n}$ das Skalarprodukt, das durch das Standard-Skalarprodukt auf $\mathbb{C}^2$ induziert wird. Da e_0 und e_1 eine Orthonormalbasis von $\mathbb{C}^2$ bilden, bilden Tensoren $e_{i_1} \otimes \cdots \otimes e_{i_n}$ eine Orthonormalbasis von $(\mathbb{C}^2)^{\otimes n}$, wobei wir alle Multiindizes $(i_1, \dots, i_n) \in \mathbb{F}_2^n$ durchlaufen. Jeder Basisvektor $e_{i_1} \otimes \cdots \otimes e_{i_n}$ entspricht also einem der möglichen Werte eines klassischen Registers bestehend aus n Bits, nämlich dem Wert

Abb. 149 *Quantencomputer*

$(i_1, \dots, i_n) \in \mathbb{F}_2^n$. Daher wollen wir diese Basisvektoren auch als *klassische Zustände* bezeichnen. Die Zustände eines Quantenregisters sind also Linearkombinationen von klassischen Zuständen der Form

$$t = \sum_{(i_1,\dots,i_n)\in\mathbb{F}_2^n} t_{i_1,\dots,i_n} e_{i_1} \otimes \cdots \otimes e_{i_n} \quad \text{mit} \quad \sum_{(i_1,\dots,i_n)\in\mathbb{F}_2^n} |t_{i_1,\dots,i_n}|^2 = 1 \,. \tag{A.38}$$

Sind zum Beispiel $v_1, \dots, v_n \in \mathbb{C}^2$ Zustände von n Qubits, dann ist $t = v_1 \otimes \cdots \otimes v_n$ ein Zustand des Quantenregisters, denn $\|t\| = \|v_1\| \cdots \|v_n\| = 1 \cdots 1 = 1$. Quantenzustände brauchen im Allgemeinen allerdings nicht zerlegbar zu sein. Die nicht zerlegbaren werden **verschränkte Zustände** genannt.

Quantenzustände sind äußerst empfindliche Zeitgenossen. Sie können vom User weder eingegeben noch direkt ausgelesen werden. Sie bleiben nur stabil, solange sie von der Umwelt strikt abgeschottet sind, was ihre technische Realisierung sehr anspruchsvoll macht. Sie können allerdings gemessen werden. Dabei passiert zweierlei: Der Zustand geht in einen klassischen Zustand über und der User wird darüber informiert, in welchen. Quantencomputer sind im Gegensatz zu klassischen Computern nicht deterministisch. Derselbe Quantenzustand kann bei verschiedenen Messungen zu unterschiedlichen klassischen Zuständen führen. Der Quantenzustand legt lediglich fest, mit welcher Wahrscheinlichkeit ein bestimmter klassischer Zustand bei der Messung herauskommt. Genauer gesagt, ist die Wahrscheinlichkeit, dass bei der Messung von

$$t = \sum_{(i_1,\dots,i_n)\in \mathbb{F}_2^n} t_{i_1,\dots,i_n} e_{i_1} \otimes \cdots \otimes e_{i_n}$$

der klassische Zustand $e_{j_1} \otimes \cdots \otimes e_{j_n}$ herauskommt, gegeben durch $|t_{j_1,\dots,j_n}|^2$. Man beachte, dass wegen (A.38) der Tensor

$$\sum_{(i_1,\dots,i_n)\in \mathbb{F}_2^n} |t_{i_1,\dots,i_n}|^2 \, e_{i_1} \otimes \cdots \otimes e_{i_n} \in (\mathbb{R}^2)^{\otimes n}$$

tatsächlich ein Wahrscheinlichkeitstensor ist.

Wie sehen nun Schaltkreise in einem Quantencomputer aus? Wir starten mit einem klassischen Zustand und enden mit einer Messung. Statt der klassischen logischen Gatter werden unitäre Abbildungen $U\colon (\mathbb{C}^2)^{\otimes n} \to (\mathbb{C}^2)^{\otimes n}$ benutzt. Da diese die Länge von Tensoren erhalten, wird ein Quantenzustand stets wieder in einen Quantenzustand überführt.

Beispiel A.29. Die **Hadamard-Transformation** $H\colon \mathbb{C}^2 \to \mathbb{C}^2$, gegeben durch

$$H = \frac{1}{\sqrt{2}} \begin{pmatrix} 1 & 1 \\ 1 & -1 \end{pmatrix},$$

ist sehr beliebt. Sie erfüllt $H^2 = \mathrm{id}_{\mathbb{C}^2}$, ist also ihre eigene Inverse. Daher gilt $\bar{H}^\top H = H \cdot H = \mathrm{id}_{\mathbb{C}^2}$. Sie ist also unitär. Sie überführt den klassischen Zustand e_0 in den Quantenzustand $\frac{1}{\sqrt{2}}(e_0 + e_1)$.

Wir können mit der Hadamard-Transformation einen echten Zufallszahlengenerator bauen. Wir starten mit dem klassischen Zustand $e_{0,\dots,0}$ und wenden die unitäre Transformation $H^{\otimes n}$ an. Wir erhalten den Quantenzustand

$$2^{-n/2}(e_0 + e_1) \otimes \cdots \otimes (e_0 + e_1) = 2^{-n/2} \sum_{I\in \mathbb{F}_2^n} e_I. \tag{A.39}$$

Eine Messung liefert nun einen der klassischen Zustände e_I, alle mit gleicher Wahrscheinlichkeit. Identifizieren wir den gemessenen Multiindex $I = (i_1,\dots,i_n) \in \mathbb{F}_2^n$ mit der Zahl $i_1 \cdot 2^{n-1} + i_2 \cdot 2^{n-2} + \dots + i_n \cdot 2^0$, so erhalten wir eine Zufallszahl aus $\{0,\dots,2^n - 1\}$.

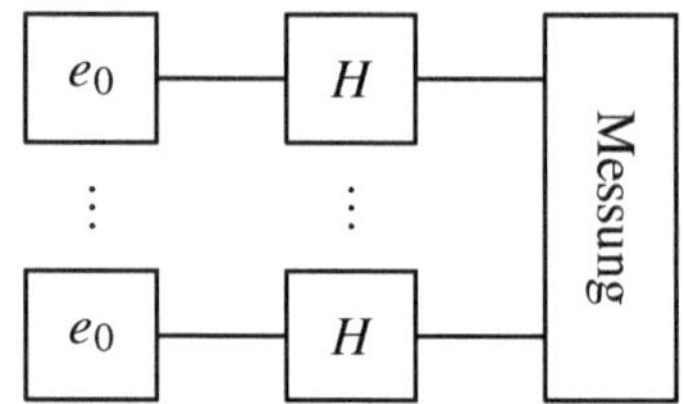

Abb. 150 *Quantenzufallszahlengenerator*

Beispiel A.30. Ist $f\colon \mathbb{F}_2^n \to \mathbb{F}_2$ irgendeine Funktion, so definieren wir

$$U_f\colon (\mathbb{C}^2)^{\otimes(n+1)} \to (\mathbb{C}^2)^{\otimes(n+1)}$$

auf den Basisvektoren durch

$$U_f(e_{i_1} \otimes \cdots \otimes e_{i_n} \otimes e_{i_{n+1}}) = e_{i_1} \otimes \cdots \otimes e_{i_n} \otimes e_{i_n + f(i_1,\ldots,i_n)}.$$

Für jeden Multiindex $I = (i_1, \ldots, i_n) \in \mathbb{F}_2^n$ ist der zweidimensionale Untervektorraum $L(e_I) \otimes \mathbb{C}^2 \subset (\mathbb{C}^2)^{\otimes n} \otimes \mathbb{C}^2 = (\mathbb{C}^2)^{\otimes(n+1)}$ invariant unter U_f. Bezüglich der Basis $e_I \otimes e_0, e_I \otimes e_1$ ist die Einschränkung von U_f gegeben durch die Matrix

$$\begin{pmatrix} 1 & 0 \\ 0 & 1 \end{pmatrix} \quad \text{oder} \quad \begin{pmatrix} 0 & 1 \\ 1 & 0 \end{pmatrix}, \tag{A.40}$$

je nachdem, ob $f(I) = 0$ oder $f(I) = 1$. Beide Matrizen sind unitär. Bei geeigneter Anordnung der Standardbasis von $(\mathbb{C}^2)^{\otimes(n+1)}$ hat die darstellende Matrix von U_f daher eine Blockdiagonalform, wobei jeder Block einer der beiden aus (A.40) ist. Also ist U_f ähnlich wie die Hadamard-Transformation reell, symmetrisch und ihre eigene Inverse und damit unitär.

Wir nennen eine Funktion $f\colon \mathbb{F}_2^n \to \mathbb{F}_2$ **gleichgewichtet**, wenn $\#f^{-1}(0) = \#f^{-1}(1)$, d.h. die Werte 0 und 1 werden gleich oft angenommen. Nehmen wir nun an, wir haben ein Bauteil, das eine uns unbekannte Funktion f berechnet. So etwas wird manchmal als Orakel bezeichnet. Wir wissen lediglich, dass f gleichgewichtet oder konstant ist. Wir wollen nun herausfinden, was denn nun der Fall ist. Ist f konstant oder gleichgewichtet? Diese Frage wurde 1992 von David Deutsch und Richard Jozsa formuliert, um die Überlegenheit von Quantencomputern für gewisse Probleme zu verdeutlichen, siehe [7].

Mit einem klassischen Computer bleibt uns nicht viel anderes übrig, als den Wert von f nach und nach auf den verschiedenen Multiindizes auszuwerten. Sobald wir verschiedene Werte erhalten haben, wissen wir, dass f nicht konstant, also gleichgewichtet ist. Wenn wir Pech haben, erhalten wir aber immer wieder denselben Wert. Dann wissen wir erst, dass f konstant ist, wenn wir mehr als die Hälfte der Multiindizes ausgewertet haben. Wir brauchen also im ungünstigsten Fall $2^{n-1} + 1$ Auswertungen, um sicher zu sein, dass f konstant ist. Rechnet unser Bauteil f langsam, so dauert dies für große n sehr lange, da $2^{n-1} + 1$ für große n riesig ist.

Mit einem Quantencomputer können wir wie folgt vorgehen: Wir starten mit dem klassischen Zustand $e_0 \otimes \cdots \otimes e_0 \otimes e_1 \in (\mathbb{C}^2)^{\otimes(n+1)}$ und wenden die Hadamard-Transformation $H^{\otimes(n+1)}$ an. Gemäß (A.39) erhalten wir den Quantenzustand:

$$2^{-n/2} \sum_{I \in \mathbb{F}_2^n} e_I \otimes \tfrac{1}{\sqrt{2}}(e_0 - e_1) = 2^{-(n+1)/2} \sum_{I \in \mathbb{F}_2^n} e_I \otimes (e_0 - e_1).$$

Darauf wenden wir U_f an und erhalten

$$2^{-(n+1)/2} \sum_{I \in \mathbb{F}_2^n} e_I \otimes (e_{f(I)} - e_{1+f(I)}) = 2^{-(n+1)/2} \sum_{I \in \mathbb{F}_2^n} e_I \otimes (-1)^{f(I)}(e_0 - e_1)$$

$$= 2^{-(n+1)/2} \sum_{I \in \mathbb{F}_2^n} (-1)^{f(I)} e_I \otimes (e_0 - e_1).$$

Wir wenden wieder $H^{\otimes(n+1)}$ an und erhalten den Quantenzustand

$$H^{\otimes n}\left(2^{-n/2} \sum_{I \in \mathbb{F}_2^n} (-1)^{f(I)} e_I\right) \otimes e_1.$$

Wir wollen nun wissen, mit welcher Wahrscheinlichkeit dieser Quantenzustand bei einer Messung in den klassischen Zustand $e_0 \otimes \cdots \otimes e_0 \otimes e_1$ übergeht. Dazu brauchen wir den Koeffizienten des Quantenzustands vor dem Basisvektor $e_0 \otimes \cdots \otimes e_0 \otimes e_1$. Da die klassischen Zustände eine Orthonormalbasis bilden, können wir den Koeffizienten berechnen, indem wir das Skalarprodukt mit $e_0 \otimes \cdots \otimes e_0 \otimes e_1$ bilden:

$$\left\langle H^{\otimes n}\left(2^{-\frac{n}{2}} \sum_{I \in \mathbb{F}_2^n} (-1)^{f(I)} e_I\right) \otimes e_1, e_{0,\ldots,0} \otimes e_1 \right\rangle = \left\langle H^{\otimes n}\left(2^{-\frac{n}{2}} \sum_{I \in \mathbb{F}_2^n} (-1)^{f(I)} e_I\right), e_{0,\ldots,0} \right\rangle \langle e_1, e_1 \rangle$$

$$= \left\langle 2^{-\frac{n}{2}} \sum_{I \in \mathbb{F}_2^n} (-1)^{f(I)} e_I, H^{\otimes n} e_{0,\ldots,0} \right\rangle$$

$$= \left\langle 2^{-\frac{n}{2}} \sum_{I \in \mathbb{F}_2^n} (-1)^{f(I)} e_I, 2^{-\frac{n}{2}} \sum_{J \in \mathbb{F}_2^n} e_J \right\rangle$$

$$= 2^{-n} \sum_{I,J \in \mathbb{F}_2^n} (-1)^{f(I)} \langle e_I, e_J \rangle$$

$$= 2^{-n} \sum_{I \in \mathbb{F}_2^n} (-1)^{f(I)}.$$

Bei der zweiten Umformung haben wir benutzt, dass $H^{\otimes n}$ unitär und selbstinvers ist. Damit ist die Wahrscheinlichkeit, den klassischen Zustand $e_0 \otimes \cdots \otimes e_0 \otimes e_1$ zu messen, gegeben durch

$$\left|2^{-n} \sum_{I \in \mathbb{F}_2^n} (-1)^{f(I)}\right|^2 = \begin{cases} 1, & \text{falls } f \text{ konstant ist,} \\ 0, & \text{falls } f \text{ gleichgewichtet ist.} \end{cases}$$

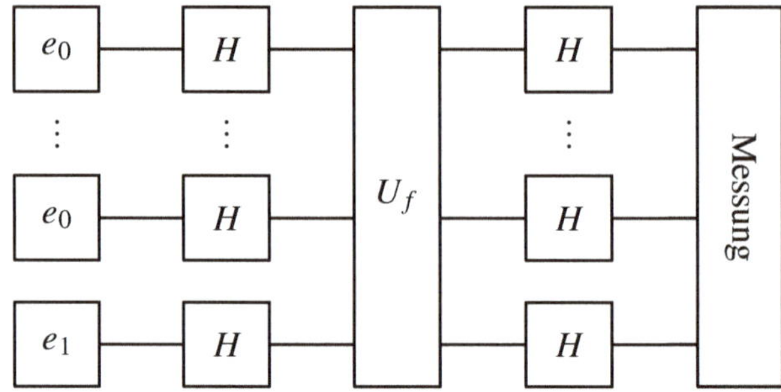

Abb. 151 *Deutsch-Jozsa-Algorithmus*

Damit haben wir das Problem gelöst: Ist f konstant, so messen wir mit Wahrscheinlichkeit 1 den klassischen Zustand $e_0 \otimes \cdots \otimes e_0 \otimes e_1$. Ist f dagegen gleichgewichtet, so messen wir mit Wahrscheinlichkeit 1 irgendeinen anderen klassischen Zustand. Im Unterschied zur klassischen Lösung brauchen wir nur eine einzige Anwendung von U_f, um zu wissen, ob f konstant oder gleichgewichtet ist.

Zum Abschluss dieses Abschnitts wollen wir noch überlegen, ob es für Quantencomputer ein Analogon zum Verzweigungsgatter gibt. Da Quantenzustände beim Messen geändert werden, wäre es praktisch, wir könnten sie kopieren, so dass wir die Messung an der Kopie vornehmen könnten und den Originalzustand für weitere Rechnungen behalten könnten. Dafür bräuchten wir folgendes:

Definition A.31. Seien $n \in \mathbb{N}$ und $m \in \mathbb{N}_0$. Eine unitäre Abbildung $U \colon (\mathbb{C}^2)^{\otimes(2n+m)} \to (\mathbb{C}^2)^{\otimes(2n+m)}$ heißt **Quantenkopierer**, wenn gilt:
Es gibt ein $w \in (\mathbb{C}^2)^{\otimes(n+m)}$ mit $\|w\| = 1$, so dass es für jedes $v \in (\mathbb{C}^2)^{\otimes n}$ mit $\|v\| = 1$ ein $z \in (\mathbb{C}^2)^{\otimes m}$ mit $\|z\| = 1$ gibt mit

$$U(v \otimes w) = v \otimes v \otimes z.$$

Ein solcher Quantenkopierer würde den Quantenzustand der ersten n Qubits erhalten und sie gleichzeitig in die zweiten n Qubits kopieren. Allerdings gilt:

Satz A.32 (No-Cloning-Theorem). *Es gibt keine Quantenkopierer.*

Beweis. Angenommen, U ist ein Quantenkopierer. Für $v_1, v_2 \in (\mathbb{C}^2)^{\otimes n}$ mit $\|v_1\| = \|v_2\| = 1$ gibt es dann $z_1, z_2 \in (\mathbb{C}^2)^{\otimes m}$ mit $\|z_1\| = \|z_2\| = 1$, so dass $U(v_j \otimes w) = v_j \otimes v_j \otimes z_j$. Wir berechnen:

$$\langle v_1, v_2 \rangle = \langle v_1, v_2 \rangle \langle w, w \rangle = \langle v_1 \otimes w, v_2 \otimes w \rangle$$

$$= \langle U(v_1 \otimes w), U(v_2 \otimes w) \rangle = \langle v_1 \otimes v_1 \otimes z_1, v_2 \otimes v_2 \otimes z_2 \rangle = \langle v_1, v_2 \rangle^2 \langle z_1, z_2 \rangle \,.$$

Es folgt mit der Cauchy-Schwarz-Ungleichung, dass

$$| \langle v_1, v_2 \rangle | = | \langle v_1, v_2 \rangle |^2 \cdot | \langle z_1, z_2 \rangle | \le | \langle v_1, v_2 \rangle |^2 \cdot \|z_1\| \cdot \|z_2\| = | \langle v_1, v_2 \rangle |^2.$$

Also ist entweder $\langle v_1, v_2 \rangle = 0$ oder wir können durch $| \langle v_1, v_2 \rangle |$ dividieren und erhalten

$$1 \le | \langle v_1, v_2 \rangle | \le \|v_1\| \|v_2\| = 1.$$

Im letzteren Fall ist also $| \langle v_1, v_2 \rangle | = 1$ und es gilt Gleichheit in der Cauchy-Schwarz-Ungleichung. Das heißt, v_1 und v_2 sind linear abhängig.
Wir haben also gezeigt, dass je zwei Einheitsvektoren in $(\mathbb{C}^2)^{\otimes n}$ entweder aufeinander senkrecht stehen oder kollinear sind. Das ist natürlich Unsinn, denn es gibt sehr wohl Paare von Einheitsvektoren, die weder das eine noch das andere sind, z.B. $v_1 = e_{(0,\dots,0)}$ und $v_2 = \frac{1}{\sqrt{2}}(e_{(0,\dots,0)} + e_{(1,\dots,1)})$. Also kann es keinen Quantenkopierer geben. $\qquad\square$

Bemerkung A.33. In der „Quantenliteratur" wird in der Regel die sogenannte Bra-Ket-Notation benutzt. Man schreibt dann statt $e_{i_1} \otimes \cdots \otimes e_{i_n}$ das Symbol $|i_1, \dots, i_n\rangle$.

B. Was sonst noch interessant ist

B.1. Das griechische Alphabet

In der folgenden Tabelle werden die griechischen Groß- und Kleinbuchstaben aufgelistet zusammen mit ihrer Aussprache. Mitunter sind bei den Kleinbuchstaben mehrere Varianten gebräuchlich.

A	α	alpha
B	β	beta
Γ	γ	gamma
Δ	δ	delta
E	ε, ϵ	epsilon
Z	ζ	zeta
H	η	eta
Θ	ϑ, θ	theta
I	ι	jota
K	$\varkappa$	kappa
Λ	λ	lambda
M	μ	mü
N	ν	nü
Ξ	ξ	xi
O	o	omikron
Π	π	pi
P	ρ	rho
Σ	σ, ς	sigma
T	τ	tau
Υ	υ	upsilon
Φ	φ, ϕ	phi
X	χ	chi
Ψ	ψ	psi
Ω	ω	omega

Tab. 28 *Die griechischen Buchstaben*

© Der/die Autor(en), exklusiv lizenziert an
Springer Fachmedien Wiesbaden GmbH, ein Teil von Springer Nature 2026
C. Bär, *Lineare Algebra und analytische Geometrie*,
https://doi.org/10.1007/978-3-658-51055-8_10

B.2. Beweis des Fundamentalsatzes der Algebra

In diesem Abschnitt beweisen wir den Fundamentalsatz 2.117 der Algebra. Wir formulieren ihn erst einmal so:

Satz B.1 (Fundamentalsatz der Algebra). *Ist $f \in \mathbb{C}[x]$ mit $\deg(f) \geq 1$, so besitzt $\tilde{f}$ mindestens eine Nullstelle.*

Daraus folgt dann die Formulierung aus Satz 2.117:

Korollar B.2. *Jedes komplexe Polynom zerfällt in Linearfaktoren.*

Beweis des Korollars. Schreibe gemäß Lemma 6.23 (iv) das Polynom in der Form $f = (x - \lambda_1)^{r_1} \cdots (x - \lambda_n)^{r_n} \cdot g$, wobei $\tilde{g}$ keine Nullstellen hat. Nach dem Fundamentalsatz ist $\deg(g) \leq 0$, also ist g eine Konstante. $\qquad\square$

Beweis von Satz B.1. Angenommen, $\tilde{f}$ hätte keine Nullstelle. Wir schreiben $f = a_n x^n + \ldots + a_0$ mit $n = \deg(f) \geq 1$ und $a_n \neq 0$.

a) *Behauptung:* Die Funktion $\mathbb{C} \to \mathbb{R}$, $z \longmapsto |\tilde{f}(z)|$, nimmt auf $\mathbb{C}$ ihr Minimum an.

Beweis der Behauptung: Wähle $R > 0$ so groß, dass

$$\frac{|a_{n-1}|}{R} + \ldots + \frac{|a_0|}{R^n} \leq \frac{|a_n|}{2} \quad \text{und} \quad R^n \geq \frac{2|a_0|}{|a_n|}.$$

Dann gilt für alle z mit $|z| \geq R$:

$$\begin{aligned}
|\tilde{f}(z)| &= |a_n z^n + \ldots + a_1 z + a_0| \\
&= \left| z^n \cdot \left(a_n + \ldots + \frac{a_1}{z^{n-1}} + \frac{a_0}{z^n} \right) \right| \\
&= |z|^n \left| a_n + \ldots + \frac{a_1}{z^{n-1}} + \frac{a_0}{z^n} \right| \\
&\geq |z|^n \left(|a_n| - \left| \frac{a_{n-1}}{z} + \ldots + \frac{a_1}{z^{n-1}} + \frac{a_0}{z^n} \right| \right) \\
&\geq |z|^n \left(|a_n| - \left(\frac{|a_{n-1}|}{|z|} + \ldots + \frac{|a_0|}{|z^n|} \right) \right) \\
&\geq R^n \left(|a_n| - \left(\frac{|a_{n-1}|}{R} + \ldots + \frac{|a_0|}{R^n} \right) \right) \\
&\geq R^n \left(|a_n| - \frac{|a_n|}{2} \right)
\end{aligned}$$

$$= R^n \frac{|a_n|}{2} \geq |a_0|. \tag{B.1}$$

Die Scheibe $D_R(0) = \{z \in \mathbb{C} \mid |z| \leq R\}$ ist kompakt und die Funktion $|\tilde{f}|$ ist stetig. Nun benutzen wir die Aussage aus der Analysis, dass stetige Funktionen auf kompakten Mengen stets ihr Minimum annehmen. Also nimmt $|\tilde{f}|$ auf $D_R(0)$ ihr Minimum an, d.h. es gibt ein $z_0 \in D_R(0)$, so dass $|\tilde{f}(z_0)| \leq |\tilde{f}(z)|$ für alle $z \in D_R(0)$ gilt. Insbesondere ist $m := |\tilde{f}(z_0)| \leq |\tilde{f}(0)| = |a_0|$. Wegen (B.1) gilt $m \leq |\tilde{f}(z)|$ für alle $z \in \mathbb{C}$. $\checkmark$

b) O.B.d.A. können nehmen wir an, dass $z_0 = 0$, denn ansonsten betrachten wir statt f das „verschobene" Polynom $g(z) = f(z + z_0)$. Mit $\tilde{g}$ hat dann auch $\tilde{f}$ eine Nullstelle.

Nun ist $m = |\tilde{f}(0)| = |a_0|$ und (nach Annahme, dass $\tilde{f}$ keine Nullstellen hat) $a_0 \neq 0$. Da $\tilde{f}$ und $\frac{1}{a_0} \cdot \tilde{f}$ dieselben Nullstellen haben, können wir o.B.d.A. $a_0 = 1$ annehmen.

Schreibe $f = a_n x^n + \ldots + a_k x^k + 1$ mit $a_k \neq 0$ $(1 \leq k \leq n)$. Wegen $\left|\frac{-|a_k|}{a_k}\right| = 1$ existiert ein $\varphi \in [0, 2\pi)$, so dass $\frac{-|a_k|}{a_k} = e^{i\varphi}$. Für alle z der Form $z = r e^{i\varphi/k}$ mit $r > 0$ gilt

$$a_k z^k = -|a_k| e^{-i\varphi} \cdot r^k \cdot e^{i\varphi} = -|a_k| \cdot r^k < 0.$$

Insbesondere sind solche $z \in \mathbb{R}$. Wir wählen nun ein $\delta > 0$ so klein, dass $|a_k| \cdot \delta^k < 1$ sowie $\left|\frac{a_n}{a_k}\right| \cdot \delta^{n-k} + \ldots + \left|\frac{a_{k+1}}{a_k}\right| \delta < \frac{1}{2}$ gilt. Dann gilt für alle $0 \leq r \leq \delta$ und $z = r e^{i\varphi/k}$

$$\begin{aligned}
|\tilde{f}(z)| &= |a_n z^n + \ldots + a_k z^k + 1| \\
&\leq |a_n z^n + \ldots + a_{k+1} z^{k+1}| + |a_k z^k + 1| \\
&= |a_k z^k| \left|\frac{a_n}{a_k} z^{n-k} + \ldots + \frac{a_{k+1}}{a_k} z\right| + |-|a_k| \cdot r^k + 1| \\
&\leq |a_k| r^k \left(\left|\frac{a_n}{a_k}\right| r^{n-k} + \ldots + \left|\frac{a_{k+1}}{a_k}\right| r\right) + 1 - |a_k| r^k \\
&\leq |a_k| r^k \cdot \frac{1}{2} + 1 - |a_k| r^k \\
&= 1 - \frac{1}{2} |a_k| r^k \\
&< 1 \\
&= \min |\tilde{f}|.
\end{aligned}$$

Dies ist jedoch ein Widerspruch! $\square$

B.3. Praktische Invertierung von Matrizen

Hier fassen wir kurz zusammen, wie man mittels des Gauß-Algorithmus das Inverse einer invertierbaren Matrix praktisch berechnet. Sei also K ein Körper, z.B. $K = \mathbb{R}$. Sei $A \in \mathrm{Mat}(n, K)$ invertierbar. Wir erinnern uns zunächst daran, dass man für $b \in K^n$ das inhomogene lineare Gleichungssystem $Ax = b$ dadurch lösen kann, dass man die erweiterte Koeffizientenmatrix (A, b) durch elementare Zeilenumformungen in spezielle Zeilenstufenform bringt, vergleiche Abschnitt 2.3. Tut man das speziell mit den Vektoren der Standardbasis, also $b = e_j$, dann erhält man so die Vektoren $x_1, \ldots, x_n \in K^n$, für die $A \cdot x_j = e_j$ gilt. Setzen wir dann die x_j als Spalten zu einer Matrix $X = (x_1, \ldots, x_n)$ zusammen, dann gilt

$$A \cdot X = A \cdot (x_1, \ldots, x_n) = (A \cdot x_1, \ldots, A \cdot x_n) = (e_1, \ldots, e_n) = \mathbb{1}_n.$$

Also haben wir mit X die zu A inverse Matrix berechnet, $X = A^{-1}$. Nun muss man allerdings den Gauß-Algorithmus nicht für jede Spalte x_j von A^{-1} separat anwenden, sondern kann viel Rechenarbeit sparen, indem man das gleichzeitig für alle Spalten macht. Dazu stellen wir die n-fach erweiterte Koeffizientenmatrix $(A, e_1, \ldots, e_n) = (A, \mathbb{1}_n)$ auf und überführen sie durch elementare Zeilenumformungen in die Form $(\mathbb{1}_n, X)$. Dann ist X die zu A inverse Matrix.

Beispiel B.3. Wir berechnen die Inverse von $A = \begin{pmatrix} 1 & 0 & 1 \\ 1 & 2 & 2 \\ 2 & 1 & 1 \end{pmatrix} \in \mathrm{GL}(3, \mathbb{R})$. Im ersten Schritt ziehen wir die erste Zeile bzw. ihr Doppeltes von der zweiten bzw. dritten ab:

$$\left(\begin{array}{ccc|ccc} 1 & 0 & 1 & 1 & 0 & 0 \\ 1 & 2 & 2 & 0 & 1 & 0 \\ 2 & 1 & 1 & 0 & 0 & 1 \end{array} \right) \rightsquigarrow \left(\begin{array}{ccc|ccc} 1 & 0 & 1 & 1 & 0 & 0 \\ 0 & 2 & 1 & -1 & 1 & 0 \\ 0 & 1 & -1 & -2 & 0 & 1 \end{array} \right).$$

Nun multiplizieren wir die zweite Zeile mit $1/2$ und ziehen sie anschließend von der dritten ab:

$$\left(\begin{array}{ccc|ccc} 1 & 0 & 1 & 1 & 0 & 0 \\ 0 & 2 & 1 & -1 & 1 & 0 \\ 0 & 1 & -1 & -2 & 0 & 1 \end{array} \right) \rightsquigarrow \left(\begin{array}{ccc|ccc} 1 & 0 & 1 & 1 & 0 & 0 \\ 0 & 1 & 1/2 & -1/2 & 1/2 & 0 \\ 0 & 1 & -1 & -2 & 0 & 1 \end{array} \right) \rightsquigarrow \left(\begin{array}{ccc|ccc} 1 & 0 & 1 & 1 & 0 & 0 \\ 0 & 1 & 1/2 & -1/2 & 1/2 & 0 \\ 0 & 0 & -3/2 & -3/2 & -1/2 & 1 \end{array} \right).$$

Wir multiplizieren die dritte Zeile mit $-2/3$ und ziehen sie anschließend bzw. ihre Hälfte von der ersten bzw. zweiten ab:

$$\left(\begin{array}{ccc|ccc} 1 & 0 & 1 & 1 & 0 & 0 \\ 0 & 1 & 1/2 & -1/2 & 1/2 & 0 \\ 0 & 0 & -3/2 & -3/2 & -1/2 & 1 \end{array} \right) \rightsquigarrow \left(\begin{array}{ccc|ccc} 1 & 0 & 1 & 1 & 0 & 0 \\ 0 & 1 & 1/2 & -1/2 & 1/2 & 0 \\ 0 & 0 & 1 & 1 & 1/3 & -2/3 \end{array} \right) \rightsquigarrow \left(\begin{array}{ccc|ccc} 1 & 0 & 0 & 0 & -1/3 & 2/3 \\ 0 & 1 & 0 & -1 & 1/3 & 1/3 \\ 0 & 0 & 1 & 1 & 1/3 & -2/3 \end{array} \right)$$

Damit haben wir die linke Hälfte der erweiterten Koeffizientenmatrix in die Einheitsmatrix überführt. Die rechte Hälfte ist nun die inverse Matrix,

$$A^{-1} = \begin{pmatrix} 0 & -1/3 & 2/3 \\ -1 & 1/3 & 1/3 \\ 1 & 1/3 & -2/3 \end{pmatrix}.$$

B.4. Beweis des Satzes von der Jordan'schen Normalform

Dieser Abschnitt ist dem Beweis von Satz 6.118 gewidmet. Dazu zunächst eine Definition:

Definition B.4. Ein Endomorphismus $\psi\colon W \to W$ heißt **nilpotent**, falls es ein $\gamma \in \mathbb{N}$ gibt mit $\psi^\gamma = 0$. Für $w \in W \setminus \{0\}$ heißt eine Zahl $k \in \mathbb{N}$ die ψ**-Periode** von w, falls $\psi^{k-1}(w) \neq 0$, aber $\psi^k(w) = 0$.

Wir verwenden hier immer die Konvention, dass $\psi^0 = \mathrm{id}$ für jeden Endomorphismus ψ. In der Notation von Definition B.4 gilt offensichtlich stets $k \leq \gamma$.

Lemma B.5. *Sei* $\psi\colon W \to W$ *nilpotent und* $w \in W \setminus \{0\}$ *habe* ψ*-Periode* k. *Dann sind* $w, \psi(w), \psi^2(w), \ldots, \psi^{k-1}(w)$ *linear unabhängig.*

Beweis. Sei $\alpha_0 w + \alpha_1 \psi(w) + \ldots + \alpha_{k-1}\psi^{k-1}(w) = 0$. Wir wenden ψ^{k-1} auf diese Gleichung an und erhalten

$$
\begin{aligned}
0 &= \psi^{k-1}(0) \\
&= \psi^{k-1}\big(\alpha_0 w + \alpha_1 \psi(w) + \ldots + \alpha_{k-1}\psi^{k-1}(w)\big) \\
&= \alpha_0 \psi^{k-1}(w) + \alpha_1 \psi^k(w) + \ldots + \alpha_{k-1}\psi^{2k-2}(w) \\
&= \alpha_0 \psi^{k-1}(w),
\end{aligned}
$$

da $\psi^k(w) = \ldots = \psi^{2k-2}(w) = 0$. Wegen $\psi^{k-1}(w) \neq 0$ ist $\alpha_0 = 0$ und somit

$$
\alpha_1 \psi(w) + \ldots + \alpha_{k-1}\psi^{k-1}(w) = 0. \tag{B.2}
$$

Anwendung von ψ^{k-2} auf Gleichung (B.2) zeigt dann $\alpha_1 = 0$. Wir fahren induktiv fort und erhalten schließlich $\alpha_0 = \alpha_1 = \ldots = \alpha_{k-1} = 0$. $\qquad\square$

Bemerkung B.6. Wir setzen $Z_\psi(w) := L\big(w, \psi(w), \ldots, \psi^{k-1}(w)\big)$. Aufgrund von Lemma B.5 ist $Z_\psi(w)$ ein k-dimensionaler Untervektorraum von W. Wegen $\psi^k(w) = 0$ ist er auch ψ-invariant. Bezüglich der Basis $(\psi^{k-1}(w), \ldots, \psi(w), w)$ hat $\psi|_{Z_\psi(w)}$ die Matrixdarstellung

$$
\begin{pmatrix}
0 & 1 & & \\
& 0 & \ddots & \\
& & \ddots & 1 \\
& & & 0
\end{pmatrix}. \tag{B.3}
$$

Diese Matrix hat lauter Nullen als Einträge bis auf die Einsen auf der ersten Nebendiagonalen.

Als Nächstes zeigen wir, dass es zu $Z_\psi(w)$ ein ψ-invariantes Komplement gibt, vorausgesetzt w hat größtmögliche ψ-Periode.

> **Lemma B.7 (Zerlegungslemma für nilpotente Endomorphismen).** *Sei W ein endlich-dimensionaler K-Vektorraum und sei $\psi\colon W \to W$ ein nilpotenter Endomorphismus. Das Element $w \in W \setminus \{0\}$ habe größtmögliche ψ-Periode. Dann existiert ein ψ-invarianter Untervektorraum U von W, so dass*
>
> $$W = Z_\psi(w) \oplus U.$$

Beweis. Wir wählen einen ψ-invarianten Untervektorraum $U \subset W$ mit maximaler Dimension, für den noch

$$Z_\psi(w) \cap U = \{0\} \tag{B.4}$$

gilt. Dann ist $Z_\psi(w) \oplus U \subset W$ eine direkte Summe. Es bleibt zu zeigen, dass $Z_\psi(w) \oplus U = W$. Angenommen, das wäre nicht der Fall, d.h. $Z_\psi(w) \oplus U \subsetneqq W$. Dann gäbe es ein $v \in W$ mit $v \notin Z_\psi(w) \oplus U$. Wir wählen nun $j \in \mathbb{N}$ so, dass $\psi^{j-1}(v) \notin Z_\psi(w) \oplus U$, aber $\psi^j(v) \in Z_\psi(w) \oplus U$. Ein solches j existiert, da ψ nilpotent ist. Wir setzen $x := \psi^{j-1}(v)$. Dann gilt $x \notin Z_\psi(w) \oplus U$, aber $\psi(x) \in Z_\psi(w) \oplus U$.

Wir schreiben $\psi(x) = \alpha_0 w + \ldots + \alpha_{k-1}\psi^{k-1}(w) + u$ für ein geeignetes $u \in U$, wobei k die ψ-Periode von w ist. Da k nach Voraussetzung die größtmögliche ψ-Periode ist, ist die von x höchstens k. Es folgt

$$
\begin{aligned}
0 = \psi^k(x)
&= \psi^{k-1}\big(\alpha_0 w + \alpha_1\psi(w) + \ldots + \alpha_{k-1}\psi^{k-1}(w) + u\big) \\
&= \alpha_0\psi^{k-1}(w) + \alpha_1\psi^k(w) + \ldots + \alpha_{k-1}\psi^{2k-2}(w) + \psi^{k-1}(u) \\
&= \underbrace{\alpha_0\psi^{k-1}(w)}_{\in Z_\psi(w)} + \underbrace{\psi^{k-1}(u)}_{\in U}.
\end{aligned}
$$

Da die Summe von $Z_\psi(w)$ und U direkt ist, folgt

$$\alpha_0\psi^{k-1}(w) = 0 \quad \text{und} \quad \psi^{k-1}(u) = 0$$

und somit

$$\alpha_0 = 0 \quad \text{und} \quad \psi^{k-1}(u) = 0.$$

Wir schließen

$$\psi(x) = \alpha_1\psi(w) + \ldots + \alpha_{k-1}\psi^{k-1}(w) + u.$$

Wir setzen $y := x - (\alpha_1 w + \ldots + \alpha_{k-1}\psi^{k-2}(w))$. Dann gilt $\psi(y) = u \in U$, aber $y \notin Z_\psi(w) \oplus U$, denn sonst wäre auch $x = y + \alpha_1 w + \ldots + \alpha_{k-1}\psi^{k-2}(w) \in Z_\psi(w) \oplus U$, was nicht der Fall ist. Wir definieren jetzt $U' := U \oplus K \cdot y$. Da $y \notin U$ gilt, ist $\dim(U') = \dim(U) + 1$. Da U ψ-invariant ist und $\psi(y) \in U \subset U'$ gilt, ist U' ebenfalls ψ-invariant.

Schließlich gilt $Z_\psi(w) \cap U' = \{0\}$. Sei nämlich $w' \in Z_\psi(w) \cap U'$. Zu zeigen ist $w' = 0$. Wir schreiben $w' = \hat{u} + \alpha y$ für ein $\hat{u} \in U$ und ein $\alpha \in K$. Im Fall $\alpha = 0$ ist dann $w' = \hat{u} \in Z_\psi(w) \cap U$

und damit wegen (B.4) $w' = 0$. Im Fall $\alpha \neq 0$ wäre $y = \frac{1}{\alpha}(w' - \hat{u}) \in Z_\psi(w) \oplus U$, was wir oben schon ausgeschlossen hatten.

Der Untervektorraum U' ist also ebenfalls ψ-invariant und erfüllt (B.4), hat aber höhere Dimension als U. Dies widerspricht der Maximalität von $\dim(U)$ unter all diesen Untervektorräumen. $\qquad\square$

Satz B.8 (Zerlegungssatz für nilpotente Endomorphismen). *Sei W ein endlich-dimensionaler K-Vektorraum und sei $\psi: W \to W$ ein nilpotenter Endomorphismus. Dann existieren $w_1, \ldots, w_\ell \in W \setminus \{0\}$, so dass*

$$W = Z_\psi(w_1) \oplus \ldots \oplus Z_\psi(w_\ell). \tag{B.5}$$

Beweis. Wir führen den Beweis mit vollständiger Induktion über die Dimension von W: Ist $\dim(W) = 1$, dann wählen wir irgendein $w \in W \setminus \{0\}$. Wegen $w \in Z_\psi(w)$ ist $\dim(Z_\psi(w)) \geq 1$ und wegen $Z_\psi(w) \subset W$ folgt dann $W = Z_\psi(w)$.

Ist $\dim(W) \geq 2$, dann wählen wir ein $w_1 \in W \setminus \{0\}$ mit maximaler ψ-Periode. Nach dem Zerlegungslemma B.7 gibt es dann einen ψ-invarianten Untervektorraum $U \subset W$ mit $W = Z_\psi(w_1) \oplus U$. Da $\dim(U) < \dim(W)$ ist, gibt es nach Induktionsvoraussetzung Vektoren $w_2, \ldots w_\ell \in U \setminus \{0\}$ mit $U = Z_\psi(w_2) \oplus \ldots \oplus Z_\psi(w_\ell)$ und (B.5) folgt. $\qquad\square$

Korollar B.9. *Sei W ein endlich-dimensionaler K-Vektorraum und sei $\psi: W \to W$ ein nilpotenter Endomorphismus. Dann existiert eine Basis B von W bezüglich derer die darstellende Matrix die Blockdiagonalgestalt*

$$M_B^B(\psi) = \begin{pmatrix} \boxed{c_1} & & & \\ & \boxed{c_2} & & \\ & & \ddots & \\ & & & \boxed{c_\ell} \end{pmatrix}$$

hat, wobei die Blöcke c_j von der Form wie in (B.3) in Bemerkung B.6 sind.

Beweis. Wir wählen $w_1, \ldots, w_\ell \in W \setminus \{0\}$ so, dass wir eine Zerlegung wie in (B.5) in Satz B.8 erhalten. Da die Untervektorräume $Z_\psi(w_j)$ ψ-invariant sind, hat die darstellende Matrix Blockdiagonalgestalt, wenn die Basis B aus Basen dieser Untervektorräume zusammengesetzt wird. Wählen wir nun noch die Basen der $Z_\psi(w_j)$ wie in Bemerkung B.6, dann haben die Blöcke auch die Gestalt wie dort angegeben. $\qquad\square$

Nun haben wir alle Vorbereitungen beisammen, um den Satz 6.118 von der Jordan'schen Normalform zu beweisen.

Beweis von Satz 6.118. Nach Voraussetzung zerfällt das Minimalpolynom in Linearfaktoren; wir können also $M_\varphi(x) = (x - \lambda_1)^{\gamma_1} \cdots (x - \lambda_k)^{\gamma_k}$ schreiben, wobei $\lambda_1, \ldots, \lambda_k$ die paarweise verschiedenen Eigenwerte sind. Satz 6.112 liefert uns die verallgemeinerte Eigenraumzerlegung von φ:

$$V = \ker\left((\varphi - \lambda_1 \cdot \mathrm{id}_V)^{\gamma_1}\right) \oplus \ldots \oplus \ker\left((\varphi - \lambda_k \cdot \mathrm{id}_V)^{\gamma_k}\right) = W_1 \oplus \ldots \oplus W_k,$$

wobei wir $W_j := \ker\left((\varphi - \lambda_j \cdot \mathrm{id}_V)^{\gamma_j}\right)$ gesetzt haben. Wir definieren nun auf jedem Hauptraum W_j einen Endomorphismus ψ_j durch $\psi_j := \varphi|_{W_j} - \lambda_j \cdot \mathrm{id}_{W_j}$. Da die Haupträume φ-invariant sind, bilden die ψ_j tatsächlich W_j wieder nach W_j ab. Nach Konstruktion gilt $\psi_j^{\gamma_j} = 0$. Gemäß Korollar B.9 wählen wir für jedes W_j eine Basis B_j bezüglich derer

$$M_{B_j}^{B_j}(\psi_j) = \begin{pmatrix} \boxed{c_{j,1}} & & \\ & \ddots & \\ & & \boxed{c_{j,\ell_j}} \end{pmatrix}$$

wobei jeder Block $c_{j,m}$ so aussieht wie in (B.3). Bezüglich dieser Basis gilt dann

$$M_{B_j}^{B_j}(\varphi|_{W_j}) = M_{B_j}^{B_j}(\psi_j + \lambda_j \mathrm{id}_{W_j}) = \begin{pmatrix} \boxed{J_{j,1}} & & \\ & \ddots & \\ & & \boxed{J_{j,\ell_j}} \end{pmatrix}$$

mit

$$J_{j,m} = \begin{pmatrix} \lambda_j & 1 & & \\ & \lambda_j & \ddots & \\ & & \ddots & 1 \\ & & & \lambda_j \end{pmatrix}.$$

Setzen wir diese Basen der W_j zu einer von V zusammen, so ist die darstellende Matrix von φ wie in Satz 6.118 behauptet. $\qquad\square$

B.5. Hyperbolische Funktionen

> **Definition B.10.** Die Funktion
>
> $$\cosh: \mathbb{R} \to \mathbb{R}, \quad \cosh(t) = \tfrac{1}{2}(e^t + e^{-t}),$$
>
> heißt **hyperbolischer Kosinus** oder **Cosinus hyperbolicus**, die Funktion
>
> $$\sinh: \mathbb{R} \to \mathbb{R}, \quad \sinh(t) = \tfrac{1}{2}(e^t - e^{-t}),$$
>
> heißt **hyperbolischer Sinus** oder **Sinus hyperbolicus**.

Proposition B.11 (Eigenschaften der hyperbolischen Funktionen). *Für alle $t \in \mathbb{R}$ gilt:*

(i) $\cosh(t)^2 - \sinh(t)^2 = 1$.

(ii) $\sinh' = \cosh$ *und* $\cosh' = \sinh$.

(iii) $\sinh(-t) = -\sinh(t)$ *und* $\cosh(-t) = \cosh(t)$.

(iv) $\cosh(t) \geq 1$.

(v) $\sinh\colon \mathbb{R} \to \mathbb{R}$ *ist bijektiv und streng monoton wachsend.*

Beweis. Die ersten beiden Aussagen rechnet man direkt mit Hilfe der Definition nach. Die dritte ist klar.

Zu „(iv)":

Aussage (i) entnehmen wir

$$\cosh(t)^2 = 1 + \sinh(t)^2 \geq 1$$

und somit

$$|\cosh(t)| \geq 1 \tag{B.6}$$

für alle $t \in \mathbb{R}$. Ferner beobachten wir, dass $\cosh(0) = 1$. Gäbe es nun ein $t \in \mathbb{R}$ mit $\cosh(t) \leq -1$, dann gäbe es nach dem Zwischenwertsatz ein $t' \in \mathbb{R}$ zwischen 0 und t mit $\cosh(t') = 0$ im Widerspruch zu (B.6). Wir beachten dabei, dass $\cosh$ aufgrund seiner Definition eine stetige Funktion ist, so dass der Zwischenwertsatz angewendet werden kann.

Also ist wegen (B.6) $\cosh(t) \geq 1$ für alle $t \in \mathbb{R}$.

Zu „(v)":

Wegen $\sinh'(t) = \cosh(t) \geq 1$ ist $\sinh$ ist streng monoton wachsend, und damit insbesondere injektiv. Zum einen gilt für $t \to \infty$:

$$\sinh(t) = \tfrac{1}{2}(\underbrace{e^t}_{\to \infty} - \underbrace{e^{-t}}_{\to 0}) \xrightarrow{t \to \infty} \infty$$

und daher $\lim_{t \to \infty} \sinh(t) = \infty$. Zum anderen sieht man analog $\lim_{t \to -\infty} \sinh(t) = -\infty$. Ist nun $s \in \mathbb{R}$ gegeben, dann ist $\sinh(t_1) > s$ für hinreichend großes $t_1 \in \mathbb{R}$ und $\sinh(t_2) < s$ für hinreichend kleines $t_2 \in \mathbb{R}$. Nach dem Zwischenwertsatz gibt es ein t zwischen t_1 und t_2 mit $\sinh(t) = s$. Das zeigt die Surjektivität von $\sinh$. $\qquad\square$

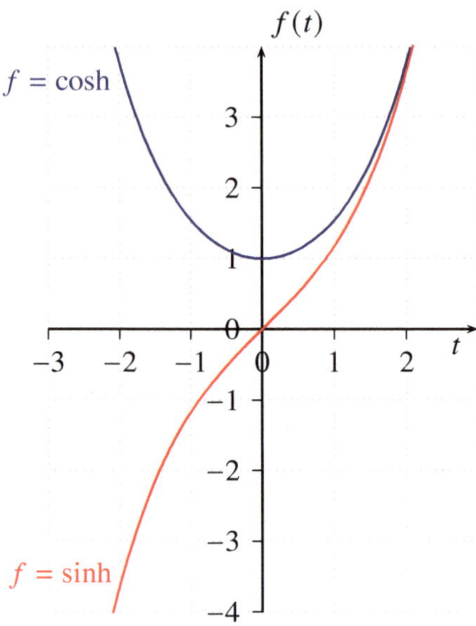

Abb. 152 *Hyperbolischer Sinus und Kosinus*

Literaturverzeichnis

[1] Albrecht Beutelspacher, *Lineare Algebra. Eine Einführung in die Wissenschaft der Vektoren, Abbildungen und Matrizen*, 8. Auflage, Heidelberg: Springer Spektrum, 2014.

[2] Siegfried Bosch, *Lineare Algebra. Ein Grundkurs mit Aufgabentrainer*, 6. Auflage, Berlin: Springer Spektrum, 2021.

[3] Egbert Brieskorn, *Lineare Algebra und analytische Geometrie. I. Noten zu einer Vorlesung mit historischen Anmerkungen von Erhard Scholz*, Braunschweig/Wiesbaden: Vieweg, 1983.

[4] Egbert Brieskorn, *Lineare Algebra und analytische Geometrie. II. Noten zu einer Vorlesung mit historischen Anmerkungen von Erhard Scholz*, Braunschweig/Wiesbaden: Vieweg, 1985.

[5] Egbert Brieskorn, *Lineare Algebra und Analytische Geometrie III. Geometrie im euklidischen Raum. Mit historischen Anmerkungen von Erhard Scholz*, Heidelberg: Springer Spektrum, 2019.

[6] Kurt Bryan und Tanya Leise, *The $25,000,000,000 eigenvector: The linear algebra behind Google*, SIAM Rev. **48** (2006), 569–581, DOI 10.1137/050623280.

[7] David Deutsch und Richard Jozsa, *Rapid solution of problems by quantum computation*, Proc. Royal Soc. London. Series A. Math. and Phys. Sciences **439** (1992), 553–558, DOI 10.1098/rspa.1992.0167.

[8] Gerd Fischer, *Lernbuch Lineare Algebra und Analytische Geometrie*, 4. Auflage, Wiesbaden: Springer Spektrum, 2019.

[9] Gerd Fischer und Boris Springborn, *Lineare Algebra*, 20. Auflage, Berlin: Springer Spektrum, 2025.

[10] Hans Grauert und Hans-Christoph Grunau, *Lineare Algebra und Analytische Geometrie*, München: Oldenbourg Verlag, 1999.

[11] Bertram Huppert und Wolfgang Willems, *Lineare Algebra*, 2. Auflage, Wiesbaden: Vieweg+Teubner, 2010.

[12] Klaus Jänich, *Lineare Algebra*, 11. Auflage, Berlin: Springer Verlag, 2008.

[13] Hans-Joachim Kowalsky und Gerhard O. Michler, *Lineare Algebra*, 12. Auflage, Berlin: Walter de Gruyter, 2003.

[14] Jörg Liesen und Volker Mehrmann, *Lineare Algebra. Ein Lehrbuch über die Theorie mit Blick auf die Praxis*, 4. Auflage, Berlin: Springer Spektrum, 2023.

[15] Reiner Staszewski, Karl Strambach und Helmut Völklein, *Lineare Algebra*, München: Oldenbourg Verlag, 2009.

[16] Hannes Stoppel und Birgit Griese, *Übungsbuch zur Linearen Algebra*, 10. Auflage, Berlin: Springer Spektrum, 2021.

[17] Stefan Waldmann, *Lineare Algebra 1. Grundlagen für Studierende der Mathematik und Physik*, 2. Auflage, Berlin: Springer Spektrum, 2021.

[18] Stefan Waldmann, *Lineare Algebra 2. Anwendungen und Konzepte für Studierende der Mathematik und Physik*, 2. Auflage, Berlin: Springer Spektrum, 2022.

Index

© Der/die Herausgeber bzw. der/die Autor(en), exklusiv lizenziert an
Springer Fachmedien Wiesbaden GmbH, ein Teil von Springer Nature 2026
C. Bär, *Lineare Algebra und analytische Geometrie*,
https://doi.org/10.1007/978-3-658-51055-8